로스쿨교육 1위*
해커스로스쿨

KB094049

합격생을 만드는 **해커스로스쿨 전문 시스템**

해커스로스쿨 스타강사
최신 인강 제공

로스쿨 시험 전문
학원 강의 실시간 업로드

해커스로스쿨
전문 교재

로스쿨 시험 전문
스타강사 커리큘럼 제공

여러분의 합격을 응원하는 **해커스로스쿨의 특별 혜택**

2024~2016 면접 기출문제 해설 &보충자료

EPMP2420EVWL4475

본 교재에 수록된 기출문제 해설&보충자료의
QR코드를 카메라로 스캔 ▶
인증창에 위 인증번호 입력 후 이용

* 1회 인증 시 24시간 동안 추가 인증 없이 사용 가능

해커스로스쿨 LEET 면접 단과강의 5% 할인쿠폰

67F58349K640C000

해커스로스쿨(lawschool.Hackers.com) 접속 후 로그인 ▶
우측 퀵메뉴 내 [쿠폰/수강권 등록] 클릭 ▶
위 쿠폰번호 입력 후 이용

* 쿠폰 등록 후 7일간 사용 가능(ID당 1회에 한해 등록 가능)
* 3만원 미만 단과강의, 첨삭 포함 강의에는 사용 불가

* [로스쿨교육 1위 해커스로스쿨] 주간동아 선정 2023 한국브랜드만족지수 교육(온·오프라인 로스쿨) 부문 1위

해커스로스쿨 lawschool.Hackers.com

해커스

김종수
로스쿨 면접

200주제

3권 | 기출&자소서편

해커스

이 책의 **목차**

이 책의 목차

2권 심화&실전모의편

Part 3 | 심화 시사이슈

이 책의 목차

Part 4 | 면접 모의문제

Part 5 | 면접 모의문제 해설

3권 기출 & 자소서편

Part 6

2024~2016 면접 기출문제

2024~2016 강원대 로스쿨

2024 강원대 로스쿨

① 교수:학생 = 3:1 ② 서면 답안 작성 40분, 대면 면접 시간 10분 ③ 작성한 서면 답안 복사 제공 ④ 추가질문 있음

메모 및 휴대 여부	• 서면문제 풀이실에서 작성한 답안과 문제지, 메모지는 휴대할 수 없음 • 대면 면접 고사실에서 자신이 작성한 서면 답안을 복사해서 면접관 3명과 응시자에게 배부함
대기실 특징	• 전자기기는 제출해야 하고, 자신이 가져온 자료나 책을 볼 수 있음 • 휴게실 있음
문제풀이실 특징	• 특정 인원수 이상이 모여 문제풀이를 함 • 벽시계가 있음
면접고사장 특징	• 준비실과 시험장의 거리가 있음 • 책상에 문제지가 부착되어 있고, 수험생이 작성한 서면 답안 복사지가 놓여 있음
기타 특이사항	• -

2024 | 강원 A 문제

※ [나군 면접] 다음 제시문을 읽고, 서면 답안을 작성한 후 면접장에서 대면 질의에 답하시오.

<제시문 1> A4 용지 절반 정도의 분량

경제적 불평등은 민주주의를 위협하는 큰 문제가 되고 있다. 이에 부자 증세가 논의되고 있다. 그러나 부자들에게 너무 많은 조세를 부과하는 것은 근로 의욕을 떨어뜨리는 등의 다른 문제를 발생시킬 수 있다.

<제시문 2>

아래 법률안이 국회를 통과하였다.

1조. 이 법은 개 식용을 금지함으로써 사람과 동물의 조화로운 공존을 목적으로 한다.

2조. 개 식용을 목적으로 하는 사육, 식품 가공 등을 금지한다.

3조. (복원 불가)

4조. (복원 불가)

<제시문 3>

위 법률안에 대해 A는 찬성하고 B는 반대한다. 다음 각 견해 중 A를 지지하는 것과 B를 지지하는 것을 분류하시오.

견해 1. 개 식용은 외국의 상어 지느러미 식용 등과 같이 문화로 봐야 한다.

견해 2. 축산업으로 인해 개가 사회성을 기르지 못하고 있다. 개의 본성과는 달리 묶어 키우는 등
　　　 으로 인해 공격성을 띠고 정신 질환을 겪는다. 또한 개에게 음식물 쓰레기를 먹이기도 하
　　　 는데, 이는 인간에게 전염병의 위험을 준다.

견해 3. 개를 먹는 것은 다른 음식을 먹는 것과 마찬가지로 개인의 자유다. 이는 헌법에서 일반적
　　　 행동자유권으로 보장하고 있다.

견해 4. 최근 동물 학대, 기후위기에 대한 우려로 동물 복지에 관한 관심이 커지고 있다.

견해 5. 국민건강, 동물 복지 등을 실현하기 위한 식용 금지는 과도한 제한이 아니다.

견해 6. 개는 돼지 등과 달리 식품 관리법 대상이 모호하다. 공적 감시 체계를 도입해야 한다.

견해 7. 여론 조사에서 '나는 개를 섭취할 의향이 있다.'라고 말한 비율이 적었다. 그러나 '개 섭취
　　　 를 법으로 금지해야 한다.'고 응답한 비율도 적었다.

Q1. <제시문 1>에 대한 자신의 견해를 논하시오.

Q2. <제시문 2>의 법률안에 대해 <제시문 3>의 질문에 답하시오.

모범답변

① 교수:학생 = 3:1　　② 서면 답안 작성 40분, 대면 면접 시간 10분　　③ 작성한 서면 답안 복사 제공　　④ 추가질문 있음

2023 강원 A 문제

※ [나군 면접] 다음 제시문을 읽고, 문제에 답하시오.

<제시문 1>
　갑은 자동차를 생산하는 A회사의 대표이사로, 다음과 같은 경영전략을 세웠다.
가. A회사는 기업의 이익을 주주들에게 배분하지 않고, 사내 유보금을 두어 근로자 고용 확대 등에 투자할 수 있다.
나. 자동차 배기가스 배출량을 감축하기 위해 노력하고, 저공해 자동차 생산 공정 신설에 더욱 집중한다.
　갑은 이 경영전략에 따라 전년도의 영업 이익을 주주들에게 배당하지 않기로 결정했다. 이에 주주인 을은 영업 이익을 주주들에게 배당하지 않은 것은 위법한 행위라며 손해배상 소송을 제기했다.

<제시문 2>
　지속가능한 성장에 대한 관심으로 최근 ESG 경영이 주목받고 있다. E는 환경, S는 사회적 책임, G는 지배구조의 투명성이다. 기업은 사회 주체 중 하나로 환경 보호를 위해 노력해야 한다. 사회적 책임에는 고용 확대도 포함된다. 기업지배구조 투명성 확대를 위해서는 주주의 이익도 고려해야 한다.

<제시문 3>
① 기업의 사회적 활동의 구체적인 내용과 방향은 이사회에서 결정하고 주주의 간섭을 받지 않는다. 기업의 존재 목적은 이윤 추구이기 때문에 기업의 책임은 적법한 영업활동에 한정된다. 기업이 사회적 활동을 한다고 할 때 그 활동은 경영자의 개인적 선호에 따른 선택일 것이다. 그러므로 기업은 영업 이익 외에는 더 이상의 책임을 지지 않는다.
② 환경은 미래를 위해 꼭 필요하다. 전 세계는 기후 위기 등의 환경 위협을 극복하기 위해 탄소 제로라는 목표를 실현하고자 노력하고 있다.
③ 기업 경영의 관계자는 주주와 경영진만 있는 것이 아니다. 그 기업의 근로자와 지역사회 구성원 또한 모두 관계자의 범위에 포함되어야 한다.
④ 환경, 사회 문제에 있어서 기업의 역할이 변화해야 한다. 사회적 기업이 대표적인 예시이다.
⑤ 회사는 주주의 이익을 위해 존재하는 것이다.
⑥ (파악이 되지 않았습니다.)
⑦ 현실적으로 모든 이익 관계 주체들의 이익을 충족시킬 수 없다. 특정 이익 주체를 만족시킨다면, 다른 이익 주체의 이익은 필연적으로 훼손될 수밖에 없다.

<제시문 4>
　A회사는 회사법에 따라 회칙을 다음과 같이 정하였다.
제1조. 회사는 영리조직이며, 주주의 이익을 목적으로 사업을 하는 설립 주체이다.

제2조. 회사의 의사 결정은 이사회가 담당하며 대표이사는 이를 구체적으로 시행한다. 이 의사 결정은 회사의 이익과 주주의 이익을 고려한다.

제3조. 회사는 주주, 근로자, 환경 등의 이해관계자를 가진다. 회사의 의사 결정은 회사의 이익, 주주의 이익, 사회적 평판 등을 균형적으로 반영해야 한다.

제4조. 법률의 한도 내에서 회사의 이익 배당 분배를 이사회가 결정할 수 있다.

Q1. <제시문 1>과 <제시문 2>에 공통된 주제를 고려하여 제목을 지으시오.

Q2. <제시문 3>에서 각 견해들은 <제시문 1>의 갑과 을 중 누구를 지지하는지 밝히시오.

Q3. 당신이 판사라면 <제시문 1>의 갑에 대해 어떤 판결을 내릴 것인지 <제시문 4>의 법 조항들을 이용하여 말하시오.

💬 A학생 추가질문

Q4. 본인은 기업의 사회적 역할이 무엇이라 생각하는가?

Q5. 지원자가 판사라면 을이 타당하다고 하면서 주인-대리인 문제를 언급했다. 주인-대리인 문제가 어떻게 연결되는가?

Q6. 사실 기업의 대표이사에게 이익이 된다고 할 수 없지 않은가?

Q7. 기업이 사업으로 돈을 많이 벌어서 세금을 많이 내는 것과 기부를 따로 하는 것 중 어느 것을 선택할 것인가?

Q8. 반대 입장은 무엇이라 주장할 것이라 생각하는가?

Part 1
Part 2
Part 3
Part 4
Part 5
Part 6
Part 7

Q4. 서면 답안에 쓰기는 했으나, 다시 답변해보시오. <제시문 1>과 <제시문 2>를 합쳐서 어떤 제목을 지어야 할까?

Q5. Q2에서 견해 ㉠에 대해 갑을 지지하는 견해로 제시했다. 주주들의 이익을 무시해야 한다는 것처럼 보이는데 그 입장이 맞는 것인가?

Q6. 그 답변은 주주들이 사회적 강자라는 뜻인가?

Q7. 소액주주들과 같이 사회적 약자인 경우도 있다. 이에 대해서는 어떻게 생각하는가?

Q8. 견해 ㉠이 갑을 지지한다는 것이 이해되지 않는다. ESG가 오히려 주주들의 이익이 된다고 했는데, 그렇다면 주주들의 이익을 훼손한 것이 아니지 않은가?

Q9. 견해 ㉠은 을의 견해를 지지하는 것으로 보인다. 어떻게 생각하는가?

Q10. 사회적 약자들을 도울 때 세금을 통해 국가가 복지정책을 시행하는 것과 기업들이 ESG 경영을 하는 것 중 어떤 것이 더 효율적인가?

Q11. Q1에서 제목을 이렇게 설정하며, <제시문 1>의 갈등상황을 구체적으로 나타내지 못한다고 생각된다. 이를 더 구체화하려면 제목을 어떻게 지어야 할 것인가?

모범답변

① 교수:학생 = 3:1   ② 서면 면접 40분, 대면 면접 10분

2022 | 강원 A 문제

※ [서면 면접] 다음 제시문을 읽고, 서면 답안을 작성하시오. (이후 작성한 답안을 바탕으로 면접을 보게 됩니다.)

<제시문 1>

　로데스 섬은 곡물 부족으로 곡물 가격이 폭등해서 많은 사람들이 기아에 고통 받고 있다. 그런데 어떤 사람이 알렉산드리아로부터 많은 곡물을 배에다가 가득 싣고 로데스 섬으로 곡물을 팔러 왔다. 그리고 이 착한 사람은 다수의 곡물 상인들이 배에다가 곡물을 가득 싣고 알렉산드리아를 출항해 로데스 섬으로 오고 있는 중이라는 것을 알고 있다. 이 착한 사람은, 다수의 곡물 수송선이 오고 있다는 사실을 로데스 섬 사람들에게 말해주어야 하는가? 시치미를 떼고 자신의 곡물을 비싼 가격으로 팔아야 하는가?

　甲은 구매자는 판매자가 알고 있는 세세한 사항에 대해 모두 다 알 수 있도록 상품에 대한 모든 사실이 밝혀져야 한다고 주장했다.

　그러나 乙은 판매자가 상품을 팔 때 법에 규정되어 있는 하자를 말하면 충분하고, 속임수를 쓰지 않는 한 가급적 최대 이윤을 남기면서 팔려고 노력해야 한다고 주장했다.

<제시문 2>

　한 선한 사람이 집을 팔려고 시장에 내놓았다. 집을 팔려고 결심한 이유는, 그 집은 거주자에게는 건강에 좋지 않은 집이지만 남들에게는 건강에 좋은 집이라 생각되기 때문이다. 그 집은 모든 침실에서 뱀들이 기어다니고 나쁜 목재로 만들어져 붕괴 위험이 있다. 그러나 집 주인 외에는 아무도 이러한 사실을 모른다. 그런데 만약 판매자가 구매자에게 이 사실들을 말해주지도 않고, 적정 가격이라고 생각한 것보다 더 많은 돈을 받고 집을 팔았다고 해보자. 그는 부정직하거나 부도덕한 행동을 한 것인가?

　甲은 그렇다고 한다. 구매자가 잘못 판단하도록 해서 그를 파멸시키는 것은 아테네서 공개적으로 저주를 받는 일, 즉 길을 잃은 자에게 길을 알려 주지 않는 것과 동일하다. 이것은 길을 알려주지 않는 행동보다도 더 나쁜 행위인데, 사실을 알고 있으면서도 잘못을 저지르도록 상대방을 유도해서 손실을 보도록 한 행위이기 때문이다.

　乙은 그렇지 않다고 한다. 판매자는 집을 사라고 하지 않았고, 구매자로 하여금 집을 사라고 강요한 것도 아니다. 판매자는 자신이 좋아하지 않는 집을 팔기 위해서 내놓았고, 구매자는 자신이 좋아하는 집을 샀을 뿐이다. 사람들은 잘 지어지지도 않았고 훌륭하지도 않은 집을 팔 때에도 좋은 집이라고 써 붙이는데도 이것이 남을 속인 범죄로 간주되지 않는다면 집에 대해 자랑하지 않는 사람은 더더욱 범죄를 저질렀다고 볼 수 없다. 구매자가 정확하게 판단했다면 판매자의 속임수는 통하지 않을 것이다. 또 매매 전에 이야기된 하자에 대해서도 모두 보상받지 못하는데, 이야기도 되지 않은 하자에 대해 보상받을 수는 없는 것이다. 물건을 팔려고 내놓은 자가 그 물건의 결점을 모조리 밝히는 행위를 하는 것처럼 어리석은 행위는 없을 것이다. 집 주인의 명령에 따라 경

매인이 "나는 지금 건강에 해롭고 살기에 나쁜 집을 팔고 있소"라고 소리친다면 그보다도 어리석은 일은 없을 것이다.

Q1. 甲과 乙의 논쟁에서 다음 중 하나를 적용하여 논리적 오류를 찾고, 이를 논해보시오.

① 개념 정의가 잘못된 경우, 개념 포섭이 잘못된 경우
② 유추 적용을 한 경우, 당연 적용을 한 경우
③ 이야기된 하자, 이야기도 되지 않은 하자

Q2. 甲과 乙을 비교하시오. (이 문제는 명확하게 파악할 수 없었습니다.)

Q3. (이 문제는 파악할 수 없었습니다.)

모범답변

2021 강원대 로스쿨

① 교수:학생 = 3:1 ② 서면 면접 40분, 대면 면접 10분 ③ 추가질문 있음 ④ 블라인드 면접
⑤ 서면 면접 답안 복사본을 제공하여 대면 면접 시 참고할 수 있음(원본은 제출)

2021 강원 A 문제

※ [서면 면접] 다음 제시문을 읽고, 문제에 답하시오.

<제시문 1>

비경제적 재화가 시장에서 거래될 수 있는가에 관해 다음과 같은 논쟁이 있다.

• 갑: 거래는 개인의 자유로운 의지에 의존해야 한다. 국가가 개입하게 된다면 개인의 자유를 침해하는 것이다.

• 을: 시장의 거래는 개인의 이익을 증가시킨다. 거래에 참여한 개인 모두에게 해가 되지 않는 한, 전체 공리는 항상 증가한다.

• 병: 시장에서 거래되는 경우 해당 재화나 비경제적 가치가 손실되는 경우가 있다. 이러한 비경제적 가치가 시장의 거래 대상이 된다면 경제적 가치가 비경제적 가치를 잠식하게 될 것이다.

<제시문 2>

(1) 온실가스 배출권 거래제도에 관한 내용이 제시되었다. A국과 B국이 100의 온실가스 배출권을 각각 가지고 있고, 온실가스를 줄이기 위한 개발에 투자하는 비용보다 A국과 B국이 배출권을 거래하는 것이 비용이 적게 든다.

(2) 환경은 경제적 교환의 대상이 될 수 없다. 환경이 경제적 교환의 대상이 된다면, 돈을 내고 환경을 오염시키는 것을 정당화할 우려가 있다.

(3) 생활에 필요한 전기, 물을 사용하여 환경이 오염되는 것은 받아들일 수 있으나, 고의적으로 환경을 오염시키는 행위는 해서는 안 된다.

<제시문 3>

X국은 쓰레기 매립지 후보로 Y시를 선정했다. 주민투표 이전에 실시한 여론조사에서 주민의 동의 비율은 51%였다. 하지만 X국 정부가 Y시에 보조금을 지급하기로 결정한 후에 실시한 여론조사에서는 주민의 동의 비율이 32%로 떨어졌다.

Q1. <제시문 1>과 <제시문 2>의 공통된 주제가 무엇인지 밝히고, <제시문 2>의 (1)과 (2)가 각각 <제시문 1>의 갑, 을, 병, 중 누구 견해의 논거로 사용될 수 있는지 논해보시오.

Q2. 아래의 ①, ②의 허용 가능성을 <제시문 1>과 <제시문 2>의 논거를 사용하여 논해보시오.

> ① 한라산 백록담에 음료수 캔을 버릴 수 있는 허가권을 돈을 받고 판매하자.
> ② 장애인 주차구역에 주차할 수 있는 허가권을 일반인들에게 돈을 받고 판매하자.

Q3. <제시문 3>은 <제시문 1>의 갑, 을, 병 중 누구의 견해를 뒷받침하는 사례가 될 수 있는지 논해보시오.

모범답변

① 교수:학생 = 3:1 ② 서면 면접 40분, 대면 면접 10분 ③ 추가질문 있음 ④ 블라인드 면접
⑤ 서면 면접 답안 복사본을 제공하여 대면 면접 시 참고할 수 있음(원본은 제출)

2020 강원 A 문제

※ [서면 면접] 다음의 중세 오메가국의 상속 규정과 교수와 학생의 대화를 읽고 문제에 답하시오.

X는 전처 소생의 세 아들 A, B, C가 있으며 현재 배우자인 Y에게서 낳은 자식 D와 배 속에 E가 있다. X는 전처에게서 낳은 장성한 세 아들과 심하게 다툰 후 이들에게는 유산을 남기고 싶지 않았고, 현재 배우자의 소생인 D와 배 속의 E에게만 유산을 물려주고 싶었다. 그런데 D가 좋은 직업을 가지고 있다는 점을 고려할 때, 앞으로 태어날 E에게 재산을 주는 것이 옳다고 생각했다. 이에 X는 유언장을 작성하였고 앞으로 태어날 E를 상속인으로 정했다. 그러나 만약 E가 만 14세가 되기 전에 사망한다면 D가 보충 상속인이 된다고 명시하였다. 얼마 후 X가 사망했는데, X 사망 당시 D는 거액의 채무를 지고 있어 노예인 상태였다. 또한 X가 사망한 후 배우자인 Y는 E를 낙태하였다.

유산 상속에 관련한 중세 오메가국의 상속 규정은 아래와 같다.

[규정 1] 상속에 대해 유언이 가능하다.

[규정 2] 유언에서 후순위 상속인을 지정 가능하며 지정한 조건 만족 시 후순위에게 상속이 된다.

[규정 3] 유언이 없거나 유언대로 상속이 불가능하면 사망한 자의 처와 자식이 균등하게 상속받아야 한다.

[규정 4] 노예가 아닌 자유인에게만 상속해야 한다.

- 교　수: 위의 상속 규정은 중세 오메가국의 상속 규정인데, 규정 4는 오메가국의 위계질서를 지키기 위한 목적으로 제정되었다고 알려져 있다. 약속과 규정에 대한 다음의 두 사례를 통해 위 사례를 살펴보자. 한 아버지가 아들이 1학기와 2학기의 평균 평점 3.5 이상이 될 경우 말 한 필을 사주기로 약속했다. 아들은 1학기 성적이 4.0을 넘었으나, 학교의 사정으로 인해 2학기에는 시험을 못 치게 되어 2학기 성적은 공란이 되었다.

- 학생 1: 약속은 문구 그대로 엄격하게 해석해야 한다. 2학기 성적이 공란이기 때문에 약속 그대로 말 한 필을 선물해서는 안 된다.

- 학생 2: 약속의 목적을 생각해야 한다. 아들이 공부를 열심히 하게 하려는 아빠의 목적을 생각해야 하고 아들은 이에 1학기 성적 4.0을 받아 약속한 3.5를 넘었다.

- 교　수: 규정에 '전쟁 중에 성문을 열면 사형에 처한다'는 규정이 있다. 그런데 전쟁 중에 아군이 성문 앞에 와서 성문을 열어주었다.

- 학생 1: 규정 입법의 목적, 입법자의 의도를 고려해 아군 병사들에게 성문을 열어준 병사를 사형에 처하면 안 된다.

- 학생 2: 규정은 약속과 달리 엄격하게 그 문구 그대로 해석해야 한다. 약속은 개인 간에 적용되는 것이지만, 규정은 사회 구성원 모두가 그 대상이 되기 때문이다. 규정이 문제가 된다면 입법을 통해 바꾸어야지 임의적으로 해석해서는 안 된다. 따라서 병사를 사형에 처해야 한다.

Q1. 학생 1은 본 유산 문제에 있어서 유산 상속을 누가 받게 될 것이라고 예상할지 서술해보시오.

Q2. 학생 2는 본 유산 문제에 있어서 유산 상속을 누가 받게 될 것이라고 예상할지 서술해보시오.

Q3. D만이 유산 상속을 받게 하기 위해서는 위 해석 중 어떤 해석을 적용해야 하는지 서술해보시오.

💬 A학생 대면 면접 질문

Q1. 자신의 서면 면접 답변에 대해 요약해보시오.

Q2. 서면 면접의 **Q2**에 대한 자신의 답변을 좀 더 구체적으로 말해보시오.

Q3. 유언에 명시가 안 되었으면 A, B, C와는 상관없지 않은가?

Q4. 유언에 의하면 E가 만 14세 전에 사망해야 D에게 상속이 된다고 했다. E는 태어나지도 않았으니 사람으로서 고려 대상이 아닌 것 같은데, 이에 대해 어떻게 생각하는가?

Q5. 답변자의 평소 신념에 따르면 어떤 해석이 타당하다고 생각하는가? 학생 1, 2 또는 서면 면접 답변과 일치하지 않더라도 좋다.

Q6. 법적 개념 외에 상속에 대해 정의해보시오.

Q7. 상속과 증여를 구분해서 답해보시오.

Q8. 해외에는 반려동물에게 상속하는 사례가 많아지고 있다. 이에 대한 자신의 견해는 어떠한가?

💬 B학생 대면 면접 질문

Q1. 서면 면접에 작성한 답변 외에 다른 각도에서 서술하고 싶었던 내용이 있다면 지금 추가해서 말해보시오.

Q2. 산모가 원해서 하는 낙태도 있지만, 유산이나 외부 요인에 의해 일어나는 경우도 있다. 이 사례의 경우는 어떤가?

Q3. 우리나라 현행 상속제도에 대해서는 어떻게 생각하는지, 지원자가 생각하는 장점과 단점을 간단하게 말해보시오.

Q4. 지원자의 서면 면접 각 답변에 상속자의 의도를 고려하여 답변했다는 것인가?

💬 C학생 대면 면접 질문

Q1. A, B, C도 X의 자녀인데 X의 유언만으로 한 푼도 상속받지 못하게 되는 것은 부당하지 않은가? A, B, C는 어떻게 보호할 수 있는가?

Q2. 서면 면접의 Q1에서는 태아의 수증 능력에 따라 결론을 나누었는데 왜 서면 면접의 Q2에서는 나누어 서술하지 않았는가? 수증 능력을 부정하면 바로 법정상속으로 가는 것이 아닌가?

💬 D학생 대면 면접 질문

Q1. 지원자는 학생 1과 2 중 어떤 입장인가?

Q2. 요즘에는 자신이 키우는 반려동물에게 상속하고자 하는 경우도 있다. 어떤 문제가 있고 해결방법에는 무엇이 있는지 자신의 생각을 자유롭게 말해보시오.

Q3. 현재 상속제도에서는 빚도 상속되기에 많은 사람들이 힘들어 한다. 현재 상속제도에 대해 어떻게 생각하는가?

모범답변

① 교수:학생 = 3:1   ② 서면 면접 40분, 대면 면접 대기 10분   ③ 서면 면접 답안을 바탕으로 대면 면접 10분 진행

2019 강원 A 문제

※ [서면 면접] 다음 제시문을 읽고, 문제에 답하시오.

<제시문 1>

A는 신도시 개발 사업 중 자신의 토지보상액에 불만을 품게 되었다. A는 시너와 성냥 등을 준비해서 인적이 드문 야간에 국보 1호인 숭례문에 잠입하여 준비한 시너를 뿌리고 성냥으로 불을 붙였다. 화재발생 직후 소방관이 출동하였으나 국보라는 점을 과하게 인식하여 적극적인 진압을 하지 않았다. 또한 화재 발생 40분 후 진압되었다고 판단하고 진압을 중단하였으나 화재가 재발했다. 결국 숭례문은 극히 일부만을 남기고 전소하였다.

<제시문 2>

B는 한국과 미국 간 농수산물 자유무역협정에 불만을 품게 되었다. B는 SNS를 통해 자신의 불만에 동조하는 농민과 시민들을 모집하여 세종시 정부종합청사 앞에서 대규모 시위를 하였다. 시위 도중 경찰이 시위대를 향해 무리한 진압을 하였고 시위대 측은 준비했던 화염병을 던졌다. 그러던 중 경찰 방패와 화염병이 부딪히며 발생한 불씨가 인근 상가로 번져 화재가 발생했다. 화재 발생 직후 소방관이 출동하여 적극적으로 진압하고자 했으나 화재 현장 주변의 시위대가 떠나지 않아 초기에 화재를 진압하지 못했고 인근 상가로 불이 번져 10억 원 상당의 피해가 발생했다.

Q1.   A와 B의 행동에 있어 차이점이 무엇인지 최대한 다양하게 서술해보시오.

Q2.   그러한 차이점이 A와 B에 대한 비난 가능성에 있어 어떻게 작용할 수 있는지 서술해보시오.

모범답변

① 교수:학생 = 3:1 ② 서면 면접 40분, 대면 면접 대기 10분 ③ 서면 면접 답안을 바탕으로 대면 면접 10분 진행

2018 강원 A 문제

※ [서면 면접] 다음 제시문을 읽고, 문제에 답하시오.

<제시문 1>
- A원칙: 어떤 행위가 인간의 건강과 환경에 위험하지 않다는 것이 증명되지 않았다면 필요한 사전 예방조치를 하여야 한다. 이에 따르면 위험한지 여부를 해석하는 데 정치적인 개입이 있을 수 있다.
- B원칙: 어떤 문제를 해결함에 있어서 예방에 필요한 비용과 예방을 하지 않았을 때 드는 비용을 비교해서 선택함이 타당하다.

<제시문 2>
- 논거 1: 증명하려면 적극적으로 증거를 제시해야 한다. 증명할 수 없음을 근거로 삼는 것은 무지에 호소하는 것이다.
- 논거 2: 무지에 호소한다고 할 수 없다. 예컨대 총에 총알이 들어있는지 모른다고 해서 사람에게 총을 쏘는 것은 위험한 것이다.
- 논거 3: 위험은 아무리 강조해도 지나치지 않다. 어떤 행위를 하고자 하는 사람이 그 행위가 위험하지 않다는 것을 증명해야 한다.
- 논거 4: 절대 위험하지 않은 것은 없다. 단지 위험이 예측된다는 이유로 선택하지 않는다면 그로 인해 얻을 수 있는 편익을 잃을 수 있다.
- 논거 5: 위험하지 않은 기술은 없지만 안전한 기술은 큰 혜택을 가져온다. 기술 도입 전에 안전성을 검증해야 한다.

Q1. 논거 1~5를 사용하여 A원칙의 타당성을 논해보시오.

Q2. 원자력 발전소 건설 찬반에 대하여, B원칙에 따라 제시문의 논거를 이용해 논증해보시오.

모범답변

① 교수:학생 = 3:1   ② 서면 면접 40분, 대면 면접 대기 10분   ③ 서면 면접 답안을 바탕으로 대면 면접 10분 진행

2017 강원 A 문제

※ [서면 면접] 다음 제시문을 읽고, 문제에 답하시오.

> 인공지능 로봇 사업을 하는 A는 사업을 함께 할 여러 분야의 전문가들을 모으고자 한다.
> - A는 사업구상 아이디어와 토지와 건물을 출자하고, 회사 이익이 흑자인 경우에 배당금을 받는다.
> - B는 기술개발을 담당하고, 매달 임금을 받는다.
> - C는 제조를 담당하고, 매달 임금을 받는다.
> - D는 10억 원의 자금을 빌려주고, 원금에 대한 이자를 받으며 언제든 원금을 회수할 수 있다.
> - E는 마케팅을 담당하고, 매달 임금을 받는다.
> - F1~F5(5명)은 각각 2천만 원을 출자했고, 회사에 이익이 발생한 경우 배당금을 받는다.
> - G1~G10(10명)은 생산자 관리직이며, 매달 임금을 받는다.
>
> 각 구성원들은 자신에게 이익이 되는 일은 열심히 했으나, 다른 사람의 업무와 연결된 업무에서는 타인이 해결하기를 기대하고 일을 적당히만 해서 문제가 되었다. A는 이러한 문제를 해결하기 위해 리더십을 가진 대표자를 뽑기를 원한다.
>
> <제시문 1>
> 모든 사회의 일들은 계약으로 이루어진다. 고용계약도 마찬가지인데, 현실적 여건상 모든 노동의 내용들을 계약에 담을 수 없다. 여기서 불완전한 계약이 발생한다. 이러한 계약으로 갑작스럽게 비일상적인 일이 발생하면 의사결정권을 가진 사람이 정리를 해나갈 필요가 있다. 이때 의사결정권은 회사의 수익이 증대됐을 때 경제적 인센티브를 가장 많이 얻을 수 있는 자가 갖거나 그자가 선택한 자가 가져야 한다.
>
> <제시문 2: X국의 회사법>
> 제1조 회사는 영리를 추구하는 영리사업체이다.
> 제2조 회사의 대표자는 잉여금 수익자의 이익을 최대한으로 달성할 수 있게 하여야 한다.
> 제3조 회사의 이익에 중대한 영향을 끼치는 결정을 하여야 할 때, 잉여금 수익자들의 의결권은 다수결의 의사에 의한다.
> 제4조 대표자가 이 법률을 어겨서 회사에 중대한 손해를 끼치는 경우 잉여금 수익자들은 대표자에게 회사의 손해 배상을 청구할 수 있다.

Q1. <제시문 2>를 관통하는 단어나 문장을 사용해서 <제시문 1>의 사업의 수익이 저하된 원인과 해결책을 제시해보시오.

Q2. A는 대표자를 선출할 수 있는 투표권을 A와 F1~F5에게만 주어야 한다고 주장한다. A의 입장에서 <제시문 1>, <제시문 2>를 근거로 이 주장을 강화해보시오.

Q3. A가 로봇 사업을 하던 중 고위 공무원 '갑'이 복지정책에 쓰고 싶다며 무상으로 로봇 1,000대를 내놓으라고 한다. A는 이를 주지 않으면 회사에 불이익이 생길 것 같아 무상으로 제공했는데, 그 이후로 회사의 사업이 적자가 되었다. 이에 잉여금 수익자들은 분노하여 A에게 회사의 손해를 배상하라고 청구하려고 한다. A의 손해배상에 관한 의견을 제시해보시오.

Q4. Q2와 관련하여 A가 생각하기에, C는 출자금을 냈음에도 의사결정권자가 될 수 없는 이유가 무엇인가?

Q5. Q2와 관련하여, A가 회사 지분의 80%를 갖는다면 이렇게 잉여금 수익자들에게만 의결권을 주는 것은 비민주적일 수 있다. 이 점에 대해서 어떻게 생각하는가?

모범답변

2016 강원대 로스쿨

① 교수:학생 = 3:1 ② 서면시험 45분, 대면 면접 대기 10분 ③ 서면시험 답안을 바탕으로 대면 면접 12분 진행

2016 강원 A 문제

※ [서면 면접] 다음 제시문을 읽고, 문제에 답하시오.

경쟁영업 금지에 관한 법률이 제시됨

Q1. A는 B미용실에 입사해 일하면서, B미용실의 독자적인 헤어컷 기술과 독자적인 염색약 제조 방법을 익혔다. 그런데 A는 입사 시 약정서를 작성하였는데 이 내용은 퇴직 후 2년 이내에는 해당 지역에서 머리를 염색하는 영업을 하지 않겠다는 것이다. 그런데 A는 B미용실에서 일하면서 B미용실의 염색 기술을 바탕으로 자신의 독자적인 기술을 더해 이보다 훨씬 뛰어난 염색약을 제조하는 방법을 발명했다. 이후 A는 B미용실을 그만두고 미용실을 개업했다. 그러자 B미용실 측은 A를 상대로 소송을 제기했다. A와 B미용실 중 어느 입장이 타당하며, 그렇게 생각한 근거는 무엇인지 논리적으로 답변해보시오.

Q2. A의 미용실 영업이 가능한지 여부에 대해 답변해보시오.

모범답변

2024~2016 건국대 로스쿨

2024 건국대 로스쿨

① 교수:학생 = 3:1   ② 면접 준비 10분, 면접 시간 10분   ③ 메모 불가   ④ 추가질문 있음

메모 및 휴대 여부	• 메모는 가능하지 않으며, 문제지는 면접실 책상에 부착되어 있음
대기실 특징	• 도착 후 부여하는 임의 번호에 따라 좌석이 배정됨 • 입실 완료 시간이 되면 전자기기를 수거하고, 대기시간 동안 개인이 지참한 서면 자료는 열람 가능함
문제풀이실 특징	• 이전 지원자가 문제풀이를 끝내고 면접실로 이동하면, 진행요원의 안내에 따라 10분 동안 문제를 풀게 됨
면접고사장 특징	• 면접관과 지원자 간의 거리는 가까운 편이며, 기조발언을 3분간 하게 됨
기타 특이사항	• 면접조는 12명씩 5개 조로 구성됨

2024 건국 A 문제

※ [가군 면접] 다음 제시문을 읽고, 문제에 답하시오.

> (가) 전관예우 등 사법부에 대한 국민의 불신이 있다.
>
> 인간은 편향적 사고를 하므로 AI 판사가 도입되면 공정한 재판을 기대할 수 있다.
>
> 흑인들에게 AI 판사가 인종 차별적인 성향을 가졌다는 것을 알려주었다. 그러나 흑인들은 AI 판사 도입에 찬성했는데, 판사 대부분이 백인 중년 남성이기 때문인 것으로 보인다.
>
> (나) 인간은 단지 기존 판례에 기초한 판단만을 내리지 않는다. 미란다 원칙이 최초로 적용되었을 때, 판사가 기존 판례와는 다른 새로운 판단을 하여 새로운 질서를 확립했다.

Q1. 제시문 (가)와 (나)의 입장을 비교한 후, 자신의 견해를 밝히시오.

💬 A학생 추가질문

Q2. 국민들이 합의하였기 때문에 사법부가 정당성을 갖는 것이라 하였다. 그렇다면 국민들이 AI 판사 도입에 합의하였거나, 인간 판사와 AI 판사 중 선택하기를 합의하여 찬성한다면 어떠한가?

Q3. (가)에 따르면 위 논의의 배경은 국민들의 법신뢰 저해이다. 해결방법으로 가장 중요하게 생각하는 것은 무엇인가?

Q4. AI가 사실판단의 영역에서 활용될 수 있다고 하였다. 구체적인 예시는 무엇이 있는가?

Q2. 민사재판과 형사재판은 차이가 있다. (차이점에 대한 구체적 설명) AI 판사를 민사재판과 형사재판 모두 도입해서는 안 된다고 생각하는가?

Q3. AI 판사의 도입이 어렵다면, 재판 과정에서 AI를 도입할 수 있는가?

Q4. AI 판사와 관련된 헌법 조항이 무엇이 있는지 제시할 수 있는가?

2024 건국 B 문제

※ 다음 제시문을 읽고, 문제에 답하시오.

> 강남대로를 중심으로 서쪽 거리에는 공공 쓰레기통이 없는 반면, 동쪽 거리에는 공공 쓰레기통이 있다. 그 차이는 관할 구청이 다르기 때문이다.
>
> 서초구는 행인들과 주민들이 생활쓰레기를 공공 쓰레기통에 버리기 때문에 2012년부터 거리 쓰레기통 140개를 모두 없앴다. 서초구청 관계자는 "쓰레기통이 있으면 그 안에 음식물쓰레기부터 아이들 기저귀까지 각종 처치 곤란한 쓰레기들이 버려져 처리 비용이 만만치 않다. 이는 쓰레기 종량제라는 제도 자체를 무색하게 만드는 행위"라고 했다.
>
> 강남구에는 934개의 쓰레기통이 있다. 유동인구가 100만 명에 이르는 강남대로는 최소 하루 두 번 쓰레기통을 비운다. 강남구청 관계자는 "쓰레기통이 없으면 화단이나 도로변에 쓰레기를 버리기 때문에 도로가 지저분해지고 주민들도 불편을 느끼기 때문"이라고 했다.
>
>
>
> 공공 쓰레기통

Q1. 공공 쓰레기통을 설치하거나 없애는 것에 대한 본인의 의견을 논하시오.

추가질문

Q2. 공공 쓰레기통의 설치, 처리 비용은 누가 부담해야 하는가?

모범답변

① 교수:학생 = 3:1   ② 면접 준비 10분, 면접 시간 10분(기조발언 5분)   ③ 메모 불가   ④ 추가질문 있음

2023 건국 A 문제

※ [가군 오전 면접] 다음 제시문을 읽고, 문제에 답하시오.

> 가상의 상황이며 주어진 조건은 아래와 같다.
> 1. 포유류와 어류는 고통을 느끼는 종이라는 것이 과학적으로 증명되었다.
> 2. 곤충은 고통을 느끼지 못하는 종이라는 것이 과학적으로 증명되었다.
> 3. 포유류와 어류 외 고통을 느끼는 종을 모두 '포유류 등'이라고 표기하기로 한다.
> 4. 곤충과 곤충 외 고통을 느끼지 못하는 종을 모두 '곤충 등'이라고 표기하기로 한다.
>   대한민국과 문화가 유사한 국가 A는 인간의 오락이나 스포츠를 위한 포유류 가해행위를 처벌하고 있다. 가해행위는 동물에게 신체적 훼손을 가하거나 죽이는 것을 의미한다. 다만, 의약품 개발, 식용 등의 제한적으로 정당한 사유가 있을 때는 예외로 할 수 있다.
> 1. 어류를 대상으로 하는 오락용 낚시는 정당한 사유에 포함된다.
> 2. 곤충은 가해행위의 대상이 되지 않는다.
>   甲은 다음과 같이 주장한다.
> ① 곤충 살해행위도 처벌해야 한다. 고통을 느끼느냐를 기준으로 포유류와 곤충을 나누어 달리 처벌하는 것은 옳지 않다. 따라서 포유류는 가해행위의 대상이 되고 곤충은 가해행위의 대상이 되지 않는 것은 옳지 않다.
> ② 곤충과 포유류 모두 동등하게 생명의 가치가 있으므로 포유류와 곤충은 같게 취급해야 한다. 인간의 경우 폭력 행위와 살인 행위를 달리 처벌하는 것처럼, 포유류에게 신체적 훼손을 가하는 것보다 곤충을 살해하는 행위를 더 강하게 처벌해야 한다.
> ③ 어류에 대한 오락용 낚시도 마찬가지로 처벌해야 한다. 가해행위의 대상을 포유류로 한정하는 것이 옳다고 하더라도, 어류를 대상으로 하는 낚시는 가해행위임이 분명하다.
>   乙은 다음과 같이 주장한다.
> ④ 포유류 가해 및 살해행위는 처벌해야 하지만, 곤충 살해행위는 처벌할 필요가 없다.
> ⑤ (포유류 살해와 곤충 살해를 구분하는 근거에 대한 내용)
> ⑥ 어류를 대상으로 하는 오락용 낚시를 가해행위로 보아 처벌할 필요는 없다.
>   (오락 수요가 많다는 내용 등의 근거가 제시됨)

Q1. 甲과 乙의 의견을 서술하고, 본인의 의견을 논하시오.

Q2. 사회 구성원이 합의만 하면 다 괜찮다는 것인데 그렇다면 합의만 된다면 어떤 것이든 다 허용해야 하는가?

Q3. 국민들이 합의를 하여 대량 학살이 이미 일어나고 난 뒤에는 어떻게 하는가?

Q4. 동물의 권리보호 문제가 그렇게 중요한 문제인가?

Q5. 지원자는 인간, 동물, 식물의 기준에 맞게 달리 대해야 한다고 했는데, 이 기준이 모호해질 수 있다. 그리고 지원자는 절차적 정당성만을 기준으로 말을 하였는데, 절차적 정당성만 보장된다면 동물의 권리를 보호할 수 있겠는가?

Q6. 마지막으로 30초간 하고 싶은 말 있는가?

B학생 추가질문

Q2. 곤충 살해는 처벌해야 하는가? 甲, 乙의 진술을 참고하여 본인의 의견을 논하시오.

Q3. 동물 살해와 식물 살해는 다르게 처벌해야 하는가?

Q4. 인간과 가까운 포유류와 거리가 먼 포유류는 다르게 처벌해야 하는가?

Q5. 오락용 목적 어류 낚시는 규제해야 하는가?

Q6. 그럼 결국 오락용 어류 낚시를 금지해야 한다는 입장인 것인가?

모범답변

2022 건국대 로스쿨

① 교수:학생 = 3:1　② 면접 준비 15분, 면접 시간 10분　③ 메모 불가, 휴대 불가

2022 │ 건국 A 문제

Q1. **[공통]** 1분 이내로, 법학전문대학원 지원동기와 건국대 법학전문대학원에 지원한 이유를 말해보시오.

2022 │ 건국 B 문제

※ **[가군 오전 면접]** 다음 제시문을 읽고, 문제에 답하시오.

> 갑은 학교 동아리 공연에서 얼굴을 검은 물감으로 칠해 흑인 분장을 하고 아프리카 전통 춤 공연을 하였다. 이를 본 을이 갑의 피부 분장을 문제 삼았다.
> - 을: 얼굴을 검은 색으로 칠한 것은 흑인이 불쾌감을 느낄 수 있는 인종차별적 행동이야. 1830년대부터 미국에서 블랙페이스 분장을 하고 우스꽝스러운 춤과 행동을 하며 흑인을 희화화하는 공연이 유행했어. 1960년대에는 인권운동을 통해 이러한 행동이 인종차별적 행위임을 알리는 목소리가 커졌지.
> - 갑: 난 흑인을 희화화하기 위해 분장을 한 게 아니야. 그저 아프리카 전통 춤을 잘 표현하려고 했던 것뿐이야. 너의 논리대로라면 젊은 사람이 노인을 연기해서 노인이 불쾌감을 느꼈다면 그것도 금지해야 되는 것이네?
> - 을: 단순히 불쾌감을 느끼고 느끼지 않고의 문제가 아니야. 흑인이 아닌 백인이 흑인 분장을 하며 흑인을 따라했던 게 문제라니까?
> - 갑: 따라한 게 왜 잘못이야? 그럼 장애가 없는 사람이 장애인을 연기하는 것도 잘못이겠네.
> - 을: 그럼 예시를 한국인으로 바꿔보자. 미국 토크쇼에서 한류 열풍의 원인이 무엇인지 알아보자면서 '눈 찢기' 제스처를 했다면, 이걸 보는 한국인이라면 불쾌하지 않을까? 너도 한국인이잖아.
> - 갑: 나는 불쾌하지 않은데? 토크쇼 진행자가 한국인을 비하하려는 목적이 없었다면 말이야. 그리고 한국인이 백인보다 눈이 가는 것은 사실이잖아. 사실을 있는 그대로 표현한 것뿐인데 이게 왜 인종차별적 행동이야?
> - 을: 그래. 너의 의견은 알겠어. 그렇지만 나는 이 길로 학생회 구성원들에게 흑인 분장의 잘못된 점을 알리고 '앞으로 학교 축제에서는 흑인 분장을 내용으로 하는 공연을 금지한다'는 규칙을 명문화시키겠어.

Q1. 갑과 을의 대화를 보고 갑의 행동에 대한 자신의 의견을 논해보시오.

Q2. 갑의 입장으로도 대답해보시오.

Q3. 학생회에서 흑인 분장 공연을 금지시키는 것에 찬성했다면, 이렇게 일괄적으로 금지하는 것이 표현의 자유 측면에서 더 위험하지 않은가?

2022 건국 C 문제

※ [가군 오전 면접] 다음 제시문을 읽고, 문제에 답하시오.

> 남성인 A는 B라는 여성을 그녀의 자녀들이 보는 앞에서 강간을 하고 살해했다. A와 B는 배심제를 시행하고 있는 국가의 국민이다. 배심원들은 A의 살인을 인정해 이미 A에게 유죄는 확정되었지만, A에 대한 형벌로서 사형 혹은 무기징역이 논의되고 있다.
>
> A는 자신에게 좋은 감정을 가지고 있어 본인에게 우호적인 진술을 해줄 수 있는 4인을 증인으로 신청하였고, 판사는 이 증인 신청을 받아들였다.
>
> 검사는 이에 맞서 피해자 B의 아들과 딸을 증인으로 신청하였다. 그러나 A의 변호인 측은, 피해자의 유족들이 증인으로 나오는 것은 배심원들의 연민과 감정을 자극하여 합당한 판결을 내리는 데 방해가 될 것이라는 이유로 증인 신청을 반대하였다. 검사는 이에 대해 피해자의 감정적인 고통을 치유하는 것 역시 재판의 역할이라고 주장하며, 배심원들의 연민이 A에 대한 사형 선고에 도움을 줄 것이라고 생각하고 있다. (이후 내용에는 A의 변호인과 검사의 대담이 이어진다.)
> - 검사: A는 자신에게 우호적인 증언을 해줄 4명의 증인을 신청한 것이 받아들여졌는데, B의 신청을 거부하는 것은 재판 대응의 불평등을 초래한다.
> - A의 변호인: A가 피해자의 유족들의 정신적인 고통을 감수해야 한다면, 이는 A로서는 예측하지 못했던 처벌을 받아야 한다는 것이다. 또한 검사의 증인 신청을 인정한다면, 노숙자 등 유족이 없는 피해자가 될 경우에는 가족을 부를 수 없어 그들이 죽음은 고귀하지 않은 죽음이 될 수 있다. 이는 고귀한 죽음과 그렇지 않은 죽음이 있다는 것을 인정하는 격이고 이는 타당하지 않다.

Q1. 당신이 판사라면 검사의 증인 신청을 받아들일 것인가?

Q2. 이미 유죄가 확정되었다. 그럼에도 불구하고 증인을 신청해야 하는가?

Q3. 형사재판에서 범죄자에 대해 처벌내리는 것은 어떤 기능이 있는가?

B학생 추가질문

Q2. 그럼 A를 사형시켜야 된다는 입장인가?

Q3. 평등원칙에 대하여, 법 진행 절차상 증인 선정에 필요한 평등함을 이야기한 것인지?

Q4. 변호인의 마지막 문단의 반론이 몇 개로 보이는가? 그 둘 중 하나에 대한 반론이 아직 되지 않은 것으로 보이는데 두 개 모두 정리하여 답해보시오.

모범답변

2021 건국대 로스쿨

Part 1 Part 2 Part 3 Part 4 Part 5 Part 6 Part 7

2021 건국 A 문제

Q1. [공통] 1분 이내로, 법학전문대학원 지원동기와 특히 건국대 법학전문대학원에 지원한 이유를 밝혀 보시오.

2021 건국 B 문제

※ [가군 오전 면접] 다음 제시문을 읽고, 문제에 답하시오.

서울시가 중소 규모 배달 플랫폼들과 함께 조직한 공공 배달 애플리케이션(앱) 서비스 '제로배달 유니온'이 9월에 출범했다. 배달 플랫폼 앱을 운영하는 기업들의 독과점에 의해 소상공인과 소비자의 피해가 발생하고 있다는 문제가 제기되고 있다.

10개 배달 플랫폼사(배달앱)와 가맹을 맺은 소상공인 업체는 2% 이하의 저렴한 배달 중개수수료로 배달서비스를 이용할 수 있다. 현재 배달 플랫폼사의 광고료, 수수료를 합한 가맹점 부담이 5~12% 이상인 점을 감안하면 배달 플랫폼사들은 큰 비용 없이 소비자와 가맹점을 일시에 확보할 수 있는 발판을 마련함으로써 가맹점 가입비용 및 소비자 마케팅 비용을 낮출 수 있을 것으로 기대된다.

이렇게 신규 결제 수단과 가맹점을 확보한 배달 플랫폼사는 배달 중개수수료를 2% 이하로 낮춰 소상공인 업체와 상생을 실현하고, 낮은 수수료의 배달시장을 연다는 목표다. 가맹점 확보와 가입에 드는 마케팅·투자 비용을 절감하는 대신 소상공인 가맹점이 배달업체에 내는 중개수수료를 인하하는 것이다.

특히, 시의 이번 대책은 새로운 배달앱을 만들거나 공공재원으로 수수료를 지원하지 않는다는 점에서 그동안 타 지자체에서 추진해온 '공공배달앱'과는 차별화된다. 서울시는 제로배달 유니온 출범을 기념해 상품권으로 결제하면 10%를 추가로 할인해주는 이벤트를 진행해 이용자는 최대 20%의 할인 혜택을 받을 수 있다.

A사와 B사가 전체 시장의 97%를 독과점하고 있는 현재 배달업계에 대해 건전한 시장질서를 위해 필요한 조치라는 서울시의 입장과 이미 형성된 시장질서에 대한 정부의 부당한 개입이라는 입장이 대립하고 있다.

Q1. 위 이슈에 대한 자신의 견해를 말해보시오.

해커스 김종수 로스쿨 면접 200주제

Q2. 건전한 시장질서가 필요하다고 말했는데 이게 왜 필요한 것인가?

Q3. 자유로운 시장질서가 중요한 이유는 기업의 자유를 보장하기 위함이다. 기업이 자유롭게 가격 책정을 하고 노력하여 97%의 시장점유율을 얻은 것인데, 정부가 세금까지 써서 개입하는 것이 정당한가?

Q4. 정부 지원이 끊기면 소상공인이 시장 진입에 실패해 피해를 볼 수 있다는 지적에 대해 어떻게 답변할 것인가?

2021 건국 C 문제

※ [가군 오후 면접] 다음 제시문을 읽고, 문제에 답하시오.

(1) 건강보험 정책연구원에 따르면 2000년 이후 외국인의 국내 유입이 증가하면서 건강보험 가입자가 급증했다. 외국인 및 재외국민 건강보험 가입자 수는 국내 장기체류 중인 등록외국인의 증가 속도보다 빠르게 증가한 것으로 나타났다. 최근 5년간 우리나라에 장기체류하는 외국인은 2013년에 130만 명에서 2017년에 164만 명으로 26.4% 증가했지만, 외국인 건강보험 가입자는 2013년 64만 명에서 2017년 91만 명으로 무려 42.7%가 증가했다. 특히 건강보험 지역 가입자가 빠른 속도로 증가했다. 2015년 대비 2017년 증가율을 비교하면, 외국인 증가율은 6.7%인데 비해 외국인 건강보험 가입자 증가율은 13.8%로 나타났다. 외국인 건강보험 가입자 증가율에서 지역 가입자 증가율은 29.9%로 직장 가입자 증가율인 8.1%보다 훨씬 빠르게 증가한 것으로 파악됐다. 연구원은 이 현상의 원인을 국제사회에서 우리나라의 국가적 위상이 높아지고 건강보험 제도의 우수성이 알려진데다가 외국인의 국내 유입이 증가한 것으로 보고 있다.

<표: 등록외국인 및 건강보험 가입자 현황(2013~2017년)>

(단위: 천 명)

연도	등록외국인*			건강보험 가입자			등록외국인 대비 가입률(%)		
	계	외국인	재외국민	계	외국인	재외국민	계	외국인	재외국민
2017년	1,640	1,583	57	913	890	23	55.7	56.2	40.4
2016년	1,576	1,530	46	883	863	20	56.0	56.3	45.1
2015년	1,537	1,468	69	802	784	18	52.2	53.4	26.1
2014년	1,458	1,378	80	736	713	23	50.5	51.7	28.2
2013년	1,299	1,219	80	641	617	24	49.3	50.5	30.4

※ 등록외국인: 관광 등 단기체류자를 제외한 3개월 이상 장기체류자

문제는 외국인 보험 가입자가 증가하면서 고액 진료 목적의 단발성 자격 취득과 진료 후 고의 체납으로 인한 자격 상실 등 일부 외국인의 부적절한 건강보험 가입 및 의료 이용 행태가 사회적인 논쟁으로 떠오른 것이다. 연구원은 이에 따라 외국인의 합리적 의료 이용을 유도하고 건강보험 적용에서 내국인과의 형평성을 높이기 위해 외국인 가입기준, 보험료 부과, 관리기준 등을 개선하는 것이 건강보험의 주요 정책 과제라고 밝혔다.

(2) 2018년 12월, 정부는 외국인의 건강보험 가입이 가능한 국내 체류 기간을 3개월에서 6개월로 연장하고, 6개월 이상 체류하는 외국인의 건강보험 가입을 의무화하고, 보험료를 우리나라 지역 가입자가 내는 평균 가입료와 동일하게 하는 방안을 도입 예정이다. 외국인은 한국계 외국인을 포함해 외국 국적을 가진 사람을, 재외국민은 외국에 살면서도 우리나라 국적을 유지하는 한국인을 말한다.

현재 1인당 건강보험료는 우리나라 국민이 외국인 지역 가입자에 비해 3배에 해당하는 금액을 부담하고 있으나, 1인당 수령하는 건강보험 급여비는 외국인 지역 가입자가 우리 국민의 3배에 달하는 실정이다. 정부의 방안에 의하면 외국인의 경우 현재 12만 원 수준의 건강보험료가 67만 원으로 인상된다.

Q1. 건강보험에 있어서, 외국인의 지역 가입 의무화 여부, 최소 체류 기간, 보험료 산정 방식의 합리적인 방안에 대하여 자신의 생각을 말해보시오.

💬 A학생 추가질문

Q2. 보편적 인권이라고 하였는데, 외국인이라고 해서 우리나라 사람보다 건강보험료를 많이 청구하는 것은 차별 아닌가?

Q3. 의무가입에 반대하였는데, 그렇다면 임의가입이 맞는가 아니면 아예 외국인 가입을 받지 않는 것이 맞는가?

Q4. 최소 체류 기간을 1년이라 하였는데, 그렇다면 외국인 유학생의 경우에는 불리하지 않은가?

💬 B학생 추가질문

Q2. 평등원칙을 구체적으로 다시 설명해보시오.

Q3. 의무화하는 것이 재정 건전성을 위해서는 더 괜찮지 않은가?

Q4. 악용하는 외국인도 있지만 악용하지 않는 외국인도 있는데, 이러한 자들에 대해서는 어떻게 해야 하나?

Q5. 최소 체류 기간을 6개월로 해도, 장기간 동안 6개월 전에만 들어왔다가 다시 나갔다를 반복하는 식으로 의무 가입을 피하는 문제에 대해서는 어떻게 생각하는가?

💬 C학생 추가질문

Q2. 그렇다면 대략적으로 보험료는 어느 정도가 되어야 하나?

Q3. 그러면 단기체류를 하고자 하는 사람들은 의료 비용이 부담스럽지 않겠나? 의료 비용이 비싸서 일본 등으로 간다고 하면 오히려 국가 이미지 제고나 국익 증진은 힘들지 않겠는가?

모범답변

2020 건국대 로스쿨

① 교수:학생 = 3:1 ② 면접 준비 15분, 면접 시간 10분 ③ 메모 불가

2020 건국 A 문제

Q1. [공통] 1분 이내로, 법학전문대학원 지원동기와 특히 건국대 법학전문대학원에 지원한 이유를 밝혀 보시오.

2020 건국 B 문제

※ 다음 제시문을 읽고, 2문제에 모두 답하시오.

<제시문 1>

　　일본 삿포로에 있는 홋카이도 국립대학은 매우 오랫동안 지켜온 녹지대를 가지고 있으며, 해당 녹지대는 지역 주민들도 매우 소중하게 여기고 있다. 지역주민들은 이 녹지대를 초록섬이라 부르며 생태적인 중요도를 인정하고 있으며 의미 있는 장소로 인식하고 있다. 이 녹지대는 대학 설립 초기에 농과대학이 캐나다에서 들여온 포플러나무를 심은 것이며, 이를 100년이 넘는 기간 동안 가꾸어 현재의 울창한 녹지대를 형성하게 된 것이다. 그런데 최근 대학은 건물을 신축하거나 증축하는 과정에서 해당 녹지대를 벌목하여 부지를 확보하고 시설물을 설치하였다. 이로 인해 해당 녹지대는 훼손되고 점차 사라지고 있다. 이처럼 대학의 구성원인 단과대학들이 시설을 확충하고 개발하는 과정에서 녹지대가 줄어드는 공유지의 비극이 발생하고 있다.

Q1-1. 공유지의 비극의 의미를 설명해보시오.

Q1-2. 위 사례의 문제에 대한 해결방안을 제시해보시오.

Q1-3. 위 사례 외의, 공유지의 비극의 사례를 제시하고 그 해결방안을 제시해보시오.

<제시문 2>

　　홋카이도 국립대학 캠퍼스에는 남북으로 길게 뻗은 가로수길이 있다. 이 길 좌우에는 60년 이상 된 포플러나무가 늘어서 있어 아름다운 분위기를 자아낸다. 이 가로수길은 평일에는 차로로 이용되고, 주말에는 차 없는 거리로 사용되어 주민들의 산책로가 되고 있다. 그런데 대학 측은 무과실책임주의를 이유로 이 가로수길을 없애겠다는 입장을 밝혔다. 일본의 판례에 따르면, 자연재해로 인해 가로수가 도로에 쓰러져 행인이나 자동차 등에 피해가 발생할 경우, 처벌은 하지 않으나 가로수 관리 주체에게 해당 손실에 대한 피해보상책임을 인정한 경우가 있다. 대학은 이 판례를 근거로, 태풍으로 인해 가로수가 쓰러질 가능성이 있으며 이로 인해 행인이나 자동차에 피해가 발생할 가능성이 있기 때문에 가로수가 쓰러져 발생할 문제를 예방하고자 한다. 대학 측은 가로수길에 늘어선 수령 60년 이상의 포플러나무 전체를 벌목하기로 하였다. 대학의 결정에 대해 지역 주민들은 반발하고 있다.[1]

Q2-1. 위 사례에 나타난 무과실책임주의의 역설의 의미를 설명해보시오.

Q2-2. 무과실책임주의의 역설을 나타내는 다른 사례를 제시해보시오.

Q2-3. '포플러나무 보호를 위한 대학 구성원 및 주민 모임'은 녹지와 포플러나무를 보호할 수 있는 방안이 있다고 주장하며 대학 당국에게 이러한 일방적 행정에 대해 문제를 제기했다. 이들이 위 사례를 해결하기 위해 제시할 수 있는 방안에 대해 설명해보시오.

[1]
일반적인 태풍의 풍속은 25m/s 이하인데, 이 이상의 풍속에서는 큰 나무가 뿌리채 뽑히는 등의 피해가 발생할 수 있다. 그러나 포플러나무는 바람에 매우 강한 수종으로 태풍의 풍속에서 잘 견딘다는 것이 과학적으로 널리 인정된 정설이다.

모범답변

2019 건국대 로스쿨

① 교수:학생 = 5:1

2019 건국 A 문제

※ [서면 면접] 다음 2문제에 모두 답하시오.

(문항당 800~900자 이내, 글자 수를 초과하거나 미달하면 감점됨)

Q1. 2018년 10월 현재 우리나라에 체류하는 '체류외국인'은 약 2,320,000명이고, 90일을 초과하여 체류하는 '등록외국인'은 약 1,220,000명으로, 이렇게 점증하는 외국인의 참정권을 확대하고 그들의 권익과 복지 증진을 위한 지방자치단체 정책과 조례를 만들어야 한다는 의견이 대두되고 있다. 현행 공직선거법은 19세 이상으로 영주 체류자격 취득 후 3년이 경과한 등록외국인에게는 지방의회의원 및 지방자치단체의 장에 대한 선거권을 부여하고 있다. 여기서 더 나아가 오랫동안 국내에 체류하는 외국인들에게 선거권만이 아니라 피선거권도 부여해야 한다는 주장이 제기되고 있다. 일부 국가에서는 일정 요건을 충족하는 외국인들에게 이미 지방선거에서의 선거권만이 아니라 피선거권도 부여하고 있다. 이에 국회의원 A는 공직선거법을 개정하여 국내에 일정 기간 이상 체류한 외국인에게 지방의회의원으로 입후보할 수 있는 피선거권을 부여하는 내용의 공직선거법 개정안을 발의하였다. 즉, 선거일 당시 영주의 체류자격 취득 후 10년 이상 경과한 등록외국인에게는 지방의회의원 선거의 피선거권을 부여하려는 내용의 법안이다. 영주의 체류자격 취득 후 10년 이상 경과한 외국인들에게 지방의회의원 피선거권을 부여하려는 공직선거법 개정안에 대한 본인의 의견을 제시해보시오.

Q2. 한복은 전통 복식과 패션이라는 두 가지 성격을 가지고 있다. 전통 복식으로서 한복은 1,000년 이상 조상들이 입었던 의복으로, '한민족의 얼을 담고 있으며, 민족의 연대감과 긍지를 심어주는 귀중한 역할'을 한다. 이 점에서 지나치게 현대적으로 변형된 한복은 한복의 자격이 없다는 주장도 있다. 또 '한복문화'라는 용어도 우리나라의 역사와 전통을 훼손하거나 왜곡하지 않고 보존하는 활동으로 제한되어야 한다는 의견이 있다. 반면 한복을 '일정한 사회에서 일정한 기간에 다수가 좋아하는 유행'으로 바라볼 수 있다. 우리가 살고 있는 시대의 유행과 감각, 스타일을 표현하는 것이 패션이라면, 한복이라고 해서 예외가 아니라는 것이다. 전통 한복도 조상들이 생활하던 당시의 유행과 스타일을 반영한 점에서 패션이었다. 그렇다면 요즈음 사람들도 자신의 개인적 취향을 살려서 한복을 패션화할 수 있다. 전통적 특징과 스타일이 다소 희석된 현대적 한복이라도 한복으로 인정해야 한다고 주장하는 사람도 적지 않다. 최근에는 고궁이나 한옥마을 등에서 한복을 입은 20~30대뿐만 아니라 외국인 관광객을 자주 볼 수 있다. 한복이 국가 브랜드 문화상품이 된 것이다. 이에 따라 한복을 착용한 사람에게는 고궁이나 한옥마을 등의 입장료를 면제해야 한다는 의견이 대두되고 있다. 이때 다음과 같은 의문이 제기된다. 현대적 한복을 비롯한 모든 한복 착용자에게 혜택을 주어야 하는 것일까? 아니면 전통 한복에만 그러한 혜택을 주어야 하는가? 이에 대한 본인의 생각은 어떠한가? 그리고 그 이유는 무엇인가?

Q1. 가짜뉴스 규제 법안의 필요성과 문제점에 대해 논하고, 본인의 의견을 제시해보시오.

Q2. 65세 이상 노인에 대한 지하철 무임승차 정책의 장점과 단점을 제시하고, 현행 정책을 유지할 것인가
에 대한 본인의 의견을 제시해보시오.

추가질문

Q3. 단기적으로 그렇다면 장기적으로는 어떻게 해야 하는가?

Q4. 도시 지역의 노인은 지하철 무임승차 복지 혜택을 받고 있는데, 지하철이 없는 시골 지역의 노인은 받
을 수 있는 복지 혜택이 없지 않은가? 이런 불평등에 대해 어떻게 생각하는가?

Part 1
Part 2
Part 3
Part 4
Part 5
Part 6
Part 7

해커스 김종수 로스쿨 면접 200주제

모범답변

① 교수:학생 = 5:1   ② 서면 면접 100분, 3문제, 3문제 모두 답안 작성
③ 대면 면접 준비 12분, 시험 시간 15분   ④ 메모 불가

2018 건국 A 문제

※ [서면 면접] 아래 3문제에 모두 답하시오. (문항에 지시한 글자 수를 초과하거나 미달하면 감점됨)

Q1. 한국 사회는 갈등을 예방하는 공공적 기능이 사실상 부재하고 공동체가 이를 민주적으로 조율했던 경험 역시 부족하다. 댐, 발전소, 쓰레기 처리장, 화장터, 묘지, 특수학교, 방폐장 등의 건설에서부터 재개발사업이나 군사기지의 설치와 이전에 이르기까지 갈등은 반복된다. 사회의 민주화가 진행됨에 따라 공공사업에 대한 반대와 이로 인한 갈등은 더욱 빈발하였다. 공공사업이 대체로 법적인 근거를 갖추고 필요한 절차를 거쳤음에도 갈등은 피하지 못하였다. 지방자치단체의 장들은 거액의 정부 보조금을 치적으로 삼으려는 공명심 때문에 사업 유치에 적극적이다. 이 과정에서 해당 주민들은 심각한 무력감을 느낀다. 여론은 국책사업에 반대하는 주민들을 이기주의자 또는 많은 보상금을 노리는 불순한 사람들이라고 매도한다. 주민들도 공공사업을 두고 찬반으로 나뉘어 극심한 분열을 겪는다. 사업이 종료된 후에도 사업에 동의한 사람과 반대한 사람은 서로 대화조차 하지 않는다. 국책사업은 국민 전체를 위해 관철되지만 해당 지역의 주민들은 깊은 상처를 받는다. 심지어 공공사업에 저항하는 주민들을 상대로 정부가 각종 민형사 소송을 제기함으로써 주민들에게 또 다른 고통을 안겨주고 있다. 심각한 사회적 갈등을 방지하기 위해 공공사업의 수립과 시행 절차를 합리적으로 구성해보시오. 나아가 분열로 인한 지역 주민들의 상처를 치유할 수 있는 방안을 제시해보시오. (500~700자)

Q2. 텔레비전은 정작 보여주어야 할 것을 보여주지 않거나 보여주더라도 그것을 무의미하게 보여준다. 혹은 현실과 전혀 일치하지 않는 의미를 자의적으로 구성한다. 기자들은 특별한 안경을 쓰고 있는데, 이를 통해 어떤 것들은 보지만 어떤 것들은 보지 못한다. 특정한 방식대로 보는 것만 보는 것이다. 기자들은 이렇게 선별 작업을 하고, 선별된 것을 구성하는 작업을 한다. 선별의 원칙은 선정적인 것과 구경거리를 추구하는 것이다. 텔레비전은 이중적인 의미에서 '극화'를 요구한다. 즉, 텔레비전은 사건을 이미지로 연출하고, 그 중요성 및 심각성과 함께 극적이고 비극적인 성격을 강조한다. 텔레비전의 일반적인 사용에 내재한 정치적 위험들은 비평가들이 말하는 바에 따르면, 텔레비전 영상이 '실제효과'를 자아낼 수 있는 특수성을 갖는다는 사실에 있다. 즉, 그것은 보이게 하는 것을 보게 하고 믿게 할 수 있다는 것이다. 이러한 힘은 동원효과를 갖는다. 그것은 사상이나 표상 그리고 집단을 존속하게 할 수 있다. 화재, 사건, 사고 등은 인종차별과 외국인 혐오 및 외국인 공포와 질시 등과 같은 매우 강하고 종종 부정적인 감정을 터뜨리는 정치적, 윤리적 함의를 담을 수 있다. 단순한 보고서, 즉 기록을 리포트한다는 사실은 동원의 사회적 효과를 실행할 수 있는 현실의 사회적인 구성을 언제나 내포하고 있다. 텔레비전의 보도가 갖는 사실성과 '실제효과'의 관계를 설명하고 그 위험성에 대해 논해보시오. (500~700자)

Q3. 'Uber'는 독일어로 '최고'라는 의미로 온라인을 이용한 승용차 공동사용 중개 업체의 일종이라 할 수 있다. 2009년 미국에서 사업을 시작한 이래 많은 사람들이 이용하여 폭발적인 성장세를 보이고 있다. 우버는 많은 개인 승용차의 정보를 보유하고 고객으로부터 주문을 받으면 고객 근처에 있는 승용차를 보내는 방식으로 운영되고 있으며, 승용차로부터 일정한 수수료를 받고 있다. 이외에도 숙박 분야의 에어비앤비, 공간이나 물건 등의 공유 시작 형태인 쉐어피플 등 이른바 '공유경제(sharing economy)' 사업은 협력소비 내지 공동소비의 영역을 확대하고 있다. 그런데 이러한 공유경제의 성격을 가지는 영역들이 여러 가지 이유로 사업을 그만두기도 하는데, 국가 혹은 공유경제 사업의 영역에 따라 그 양상이 다르다. 한 예로 우리나라에서는 결국 사업을 접게 되었던 우버가, 중국에서는 오히려 성행했다. 이처럼 공유경제는 국가 혹은 업종별로 사회에서 수용하는 태도가 상이한 면을 보이고 있다. 그렇다면 공유경제의 장점과 문제점은 무엇인지 언급하고, 궁극적으로 공유경제의 장점을 받아들이기 위한 사회적 공감대를 어떻게 만들어가야 할지에 대한 방안을 모색해보시오. (400~600자)

2018 건국 B 문제

Q1. 현대사회에는 노동의 이동이 다소 자유로운 면이 있기 때문에 국적 문제가 발생한다. 특히 한국은 해방 정국에서 다수의 조선인들이 강제 이주당하고 비자발적으로 체류국 국적을 부여 받기도 했다. 최근 대법원은 사할린 체류 중인 무국적자 재외동포에게 한국 국적을 인정하기도 했다. 재외동포 문제에는 고려인 문제도 있다. 우리나라에서 재외 동포에 대한 국적 지위를 논할 때 또 하나 문제가 되는 점은 북한 또한 재외동포를 잠재적 국민으로 보고 있다는 점이다. 출입국, 체류, 취업, 국적취득(이중국적) 등의 문제에서 재외동포의 지위를 어떻게 취급하는 것이 좋을지 합리적 방안을 제시해보시오.

Q2. 경제적 정의와 분배적 정의에 대해 간단히 설명하고, 경제적 정의와 분배적 정의에 대한, 아래 두 조문의 공통점과 차이점을 제시하고 평가해보시오.

> **헌법 119조** ① 대한민국의 경제질서는 개인과 기업의 경제상의 자유와 창의를 존중함을 기본으로 한다.
> ② 국가는 균형 있는 국민경제의 성장 및 안정과 적정한 소득의 분배를 유지하고, 시장의 지배와 경제력의 남용을 방지하며, 경제주체 간의 조화를 통한 경제의 민주화를 위하여 경제에 관한 규제와 조정을 할 수 있다.
>
> JCI(Junior Chamber International) Creed(신조)
> 경제적 정의는 자유기업을 통하여 자유인에 의하여 최선으로 달성된다.

모범답변

① 교수:학생 = 5:1　② 서면 면접 100분, 3문제, 3문제 모두 답안 작성
③ 대면 면접 준비 12분, 시험 시간 15분　④ 메모 불가

2017 건국 A 문제

※ [서면 면접] 아래 3문제에 모두 답하시오. (문항에 지시한 글자 수를 초과하거나 미달하면 감점됨)

Q1. 최근 드론(Drone)이라고 불리는 무인항공기(UAV: Unmanned Air Vehicle)의 이용이 급증하고 있다. 무인항공기는 사전에 입력된 프로그램이나 조종에 따라 주위 환경을 판단하여 자율적으로 비행하는 비행체를 말한다. 드론은 인간을 대신하여 위험한 업무를 안전하게 수행한다는 장점을 갖지만, 이와 동시에 사고 시 책임 소재, 수집된 정보의 이용, 사생활의 침해, 재산권의 침해 등의 문제가 발생할 수 있다. 예를 들어, 다음과 같은 상황을 가정해보자. 타인의 토지상에 설치된 실외 수영장 상공에서 드론을 운행하였는데, 대부분의 사람들은 이를 인지하지 못하였다. 그 드론은 사진이나 동영상을 찍을 수 있는 장치를 보유하고 있었다. 이러한 상황은 몇 가지 쟁점들을 포함하고 있다. 첫째, 타인의 토지에 진입한 경우 이 자체로 토지 소유자의 권리를 침해한다고 볼 수 있는지, 둘째, 드론이 사진이나 동영상을 촬영하는 행위가 수영장 이용자의 사생활을 침해하는 것인지, 셋째, 수영장 상공에서 드론이 수집한 정보는 피사체와 관련하여 누가 이용의 주체가 될 수 있는지 등이다. 이러한 쟁점에 대한 본인의 의견과 그 논거를 제시해보시오. (500~700자)

Q2. 법은 타인의 생명을 놓고 거래하거나 도박을 하는 것을 용인하지 않지만 시장은 그 경계를 지속적으로 무너뜨려 왔다. 기업은 오래전부터 자사 CEO와 고위 경영진이 사망하는 경우 그 자리를 다른 인물로 대체하는 데 드는 비용을 상쇄할 목적으로 그들의 이름으로 생명보험에 가입했다. 법은 기업이 CEO의 사망 시에 생명보험금을 수령하는 것을 허용하였다. 하지만 평사원 명의로 생명보험을 가입하는 일은 상대적으로 최근에 나타난 현상이다. 이러한 보험은 원래 법으로 금지되었으나 1980년대 들어 보험업계가 로비에 성공하면서 기업은 CEO에서부터 말단 직원에 이르기까지 생명보험에 가입시킬 수 있게 되었다. 1990년대에는 주요 기업들이 수백만 달러를 투자해 기업소유 생명보험에 가입하면서 결과적으로 수십억 달러 규모의 사망담보 선물거래 산업이 생겨났다. AT&T, 다우케미컬, 네슬레 USA, 피트니 보우스, 프록터&갬블, 월마트, 월트디즈니, 윈딕시 슈퍼마켓 체인 등이 직원 명의로 생명보험을 가입하였다. 기업들이 이러한 투자 형태에 관심을 갖기 시작한 것은 세제 혜택 때문이었다. 전통적인 종신보험 증권과 마찬가지로 사망보험금은 면세였고 생명보험증권에서 파생한 연간 투자 수입도 면세였다. 법은 타인의 생명과 신체의 거래를 금지하였지만 타인의 생명을 둘러싼 도덕적으로 위험한 거래가 번창하였다. 이와 같이 상품화할 수 없는 대상들은 점차 줄어들고 있다. 마이클 월처는 돈으로 모든 것을 살 수 있는 시대 조류를 시장 제국주의라 규정하였으며, 마이클 샌델은 시장에 대한 광범위한 규제 완화 현상을 시장만능주의라 비판하였다. 그럼에도 불구하고 공동체는 여전히 인간의 생명, 안전, 자유를 보호하기 위해서 돈으로 살 수 있는 것과 돈으로 살 수 없는 것 사이의 경계선을 획정하는데 고민한다. 돈으로 살 수 없는 것들 또는 돈이 없다고 거부되어서는 안 되는 것들의 목록을 최소한 다섯 가지 대상을 들어 제시하고, 그 이유를 밝혀보시오. (500~700자)

Q3. 최근 보건복지부 질병관리본부가 조사·발표한 '국민건강 영양조사'에 따르면, 지난해(2015년) 성인 (만 19세 이상) 남자 현재 흡연율이 39.3%로 전년도에 비해 3.8%p 감소한 것으로 나타났다. 이런 감소에는 2015년도에 시행된 담뱃값 인상이 그 효과를 나타낸 것이라는 주장과 국민의 건강에 대한 인식 증대 등 복합적인 원인의 결과라는 주장 등이 함께 존재하고 있다.

<표 1: 현재 흡연율(19세 이상, %)>

연도	05	07	08	09	10	11	12	13	14	15
남자	51.6	45.0	47.7	46.9	48.3	47.3	43.7	42.1	43.1	39.3
여자	5.7	5.3	7.4	7.1	6.3	6.8	7.9	6.2	5.7	5.5

한편, 현대인의 질병의 질병이라고 불리는 비만의 경우, 여자의 비만 유병률은 과거와 비슷한 추세를 보였지만, 남자의 비만 유병률은 2015년에 39.7%로, 2005년에 비해 5.0%p 증가하였다.

<표 2: 비만 유병률(19세 이상): 체질량지수 25kg/m² 이상인 분율>

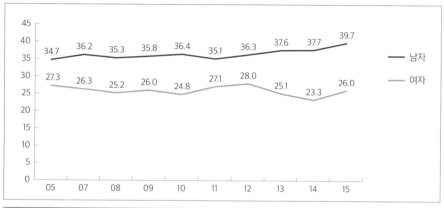

연도	05	07	08	09	10	11	12	13	14	15
남자	34.7	36.2	35.3	35.8	36.4	35.1	36.3	37.6	37.7	39.7
여자	27.3	26.3	25.2	26.0	24.8	27.1	28.0	25.1	23.3	26.0

비만 인구가 늘어나는 주된 이유를 보면, 첫째, 영양 섭취와 관련해서 칼로리 섭취량의 증가가 그 원인 중 하나로 지적되고 있다. '국민건강 영양조사'에 따르면, 우리나라 국민들의 지방과 음료(커피, 탄산음료 등) 섭취량이 크게 증가하였으며, 젊은 연령군, 특히 여자보다는 남자의 섭취량이 높은 것으로 조사되었다. 둘째, 신체활동의 감소가 또 다른 원인으로 지적되고 있다. '국민건강 영양조사'에 나타난 우리나라 국민의 걷기 실천율은 2015년 기준 남자 41.8%, 여자 40.7%로 조사되어 지난 10년간 약 20%p가 감소하였으며, 남녀 모두 전 연령군에 걸쳐 신체활동이 감소한 것으로 나타났다. 비만을 일으키는 이 두 주된 원인은 모두 '자기통제' 문제를 갖고 있다는 공통점이 있다. 예를 들어, 사람들은 자기 앞에 많은 음식이 놓여 있거나, 건강에는 좋지 않지만 간편하게 바로 먹을 수 있는 음식에 대해 쉽게 저항할 수 없는 경향이 있다고 많은 연구들에서 밝히고 있다. 비만은 당뇨병 등 심각한 질병을 유발할 수 있는 건강 위해 요인으로 엄청난 사회적 비용을 유발시킨다. 비만을 일으키는 주된 원인 중 하나인 '자기통제'에 초점을 맞춰, 비만 문제를 해결하기 위한 적절한 정책적 방안을 제시해보시오. (400~600자)

※ 다음 제시문을 읽고, 문제에 답하시오.

> 야스쿠니 신사는 일본의 역대 전쟁(고대 일본 수립 전쟁을 제외하고는 대부분 침략전쟁)에서 천황을 위해 싸우다가 죽은 일본인들을 신으로 모시고 있다. 야스쿠니 신사에는 일반 군인들뿐만 아니라 A급 전범들도 있다. 또한 일반 군인들 역시 침략전쟁을 통해 다수의 민간인을 살해한 가해자이다. 그럼에도 불구하고 일본은 야스쿠니 신사참배를 용인하고 있다. 야스쿠니 신사참배는 죽음을 국가화하고 있다. 일본은 야스쿠니 신사참배를 애국심에 대한 추모행위이며, 의례적인 추모행위라고 주장한다. 그에 반해 오키나와에서는 평화의 초석, 평화의 추모비라고 해서 그 추모비에는 오키나와 군인뿐만 아니라 미국이나 한국, 대만인의 죽음도 적혀 있다. 즉 죽음을 개인화하고 있다. 이는 세계적으로 매우 드문 일로, 미국조차도 각 명비에 동료였던 남베트남 군인들의 이름 없이 미군 이름만 적혀 있다. 그에 반해서 오키나와의 평화의 초석은 오로지 평화라는 가치를 수호하기 위한, 전쟁을 재발을 방지하려는 전몰 시설이라는 점에서 매우 드문 예이다.

Q1. 일본 야스쿠니 신사와 오키나와의 평화의 초석, 두 전몰 시설의 차이를 지적해보시오.

Q2. 일본은 야스쿠니 신사참배가 국내 문제이며 의례적인 추모행위라고 주장하는데 이를 반박해보시오.

Q3. 그렇다면 일본 야스쿠니 신사참배가 외적인(정치), 내적인 측면(시설)에서 어떻게 바뀌면 정당화될 수 있겠는가?

Q4. 이와 관련해 우리나라 전몰 시설이나 다른 평화 추모 기념 시설의 문제점을 지적해보시오.

Q1. 다음 제시문의 입장에 대한 본인의 의견을 말해보시오.

> **<제시문: 자본주의 모델에 따른 도덕>**
>
> 개인들은 경쟁을 통해 도덕을 함양한다. 그중 하나가 교육이다. 개인들은 교육을 통해서 자신들의 도덕을 함양하고, 경쟁한다. 따라서 자신을 절제하지 못하거나 도덕적이지 못한 것은 자신이 노력하지 않았고 경쟁하지 않았기 때문이라고 할 수 있다. 이는 개인에게 모두 기회의 평등이 주어져 있다는 점에서 더욱 타당하다. 모두에게 기회의 사다리는 주어져 있다. 개인에게는 모두 기회의 평등이 주어져 있으므로 사람들은 경쟁을 통해서 도덕성을 함양하고 자신의 발전을 꾀할 수 있다. 이 주장에 따르면 사회복지 정책은 복지를 받는 개인을 게으름뱅이로 만드는 것과 다름없다. 이들이 경쟁을 통한 노력을 하지 않아서 얻지 못한 것을 타인들이 경쟁이라는 노력을 통해서 얻은 것인데도 불구하고 복지로 무상으로 지급하기 때문이다.

모범답변

2016 건국대 로스쿨

① 교수:학생 = 5:1 ② 서면 면접 100분, 3문제, 문항당 400~600자, 3문제 모두 답안 작성 ③ 대면 면접 12분
④ 메모 불가

2016 건국 A 문제

※ [서면 면접] 아래 3문제에 모두 답하시오.

(문항에 지시한 분량 안에서 작성해야 하며, 글자 수를 초과하거나 미달하면 감점됨)

Q1. 1953년 1월 전남 여수항에서 부산항으로 가던 여객선 창경호가 침몰하여 300여 명의 승객이 참변을 당했다. 1970년 12월 서귀포에서 부산으로 가던 남영호가 침몰하여 326명이 숨졌다. 1993년 서해 페리호 사건에서는 292명이 목숨을 잃었다. 20년마다 반복되는 선박사고의 원인은 무리한 구조 변경, 부실 설계, 과적, 과승으로 인한 배의 복원력 상실이었다. 페리호 사건 여파로 운항 관리 업무는 1996년에 해운항만청에서 해경으로 이전되고 운항관리사도 90명으로 증원되었다. 김영삼 정부에서는 운항 관리 업무를 아예 해운조합으로 일임하였다. 자칭 해피아라고 하는 前 해운조합 이사장은 세월호 참사와 관련하여 운항감독의 실태에 대해 다음과 같이 썼다.

"내가 해운조합 이사장으로 부임한 2007년에 이미 운항관리자는 90명에서 55명으로 줄어 있었고 예산지원은 한 푼도 되고 있지 않았다. 또 각 항만의 여객터미널에 상주하는 3~4명의 운항관리자들의 사기는 바닥에 떨어져 있었다. 더군다나 해운조합은 해운업자의 단체이므로 해운선사가 갑이고 해운조합 직원들은 을인데, 을이 갑을 단속하게 되어있는 구조는 제대로 작동할 리가 없었다. 여객선 선주는 운항관리자가 조금만 단속을 강하게 하면 '너희들, 우리 돈으로 봉급 받으면서 까불지 말라'고 야단쳤으니 말이다. 그리고 운항관리자에게 처벌 권한이 없는데 단속만 하라고 하니 권한 없이 책임만 지는 격이었다."

세월호 사고 후 전국 각지 여객터미널에 근무하던 운항관리자 19명이 구속되었다. 검찰이 조사해보니 운항 관리자들이 운항 관리를 제대로 안 했다는 이유였다. 선박사고의 재발 방지를 위해 안전 운항에 대한 관리책임, 감독 및 처벌 권한을 행정적으로 어떻게 조직해야 하는지에 대해 견해를 제시해보시오.

Q2. 고대로부터 범죄자에 대한 문신과 소인(燒印)은 사회적 배척을 보여주는 관행이었다. 수치심을 불러일으키는 형벌은 역사상 가장 널리 퍼졌던 처벌방식이며 문화권에 따라 이러한 형벌이 여전히 선호되기도 한다. 현재 자유주의적인 서구 법문화에서도 공동체주의자들은 사회의 무질서와 혼란을 극복하는 수단으로서 수치심을 주는 처벌을 도입하거나 강화하려고 한다. 이들은 현대사회의 인간들이 수치심을 상실했기 때문에 도덕적 나침반을 잃고 표류한다고 진단한다. 따라서 수치심을 주는 처벌을 강화한다면 공유된 도덕적 가치도 강화되고 범죄도 줄어들 것이라 주장한다. 그래서 성범죄, 음주운전, 노상방뇨 등 광범위한 범법행위에 대해서 낙인을 찍는 방법을 복원해야 한다고 제안한다. 신상을 공개하거나 범법자 표시를 소유물이나 차에 부착하고 다니게 하거나 거리를 청소하게 하는 등 사람들이 보는 앞에서 망신을 당하게 해야 한다는 것이다. 징역형을 부과하면 대중의 시야에서 멀어져 숨을 수 있지만 수치심 형벌을 부과하면 범법자는 공개적으로 망신을 당하게 되고 다시는 같은 짓을 반복하지 않는다는 것이다. 공동체주의자들은 수치심 형벌이 범죄에 대한 응보로서 효과적이며, 범죄를

일반적으로 억제하고, 범죄자를 도덕적으로 개선시키고, 사회에 재통합시키는 데에도 적절하다고 주장한다. 개인의 존엄과 행위 책임을 중시하는 자유주의적 관점에서 공동체주의자들의 수치심 형벌론(응보, 억제, 개선, 재통합)을 비판해보시오.

Q3. 고가의 자동차(시가 8억 원)와 저가의 자동차(시가 500만 원)가 서로 충돌한 경우 저가의 자동차의 운전자는 자신의 과실 비율이 낮은 때에도 자신이 입은 손해액보다 훨씬 많은 손해를 상대방인 고가의 자동차 운전자에게 배상해야 한다. 예를 들면 교통사고에 대한 과실 비율이 고가 자동차 소유자가 90%이고 저가 자동차 소유자가 10%이고 구체적인 손해액이 고가 자동차가 4억 원이고 저가 자동차가 200만 원이라고 한다면, 고가 자동차 보유자는 저가 자동차 보유자에게 180만 원을, 저가 자동차 보유자는 고가 자동차 보유자에게 4,000만 원을 지급해야 한다. 이는 결과적으로 다음과 같은 사회현상을 유발한다.

첫째, 보험사고 사기가 증가한다. 예컨대 고가의 자동차 외제 자동차 보유자가 경미한 과실이 있는 다른 차량과 고의로 접촉 사고를 유발한 뒤 고가의 부품에 대한 수리 비용과 수리 기간 동안 동급의 차량에 대한 대여료를 청구하거나, 수리를 위해 부품을 수입하는 기간 동안 발생하는 엄청난 대차료를 회수하기 위하여 수리 비용을 추정한 현금을 미수선 수리비로 받아 가면서 실제로는 수리하지 않고 다시 다른 교통사고를 의도적으로 유발하기도 한다.

둘째, 고가의 자동차와 부딪쳐서 배상해야 할 손해를 고려하여 운전자들은 대물 손해 한도가 높은 자동차보험에 가입하는 경향이 두드러진다. 예컨대 저가의 자동차의 운전자가 교통사고에 다른 대물 보험의 한도를 상대적으로 낮게 설정하여 보험계약을 체결할 경우 고가의 자동차와의 교통사고로 인한 막대한 물적 손해(자동차 수리비, 수리할 때까지 자동차 임차비용)를 보험금으로 부담하지 못하여 본인이 직접 배상하게 되는 것을 염려하여 운전자들은 대물 손해 한도가 높은 보험에 가입하고 있다.

셋째, 고가 자동차와 관련한 교통사고로 인하여 차기 연도 보험료가 할증되어 고가 자동차와 사고가 난 운전자가 지불해야 할 보험료는 증가하게 된다.

유사 사건의 피해자가 이 문제를 해결하고자 법률구조공단에 질의하였는데 다음과 같은 회신을 받았다. "첫째, 대물 손해 한도가 1~3억 원인 경우와 10억 원인 경우에 대한 자동차 손해보험료의 차이는 1년 기준으로 1~2만 원 정도에 불과하다. 둘째, 연봉의 차이가 큰 두 명의 운전자가 충돌사고를 내서 일실 이익을 배상해야 하는 경우에도 동일한 문제가 발생한다. 예컨대 현행 손해배상법제상 A운전자의 연봉이 3천만 원이고 운전자 B의 연봉은 10억 원인 경우, A가 비록 과실 비율이 낮더라도 B에게 더 많은 금액을 배상해주어야 한다. 셋째, 보험사기는 현행 형법으로 강하게 처벌하고 있다."

일부의 아주 비싼 외제 자동차 운전자들을 위해서 대다수의 국산 자동차 운전자가 그에 대한 위험을 감수해야 하는 것이 타당한지에 대해 자신의 견해를 밝히고 대처 방안을 제시해보시오.

Q1. 현대사회는 성취 지향과 능력주의로 인해 우울증이 발생한다. 우울증의 원인은 무엇인가? 그리고 해결방안에 대해 본인의 성장배경과 성취에 대한 경험을 바탕으로 답변해보시오.

Q2. 유전자를 조작해 성 취향 등의 인자를 통제하는 것이 가능하다고 하자. 이는 타당한가?

Q3. 다음 제시문과 유사한 국내외 정책은 무엇이 있는지 제시해보시오.

> **<제시문: 아리스토텔레스>**
>
> 사회가 창출한 부를 인민에게 배분하는 것이 아니라, 더 큰 부를 창출하기 위해 엘리트 정치인이 권위적으로 부를 배분해야 한다는 내용이 제시됨

Part 1
Part 2
Part 3
Part 4
Part 5
Part 6
Part 7

해커스 김종수 로스쿨 면접 200주제

모범답변

2024~2016 경북대 로스쿨

2024 경북대 로스쿨

① 교수:학생 = 3:1　② 면접 준비 10분, 면접 시간 14분　③ 메모 가능　④ 추가질문 있음

메모 및 휴대 여부	• 메모, 휴대 가능함
대기실 특징	• 개인별로 지정석으로 배정되며 면접 유의사항 자료가 놓여 있음 • 대강의실에 오전조 응시자 전원이 조별로 착석해서 대기함 • 화장실은 진행위원 인솔하에 이용 가능함 • 물과 다과가 준비되어 있음 • 준비한 자료 등을 볼 수 있음
문제풀이실 특징	• 소강의실에 같은 조 응시자 전원이 착석해서 대기함 • 대기시간이 짧아 도중에 화장실 이용은 불가함 • 시계는 없고, 개인 필기구를 사용 가능함 • 감독관이 문제풀이 종료 5분 전, 1분 전에 알려줌
면접고사장 특징	• 면접장 입실 전, 문 앞에서 1분 정도 대기한 후 입실함
기타 특이사항	• –

2024 경북 A 문제

※ [가군 오전 면접] 다음 제시문을 읽고, 문제에 답하시오.

> (가) 미국, 영국 등의 선진국은 과거에 엄청난 탄소 배출을 했다. 과거 배출량이 많았던 선진국들이 책임이 더 크기 때문에 현재 배출량을 더 많이 줄여야 한다.
> 　　산업화 이후 최근까지(1750~2020년)의 이산화탄소 누적 배출량을 기준으로 보면, 1위는 미국으로 4,167억 2,308만 톤이며 전 세계 누적 배출량(1조 6,965억 2,417만 톤)의 24.6%에 달한다. 2위는 EU(17.1%), 3위 중국(13.9%)이다. 한국의 누적 배출량은 18위로 1.1% 비중이다.
> (나) 과거 배출량과 상관없이, 인구 1명당 탄소배출권을 일정량 할당해야 한다. 그리고 경제 개발 시에 인구 1인당 탄소배출권에 해당하는 탄소배출량을 넘어서는 부분에 대해서는 탄소배출권 거래제를 시행해서 구매하도록 해야 한다.
> 　　2020년 이산화탄소 배출량 1위 국가는 중국으로 배출량은 106억 6,788만 톤, 전 세계 배출량인 348억 725만 톤의 30.6%를 차지했다. 2위는 미국으로 47억 1,277만톤(13.5%)을 배출했다. 3위는 EU(7.5%), 4위는 인도(7%), 5위는 러시아(4.5%), 6위는 일본(3%)이다. 한국은 10위로 1.7% 비중이다.
> (다) 빈곤국가의 생존형 개발을 위한 탄소 배출은 허용해야 한다. 농업 등과 같이 기본적인 생존을 위해 개발해야 하는 열악한 처지에 있는 국가들을 고려해야 한다. 그러나 선진국의 사치형 개발과 탄소 배출은 제재해야 한다.

Q1. 제시문 (가), (나), (다) 중 하나의 입장을 택하여 옹호하고, 나머지 2개의 입장을 비판하시오.

Q2. 제시문 (나)가 저개발국가에 불리하다는 주장이 있다. 왜 그러한가?

Q3. 제시문 (다)가 공리주의 입장에서 타당하다는 주장이 있다. 왜 그러한가?

💬 A학생 추가질문

Q4. 탄소배출권 거래제도가 악용될 수 있다는 것이 이해가 안 되는데, 다시 설명하시오.

Q5. 생존형 배출과 사치형 배출을 구분하자는 것은 알겠다. 근데 그 기준이 매우 모호하지 않은가, 이에 대해서 반박하시오.

Q6. '반대를 위한 반대'를 할 테니, 이를 재반박하시오. 한계효용은 다 다를 수 있다. 미국이 1단위를 배출해서 얻을 수 있는 효용이 100이고, 베트남이 1단위를 배출해서 얻을 수 있는 효용이 50이면, 공리주의적인 관점에서 미국한테 배출권을 더 주는 것이 타당하지 않은가?

Q7. (다)의 공리주의에 대해 다시 설명하시오.

💬 B학생 추가질문

Q4. 과거의 탄소 배출량 계산이 가능한가?

Q5. 과거의 사람들이 경제 개발한 것에 대해 왜 현재의 사람들이 책임을 져야 하는가?

Q6. 제시문 (나)의 수치를 보면, 탄소배출권을 구매하지 않고 그냥 주어진 탄소배출권을 써도 되는 수준인데, 탄소배출권을 구매해서 개발을 해야 한다는 논거는 부당하다고 볼 수 있지 않을까?

Part 1
Part 2
Part 3
Part 4
Part 5
Part 6
Part 7

해커스 김종수 로스쿨 면접 200주제

※ [나군 면접] 다음 제시문을 읽고, 문제에 답하시오.

> (가) 머지않은 미래에 신경과학이 모든 행동의 원인을 뇌 안에서 찾아내게 된다면 법적 책임을 묻고 처벌하는 관행이 근본적으로 달라질 것이라고 생각하는 사람들이 있다. 어떤 사람의 범죄 행동이 두뇌에 있는 원인에 의해 결정된 것이어서 자유의지에서 비롯된 것이 아니라면, 그 사람에게 죄를 묻고 처벌할 수 없다는 것이 이들의 생각이다. 그러나 이는 법에 대한 오해에서 비롯된 착각이다. 법은 사람들이 일반적으로 합리적 선택을 할 수 있는 능력을 가지고 있다고 가정한다. 법률상 책임이 면제되려면 '피고인에게 합리적 행위 능력이 결여되어 있다는 사실'이 입증되어야 한다는 점에 대해서는 일반적으로 동의한다. 합리적 행위 능력이란 자신의 믿음에 입각해서 자신의 욕구를 달성하는 행동을 수행할 수 있는 능력을 의미한다. 사람들이 이러한 최소한의 합리성 기준을 일반적으로 충족하지 못한다는 것을 신경과학이 보여주지 않는 한, 그것은 책임에 관한 법의 접근 방식의 변화를 정당화하지 못한다. 하지만 신경과학은 사람들이 합리적 행위 능력을 갖고 있지 못하다는 것을 보여주지 못한다. 따라서 법적 책임에 관한 기본 개념은 건재할 것이다.
> 정신장애로 인한 행동에 범죄의 책임을 물을 수 없다. 반대로 본다면, 범행 시 피의자가 자신이 하는 행위의 성질을 알고, 범행 시 자신의 행위가 야기할 결과를 예측했고, 범행 시 자신의 행위가 처벌대상이 되는 범죄행위임을 알았다면, 정신질환과 관계없이 감형 대상이 될 수 없다.
>
> (나) 인간이 뇌와 유전자의 결과라면, 그리고 성장환경의 결과라면 인간에게 법적 책임을 물을 수 없을 것이다. 신경과학의 발전은 인간의 뇌와 유전자가 모든 것을 통제한다는 것을 보여주며, 신경과학으로 인간의 모든 행위를 설명할 수 있게 될 것이다.
>
> (다) 한 변호사가 "내가 그자를 그렇게 설계했다."고 고백했다. 변호사는 한 아이의 유전자와 그에게 부모로서 주어야 할 사랑을 주지 않은 어머니, 친구 등 환경 모두를 철저히 계획하여 그를 범죄자가 될 수밖에 없도록 설계했다. 이처럼 변호사에게 설계된 꼭두각시가 범죄를 저질렀다면, 사람들은 꼭두각시에게 법적 책임을 묻기보다는 그를 불쌍히 여기게 될 것이다.

Q1. 제시문 (가)와 (나)의 차이점은 무엇인가, 두 제시문은 양립할 수 있는가?

Q2. 아래의 각 문장이 제시문 (가)의 논증의 설득력에 어떠한 영향을 미치는가?
- 인간의 욕구와 믿음은 부수적이다.
- 인간의 욕구와 믿음은 허상에 불과하다.

Q3. 제시문 (가)의 일반적 피고인과 (다)의 꼭두각시의 차이점은 무엇인가?

Q4. Q1에서 (가)와 (나)는 각각 매우 단호한 어조로, '신경과학이 법적 책임을 바꿀 수 없다, 있다'고 얘기하고 있다. 학생은 양립이 가능할 수도 있다고 했는데 과연 가능하겠는가?

Q5. Q3의 대답으로, 지원자는 일반적 피고인은 유전자와 물리적 육체도 존재하지만, 사회문화적 영향 등도 지닌다고 밝혔다. 그런데 제시문 (나)에서는 성장환경마저도 신경과학이 통제할 수 있다고 되어있다. (나)를 Q3과 연결지어서, (나)를 어떻게 반론할 수 있겠는가?

Q6. 지원자는 인간은 물리적 존재만이 아닌 정신적 존재이고, 동시에 사회문화적인 변수의 영향을 받는다고 답했다. 하지만 (나)의 입장에 따른다면, 인간 사회의 모든 것은 예측 가능한 것이 되지 않을까?

Q7. 제시문에서는 설계된 꼭두각시를 다루고 있다. 그런데 꼭두각시를 인공지능이나 자율주행 자동차라고 생각해보자. 관련 기술 개발이 활발히 이뤄지고 있는 한편으로, 규제를 원하는 목소리도 높다. 학생은 이 문제를 어떻게 해결해야 한다고 생각하는가?

Q8. 사업별로 실태와 쟁점 조사, 규제 가이드라인의 설정을 답했는데, 이는 선제적 예방 차원이다. 만약 인공지능이 누군가의 법익을 침해하는 상황이 발생했다고 해보자. 이에 관해 인공지능에 사후적으로 법적 책임을 물을 수 있다고 생각하는가? 또한, 법적 책임을 누구에게 부담하도록 해야 한다고 생각하는가?

Q4. 한 환자에게 실험자가 전기충격을 줘서 범행을 저지르도록 설계했다. 그럼 이 환자의 책임을 인정할 수 있는가?

Q5. 신경과학이 발전한다면 법은 어떻게 변화하겠는가?

Q4. 신경과학을 법적 책임 등 법 분야에 과도하게 활용하는 것에 대해 어떻게 생각하는가?

Q5. 신경과학 관련 내용을 현재 법에 적용하여 활용하는 사례를 알고 있는가?

Q6. 신경과학적으로 문제가 있는 사람을 교화시키는 것이 가능하다고 생각하는가?

모범답변

① 교수:학생 = 3:1   ② 면접 준비 10분, 면접 시간 14분   ③ 문제지에 메모 가능, 휴대 가능   ④ 추가질문 있음

2023 경북 A 문제

※ [가군 면접] 다음 제시문을 읽고, 문제에 답하시오.

<제시문 1>

　독일 본 대학의 학생 238명을 대상으로 신뢰게임에 관한 실험을 진행했다. 신뢰게임(trust game)은 최후통첩 게임과 유사한 것으로, 서로 얼굴을 한 번도 본 적 없는 두 집단 사이에서 진행된다. 게임 방식은 이렇다. 최후통첩 게임과 마찬가지로 제안자 갑은 을에게 돈을 자기 마음대로 나누어줄 수 있다. 그런데 제안자 갑이 일정한 금액을 을에게 주겠다고 선언하면 응답자인 을은 갑이 제안한 금액의 3배를 받게 된다. 예를 들어, 갑이 을에게 10만 원을 주겠다고 제안하면 을은 그 돈의 3배인 30만 원을 받는 것이다. 그리고 을은 그 금액을 모두 가져도 되고, 보답의 마음으로 일정 금액을 갑에게 되돌려줄 수도 있다. 이 게임에서 만일 을이 믿을만한 사람이라면 갑은 을에게 전액을 줄 수 있을 것이다. 즉, 10만 원 전액을 주었을 경우 을은 자신이 받은 30만 원을 그냥 가지지 않고, 최소한 절반인 15만 원을 돌려줄 것이기 때문이다.

　위 신뢰게임의 조건에 더불어, 게임의 제안자인 갑에게 벌금을 부과할 권한을 부여했다. 이는 을이 돌려줄 금액이 특정 금액 이하가 되면 벌금을 지급하도록 하는 것이다. 예를 들어, 갑이 1만 원을 받은 후 5천 원을 을에게 건네면 을은 1만 5천 원을 받게 될 것이다. 이때 갑이 을에게 5천 원은 되돌려줬으면 좋겠다고 말하고, 4천 원의 벌금을 을에게 부과할 수 있다는 것이다. 그 결과는 다음의 그래프와 같다. 이 중 기본실험 설계를 수행하는 집단을 신뢰집단으로 구성한다.

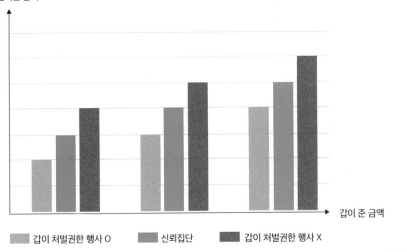

Q1. 인간의 의사결정에 영향을 미치는 요인으로 금전적 요인이 있다. 인센티브와 같이 긍정적인 영향을 주는 경우도 있고, 벌금과 같이 부정적인 영향을 주는 경우도 있다. 위 <제시문 1>의 실험 상황에서 벌금과 응답자인 을이 돌려주는 금액 사이에는 어떠한 관계가 있는가?

Q2-1. 아래 금전적 동기, 내재적 동기, 도구적 동기에 관한 제시문을 바탕으로 육군사관학교 장교 임관율의 차이를 설명하시오.

> <제시문 2>
>
> 　미국 육군사관학교 웨스트포인트에는 매년 1,300명의 남녀 생도가 입교하여, 그중 약 1,000명만이 졸업장을 받는다. 졸업생 중에서 5년의 의무 복무기간을 초과하여 직업군인의 길을 걷는 사람들의 비율은 더욱 낮다. 게다가 장성이 되는 지름길로 여겨지는 초고속 승진을 거듭하는 졸업생들의 비율은 더더욱 낮다. 그렇다면 장교로 임관하는 생도들은 처음 웨스트포인트에 입교할 때 어떤 동기를 마음에 품고 있었을까?
>
> 　장교 임관의 동기는 금전적 동기, 내재적 동기, 도구적 동기가 있다. 금전적 동기는 돈과 관련된 동기이고, 내재적 동기는 "나는 장교가 될 것이다." 등이 있으며, 도구적 동기는 "장교가 되면 평판이 좋을 것이다." 등이 있다.

Q2-2. 아래 그래프와 관련하여 위 그래프를 설명하시오.

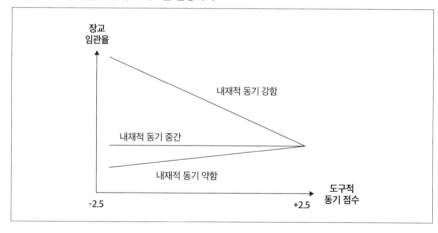

Q3. 위 문제의 논리적 연장선상에서, <제시문 1>의 실험에서 "갑이 을에게 물리는 벌금을 더 중하게 한다."는 조건이 있으면 을이 갑에게 더 많은 돈을 돌려줄 것인지 답하시오.

Q4. 2번 그래프의 결과(내재, 도구)가 현대사회의 취업준비생에게도 적용될 것인가?

Q5. Q1에서 전제로 신뢰가 있다고 본 이유는 무엇인가?

Q6. 그럼 만약 상호 신뢰가 더욱 깊은 사이라면 그래프가 어떻게 변할까?

Q7. 1번 그래프를 지원자가 나중에 법관이나 법조인이 되면 어떻게 직업적으로 활용할 수 있을 것이라 생각하는가?

Q8. 제도를 설계할 때 국민들이 서로 협력하고 신뢰할 것을 전제로 설계하는 것과 갈등이 있을 것을 전제로 설계하는 것 중 무엇이 맞다고 보는가?

Q9. 제도적 자제의 예시를 말해보시오.

Q10. 마지막 질문이다. 정말 궁금해서 물어보는 것인데, 2번 그래프에서 내재적 가치가 높은 그룹은 돈을 많이 줄수록 오히려 임관율이 낮아졌다. 그런데 낮아질 것까지는 없지 않을까? 왜 그렇다고 생각하는가?

Q4. Q3에 대한 일상 사례를 들어보시오.

Q5. 지원자가 만약 인사담당자라면 <제시문 2>의 결과를 참고했을 때 어떻게 사람을 뽑을 것인가?

Q6. Q2에 대한 추가질문으로, 그러면 동기만 중요하다는 것인가?

Q7. 상대방이 처벌 권한을 행사할지의 여부를 본인은 어떻게 판단할 것인가?

Q8. 나에게 내적 동기가 중요하다고 생각하는가?

Q9. <제시문 1>에 "갑과 을이 서로 다시 보지 않는다."는 조건이 있는데, 이 조건이 중요하다고 생각하는가? 중요하다면 해당 조건의 유무에 따라 어떻게 결과가 달라질 것이라 생각하는가?

Q10. Q1과 관련하여, (+) 유인이 효과적인가? 어떤 경우에 효과적인가?

Q4. 인간에게는 기본적으로 이기적인 행동을 하려는 본성이 있을 것이다. 이에 대해, 위 실험에서 인간들이 상호 신뢰에 따라 금액을 주었다고 하였다. <제시문 1> 내용처럼 갑, 을은 일면식도 없고 다시 만나지도 않을 텐데 그와 같은 선택을 한 이유는 무엇인가?

Q5. 정부가 모든 국민에게 빚 탕감을 해준다고 하면, 모든 국민들이 빚 탕감을 받으려고 할 것이고, 정부를 생각해서 빚 탕감 안 받는다고 하는 사람은 없을 것이다. 어떤 차이가 있는가?

Q6. 내재적 동기의 예로는 개인의 자아 성취 외에 어떠한 요소들이 있는가?

Q7. 그렇다면 군인들에게 내재적 동기 등이 충족된 상태면 되는 것인지, 군인들의 내재적 동기 수준을 유지하기 위해서는 무엇이 필요한가?

Q8. 군인의 보수는 어떻게 정하는 것이 타당하다고 생각하는가?

Q4. Q3에서 그렇다면 어떻게 해야 하는가?

Q5. 그렇다면 벌금 같은 조건을 내세우지 않으면 사회유지가 되는가?

Q6. 죄수의 딜레마는 범죄적 상황이고 이 상황은 계약과 같은 관계인데 둘이 같다고 볼 수 있는가?

Q7. 개인은 합리적 존재인가?

Q8. 지원자가 육사에 지원했는데, 4급 공무원으로 전환된다면 진학하겠는가?

※ [나군 면접] 다음 제시문을 읽고, 문제에 답하시오.

<제시문 1>

범죄에 대응하기 위해서는 처벌이라는 위하력이 있어야 한다. 범죄를 처벌한다면, 가벼운 마음으로 범죄를 저지르는 자는 처벌이 두렵기 때문에 오히려 범죄를 저지르지 않을 것이다.

<제시문 2>

사람은 이익보다 손실에 더 민감하게 반응한다.

<제시문 3>

실험 결과가 제시되었다. 기댓값이 동일함에도 불구하고 이익에서는 확실한 것을, 손실에서는 확률을 선택하는 결과를 보여주었다.

<표>

실제자료와 다르며, 벌금액은 커지고 적발 확률은 작아지는 추세를 유사하게 만든 것이다.

구분	정책 1	정책 2	정책 3	정책 4	정책 5
벌금액	10만 원	15만 원	20만 원	25만 원	30만 원
적발 확률	30%	25%	20%	15%	10%

Q1. 정책 1, 2, 4 중에 범죄 억제 효과가 가장 큰 것은 무엇인가?

Q2. 정책 1, 5 중에 선택한다면 어느 것을 택할 것인가?

Q3. 정책 중 가장 비용이 적게 드는 것은 무엇인가?

Q4. 내가 정책결정자라면 어떤 것을 택할 것인가?

추가질문

Q1-2. 기댓값을 구할 때 확률을 이미 한번 구했는데 이후에 적발 확률을 다시 쓰게 되면 중복되지 않나?

Q3-2. 적발 확률을 높이려면 단기간에 많은 수의 집행 인원을 투입해야 한다. 그렇다면 비용이 더 많이 들지 않을까?

모범답변

① 교수:학생 = 3:1　② 면접 준비 10분, 면접 시간 14분　③ 메모 가능, 휴대 가능

2022 경북 A 문제

※ 다음 제시문을 읽고, 문제에 답하시오.

<제시문 1>

　작년 12월 한 달간 검찰에 접수된 고소·고발 건수가 5만 건을 넘어 11년 만에 최대를 기록한 것은 우리 사회가 얼마나 '불신의 늪'에 빠져 있는지를 극명하게 보여준다. 대검찰청 통계에 따르면 지난달 접수된 고소·고발 건수는 5만 545건으로, 월간 기준으로 본다면 2009년 12월(5만 1,561건) 이후 가장 많았다. 지난해 월평균 고소·고발 건수는 4만 건 안팎이었지만 12월에 20% 정도 급증한 것이다. 이로써 작년 전체 고소·고발은 49만 5,894건에 달했다. 연말의 고소·고발 급증은 코로나19에 따른 사회적 거리두기 위반 사례가 늘었던 특수성도 있지만 우리 사회의 취약점을 드러낸 것이란 점도 부인할 수 없다.

　한국은 원래 고소·고발이 많은 나라다. 연평균 50만 건의 고소·고발은 이웃 일본과 비교하면 40배를 넘는 수준이다. 그 중 사기·위증·무고 등으로 기소된 사람은 인구 대비 일본의 100배 이상이라는 통계도 있다. 일본은 한국에 비해 고소·고발 절차가 무척 까다롭다는 점을 감안하더라도 우리 사회가 얼마나 고소·고발을 남발하는지 알 수 있다. 개인 간의 중재나 손해배상 등 민사소송으로 해결할 수 있는 문제도 일단 고소·고발을 통해 상대방을 형벌로 응징하려는 경우가 허다하다. 그만큼 불신이 깊기 때문이란 분석이 많다.

　이런 고소·고발 문화의 바탕엔 '삿대질'을 조장하는 한국의 저질 정치가 있다는 점을 지적하지 않을 수 없다. 선거 때만 되면 '국민 통합'을 강조하다가도 권력을 잡으면 계층·지역·세대 간 편을 가르고 자기편만 챙겨 지지 기반을 다지는 소아병적 정치의 뿌리가 깊다. 정치가 사회의 복잡다단한 요구와 갈등을 조정하고 통합을 이루는 게 본령임을 망각한 채, 되레 분열과 갈등을 조장하고 증폭시킨다. 그런 정상배들은 분노와 갈등을 자신의 정치적 자산으로 삼아 연명한다. 저질 정치가 사회 갈등지수를 높여 고소·고발의 남발을 부추기고 있는 것이다.

　신뢰야말로 공동체의 이익을 창출하는 사회적 자본이다. 신뢰자본의 크기와 경제성장률이 정비례한다는 연구 결과도 있다. 분열과 갈등은 개인과 정부에 대한 신뢰를 떨어뜨리고, 고소·고발 등 불필요한 갈등 비용을 증가시켜 모두를 패자로 만들 뿐이다. 한국 사회가 선진 사회로 도약하려면 상호 신뢰를 쌓는 노력이 절실하다. 이를 위해선 정치인들부터 각성하고 편 가르기와 갈등 조장을 멈춰야 한다. 그러지 않는다면 한국은 만인이 만인을 불신하는 '고소·고발 공화국'이란 오명을 벗기 힘들 것이다.

<제시문 2>
우리사회 전반 신뢰도

신뢰함 36.8%
신뢰 못함 57.8%
별로 신뢰하지 못함 34.4
조금 신뢰한다 27.2
전혀 신뢰하지 못함 23.4
9.6
단위: %
5.3
매우 신뢰한다
잘 모르겠다

<제시문 3>
법원 재판 공정성

공정함 15.2%
공정하지 않음 81.2%
별로 공정하지 않음 44.1
조금 공정함 13.8
전혀 공정하지 않음 37.1
1.4
단위: %
3.7
매우 공정함
잘 모르겠다

Q1. <제시문 1>과 <제시문 2>의 상관관계와 그렇게 생각한 이유를 제시해보시오.

Q2. <제시문 1>과 <제시문 3>의 상관관계와 그렇게 생각한 이유를 제시해보시오.

Q3. <제시문 1>의 문제점을 완화할 수 있는 방안을 제시해보시오.

💬 **A학생 추가질문**

Q4. <제시문 1>의 현상이 긍정적이라고 보는지, 부정적이라고 보는지?

Q5. 왜 한국의 신뢰도가 낮다고 생각하는지?

Q6. 사법 신뢰를 어떻게 제고할 수 있을지?

💬 **B학생 추가질문**

Q4. Q1에서 원인과 결과가 무엇인가? 고소·고발이 원인인가, 신뢰도가 원인인가?

Q5. <제시문 2>의 신뢰도란 무엇을 의미하는가?

Q6. 신뢰도 범주에 국가도 포함될 수 있다고 말했는데, 그렇다면 신뢰도도 낮고 재판 결과도 공정하지 않다고 생각하는데 고소와 고발이 왜 늘어나는 것이라고 생각하는 것인가? 오히려 믿을 수 없으니 하지 않는 것이 맞지 않은가?

Q7. 그래도 일본과 비교했을 때 40배나 차이나는 것은 너무 많지 않은가? 이에 대해서는 어떻게 생각하나?

Q8. 변호사로서 가장 중요한 자질이라고 생각하는 2가지를 말해보시오.

Q4. 사회가 발전함에 따라 이런 고소·고발이 늘어나는 것은 필연적이라고 답변했는데, 자연스러운 것이니 내버려두어도 되는 것인가? 아니면 무엇인가 조치가 필요하다고 생각하는가?

Q5. 조정위원회가 필요하다고 했는데, 조정위원회에서 어떻게 다양한 이해관계를 조율할 수 있는가?

Q4. 왜 우리나라의 고소·고발이 일본보다 40배나 많을까? 국민성 문제인가? 어느 나라의 국민성이 더 낫다고 생각하나?

Q5. 법원의 공정성이 낮은데, 우리나라 국민들이 고소·고발을 이렇게 많이 하는 이유는 무엇이라고 생각하는가?

Q6. 국민참여재판에서 재판관이 여론을 따라야 한다고 생각하는가?

Q7. 고소·고발을 줄이려면 어떻게 해야 할까? 고소·고발하는 사람들을 처벌하면 될 것인가?

Part 1
Part 2
Part 3
Part 4
Part 5
Part 6
Part 7

해커스 김종수 로스쿨 면접 200주제

모범답변

① 교수:학생 = 3:1 ② 면접 준비 10분, 면접 시간 15분 ③ 문제지에 메모 가능, 휴대 가능

2021 경북 A 문제

※ [가군 면접] 다음 제시문을 읽고, 문제에 답하시오.

<제시문 1>

미뇨넷호는 요트 한 척을 영국에서 호주로 배달하기 위해 대서양을 건너고 있었다. 배에는 선장 A, 일등 항해사 B, 일반 선원 C, 잡무원 D가 타고 있었다. A, B, C는 모두 가족이 있으나 D는 고아였다. 항해를 시작한 지 7일 만에 거대한 풍랑을 만나 미뇨넷호는 침몰했다. 4명의 선원들은 난파된 배에서 구명정을 타고 탈출하였다. 표류 기간이 길어지자 배고픔으로 인해 선장 A가 잡무원 D를 살해하여 식인할 것을 주도했고, 일등 항해사 B가 동조했다. 일반 선원 C는 처음에는 거부했으나 이내 동조하여 같이 식인 행위를 했다. 이로부터 4일 후 근처를 지나가던 독일 배에 의해 구조되어 본국으로 인도되었다. C는 식인 행위를 자백했고, 이들의 식인 행위가 알려지자 사회적으로 큰 파장이 일어났다.

<제시문 2>

일본에는 진료양보의사카드라는 제도가 시행되고 있다. 이 카드는 한정된 의료자원을 노인의 양보를 통해 회복 가능성이 높은 젊은 사람 중심으로 배분하기 위해 만들어졌다. 장기기증카드처럼 미리 동의를 해두면 환자가 중증 상태에 빠졌을 때 치료 기회를 다른 이에게 넘기겠다는 의사를 대신하는 것이다. 카드에는 '코로나19 확진자의 폭발적인 증가로 인공호흡기 등 고급 장비가 부족할 경우 젊은 사람에게 고급 의료를 양보한다'는 내용이 적혀 있다.

<제시문 3>

자율주행자동차가 긴급상황에서 누구의 생명을 더 우선시해야 되는지에 대해, A국, B국, C국은 각국 국민들을 대상으로 설문조사를 시행했다. 그 결과는 다음과 같다.

• A국: 다수를 구해야 한다는 응답이 가장 낮았다. 노인보다 젊은 사람을 우선 구해야 하며, 남성보다 여성을 먼저 구해야 한다는 응답이 많았다.
• B국: 다수를 구해야 한다는 응답이 가장 많았다. 노인을 우선 구해야 하며, 남성보다 여성을 먼저 구해야 한다는 응답이 가장 적었다.
• C국: 다수를 구해야 한다는 응답이 가장 많았다.

Q1. <제시문 1>의 상황과 같이 예외적인 상황에서 선원들의 행위는 정당화될 수 있는가?

Q2. <제시문 2>에서 사설의료기관이 노인에게 진료양보의사카드 서명을 권유하는 것은 정당한가?

Q3. <제시문 3>에서 A국, B국, C국의 윤리적 판단기준의 차이는 무엇인가?

Q4. 생명을 위해 다른 생명을 희생하는 것이 정당하다고 생각하는가?

Q5. 누구를 희생할 것인지를 어떻게 정해야 좋은가? 자원자가 없다면 어떻게 해야 하는가?

Q6. 지원자가 D라면 어떻게 반응할 것인가?

Q7. 반드시 노인과 젊은이의 생명 중 하나를 선택해야 한다면 무엇을 선택할 것이고, 그 기준은 무엇인가? 위원회를 만든다면 위원회에서 기준으로 삼아야 할 것은 무엇인가?

Q8. 국가가 자율주행차를 제대로 통제할 수 없는데, 그럼에도 국가가 이를 시행해야 하는가?

B학생 추가질문

Q4. Q1에서 식인 행위가 생명을 경시하는 태도라고 했는데, 3명의 생명을 살리기 위해 1명을 희생시키는 것은 어쩔 수 없는 선택이지 않았는가? 특히 A는 선장으로서 선원들을 보호해야 할 의무와 가족을 부양할 의무가 있지 않은가?

Q5. 만약 지원자가 구명정에 탄 4명 중 한 명이었다 하더라도, 지금 의견을 고수하겠나?

Q6. 만약 4명 중 한 명이 자신의 생명을 희생시켜 다른 3명을 구하겠다고 한다면, 이 선택은 어떠한가?

Q7. 지원자 한 명의 생명을 희생시켜 3명의 생명을 살릴 수 있다면, 어떻게 하겠나?

Q8. Q2에서 '집중치료양보카드'에 대한 사회적 합의가 아직 없고, 고령의 환자에게 집중치료를 양보할 것을 강요하려는 시도가 있을 수도 있는데, 이 경우에 대해서는 어떻게 생각하나?

C학생 추가질문

Q4. Q1에서 정당화할 수 없다고 답했는데, 만약 학생이 선장이었다면?

Q5. 가장 정당한 방법은 무엇이라고 생각하는가?

Q6. Q3에서 어떤 방안이 제일 합리적이라 생각하는가?

Q7. 우리나라는 어느 국가에 속한다고 생각하는가?

※ [나군 면접] 다음 제시문을 읽고, 문제에 답하시오.

<제시문 1>

간성은 생식기, 성 호르몬, 염색체 구조 등이 남성과 여성의 이분법적 구분에 들어맞지 않는 사람들을 가리키는 생물학적 용어이다. 즉, 외부 생식기 형태만으로 성별을 판정하기 어려운 경우 또는 하나의 몸에 남녀의 성기가 동시에 존재하는 경우를 말한다. 이들은 완전한 남성이나 여성이 아닌 둘 다의 성질을 가지고, 자라면서 한쪽으로 외형이 발달하는 양상을 보인다.

간성은 개인의 성적 지향이나 성 정체성과는 구분되는 생물학적 특징에 대한 개념이다. 생물학적으로 여자는 XX, 남자는 XY염색체를 갖고 있지만 간성은 약 30여 가지의 유전적 변이를 갖고 있는 경우가 많다. 예컨대 성 염색체 관련 증후군으로는 남성에게 주로 나타나는 클라인펠터 증후군과 여성에게 나타나는 터너 증후군을 들 수 있다.

클라인펠터 증후군은 2개 이상의 X염색체와 적어도 1개 이상의 Y염색체를 가진 경우를 말한다. 이는 성 염색체의 개수가 다르기 때문에 감수분열이 제대로 진행되지 않아 불임, 성 호르몬 이상, 여성형 유방증, 지능 저하 등의 증상이 나타난다. 터너 증후군은 성 염색체 XX 중 한 개가 완전히 소실되거나 부분적으로 소실되어 생기는 질환이다. 생존에 필요한 모든 염색체는 갖고 있기 때문에 생명에 지장은 없지만, 성 염색체 한 개에 문제가 있기 때문에 불임, 저신장, 성장 장애 등이 나타날 수 있다.

한편, 현재 정부 공식문서에서 '제3의 성'을 인정하는 국가로는 독일, 캐나다, 호주, 뉴질랜드, 인도, 파키스탄, 방글라데시, 네팔, 몰타, 미국(캘리포니아·뉴욕 등 일부 주) 등이 있다.

<제시문 2>

모크가디 캐스터 세메냐(Mokgadi Caster Semenya)는 남아프리카 공화국의 육상선수이다. 베를린에서 열린 2009년 세계 육상선수권 대회에서 여자 800 m 부문에서 시즌 최고 기록인 1분 55초 45를 기록하며 우승을 차지하였으며, 2012년 런던 하계 올림픽, 2016년 리우데자네이루 하계 올림픽에서 여자 800 m 금메달을 획득했다. 하지만 성별 논란으로 인해 여성 중거리 육상선수 출전이 제한되자 축구 선수로 활동 중이다.

캐스터 세메냐는 외관상(인상, 체형, 낮은 목소리 등) 18세의 여자로 보기 힘든 측면이 있어 국제육상경기연맹(IAAF)에서 결승 경기 전 성별 검사를 의뢰하였다. 이런 처사에 남아공 의회 스포츠, 레크레이션 위원회에서는 유엔 인권최고대표사무소(OHCHR)에 IAAF를 제소하겠다고 밝혔다. 또 남아공 육상연맹은 사전에 IAAF로부터 성 판별 검사 요구를 받은 적이 없다고 강하게 반박하였으며, 남아공의 칼레마 모틀란테 부통령이 직접 나서서 "성 판별 검사는 비인간적인 처사"라며 유감을 표했다.

세메냐는 성 판별 검사 결과 안드로젠 무감응 증후군으로 추정됐고, 남성과 여성의 특성을 모두 지닌 간성으로 밝혀졌다. 성소수자 차별 논란이 거세지자 IOC는 공식 성별 검사 발표를 하지 않았으며, 안드로젠 무감응 증후군을 가진 사람이 여성으로 출전하는 것을 허용하고 세메냐가 계속 여성으로 출전할 수 있도록 했다. 대신 고안드로젠증에 대한 규제를 하도록 했다. 이에 IAAF는 고안드로젠증에 대한 규제를 도입하여 세메냐는 향후 대회에서 출전할 수 없게 되었다.

XX여성의 고안드로젠증에 대한 출전 자격 제한 논란이 거세졌고 세메냐도 고안드로젠증 여성에 대한 제한에 항의하였다. 한편 중거리 종목(400 m~1마일)에서 성 분화 이상이 있는 선수에 한해 안드로젠 농도를 낮춰야 여성으로 출전할 수 있도록 IAAF 규정이 개정되었다. 세메냐는 안드로젠 농도를 낮추는 치료를 받고 여성 선수로 출전하라는 권유를 거부했다. 그리고 출전 제한에 대해 제소하였다. 2019년 IAAF는 XX여성에 대한 규제를 철회했으나 세메냐가 결국 패소했다. 이후 세메냐는 의료적 개입을 거부하고, 고안드로젠증 제한을 도입하지 않은 여자 축구선수로 활동 중이다.

<제시문 3>

호주 대법원은 2014년 4월 2일 오늘 법적으로 사람에게 남성이나 여성이 아닌 '불특정(non-specific) 성'을 인정할 수 있다고 판결했다. AFP통신에 따르면 대법원은 이날 전원일치 판결로 "사람이 남성이나 여성이 아닐 수 있다는 점을 인정한다. 따라서 성(性)을 등록할 때 '불특정'과 같은 용어를 허용한다"며 남성이나 여성만을 인정할 수 있다는 뉴사우스웨일즈주(州)의 상고를 기각했다.

이번 사건은 노리라는 사람이 자신을 남성이나 여성으로 확정할 수 없기 때문에 중성 범주를 도입해야 한다며 시작한 소송의 결과이다. 이름과 성(姓)의 구분 없이 노리라는 단일 이름을 사용하는 그는 스코틀랜드에서 남성으로 태어났으나, 지난 1989년 여자가 되기 위해 성전환 수술을 받았다. 그러나 수술로도 성 정체성을 찾지 못한 그는 전통적인 성의 개념을 넘어선 새로운 범주의 필요성을 주장했다.

뉴사우스웨일즈주의 호적부(Births, Deaths and Marriages)는 지난 2010년 2월에는 '성별 불특정(sex nonspeific)'이라고 쓴 노리의 기록을 승인했었다. 그러나 승인 직후, 승인이 실수였기 때문에 기존 결정을 파기하고 발급한 증명서도 효력이 없다고 정정했다. 노리는 이에 대해 "사회적으로 암살당한 느낌"이라고 말했다. 이후 노리와 뉴사우스웨일즈주는 법정 공방을 벌였으며 대법원은 결국 노리의 손을 들어줬다. 호주국제간성협회(Intersex International Australia)는 "법원의 결정을 환영한다"며 "언론이 간성(intersex)과 성전환자의 정체성이 다름을 존중하고 노리의 성을 '불특정'으로 인식해주기를 희망한다"고 말했다. 호주는 지난해 6월 개인 서류의 성별 표시란에 남성, 여성과 함께 간성을 표기할 수 있도록 했다.

Q1. 우리 사회에서 사회적, 문화적, 규범적으로 성별이 가지는 의미에 대해 의견을 제시해보시오.

Q2. 제시문을 토대로 간성 인정에 대한 찬성과 반대 견해를 추정하여 의견을 제시해보시오.

Q3. 세계육상연맹에서 간성인 선수의 메달을 박탈한 것은 타당한지 의견을 제시해보시오.

Q4. 간성인 사람이 간성이 아닌 성으로 변하기를 원하는 경우에 이를 인정해야 하는지 의견을 제시해보시오.

추가질문

Q5. Q2에서 자신의 의견을 제시해보시오.

Q6. Q2에서 평등원칙 논거를 언급했는데, 이를 구체적으로 다시 말해보시오.

Q7. 여성이 되거나 남성이 되는 것의 의미는 무엇인가? 선언적 의미뿐인가?

Q8. Q4에서 간성인 사람의 성전환을 인정했는데, 그렇다면 한 쪽 성으로 편향되거나 사회적으로 혼란이 생기는 등의 문제가 발생하지는 않을까?

모범답변

2020 경북대 로스쿨

① 교수:학생 = 3:1 ② 면접 시간 14분 ③ 블라인드 면접

2020 경북 A 문제

※ 다음 제시문을 읽고, 문제에 답하시오.

> 우리나라의 국가 청렴도에 대한 표가 제시되었다. 이 표에 따르면 우리나라의 국가 경쟁력 순위
> 는 전반적으로 변화가 없다. 설문조사 결과, 대한민국은 "자신이 공공서비스를 이용함에 있어 뇌
> 물을 건네준 적이 있다"는 설문에 "그렇다"고 답변한 사람은 3%에 불과하지만, "공공서비스 뇌물
> 범죄에 대한 정부의 대처가 잘 진행되고 있다"에 "그렇지 않다"고 답변한 사람은 55%에 달한다.
> 반면 인도는, "자신이 공공서비스를 이용함에 있어 뇌물을 건네준 적이 있다"는 설문에 "그렇
> 다"고 답변한 사람은 60%에 달하지만, "공공서비스 뇌물 범죄에 대한 정부의 대처가 잘 진행되고
> 있다"에 "그렇지 않다"고 답변한 사람은 25%에 불과하다.

Q1. 국가 청렴도에 있어서 우리나라의 순위는 큰 변동이 없다. 그 이유는 무엇이라고 생각하는가?

Q2. 인도를 비롯한 다른 국가들과 우리나라의 설문조사 결과가 반대로 나왔다. 그 이유는 무엇이라고 생
각하는가? 그리고 설문조사 수치가 우리나라의 상황을 잘 반영하고 있다고 생각하는가?

Q3. 부패방지법, 청탁금지법 등의 입법이 있었는데, 이로 인해 우리나라의 청렴도가 개선되고 있는가? 일
상생활에서 예시를 하나 들어보고, 앞으로 나아가야 할 방향이 무엇인지 제시해보시오.

※ 다음 제시문을 읽고, 문제에 답하시오.

> (가) 기업이 암 치료제 개발을 위해 원숭이를 대상으로 동물실험을 실시하려 한다. 이 실험과정은 원숭이에게 인위적으로 방사능을 가해서 암을 발생시키고, 약 투여 후 원숭이를 해부하는 등 으로 진행된다. 이때 실험 대상인 원숭이에게 고통을 가할 수밖에 없다.
>
> (나) 국가 비상사태로 원인을 알 수 없는 전염병이 돌아 국민들이 하루에도 수백 명씩 죽어가고 있 는 상황이다. 전염병 치료제를 긴급하게 개발하기 위해 사형 집행일이 얼마 남지 않은 사형수 에게 전염병 치료제임을 의도적으로 숨긴 채, 전염병 치료제를 실험했다. 결국 치료제 개발에 성공해서 전염병을 막을 수 있었다.
>
> (다) 병원에서 난소암 치료제를 개발하기 위해 불임 치료를 받고 있는 부부에게 동의를 얻어 환자 로부터 채취한 좋은 상태의 난자는 치료제 개발에 사용하고, 남은 난자는 부부의 불임 치료에 활용한다.

Q1. (가), (나), (다)의 공통점과 차이점을 제시해보시오.

Q2. (가), (나), (다)의 정당성 여부와 그 이유를 논해보시오.

모범답변

① 교수:학생 = 3:1 ② 면접 준비 10분, 면접 시간 15분

2019 경북 A 문제

※ 다음 3문제에 모두 답하여야 하며, 3문제에 대한 모든 답변을 7분 이내로 하시오.

> (1) 기존 방송 외에 유튜브 등 새로운 매체가 나타나면서, 기존 방송의 독점적 권력이 깨지고 1인 방송매체가 활성화되고 있다. 어린이들은 장래에 유튜브 방송인이 되고 싶어 한다.
>
> (2) 유전공학 등의 발달로 인하여 개인이 자신의 장애를 극복하고 생명을 연장할 수 있게 되었다.
>
> (3) 기록의 스포츠라는 야구 외에 축구에서도 빅데이터를 활용하고 있다. 기존의 훈련법은 오랜 경험이나 지도자의 직감 등에 의존하여 이뤄졌지만, 최근에는 빅데이터를 활용하여 선수의 기록 등을 활용하여 효율적인 훈련을 하고 다른 팀을 분석하여 전략을 설정하는 등의 변화가 일어나고 있다.

Q1. 방송 기술의 발전과 1인 매체가 개인과 우리 사회에 미치는 긍정적인 측면과 부정적 측면을 말하고, 자신의 견해를 논해보시오.

Q2. 유전공학 등이 개인과 우리 사회에 미치는 긍정적인 측면과 부정적 측면을 말하고, 자신의 견해를 논해보시오.

Q3. 스포츠 빅데이터 활용이 개인과 우리 사회에 미치는 긍정적인 측면과 부정적 측면을 말하고, 자신의 견해를 논해보시오.

추가질문

Q4. 1인 방송매체에서 유통되는 잘못된 정보는 시민들의 토론을 통해서 걸러낼 수 있다고 했는데, 구체적으로 어떤 방법을 통해 가능한가?

Q5. 유전학을 활용했을 때 부정적 영향을 해결할 수 있는 법적 조치는 어떤 것이 있다고 생각하는가?

Q6. 빅데이터를 통해 확인되지 않는 잠재력이 있음에도 불구하고 이것이 검증되지 못해 자신의 능력을 발휘할 수 있는 기회가 배제될 우려가 있는데, 이에 대해서는 어떻게 생각하는가?

※ 다음 3문제에 모두 답하여야 하며, 3문제에 대한 모든 답변을 7분 이내로 하시오.

> (가) 빈곤이란, 절대적인 소득이 부족한 경우를 의미한다는 주장
>
> (나) 빈곤이란 절대적인 소득뿐만 아니라 사회적 문화적 등등 복합적인 요소 모두를 고려하여 판
>   단해야 한다는 주장

Q1. (가)와 (나)를 읽고 '빈곤' 개념에 대한 본인의 입장을 선택해보시오.

Q2. 제시된 한국의 연도별 소득 통계를 참고하여 한국사회의 불평등이 심화되는지 여부를 판단해보시오.

Q3. 적극적인 복지와 소극적인 복지에 관한 상반된 두 제시문을 읽고 본인의 입장을 제시해보시오.

Part 1
Part 2
Part 3
Part 4
Part 5
Part 6
Part 7

해커스 김종수 로스쿨 면접 200주제

모범답변

2018 경북대 로스쿨

① 교수:학생 = 3:1 ② 면접 준비 15분, 면접 시간 10분

2018 경북 A 문제

※ 다음 제시문을 읽고, 문제에 답하시오.

> <제시문 1>
> 오스카 피스토리우스는 다리가 없는 장애인으로 일반인과 경쟁하는 육상대회에서 의족 사용이 허용되었고, 결국 일반 육상선수들보다 좋은 성과를 냈다. 그런데 의족은 탄성력 등에서 유리하여 비장애인 육상선수들이 장애인 육상선수의 의족 사용에 대하여 문제를 제기했다.
>
> <제시문 2>
> 장애인 골퍼인 케이시 마틴은 혈액순환 장애가 있어 일반인보다 장거리를 걷는 활동에 더 많은 피로감을 느낀다. 케이시 마틴은 자신의 장애로 인해 다른 선수들에 비해 불리한 환경에서 경쟁해야 함을 주장하며 경기 중 이동용 카트를 이용할 수 있게 해달라고 요청했다.

Q1. 오스카 피스토리우스와 케이시 마틴에 대한 우대 조치는 타당한가?

Q2. <제시문 1>과 <제시문 2> 상황의 우대 조치 간 차이점은 무엇인가?

Q3. 만일 비장애인 농구선수가 장애인과 마찬가지로 휠체어를 타고 경기를 한다면, 비장애인 농구선수가 장애인 농구대회 참가를 허용하는 것은 타당한가?

2018 경북 B 문제

※ 다음 제시문을 읽고, 문제에 답하시오.

> (가) 지식재산권은 공동의 것으로 폭넓게 인정되어야 한다. 창작자가 사회의 도움 없이 온전히 자기 힘만으로 창작할 수 없고, 창작을 할 때 기존의 정보와 환경을 이용할 수밖에 없다. 따라서 지식재산권을 창작자 개인의 것으로 한정지을 수 없다.
>
> (나) 인공지능이 빠르게 발전하여 사고력을 키우고 있으며 이에 따라 변호사의 자리를 위협할 것이다. 인공지능의 발달로 사람들은 변호사의 도움 없이도 소송이나 재판에서 스스로를 변호하는 것이 가능해질 것이다.

Q1. 지식재산권은 공동의 것인가 혹은 개인에게 한정되어야 하는가?

Q2. (나)와 같은 인공지능이 현실화된 사회에서 수험생이 생각하는 변호사의 업무는 무엇인가?

Q3. 이렇게 변화하는 상황에서 본인이 추구하는 경쟁력 있는 변호사는 무엇인가?

모범답변

2017 경북대 로스쿨

① 교수:학생 = 3:1 ② 면접 준비 15분, 면접 시간 10분

2017 경북 A 문제

※ 다음 제시문을 읽고, 문제에 답하시오.

> (가) 인공지능의 탁월한 능력에 대한 내용과 인공지능이 우리에게 미칠 영향에 대한 부정적인 내용이 6~7줄 정도의 분량으로 제시됨
>
> (나) 선진국에서는 인공지능으로 인해 사라지는 직업이 많을 것이라는 보고서가, 개발도상국에서는 인공지능 기술 발전으로 새롭게 생기는 직업이 많을 것이라는 보고서가 6~7줄 정도의 분량으로 제시됨
>
> (다) 자율주행차에 대한 일반적인 내용이 6~7줄 정도의 분량으로 제시됨

Q1. 인공지능이 인간사회에 미칠 긍정적 효과를 2가지 이상 제시해보시오.

Q2. 인간 활동 영역 중 인공지능이 대체할 수 없는 일을 2가지 이상 제시해보시오.

Q3. 자율주행차량으로 운행 중 사람을 치어 상해를 입혔다. 이 경우 자동차회사와 운전자 중 누구에게 책임이 있다고 생각하는가? (위급상황 발생 시 운전자가 직접 조작 가능)

🗨 추가질문

Q4. 원칙적으로 자동차회사의 책임이라고 했는데, 회사가 책임질 경우에 발생할 수 있는 부정적 효과는 무엇이 있을까?

Q5. 그럼 개인이 차에서 마구 놀고 있다가 사고가 나도 자동차회사의 책임이라고 생각하는가?

Q6. 주의의무를 기울였는지 객관적으로 어떻게 알 수 있을까?

Q7. 자동차 안은 개인의 사생활 영역인데, 블랙박스를 설치한다면 사생활 침해 문제가 발생하지 않겠나?

Q8. 원칙적으로 자동차회사 책임이라고 답했는데, 그 과정에서 블랙박스가 어떻게 실질적인 역할을 할 수 있나?

Q9. 지원자 말에 의하면, 개인은 자율주행차 안에서 주행 여부에 전혀 신경 쓰지 않고 자유롭게 있을 수는 없다는 것인가? 그렇다면 자율주행차를 도입하는 의미가 없어지는 것 아닌가?

Q10. 아까 Q2에서 인공지능이 할 수 없는 일로 '판단'하는 일을 꼽았는데, 그렇다면 지원자는 인공지능 판사와 인간 판사 중 어느 판사의 판결을 신뢰하는가?

※ 다음 제시문을 읽고, 문제에 답하시오.

> (1) 표준과 표준화의 정의가 제시되었다. 교통신호체계는 표준의 예시라고 볼 수 있다.
>
> (2) 인터넷의 표준에는 프로토콜이 있다. 컴퓨터 운영체제의 대부분은 마이크로소프트사의 윈도우를 사용하고 있으며, 리눅스 등은 잘 사용하지 않는다. 언어도 역시 표준의 예시이다. 한국어는 우리나라에서 표준적인 언어로 사용되며, 영어는 전 세계적인 표준 언어로 사용되고 있다.
>
> (3) 중국, 일본 등은 만 나이를 사용하고 있으며, 우리나라에는 한국식 나이와 만 나이가 혼용되고 있다. 만 나이는 태어날 때부터 0살로 시작하는 나이이고, 한국식 나이는 태어날 때부터 1살로 시작하는 나이이다. 법적으로는 만 나이를 사용하는데, 사회적으로는 한국식 나이를 쓰고 있다. 이로 인해 혼동이 발생한다고 만 나이로 통일하여 사용하자는 주장이 있다. 그러나 사회적으로 한국식 나이가 통용되고 있기 때문에 한국식 나이를 그대로 쓰자는 주장도 있다. 한국식 나이를 쓰자고 하는 의견은 46%, 만 나이로 통일하여 사용하자는 의견은 44%였다.

Q1. 표준의 구체적인 예를 일상적인 삶의 측면에서 들어보시오.

Q2. 정보통신 분야에서 표준화의 긍정적인 측면, 부정적인 측면을 2가지 이상 말해보시오.

Q3. 표준화는 정보통신 분야 이외에도 사회·문화로 확산되고 있는 추세이다. 제시문을 통해 볼 때, 만 나이로 통일하여 사용하자는 주장에 대한 자신의 의견을 말해보시오.

추가질문

Q4. 화폐는 좋은 예시이다. 그런데 스코틀랜드는 똑같은 500파운드도 영국과 다른 모양의 화폐를 사용하는데 그에 대해 어떻게 생각하나?

Q5. 법 규범의 표준화와 관련해서 혹시 우리 일상 속에서 법 규범 중 이는 표준화해야 한다거나, 좀 풀어줘야 한다거나 생각했던 것이 있는가?

Q6. 정보통신 분야의 표준화에 대하여 긍정적 측면(장점) 및 부정적 측면(단점)을 각각 2개 이상 제시해보시오.

Q7. 표준화가 되면 그 비용은 어떻게 될 것 같나?

Q8. 장점으로 개발이 용이함을, 단점으로 신제품 개발의 어려움을 들었는데, 지원자의 답변은 서로가 모순되지 않는가?

Q9. 베타맥스처럼 표준화를 이루지 못해 제품이 실패하면, 그동안 들어갔던 개발 비용은 전부 사회적 손실이 아닌가?

Q10. 한국식 나이는 우리나라의 아름다운 전통인데, 왜 없애야 하는가?

Q11. 우리의 문화는 어떻게 되는 것인가, 한국식 나이 문화가 더 친밀하고 끈끈한 측면도 있지 않은가?

모범답변

2016 경북대 로스쿨

① 교수:학생 = 3:1　　② 면접 준비 10분, 면접 시간 20분(지성+인성)

2016　경북 A 문제

※ 다음 제시문을 읽고, 문제에 답하시오.

> 2017년 우리나라 법률시장에서는 3차 개방을 앞두고 있다. 현재 우리나라 법률시장에서는 외국 변호사들이 진출하여 외국 자문사의 자격으로 일할 수 있게 되었다. 우리나라는 현재 국내 법조계에서 1위를 달리고 있는 국내 K법률사무소가 시장에서 많은 비중을 차지하고 있는데, 외국 로펌의 한국 사무소가 차려졌음에도 불구하고 외국 변호사는 1명만 고용되는 등의 현상을 보이고 있다. 이런 현상을 보면 우리나라는 싱가포르, 홍콩 등 다른 나라와 달리 법률시장이 개방되더라도 외국 로펌이 법률시장을 독식하지 않을 수 있다는 것을 알 수 있다.

Q1. 법률시장 개방으로 인한 법률서비스 수요자와 국내 법률사무소 및 법조인 개인 차원에서 서로 다른 기대와 우려가 있다. 이에 대한 지원자의 견해와 이유를 말해보시오.

Q2. 로스쿨 출신 변호사들에게 법률시장 개방이 블루오션이 될 수 있다는 견해가 있다. 지원자는 이에 대해 어떻게 생각하는가?

Q3. 법률시장 개방에 대한 국가, 국내 법조, 개인의 차원에서의 효율적인 대응책은 무엇이라 생각하는가?

※ 다음 제시문을 읽고, 문제에 답하시오.

<상황 1>

 치맥 페스티벌이 개최되어 닭 3만 마리가 도축되었다. 이 닭들은 A4용지 3분의 2 크기의 닭장에서 사육되었다.

<상황 2>

 신약 개발을 위해 수십 마리의 침팬지의 심장을 정지시키고, 각종 약물 실험을 실시하였다. 이를 통해 인간의 심장질환 치료 성공률이 3% 상승하였다.

<상황 3>

 모피 제품을 생산하기 위해 동물의 가죽을 벗기는데, 가죽의 훼손을 최소화하기 위해 동물이 살아 있을 때 가죽을 벗긴다.

Q1. <상황 1>, <상황 2>, <상황 3>의 공통점과 차이점을 말해보시오.

Q2. <상황 1>, <상황 2>, <상황 3>에서 인간의 편의를 위해 동물을 사용하는 것을 허용할 수 있는지에 대한 본인의 입장을 말해보시오.

💬 추가질문

Q3. 가치의 서열을 '인간의 생명 > 동물의 생명 > 인간의 행복 추구' 순으로 잡은 것이 맞는가?

Q4. <상황 1>에서 닭장 크기 이야기를 빠트린 것 같다. 동물에게 넉넉한 생활공간을 준다면, 그 생명을 빼앗는 도축이 허용될 수 있는가?

Q5. 신약 개발은 소수 환자의 이익이고, 모피 생산은 다수 소비자의 이익일 수 있는데, 이와 관련해서는 어떻게 생각하는가?

모범답변

2024~2016 경희대 로스쿨

2024 경희대 로스쿨

① 교수:학생 = 3:1　② 면접 준비 10분, 면접 시간 15분(7~8분의 기조발언)　③ 메모 가능　④ 추가질문 있음

메모 및 휴대 여부	• 메모, 휴대는 가능함 • 문제지는 문제풀이실과 면접고사장 책상에 부착되어 있음 • 개인 펜 사용 가능함
대기실 특징	• 계단식 강의실이고 의자가 딱딱하고 책상과 의자의 거리가 멀어 매우 불편함 • 개인 자료를 열람 가능하고, 취식이 가능하며, 화장실도 수시로 사용 가능함 • 전자기기는 사용 불가함 • 처음에 조에서 2명씩 나가고 15분마다 1명씩 호명되어 나감
문제풀이실 특징	• 4명이 함께 타이머 시작과 함께 문제풀이를 함 • 개인 짐은 계속 들고 다녀야 함 • 노트북으로 10분 타이머를 화면에 보여줌 • 문제를 A4 용지로 가려두고 시작과 동시에 문제를 풀게 됨
면접고사장 특징	• 문제풀이실에서 면접실로 이동 후, 면접고사장 앞에서 대기함 • 문제지는 책상에 부착되어 있음 • 면접관과 지원자의 거리는 가깝고, 시계는 없음
기타 특이사항	• -

2024 경희 A 문제

※ [가군 오전 면접] 다음 제시문을 읽고, 문제에 답하시오.

(A) 사이토 고헤이, <지속 불가능 자본주의>

지속가능한 성장은 불가능하다. 자본주의와 경제 성장이 환경 보호보다 더 중요하기 때문이다. 그린 에너지 개발도 결국 새로운 기술을 개발하자는 것이고, 자본주의와 경제 성장을 목적으로 한다. 공공 투자 역시 국가 발전과 경제 성장을 위한 목적이다. 따라서 환경 보호를 위해서는 경제 성장으로부터 벗어나야 한다.

(B) 제레미 리프킨, <글로벌 그린뉴딜>

지속가능한 발전은 분명히 가능하다. 그린 뉴딜 혁명을 위한 인프라 구축과 확장 자금은 전 세계의 연금 기금에서 나올 것이다. 연금 기금은 공공 및 민간 부문에 속한 근로자들의 퇴직 이후의 삶을 지원하는, 지급이 유예된 임금이다.

칼 마르크스는 세계의 노동자들이 공공 및 민간 연금 기금을 통해 전 세계 투자자본의 주요 소유자가 된 21세기 현실을 결코 상상하지 못했을 것이다. 미국의 노동력은 25조 4천억 달러가 넘는 연금 자산을 보유한 가장 강력한 목소리이다.

화석 연료 산업에 투자된 자금이 소진될 가능성이 높아지자 미국의 연금 기금들은 투자 자금을

회수하고, 녹색 기회에 재투자하고 있다. 노동조합 또한 그린 뉴딜 경제 전환에 수반되는 새로운 고용 기회에 대비해 인력을 재교육하라는 목소리를 높이고 있다.

그린 뉴딜, 녹색 기회는 회복력을 중심으로 하게 될 것이다. 녹색 에너지를 위한 대규모 인프라는 네트워크 효과를 달성하기 위해 분산적이고 개방적이며 투명하게 설계된다. 그리고 수평으로 규모가 확대되어 모든 국민이 매우 적은 고정비용이나 0에 가까운 한계비용으로 온라인과 오프라인 양쪽에서 직접 관계를 맺게 될 것이다. 기존의 중앙집중식에서 벗어나 분산된 힘을 국민에게 되돌려 주게 될 것이다.

(C) 이문재, <삼대>

미래를 미래에게 돌려줘야 한다.

아버지가 미래를 돌려줘야 아들딸이 지금과 다른 미래를 꿈꾼다.

Q1. 제시문 (A)와 (B)의 공통된 문제의식을 말하고, 제시하는 해결방식의 차이점을 논하시오.

Q2. 제시문 (C)를 감상하고, (A)와 (B) 중 자신의 관점과 잘 맞는 입장을 선택하고 근거를 논하시오.

💬 A학생 추가질문

Q3. (B)의 입장을 지지한다고 했는데, (A)는 녹색 에너지 개발조차 부정적으로 전망하고 있다. 그렇다면 자본주의 체제하에서 대체 어떤 해결책이 있겠는가?

Q4. (A)에서 자본주의를 부정적으로 본다고 답했는데, 그렇다면 (A)는 어떤 체제를 해결책으로 내놓을 것인가? 사회주의, 공산주의, 수정 자본주의인가?

Q5. (A)에 나온 '제국주의적 생활양식'이 무엇이라고 생각하는가?

💬 B학생 추가질문

Q3. Q2의 경우 너무 논리를 외부적으로 확장하였는데, 제시문 (B)에 충실하여 다시 감상평을 답변하시오.

Q4. 제시문 (A)와 (B)에 환경 파괴가 나와 있는가?

Q5. 제시문 (B)에서 제시된 석유산업 노동자 연금의 근거는 타당한 근거라고 보는가?

Q3. 제시문 (A)의 입장에서 (B)의 입장을 반박하시오. 그에 대한 재반론도 하시오.

Q4. 제시문 (A)에 이어질 내용은 무엇이라 생각하는가?

Q5. 제시문 (A)는 자본주의 외에 다른 것을 하자는 것인가?

Q6. 지원자는 개인들이 이기적이기 때문에 자본주의를 막을 수 없다고 보는 것인가? 그렇게 이기적인 개인들이라면 자본주의 발전과 환경 보호가 동시에 가능할까?

Q7. 노동자들이 연금 기금을 조성하는데, 노동자의 의미는 그게 아니지 않은가, 생산자라고도 볼 수 있는가?

Q8. 노동자들이 연금 기금을 조성하는 것으로 환경 보호와 자본주의가 동시에 추구될 수 있다고 보는가?

Q9. 노동자의 정의는 노동력을 제공하고 임금을 받는 것이다. 제시문 (B)의 노동자들은 기금을 조성하는 등 다른 모습을 보인다. 마르크스가 볼 때 이들을 노동자라고 할 수 있는가?

Part 1
Part 2
Part 3
Part 4
Part 5
Part 6
Part 7

해커스 김종수 로스쿨 면접 200주제

모범답변

2023 경희대 로스쿨

① 교수:학생 = 3:1 ② 면접 준비 10분, 면접 시간 15분 ③ 메모 가능 ④ 추가질문 있음

2023 경희 A 문제

※ 다음 제시문을 읽고, 문제에 답하시오.

> (A) 과학의 발전은 사실을 향한 여정이다. 뉴턴역학보다 상대성이론이 더 높은 예측력을 갖는데, 그 이유는 아인슈타인의 상대성이론이 실재에 더 가깝기 때문이다. 과학자는 인간의 지각 영역 밖의 것을 설명하면서 자연에 영향을 미치는 새로운 변인들을 발견한다. 이를 통해 자연을 설명하는 일반법칙을 만드는 것이 과학자의 책무인 것이다.
>
> (B) 현재의 이론이 과거의 이론보다 더 나은 이유는 그것이 진리에 가깝기 때문이 아니라 더 예측력이 높고 유용한 이론이 선택되었기 때문이다. 과학은 기존 이론을 보완하고 수정하면서 예측력을 높이는 방향으로 발전해왔다. 결국 과학은 사실이기 때문에 중요하다기보다는 유용하기 때문에 중요하다.
>
> (C) 심리학자인 甲은 '마음의 이론'을 연구했다. 甲은 이 이론을 바탕으로 공학자인 乙과 함께 이를 적용한 로봇 丙을 만들었다. 로봇 丙은 사람과 유사하게 행동했다.

Q1. (A)와 (B)를 요약하고, 입장 차이를 설명하시오.

Q2. (C)의 예측력에 대해 (A) 또는 (B)입장에서 설명하시오. 그리고 예상되는 반론에 대해 논하시오.

💬 A학생 추가질문

Q3. 지원자는 과학이 무엇이라고 생각하는가?

Q4. 甲은 (A)와 (B) 중 어떤 태도로 연구했다고 생각하는가?

Q5. 중력은 어떻게 발견되었는가?

Q3. 실용성이 부족한 과학은 의미가 없는가?

Q4. 뉴턴역학이 상대성이론에 의해 반증된 것처럼, 과거의 과학이론이 현대에 이르러 거짓으로 취급될 수도 있다. 과거의 이론은 무의미한 것인가?

Q5. 과거의 과학이론을 토대로 만들어진 것들이 현재 사용된다면 피해를 줄 수도 있다. 그렇다면 과학기술이 실용적이라 할 수 있는가?

Q6. 여타 실용적인 학문과 과학은 어떤 것이 다른가?

Q7. 같은 설명력과 예측력을 가진 다른 두 이론 중에서 (A)의 관점에 따르면 어느 이론이 실재에 가까운가?

모범답변

① 교수:학생 = 3:1 ② 면접 준비 10분, 면접 시간 15분 ③ 메모 가능, 휴대 가능

2022 경희 A 문제

※ 다음 제시문을 읽고, 문제에 답하시오.

> (가) 셀러는 상호성, 즉 연대적 본성이 인간 일반에 내재한다고 보았다. 그의 논리에 따르면 연대는 언제나 내부로부터 나오고 이기주의는 언제나 외부로부터 나온다. 개별 인격과 공동체 인격을 동일시할 수 있다.
>
> (나) 산업혁명 이후 자유주의가 도래하였다. 사람들은 자기 삶의 자유를 가지게 되었으나 그만큼의 책임도 스스로 지게 되었다. 사람들은 과도한 자유로 인해 오히려 불안을 겪고 있다.
>
> (다) 국민이 정치적 주권을 가지듯이 소비자는 경제적 주권을 가진다. 사회 전체의 자원 배분은 소비자의 자유로운 선택에 의해 최종 결정된다. 모든 경제 과정은 최종 소비자를 충족시키는 것이 목적이므로, 소비자 주권이 실현되면 결국 사회적 효용성은 저절로 증대된다.
>
> (라) 공인은 연예인이 아니라 국회의원, 장관, 대통령, 공공기관에서 일하는 사람 등을 의미한다. 공인은 시민과 국민에게 월급을 받는 사람이며 공인으로서 일하는 동안 공적 책임을 지며 사익을 추구해서는 안 된다. 이들이 공공선에 기여하도록 하는 것이 시민의 권리이며, 공인은 공공선에 기여할 의무가 있다.

Q1. 최근 정부는 사회적 기업을 지원하기 위해 국민에게도 소비의 일정 부분을 사회적 기업이나 협동조합의 상품을 사는 등의 윤리적 소비를 권고하고 있다. 권고에서 더 나아가 윤리적 소비를 법적으로 의무화하는 것에 대해, 제시문을 근거로 하여 찬반 의견 중 하나를 정해 본인의 의견을 제시해보시오.

Q2. 국회의원 가족이 투기를 했을 때 이를 이유로 국회의원을 사퇴시키는 것이 옳은지 제시문을 근거로 하여 찬반 의견 중 하나를 정해 의견을 제시해보시오.

💬 A학생 추가질문

Q3. 연대의무보다 개인의 자유를 중시하는 입장인 것 같은데, 코로나 시국에 마스크 강제는 어떻게 생각하나?

Q4. Q1 답변에서 언급한 인센티브 제도의 실효성을 높일 수 있는 방안은?

Q5. 국회의원 본인은 땅 투기에 대한 혐의가 없었으나 국회의원 아버지가 아들이 국회의원이라는 것을 과시하여 토지 투기를 유도했고 이에 실형을 선고받았다면, 이 경우에도 국회의원 본인은 사퇴할 필요가 없는가?

Q6. 국회의원 본인이 투기를 한 경우라면 어떻게 할 것인가?

Part 1
Part 2
Part 3
Part 4
Part 5
Part 6
Part 7

B학생 추가질문

Q3. 사회적 약자들을 위한 것이 공익적 차원에서 공공복리 실현이 아닌가? 윤리적 소비 의무를 반대하는 지원자가 공공복리의 저하를 이야기하는 것이 이해가 안 되는데 이에 대해 설득해보시오.

Q4. 그렇다면 Q2 답변에서 언급한 공공복리 논거와 비슷한 맥락에서 말했다는 것인가?

Q5. 국회의원 가족이 형사처벌을 받았을 경우에는 똑같은 현상에 대해 어떻게 생각하는가?

C학생 추가질문

Q3. 자율에 맡겨서 안 되니까 의무화하려는 것이다. 중간지점을 찾을 수 있을까?

Q4. 공동체의 가치 실현이 어렵다. 어떻게 해야 하겠는가?

Q5. 선거 부정과 관련해 국회의원 부인은 국회의원과 공동책임을 진다. 부부는 서로 경제권을 공유하기에 통념적으로 투기를 하면 서로 이득이 되고, 서로가 정보교환을 하므로 완전히 독립적인 관계라 볼 수 없다. 만약 이것을 용인하면 전부 다 부인 명의로 투기할 것이고 사회가 혼란스러워질 것이다. 이에 대해서는 어떻게 생각하는가?

Q6. 그런데 예시로 든 선거법은 아주 엄격한 법이다. 이것과 다르지 않은가?

D학생 추가질문

Q3. 선언적 의미로 윤리적 소비를 의무화하는 법안이 제정될 수도 있지 않을까?

Q4. 국가는 지금도 특정 목적을 실현하기 위해 국민의 경제적 자유를 제한하는 부분이 있다. 그럼에도 사회적 기업을 지원하는 것을 위무화하는 것에 왜 반대하는 것인가?

Q5. 국회의원이 가족의 투기를 정말 몰랐다면 어떻게 해야 하는가?

Q6. 자녀의 음주운전에 대해 몰랐다면 이는 국회의원으로서 괜찮은가?

Q7. 배우자의 경우에는 국회의원이 투기 사실에 대해 정말 몰랐다고 할 수 있는가?

모범답변

① 교수:학생 = 3:1   ② 면접 준비 10분, 면접 시간 15분   ③ 메모 가능, 휴대 가능

2021 | 경희 A 문제

※ 다음 제시문을 읽고, 문제에 답하시오.

<제시문 A>

미국 정부는 터스키지 지역에서 1932년부터 40년간 매독 환자들을 상대로 무료 치료해준다는 광고를 냈다. 이에 흑인 매독 환자들이 몰려들었으나 정부는 그들을 치료하지 않고 실험 대상으로 사용했다. 이로 인해 흑인 매독 환자들은 이후 심각한 증상에 시달렸으며 28명의 흑인 매독 환자들이 사망하기도 했다. 심지어 이로 인해 이후 '흑인은 매독에 잘 걸린다'는 인종차별적 인식이 확산되기도 했다. 1997년 당시 미국 대통령 빌 클린턴은 대통령으로서 처음으로 미국 국민을 대표하여 피해자들에게 공식 사과했다. 이러한 사례는 외국에서도 찾아볼 수 있다. 독일 지도자들이 나치의 전쟁범죄에 대해 사과한 것이 대표적 사례이다.

<제시문 B>

자유주의(liberalism)는 도덕적 책임을 지는 것이 개인이라고 주장한다. 이와 같은 입장에 따르면 개인이 저지른 도덕적 행위에 대한 책임은 오직 그 개인에게만 귀속된다. 누구나 자신이 저지른 행위에 대해서만 도덕적 책임을 진다. 개인의 자발적 합의가 없는 한 누구도 그 개인에게 특정한 도덕적 책임을 부과할 수 없는 것이다. 물론 과거의 조상들이 저지른 반인륜적 행위에 대해 유족들이나 피해자들에게 유감을 표명할 수는 있다. 그러나 유감의 표명은 오로지 실용주의적 목적에서만 해석되어야 할 것이다.

<제시문 C>

현대사회를 살아가는 인간은 모두 공동체에 소속되어 있다. 개인의 자아를 공동체의 문화적 정체성과 분리시켜서는 설명할 수 없다. 우리는 모두 누군가의 어머니, 자식, 선생님이다. 따라서 우리는 우리 공동체의 일원이 과거에 저지른 반인륜적 행위에 대해 연대책임을 져야 한다. 이것이 공동체주의(Communalism)의 입장이다.

<제시문 D>

한 사람이 성인에게 지혜를 구하고자 "당신의 가족과 이름 모를 외국인이 모두 심각한 피해를 당했는데, 당신은 한 명만 구제할 수 있다. 이러한 상황에서 누구를 구제하는 것이 도덕적으로 더 옳은가?"라고 물었다. 그러자 성인은 "두 선택지는 도덕적으로 동등하다. 가족의 고통에 대해 더 큰 슬픔을 느끼는 것은 인간으로서의 본성이다. 그러나 그것이 도덕적 평가 대상은 아니다."라고 답하였다. 그러나 나(화자)는 이러한 성인의 입장이 심각하게 잘못되었다고 믿는다. 나의 가족, 이웃, 동료 시민을 이름 모를 외국인보다 우선적으로 대우하는 것이 도덕적으로 올바르기 때문이다.

Q1. <제시문 A>의 상황을 보고 한 미국 국민이 "나는 인종차별적 행위에 가담한 적도, 동조한 적도 없는데, 왜 미국 대통령이 나를 대표해서 사과하느냐!"며 항의했다. 이러한 항의에 대해 <제시문 B>와 <제시문 C>의 입장에서 평가해보시오. (40점)

Q2. <제시문 D>에서 성인과 화자의 의견이 충돌하는 원인은 무엇인가? 또한 성인의 입장에 대한 견해를 밝혀보시오. (60점)

A학생 추가질문

Q3. 그렇다면 지원자는 <제시문 B>와 <제시문 C> 중 어떤 입장에 동조하는가?

Q4. 지원자가 해당 상황에 처했다면, 가족과 외국인 중 누구를 구할 것인가?

B학생 추가질문

Q3. 지원자는 <제시문 B>와 <제시문 C> 둘 중 어느 입장인가?

Q4. 대통령이 모든 일에 대해서 일일이 사과하는 것은 현실적으로 불가능해 보이는데 이에 대한 구체적인 기준을 제시해보시오.

C학생 추가질문

Q3. <제시문 D>의 성인과 화자의 입장이 각각 <제시문 B>, <제시문 C>와 어떻게 연결되는가?

Q4. 그렇다면 성인이 공동체주의에 더 가까운 것 아닌가? 크게 보면 인류가 한 공동체라고 할 수 있지 않을까?

Q5. 본인은 어느 쪽에 더 가까운가?

Q6. 우리나라가 일본에게 일제시대 때 저지른 만행에 대해 국가배상을 요구하고 있다. 일본인들은 당시 국가의 행위가 자신이 한 것도 아닌데 왜 지금 다른 시대의 일본인에 책임을 묻느냐고 항의한다. 이에 대해서 일본인에게 무슨 말을 할 것인가?

Q3. 내가 최근 코로나 상황에서 미국에 다녀왔는데, 외국인이라는 이유로 미국 입국에도 제한을 받고 미국에서 돌아다니지도 못하고 숙소에서 격리만 당하다가 왔다. 이렇게까지 외국인의 자유를 제한하는 것이 타당한가?

Q4. 코로나 긴급상황이라는 것은 이해하는데, 자국민이 아니라 외국인이라고 해서 이렇게 과하게 제한하는 것에 대해서는 어떻게 생각하는가?

Q5. 본인의 대답은 자유주의 입장에서도 국가 대통령이 책임을 질 수 있다는 입장인 것인가?

Q6. 제시문에 매독 환자 흑인들이 본인이 실험에 참여하는지 몰랐다는 내용이 있는가?

Q7. 어떻게 이 매독 실험 사례를 (구체적으로) 알고 있는가?

Q8. 자유주의가 무엇이라고 생각하나?

Q9. 그런데 그러한 자유주의에 대한 정의를 갖고 어떻게 <제시문 D>의 성인의 입장이 자유주의에 가깝다고 해석했나? 공리주의이면 자유주의인 것인가?

Q10. <제시문 A>의 흑인 피해자가 국가에게 배상을 받고 싶다고 본인에게 변호해달라고 찾아오면 어떻게 하겠는가?

E학생 추가질문

Q3. 가족의 연대성을 이야기했는데, 그렇다면 부모 찬스를 어떻게 생각하는가?

Q4. 가족을 구하지 않았다고 해서 형사처벌을 해야 하는가?

F학생 추가질문

Q3. <제시문 A>와 비슷한 사례를 알고 있는가? 우리나라의 경우도 괜찮다.

Q4. <제시문 D>의 성인의 입장 측면에서 이야기했는데 지원자의 견해는 어떠한가?

모범답변

Part 1

Part 2

Part 3

Part 4

Part 5

Part 6

Part 7

해커스 김종수 로스쿨 면접 200주제

2020 경희대 로스쿨

① 교수:학생 = 3:1　② 면접 준비 10분, 면접 시간 15분　③ 메모 가능

2020 | 경희 A 문제

※ 다음 제시문을 읽고, 문제에 답하시오.

<제시문 A>

최근 세계적으로 구시가지에 활력을 불어넣기 위한 도시 재생사업이 각광받고 있다. 도시 재생 사업은, 기존의 도시에서 발생하는 문제점을 해결하고 낙후도시 지역을 개발하는 방안이며 다양한 도시 기능을 복원하기 위한 것이다. 도시 재생의 방법으로는 크게 2가지가 있는데, 경제 회생과 일자리 창출을 위한 경제기반 형성 형태의 방법과, 주민 삶의 질을 개선하고 커뮤니티 활성화에 중점을 두는 마을 만들기 형태의 방법이 있다. 이러한 도시 재생사업은 도시경제를 활성화하고 주거의 질을 향상시킬 수 있다는 장점이 있으나, 기존 주거민들의 삶을 위협할 수 있고 기존 도시의 정체성이 훼손된다는 문제점을 내포하고 있다.

<제시문 B>

젠트리피케이션이란, 낙후된 구도심 지역이 활성화되어 중산층 이상의 계층이 유입됨으로써 기존의 저소득층 원주민을 대체하는 현상이다. 이러한 젠트리피케이션에는 주거 젠트리피케이션, 문화·예술 젠트리피케이션, 상업 젠트리피케이션이 있다. 우리나라는 과거 주거 젠트리피케이션이 주를 이루었다. 이후 홍대 문화거리 등 다양한 문화 환경이 조성되면서 문화·예술 젠트리피케이션이 발생하고 있다. 또한 관광사업이 활성화되면서 관광객에 의해 명소화되어 상업 젠트리피케이션이 발생하는데 이를 관광 젠트리피케이션이라고도 볼 수 있다.

<제시문 C>

도시를 활성화하는 사업의 일환으로 문화적 발전이나 관광사업 등이 활성화되고 있으나, 과도한 관광객의 유입으로 '오버투어리즘' 현상이 발생하고 있다. 이발소나 슈퍼마켓 등 기존의 상권을 위협하면서 주민 편의시설 대신 카페나 프랜차이즈 등이 들어서고, 관광객들의 과도한 유입으로 인해 교통난이 발생하는 등의 문제가 발생하면서 주거민들의 불만을 사고 있는 것이다. 이로 인해 최근 낙후도시 개발사업의 일환으로 시행된 벽화를 기존의 거주민들이 지워버리는 투어리스티피케이션 상황까지 발생했다.

Q1. <제시문 A>를 요약하고, <제시문 B>, <제시문 C>와의 관계를 말해보시오. (50점)

Q2. <제시문 B>, <제시문 C>가 지적하는 문제점을 제시하고, 이에 대한 해결방안을 말해보시오. (50점)

Q3. 그럼 기존의 도시가 갖고 있던 정체성이 훼손된다는 문제에 대한 해결방안에는 어떤 것이 있나?

Q4. 도시들이 너무 획일화되지는 않겠는가? 예를 들어, 도시에 자그마한 이발소나 그런 전통적인 성격의 상권이 있는데 대형 프랜차이즈가 입점하면서 다른 일반적인 상권과 마찬가지로 획일화되는 문제가 있다. 또, 마을 주민들 중에는 가이드를 하기 싫어하는 사람들도 분명 있을 것이다.

Q3. 답변 중에 국가 주도의 방법을 제시했는데, 도시 재생의 주체로 누가 나서야 할지 제시해보시오.

Q4. 도시 재생의 사례를 아는지, 본 적이 있는지, 최근 경희대가 위치한 강북 쪽에는 재건축이나 재개발이 많은데 재건축 등에는 많은 반발이 있다. 이런 반발을 어떻게 해결할 수 있을지 등에 대해 답변해보시오.

Q3. 답변 중에 사회적 인프라 구축을 제시했는데, 사회적 인프라가 구체적으로 무엇인지, 그를 위해서는 추가적인 재원이 필요할 텐데 이를 어떻게 충당할 것인지 답변해보시오.

Q4. <제시문 B>와 <제시문 C>의 차이점, 대상이나 현상 등에 차이가 있는지 답해보시오.

Q5. 답변 중에 임대 계약을 일정 기간 보장해야 한다고 했는데, 임대 계약을 예를 들어 10년 정도로 길게 보장하면, 오히려 유능하고 사업성 있는 다른 사업자가 진입하지 못할 수 있다. 이에 대해서는 어떻게 생각하는지, 그리고 이를 어떻게 해결할 것인지 답변해보시오.

Q3. 관광객 수를 제한하고, 관광 시간을 제한하는 등 이런 방법을 제시했는데, 이것을 경험한 적이 있는가?

Q4. 그렇다면 이를 시행하면 되는데 우리나라는 왜 안 하고 있는가?

Q5. <제시문 B>에서 국가가 매입·운영하거나 조합원으로 운영한다고 했는데, 그렇다면 국가가 과도하게 개입하는 것 아닌가? 이로 인해 개인의 영역이 너무 위축되는 것이 아닌가?

Part 1
Part 2
Part 3
Part 4
Part 5
Part 6
Part 7

 E학생 추가질문

Q3. <제시문 B>의 첫 문장에 젠트리피케이션은 기존 거주자를 내쫓는다고 했는데 젠트리피케이션이 긍정적이라고 할 수 있는가?

Q4. 도시 재생사업과 재개발·재건축은 차이가 있다고 생각하는가?

Q5. 젠트리피케이션을 해결하기 위해서는 민간주도로 해야 하는가 혹은 정부 주도로 해야 하는가, 혹은 서로 협력해서 해야 하는가?

Q6. 협동조합은 임차인이 구성하는 것인가, 임대인이 구성하는 것인가?

Q7. 임차인은 돈이 없어서 쫓겨나는데 임대인을 상대로 싸움이 되겠는가?

Q8. 예를 들어 어렵게 돈을 모아 노후자금으로 건물을 하나 사서 임대 수익으로 생활하는 노인이 있다고 하자. 그렇다면 그 노인도 강자로 인정해야 하는가?

Q9. 정부가 어떤 식으로 도와줘야 하는가?

Q10. 재정적인 지원을 하게 된다면 그 재원은 어디서 마련해야 하는가?

 F학생 추가질문

Q3. 젠트리피케이션과 오버투어리즘의 차이점은 무엇인가?

Q4. 그러니까 차이점이 무엇인가, 둘 다 결국 도시 재생의 문제점이라는 점에서는 같지 않은가?

Q5. 평소에 젠트리피케이션에 대해 들어본 적 있거나 관심을 가진 적이 있는가? 예를 들어보시오.

Q6. 젠트리피케이션이나 오버투어리즘과 재건축·재개발 간의 공통점과 차이점에 대해 말해보시오.

 G학생 추가질문

Q3. 도시 재생이라는 것이 무슨 강남이나 건물주, 혹은 땅 주인을 대상으로 하는 것이 아니라 낙후된 지역을 대상으로 하는 것인 만큼, 상대적으로 부유한 사람들을 대상으로 하는 것이 아니다. 지금 제시한 해결책을 적용한다면, 기존 거주민들에게 과도한 부담으로 돌아가는 것 아닌가? 이것이 과연 공정한 것인가?

모범답변

① 교수:학생 = 3:1　② 면접 준비 10분, 면접 시간 15분　③ 학생 발표 7~8분　④ 추가질문 있음

2019 | 경희 A 문제

※ 다음 제시문을 읽고, 문제에 답하시오.

> (A) AI 기술이 도입되면서 이에 대한 문제 제기가 잇따르고 있다. 테슬라 CEO 엘런 머스크는 AI 기술 비관론자이다. 그는 AI 기술이 규제받지 않는다면 사회적 갈등을 조장하고 폭주하여 3차 세계대전의 도화선이 될 것이라 주장한다. 국제정치학자이자 전직 국무장관인 헨리 키신저는 유럽 문명에 의해 잉카제국이 멸망했듯이 AI로 인해 사회갈등이 유발되고 국가 간 분쟁이 발생할 수 있다고 주장한다. 그렇기 때문에 AI 개발은 기업에 맡겨두어서는 안 되며 국가가 관리해야 한다.
> 반면에 AI 낙관론자로는 페이스북 창업자인 마크 주커버그가 있다. 그는 AI 기술의 효용성을 강조한다. AI 기술을 통한 자율주행자동차가 인간이 운전하는 것보다 안전하며, AI 기술은 신약 개발과 질병 진단 등에도 기여하여 의료업계를 발전시킬 뿐만 아니라 더 많은 사람의 목숨을 구한다고 말한다. 이런 기술의 가치중립성이 있음에도 불구하고 AI 사용의 문제 때문에 국가나 국제 차원의 규제를 도입하자는 것은 잘못되었다고 주장한다. 오라클 CEO 또한 마찬가지이다.
>
> (B) AI 기술이 발전함에 따라 기업의 입사 시험에서 AI 면접을 도입하는 사례가 나타나고 있다. 데이터를 활용해서 면접자를 판단하는데 얼굴 근육의 움직임 등을 통해서 지원자의 감정 상태와 능력을 판단할 수 있다. AI 면접을 도입하면 표절 여부를 쉽게 파악할 수 있고, 채용 부정도 막을 수 있다. 인간 면접관이 한 명당 15분 이상 소요되는 자기소개서 평가를 AI 면접관은 단 3초 만에 할 수 있기 때문에 시간과 비용 측면에서 효율적이다. 반면 AI 면접을 도입하였다가 취소한 아마존의 사례도 있다. AI 면접관이 공정한 면접을 하기 위해서는 수많은 데이터와 인간의 뇌 수준의 알고리즘이 필요하다. 세계 최고 수준의 데이터를 확보하고 있는 아마존이 AI 면접을 시행했는데, 기존의 차별적 면접 과정과 결과로 인해 남성을 선발하고 여성 지원자를 탈락시키는 사례들이 보고되면서 공정성 시비에 시달렸다. 일반 시민을 상대로 AI 면접에 대한 찬반 의견을 물었는데, 48:50 수준으로 찬반 의견이 유사한 수준이었다. AI 면접을 찬성하는 측에서는 다수의 사람들이 채용 부정을 막을 수 있다는 점을 찬성의 이유로 제시했다.

Q1. (A)의 'AI 위협론'에 대해 찬성과 반대 중 한 입장을 선택하고 제시문의 논거를 정리하시오. 그리고 AI 기술 개발을 개인과 기업의 자유에 맡겨야 하는지 혹은 국가나 국제사회가 규제해야 하는지 자신의 생각을 말해보시오.

Q2. (B)의 AI 면접관에 대해 찬성론과 반대론의 논거를 각각 정리하고, AI 면접관 도입에 대해 찬성, 반대, 부분적 도입 중 자신의 입장을 선택하고 논증해보시오.

Q3. 경희대 로스쿨이 AI 면접을 도입했다면, 지원자는 면접을 보겠는가?

Q4. 다른 로스쿨 면접은 전부 사람이 하고, 우리 학교만 AI 면접을 본다면?

Q5. 만약에 로스쿨 면접에 AI 도입이 확정되었다면, 본인은 AI가 본인의 어떤 능력을 평가해주기를 바라나?

Q6. 논리력 부분을 측정해주기를 바란다는 것인가? 왜 그러한가?

Q7. 아직 AI 기술이 미흡해서 면접 도입이 불가능한 것처럼 말하는데, 기술이 발전해서 인성도 잘 파악하고 공정성도 충분히 확보될 만큼 AI가 발전한다면 어떠한가?

Q8. 그럼 아무리 AI 기술이 완성되어도 최종 결정은 인간이 해야 한다는 뜻인가?

Q9. 만약에 내가 편견에 가득 차서 남성 지원자만 뽑는다면 어떠한가? 그렇다면 지원자들이 차라리 AI 면접관에게 평가받기를 원할 것 같지 않은가?

Q10. 기술이 충분히 발전되지 않았기 때문에 아직 AI 기술의 위험성을 걱정하기에는 이르다는 생각인 것 같은데, 기술이 완성된 후에 위험을 직접 겪게 되어 사후적으로 대응한다면 그때는 너무 늦은 것이 아닌가?

Q11. 그렇다고 해도 위험 자체를 근본적으로 막을 수 있으면 막아야 하는 것 아닌가?

모범답변

① 교수:학생 = 3:1   ② 답변 준비 10분, 면접 시간 15분   ③ 지성 면접만 실시하고, 인성 면접은 없음   ④ 메모 가능

2018 | 경희 A 문제

※ 다음 제시문을 읽고, 문제에 답하시오.

(A) 원자력 발전은 건설비용이 많이 들지만, 한번 가동된 뒤에는 에너지 효율이 거의 무한에 수렴한다. 또한, 국제적으로 파리협약과 같이 오염물질 배출을 줄이는 추세에서 원자력 발전은 환경오염에 드는 비용도 줄일 수 있다는 장점이 있다. 한편, 원자력발전소는 처분과 폐로 비용 및 사고 대응 비용이 들어간다. 특히 가장 최근에 있었던 대규모 원전 사고인 후쿠시마 원전 사고에서의 피해는 사고 처리 비용이 200조 원 이상으로 추정된다.

(B) 아인슈타인의 상대성원리에 의하면, 빛보다 빠른 것은 없다. 그런데 최근 상대성이론을 위협하는 사실이 관측되었다. 특정한 조건하에서 중성미자가 빛보다 빠를 수 있다는 것이 관측되었기 때문이다. 올해 과학계의 또 다른 핵심 이슈는 신의 입자라 불리는 '힉스 입자(Higgs boson)'의 존재 규명이다. 현대 입자물리학의 근간이 되는 표준모형이론에서는 우주가 17개의 기본 입자로 구성돼 있다고 보는데 오직 힉스 입자만이 아직 발견되지 않고 있다. 게다가 힉스 입자는 나머지 16개 입자에 질량을 부여한 주체로 추정돼 질량의 기원과 우주 생성의 비밀을 밝힐 핵심 키워드이기도 하다. 바로 이 힉스 입자의 존재 여부가 올해 최종 결론지어질 것으로 전망된다. LHC를 활용, 1년 넘게 힉스 입자를 찾아온 CERN 연구팀에 의해 힉스입자 존재 가능 영역, 즉 수색해야 할 구간이 질량 기준 115~135GeV(기가전자볼트)로 좁혀지면서 연말쯤 신뢰도 100% 수준의 결론 도출이 예견돼 있다. 그런데 혹여 발견에 실패한다면 어떻게 될까. 최기운 한국과학기술원(KAIST) 물리학과 교수는 "그때는 표준모형에 치명적 결함이 입증돼 기존 입자물리학 법칙의 패러다임이 무너진다"며 "물리학계는 힉스 입자가 없는 이유를 설명해야 하는 새 도전에 직면하게 될 것"이라고 설명했다. 이러한 발견들을 통해 과학적 지식도 절대적 진리는 될 수 없다는 생각이 퍼지고 있다.

(C) 인간은 언제나 개인적 이득만을 위해 행동하는 비도덕적 존재만은 아니다. 적절한 제도하에서는 자신의 이익과 공동의 이익을 조화시킬 수 있을 것이기 때문이다. 이때 적절한 제도란 물질적 이득을 추구하는 개인들을 외적으로 그리고 위에서 아래로 강제하는 장치가 아니라, 상호 신뢰를 통해 서로가 서로를 강제해낼 수 있는 동료 간의 감시 및 견제 장치이다. 이것이 가능한 이유는 인간은 상대방이 협조하려는 의지가 확인되면 언제든지 이에 협조로 응답하고, 자신의 행동이 타인에게 미치는 영향을 고려하며, 다른 누군가의 행동이 타인에게 해를 입히는 경우 자기 일처럼 나서서 이를 제어해내고자 하는 의향을 가진 존재이기 때문이다.

(D) 2017년 11월 20일, 신고리 원자력발전소 5·6호기 공론화위원회는 정부에 대한 권고안을 만들었는데, 신고리 원전 5·6호기 공사를 재개한다는 내용을 담고 있다. 그리고 정부는 이 권고안을 따를 것이라 발표했다.

Q1. 수험생이 원자력발전소 공론화위원회에서 시민들을 설득해야 하는 전문가로 참여하였다고 가정해보고, 원자력발전소 유지 및 중단과 관련된 입장을 정하여 이에 대해 논해보시오. (40점)

Q2. (B), (C)를 참고하여 (D)의 타당성에 대해서 논해보시오. (60점)

① 교수:학생 = 3:1 ② 답변 준비 10분, 면접 시간 15분 ③ 지성 면접만 실시하고, 인성 면접은 없음 ④ 메모 가능

2017 경희 A 문제

※ 다음 제시문을 읽고, 문제에 답하시오.

> (A) 공인은 고위 공직자를 의미하기도 하고 어떤 경우에는 사회적으로 저명한 인물들을 의미하기도 한다. 즉 공인이라는 의미는 다의적이며 이에 대해 아직까지 사회적으로 합의된 바가 없다.
>
> (B) 국적을 포기하면서 병역 의무를 기피하여 국민에게 비난받는 사례(유승준)와 사회적 비난을 수용하여 군대를 다시 가게 된 연예인(싸이)의 사례를 소개했다. 연예인은 잘못을 저질렀을 때 사법적 판결 외에도 그것이 공공연하게 대중에게 알려져 직업을 포기하도록 사실상 강요되는 도덕적 판결까지도 받아야 한다. 이미 죗값을 치른 후에도 자숙기간을 가지도록 한다. 정치인의 경우 8.15 특별사면이라는 기회라도 있지만 연예인의 자숙기간은 제한이 없다.
>
> (C) 나이 많은 아빠의 직업은 수위인데, 젊은이들을 추종하며 우스꽝스러운 옷을 입고 다니곤 해 아들이 내심 무시하고 있다. 한편 아빠는 아들이 배우가 되겠다고 하니까 배우는 딴따라라고 생각한다면서 자신보다 못한 직업으로 유일하게 배우를 거론했다(박완서의 「배반의 여름」의 일부를 발췌하여 제시됨).
>
> (D) 대부업은 일정 절차를 거쳐 등록된 것으로 사채업과는 달리 합법이다(법률이 제시됨). 따라서 대부업의 광고 또한 합법이다. 이러한 합법성을 부각하여 광고하기 위해 대중적으로 알려진 연예인을 대부업 광고 모델로 사용한다.
>
> (E) 연예인들이 대부업 광고를 수락한다면 비난의 대상이 되고 거절하면 찬사를 받는다. 고리대금업이 금융의 양극화를 야기한다는 이유로 시청자들은 대부업 광고에 비판적 시각을 갖는데 연예인은 이를 고려하지 않을 수 없다. 그럼에도 굴하지 않고 본인의 소신껏 대부업체 광고에 출연한 연예인 ○모씨의 사례가 소개됐다.
>
> (F) 대부업 광고는 연예인을 출연시키려고 거액의 출연료를 지급한다. 그것은 결국 고리대금업을 이용하는 서민들을 착취함으로서 얻게 된 부당이익이다. 연예인들이 가진 친숙함, 편안함, 신뢰감을 이용하여 고리대금업에 대한 이미지를 쇄신하려 시도한다. 사람들로 하여금 의존할 수 있는 것으로 믿게 만든다.

Q1. (A), (B), (C)를 읽고, 연예인이 사회적 물의를 일으킨 경우 공인으로서 사회적 비난을 받아야 하는지에 대한 찬반 견해를 논해보시오.

Q2. (D), (E), (F)를 읽고, 연예인의 대부업 광고 출연에 대한 찬반 견해를 논해보시오.

Q3. 연예인은 공인이 아니라, 사익을 추구할 수 있는 사인으로 보아야 한다는 반론도 만만치 않다. 이러한 반론에 대한 생각은? 연예인은 공인인가 아니면 사인인가?

Q4. 진정으로 대부업과 같은 수단이 필요한 국민도 있을 수 있다. 연예인이 출현한 대부업 광고는 음지의 대부업이 아니라 '합법적인' 대부업체라는 정보를 국민에게 제공할 수 있다. 이렇듯 연예인의 대부업 광고 출현으로 인한 정보 제공이라는 긍정적인 측면도 있는 것 아닌가? 이에 대한 수험생의 생각은?

모범답변

① 교수:학생 = 3:1   ② 답변 준비 10분, 면접 시간 13~15분   ③ 지성면접만 실시하고, 인성면접은 없음
④ 메모 가능

2016 | 경희 A 문제

※ 다음 제시문을 읽고, 문제에 답하시오.

(A) 사회 영역에서는 상대적 평등이 작동한다. 능력 등에 따라 결정권을 다르게 부여할 수 있다. 탁월한 능력이나 식견을 가진 자는 더 많은 결정권을 가지는 것이 타당하다. 이처럼 다른 것을 다르게 대하는 것은 타당하지만, 같은 것을 다르게 대하기 위해서는 합리적 이유가 필요하다. 정치 영역에서는 절대적 평등이 있다. 1인 1표가 대표적이다.

(B) 저출산·고령화 관련 통계를 많이 제시하였다. 이러한 추세가 계속될 경우 인류는 종말을 맞이할 것이다. 저출산 기조를 극복하기 위해서는 정치·경제적 여건이 뒷받침되어야 한다.

(C) "여성이 단두대에 오를 수 있다면 참정권 역시 가질 수 있어야 한다." 여성은 전쟁에 참가하여 국방의 의무를 수행하지 않는다는 이유로 참정권을 부여받지 못해왔다. 그러나 세계대전 당시 후방에서 군수물자를 만드는 등 간접적으로 국방의 의무를 수행하였고, 그에 따라 참정권도 얻게 되었다.

(D) 최근 유럽에서 가족 투표권 제도의 도입을 논의하고 있다. 가족 투표권 제도란 미성년자에게도 투표권을 인정하되, 투표권의 행사는 그 부모가 대리하게 하는 제도이다. 이 제도는 국민주권의 원칙에 부합하는 한편, 저출산·고령화로 인한 문제점도 개선하는 효과가 있다. 현재 고령 인구의 복지는 강화되는 반면 젊은 세대의 부담은 늘어나는 추세이다. 이에 가족 투표권 제도를 도입하여 입법·행정기관으로 하여금 젊은 세대의 투표권 비중을 높여 젊은 세대의 목소리를 보다 많이 반영토록 하고자 한다. 나아가 미성년자들이 자신에게도 선거권이 있다는 것을 명시적으로 인식하여, 선거에 대해 관심을 높이고 민주적 학습을 하게 되는 효과 역시 기대할 수 있다.

Q1. (A)의 관점에서 제시문 (D)의 '가족 투표권 제도'를 평가해보시오.

Q2. (B), (C), (D)에 근거하여 가족 투표권 제도에 대한 찬반 입장을 선택하고, 논거를 말해보시오.

추가질문

Q3. 변호사가 되어 의뢰를 받았다고 가정할 때 의뢰인이 반대 측 입장에 서달라고 요구한다면, 반대 측의 논거로는 어떤 것을 제시하겠는가?

Q4. 우리나라에서도 저출산이 큰 문제인데, 가족 투표권 제도가 실제로 저출산 문제 해결에 기여하리라고 보는가?

모범답변

2024~2016 고려대 로스쿨

2024 고려대 로스쿨

① 교수:학생 = 3:1 ② 면접 준비 15분, 면접 시간 12분 ③ 메모 가능 ④ 추가질문 있음

메모 및 휴대 여부	• 메모 및 휴대 가능함
대기실 특징	• 신분증과 수험표 확인 후 전자기기를 제출해야 함 • 약 150명이 함께 대기하며, 다과와 물이 준비되어 있고, 준비된 자료를 읽을 수 있음 • 조별로 좌석이 정해져 있고, 개인면접번호에 따라 지정석에 착석해야 함
문제풀이실 특징	• 8명이 문제풀이실에 들어가며, B5 용지의 메모지가 있고, 문제지가 뒤집어져 있음 • 총 15분간 메모지에 본인의 답변을 준비하고, 시간 종료 후 문제지는 다시 뒤집어 놓고 연습지만 들고 나가게 됨 • 개인 필기구를 사용 가능함
면접고사장 특징	• 타이머가 지원자 앞에 있으며, 12분에서 시작해서 남은 시간을 보여줌
기타 특이사항	• 전년도에는 6분 이상 기조발언을 하지 않을 경우 감점한다는 내용이 고지되었으나, 금년도에는 이 내용이 없음

2024 고려 A 문제

※ 다음 제시문을 읽고, 문제에 답하시오.

제시문 (1)

개인은 옳고 그름을 판별할 수 있는 자유로운 존재이며, 이러한 자유의지를 통해 행한 행위에 대해서 책임을 져야 한다. 이와 반대로 인간의 행위가 이미 태어날 때부터 결정되어 있다는 관점이 있다. 그러나 이는 인간의 행위의 원인을 자유의지가 아닌 신 혹은 유전자 등으로 보고 인간의 책임을 부정하기 때문에 타당하지 않다. 개인의 특정한 행위는 자신의 자유의지가 실현된 결과이기 때문에 개인은 그에 대한 책임을 져야 한다.

제시문 (2)

정부가 폐광지역을 살리기 위해 카지노사업을 허가했으며, A법인은 정부의 허가를 받아 폐광지역에 내국인이 이용 가능한 카지노를 만들었다. 중소기업 대표이사인 B는 카지노를 이용하다가 도박에 중독되어 130억 원을 탕진했다. 결국 B는 본인이 운영하던 사업체도 도박 빚으로 인해 잃었고, 채무로 인해 가족과도 불화를 겪었다. B는 이에 대해 A법인이 도박중독자 확인이 미흡했고 출입 금지 등의 제한조치를 하지 않은 책임이 있다며, A법인을 상대로 하여 도박으로 잃은 자금 130억 원 전액에 대한 손해배상소송을 제기했다. 법원은 B가 도박중독에 이르게 된 것과 이를 방치한 것에 대한 A법인의 일부 책임을 인정해 청구액의 50%에 해당하는 65억 원을 지급할 것을 판결했다.

제시문 (3)

　　남북전쟁 이후 미국 대통령은 노예제로 인해 발생한 흑인의 피해에 대하여 공식 사과 연설을 했다. 그리고 노예로 살아온 흑인 각각에게 40에이커의 땅과 노새 한 마리를 배상으로 약속했으나 이 보상은 이루어지지 않았다. 현재 화폐가치로 12~35조 달러에 달하는 막대한 금액이다.

　　학자 A는 노예 피해 보상을 위한 자금은 노예제도에서 직접 이익을 얻은 사람들에게서 징수해야 하는데, 현재 그 사람들이 모두 사망했기 때문에 보상을 할 수 없다고 주장했다. 공화당 의원인 B 역시 현재의 미국인들이 직접 하지 않은 일이기 때문에 현재의 미국인들이 사과나 보상을 할 필요가 없다고 말했다.

　　그러나 우리의 선택은 아니지만 그렇다고 사회계약의 결과로도 볼 수 없는 것들에 관한 의무가 있다. 우리에게는 사회에 대한 연대 의식, 동료애, 사랑 등의 도덕적이고 정치적인 의무가 있는 것이다. 따라서 미국의 현세대에게도 사과와 보상의 책임이 있다.

Q1. 제시문 (1), (2), (3)을 비교하여 논지를 요약하시오.

Q2. 지원자가 가장 지지하는 제시문을 선택하고, 논거를 들어 이를 논변하시오.

A학생 추가질문

Q3. (2)에서 50%라는 수치를 제시하고 있는데 이 비율은 적당하다고 생각하는가?

Q4. (2)의 경우 금전과 같이 계량 가능한 사안이었다. 그러나 현실에서 계량 불가능한 상황이라면 어떻게 개인과 사회의 책임을 모두 반영할 것인지를 제시하시오.

Q5. (2)는 (1)과 (3)의 절충적 입장인가, 혹은 완전히 새로운 논리인가?

Q3. 카지노 측에 보호의무 책임을 부과하면 도박을 하는 개인에게 도덕적 해이를 불러일으킬 수 있지 않은가?

Q4. 최근 전세사기 특별법을 통하여 청년들이 피해를 입은 금원을 국가에서 보전해주도록 하였는데, 실제로 전세사기는 투자 실패와 구분되지 않는다는 점에서 범죄 피해로부터 국민을 보호하는 것도 아니게 된다. 그렇다면 사인 간의 거래와 그로부터 발생한 손실을 국가가 나서서 보호해주어야 하는 이유가 무엇인지 제시문 (나)와 연결하여 답변하시오.

Q5. 만일 어떤 사람이 "독립운동 유공자 지원금에 대해 친일자손들의 재산을 빼앗아서 지원하지 내가 왜 세금을 부담해야 하는가?"라고 한다면, 어떻게 답변하겠는가?

Q3. 공동체주의를 찬성한다면 개인의 100% 책임으로부터 개인의 공동체에 대한 100% 책임으로 그 단계나 범위가 매우 다양할 것이다. 이에 대한 고려를 어떻게 하겠는가?

Q4. 과거 노예제로 인해서 현재까지도 흑인이 차별받고 있다고 했는데, 그렇다면 현재 미국 사회에서 소수인 동양인이 자신은 흑인 차별에 가담하지 않았기 때문에 흑인 차별에 대한 보상을 해 줄 이유가 없다고 말하면 어떻게 하겠는가?

Q5. 공동체주의를 택했는데, 만약 어떤 사람이 "독립유공자들에게 피해를 준 친일자손들의 재산을 빼앗아서 지원하지, 내가 왜 세금을 부담해야 하는가?"라고 한다면 어떻게 답변하겠는가?

모범답변

① 교수:학생 = 3:1   ② 면접 준비 15분, 면접 시간 13분(기조발언 7분, 추가질문 6분)   ③ 메모 가능
④ 추가질문 있음

2023 고려 A 문제

※ 다음 제시문을 읽고, 문제에 답하시오.

<제시문 A>

　미국은 현재 명실상부한 지구상 최강대국이다. 이에 전 세계의 질서는 미국의 주도하에 개편되고 있다. 미국은 이렇게 압도적인 경제력과 힘을 바탕으로 자국민의 건강을 보호하는 일에 막대한 예산을 사용한다. 대표적으로 미국이 한 해 알츠하이머 치료를 위해 지출하는 예산만 약 910억 달러에 달한다. 반면 300달러의 예방접종 비용만 있다면, 많은 아프리카 빈민들의 생명을 지금 당장 살릴 수 있다는 점을 생각해보았을 때 그 예산의 막대함이 여실히 체감된다.

　그렇다면 과연 윤리적인 관점에서, 이러한 불평등은 정당화될 수 있을까? 일각에서는 미국의 과도한 보건 예산 집행이 전 지구적인 불평등을 심화시킨다고 비판한다. 특히 그들은 자원이 한정되어 있는 지구의 상황을 고려할 때, 과도한 예산 집행의 피해는 지구상 어딘가에서 고스란히 나타난다고 주장한다.

　현실적으로 이러한 문제를 해결할 수 있는 유일한 방안은 과학 기술의 발전에 있다. 아무리 기술 발전의 산물을 부유한 계층에서 먼저 체험한다고 하더라도, 이는 장기적 보건비용의 감소를 필연적으로 이끌어낼 것이다. 또한 기술 발전에 따라 사람들이 전체적으로 부유해지고 생산량이 증가하여 결국 모두에게 일정부분의 수혜가 돌아갈 수밖에 없다. 마지막으로 신재생에너지 등 미래 산업의 발전은 탄소발자국의 크기를 줄이거나 환경을 보호하는 방향으로 나아가, 지구상 가용 자원을 증가시키는 역할을 할 것이다. 이러한 미래를 생각하면서, 우리는 하나의 철학적 질문과 마주하게 된다. 과연 더 적은 사람이 오래 사는 것이 더 많은 사람이 짧게 사는 것보다 나은 것인가? 오직 살아있는 자만이 죽음으로 잃는 것을 안다.

<제시문 B>

　현대 사회의 자본주의는 삶을 생존으로 바꾼다. 마치 우리의 삶이 영구적 전쟁상태에 있는 것처럼, 우리는 하루하루를 버티며 이겨내야 한다. 이때 자본주의는 우리의 마음속을 조종하여 더 많은 자본을 가지면 더 죽음에서 멀어질 수 있다는 무의식적인 믿음을 갖도록 만든다. 전쟁 같은 하루를 살아가게 하면서, 많은 자본을 획득할수록 생존의 가능성이 높아지는 것처럼 보이게 한다는 뜻이다. 이로 인해 우리의 삶을 삶답게, 의미 있게 해주는 많은 상징, 의례, 서사는 무가치한 것으로 취급되고 있다.

　이러한 자본주의의 횡포에 충격을 준 사건이 바로 코로나 팬데믹이다. 코로나는 자본의 많고 적음을 가리지 않고, 모든 인류에게 빠르게 퍼져나갔다. 이 바이러스는 자본의 연결고리를 뛰어넘어, 우리가 생존의 가치에만 몰두할 수 있도록 만들었다. 많은 사람들은 자본주의 시스템의 취약성을 경험했고 건강에 집착하기 시작했다.

하지만 그렇다고 팬데믹이 자본주의를 근본적으로 변화시킬 수 있을까? 이에 대한 나의 대답은 매우 회의적이다. 코로나 팬데믹이 자본주의에 경종을 울린 것은 사실이나 그 구조가 바뀐 것은 하나도 없다. 우리는 단지 자본이 차지하고 있는 자리를 건강이라고 하는 가치에 내어준 것밖에 없다. 건강은 잠정적으로 우선권을 가지는 것에 불과하며, 결국 이 사태가 마무리된 후에는 다시 자본이 그 자리를 빼앗고야 말 것이다.

<제시문 C>

우리는 흔히 생명을 절대적 가치라고 부르곤 한다. 생명권은 한 개인이 가질 수 있는 최상위의 가치이며, 그 개인 외에는 아무도 이를 침해할 수 없다는 것이다. 하지만 생명은 정말로 최상위의 가치에 해당하는가? 나아가 생명이 절대적 가치라면 한 개인은 자신의 생명을 자기 마음대로 처분할 수 있는 것인가?

대부분의 국가에서 자살을 방조한 사람에게 형벌을 가한다는 점을 생각해보면, 우리가 생명에 대해서 어떻게 생각하는지를 엿볼 수 있다. 본질적으로 생명권은 관계법익에 해당한다. 생명은 단순히 한 개인에게만 종속되는 것이 아니라 공동체 속에 관계된 법익이다. 따라서 생명을 보호하는 일은 개인의 일만이 아니고, 공동체 모두의 일이 되는 것이다.

이와 관련하여 최근 각국에서 진행되는 안락사 논의는 심히 우려스럽다. 안락사는 단순히 개인적으로 자신의 삶을 존엄하게 마무리하는 문제가 아니다. 안락사와 관련된 문제는 공동체가 생명을 보호해야 할 의무를 저버릴 때, 그 생명 보호의 차별화를 정당화할 수 있는 윤리적 근거를 찾아야 하는 문제이다. 하지만 많은 논의들이 이를 무시한 채, 안락사가 가능한 시기를 규명하는 것에만 몰두한다든지, 안락사의 근거를 개인적 가치에서만 찾고 있는 문제를 저지르고 있다. 지금이라도 생명 보호의 본질적 부분을 고려한 논의가 필요하다.

Q1. 제시문 A, B, C의 각 논지를 요약하여 제시하시오.

Q2. 제시문 C의 입장에서 제시문 A와 B 중 어떤 입장에 더 동의할 것이라 생각하는지와 그 이유를 밝히시오.

💬 A학생 추가질문

Q3. 각 제시문 중 지원자가 가장 공감하는 제시문은 무엇인가?

Q4. 우리나라의 코로나 대응 정책에 대해 제시문 B와 C는 각각 어떻게 평가할 것인가?

Q5. 임신중절권이나 안락사에 대해서는 개인적으로 어떻게 생각하는가?

💬 B학생 추가질문

Q3. 지원자가 가장 공감되는 제시문은 무엇인가?

Q4. 그럼 임신중절권이나 안락사에 대해서는 어떻게 해야 하나?

Q5. 제시문 C를 오독했다. 다시 한번 읽어보고 답변하시오.

Q6. 마지막으로 하고 싶은 말이 있다면 하시오.

모범답변

Part 1
Part 2
Part 3
Part 4
Part 5
Part 6
Part 7

해커스 김종수 로스쿨 면접 200주제

2022 고려대 로스쿨

① 교수:학생 = 3:1   ② 면접 준비 15분, 면접 시간 13분   ③ 메모 가능, 휴대 가능

2022 고려 A 문제

※ 다음 제시문을 읽고, 문제에 답하시오.

<제시문 A>

사회가 개인을 관찰하고 평가하는 행위는 개인의 자율성과 도덕성을 위축시킨다. 따라서 개인의 도덕적 선호를 옳다고 간주하고, 명백하게 타인에게 해악을 끼치는 경우를 제외하고 개인의 도덕적 선호와 선택을 존중해야 한다.

<제시문 B>

개인 간의 의사소통을 최대한 확대하는 것이 타당하다. 이를 위해 개인의 평판을 좌우할 수 있는 정보는 최대한 공개되어야 한다. 그것이 해당 개인에 대한 나쁜 평판으로 이어진다고 하더라도 공개하는 것이 바람직하다. 정보를 공개해서는 안 되는 경우는, 소통 자체를 막거나 진실이 아닌 정보가 섞일 가능성이 있을 때뿐이다. 그 외의 경우에는 정보를 최대한 공개해야 서로 상호작용하는 사람들 간의 신뢰를 보장할 수 있다.

<제시문 C>

주류 문화 때문에 소수 문화가 위축된다. 누구나 자신의 선호를 모두 솔직하게 공개하도록 해야 한다. 그렇게 할 때 개인은 사회에서 더욱 안정감과 편안함을 느낄 수 있다. 이것을 개인의 비밀스러운 영역으로 남겨둘 필요가 없다.

Q1. 세 개의 제시문 중 지원자가 가장 지지하는 입장을 고르고, 그 근거를 설명해보시오.

Q2. Q1에서 고르지 않은 다른 두 제시문의 취지를 요약하고, 그것이 최선의 결과를 낳는 상황에 대한 예시를 들어보시오.

Part 1
Part 2
Part 3
Part 4
Part 5
Part 6
Part 7

A학생 추가질문

Q3. 지원자가 말한 부정의한 가치관은 무엇인가? 불온한 사상인가?

Q4. 이는 범죄자에게는 해당될 수 있다. 그런데 개인의 가치관도 제재하자는 것인가? <제시문 A>에서는 개인의 선호나 가치관을 도덕적으로 옳은 것이라고 추정해주자고 하지 않았나?

Q5. 입장을 정정했다면 <제시문 A>와 <제시문 C>의 차이는 무엇이라고 생각하는가? <제시문 A>와 <제시문 C> 둘 다 개인의 선호를 존중하자는 입장이 아닌가?

Q6. <제시문 C>에서 개인의 선호를 모두 공개한다면 소수 문화가 사라지는 상황이 올 수도 있지 않나?

Q7. 수술실 CCTV 설치에 대해서는 어떻게 생각하나?

Q8. 전문가에게 맡기면 다 된다는 것인가?

B학생 추가질문

Q3. <제시문 B>의 정보 공개를 택한 이유가 민주주의의 발전을 위한 것이라고 했는데, 민주주의를 위한다면 무제한적인 정보 공개가 가능하다는 뜻인가?

Q4. 정보를 공개할 권리에 대해서 말했는데, 정보를 공개하지 않을 권리도 있지 않은가?

Q5. 이 문제는 결국 프라이버시에 대한 문제이다. 어디까지 정보 공개를 허용해야 한다고 생각하는가?

모범답변

① 교수:학생 = 3:1   ② 면접 준비 15분, 면접 시간 15분   ③ 메모 가능

2021 고려 A 문제

※ 다음 제시문을 읽고, 문제에 답하시오.

<명제>

1. 어떤 규칙도 그 자신의 적용을 포함할 수 없다.

2. 규칙이 모호하다고 하여 적용을 회피할 수 없다.

<사례 1>

• 규칙 1: 공무원은 봉급 외의 소득 활동을 할 수 없다. 이를 위반한 공무원은 파면한다.

• 규칙 2: 부모는 자녀를 부양하고 교육을 시킬 의무가 있다.

　가난한 독재국가의 공무원 A는 홀로 아이들을 키우고 있다. 공무원 월급만으로는 수입이 부족해 퇴근 후 대리운전, 과외 등을 해 양육비와 교육비를 충당하고 있다. 당신은 공무원 A를 처분할 수 있는 상급자이다.

<사례 2>

• 규칙 1: 살인은 그 어떤 상황에서도 용납할 수 없다.

　B와 C는 함께 차를 타고 사막을 지나고 있었으며, C가 운전 중이었다. 그런데 자동차 사고가 나 차가 전복되었다. 조수석에 타고 있던 B는 운 좋게 차에서 튕겨져 나와 탈출했으나, 운전자인 C는 이미 큰 부상을 입은 데다가 자동차가 불타고 있어 고통을 호소하고 있다. 차는 불타고 있고 구조대가 올 수 없는 환경이기에, B는 C의 고통을 멈추기 위해 가지고 있던 권총으로 C를 편안한 죽음으로 인도했다.

<사례 3>

• 규칙 1: 모든 사람을 평등하게 대해야 한다.

　당신은 응급실의 의사이다. 교통사고로 D와 E, 두 환자가 응급실로 이송되었다. D는 인공호흡기를 부착 시 생존확률 60%, 미부착 시 생존 확률 0%이다. E는 인공호흡기를 부착 시 생존확률 100%, 미부착 시 60%이다. 응급실에 인공호흡기는 하나뿐이다.

<제시문 1>

　규칙을 적용할 때, 규칙 자체를 암기하는 것만으로는 부족하다. 어떤 규칙이 적용되는지의 여부를 다른 규칙에 맡긴다면, 그 규칙의 적용 여부를 또다시 다른 규칙에 맡기게 된다. 이렇게 무한정으로 소급하면 결국 규칙의 적용 여부를 판가름할 수 있는 가장 근본적인 (　　　　)이 요구된다. 개별사례와 규칙을 매개하는 (　　　　)은 끊임없는 노력과 공부를 통해 길러지는 것이며, 법관에게 반드시 필요한 소양이다.

<제시문 2>

판단에는 두 가지 종류가 있다. 첫 번째는 이미 존재하는 규칙에 사례를 포섭하는 것이다. 이미 쌓여 있는 선(先)판단에 의거하여 어떤 사례가 해당 규칙에 포함되는지 아닌지 결정하는 것이다. 두 번째 판단은 선판단이 없는 상황에서 발생한다. 이런 상황에서는 선판단 자체를 새롭게 만드는 판단이 요구된다.

Q1. 당신이 <사례 1>의 공무원 A의 상급자라면, 공무원 A에 대해 어떤 처분을 내리겠는가?

Q2. <제시문 1>의 빈칸에 들어갈 적절한 개념은 무엇인가?

Q3. <제시문 1>과 <제시문 2>의 관계는 무엇인가?

💬 A학생 추가질문

Q4. 만약 <사례 1>의 규칙 1과 2를 개정한다면 어떻게 개정할 것인가?

Q5. <사례 2>와 <사례 3>을 본인은 어떻게 판단할 것인가?

Q6. <사례 2>와 <사례 3>의 규칙 자체에 대해서 어떻게 평가할 것인가?

Q7. 면접이 12시 시작인데, 지각자는 처벌한다고 하자. 5초 늦은 사람과 10분 늦은 사람을 같게 처벌할 것인가, 다르게 처벌할 것인가?

💬 B학생 추가질문

Q4. 지원자가 <사례 3>의 응급실 의사라면 어떤 선택을 하겠는가?

Q5. 판단력을 키우기 위해서는 어떻게 해야겠는가?

Part 1
Part 2
Part 3
Part 4
Part 5
Part 6
Part 7

해커스 김종수 로스쿨 면접 200주제

모범답변

① 교수:학생 = 3:1　② 면접 시간 8분　③ 블라인드 면접　④ 메모 가능

2020 고려 A 문제

※ 다음 2문제 중 하나를 선택하여 답하시오.

Q1. 다음 에피소드가 시사하는 바가 무엇인지 말해보시오.

> 　법 앞에 문지기가 한 명 서 있다. 시골에서 올라온 한 남자가 이 문지기에게 다가와 법 안으로 들어가게 해달라고 부탁한다. 그러나 문지기는 지금은 법 안으로 들어가도록 허락할 수 없다고 말한다. 그러자 시골 남자는 곰곰이 생각하다가 그러면 나중에는 들어가도 좋은지 묻는다. '그것은 가능하지.' 문지기는 말한다. '하지만 지금은 안 돼.' 법 안으로 들어가는 문은 언제나 그렇듯이 활짝 열려있으며 문지기는 옆으로 비켜 서 있기 때문에, 그 사나이는 몸을 구부리고 문 너머로 안을 들여다본다. 문지기는 이를 알아차리고 웃으면서 '법이 그토록 자네를 유혹한다면, 비록 내가 막고 있지만 안으로 들어가 보도록 하게. 하지만 알아둘 것이 있는데, 나는 힘이 세다는 점이야. 그리고 나는 가장 말단인 문지기에 지나지 않아. 방마다 문지기들이 있는데, 안으로 들어갈수록 점점 더 힘이 세지. 세 번째 문지기의 얼굴을 보기만 해도 이미 나는 견딜 수가 없을 지경이야.'라고 말한다.
>
> 　이러한 난관들을 시골 남자는 미처 예상하지 못했으며, 법이란 모름지기 모든 사람들이 언제든지 다가갈 수 있어야 하는 것이라고 생각한다. 그러나 코는 큼지막하고 뾰족하며, 길고 듬성듬성한 검은색 수염은 타타르풍으로 기른 채 모피 외투를 입고 있는 문지기를 자세히 살펴본 후에 그는 차라리 들여보내 주기를 허락받을 때까지 기다리는 편이 낫겠다고 결심한다. 문지기는 그에게 의자를 주면서 문 옆에 앉아 있으라고 한다. 그는 몇 년 동안 문 옆에 앉아 문 안으로 들어가기 위해 무진 애를 쓰며 넌더리가 날 정도로 문지기에게 부탁을 한다. 간혹 문지기는 그에게 사소한 심문을 하거나, 고향에 대한 이야기라든지 그 밖의 이런저런 일들에 대해 묻기도 하지만, 그건 마치 지위가 높은 사람들이 물을 법한 무관심한 질문들이었을 뿐이며, 마지막에는 늘 거듭해서 말하기를 아직은 들여보낼 수가 없다는 것이다. 여행을 위해서 많은 것들을 준비해왔던 시골 남자는 아무리 값비싼 것일지라도 아끼지 않고 문지기를 매수하는데 모두 허비한다. 물론 문지기는 그 모든 것들을 받기는 하지만, 동시에 '뭔가 해야 할 일을 태만히 했다고 자네가 생각하지 않도록 받는 것일 뿐이야'라고 말한다.
>
> 　여러 해가 지나는 동안 그는 거의 끊임없이 문지기를 관찰한다. 그는 다른 문지기들에 관한 일은 다 잊어버리고, 이 첫 번째 문지기만이 법 안으로 들어가는 것을 가로막는 유일한 장애물이라고 여기게 된다. 그는 이러한 불운한 우연에 대해 첫해에는 큰소리로 저주를 퍼붓지만, 시간이 지나고 나이가 들어감에 따라 단지 발밑을 향해 투덜거리기만 할 뿐이다. 그는 어린아이처럼 되어 버리고, 여러 해에 걸쳐 문지기를 관찰하는 동안 그의 옷깃에 벼룩들이 있는 것을 알아차리고는 심지어 벼룩들에게까지도 자기를 도와 문지기의 마음을 돌려달라고 부탁을 한다. 마침내 그는 시력이 약해져서 자신의 주위가 실제로 어두워진 것인지, 혹은 자신의 눈이 착각을 일으키고 있는 것인지조차 분별하지 못하게 된다. 하지만 이 순간 어

둠 속에서 그는 여러 개로 된 법의 문들을 뚫고 한 줄기 빛이 찬란하게 터져 나오는 것을 알아차린다. 그의 생명은 이제 오래 남지 않았다. 죽음에 임박한 그의 뇌리에는 전 생애의 모든 경험들이 모여들어, 이제까지 문지기에게 던진 적이 없었던 하나의 질문을 만들어낸다. 그는 굳어져 가는 몸을 더 이상 일으킬 수조차 없기 때문에 눈짓으로 문지기에게 신호를 보낸다. 그동안 서로의 키 차이가 문지기에게 훨씬 불리하게 변해있었기 때문에, 문지기는 그에게로 몸을 깊이 구부리지 않을 수 없다. '이 마당에 이르러 아직까지도 알고 싶은 것이 대체 무엇인가?' 문지기가 묻는다. '자네는 만족할 줄을 모르는군.'

'모든 사람들이 법에 다가가고자 애를 쓰고 있습니다.' 시골 남자가 말한다. '그런데 어째서 여러 해가 지나는 동안 나를 제외하고는 누구도 들여보내 달라고 하는 사람이 없는 것인가요?'

문지기는 시골 남자가 이미 죽음에 임박해있다는 사실을 알아차리고는 그의 희미해진 귀에 좀 더 잘 들리도록 큰 소리로 외친다. '여기는 자네 이외에는 누구도 들어갈 수 없어. 왜냐면 이 입구는 오직 자네만 들어갈 수 있도록 정해져 있었던 것이기 때문이지. 그러면 이제 나는 가서 문을 닫겠네.'

Q2. 다음은 1991년에 나온 A(작가)와 B(사회자)의 대담이다. 아래 A의 주장을 반박해보시오.

텔레비전과 같은 수단 때문에 이동 거리가 줄어들고 경제적 여유로움으로 인해 누구나 교양과 문화를 접할 수 있게 되었다. 그 결과 공연장의 수가 줄어들었고 그 가치가 변하게 되었다는 내용의 대담이 제시되었다.

A는 재구성을 한다고 해서 가치 있는 일이 되는 것은 아니라고 주장한다. 요즘에는 원곡자보다는 연주자의 이름을 크게 붙여 광고하고, 셰익스피어의 연극을 자기 멋대로 해석하여 우스꽝스러운 복장이나 가면을 쓰고 공연하는데, 이는 잘못된 것이며 완벽한 작품에 대한 예의가 아니라고 주장한다. 즉 작가와 평론가는 원작을 있는 그대로 전달하는 역할을 해야 한다. 나와 같은 작가, 평론가는 대중들이 작품을 제대로 보고, 제대로 들을 수 있게 가르치는 일을 해야 한다는 것이다.

모범답변

Part 1
Part 2
Part 3
Part 4
Part 5
Part 6
Part 7

해커스 김종수 로스쿨 면접 200주제

① 교수:학생 = 3:1 ② 답변 준비 15분, 면접 시간 8분 ③ 수험생 기본 발언 5분 이상, 3분 미만 발언은 감점 처리
④ 2문항 중 1문항 택일

2019 고려 A 문제

Q1. 본인이 국회의원 B라고 생각하고, 제시문의 반대 의견에 대답하고 반론해보시오.

> A국은 자연환경 보전이 잘 되어 있는 나라이다. 이에 따라 관광 산업의 비율도 높다. 그 런데 요즘 택지 공급, 관광지 개발 등의 이유로 자연환경을 개발하자는 주장이 점점 늘어가 고 있다. A국에는 잘 보존된 생태계로, '지구의 허파'라고 불리는 왕가누이 강 유역이 있는 데, 근래에는 그 왕가누이 강 유역 일대의 일부마저 개발하자는 주장이 제기되고 있다. 왕 가누이 강은 푸투루족의 생활 터전이며 또한 다양한 동식물들이 서식하는 곳이다. 이 왕가 누이 강을 보호하기 위해 국회의원 B는 생태 보호법을 발의했다. 다음은 그 법의 일부이다.
>
> **제12조** 왕가누이 강과 그 일대의 물리적, 형이상학적 환경인 '왕가누이 생태계'는 분리될 수 없는 하나이며, 그 전체로서 하나의 살아있는 생명체이다.
>
> **제13조** '왕가누이 생태계'는 인간과 같이 권리를 행사하고 의무를 이행하며, 국가는 그 권 리를 보호할 의무를 진다.
>
> **제14조** '왕가누이 생태계'의 권리와 의무는 왕가누이 평의회가 대신 행사하고 이행한다. 왕 가누이 평의회는 국가가 임명하는 3인과 푸투루족이 임명하는 3인으로 구성된다.
>
> 그런데 법안을 심사하며 이에 대해 반대 의견이 다음과 같이 제기되었다.
>
> ① 생태계가 어떻게 권리와 의무의 주체가 되는가.
>
> ② 인간은 다른 것과 비교될 수 없는 도덕적 가치를 지니고 있다. 인간만이 권리와 의무의 주체가 되는 것 아닌가.
>
> ③ 왕가누이 강 유역을 개발한다면 왕가누이 강 유역의 낙후된 주민들의 후생을 증대할 수 있다. 그런데 개발을 막아야 하겠는가.
>
> ④ 왕가누이 강 유역이 '지구의 허파'라면 왜 A국만이 그 보전 의무와 비용을 부담해야 하 는가. 평의회가 권리와 의무의 행사와 이행을 잘할지 어떻게 믿는가.

※ 다음 제시문을 읽고, 문제에 답하시오.

<제시문: 정약용의 여전제>

　　지금 농사를 하고자 하는 사람은 토지를 얻고, 농사를 하지 않는 사람은 토지를 얻지 못하도록 한다. 즉 여전(閭田)의 법을 시행하면 나의 뜻을 이룰 수 있을 것이다. 여전이란 무엇을 일컬음인가. 산계(山谿)와 천원(川原)의 형세를 따라 획정하여 경계를 하고, 경계의 안을 이름 하여 여(閭)라고 말한다. 주나라 제도에는 25가(家)를 1여(閭)라고 하였으나 지금은 그 이름만을 빌려서 약 30가(家) 내외로 하되, 가감이 있으니 또한 반드시 일정한 율은 아니다.

　　여(閭) 셋을 이(里)라 한다. 이(里) 다섯을 방(坊)이라고 한다. 방 다섯을 읍(邑)이라고 한다. 여(閭)에는 여장(閭長)을 둔다. 무릇 1여의 토지는 1여의 사람들로 하여금 공동으로 경작하게 하고, 내 땅 네 땅의 구분 없이 오직 여장의 명령만을 따른다. 매 사람마다의 노동량은 매일 여장이 장부에 기록한다. 가을이 되면 무릇 오곡의 수확물을 모두 여장의 집으로 보내어 그 식량을 분배한다. 먼저 국가에 바치는 공세를 제하고, 다음으로 여장의 녹봉을 제하며, 그 나머지를 날마다 일한 것을 기록한 장부에 의거하여 여민들에게 분배한다. 가령 추수하여 공세와 여장의 녹봉을 제한 양곡이 천곡이고 장부에 기록된 노동일 수가 2만 일이라면 매 1일에 대한 분배 양곡은 5승이 된다. 한 농부가 있어 그 부부와 자식의 기록된 노동일 수가 모두 800일이라면 그 농부가 분배받는 양곡은 40곡이 될 것이다. 기록된 노동 일수가 10일인 농부가 있다면 그가 분배받는 양곡은 4두뿐일 것이다. 노력한 것이 많은 자는 얻을 양곡이 많고, 노력을 적게 한 자는 받을 양곡이 적을 것이다. 노력을 다하지 않고서 분배받는 것만 높을 수가 있겠는가. 사람들이 노력을 다하면 땅은 그 이득을 최대로 내게 된다. 토지에서 이익이 생기면 백성의 자산이 부유해지고, 백성의 자산이 부유해지면 풍속이 도타워지고 효(孝)와 제(悌)가 세워진다. 이것은 토지를 다스리는 가장 좋은 방법이다.

Q2-1. 정약용이 여전제를 주장하게 된 배경을 설명해보시오.

Q2-2. 여전제의 기본 골격은 무엇이며, 토지 소유의 형태는 무엇인지 설명해보시오.

Q2-3. 당신이 만약 정약용을 도와 여전제를 관철해야 하는 실무를 담당하는 사람이라면 여전제의 어떠한 부분을 보완할 것인가?

Q2-4. 여전제의 반대 논거를 들어서 현실적 한계를 지적해보시오.

모범답변

2018 고려 A 문제

Q1. 다음 제시문의 (가)는 B학자가 쓴 것이다. 이를 바탕으로 B학자의 집에서 (나)가 발견됐다면 이것이 B학자의 주장인지 아닌지 근거를 들어 판단해보시오.

> (가) 형벌에는 법관형벌과 자연형벌이 있다. 그중 법관형벌은 죄에 맞는 벌을 주는 응보형으로, 형벌은 범죄를 저질렀다는 사실 때문이어야만 한다. 형벌이 다른 가치를 위한 수단이 되어서는 안 된다. 인간은 타인의 의도를 위한 수단이 되어서는 안 되기 때문이다. 입법자는 형벌을 정함에 있어 범죄를 저지른 사실에 대한 벌 외에 다른 것을 고려해서는 안 된다.
>
> (나) 상(賞)에는 대가성 상과 응분의 상이 있다. 대가성 상은 물질적 이득을 노리고 한 것에 대해 주는 상이며 도덕적인 상이 아니지만 응분의 상은 칭찬받을 만한 일을 했기에 주는 상으로 정의롭고 도덕적이다.
> 형벌에도 경고형과 복수형이라는 두 가지 유형이 있다. 경고형은 관헌형벌로 죄인이나 사회 구성원에게 경고를 목적으로 하는 형벌이며 입법적이고 실용적 성격을 가진다. 반면에 복수형은 신의 형벌인데 이는 죄를 저질렀기에 주는 형벌이며 정의에 맞는 응보형이다. 대가성 상은 경고형과 통하며, 응분의 상은 복수형과 통한다.

모범답변

① 교수:학생 = 3:1   ② 답변 준비 15분, 면접 시간 8분   ③ 수험생 기본 발언 5분 이상, 3분 미만 발언은 감점 처리
④ 2문항 중 1문항 택일

2017 고려 A 문제

※ 다음 제시문과 문제를 읽고, 2문제 중 하나를 택하여 답변해보시오.

> (가) 어떤 지주를 대상으로 소송을 제기한 콜하스라는 인물이 부당한 처사를 받게 되자 사적 복수
> 에 나서게 되고 이것이 사회 혼란으로 이어진 상황에서, 목사가 콜하스를 비판하는 장면이 제
> 시됨
>
> (나) 국가 제도가 부패하고 법관 스스로가 법을 훼손하는 상황이라는 점을 들어, 콜하스가 진정한
> 정의와 법의 수호자라 칭하며 콜하스를 옹호하는 내용이 제시됨
>
> (다) 케냐의 한 부족이 외계 행성으로 이주하여 자치를 존중받고 살게 되었다. 단, 언제든지 원하
> 는 부족민은 지구로 돌아올 수 있다. (지구와 외계행성 간의 소통을 담당하는 위원회와 그 부
> 족의 제사장과의 대화 내용이 서술됨)
>
> 이 부족의 전통 중에, 출산할 때 발부터 나온 아기는 불길하다고 여겨 그런 신생아들을 매장
> 시키는 풍습이 있었는데, 위원회가 이를 미신이고 비도덕적인 행위라고 비판하였다. 부족의
> 제사장은 아기들이 저주를 받았기에 다리부터 나온 것이고 그래서 죽였다고 말하며 다른 나
> 라의 도덕과 종교에 대해 간섭하는 것은 옳지 않다고 답한다.
>
> 이에 위원회는 아기들을 지구로 데려가 자신들이 키우겠다고 주장했다. 제사장은 이를 반대
> 하며 전통에 간섭해서는 안 되고, 서양의 가치가 전파되며 자신들의 공동체가 파괴된 과거를
> 지적하며 위원회의 개입을 완고히 거부하였다.
>
> (라) 영국이 영국인의 입장에서 이집트에 대한 내정 간섭을 정당화하였다. 이집트 문명은 유서가
> 깊고 당시 서양 문물보다 우수했다. 그리고 문화유산은 경외심이 들 정도로 우수하다. 그러나
> 이집트를 비롯한 동양에서는 자치(self-governance)가 나타난 국가들이 없고, 절대주의 정
> 부나 전제주의가 유지되었다. 이에 반해 서양에서는 국민의 개념이 등장한 이래 자치가 시작
> 되었다. 따라서 영국이 이집트를 위하여 자치를 도입하도록 도와주어야 한다. 이는 절대 영국
> 이 우등하고 우월하다는 이유에서가 아니라, 필요한 일이기 때문이다. 이를 통해 영국은 물론
> 이집트 역시 발전할 수 있을 것이다.

Q1. (가)를 바탕으로 (나)를 비판적으로 논평해보시오.

Q2. (다)를 바탕으로 (라)를 비판적으로 논평해보시오.

Q3. 이집트의 기존의 지배구조가 지배층이 피지배층을 억압하는 구조일 수도 있는데, 그럼에도 어떠한 개입도 이루어져서는 안 된다고 생각하는가?

Q4. (다)의 영아살해의 경우에도 다른 국가에 의한 개입이 이루어져서는 안 된다고 생각하는가?

Q5. 지원자가 제시한 UN과 같은 국제기구의 개입 역시 국민들의 반발을 일으킬 수 있지 않은가?

Q6. 어떤 경우에 개입이 가능하여 한 나라의 문화에 대한 조치를 할 수 있고, 그 방법은 어떠해야 하는가?

Q7. 한 나라의 국민으로서, 어떤 방법으로 자신들의 문화를 고칠 수 있겠는가?

모범답변

Part 6

2016 고려대 로스쿨

① 교수:학생 = 3:1   ② 답변 준비 12분, 면접 시간 8분(메모 참고한 답변 4분, 추가질문에 대한 답변 4분)
③ 수험생 기본 발언 5분 이상, 3분 미만 발언은 감점 처리   ④ 2문항 중 1문항 택일

2016 고려 A 문제

※ 다음 문제를 읽고, 2문제 중 하나를 택하여 답변해보시오.

<A형 문제>
① A가 전혀 모르는 어떤 사람이, 사고를 당하여 당장 급하게 수술을 하지 않으면 사지마비에 빠져 타인의 도움 없이는 전혀 생활할 수 없는 상태에 빠질 것이라는 사연이 신문에 소개되었다. 이 기사를 읽은 A는 그 사람에게 돈을 보내 수술을 받도록 해 줄 수 있다.
② A가 어려움에 처해 있을 때 큰 도움을 주었던 친구가, 감옥에 가게 되었다. A는 돈을 이 친구의 가족에게 보내주어 도움을 줄 수 있다.
③ A의 어머니가, 마지막으로 그와 함께 여행을 가고 싶다고 말씀하셨다. A는 이 돈을 여행 경비에 사용할 수 있다.

<B형 문제>
① C부족 규범에 따라 응분의 대가를 치르게 한다.
② 당시 진상을 규명하고 공개 사과를 하도록 한다.
③ 공동체의 화합과 미래 세대의 평화를 위해 피해자 스스로 용서를 한다.

Q1. A는 중병에 걸려, 죽음을 앞두고 있는 상태이다. 그런데 갑자기 큰돈을 얻게 되었다. A는 위의 세 가지 중 하나를 이 돈의 사용처로 선택할 수 있다. 당신이 A라면, 무엇을 선택하겠는가?

Q2. B부족의 공격으로 C부족의 많은 주민들이 희생되었다. X(당신) 역시 이때 부모님을 잃었다. 수십 년이 지나고 그 공격을 지시한 B부족의 추장이 붙잡혔다. C부족의 추장에게 X는 어떤 조언을 할 것인가?

추가질문

Q3. 너무 개인적인 관점에서 생각한 것 아닌가? ③은 개인에게 만족을 최대한으로 주는 선택일지는 모르겠으나 ①처럼 도움이 절실하게 필요한 사람에게 필요한 도움을 주는 것도 중요한 일이라고 생각하지는 않는가?

Q4. 그렇다면 한일관계는 미래적 가치를 지향해볼 때가 아닌가?

모범답변

2024~2016 동아대 로스쿨

2024 동아대 로스쿨

① 교수:학생 = 3:8, 집단면접   ② 면접 준비 10분
③ 모두발언 3분, 답변 준비 2분, 균등발언 2분, 추가발언 1분(선택)   ④ 메모 가능

메모 및 휴대 여부	• 메모 및 휴대 가능함
대기실 특징	• 면접 조와 번호를 추첨으로 뽑은 후, 강당에서 조와 번호 순서대로 지정석에서 대기함 • 화장실 이용은 자유롭게 가능함 • 책이나 자료 등은 자유롭게 볼 수 있음 • 시간에 맞춰 조별로 이동함 • 한 조는 8명으로 구성되고, 1~4번을 추첨한 지원자는 찬성 입장이며, 5~8번을 추첨한 지원자는 반대 입장을 주장해야 함을 안내받음
문제풀이실 특징	• 채점관이 있는 면접고사장에서 단체로 답변을 준비하고, 준비시간이 끝나면 바로 집단 면접을 시작함 • V자 형태로 찬반 입장을 나누어 착석함 • 각자의 자리에 종이봉투가 놓여있고, 그 안에 투명 파일 안에 들어있는 문제지가 있음 • 문제지에는 필기가 금지되나, 필기 가능한 메모지가 1장 배부됨 • 지급한 흑색 필기구를 사용해야 함
면접고사장 특징	• 면접관 3명이 앉아 있고, 수험생 기준으로 우측에 시간을 재는 사람이 있음 • 답변 시간이 20초 남으면 표지판을 들어 알려주고, 답변 시간 종료는 타종으로 알려줌
기타 특이사항	• 면접시험장이 커서 면접관과 거리가 멀고, V자 형태로 앉아 있기 때문에 반대 입장 수험 생이나 면접관과 아이컨택이 어려움

2024 동아 A 문제

Q1. 비혼 여성의 보조생식술을 통한 출산을 허용해야 하는가? 1~4번을 뽑은 지원자는 찬성 입장에서, 5~8번을 뽑은 지원자는 반대 입장에서 답변하시오.

> 비혼 여성인 방송인 A씨는 일본인으로, 정자기증을 받아 출산하여 사회적 관심이 집중되었다. 그런데 다른 50대 여성인 B씨는 A씨와 유사하게 정자기증 등의 보조생식술로 비혼 출산을 하려 했는데 대한산부인과학회는 윤리 지침에서 이 시술을 받을 수 있는 경우를 사실혼을 포함한 부부로 한정하고 있다면서 보조생식술을 통한 비혼 출산을 거부했다.
>
> <사례 1>
> '2021년 서울시민의 비혼 출산에 대한 인식 현황 및 정책과제'에 따르면 '혼인 여부와 상관없이 보조생식술 시행이 가능하도록 개선해야 한다'는 의견에 대해 응답자의 64%가 찬성했다.

<사례 2>

　인간은 존엄한 존재이기 때문에, 그 자체로 목적이어야 하고 결코 수단으로 대해서는 안 된다. 인격과 다른 모든 인격에 대해 인간성은 언제나 동시에 목적으로 대우해야 한다.

2024 동아 B 문제

Q1. 최근 기후 변화로 인해 자연재해가 발생하고 있으며, 그로 인한 피해가 커지고 있다. 이를 정부가 책임져야 하는가? 1~4번을 뽑은 지원자는 찬성 입장에서, 5~8번을 뽑은 지원자는 반대 입장에서 답변하시오.

(1) 2020년 청소년 환경단체인 '청소년 기후행동' 회원 19명은 기후위기 대응에 관한 국가정책이 시민의 기본권을 침해한다며 헌법소원을 제기했다. 청구인들은 '탄소중립·녹색성장 기본법'(옛 녹색성장법)과 시행령 등에 규정된 국가 온실가스 감축 목표가 미래 세대를 포함한 시민의 기본권을 침해한다고 주장한다. 이 목표는 온실가스 배출량을 2030년까지 2018년 대비 40% 감축하는 것이다. 만약 이 계획이 달성된다고 하더라도 2015년 파리기후변화협약에서 정한 배출량을 초과하게 된다. 파리기후변화협약은 산업화 이전에 비해 지구 평균 온도가 1.5도 이상 오르지 않도록 배출량을 정했다. 청구인들은 국가온실가스 감축목표가 헌법 제35조 1항의 '모든 국민은 건강하고 쾌적한 환경에서 생활할 권리를 가지며, 국가와 국민은 환경보전을 위하여 노력하여야 한다'는 규정에 반하는 것이라 주장한다.

(2) 2020년 3월, 2살에서 18살까지의 청소년 원고 16인은 몬태나 주의 화석연료 친화적 법률이 자신의 '깨끗하고 건강한 환경'에 관한 권리를 침해한다며 주를 상대로 소를 제기하였다. 그로부터 3년 뒤인 2023년 8월, 미국 몬태나 주(州)법원은 몬태나 주의 기후위기 책임을 인정하며 청소년 원고들에게 승소 판결을 내렸다. 주 법원은 당국의 화석연료사업 승인 이전에 기후 영향 평가, 온실가스 영향 평가를 금지하는 몬태나 주 법률 조항은 위헌이라고 결정하며, 원고들의 손을 들어주었다. 이는 2015년 네덜란드의 우르헨다판결 이래, 정부의 기후 책임을 인정하는 선례가 추가된 것이다.
이번 판결은 환경 기본권 법리와 기후변화에 관한 과학적 사실, 청소년 원고들의 기후피해 증언을 종합적으로 고려하였다. 과학자들은 올 6월 법정에서 온실가스 배출증가가 기후변화와 건강, 환경상 피해를 일으키는지, 기후변화 완화조치가 없는 경우 피해가 어떻게 증가할 것인지에 대해 증언하였다. 또한, 청소년 원고들은 가족의 목장을 위협하는 극단적 날씨, 천식을 악화하는 산불 연기, 기후변화에 따른 정신적인 고통을 증언하였다. 이후, 주 법원은 몬태나 주의 온실가스 배출을 기후변화에 상당한 영향을 미치는 요소로 인정하고, 주의 화석연료사업 기후영향평가를 금지하는 법률은 기후를 포함한 주민의 '깨끗하고 건강한 환경'에 관한 기본권을 침해해 위헌으로 효력을 잃는다는 결론에 이르렀다.

모범답변

① 교수:학생 = 3:8, 집단면접   ② 면접 준비 10분
③ 모두발언 3분, 답변 준비 2분, 균등발언 2분, 추가발언 1분(선택)   ④ 메모 가능

2023 동아 A 문제

Q1. [가군 면접] 다음 제시문을 읽고, 촉법소년 연령 기준을 현재 만 14세에서 13세로 하향하는 것에 대해 찬반 입장을 나누어 토론하시오.

> **<사례 1>**
> 만 16세 청소년이 절도죄를 저질렀는데, 기초생활수급자에 한부모가정이었다. 이 청소년은 학원 강의를 수강하고 싶은 마음에 절도를 했다. 보호처분을 받고 재범 없이 성장해 사회복지학과에 진학했다.
>
> **<사례 2>**
> 만 13세 청소년이 편의점에서 술을 사려 했으나, 아르바이트생이 거절했다. 이 청소년은 자신이 촉법소년이기 때문에 처벌받지 않는다면서 아르바이트생을 폭행했다. 이후 출동한 경찰은 인적사항만 기재하고 귀가조치했는데, 다음날 이 청소년이 편의점에 찾아와 자신의 CCTV 영상을 삭제하라고 편의점 직원에게 위해를 가했다.
>
> **<자료 1>**
> 촉법소년 연령은 국가적 특징, 문화, 사회적 요소 등을 고려하여 적합하게 설정해야 한다.
>
> **<자료 2>**
> 인권위원회의 조사에 따르면, 최근 청소년들이 과거에 비해 정신적, 신체적으로 조숙하다는 객관적 증거가 없다. 세계인권협약에 따르더라도 촉법소년 연령 하향이 청소년 인권 측면에서 바람직하지 않다.
>
> **<자료 3>**
> 폭력, 살인, 절도, 강간 등 청소년의 강력범죄는 잠시 줄어들었으나 2019년 이후 다시 증가하고 있다.

Q1. [나군 면접] 다음 제시문을 읽고, 능력주의에 대해 지원자 번호 1~4번은 찬성 입장, 5~8번은 반대 입장에서 토론하시오.

<제시문 1>

한국은 미국 못지않게 능력주의를 예찬해온 나라인데, 이른바 '한강의 기적'으로 일컬어지는 압축성장의 동력은 바로 능력주의였다고 해도 과언이 아니다. "개천에서 용 난다"는 슬로건이 전 국민의 가훈으로 받아들여진 가운데 능력이 오직 학력·학벌이라는 단일 기준으로 평가되면서 전 국민이 뜨거운 교육열을 보여오지 않았던가. 한국의 발전이 과연 그런 교육열 덕분이었는가에 대해선 이견이 있긴 하지만, 자녀 교육에 목숨을 건 한국인들의 삶의 방식이 발전에 친화적이었다는 건 분명하다.

그러나 고성장의 시대가 끝나면서 '개천에서 용 나는 시대'는 종언을 고하기 시작했고, 개천에서 난 용들의 기득권 집단화가 공고해지면서 학력·학벌은 개인의 능력보다는 가족의 능력에 더 의존하게 되었다. 이에 따라 능력주의는 변형된 세습적 귀족주의로 되돌아가고 말았지만, 반동으로 전락한 능력주의를 대체할 새로운 혁명 이데올로기는 아직 그 모습을 드러내지 못하고 있다. …(중략)…

이제 우리는 능력주의의 파탄을 인정할 때가 되었다. 능력의 정체를 의심하면서 그간 능력으로 간주해온 것에 따른 승자 독식 체제를 사회 전 분야에 걸쳐 바꿔나가야 한다. 불평등은 개인의 능력이 아니라 법적 질서의 산물일 뿐이다. 우리가 부동산 투기나 투자로 번 돈을 불로소득으로 간주해 많은 세금을 물리는 법을 제대로 만들어 시행했다면 현 불평등 양극화의 양상은 크게 달라졌을 것이다. '개천에서 난 용'에 환호하며 내 자식도 그렇게 키워보겠다고 허리끈을 조여 맸던 과거의 꿈에 이제는 작별을 고하면서 더불어 같이 살아가는 세상에 대한 꿈을 키워갈 때다.

<제시문 2>

능력주의(Meritocracy, 실력주의)는 모든 사람이 자신이 닦은 능력과 업적에 따라 보상받는 사회를 지향한다. 신분이나 연줄 대신 자유로운 개인의 노력을 중시하는 자유경쟁 시대에 직관적 호소력이 크다. 하지만 능력주의 담론의 기원은 자본주의보다 훨씬 오래됐다. '각자에게 각자의 몫을!'(Suum Cuique)이라는 명제가 기원전 700년경 호머의 서사시 '오디세이'에 처음 등장한 것이 단적인 증거다. 능력주의가 시대를 넘어선 보편적 소구력을 가졌다는 사실을 증명한다.

모범답변

2022 동아대 로스쿨

① 교수:학생 = 3:1   ② 면접 준비 12분, 면접 시간 12분   ③ 메모 불가, 휴대 불가

2022 동아 A 문제

※ [가군 면접] 다음 제시문을 읽고, 문제에 답하시오.

<제시문 1>

　최근 세계 곳곳에서 이상기후로 인한 폭염, 홍수, 대형 산불 등으로 인명 피해, 농·어업 손실, 기후 난민 확산 등이 현실이 되고 있다. 또 경제적 논리로만 보더라도, 이미 미국과 유럽은 탈탄소를 중심으로 한 기술 개발과 투자에 박차를 가하고 탄소세와 탄소국경세 등도 도입하고 있다. 산업의 대전환이 시작된 것이다. 화석연료를 좀 더 오래 써서 기업 이윤을 남기겠다는 근시안에서 벗어나지 못한다면 세계 무역체제 변화와 첨단기술 경쟁에서 뒤처지게 되고, 자연재해와 식량난 등으로 더 큰 손실을 보게 될 것이다.

　피게레스 전 유엔기후협약 사무총장은 "COP26에서 지난 2015년 파리기후협정 때와 같은 중대한 합의를 도출하지 못할 것"이라고 내다봤다. 그는 "전 세계 온실가스 배출을 절반으로 줄이고, 선진국이 개발도상국의 탄소 저감을 위해 연간 1,000억 달러(약 117조 원)를 내놓는다는 목표에 접근하기 쉽지 않을 것"이라며 "여기에 실망해서는 안 되며, 우리가 하는 일의 복잡성을 진정으로 이해해야 한다"라고 말했다.

<제시문 2>

　G20 회의에 영상으로 참석한 시진핑 중국 국가주석은 환경문제의 책임을 아예 선진국으로 떠넘겼다. 시 주석은 "선진국이 온실가스 배출량을 줄이기 위한 싸움에서 앞장서야 한다"고 말했다고 중국 국영 언론이 전했다. 영국 타임스지는 보리스 존슨 총리가 시 주석과의 통화에서 탄소 감축 시점을 5년 앞당기라고 제안했으나 확답을 듣지 못했다고 보도했다. 온실가스 대부분이 산업혁명 이후 200년간 서구에서 배출한 것인데, 산업화의 후발주자인 개도국을 지구온난화의 주범으로 몰아서는 안 된다는 주장이다.

　세계 3위 탄소 배출국인 인도의 나렌드라 모디 총리는 탄소 순 배출량 제로(0)를 달성하는 탄소 중립 시간표를 2070년으로 제시했다. 그간 '부자 국가 책임론'을 펼치며 탄소 배출 감축에 적극적이지 않았던 인도는 COP26 개막 전까지는 계획 설정 자체를 거부하다가 이번에 2070년을 목표 연도로 제시했다.

Q1.　<제시문 1>의 입장을 요약하고, 비판해보시오.

Q2.　<제시문 2>의 입장을 요약하고, 비판해보시오.

Q3.　<제시문 1>과 <제시문 2>를 비교하여, 자신의 견해를 논해보시오.

Q4. <제시문 1>이 타당하다면 선진국도 노력해야 한다는 것인데, 그럼 선진국들 중 어떤 국가들이 특히 더 노력해야 할까?

Q5. 중국은 현재 탄소 배출량이 많은데, 중국이 더 큰 노력을 해야 하지 않나?

Q4. 원자력 발전이 탄소 배출에 긍정적이라는 의견이 있는데 환경보호 단체에서는 반대하고 있다. 이에 대해 어떻게 생각하는가?

Q5. <제시문 2>의 비판에서, 형평성 논리를 언급했는데, 이를 다시 설명해보시오.

Q6. 대안으로 WTO와 같은 기구를 말해주었는데, 선례도 있듯이 국제기구가 선진국 위주로 돌아간다면 오히려 개도국에게는 불리할 수 있지 않은가?

Q4. 본인이 자발적 해결을 제시했는데, 지금 개도국인 중국, 인도만 봐도 이것이 지켜지지 않고 있다. 과연 자발적 해결이 현실적인 해결책이 될 수 있다고 생각하는가?

Q5. 본인이 제시한 것들은 주로 소비자 위주의 해결책이다. 소비자가 원하고 호응한다고 해도 기업이 안 하면 그만이지 않은가?

Q4. <제시문 1>의 입장이 선진국에 책임이 '있다'고 답변했는데, 제시문의 어느 부분을 근거로 선진국에게 책임이 있다고 판단했는가?

Q5. 탄소배출권 거래제도는 공정한 것 같지만 개도국 입장에서 볼 때 비용 부담이 큰데, 괜찮겠는가?

※ [나군 면접] 다음 그림을 보고, 문제에 답하시오.

Q1. 위 그림은 피카소가 그린 삽화로, 오노레 드 발자크의 단편소설 「미지의 걸작」에 수록된 삽화들 중 하나이다. 해당 삽화의 제목을 무엇으로 붙이고 싶은지 말하고, 그 이유를 설명해보시오.

Q2. 다음 제시문은 위 삽화를 이해하기 위해 작성된 글이다. 글쓴이가 삽화를 이해하기 위해 선정한 핵심 개념을 찾고, 그 이유를 설명해보시오.

> 피카소가 그린 마리 테레즈의 스케치를 이해하는 열쇠는 추상이 대상의 전체를 재현하는 것이 아니라 눈에 덜 띄는 한두 개의 특성만을 나타내는 것이라는 점을 깨닫는 데 있다. 피카소는 모델 자신보다는 그녀가 머물고 있는 공간에 주목했다. 이 그림을 해석하는 데 있어서 가장 중요한 것은 다른 모델들과는 달리 마리 테레즈가 어떤 동작을 취하고 있었는지 인식하는 일이다. 마리 테레즈가 뜨개질을 하는 동안 뜨개바늘이 앞뒤로 움직이면서 옷 속으로 들어갔다 나왔다 하고 있다. 그녀는 실타래를 매만지기도 하고 바닥에 떨어지면 집으려고 손을 뻗기도 하고 자신이 옷에 넣고 있는 문양을 점검하기도 한다. 만일 피카소가 그녀의 몸에다 움직임의 궤적을 나타내는 발광 표시기라도 부착했다면 아주 복잡한 그림이 나타났을 것이다.

Q3. 추상화(abstracting)는 법률 전문가(법조인)의 리걸 마인드(legal mind)를 위해 필수적인 능력이다. 추상화 능력의 함양을 위한 사고훈련의 방법은 무엇이 있는지 다음 제시문을 참고하여 설명해보시오.

> 전문가와 초보자 간의 지식의 차이를 정리해보면, 의미적 지식에서 초보자는 표면적인 특징에서 비롯한 정보를 중심으로 표상을 하는 데 반해 전문가는 해당 분야의 기본 원리, 기본 개념과 관련된 지식틀 중심의 조직화를 한다. 전략적 지식에서도 초보자는 문제가 해결점에서부터 답을 찾아가는 것이 아니라 알려지지 않은(unknown)상황에서 찾아가려 하는데, 해결점에서부터 역으로 추적해가는 방식이 더 효율적이므로 전문가는 이 방식을 취한다.
>
> 전문가는 경험이 축적되면서 처음에는 관련 지식의 양이 적고 그 지식이 영역 독립적인 상태이지만, 점차 영역 특수적 지식이 많아진다. 초심자들은 상식적이고 일반적인 지식을 지니고 있는 반면, 전문가들은 문제 상황 영역에 대한 특수한 지식이 많고 그것들이 잘 조직화되어 있다. 단지 무엇이 어떠하다는 식의 서술적(what) 지식이 절차적(how)지식으로 변환되고, 그뿐만 아니라 절차적 지식을 적용하고 그에 의해서 수정된 새로운 절차적 지식을 잘 만들어내는 특성을 지닌다. 그 절차적 지식은 어떤 조건에서 무엇을 어떻게 할 것인가가 자동화되어 있다.

💬 **A학생 추가질문**

Q4. 절차적 진실에 대비되는 개념은?

Q5. 그렇다면 실체적 진실은 중요하지 않은가?

Q6. 피카소가 여성의 본질을 표현한 것이라면, 왜 여성 그 자체를 안 그리고 선이나 도형으로 표현했을까?

Q7. 본인이 생각하는, 법조인으로서 길러야 할 능력은 무엇인가?

Q8. 본인이 동아대에 입학한다면, 어떻게 공부할 것인가?

Q4. Q2에서 추상을 핵심 개념으로 선정했는데, 그 외에 다른 핵심 개념은 없는가? 제시문에서 다시 찾아 보고 설명해보시오.

Q5. Q2에 제시된 <제시문 1>에, "초보자는 표면적 특징 정보를 중심으로 초보적인 표상을 하는 데 반해 전문가는 분야의 기본 원리, 기본 개념과 관련된 지식 틀 중심의 조직화를 한다."고 되어있는데 여기 서 초보자와 전문가의 표상에 대한 차이를 설명해보시오.

Q6. Q3에 제시된 <제시문 2>에, 서술적 지식과 절차적 지식이라는 단어가 나오는데, 이 둘의 차이를 설 명해보시오.

Q4. 추출과 스케치, 그리고 법조인의 능력을 연결시켜 보시오.

Q5. 연역적으로 조직화하는 방법을 말해보시오.

Q6. 그렇다면 AI의 판단은 모두 그른 것인가?

Q7. 일반인과 법조인을 비교해보시오.

모범답변

2021 동아대 로스쿨

① 비대면 면접
② 1분 전 녹화 시작(답변 전 주변을 360도 돌아가며 촬영해야 함) → 문제 공개 → 5분간 답변 녹화 → 6분 분량의 영상을 20분 내에 메일로 발송
③ 집 또는 격리된 면접 공간 스스로 확보, 컴퓨터를 한 대 두고 스마트폰으로 문제 영상을 촬영하여 지정된 이메일로 면접 영상, 수험표 사진, 비대면 면접 동의서, 신분증 사진을 보내는 방법으로 면접 진행

2021 │ 동아 A 문제

Q1. [예시] '지방분권', '지방소멸', '도시 광역화', 이 세 가지 단어를 꼭 한 번 이상 언급하여 '지방자치'에 대한 자신의 견해를 말해보시오.

2021 │ 동아 B 문제

Q1. [가군 면접] 공동체 내에서는 빈부(貧富)의 양극화(兩極化)와 이념(理念)의 양극화(兩極化)가 발생하곤 한다. 이 중 어느 쪽이 공동체의 지속과 발전에 더 해로운가?

2021 │ 동아 C 문제

Q1. [나군 면접] 우리나라 법원은 극히 일부의 판결문을 공개하고 있다. 판결문 공개 범위 확대를 두고 찬반 입장이 나뉘고 있다. 찬성하는 입장은 공개 확대를 통한 사법 신뢰의 향상을 주장하고 있다. 반면 공개 확대를 반대하는 입장은 개인정보의 보호를 주장하고 있다. 이 문제에 대해 본인의 입장을 밝히고 그 논거를 설명해보시오.

Part 1
Part 2
Part 3
Part 4
Part 5
Part 6
Part 7

해커스 김종수 로스쿨 면접 200주제

모범답변

① 교수:학생 = 3:1 ② 면접 준비 10분, 면접 시간 10분 ③ 메모 가능

2020 동아 A 문제

※ [가군 면접] 다음 제시문을 읽고, 문제에 답하시오.

<제시문 1>

유토피아에는 법률이 거의 없습니다. 그들의 사회제도는 법률이 거의 필요하지 않기 때문입니다. 사실은 그들이 품고 있는 가장 큰 불만 중 하나는 바로 이미 수많은 법률서와 법률 해석서를 갖고 있는 나라들이 여전히 만족스럽게 보이질 않는다는 점입니다.

유토피아인들의 생각으로는, 보통 사람들이 한눈에 읽지 못할 정도로 길거나, 이해할 수 없을 정도로 어려운 법률을 이용해 사람들을 얽어매는 것은 매우 부당한 일이기 때문입니다.

더 나아가 유토피아에는 넘쳐날 정도로 많은 개별적인 사건과 법조문에 정통한 법률가는 없습니다. 그들은 각 개인들이 소송 사유를 직접 진술하고, 변호사에게 해야 할 이야기는 판사에게 직접 하는 것이 더 나은 방법이라고 생각합니다.

그런 상황에서는 문제점이 모호해지는 경우가 거의 없기 때문에 진실을 쉽사리 파악할 수 있습니다. 변호사에게 배운 거짓말을 늘어놓는 사람이 없다면 판사는 자신의 모든 능력을 사건의 진상을 밝히는 데 발휘할 수 있고, 그렇게 하면 교활한 자의 비양심적인 공격으로부터 정직한 사람들을 보호할 수 있기 때문입니다.

다른 나라들에서는 고려해야 할 복잡한 법률들이 많기 때문에 이러한 제도가 효과적으로 운영되지 않을 것입니다. 하지만 유토피아에는 법률이 거의 없으며, 또 가장 자연스러운 해석을 언제나 옳은 것으로 간주하기 때문에 모든 사람들이 법률 전문가입니다.

그들은 사람들에게 마땅히 해야 할 바가 무엇인가를 일깨워주는 것이 법률의 유일한 목적이므로, 그 해석이 까다로울수록 그것을 이해하는 사람이 상대적으로 적어지고 그 효과도 더욱 떨어질 것이라고 합니다. 반면에 단순하고 명백한 의미는 누구나 쉽게 이해할 수 있습니다.

그 사회의 대다수를 형성하고 있으며, 법률이 지향하는 바를 가장 잘 알고 있어야 하는 하층계급의 관점에서 본다면, 법률을 만든 다음 전문적인 논의를 수없이 거친 후에야 적용할 수 있는 법률이라면 전혀 만들지 않는 것이 좋을 것입니다. 생업에 종사하기에도 바쁜 대부분의 시민들에겐 이러한 연구를 할 시간도, 정신적인 능력도 없기 때문입니다.

<제시문 2>

　　세계 첫 AI 변호사인 로스의 탄생도 비싼 수임료에서 비롯됐다. 로스를 개발한 미국의 법률 스타트업 로스인텔리전스의 최고기술책임자(CTO)이자 공동창업자인 지모 오비아겔(24)의 부모는 그가 어린 시절 갈라서기로 했다. 그러나 이혼 변호사를 구하려고 알아보니 단 2시간의 수임료조차 감당할 수 없을 만큼 비쌌고, 결국 이혼을 포기했다. 10살 때부터 컴퓨터 프로그래밍을 시작한 오비아겔은 많은 사람들이 보다 합리적인 비용으로 법률서비스를 받을 방법이 없을까를 고민했다. 그러다 AI가 리서치를 대신하고 변호사는 본업에만 주력하면 수임료를 낮출 수 있을 거라 생각해 개발한 게 바로 로스였다. 로스는 사람의 일상 언어(자연어)를 이해한 후 판례 등 법률문서를 빠르게 분석한다. 리서치 시간을 크게 줄여준다고 소문나면서 미국의 10여 개 법률회사가 로스를 고용했다.

<제시문 3>

　　미래에는 변호사, 검사, 판사가 직접 만나지 않더라도 사실에 대한 진위를 파악할 수 있다. 또한 증인의 안전을 보장하고 증거를 영상으로 제출할 수 있을 것이다. 이러한 ○○○○으로 인해 큰 변화가 있을 것이다.

Q1. <제시문 1>을 읽고, 토머스 모어가 변호사에 대해 왜 비판적인지 말하고, 이 주장에 대해 자신의 논거를 들어 반박해보시오.

Q2. <제시문 1>과 <제시문 2>에서 '사람' 변호사를 부정적으로 평가했는데, 이 들의 차이점을 설명해보시오.

Q3. AI 변호사가 도입된다면, 유토피아가 될 것인지 디스토피아가 될 것인지 선택하고 그 이유를 들어 설명해보시오.

Q4. <제시문 3>에서 ○○○○에 들어갈 적당한 말을 찾고, 그 이유를 설명해보시오.

Part 1
Part 2
Part 3
Part 4
Part 5
Part 6
Part 7

해커스 김종수 로스쿨 면접 200주제

※ [나군 면접] 다음 제시문을 읽고, 문제에 답하시오.

<제시문 1>

2만 년의 인류사는 크게 3가지 인간 가치체계로 요약된다고 본다. 각각의 가치체계는 특정 사회체제에 연동하고, 각각의 사회체제는 특정 에너지 획득 방식에 연동한다. 우리가 주위 환경에서 에너지를 획득하는 방식은 세월에 따라 변했다.

가장 먼저 발생한 가치체계를 수렵채집 가치관이라 부른다. 이 가치관은 야생식물을 채취하고 야생동물을 사냥하는 것을 주요 생산수단으로 삼은 사회와 결부된 가치관이다. 수렵채집 사회에는 위계가 없지는 않지만 위계보다 평등을 중시하고, 폭력에 상당히 너그럽다.

두 번째 가치체계는 농경 가치관이다. 이 가치관은 주로 작물을 재배하고 가축을 길러서 생활하는 사회와 결부된다. 농경 사회는 평등보다 위계를 중시하고, 폭력에 덜 관대하다.

세 번째 가치체계는 화석연료 가치관이다. 이는 석탄, 천연가스, 석유의 형태로 화석화된 죽은 식물의 에너지를 추출해서 살아 있는 동식물의 에너지를 증강하는 사회와 결부되는 가치관이다. 화석연료 사회는 아직 불평등하지만 위계보다 평등을 중시하고, 폭력을 용납하지 않는다.

<제시문 2-1>

어떤 작가가 개에 대한 글을 쓰면서, 개는 사람과 소통이 가능하며 감수성이 있음을 깨닫고 단순한 물건으로 치부할 수 없음을 느꼈다. 그는 글 말미에 개를 it으로 기술하지 않고, he나 she로 기술해야 하는 것이 아닌지 의심하게 되었다.

<제시문 2-2>

어떤 개가 사람을 공격하였고 그 개는 도살되었다는 사실관계를 두고 갑과 을은 다른 주장을 한다. 갑은 "타인의 개를 도살한 것은 도의적으로 문제는 있으나 개는 단순히 물건에 불과하기에 금전적 배상이면 충분하다."고 주장하였다. 그러나 을은 "개는 꿈을 꿀 수 있고 대화가 통하며 인간과 교감이 가능한 만큼 단순한 물건이 아니며, 개를 도살한 행위에 대해 살인죄에 준하는 처벌을 해야 한다."고 주장한다.

<제시문 3>

독일연방 헌법재판소에 '간성(間性)'에 대한 헌법소원이 제기되었다. 청구인은 평등권 침해와 행복추구권을 주장하면서, '간성'과 '트랜스젠더' 등에게 제3의 성을 인정해줄 것을 요구하였다. 그리고 그 명칭을 (　　　) 또는 (　　　)라고 해야 한다.

Q1. <제시문 1>을 요약하고 핵심적인 단어 2개 이상을 근거로 제시해보시오.

Q2. <제시문 2-1>과 <제시문 2-2>를 종합하여 본인의 생각을 말해보시오.

Q3. 괄호 안에 들어갈 단어를 제시해보시오.

Q4. <제시문 1>과 관련하여 사회가 발전하면서 빈부격차가 발생하는 이유를 설명해보시오.

Q5. <제시문 2>와 관련하여, 동물을 대하는 현재의 상황이 미래에는 어떻게 변화될 것 같은가? 지금보다 동물을 대하는 자세가 더 나아지겠는가?

Q6. <제시문 3>과 관련하여, '중성'이나 '혼성'이라고 부르는 것은 어떠한가?

모범답변

해커스 김종수 로스쿨 면접 200주제

① 교수:학생 = 3:1

2019 동아 A 문제

※ 다음 제시문을 읽고, 문제에 답하시오.

<제시문 1-1: 마키아벨리, 「군주론」>

더 나아가 군주는 진정한 친구이거나 진정한 적일 때, 즉 조건을 달지 않고 다른 군주와 대결하는 군주의 동맹자일 때 존경받습니다. 그렇게 방향을 잡는 것이 중립으로 남는 것보다 항상 이익이 됩니다. 왜냐하면 당신의 이웃들 가운데 두 군주가 전쟁을 한다면, 그래서 그 둘 중에 하나가 정복에 성공한다면, 그들은 당신이 두려워할 만큼 강력해지거나 강력해지지 않기 때문입니다. 둘 중 어느 경우이건 간에 태도를 밝히고, 성심성의껏 전쟁을 하는 것이 당신에게 훨씬 이익이 됩니다.

첫째, 정복한 자가 당신이 두려워할 만큼 강력해진 경우입니다. 당신이 전쟁을 선포하지 않았다면, 당신도 결국 승자의 먹이가 됩니다. 패배한 자는 이를 보고 즐거워하며 희열을 느낍니다. 그리고 당신은 누군가 당신을 도와주어야 할 어떤 이유도, 또한 어느 누구도 당신에게 피난처를 제공해줄 어떤 이유도 보여주지 않았습니다. 왜냐하면 정복자는 당신을 신뢰하지 않을 뿐만 아니라 역경에 처한 자신을 도와주지 않은 동맹을 원하지 않기 때문입니다. 반면에 패배자도 당신에게 피난처를 제공하지 않습니다. 왜냐하면 당신은 손에 병기를 들고 있었음에도 패배자의 운명을 기꺼이 공유하지 않으려 했기 때문입니다.

<제시문 1-2: 마키아벨리의 「군주론」에 대한 주해>

전쟁을 하는 두 당사자인 군주는 현재 강력하거나, 아니면 앞으로 전쟁의 결과 더 강력해지는 경우가 있다. 이 경우 제3의 군주는 중립을 지키는 것이 좋은가, 나쁜가? 마키아벨리는 무조건 어느 한쪽 편을 들라고 강조한다. 그 이유는 다음과 같다.

첫째, 승자의 제물론이다. 승리한 국가는 패배한 국가를 흡수한 후 1+1=2가 아니라 3 또는 4, 5의 강력한 국가가 된다. 전쟁에서 이겨 전보다 더 강력해진 국가가 주변에 있는 국가를 가만히 놓아둘 리 없다. 다시 전쟁을 일으켜 중립을 지키던 국가를 점령해버린다. 국가 간의 관계는 최소한의 도덕과 인륜이 지켜지는 인간 사회와는 달리 절대적인 약육강식의 세계라고 마키아벨리는 이해했다.

둘째, 패자의 희열론이다. 전쟁에 패배한 국가는 형세를 관망하던 중립 국가를 원망하기 마련이다. 패배한 국가는 중립을 지키던 국가가 자신과 마찬가지로 패배하면 좋아한다. 중립을 지키던 국가가 자신들을 지원했다면, 전쟁의 승패를 뒤로 미루거나 이길 수도 있었다고 생각하기 때문이다.

마지막으로, 승자와 패자의 인지상정론이다. 승자도 패자도 중립을 지키던 국가를 좋아하지 않는다. 승자는 중립 국가의 도움을 받았다면 더 손쉽게 승리할 수 있었을 것이라고 원망하기 마련이고, 패자 역시 도움을 받았다면 상반된 결과를 낳았을지 모른다며 원망하기 때문이다. 승자는 도움을 준 국가의 은혜를 결코 잊지 않는다. 최대한 침략 시기를 늦추거나 가능하면 침략하지 않으려 할 것이다. 이것이 국가 간의 인지상정이기 때문이다. 패자 역시 도움을 준 국가가 전쟁의 참화에 따른 고통을 겪게 되면 동병상련을 느끼고 어떤 형태로든 도움을 주려고 할 것이다. 이 역시 국가 간의 인지상정이기 때문이다. 마키아벨리는 이런 세 가지 이유로 중립보다 전쟁에 참여하는 것이 옳다고 주장한다.

<제시문 2>

국민연금이 정파적 이해관계에 휘둘리지 않게 하는 '탈(脫)정치 장치'가 다각도로 강구돼야 한다. 연금제도와 기금운용에서의 독립성·전문성·중립성 확보가 관건이다. 최근 국민연금기금운용위원회가 기업경영 개입 수단이 될 수 있는 '스튜어드십 코드'를 논란 속에 도입해 '연금사회주의' 우려를 키운 것은 이런 과제와는 거꾸로 간 것이다. 지난 5월 국민연금공단 이사회에 노조와 중소기업 대표는 들어가고 대기업 대표가 빠졌을 때도 '기울어진 운동장'이라는 비판이 나왔다. 이런 파행이 계속되면 가입자는 줄고 수익률이 흔들릴 수밖에 없다. 지속 가능성은 단순히 산술적 재정 추계 차원의 문제가 아니다.

스튜어드십 코드는, 국민연금 등의 연기금(年基金)[2]과 자산운용사 등 기관투자자들이 기업의 의사 결정에 적극적으로 참여하도록 유도하는 자율 지침이다. 스튜어드십 코드는 2008년 세계 금융위기가 금융회사의 주요 주주였던 기관투자자들의 무관심에서 비롯됐다는 반성을 토대로, 기관투자자들이 투자하는 기업에 대해 적극적인 주주 활동에 나서 경영 위험을 피하고 성장하도록 도움으로써 고객의 이익을 극대화한다는 취지를 갖고 있다.

Q1. <제시문 1-1>의 제목을 지어보고, 그 이유를 제시해보시오.

Q2. <제시문 1-1>에 대한, <제시문 1-2>의 이남석의 주해에서 마키아벨리의 논거를 찾아 제시해보시오.

Q3. <제시문 2>의 중립성과, <제시문 1-1>의 중립성의 차이를 말해보시오.

2)
연기금: 연금을 지급하는 원천이 되는 기금. 연금기금의 줄임말

Part 1
Part 2
Part 3
Part 4
Part 5
Part 6
Part 7

해커스 김종수 로스쿨 면접 200주제

※ 다음 제시문을 읽고, 문제에 답하시오.

<제시문 1: 신분주의, 능력주의, 평등주의에 대한 비교, 분석>

　과거 신분주의하에서는 탄생과 동시에 짊어지게 되는 신분이나 가문에 의해서 모든 것이 결정되었다. 신분제가 사라지고 민주주의가 들어서면서 각각 개인의 능력에 의해서 삶을 살아가는 능력주의 시대가 되었다. 개인의 능력에 따라 평가받는 것을 능력주의라 하는데, 신분주의에 비해 발전된 형태라 할 수 있다. 그러나 능력 역시 개인의 의지와 관계없이 타고난 천부적 재능과 같은 우연적인 부분이 있다. 이러한 천부적 재능의 결과를 개인의 노력으로 치부하고 혼자서 우연의 과실을 전유할 수는 없다.

<제시문 2: 비정규직의 정규직화>

　대기업의 정규직 근로자들은, 비정규직 처우 개선이 필요하고 비정규직의 직업 안정성을 향상시키는 것에 대해 어느 정도 동의하고 있다. 그러나 자신들은 대기업의 정규직 근로자가 되기 위해 비정규직 근로자들에 비해 더 많은 노력을 쏟았다. <u>노력의 정도가 다른데도 불구하고 비정규직과 정규직을 어느 날 갑자기 동일하게 취급하는 것은 용납할 수 없다.</u>

<제시문 3: 서울교통공사 정규직화 사례>

　서울교통공사가 비정규직 근로자들을 정규직으로 전환했다. 그런데 비정규직을 정규직으로 전환하는 바람에 오히려 새로 취업해야 하는 청년들의 일자리가 줄었다. 올해 서울교통공사 신규 채용 인원이 급감했고, 이는 청년들의 사다리를 걷어차는 것이나 다름없다.

Q1. <제시문 1>의 신분주의, 능력주의, 평등주의 각각을 설명해보시오.

Q2. <제시문 2>의 밑줄 친 부분을 평등주의의 입장에서 비판해보시오.

Q3. <제시문 3>의 서울교통공사 비정규직 정규직화 문제에 대해서 어떻게 생각하는지 논해보시오.

모범답변

2018 동아대 로스쿨

① 교수:학생 = 3:1   ② 답변 준비 10분, 면접 시간 10분   ③ 지성 면접만 실시하고, 인성 면접은 없음   ④ 메모 불가

2018   동아 A 문제

※ 다음 제시문을 읽고, 문제에 답하시오.

> (1) 헨리 데이비드 소로의 시민불복종
> (2) 사드 배치에 반대 시위하는 경북 성주 시민들
> (3) 스페인 중앙정부의 자치권 박탈 움직임에 저항하는 카탈루냐 주민
> (4) 지진 발생 후 시작된 원자력 발전소 건설 반대 시위

Q1. 제시문 중 시민불복종에 해당하는 것은 무엇인가?

Q2. 시민불복종의 요건이 무엇인지 말하고, 폭동과의 차이점은 무엇인지 설명해보시오.

Q3. 마하트마 간디의 무저항투쟁, 넬슨 만델라의 옥중투쟁, 마틴 루터 킹의 평화대행진 운동의 공통점은 무엇인가?

2018   동아 B 문제

※ 다음 제시문을 읽고, 문제에 답하시오.

> (1) 사회적 합리성과 과학적 합리성은 다른 것 같지만 서로 의존하고 있다.
> (2) 최근 원자력 발전소를 폐로해야 한다는 주장이 있다. 반대로 원자력 발전 사업자는 안전을 위한 시설 투자에 최선을 다하고 있음을 주장하며 과학적 합리성에 무게를 두고 있다. 시민단체는 사고의 위험성만을 부각해 과학적 합리성이 없는 맹목성이 느껴지고, 원자력 발전 사업자는 과학적 안전성과 효율성이라는 측면만을 강조해 사회적 합리성이 없는 공허함이 느껴진다.
> (3) 숙의민주주의가 사회적 합리성과 과학적 합리성 간의 갈등을 해결하는 대안이 될 수 있다.

Q1. (1)의 밑줄 친 부분이 무슨 의미인지 설명해보고, 사회에서 이를 반영하는 예시를 제시해보시오.

Q2. (2)의 '사회적 맹목성'과 '과학적 공허함'에 대해 설명해보시오.

Q3. 사회적 맹목성과 과학적 공허함이 충돌하는 예시를 들고, 그러한 충돌이 발생하는 이유를 설명해보시오.

Q4. (3)에서 숙의민주주의가 제대로 작동하기 위해 필요한 요건은 무엇인지 제시해보시오.

모범답변

해커스 김종수 로스쿨 면접 200주제

2017 동아대 로스쿨

① 교수:학생 = 3:1   ② 답변 준비 10분, 면접 시간 10분   ③ 지성 면접만 실시하고, 인성 면접은 없음   ④ 메모 불가

2017 동아 A 문제

※ 다음 제시문을 읽고, 문제에 답하시오.

> (가) 빅데이터를 활용한 4차 산업에 관한 제시문
>   (사물인터넷, 자율주행차량, 3D 프린터 등의 사례가 제시됨)
> (나) 빅데이터 활용의 산업적 가치와 국익 증대에 대한 제시문
> (다) 빅데이터 활용의 위험성에 관한 제시문(개인정보 유출, 바이러스 등의 사례가 제시됨)

Q1. (가)를 이용하여, 4차 산업으로 인한 새로운 변화에 대한 구체적 사례를 제시해보시오.

Q2. 빅데이터의 이익(긍정적 측면)에 대한 구체적 사례를 제시해보시오.

Q3. 빅데이터의 위험(부정적 측면)을 최소화할 수 있는 방안을 구체적으로 제시해보시오.

추가질문

Q4. 부정적 측면을 더 제시해보시오.

Q5. 너무 기업에게만 책임을 묻는 것 아닌가?

Q6. 긍정적인 경제적 효과를 더 말해보시오.

Q7. 제시문과 관련해서 하고 싶은 이야기가 있으면 더 말해보시오.

※ 다음 제시문을 읽고, 문제에 답하시오.

<제시문 가: 설명 의무 위반 여부>

난자 기증에는 고통이 따르고, 개인의 결정이 중요하므로 사전에 충분한 설명이 이루어져야 하고 이에 근거한 동의가 필요하다. 충분한 설명에 근거한 동의가 되려면, 첫째 기증자가 의사결정 능력이 있을 것, 둘째 실험자는 충분한 내용을 설명해야 하며, 셋째 기증자는 그 내용을 이해해야 하고, 넷째 (불분명) 등의 4가지 요건이 필요하다.

그런데 A기증자는 설명을 다 듣지 않아도 괜찮다고 했고, 난자 기증은 성스러운 행위라고 하며, 막무가내로 동의했다.

<제시문 나>

신약 개발을 위해 사람에게 임상실험을 하게 되는데, 사람에 대한 임상실험 전에 동물실험을 통하여 약품의 임상검사를 해야 한다.

<제시문 다>

유럽연합에서는 동물실험을 거친 화장품의 유통을 금지했다.

Q1. A기증자의 기증이 충분한 설명에 근거한 동의인지 혹은 설명 의무 위반인지에 대한 자신의 견해를 제시하고, 이에 대한 근거를 들어 답변해보시오.

Q2. <제시문 나>, <제시문 다>를 읽고 신약 개발과 화장품 개발을 위한 동물실험에 대한 자신의 견해를 정하고, 근거를 들어 답변해보시오.

Q3. (동물실험에 찬성한다면) 동물실험에서 지켜야 할 윤리적인 원칙을 제시하고, (동물실험에 반대한다면) 동물실험에 부정적인 사람들의 입장에서 동물실험이 실행될 경우 보완해야 할 것은 무엇인지 제시해보시오.

추가질문

Q4. Q1에 대한 답변에서 두 번째 요건이 충족됐다고 대답했는데, 기증자가 막무가내로 동의했으면 충분한 설명이 부족한 것 아닌가?

Q5. 충분한 설명이란 것은 상대방이 이해하는 것을 전제로 하는 것이 아닌가?

Q6. 동물도 고통을 느끼기에 인간과 다를 바 없고 따라서 동물 또한 그 권리가 보장되어야 한다는 것이 동물보호단체의 주장인데, 이에 따르면 동물실험을 금지해야 하는 것 아닌가? 동물 또한 생명인데 인류의 발전을 위해 동물을 죽이는 것을 정당화할 수 있는가?

Q7. 동물실험에 대해 찬성한다고 했는데, 반대 입장에서 다시 말해보시오.

Q8. 동물실험에 반대하는 사람들은 왜 반대하는 것인지 답변해보시오.

Q9. 절차적 정당성을 잘 지키기 위해서 시도할 수 있는 구체적인 방법이 뭐가 있을지 제시해보시오.

모범답변

① 교수:학생 = 3:1   ② 답변 준비 10분, 면접 시간 10분   ③ 지성 면접만 실시하고, 인성 면접은 없음   ④ 메모 불가

2016 동아 A 문제

※ 다음 제시문을 읽고, 문제에 답하시오.

> (가) 조선이 두만강 지역에서 러시아와 국경을 접하게 되면서 흥선대원군은 러시아를 견제하고자
> 프랑스와 접촉하여 통상을 시도하였다. 그러나 프랑스는 이를 거절하였고, 흥선대원군은 선
> 교를 위해 조선에 들어와 있던 프랑스인 신부와 조선의 천주교 신자를 탄압했다. 이에 프랑스
> 는 1866년 군대를 이끌고 조선의 강화도를 침략하여 병인양요가 일어났다. 또한 독일인 오페
> 르트가 흥선대원군과 통상 문제를 흥정하고자 오페르트 도굴 사건을 일으켰다. 이 사건은 조
> 선과 통상교섭을 진행하던 오페르트가 프랑스 제독 로즈와 프랑스 신부 페롱과 함께 흥선대
> 원군의 아버지인 남연군의 묘를 도굴한 사건이다. 이에 분노한 흥선대원군은 쇄국정책을 강
> 력하게 펼쳤다. 흥선대원군은 전국 각지에 200여 개의 척화비(斥和碑)를 세워 쇄국정책의 뜻
> 을 새겼다. 척화비에 새겨진 내용은 다음과 같다.
>> 洋夷侵犯(양이침범) 非戰則和(비전즉화) 主和賣國(주화매국)
>> 戒我萬年子孫(계아만년자손) 丙寅作(병인작) 辛未立(신미립)
>> 서양 오랑캐가 침입하는데 싸우지 않으면 화해를 하는 것이니,
>> 화해를 주장하면 나라를 파는 것이 된다.
>> 우리의 만대 자손에게 경고하노라.
>> 병인년에 짓고 신미년에 세우다.
>
> (나) 2015년 한중일 정상은 역사를 직시하며 미래를 향해 나아가자는 정신을 바탕으로 3국 협력
> 강화를 합의했다. 한중일 3국은 경제적으로 상호의존적이면서도 정치안보의 갈등이 동시에
> 존재하는 동북아 패러독스를 극복해야 한다는 인식을 함께 했다. 협력 사업을 확대하고 발전
> 시키기로 했으며 3국 협력 기금을 조성해 3국 간 협력 사업을 늘리기로 했다.

Q1. (가)와 (나)의 요지를 말해보시오.

Q2. (가)와 (나)에 대한 자신의 견해를 말해보시오.

Q3. 선진국가로 나아가기 위해서는 법조인의 역할이 중요하다. 국가 발전을 위한 법조인의 역할이 무엇이
라 생각하는가?

Q4. (가)를 선택했을 때의 장단점과 (나)를 선택했을 때의 장단점을 말해보시오.

Q5. 가령 FTA처럼 국가정책을 통해 피해를 보는 계층도 있으나 이익을 보는 계층도 있다. 이러한 문제를 해결하기 위해서는 어떻게 하여야 하는가?

Q6. 그렇다면 (가)와 (나)의 결정이 어떻게 가능했던 것인가?

Q7. (나)와 법조인의 자질을 연결해, 선진국가로 가기 위한 법조인의 역할을 말해보시오.

Q8. Q7 답변이 너무 원론적인 답변인데, 조금 더 현실적으로 말해보시오.

※ 다음 제시문을 읽고, 문제에 답하시오.

<제시문 1>

미국은 총기 소유 자유 국가이다. 범죄 이력이 없거나 정신질환이 없는 성인이라면 누구나 총기를 소유할 수 있다. 그러나 최근 학교에서 총기 난사 사건으로 인하여 다수 국민의 생명과 신체(수에 대한 통계치가 있었음)가 침해당하고 있다. 이로 인해 미국에서는 자유연대와 미국변호사협회에서 총기 소유 자유에 대한 규제가 필요하다고 주장하고 있으나 미국총기협회에서는 이에 대해 강력히 반발하고 있다.

<제시문 2>

사회가 발전하면 그에 따라 갈등이 발생하기 마련이다. 인류의 역사는 이러한 갈등과 갈등 해결 과정의 연속이다. 갈등을 해결하는 과정 속에서 역사는 발전해왔다.

<제시문 3-1>

인간이 사회를 이룬 후 법을 만들어 사회 곳곳을 규율하고 있다. 그런데 현실에서는 본말이 전도되어 법이 인간을 압도하기도 한다.

<제시문 3-2>

의사, 성직자, 법률가는 전문 지식인이다. 이들은 사회로부터 전문지식을 높이 평가받으며 지식으로서 대우받는다. 그런데 이들은 자신의 전문 분야 외의 다른 영역에 대해서는 문외한인 경우도 많다.

Q1. <제시문 1>을 참고하여 총기 규제에 대한 찬반 입장을 정하고 그 근거를 논변해보시오.

Q2. <제시문 2>를 참고하여 환경 갈등, 노사 갈등, 계층 갈등 등의 현대 한국 사회의 갈등을 한 가지 이상 예를 들어 그 해결책을 제시해보시오.

Q3. <제시문 3-1>과 <제시문 3-2>를 참고하여, 갈등의 해결자로서 법률가의 이점과 한계를 설명해보시오.

추가질문

Q4. 총기 소유와 총기 소지를 혼동해서 말하고 있는데, 미국에서 소지와 같은 경우는 엄격한 절차가 존재하기 때문에 특정한 사람을 제외하고는 소지가 불가능하다. 그러니 소유와 소지를 구분해서 말해보시오.

Q5. 나는 간통죄 논쟁을 세대 갈등으로 보지 않는다. 젊은 층에서도 간통죄가 유지되어야 한다고 생각하는 젊은이들이 있다. 그럼에도 간통죄가 세대갈등인가?

Q6. 세대갈등의 또 다른 예를 들어보시오.

모범답변

2024~2016 부산대 로스쿨

2024 부산대 로스쿨

① 교수:학생 = 3:1   ② 면접 준비 20분, 면접 시간 8분(답변 6분 30초, 추가질의 1분 30초)
③ 메모 가능, 지원자의 메모를 복사해 면접관에게 제공함   ④ 추가질문 있음

메모 및 휴대 여부	• 메모 및 휴대 가능함
대기실 특징	• 대강당에서 대기하며 생수 1병을 지급함 • 전자기기를 포함해 개인 짐은 모두 맡겨야 하며, 책이나 자료 등을 볼 수 없음 • 대기실에 있는 동안 화장실 출입이 가능하나, 탐지기를 이용해 신체 검사를 받아야 함
문제풀이실 특징	• 준비실에 조 순서대로 입장해 착석하고, 당일 부여받은 가번호를 문제지와 메모지에 기입함 • 타종 후에 문제풀이를 시작하며 20분 후 타종하여 문제풀이 시간 종료를 알려줌
면접고사장 특징	• 면접고사장 앞에서 본인 확인을 한 이후에 입실함 • 면접관 3명, 진행위원 1명이 있음 • 면접관의 좌석이 수험생 좌석보다 높은 곳에 있어 고개를 들고 면접관을 바라보아야 함 • 초 단위의 시계를 지원자에게 보여주고, 별도의 안내 없이 20분이 지나면 시간 종료로 퇴실하게 됨
기타 특이사항	• 문제풀이실에서 제공된 메모지에 자신의 답변 요지를 작성해야 하며, 답변요지서에는 먹지 3장이 붙어 있어 복사된 답변요지서를 면접관 3명에게 제출함

2024 부산 A 문제

※ [가군 면접] 다음 제시문을 읽고, 문제에 답하시오.

최근 반려동물을 키우는 인구가 늘어나면서 반려동물에 대한 인식이 가족구성원으로 변화하고 있다. 이에 따라 반려동물 의료 시장이 커지고 있다. 고양이 신장 이식 수술에 대한 찬반 논쟁이 진행 중이다.

찬성 측에서는 신장 이식은 사람의 경우와 마찬가지로 고양이의 생명에 직접적인 영향을 끼치지 않는다는 점, 신장 이식의 대상이 되는 고양이는 실험실에서 실험 목적으로 길러지는 고양이라는 점, 신장 이식 이후 기증고양이는 수증고양이 주인에게 입양되거나 신장 이식 수술비용 중 일부를 기금화하여 그 기금을 통해 새로운 주인에게 입양할 수 있으므로 신장 이식은 타당하다고 주장한다.

반대 측에서는 고양이의 신장 이식 과정에서 기증고양이의 의사를 묻거나 기증고양이의 의사를 주장할 수단이 전혀 없기 때문에 도덕적·윤리적 문제가 존재한다는 점, 점차 고양이의 생명에 직접적인 영향을 미치는 각막이나 폐, 심장 이식수술 등이 가능해질 것을 근거로 신장 이식이 부당하다고 주장한다.

Part 1
Part 2
Part 3
Part 4
Part 5
Part 6
Part 7

Q1. 제시문에 제시된 각 주장에 따를 때 발생할 수 있는 문제점을 지적하시오.

Q2. 고양이 신장 이식 전면 허용에 대한 자신의 주장을 논변하시오.

Q3. 고양이 신장 이식을 허용할 때 고려해야 할 사항을 제안하시오.

💬 **A학생 추가질문**

Q4. 고양이가 생명 신체의 자유를 적극적으로 행사할 수는 없지 않은가? 가령, 수증고양이가 원한다는 의사를 표시하여 수술을 받게 되는 것은 아니지 않나?

Q5. 실험용으로 사육되다가 실험이 종료되면 죽음을 맞는 것보다 신장을 하나 잃더라도 행복한 가정에 입양되어 여생을 편하게 보내는 것이 기증고양이의 입장에서 더 나은 것 아닌가?

💬 **B학생 추가질문**

Q4. 곧 죽을 예정인 실험용 고양이가 있다고 하자. 안락사를 하는 것이 편하게 해줄 수 있는 유일한 방법일 때 신장 외의 장기 이식을 허용하면 안 되는가?

2024 부산 B 문제

※ [나군 면접] 다음 제시문을 읽고, 문제에 답하시오.

> 이방인이 방문한 타국에서 받을 권리는 상호주의에 입각해서 제공받는다. 그럼에도 최소한으로 받을 수 있는 권리가 있는데, 그것은 '환대 받을 권리'이다. 인간은 교류하고 이동하는 존재로서 최소한의 환대를 받고 잠깐 체류할 권리를 가진다. 이방인에게 최소한의 권리를 줄 때 '환대 받을 권리' 이상을 주는 것은 그 국가정부 권한에 대한 침해이자 필요 이상의 위협이 된다.
>
> 환대, 좋은 대우라 함은 이방인이 타국 땅에 발을 들여놓았다는 이유만으로 적대적 취급을 받아서는 안 되는 것을 의미한다. 이방인이 타국 땅에서 우호적으로 행동하는 한 그를 적대적으로 취급해서는 안 된다. 이방인은 자신이 선택한 것이 아닌 성별, 인종 등으로 인해 받는 차별을 시정할 권리가 있다. 그런데 이방인이 요구할 수 있는 권리는 영속적으로 체류할 수 있는 권리가 아니라 방문의 권리이다. 영속적으로 체류할 권리를 요구하기 위해서는 그를 일정 기간 사회의 일원으로 취급한다고 하는 호의적인 특별 계약이 필요할 것이다. 방문의 권리는 지구를 공동 소유하는 권리로부터 기인한 것이며, 서로 교제를 신청할 수도 있다는, 모든 인간에게 속해 있는 권리이다. 이것이 지속가능한 권리가 되기 위해서는 특별한 수단이 필요하며 이러한 국제이주는 세계시민적 질서에 따라야 한다.

Q1. 제시문을 읽고, 국제이주의 갈등상황을 정리하시오.

Q2. 국제이주의 영향력과 한계가 무엇인지 제시문을 참고하여 서술하시오.

Q3. 국제이주의 제한 가능성에 대한 자신의 입장을 말하고 논거를 제시하시오.

Q4. 일시적인 국제이주를 넘어 영속적인 국제이주를 허용 가능하게 하는 방안에 대해 서술하시오.

💬 A학생 추가질문

Q5. 사회적 합의를 이야기했는데 사회적 합의는 어떻게 알 수 있는가?

💬 B학생 추가질문

Q5. 국내의 사회적 필요성이 이주민의 이주하고자 하는 욕구와 잘 맞아떨어진 상황이 있는가?

💬 C학생 추가질문

Q5. 이주자가 권리에 상응하는 모든 의무를 다했고 범죄를 저지르지도 않았다면, 이 경우에도 국제이주를 제한할 수 있는가?

Q6. 제시문의 환대의 개념을 국제사회에도 적용할 수 있는가?

💬 D학생 추가질문

Q5. 권리에 상응하는 의무를 다하지 않았을 때 국제이주를 제한할 수 있고 이에 대한 예시로 범죄를 저질렀을 때를 답변했다. 그렇다면 만약 범죄도 저지르지 않고 권리에 상응하는 모든 의무를 다했을 경우에도 국제이주를 제한할 수 있다고 생각하는가?

모범답변

2023 부산대 로스쿨

① 교수:학생 = 3:1   ② 면접 준비 20분, 면접 시간 8분(답변 6분 30초, 추가질의 1분 30초)
③ 메모 가능, 지원자의 메모를 복사해 면접관에게 제공함   ④ 추가질문 있음

2023 부산 A 문제

※ 다음 제시문을 읽고, 문제에 답하시오.

> 2017년 연구에 따르면, 미국인들의 50%는 리얼돌, 섹스 로봇 등의 성적 인공물이 널리 상용화될 것이라고 예상하고 있다. 우리나라도 리얼돌을 두고 논쟁이 있었다.
> 성적 인공물의 상용화를 반대하는 입장에서는 성적 인공물의 상용화가 인간에게 해가 될 것이라는 근거를 제시한다.
> 반면, 성적 인공물의 상용화를 찬성하는 입장에서는, 성적 인공물의 상용화가 인간에게 해가 된다는 주장은 증명된 바 없으며, 해당 내용은 점진적으로 증명해야 한다고 말한다.

Q1. 리얼돌, 섹스 로봇 등의 성적 인공물의 상용화에 대한 본인의 의견과 향후 방안을 근거를 들어 제시하시오.

추가질문

Q2. 피면접자는 성적 인공물의 상용화를 찬성하는 입장이다. 상용화 시 발생할 수 있는 문제에 대한 해결책을 향후 방안에서 제시했다. 제시문에 따르면, 섹스 로봇과 같은 성적 인공물이 유해하지 않음을 점진적으로 증명해야 한다고 한다. 피면접자가 생각할 때 성적 인공물이 유해하지 않음을 점진적으로 증명할 방안을 말해보시오.

Q3. 로봇에게 인격권을 인정한다는 것은 논쟁적인 부분이다. 로봇의 인격권을 인정할 수 있는지, 만약 인정한다면 피면접자의 답변대로 로봇의 인격권이 실제로 침해받을 수 있는 것인지 말해보시오.

※ 다음 제시문을 읽고, 문제에 답하시오.

<사례 1>

　몇 년 전 그들은 이스라엘에 있는 한 탁아소에서 아이를 늦게 찾으러 오는 부모에게 벌금을 부과하는 것이 유용한 억제기능을 하는지 알아보기 위한 연구를 했다. 그러나 벌금을 부과하기 시작한 후에 늦게 오는 부모는 크게 줄지 않았다. 이는 탁아소에서 의도했던 바가 아니었다. 그로부터 몇 주 뒤 탁아소가 벌금을 없앴다. 벌금은 없앴지만 부모의 처신은 바뀌지 않았다. 그들은 여전히 늦게 아이를 찾으러 왔다. 벌금을 없애자 오히려 아이를 늦게 찾으러 오는 횟수가 조금 늘기까지 했다.

<사례 2>

　합리성은 문화적 합리성과 사회적 합리성이 있다. 문화적 합리성은 목적과 수단이 일치해야 함을 의미하고, 사회적 합리성은 목적을 달성하는 여러 수단 중에 효율성이 가장 좋은 것을 선택해야 함을 의미한다.

　주류 경제학은 효율성을 고려할 때, 자기 이익 극대화와 내적 일관성 측면에서 설명한다. 이 중 내적 일관성은 선호가 뚜렷하게 나타나는 것을 의미한다. 예를 들어, a가 b보다 좋고, b가 c보다 좋다면, a와 c 중에서는 언제나 a를 선택하게 된다는 것이다.

<사례 3>

• A이론: 주류 경제학은 인간이 행위를 선택함에 있어서 합리적 경제주체라고 가정한다. 주류 경제학에 의하면 합리적 경제주체는 자신의 이익을 극대화하려는 목적을 갖고 있다. 경제주체는 약속이나 의무 등을 고려하지 않고 단지 이익만을 추구한다. 그러나 인간은 이익을 극대화하려는 목적으로만 선택하지 않는다는 점에서 주류 경제학은 인간의 행동을 충분히 설명하지 못한다.

• B이론: 인간은 감정에 따라 행동하기도 하는 충동적인 존재이다. 그런데 자본주의는 인간이 감정적으로 결정하지 않고 합리적으로 판단하고자 하는 목적으로 설계된 것이다. 이러한 측면에서 자본주의가 인간의 감정을 억압한다고 비판하는 것은 불합리하다.

Q1. <사례 2>를 기반으로 하여 <사례 1>을 분석하시오.

Q2. 위 **Q1**의 답변과 관련하여 <사례 2>로 <사례 3>에 대해 논평해보시오.

💬 추가질문

Q3. 너무 결과론적인 답이라고 생각하지 않는가?

모범답변

2022 부산대 로스쿨

① 교수:학생 = 3:1   ② 면접 준비 10분, 면접 시간 15분   ③ 메모 가능, 휴대 가능

2022 부산 A 문제

※ [가군 면접] 다음 제시문을 읽고, 문제에 답하시오.

> 환경, 사회, 기업 지배구조(Environmental, Social and Governance, ESG)는 기업이나 비즈니스에 대한 투자의 지속 가능성과 사회에 미치는 영향을 측정하는 세 가지 핵심 요소이다. 선진국들은 이미 ESG 관련 법제도 도입에 적극적인 움직임을 보이고 있다. EU는 가장 선제적으로 포괄적 형태의 법·제도를 도입해 왔으며, 특히 정보 공시를 의무화하는 법제를 지속적으로 개정하며 정교화하고 있다. 미국의 경우 과거 기업의 경영과실을 바로잡기 위한 분야별 규제 법률이 주를 이뤘으나, 최근 포괄적 성격의 ESG 공시 단순화법이 추진 중이다. 영국은 2010년 이후 기업지배구조 모범 규준의 도입과 더불어 회사법 개정을 통해 기업의 전략보고서에 비재무적 정보를 의무적으로 포함하도록 하고, 이를 위반할 경우에 대한 제재 규정을 회사법 내에 포함시키고 있다. 일본의 경우에도 정보 공시 의무화, ESG 경제효과 측정지표 개발 및 기업의 ESG 투자를 위한 인센티브 제도 정비에 박차를 가하고 있다.
>
> 최근 ESG 경영지표에 따라 투자가 진행되는 등 국제적 흐름이 형성되고 있는 만큼, ESG 경영지표를 세부적으로 만들 필요가 있다는 이야기도 나온다. 다만 문제는 ESG 경영과 관련된 뚜렷한 기준이 없다는 점, 그 기준이 애매모호하고 세 가지 핵심 요소 간의 일관성이 부족한 점이 있고, 대기업들의 경우 여력이 있어 준비를 하고 실행을 할 수 있는데, 중소기업은 인력과 비용 때문에 손쉽게 진행하지 못하는 경우가 많다는 문제가 있다. ESG 경영 지표를 세부적으로 만들어 그 기준에 부합할 경우 연기금 투자에 우선권을 주는 등의 혜택이 필요하다는 목소리가 있으며 자본시장 선진화의 한 방법으로서 ESG 경영이 중요하다는 의견이 제시되고 있다.

Q1. ESG 기업경영의 장점과 단점, 지원자가 생각하는 발전 방안을 논거를 제시하며 논증해보시오.

Q2. 한국형 ESG 가이드라인을 수립하는 것이 타당한지 여부 및 개선방안을 논거를 제시하며 논증해보시오.

A학생 추가질문

Q3. 그렇다면 지원자는 기업의 사회적 책임을 이윤 추구보다 더 중요하다고 생각하는 입장인지? 그렇다면 왜 그렇게 생각하는지 말해보시오.

B학생 추가질문

Q3. 책임주의 원칙이 정확히 무엇이며, 제시문의 어느 부분에서 그렇게 생각하였는가?

Q4. 그럼 신생기업들은 애초에 시장 진입이 불가능해지는데, 그래도 ESG 기준을 도입해야 되나?

Q5. 기존의 기업들은 비용을 많이 들여 기술을 개발했는데, 그렇게 다른 신생기업들에게는 ESG 기준 적용을 배제해준다면 형평성 문제가 생기지 않겠는가?

C학생 추가질문

Q3. 가이드라인을 제시한다고 해서 개미 투자자들이 그 자료에 영향을 받을까?

Q4. ESG를 통한다면 기업의 지배구조 등과 같은 예민한 자료가 공개될 수도 있다. 이에 대해 어떻게 생각하는가?

D학생 추가질문

Q3. 대기업이 아닌 중소기업에 대해서도 ESG 기준을 적용할 것인가? 또 이를 강제할 것인가?

E학생 추가질문

Q3. 우리나라 정부가 독자적으로 K-ESG 가이드라인을 제시하고자 한다면 다른 선진국에 비해 더 엄격하게 설정해야 하는가, 덜 엄격하게 설정해야 하는가?

Q4. 자국민 보호를 할 수 있다고 답했는데, 자국민만 보호하면 되는가? 우리나라에 있는 외국인 노동자는 보호하지 않아도 되는가?

Q5. 오늘날에는 글로벌 기업들이 많은데 아프리카 사람들은 보호받지 않아도 되는가?

F학생 추가질문

Q3. 미래 세대에게 적절한 일자리를 물려주는 것 또한 중요하다고 했는데, 환경 보호가 더 중요한 가치라고 할 수 있지 않나?

Q4. ESG 평가방안을 도입하여 국민과 소비자의 이익이 증대될 수 있다고 했는데, 기업의 이윤이 줄어들면 결국 국가적 손실이고, 이는 국민에게도 좋지 않은 결과로 이어지지 않겠는가?

Q5. 환경 보호는 전 국가적 책임이 있는 문제인데, 한국형 ESG를 따로 도입하는 것은 우리 국가만을 생각하는 이기적인 생각이라고 비난받을 수 있지 않겠는가?

Q3. 재벌 중심 경영이 왜 나쁜가?

Q4. ESG 기업경영과 한국의 상속세 제도를 연결해서 설명해보시오.

Q5. ESG 기준을 한국 방식으로 도입할 때 구체적인 예를 들면 무엇이 있겠는가?

2022 부산 B 문제

※ [나군 면접] 다음 제시문을 읽고, 문제에 답하시오.

<제시문 1>

　과학자들은 자연법칙을 마치 만고불변의 진리인 것처럼 당연한 것으로 여긴다. 이들은 만물유전(萬物流轉)의 법칙, 즉 모든 것은 변한다는 법칙이 있다고 주장한다. 이들은 우주의 법칙이 영원한 것이고 영원한 것은 당연한 것이기에 자연법칙도 당연한 것이 된다고 한다. 그러나 우주는 영원하지 않다. 과학자들이 현재 당연하게 여기는 자연법칙도 훗날 당연하지 않은 것이 될 수 있다. 자연법칙도 진화하고 있기 때문이다.

<제시문 2>

　국내 스타트업 기업들이 미국으로 몰려가고 있다. 처음에는 비교적 초기 투자금을 확보하기 쉽기 때문에 미국으로 가기 시작했다. 그러나 최근에는 이러한 이점 외에도 우수한 인재가 많고, 나스닥에 상장할 가능성도 높고, 우리나라의 주 52시간 근무와 같은 규제도 없다는 각종 이점들로 인해 국내 스타트업들이 미국 시장에 진출하고 있다.

<제시문 3>

　시장주의자들은 재분배가 필요 없는 것은 물론이거니와 재분배를 금지해야 한다고 주장한다. 그러나 개인의 삶에 대한 통제력과 생산 효율성의 조화를 위한 사회적 노력이 필요하다.

Q1. <제시문 1>에서 자연법칙은 변하지 않는다는 과학자의 생각에 근거를 들어 반박해보시오.

Q2. <제시문 2>를 읽고, <제시문 3>의 관점을 옹호 또는 반박해보시오.

Q3. 자연법칙은 인간 밖의 영역에 존재하는 것이라는 점에서 진화하지 않는다. 그러나 사회법칙은 인간 내의 영역에 존재하는 것으로서 인간의 영향을 받는다는 점에서 진화한다고 볼 수 있다. 사회법칙의 진화를 판단하는 기준은 무엇인가?

Q4. 우리가 절대 변하지 않는다고 생각하는 자연법칙의 예를 들어보시오.

Q5. 우리가 알고 있던 과학적 사실이 뒤집히는 경우가 많다. 이를 보면 자연법칙이 변화한다고 말할 수 있지 않은가?

Q6. 우리가 자연법칙이라는 개념을 왜 만들었다고 생각하는가?

B학생 추가질문

Q4. 자연법칙의 진화에 대한 사례에는 천동설과 지동설 말고 또 무엇이 있는가?

Q5. 개인의 삶에 대한 통제력이란 무엇을 말하는 것인가?

Q6. 사회법칙의 교육적 측면은 어떤 것을 의미하는 것인지 예를 들어보시오.

Q7. 사회법칙과 자연법칙의 차이점은 무엇인가?

Q8. 지원자의 마지막 답변과 토마스 쿤이 말한 '과학은 과학자들의 사회적 합의에 의한 것'이라 한 것은 대치되지 않는가?

모범답변

해커스 김종수 로스쿨 면접 200주제

① 교수:학생 = 3:1 ② 면접 준비 7분, 면접 시간 8분, 지원자 6분 30초 답변 후 면접관이 1분 30초 추가질문
③ 메모, 휴대 가능

2021 부산 A 문제

※ [가군 오전 면접] 다음 제시문을 읽고, 문제에 답하시오.

> 학교폭력위원회 제도가 2019년 개정되었다. 학교 폭력 문제 해결기관은 학부모 및 교사로 구성된 학교 내 자치위원회에서 교육청 심의위원회로 이전되었다. 기존에는 학교 내 자치위원회에서 학교폭력위원회를 담당했으나, 교사와 학부모로 구성되었고 특히 학부모 비율이 50% 이상으로 되어 있어, 공정성과 전문성이 떨어진다는 문제점이 있었다. 또한 수시로 학교폭력위원회를 열어서 과도한 비용이 들어간다는 문제점이 있었고, 자치위원회의 학교폭력위원회에서는 학교장의 재량이 없어서 학교장이 아이들의 화해를 도모하거나, 자체적으로 해결할 수 없었다.
>
> 교육청 전문심의위원회는 학부모가 1/3로 제한되고 의사, 판사, 변호사, 검사, 교수, 교육 전문가 등이 참여하여 구성된다. 전문심의위원회에서 학교는 학교폭력에 대한 사실 조사만을 담당한다. 그러나 간단한 사안의 경우, 학교장의 재량으로 간단한 학교폭력 사건의 경우 학생들의 화해를 개진하는 학교장 자율제도가 함께 운영된다. 그러나 학교장의 재량이 있기 때문에 학교폭력 사건 자체를 은폐할 수 있다는 문제점 또한 제기되고 있다.
>
> 이처럼 학교폭력의 해결방식은 학교 내 자치위원회에서, 교육청 전문심의위원회와 학교장 자율제도로 이원화되었다.

Q1. 학교폭력을 예방하고 해결하기 위해, 자율적이고 민주적인 의사결정 절차를 갖춘 학교 내 자치위원회와 전문가 등으로 구성된 교육청의 전문심의위원회 중 어느 방안이 학교폭력 문제를 해결하기 위한 타당한 방안이라고 생각하는가?

Q2. 자율성과 전문성을 모두 잃지 않고 학교 폭력 문제를 해결할 수 있는 제3의 방안이 있다면 제시해보시오.

Q3. 현재 형사 재판 절차로서 국민참여재판 등이 활발히 도입되고 있는데, 교육청에서 나서서 학교폭력 문제를 해결하는 것이 타당한가? 각각에 대한 입장은?

Q3. 학생들이 참여하기만 하면 공정성이 실현된다고 보는 것인가?

Q4. 학생들이 참여한다는 것은 피해자와 가해자가 함께 참여한다는 것인가?

Q3. 전문가는 결정권을 가지면 안 되는가?

Q4. 참여하는 학부모와 교사는 해당 사건의 당사자의 학교인가 아니면 다른 학교여야 하는가?

Q5. 그래도 결론이 나지 않는다면 어떻게 해야 하는가?

Q3. 학교에 전문가를 보내는 것과 전문 심의위원회는 무엇이 다른가? 학교 자치위원회와 교육청 심의위원회의 차이를 말해보시오.

Q4. 국민참여재판과 같이 국민의 참여를 높여 민주성을 높이는 추세인데 심의위원회는 이를 역행하는 것이 아닌가?

Q3. 현재 형사절차에서의 국민의 참여가 확대되고 있는데, 전문 심의위원회는 이러한 자율적인 참여 기회를 빼앗아 시대적 추세에 역행한다고도 볼 수 있다. 이에 대해서 어떻게 생각하는가?

Q4. 참여가 확대되는 것이 옳은가, 전문성이 확대되는 것이 옳은가?

Part 1
Part 2
Part 3
Part 4
Part 5
Part 6
Part 7

해커스 김종수 로스쿨 면접 200주제

※ [나군 오후 면접] 다음 제시문을 읽고, 문제에 답하시오.

> A씨는 허리가 아파 동네에 있는 'XX 측츠디슥흐 병원'에 찾아갔다. 병원 이름이 이상하다고 생각한 A씨는 의사에게 그 이유를 물었고, 의사는 현행법상 질병 명칭을 병원 이름으로 쓸 수 없기에 편법으로 이러한 명칭을 사용했다고 말했다. 다음은 X국의 의료법 시행규칙 제40조에 대한 내용이다.
> - 의료기관이 명칭을 표시하는 경우에는 의료기관의 종류에 따르는 명칭 앞에 고유명칭을 붙인다. 이 경우 그 고유 명칭은 특정 진료과목 또는 질환명과 비슷한 명칭을 사용하지 못한다.
> (예 간 또는 디스크 등)
> - 병원 또는 의원의 개설자가 전문의 과정을 수료한 전문의인 경우에는 그 의료기관의 고유 명칭과 의료기관의 종류 명칭 사이에 해당 전문의 수료 과목을 간판에 명시할 수 있다.
> (예 정형외과, 내과 등)

Q1. 병원의 이름에 질병의 이름을 사용하는 것에 대해, 환자/의사/보건공무원의 입장에서 각각 근거를 들어 찬성 및 반대 의견을 말하고 본인의 견해를 말해보시오.

💬 A학생 추가질문

Q2. 환자와 의사 간 마찰이 일어난다고 했는데, 구체적인 예시를 들 수 있는가?

💬 B학생 추가질문

Q2. 어떤 사람이 전문의 과정은 이수하지 않았지만 특정 질병에 대해 충분한 경험이 있고 실제로도 그 질병을 잘 치료할 수 있는 치료적 능력도 갖췄다. 이런 사람에게는 간판에 전문의를 명시할 수 있는 자격을 줘도 되지 않을까?

모범답변

① 교수:학생 = 3:1   ② 면접 준비 7분, 면접 시간 6분 30초   ③ 메모 가능
④ 지원자는 오전시험 1문제와 오후시험 1문제, 총 2문제에 답변해야 함

2020 부산 A 문제

※ [가군 오전 면접] 다음 제시문을 읽고, 문제에 답하시오.

> 차량 소유자 A는 자가용을 보유해 자동차 보험료를 내고 있으나 거의 사용을 하지 않아 주차장에 주차되어 있는 시간이 길다는 점에 아쉬워하고 있다. A는 자신의 보유 차량을 택시보다 높은 가격을 받고 운송서비스에 활용함으로써 추가적 수익을 얻고자 한다.
>
> 직장인 B는 출근 시간과 퇴근 시간에 택시 이용이 불편하다고 생각하고 있다. 이에 B는 택시 외의 운송 수단을 원하고 자신에게 적합한 운송서비스를 원하고 있다.
>
> 앱개발사업자인 C는 카풀서비스 앱을 개발하고자 한다. 자가용이나 기존의 차량을 활용하고자 하는 사람과 운송서비스를 원하는 사람을 연결하는 앱을 개발하였고 서비스 비용의 20%를 중개수수료로 책정하였다.
>
> 택시 운전사인 D는 택시 면허를 발부받아 30년간 택시 영업을 했다. 그러나 최근 들어 택시업계가 포화상태에 달하여 택시 영업이 어려워지는 것을 체감하고 있다. 카풀서비스가 도입되면 D는 생존이 어려워질 것이어서 C의 영업 허용을 반대하고 있다.

Q1. 회사 C의 영업을 허용해야 한다는 주제에 대해서 찬성과 반대 의견이 존재한다. 각 의견에 대해서 소개하고 논거를 제시해보시오.

Q2. 회사 C의 영업에 대해서 공청회가 열렸다. 본인이 공청회 참가자이고 이에 대해서 영업을 허용해야 한다는 입장일 때, 예상되는 문제점에 대해서 제시하고 그에 대한 해결방안을 제시해보시오.

※ [가군 오후 면접] 다음 제시문을 읽고, 문제에 답하시오.

(A) 첫 번째 차이점의 효과는 한편으로 대중의 의견을 선출된 시민집단이라는 매개체에 통과시킴으로써 이를 정제하고 확대시키는 것이다. 선출된 집단의 현명함과 전문성은 자국의 진정한 관심사를 가장 훌륭하게 분별할 것이고, 그들의 애국심과 정의에 대한 애정은 그들의 국가를 일시적 또는 부분적 이유 때문에 희생시킬 가능성을 가장 낮게 해준다. 이러한 규정하에서 국민의 대표를 통한 대중의 목소리는 같은 목적으로 소집된 국민의 직접적인 의견보다 공익에 더욱더 조화될 수 있을 것이다. 반면 그 효과는 반대가 될 수 있다. 당파성, 지역적 선입관, 또는 불순한 목적을 가진 사람들이 우선 음모, 부정 또는 다른 수단으로 참정권을 얻은 다음 국민의 이익을 배신할 수 있다.

(B) 우리는 참여민주주의를 부분적으로 도입해야 한다. 이는 대의제 민주주의가 완전히 틀렸고 부정해야 한다는 의미가 아니다. 대의제 민주주의가 국민의 진정한 의사를 실현할 수 있다는 점에는 동의할 수 있다. 그러나 직접 민주주의적 요소를 일부 도입한다면 투명성이 보다 더 확보되고 권력에 대한 견제와 통제를 더욱 잘 실행할 수 있다.

(C) 수능 절대평가와 관련해 공론화위원회를 추진하고 있다. 무작위로 추출한 시민위원단 560명과 전문위원 15명이 토론과 대화를 통해 합의점에 도달한다. 이를 통해 참여민주주의의 가치와 투명성을 확보할 수 있다.

Q1. (A)와 (B)의 민주주의에 대한 관점을 제시해보시오.

Q2. (A)와 (B)의 관점은 상호충돌하는가, 아니면 상호보완적인가?

Q3. (A)와 (B)의 관점을 통해서 볼 때 C사례의 공론화위원회를 평가해보시오.

※ [나군 오전 면접] 다음 제시문을 읽고, 문제에 답하시오.

A는 제주도에서 이탈리아 음식점을 하고 있는데, 최근 일률적으로 13세 이하의 아동의 출입을 제한하기로 결정하였다. 그 이유는 아동의 출입으로 인해 영업상의 어려움이 있을 뿐만 아니라, 장식물이 훼손되기 때문이다. B는 이 음식점에 9세 아들과 함께 방문했다가 출입을 거부당했다.

Q1. 아동의 출입을 제한하는 것에 대해 찬성과 반대 입장에서 각각 들 수 있는 근거를 제시하고, 본인의 주장을 제시해보시오.

Q2. 국가인권위원회에서 음식점 사장에게 시정명령을 내렸다. 본인이 제시문의 음식점 사장이라면 이 문제를 해결하기 위해 어떤 방법을 사용할 것인가?

※ [나군 오후 면접] 다음 제시문을 읽고, 문제에 답하시오.

아돌프 아이히만은, 나치 독일의 지배하에서 유대인 수백만 명을 죽음의 학살 수용소로 이송시킨 책임자였다. 그는 나치 친위대 대대장으로, 유대인 추방과 수송의 전문가였고, 1941년 나치 지도부가 유대인 절멸을 결정했을 때 그 집행을 위임받은 책임자가 되었다. 그는 아우슈비츠를 비롯한 절멸 수용소와 학살 현장을 답사하고 지도하는 역할을 하면서, 히틀러 등 나치 지도부가 고안한 유대인의 절멸 정책, 즉 '최종 해결'을 집행하는 '매니저'이자 '조직가'로서 '유대인 적'을 살해하는 과업을 수행하였다. 나치 독일의 패망 뒤, 미군 수용소에 수감되었던 아이히만은 신분을 숨겨 재판을 피했고 1946년 그곳을 탈출했다. 그는 옛 친위대 동료들과 가톨릭교회 및 아르헨티나 페론 정권의 도움을 받아 리카르도 클레멘트라는 가명으로 1950년 아르헨티나로 도주했다. 그는 아르헨티나에서도 계속 나치 잔당과 모임을 가졌고 독일의 청년 세대에게 새로운 반유대주의 독일인의 사명을 부과하고자 했다. 이스라엘 정부는 이 사실을 파악하고 모사드 요원들을 보내 아이히만을 납치했다. 이스라엘은 아이히만을 '전쟁범죄'와 '인류에 대한 범죄' 및 '유대민족에 대한 범죄' 등의 혐의로 예루살렘의 법정에 세웠다. 아이히만 재판은 국제적 관심 속에 7개월간 열렸고, 결국 1962년 5월 31일 밤 아이히만의 사형이 집행됐다.

한나 아렌트는 유대인 출신으로 나치를 피해 미국으로 망명했던 정치철학자이다. 아렌트는 마르틴 하이데거와 카를 야스퍼스의 제자로 철학자로의 길을 걷다 나치즘의 광포한 탄압을 피해 미국으로 망명했다. 1951년 「전체주의의 기원」이란 저작으로 학계의 주목을 받기 시작했다. 아렌트는 전체주의 하의 범죄 행위자를 직접 대면하고자 재판을 관찰하고 싶어 했고 결국 기회를 얻었다. 아렌트는 <뉴요커>라는 미국 잡지의 요청을 받아 특파원 자격으로 아이히만의 재판을 참관하고 보도한 뒤, 1963년 「예루살렘의 아이히만」이란 저작을 출간했다. 한나 아렌트는 「예루살렘의 아이히만」에서 예루살렘 법정이 "피고 아이히만이 무엇을 잘못했는가?"가 아니라 "유대인이 무엇을 겪었느냐?"를 바탕으로 한다는 점을 지적했다. 재판을 시작하면서 검사는 이 재판에서 "유대인의 비극 전체가 주요 관심사가 될 것"이라고 했다. 한나 아렌트는 법정은 사법적 정의를 실현하기 위한 장소여야 하는데, 예루살렘 법정은 사법적 정의의 실현 이외의 의도를 관철하기 위해 기획된 일종의 쇼를 위한 극장이 되는 것이라고 했다.

Q1. 한나 아렌트가 말하는 사법적 정의가 무엇이라고 생각하는가?

Q2. 아이히만은 자신이 공직자로서 국가의 명령을 따랐을 뿐 죄가 없다고 주장했다. 이에 대해 어떻게 생각하는가?

Q3. 이스라엘은 2차 세계대전 당시 국가가 아니었기 때문에 이스라엘이 민족을 내세워 전범재판을 한 것은 무효라는 주장이 있다. 이에 대해 어떻게 생각하는가?

Q4. 아이히만을 납치하여 법정에 세운 것에 대한 비판이 있다. 이에 대해 어떻게 생각하는가?

Q5. 그럼 수험생의 논리대로라면, 일제 강점기에 한국인 공무원이 사형을 집행하는 것은 친일인가?

B학생 추가질문

Q5. 수험생은 글이 그런 의미로 읽히는가?

C학생 추가질문

Q5. 아이히만은 군인 신분인데, 군 내에서는 상관의 명령을 거부하기 어렵지 않겠는가?

모범답변

2019 부산대 로스쿨

① 교수:학생 = 3:1   ② 면접 준비 7분, 면접 시간 7분

부산 A 문제

※ [가군 오전 면접] 다음 제시문을 읽고, 문제에 답하시오.

> <제시문: 에릭 홉스봄의 「혁명의 시대」>
>
>   단어들은 때로는 기록보다 더 효과적인 증거라 할 수 있다. 1784~1848년 사이의 60년간 새롭게 나타나거나 현대적인 의미를 얻은 단어들이 있다. 이러한 단어들은 다음과 같다.
>
>   "산업, 산업가, 공장, 중류계급, 노동자계급, 자본주의, 사회주의, 철도, 자유주의적, 보수적, 국적, 과학자, 기술자, 프롤레타리아, 경제공황, 귀족, 공리주의자, 통계학, 사회학, 현대과학의 명칭들, 저널리즘, 이데올로기, 파업, 빈곤"
>
>   이 단어들이 존재하지 않는 현대세계를 상상할 수 있는가. 인류가 오래 전 농경, 야금술, 문서, 도시, 국가를 만들어낸 이래로 인류 역사상 가장 커다란 변혁이 1789~1848년에 걸쳐 일어났다는 것을 알 수 있다. 이 혁명은 전 세계를 바꾸어놓았고 현재에도 그 변화는 계속되고 있다. 그러나 특정한 사회 구조, 정치 조직, 국제적 세력이나 자원 분포에 국한되지 않는 장기적 결과와, 특정한 사회적, 국제적 상황과 밀접히 관련되어 있었던 초기의 결정적 국면은 조심스럽게 구별해야 한다.
>
>   1789~1848년의 위대한 혁명은 '공업 자체'의 승리가 아니라 '자본주의적' 공업의 승리였으며, '자유와 평등' 일반의 승리가 아니라 '중류 계급' 또는 '부르주아적 자유사회'의 승리였다. 또한 '근대경제'나 '근대국가'의 승리가 아니라 상호 인접하여 경쟁하고 있는 영국과 프랑스를 중심으로 하는 특정 지역(유럽 일부와 북아메리카의 일부)에 속한 여러 경제와 국가들의 승리였던 것이다. 1789~1848년의 변혁은 본질적으로 이 두 나라에서 일어나 전 세계로 파급된 한 쌍의 대변동이었다.

Q1. 제시문에서 에릭 홉스봄이 말한 1789~1848년의 지난 60년간 새롭게 등장한 단어 중 '오늘날의 본질'을 설명함에 있어서 지금도 유효한 단어 2개를 제시하고 설명해보시오.

Q2. 오늘날을 과거와 구별되게 하는 단어를 정치·경제·문화 영역에서 하나씩 제시하고 이유를 설명해보시오.

🗨️ 추가질문

Q3. 그렇다면 Q1과 관련하여, 현재에는 소멸되어야 하는 단어는 무엇이라 생각하는가?

※ [가군 오후 면접] 다음 제시문을 읽고, 문제에 답하시오.

우선 개체화(individuation)와 개인성(individuality)을 구별하는 것이 유용하다. 전자는 모든 개개인이 이름, 생일, 주거, 고용 이력, 교육적 배경, 그리고 생활양식 등의 고유한 기록으로 확인할 수 있게 알려진 상황을 지칭한다. 후자는 많은 논자들이 사회적 조직화의 증가와 그에 따른 감시에 의해 위협받는다고 믿는 것인데, 사람이 자신의 운명을 책임지고 삶에 대한 진정한 선택과 통제를 하는 것과 관련된 것이다. 짐작할 수 있듯이, 이것은 감시기관과 그 정보수집 활동과는 적대적 관계에 있다.

흔히 개체화와 개인성은 결합되며, 개체화의 분명한 증가는 개인성의 감소를 의미하는 것으로 간주된다. 개체화가 사람들에 대한 관찰과 감시를 필요로 하는 것은 사실이지만, 수입, 주거환경 등과 같은 개인에 대한 정보 수집은 사실 사람들의 개인성을 높이기 위한 전제 조건이 될 수도 있다. 이는 개인성이란 것이, 개인이 독특한 존재로 존중받고 진정한 자아실현 능력에 대한 제한을 받지 않으면서도 자신의 권리를 확실하게 보장받을 수 있는가의 문제이기 때문이다. 사회가 그 구성원의 개인성을 존중하고 지원하려면, 그들에 대해 많은 것을 알아야 할 필요가 있다. 예컨대 개인으로서 우리 각자가 투표권을 가지려면 우리는 적어도 이름, 나이, 주소 등에 의해 개체화되어야 한다. 이런 측면에서 보면 개체화는 민주사회의 전제요건이다. 다시 말하지만, 만일 사회가 그 구성원의 개인성을 실현하기 위하여 일정한 정도의 주택 공급과 물질적 충족을 이루어야 한다고 생각한다면(절망적인 가난 속에서 혼자 추위에 떠는 사람이 있다면, 그 사람의 개인성은 분명히 침해당한다.), 이러한 필요를 성취하기 위해 사회가 구성원들을 개체화하고 그들의 정확한 환경을 자세하게 파악하는 것이 절대적으로 필요하다.

Q1. 위 제시문을 1분 내외로 요약하고, 위의 내용과 관련된 사례를 하나 들어 개체화(individuation)의 증진이 개인성(individuality)의 존중에 도움을 주는지 자신의 견해를 논해보시오.

추가질문

Q2. 개체화가 개인성을 감소시키는 예시를 들어보시오.

Q3. 부정적 측면과 긍정적 측면이 모두 존재한다. 이 사이의 타협점을 찾을 수 있는 방법과 예시를 제시해보시오.

※ [나군 오전 면접] 다음 제시문을 읽고, 문제에 답하시오.

<제시문 1: 토마스 홉스의 「리바이어던」>
  자연법에 따르면, 평화를 지키기 위해 무력을 포함한 수단을 사용할 수 있다.
<제시문 2: 카마야 도시히토의 「국가란 무엇인가」>
  국가의 독점적 폭력이라 하더라도 이는 허용될 수 없다. 단지 폭력을 국가라는 이름으로 정당화하려는 시도에 불과하다. 폭력은 사용되어서는 안 된다.

Q1. 두 제시문의 차이점은 무엇이며, 둘 중 어느 견해를 지지하는가?

Q2. 전쟁 중의 살인, 사법 살인 등 이러한 폭력이 정당화될 수 있다고 생각하는가?

※ [나군 오후 면접] 다음 제시문을 읽고, 문제에 답하시오.

  AI와 로봇 기술이 발전하면서 사회 변화가 예상된다. 예를 들어 로봇이 경찰의 보조자로서 역할을 할 수 있다. 다만 이런 로봇이 사용될 때는 로봇 3원칙이 지켜져야 한다. 로봇 3원칙은 다음과 같다. 첫째, 로봇은 인간에게 해를 가하거나, 혹은 행동을 하지 않음으로써 인간에게 해를 끼치지 않는다. 둘째, 로봇은 첫 번째 원칙에 위배되지 않는 한 인간이 내리는 명령에 복종해야 한다. 셋째, 로봇은 첫 번째와 두 번째 원칙을 위배하지 않는 선에서 로봇 자신의 존재를 보호해야 한다.
  또한 로봇 도입을 위한 로봇 윤리가 논의되고 있다. 로봇이 만들어질 때는 일정 부분의 로봇 윤리가 있어야 하며 로봇 윤리의 준수 의무가 부과되어야 한다.

Q1. 로봇 3원칙을 지킬 때 발생할 수 있는 문제점을 말해보시오.

Q2. 다음 로봇 윤리 중 가장 가치 있고 중시되어야 할 로봇 윤리는 무엇인지 2가지를 선택해 말해보시오.
  (로봇 윤리: 인간의 존엄성, 자유, 책임, 투명성, 통제)

모범답변

2018 부산대 로스쿨

① 교수:학생 = 2:1 ② 오전 면접에서 1문제, 오후 면접에서 1문제, 총 2문제를 답변하게 됨

2018 부산 A 문제

※ [가군 오전 면접] 다음 제시문을 읽고, 문제에 답하시오.

> • A: 게임의 중독성으로 인해 16세 미만 청소년에게 셧다운제 및 각종 연령에 따른 게임 이용의
> 제한, 이용 시간의 제한 등이 이루어지고 있다. 온라인 셧다운제에 대해 어떻게 생각하는가?
> • B: 셧다운제는 옳지 않다. 오늘날 게임의 산업화 및 스포츠화는 세계적인 추세이다. 미성년자가
> 운동을 좋아한다고 하여 운동을 금지하지 않는다. 게임도 마찬가지다. 또한 게임의 폭력성을
> 근거로 게임을 금지하는데, 폭력성은 비단 게임만이 아니라 영화나 미디어 등을 통해서도 학
> 습될 수 있다. 게임만 다르게 취급하는 것은 옳지 않다.
> • A: 그럼 동성애 허용에 대해서는 어떻게 생각하는가?
> • B: 동성애 허용은 어렵다. 우선 비정상적 육체 결합으로 인해 질병이 발생할 수 있고, 도덕적·
> 윤리적으로도 문제가 있다.

Q1. B의 첫 번째 답변에 반박해보시오.

Q2. B의 첫 번째 답변과 두 번째 답변 간의 모순이 있다고 생각하는가?

2018 부산 B 문제

※ [가군 오전 면접] 다음 제시문을 읽고, 문제에 답하시오.

> <제시문 가>
> 춘추전국시대 곽(郭)나라의 임금이 나라가 망하여 도망쳤다. 마부는 임금에게 준비한 술과 고
> 기를 대접했고, 임금이 이것이 어디서 났는지 묻자, 마부는 나라가 망할 것을 알고 미리 준비했다
> 고 대답했다. 임금은 마부에게 나라가 망할 것을 알았으면서도 왜 고하지 않았느냐고 역정을 내
> 었다. 마부는 눈치를 보다가 백성과 신하는 악한데 임금만 혼자 어질기 때문에 나라가 망할 수밖
> 에 없었다고 대답했다. 임금이 만족하고 다시 음식을 먹기 시작하자 마부는 슬그머니 도망갔다.
>
> <제시문 나>
> 제나라 환공이 노인들에게 왜 곽나라가 망했느냐 묻자 노인들은 임금이 선인을 선하게 대하고
> 악인을 악하게 대했기 때문이라고 답했다. 환공은 어진 임금이 있는데도 왜 나라가 망했는지 물
> 었고 노인들은 선인을 선하게 대했지만 등용하지 않았고 악인을 악하게 대했으나 내치지는 않았
> 기 때문이라고 했다.

Q1. <제시문 가>와 <제시문 나>의 '어질다'는 의미가 서로 다르다. 의미의 차이에 대해 설명해보시오.

Q2. <제시문 가>와 <제시문 나>에서 말하는 임금과 신하의 바람직한 태도를 구체적인 근거를 들어 설명해보시오.

2018 부산 C 문제

※ [나군 오전 면접] 다음 제시문을 읽고, 문제에 답하시오.

> 부산고등학교 기숙사 학생들 사이에 독감이 돌고 있다. 누가 마스크 착용을 해야 할 것인지에 대해 다양한 의견이 대립하고 있다. 현재 전체 인원이 착용하기에는 마스크 수가 부족한 상황이다.
> - A: 감기에 걸린 것은 컨디션을 조절하지 못한 환자들 개인의 책임이다. 번거롭고 불편한 마스크를 착용하는 것은 환자들이 부담해야 될 의무이다. 따라서 감기에 걸린 학생들의 마스크 착용을 의무화해야 한다.
> - B: 독감에 걸린 학생들보다 걸리지 않은 학생들이 마스크를 쓰는 것이 추가 피해 방지에 더 효과적이다. 이미 독감에 걸린 학생들은 마스크를 쓸 유인이 별로 없어 성실히 착용을 안 할 수도 있으나, 걸리지 않은 학생들은 그렇지 않다. 독감에 걸린 사람은 마스크 착용을 하지 않는 것이 더 빨리 낫는다는 연구결과도 있다.
> - C: 가치가 충돌할 때에는 합의 과정을 거쳐야 한다. 현재 상황의 경우, 어느 집단이 마스크를 쓸지는 학생 구성원들이 투표로 정해야 한다.
> - D: 인간은 우연에 의해 지배당한다. 독감에 걸리거나 걸리지 않은 것은 우연이므로 막을 수 없다. A, B, C 모두 각각의 의견에 장점이 있으나 우연성이 결합되어 있으므로 어느 집단이 마스크를 쓸지는 동전을 던져 앞면이 나오면 환자가, 뒷면이 나오면 독감에 걸리지 않은 집단이 착용해야 한다.

Q1. A, B, C, D가 생각하는 판단 가치가 무엇인지에 대해 서술해보시오.

Q2. A, B, C, D 각 주장의 장점에 대해 서술해보시오.

Q3. 본인이 결정권자라면 A, B, C, D 중 누구의 의견을 지지할지 밝히고, 나머지 의견들을 반박해보시오.

Q4. A, B, C, D 이외의 방식으로 마스크 착용을 결정하는 더 좋은 방안이 있다면 말해보시오.

※ [나군 오후 면접] 다음 제시문을 읽고, 문제에 답하시오.

> 그동안 우리는 도덕이나 감정 등을 인간의 고유한 성질로 여겨왔다. 그러나 인공지능의 발달로 인해 인공지능 역시도 도덕이나 감정 등을 가질 수 있음이 밝혀지고 있다. 따라서 인격이라는 사회적 개념을 확장해야 한다.

Q1. 인공지능과 로봇에 인간 아닌 인격체(non-human person)라는 개념을 인정할 수 있는가?

Q2. 동물에게 권리를 인정할 수 있는가? 인공지능과 로봇에게 권리를 인정할 수 있는가? 가능하다면 어떤 요건이 충족되어야 하는가?

Q3. 인공지능과 로봇에게 의무를 적용하려면 어떤 요건이 충족되어야 하는가?

모범답변

2017 부산대 로스쿨

① 교수:학생 = 2:1 ② 오전 면접에서 1문제, 오후 면접에서 1문제, 총 2문제를 답변하게 됨

2017 부산 A 문제

※ [가군 오전 면접] 다음 제시문을 읽고, 문제에 답하시오.

> <제시문: 한비자 유도편(有度篇)>
>
> 그래서 법으로 나라를 다스리며, 조치를 들을 뿐입니다. 법은 귀한 사람에 아부하지 않고, 먹줄은 굽은 것에 어지럽지 않습니다. 법이 더해지면, 지혜로운 사람은 말하지 못하며, 용기 있는 사람은 감히 경쟁하지 않습니다. 과실에 형벌을 주면 대신을 피하지 않고, 잘하는 사람에게 상을 주면 필부를 남기지 않습니다. 그래서 윗사람의 과실에 교만해 하며, 아랫사람의 사악함을 힐난하며, 난리를 다스리며 오류를 해결하고, 선망함을 물리치며 그름을 가지런히 하며, 한 백성의 궤도를 만듦에는, 법만 한 것이 없습니다. 속한 관리와 위엄 있는 백성이, 음란하고 위태로움을 물리치며, 사기와 거짓을 그치게 함에, 형벌만 한 것이 없습니다. 형벌이 무거우면, 감히 귀함을 천한 사람으로 바꾸지 못합니다. 법이 살펴지면, 윗사람이 존중되어 침범당하지 않고, 윗사람이 존경되어 침범하지 않으면, 군주가 강하며 지킴이 긴요하며, 그래서 선왕이 그것을 귀하게 여겨서 전수하게 합니다. 군주가 법을 풀어서 사적으로 사용하면, 상하가 변별되지 못합니다.

Q1. 한비자의 법치주의의 구현이 어떻게 가능한지 그 메커니즘을 설명해보시오.

Q2. 한비자의 이상이 우리 사회에 적용되려면 어떤 요건이 추가되어야 하는가? 한비자의 이상이 타당하지 않다면 그 이유는 무엇인가?

추가질문

Q3. 현대사회의 한계 때문에 대의제를 한다고 했는데 현재 국민 의사를 반영하는 다른 방법은 없나?

Q4. 민주주의 체제하의 우리 사회도 엄벌주의가 가능할까?

※ [가군 오후 면접] 다음 제시문을 읽고, 문제에 답하시오.

> X국은 150년 전 북유럽 기독교계에서 이주한 사람들과 동유럽 난민들이 만든 섬 국가이다. 국민의 70%가 기독교계이며, 헌법에 종교의 자유가 보장되어 있다. 최근 경제가 성장하여 OECD에 가입하였다. Y국은 내전 상태인 이슬람 국가로, 일반인이 죽거나 다친 상황이다. 현재 Y국 국민은 배를 타고 탈출 중이며, 난민의 대부분은 무슬림이다. 현재 3만 명이 X국으로 유입되었으며 앞으로도 추가 유입될 것으로 예상된다. 현재 대통령 선거 중인 X국의 대통령 후보 A와 B는 Y국 난민 수용 정책에 대해 다른 입장을 가지고 있다.
> - 대통령 후보 A: 엄격한 검증을 통해 높은 교육 수준의 난민만 수용하자.
> - 대통령 후보 B: 난민을 다 수용하더라도 10만 명이다. 1~2년간 임시캠프에서 적응 교육을 하고, 사회적응 문제나 질병 문제가 있는 난민만 제외하고 수용하자.

Q1. 대통령 후보자 A나 B 중 한 입장을 택하고 지지하는 논거를 제시한 뒤, 상대측을 지지할 수 있는 논거도 말해보시오.

💬 **추가질문**

Q2. 지원자가 후보자 B를 선택했는데 만일 난민을 받아 준다면 세금이 오를 수도 있지 않나? 만일 이럴 경우 지원자가 대학에 진학하지 못할 수도 있는데 어떻게 생각하는가?

Q3. 도덕적 측면의 근거 말고 현실적인 측면의 근거는 없는가?

※ [나군 오전 면접] 다음 제시문을 읽고, 문제에 답하시오.

(가) 글로벌기업들은 현재 GMO 기술(유전자 변형 기술)을 통해 새로운 식량을 개발하는데 힘쓰고 있다. GMO란 일반적으로 생산량 증대 또는 유통, 가공상의 편의를 위하여 유전공학기술을 이용, 기존의 방법으로는 나타날 수 없는 형질이나 유전자를 지니도록 개발된 농산물이다. 2050년까지 세계 인구는 90억 명 이상으로 증가할 것으로 예상된다. 약 35년 후엔 20억 명분의 식량이 더 필요하다. 그러나 기후변화로 인해 물 부족 현상은 계속 심화되고 식량 생산용 토지 역시 충분치 못한 상황이다. 또한 이로 인해 기아와 영양실조를 않고 있는 사람들도 증가하고 있는 상황이다. 이러한 상황에서 GMO 기술의 개발은 식량 증산을 위한 훌륭한 대처 방안으로 떠오르고 있다. GMO 작물은 경지 면적 대비 획기적인 생산성을 보여주기 때문이다. 하지만 GMO 작물로 인해 농약에 저항력을 가진 잡초가 생길 수도 있고, 예상치 못한 악영향들이 발생할 수도 있다.

(나) 소프트웨어 기술의 개발로 많은 부를 축적한 빌게이츠의 경우도 현재 이러한 GMO 기술을 개발하는 회사인 몬산토에 막대한 금액을 투자하고 있다. 몬산토는 세계 작물 종자 사용권의 67%, GMO 특허의 90%를 소유하고 있는 다국적 생화학 제조업 회사이다. 그러나 이렇게 GMO 기술을 개발하는 몬산토에 대한 논란은 계속해서 커지고 있다.

2012년 프랑스 Caen 대학의 연구 결과, 실험용 쥐 2,000마리한테 쥐 평균수명인 2년 동안 계속해서 GMO 옥수수와 콩을 먹였는데 각종 종양이 생기고, 장과 위장이 비틀어지고 유방암이 생겼다. 그리고 2세로 가면 자폐증과 불임증이 나타날 가능성 역시 높다는 결과가 나왔다. 또한 몬산토의 라운드업은 지난 15년 동안 GMO 종자 개발을 장악하고 제초제와 농약을 끼워팔기를 하였다. 이 제초제를 뿌리면 주변 풀들이 모두 누렇게 말라 죽는다. 이에 따라 이러한 제초제를 사용한 인도의 국민들은 식량난에 시달리면서도 더 심각한 환경오염을 겪고 있는 것으로 알려져 있다. 월남전에서 제초제나 고엽제를 제공하였으며 최근에는 몬산토의 이윤 추구로 인해 인도에서 농부들이 자살하는 일도 발생하였다.

Q1. 기아문제 해결을 위한 GMO 기술 개발의 필요성에 대해 자신의 견해를 논해보시오.

Q2. 글로벌기업이 참여하는 GMO 사업 기술 개발의 장점과 단점을 설명해보시오.

Q3. 보완할 점에 대해 설명해보시오. (GMO 제품에 대한 대안)

[✎ 추가질문]

Q4. 사회 규제가 필요하다고 했는데, 구체적으로 어떤 규제들이 필요할 것이라고 생각하는가?

※ [나군 오후 면접] 다음 제시문을 읽고, 문제에 답하시오.

> (가) 현재 스위스, 미국과 같은 경우 고용 및 해고에 대해서 완전 자유의 기조를 바탕으로 기업의 자유에 맡긴다. 스위스는 세계에서 가장 생산적인 노동력을 보유하였으며 유연한 노동시장으로도 유명하다. 즉, 기업이 비교적 자유롭게 고용 및 해고를 할 수 있도록 보장한다. 계약기간이 명시적으로 정해져 있을 경우에는 해약 통보 없이 계약기간 종료와 동시에 고용 계약해지가 가능하다.
> 그에 반해 한국의 경우 고용 및 해고에 있어서 어느 정도 규제를 두고 있다. 해고는 경제적, 사회적으로 약자의 지위에 있는 노동자에게 직장 상실의 위험을 의미하기 때문에 한국의 경우 원칙적으로 해고를 엄격히 제한한다. 근로기준법은 정당한 이유 없는 해고를 금지하며, 정리해고의 제한, 해고 시기의 제한, 해고 절차의 제한 등을 통해 사용자의 해고의 자유를 제한하고 있다.
>
> (나) H타이어의 경우 경제의 불안정과 경기의 악화로 인해서 회사의 자금 사정이 어려워진 상황이다. 이에 따라 직원들의 해고가 불가피한 상황이다. 이에 H타이어는 해고 대상자를 골라냈는데 그 해고 대상자는 다음과 같다.
> 피고용인인 갑은 48세 남성으로 미성년인 자녀가 3명이 있으며 회사 내의 성과는 위에서 75%에 해당한다. 을은 40세 여성으로 미혼이며 회사 내의 성과는 25%에 해당한다. 병은 38세 남성으로 기혼이며 배우자는 현재 경제활동을 하고 있지 않으며 회사 내의 성과는 50%에 해당한다.

Q1. 해고 방식에 있어서 한국이 지향해야 할 방향으로 영미식(자유화), 독일-스웨덴식(엄격화) 두 입장 중 어느 것이 더 바람직하다고 생각하는가?

Q2. 그 이유는 무엇인가?

Q3. 갑, 을, 병을 해고한다면 어떤 순서로 해고할 것인가?

Q4. 해고의 기준이 무엇이며, 그 기준을 적용한 이유가 무엇인가?

Q5. 해고의 기준으로 적용하지 않은 것이 무엇이며, 그 이유는 무엇인가? (마지막 순위의 근거)

💬 **추가질문**

Q6. Q1에 대한 답변에서 사회 규제가 필요하다고 했는데, 방금 기준에서는 성과 위주로 해고해야 한다고 대답했다. 이 두 대답의 논리는 모순되는 것이 아닌가?

모범답변

Part 6

2016 부산대 로스쿨

① 교수:학생 = 2:1   ② 오전 면접에서 1문제, 오후 면접에서 1문제, 총 2문제를 답변하게 됨

2016   부산 A 문제

※ 다음 제시문을 읽고, 문제에 답하시오.

> (가) 동물원의 동물들은 열악한 환경에서 생활하고 있으며, 동물서커스의 동물들은 훈련 동안 극심한 고통과 스트레스를 받고 있다. 그러므로 동물원과 동물서커스를 허용해서는 안 된다.
>
> (나) 인간을 위해서 동물원과 동물서커스에 동물을 활용하는 것은 당연하다.

Q1. 동물원과 동물서커스를 규제해야 한다는 주장의 논거들을 제시해보시오.

Q2. 동물원과 동물서커스를 허용하자는 주장의 논거들을 제시해보시오.

Q3. 동물원과 동물서커스를 허용하거나 금지하는 입장 중 자신의 입장을 말해보시오.

추가질문

Q4. Q3에서 답변한 논거(동물의 제한적 사용 가능)와 Q1에서 답변한 논거(생명의 존엄성)가 상충하는 것 같은데 이에 대해 어떻게 생각하는가? 그리고 동물원은 왜 제한적으로 허용할 수 있는가?

Q5. 인간의 공익에 도움이 되더라도 동물들이 이용당하는 것은 똑같다. 마약 탐지견의 예를 들어보자. (가)와 같이, 동물들은 훈련 과정에서 극심한 고통과 스트레스를 겪는다. 마약 탐지견 또한 이와 마찬가지다. 그렇다면 동물의 이용을 허용할 수 있는 근거는 무엇인가?

Q6. 동물원도 동물을 가둬두는데 이는 동물의 본성을 침해하지 않는가?

※ 다음 제시문을 읽고, 문제에 답하시오.

현재 우리나라는 공직선거법상 금고 이상의 수형자에게는 선거권을 제한하고 있다. 그러나 국민의 기본권이기도 한 선거권을 제한하는 것은 과도하다는 입장이 있다. 그래서 다음과 같은 방안들이 제시되었다.

① 현행법대로 유지, ② 일정한 형기(예를 들어 1년 이상~3년 미만) 미만의 금고형 또는 징역형의 재소자에게만 선거권 부여, ③ 내란, 외환, 반란, 이적행위 등 헌정질서를 해칠 우려가 있는 재소자를 제외한 나머지 재소자들에게 선거권 부여, ④ 모든 재소자들에게 선거권 부여

일본은 '금고 이상의 형을 선고받고 그 집행이 종료되지 아니한 자'의 선거권을 제한하고 있고, 호주와 이탈리아는 3년 이상의 징역형을 선고받은 수형자의 선거권을 제한하고 있다. 미국은 주정부에게 일정한 경우 선거권을 제한할 수 있는 권한을 명시적으로 부여하고 있는데, 미국 연방대법원은 중범죄로 유죄판결을 받은 사람은 선거권이 제한될 수 있다고 판시하였고, 경범죄로 유죄판결을 받은 사람의 선거권을 제한하는 것은 위헌의 소지가 있다고 판시한 바 있다. 독일은 법률에 특별한 규정이 있는 경우에 한해 법관이 유죄판결을 받은 사람에게 부가적인 제재로 일정 기간을 정하여 선거권 제한을 선고할 수 있다. 한편 캐나다, 남아프리카공화국, 이스라엘, 스웨덴 등은 모든 수형자에게 선거권을 부여하고 있다.

그런데 수형자의 선거권을 제한하고 있는 나라 중 여러 곳에서 선거권 제한 규정이 전면적으로 재검토되고 있다. 캐나다는 모든 수형자의 선거권을 제한해 오다가 1993년과 2002년 두 번에 걸친 대법원의 위헌판결로 현재 모든 수형자가 선거권을 행사하고 있다. 남아프리카공화국 헌법재판소는 2004년 모든 수형자의 선거권을 박탈하는 규정에 대해서 위헌결정을 하였다. 영국법에 따르면 모든 수형자가 선거권을 행사할 수 없는데, 유럽인권재판소는 2005년 유럽인권조약 상의 핵심적 권리인 선거권을 획일적·무차별적으로 제한하는 것은 유럽인권조약 제1의정서 제3조의 위반이라고 선언하였다. 호주 대법원은 2007년 모든 수형자의 선거권을 제한하는 규정에 대해서 위헌결정을 하였고, 프랑스 헌법위원회는 2010년 불법징수죄, 수뢰죄 등 특정범죄로 유죄판결을 받은 경우 판결 확정 후 5년 동안 선거권을 제한하는 규정에 대해서 위헌결정을 하였다.[3]

그러나 영국의 경우 최근 하원의회와 캐머런 총리가 재소자에 대한 선거권 제한을 다시금 강력하게 주장하고 있다.

Q1. 이 중에서 가장 적절하다고 생각하는 방안을 선택하거나, 아니면 당신이 적절하다고 생각하는 방안을 만들어 제시해보시오. 그리고 그에 대한 이유도 제시해보시오.

🗨️ 추가질문

3)
헌법재판소, 2012헌마409·510,
2013헌마167(병합), 2014.1.28.

Q2. ②번 방안의 치명적인 단점은 일정한 형기를 어떻게 정하냐는 것이다. 이를 어떻게 정할 것인가?

Q3. 선거법을 위반하여 3년의 형기를 사는 재소자에게도 형기 동안 선거가 겹친다면 선거권을 줘야 하는가? 그리고 살인죄를 범한 재소자도 형기가 선거기간과 겹친다면 선거권을 줘야 하는가?

Q4. 변호사시험 성적 공개에 대해 어떻게 생각하는가?

Q5. 대학 서열화가 심해지고 있는데 이에 대해 어떻게 생각하는가?

모범답변

2024~2016 서강대 로스쿨

2024 서강대 로스쿨

① 교수:학생 = 2:1 ② 면접 준비 10분, 면접 시간 10분 ③ 메모 불가, 휴대 불가 ④ 추가질문 있음

메모 및 휴대 여부	• 메모 및 휴대 불가함
대기실 특징	• -
문제풀이실 특징	• 문제지가 책상에 부착되어 있으며, 필기 불가함
면접고사장 특징	• -
기타 특이사항	• -

Part 1
Part 2
Part 3
Part 4
Part 5
Part 6
Part 7

해커스 김종수 로스쿨 면접 200주제

2024 | 서강 A 문제

※ 다음 제시문을 읽고, 문제에 답하시오.

비행기에도 '노키즈존(No Kids Zone)'을 도입해야 한다는 목소리가 커지고 있다. 비행시간 내내 아이 울음소리를 들어야 해 승객의 권리를 침해하고 있다는 주장이 제기된 것인데, 이를 두고 '아동 혐오'라고 비난도 나오는 상황이다. 최근에는 오히려 '키즈존'을 도입하자는 의견도 나왔다. 아이가 울음을 터뜨려도 눈치를 보지 않아도 되는 아이 전용 좌석을 마련해 아이와 부모 모두 편히 여행할 수 있도록 하자는 것이다.

항공예약사이트 스카이스캐너가 한국인 여행객을 상대로 설문조사한 결과, 어린이의 입장을 일절 금지하는 '노키즈존' 도입에는 찬성 39%, 반대 51%였고, '키즈존' 도입에는 91%가 찬성했다.

비행기 노키즈존

Q1. 본인이 항공사의 직원이라면 아래의 정책 중 어느 정책에 찬성하는지, 다른 정책과 비교했을 때 해당 정책을 지지하는 이유는 무엇인지 설명하시오.

① 추가 비용이 있는 노키즈존의 도입

② 추가 비용이 없는 키즈존 도입

③ 유아 좌석 사전 알림 서비스 도입

④ 아무것도 하지 않는다.(현행 유지)

Q2. 자본주의 사회에서 돈을 지불하여 노키즈존에 앉는 것이 왜 문제가 되는가?

Q3. 키즈존을 설정하고 키즈존 주위의 좌석을 할인하는 것에 대해서는 어떻게 생각하는가?

Q4. 노키즈존을 도입하여 좌석을 구분하는 것 자체가 차별이라고 볼 수 있지 않은가?

`2024` 서강 B 문제

※ 다음 제시문을 읽고, 문제에 답하시오.

> 금전적 인센티브는 인간이 이기적으로 행동한다는 명제하에서 작동한다. 그러나 사회적 인센티브 혹은 도덕적 인센티브는 인간이 이기적인 유인으로만 행동한다고 보지 않는다는 명제하에서 작동한다.
>
> 인센티브

Q1. 금전적 인센티브와 사회적 인센티브 중 어떤 것을 제공해야 개인의 능력을 효율적으로 끌어올릴 수 있는가?

 추가질문

Q2. 유튜버 혹은 대학교수에게도 지원자의 대답과 같은 논리를 적용할 것인가?

모범답변

2023 서강대 로스쿨

① 교수:학생 = 2:1   ② 면접 준비 10분, 면접 시간 10분   ③ 메모 불가, 휴대 불가   ④ 추가질문 있음

2023 서강 A 문제

※ [나군 면접] 다음 제시문을 읽고, 문제에 답하시오.

> 코로나 상황 속에서 마스크와 백신 품귀현상이 일어나고 있다. 국민에게 마스크 재고량이나 백신 정보를 알릴 필요성이 커지고 있다.
> 마스크 재고량과 백신 정보에 대한 정부의 정보 제공 및 매칭 방식은 차이가 있다.
> 첫째, 마스크는 정보를 공개하고, 민간 영역을 매칭한다.
> 둘째, 백신은 정보를 비공개하고, 국가주도 사전예약시스템 방식을 사용한다.

Q1. 코로나 상황 속 마스크 재고와 백신 재고에 대한 정부의 정보 제공 및 매칭 방식에 대해 어떻게 생각하는가?

Q2. 배달앱 등 플랫폼을 규제하여 자영업자의 수수료 감면을 위해 지자체에서 공공앱을 개발해 운영하는 것에 대해 어떻게 생각하는가?

💬 추가질문

Q3. 마스크는 공산품이라서 그렇고 백신은 의료품이라서 다르다고 생각하는가?

Q4. 코로나 상황 속에서 정부가 정보공개해야 하는 것과 공개하지 말아야 할 것의 기준은 무엇인가?

Q5. 마스크 매칭도 정부가 민간영역에 맡기지 말고 직접 관리하는 것이 더 낫지 않은가? 그리고 정부가 처음부터 마스크 재고량을 공개하고 직접 규제했으면 품귀현상이 완화됐을 텐데 왜 민간영역을 매칭해야 한다고 생각하는가?

Q6. 백신도 민간영역에 맡기면 효율성을 높일 수 있지 않겠는가?

Q7. 국가가 개입하고 규제하는 것이 필요하다고 보는 입장인 것인가?

Q8. 원래 있던 플랫폼 기업은 초기 비용과 노력을 들여서 힘들게 만들어놨는데, 그 시스템을 똑같이 따라 해서 공공앱 때문에 플랫폼 기업의 이윤이 줄어들면, 영업의 자유 침해 아닌가?

모범답변

① 교수:학생 = 2:1   ② 면접 준비 10분, 면접 시간 10분   ③ 메모 불가, 휴대 불가

2022 **서강 A 문제**

※ [가군 면접] 다음 제시문을 읽고, 문제에 답하시오.

> 조선왕릉 40기는 서울과 경기 지역에 분포하고 있고, 유네스코 세계문화유산으로 지정되어 문화재 보호를 받고 있다. 그런데 인천 검단 신도시에서 문화재법을 위반하고 김포 장릉의 경관을 훼손하는 아파트 건설 공사가 진행되어, 문제가 되고 있다. 문화재청은 경관을 훼손하는 아파트 상부층 일부를 철거하는 안을 내놓았지만, 문화재법을 위반했으니 아파트 전체를 해체해야 한다는 주장 또한 제기되고 있는 상황이다.
>
> 그런데 서울 태릉과 강릉 인근에도 고층 아파트가 들어설 예정이다. 정부 부동산 대책의 일환으로 태릉과 강릉의 전면부에 위치한 태릉 골프장에 아파트를 짓는 방안이 추진되고 있다. 구체적으로는 태릉 골프장을 신규 택지로 개발해 아파트를 공급하겠다는 계획이다. 태릉의 경우 2가지 방안이 있다. 첫 번째 방안은 태릉의 경관이 훼손되고 문화재 지정이 해제될 수 있지만 주택문제 해결을 위해 3만 호를 공급하는 것이고, 두 번째 방안은 태릉의 경관을 지키기 위해 5천 호만 공급하는 것이다.

Q1. 아파트 부분 해체가 불가능하다고 하자. 장릉 문화유산 지정 해제를 선택할 것인가? 아파트 전체 해체를 선택할 것인가?

Q2. 아파트 400호 정도 부분 해체가 가능하다고 하자. 장릉 문화유산 지정 해제를 선택할 것인가? 아파트 부분 해체를 선택할 것인가?

Q3. 태릉 경관 훼손과 태릉 문화재 일부 지정 해제를 감수하고 3만 호를 공급할 것인가? 아니면 이를 감수하지 않고 5천 호를 공급할 것인가?

※ [나군 면접] 다음 사례를 읽고, 문제에 답하시오.

<사례 1>

A택시기사는 X택시회사에서 사납금 방식으로 택시운송 업무를 하는 사람이다. 사납금 방식은, 택시 운행 수입 중 매달 정해진 일정 금액을 회사에 납입하고, 나머지 수입을 택시기사가 가져가는 방식이다. 예를 들어, 사납금이 10만 원이라면 A택시기사의 수입액 중 10만 원을 제외한 금액은 모두 A택시기사의 소득이 된다. A택시기사는 열심히 일한 만큼 돈을 더 벌 수 있었다.

그러던 중 정부에서 최저임금법을 개정하며 택시기사 역시 최저임금이 보장되어야 한다는 법안을 통과시켰다. X택시회사는 자사의 택시기사들에게 사납금 방식과 월급제 방식 중 하나를 선택하도록 했다. 사납금 방식은 10만 원의 사납금을 내고 나머지 수입은 택시기사가 가져가는 방식으로 이전과 동일한 방식이며, 월급제 방식은 사납금을 15만 원으로 올리는 대신 최저임금을 보장받는다. 이에 따르면 사납금 방식은 10만 원 이하의 수입을 얻을 경우 택시기사의 수입이 아예 없으나, 월급제 방식은 수입이 아무리 적더라도 최저임금은 보장되는 차이가 있다.

이에 A택시기사는 안정적인 생활을 위해 월급제 방식을 선택했다. 그런데 사납금 방식을 선택했으나 최저임금보다 더 적은 돈을 번 택시기사들이 택시회사를 상대로 소송을 했다. 소송의 내용은, 회사는 최저임금과 택시기사의 수입액의 차액을 지급하라는 것이었고, 법원은 택시기사들의 손을 들어줘 택시기사들이 승소했다.

<사례 2>

X택시회사에서 일하는 택시기사 A는 택시 중개플랫폼회사인 Y에 개인적으로 가입하여 수입을 늘릴 수 있었다. 택시기사 A는 자신이 원할 때는 Y의 콜을 수락해 배차를 받고, 휴식이 필요할 때는 콜을 받지 않는 방식을 취하였다. 택시기사 A는 스스로 선택하여 일과 휴식의 균형을 달성할 수 있었다. 그런데 택시회사 X는 택시 중개플랫폼회사인 Y의 새로운 서비스인 '블루 택시'의 가맹사로 가입하였다. Y의 새로운 서비스인 '블루 택시'는 가까운 거리에 있는 손님들의 배차를 가맹사의 택시기사들에게 우선적으로 주는 이점이 있으나, 배차를 거부할 경우 심각한 불이익을 받는다. 택시기사 A는 자신이 배차받기를 원하지 않을 때에도 배차를 강제로 받아야 하는 것이나 다름없는 상황에 놓이게 되었다.

Q1. <사례 1>에서는 결국 사납금 방식을 택했던 택시기사들이 승소하면서 월급제 방식의 이점과 사납금 방식의 이점 모두를 누리는 것으로 보인다. 이러한 결과에 대해서 어떻게 생각하는가?

Q2. 만약 지원자가 <사례 2>의 A택시기사라면 이런 상황에서 어떻게 행동할 것인가?

Q3. <사례 2>를 볼 때, X택시회사는 Y플랫폼회사에 가맹점으로 등록했지만 실질적으로 A택시기사의 일과 휴식의 균형을 해치는 것은 Y플랫폼회사의 블루 택시 정책으로 인한 것이다. 그런데 X택시회사에만 사정을 알리는 것이 과연 효과가 있다고 보는가?

Q4. <사례 1>에서 지원자가 언급한 것처럼, 월급제 방식을 선택한 택시기사와 사납금 방식을 선택한 택시기사 모두를 평등하게 대우하는 것도 중요하다. 그러나 사적 계약의 자유 또한 중요한 가치이다. 평등한 대우를 외치는 사람들과 사적 계약의 자유를 외치는 사람들이 있다고 하자. 지원자는 그들에게 어떻게 대응할 것인가?

Q5. 지원자는 모든 책임과 부담을 기업에만 지우려는 경향이 있는 듯하다. 기업의 입장에서 볼 때 최저임금을 보장하지 않겠다고 한 것이 아니라, 노동자들에게 임금을 받을 수 있는 방식을 선택할 수 있는 자유를 제공한 것이다. 그렇다면 기업의 입장도 보호할 필요가 있지 않은가?

Q6. <사례 1>에서 회사는 노동자들에게 선택할 수 있는 두 가지의 방안을 제시했고, 이를 노동자는 어떠한 강박 없이 자유롭게 선택했다. 그럼에도 불구하고 모든 택시기사들에게 최저임금을 보장하라고 주장하는 것은 불합리하지 않은가?

Q7. 지원자는 택시기사들의 평등원칙을 중요시 여기는 듯하다. 그러나 분명 승소한 사납금 방식을 선택한 택시 사들 중 자신들이 얻은 결과와 월급제 방식이 받는 불평등한 대우를 구분하여 계약의 자유를 주장하는 이들도 있을 것이다. 만약 지원자가 A택시기사라면, 그와 같은 지원자와 생각이 다른 노동자들을 어떻게 설득할 것인가?

Q8. <사례 2>에서 지원자는 중재기관 등을 활용하겠다고 답변했다. 그런데 이 문제는 플랫폼회사, 택시회사, 택시기사 삼자가 얽혀 있어 중재기관을 통해서도 문제가 해결되지 않을 가능성이 크다. 이 경우에 지원자가 A택시기사라면 어떻게 할 것인가?

모범답변

2021 서강대 로스쿨

① 교수:학생 = 2:1   ② 면접 준비 10분, 면접 시간 10분   ③ 메모 불가

2021 서강 A 문제

※ [가군 면접] 다음 제시문을 읽고, 문제에 답하시오.

> • 갑: 나는 제2차 세계대전에서 원자폭탄 투하를 결정한 정치가가 정말 대단하다고 생각한다.
> • 을: 그 결정이 옳다고 생각하나.
> • 갑: 그런 상황에서 내려지는 결정의 정당성은 일반 사람의 관점에서 평가할 수 없다.
> • 을: 나는 그렇게 생각하지 않는다. 선을 위해 악을 행할 수 없다. 목적이 수단을 정당화할 수는 없다.
> • 갑: 많은 생명을 희생한 것은 사실이지만 이는 결과적으로 더 많은 생명을 구하는 결정이었다.
> • 을: 너는 참 궤변을 좋아하는구나.
> • 갑: 글쎄, 나는 다수의 이익을 위하여 과감한 결정을 내리는 사람을 좋아한다.

Q1. 갑과 을의 입장을 비교해보시오.

Q2. 갑과 을 중 어느 쪽이 타당하다고 생각하는가?

Q3. 앞의 두 문제 답변의 내용을 고려하여, 도심의 상당 부분을 파괴할 수 있는 시한폭탄이 설치된 지점을 알아내기 위한 목적으로 테러 혐의자에게 고문을 가하는 것을 허용할 수 있는지 답변해보시오.

💬 A학생 추가질문

Q4. 제3자적 관점 말고 본인이 국가지도자라고 생각한다면 자국민을 위해 어떤 결정을 내릴 것인지 말해보시오.

Q5. 전쟁을 하는 국가 입장에서 적국 국민을 무고하다고 보기 힘들다. 그들도 적국의 체제에 동조하고 전쟁을 지지하는 우리의 적이라고 할 수 있지 않은가?

💬 B학생 추가질문

Q4. 그래도 원자폭탄을 투하한 것을 정당화할 수 있는 여지가 있는 것 아닌가?

Q5. 테러 혐의자를 고문해서 얻은 정보로 실제로 폭탄을 제거했다면, 고문한 경찰관에 대해 무슨 판결을 내려야 하는가?

Q6. 정치인이 다수와 소수의 생명 중 한쪽을 선택해야 하는 경우에는 어느 쪽을 선택해야 하는가?

※ [나군 면접] 다음 제시문을 읽고, 문제에 답하시오.

> 첫째 문단에는 우리 사회는 공정하지 않다는 응답이 54%지만 나는 공정하다는 응답이 다수여서 결과 간 괴리가 있다는 내용이 제시되었고, 둘째 문단에는 우리 사회는 사회적 약자들을 지원한다는 내용이 제시되었다.

Q1. 제시문에 근거했을 때, 우리 사회는 공정하다고 생각하는지 논거와 함께 논해보시오.

Q2. 개인이 혼자서 하기 힘든 일을 우리 정부에서 공정하게 만드는 정책의 예시를 제시해보시오.

Q3. 경제적 형편과 미래에 대한 기대라는 기준을 적용해, 복지를 제공하는 것이 사회의 공정성을 높이는 데 기여한다고 생각하는지 논해보시오.

추가질문

Q4. 지원자 본인이 우리 사회가 공정하지 않다고 생각하는 근거를 앞선 답변과 다른 면에서 제시해보시오.

Q5. 국가인권위원회에서 차별을 시정하는 것과 대입에서 우연을 보정하는 것의 차이점은 무엇인가?

Q6. 행복은 주관적이지 않은가?

Q7. 누구나 행복을 추구할 수 있다. 부자도 마찬가지이다. 그런데 개인의 형편에 맞추어 지원하는 것이 공정한 것이 맞는가?

모범답변

2020 서강대 로스쿨

① 교수:학생 = 2:1   ② 면접 준비 10분, 면접 시간 10분   ③ 메모 불가   ④ 추가질문 있음

2020 서강 A 문제

※ [가군 면접] 다음 제시문을 읽고, 문제에 답하시오.

> A는 10살 아들 X, 8살 아들 Y, 6살 딸 Z, 3남매를 둔 아버지이다. 자녀들은 모두 아이스크림을 좋아하였기에 아버지인 A는 아이들에게 아이스크림을 사 주었다. 하루는 아이들이 아이스크림을 가지고 다투자 그 이후로 A는 아이들 머릿수대로 아이스크림을 3개씩 사 아이들에게 각각 1개씩 나누어 주었고, 아이들은 더 이상 싸우지 않게 되었다. A는 아이들에게 아이스크림 사주기에 대해서는 항상 아이들을 평등하게 대하겠다고 약속하였다.
>
> 하지만 어느 날, 가게에 간 A는 돈이 모자라 아이스크림 3개를 살 수 없었고, A가 가진 돈으로는 아이스크림을 2개만 살 수 있었다. 가격이 싼 아이스크림 3개를 사면 아이들이 모두 먹지 않을 것이고, 1개의 아이스크림을 쪼개어 나눌 수는 없다.

Q1-1. 당신이 A라면 다음 방법 중 어떠한 방법을 택하겠는가? 만일 방법 2를 택하였다면 어떠한 방법과 기준을 사용하겠는가?

> - 방법 1: 아이스크림을 사지 않고 빈손으로 집에 돌아간다.
> - 방법 2: 2개의 아이스크림을 사서 아이들에게 다른 방법과 기준으로 분배한다.

Q1-2. Q1-1에서 자신이 택한 방법이 도덕적으로 정당한가?

Q1-3. Q1-1에서 자신이 택한 방법은 '아이들을 평등하게 대하겠다'는 A의 약속을 준수하는 방법인가?

Q2. Q1의 답변의 연장선상에서, 사회복지정책에 있어서 모두에게 동일한 복지를 제공할 만큼은 아니지만 일부에게는 제공할 수 있는 정도로 복지재원이 있다면 어떠한 방법을 취해야 하겠는가? 만일 방법 2를 택하였다면 복지정책 일반에 적용할 때 어떠한 방법과 기준을 사용해야 하겠는가?

> - 방법 1: 복지를 하지 않는다.
> - 방법 2: 다른 방법과 기준으로 복지를 제공한다.

추가질문

Q3. 왜 Y와 Z가 최소수혜자에 해당하는가?

Q4. 선별복지를 제시하였는데, 누가 그 대상이 될 수 있겠는가?

Q5. 추첨제는 어떠한가?

※ [나군 면접] 다음 제시문을 읽고, 문제에 답하시오.

> (가) 1960년대 이전에는 장애를 병리 현상으로 보고 장애인을 사회와 가정의 부담으로 여겼다. 장애인의 보호를 우선하였지만, 실질적으로는 장애인에 대한 부정적 인식과 차별적 관행이 영속화되었다.
>
> (나) 1960년대 이후 장애인에 대한 인식이 변화하였다. 형식적 평등의 관점에서 장애인과 비장애인을 동등하게 대우해야 한다는 생각이 퍼졌다.
>
> (다) 형식적 평등은 현존하는 차별을 존속하고 강화할 수 있다. 따라서 장애인에 대한 적극적 우대 조치를 통해 실질적인 평등을 달성해야 한다.
>
> (라) 장애는 개인의 특성이라 보아야 한다. 이를 통해 장애인과 비장애인의 대립 구도를 해소할 수 있다. 사회는 이런 다양한 특성을 지닌 개인들에 적합한 정책을 펼쳐야 한다.

Q1. 각 제시문의 차이점을 예시와 함께 설명해보시오.

Q2. (다)의 관점에서 (가)와 (나)를 비판해보시오.

Q3. (라)의 관점에서 (다)를 비판해보시오.

Q4. (라)를 비판해보시오.

모범답변

① 교수:학생 = 3:1

2019 | 서강 A 문제

※ 다음 제시문을 읽고, 문제에 답하시오.

> 최근 의사가 직접 수술을 집도하지 않고 의료기기업체 직원이 수술을 집도한 사례가 있어 논란이 일고 있다. 이로 인해 수술실 내에 CCTV를 설치해야 한다는 주장이 강력하게 제기되고 있다. 실제로 여론조사를 한 결과, 80%가 수술실 내 CCTV 설치를 찬성하고 있다. CCTV 설치를 찬성하는 입장에서는 환자의 알 권리를 주장하고 있다. 이에 반하여 CCTV 설치를 반대하는 측에서는 직업 수행의 과도한 침해, 의료계와 환자 간의 신뢰 문제 등을 이유로 들고 있다.

Q1. 수술실 내 CCTV 설치에 대한 의견을 개진하고, 이러한 의견에 반대되는 입장의 의견을 말해보시오. 또한 자신과 반대되는 입장의 주장을 재반박해보시오.

추가질문

Q2. 제시문의 여론조사에서 국민의 80%가 CCTV 설치를 찬성한다고 한다. 이 사안에 있어서 여론조사는 필요한 것인가? 어느 정도가 찬성해야 여론조사를 수용할 수 있다고 생각하는가?

Q3. 제시문에서 말하는, 의사의 직업 수행의 자유 침해는 어떤 경우가 있는가?

Q4. 수술실 외에도 취조실, 유치원에도 CCTV 설치의 필요성이 논의된다. 이 세 공간의 공통점을 제시하고 차이점을 제시해보시오. 또 어떤 곳에 CCTV를 설치해야 하는지 우선순위를 말해보시오.

Q5. CCTV는 문제점이 분명히 존재한다. 이러한 문제점을 극복하기 위한 방안을 제시해보시오.

※ 다음 제시문을 읽고, 문제에 답하시오.

> 프랑스 어느 도시에서는 난쟁이 던지기 놀이가 전통 놀이로서 행해지고 있다. 난쟁이 던지기 놀이란 작은 체구의 난쟁이를 집어서 던지는 놀이를 의미한다. 난쟁이 던지기 놀이를 할 때는 안전한 에어쿠션을 투척 장소에 준비해놓기 때문에 위험할 걱정은 없다. 이 도시주민들은 이 전통 놀이를 자주 즐기며, 난쟁이들 역시 생계를 위해 참여하고 있다. 한편 이 도시에 새로 취임한 시장은 난쟁이 던지기 놀이는 인간의 존엄성을 침해한다고 보아 금지하려고 한다. 이에 대해서 이 도시에서는 찬반 논의가 팽팽하게 대립하고 있다. 다음과 같은 세 견해가 주장되고 있다.
> • A견해: 난쟁이가 자율적으로 참여하고 있는 것이기 때문에, 인간의 존엄성을 침해하지 않는다.
> • B견해: 난쟁이 던지기 놀이가 인간의 존엄성을 반드시 침해하는 것이라 보기는 어렵고, 설사 난쟁이 던지기 놀이가 존엄성을 침해할 가능성이 있다고 하더라도, 비공개된 장소에서 성인들만 보게 한다면 존엄성을 침해할 우려가 없다.
> • C견해: 난쟁이 던지기 놀이는 그 자체로 인간의 존엄성에 반하는 것이다.

Q1. 각 견해를 설명하고, 견해 간 차이점을 말해보시오.

Q2. 각 견해 중 본인이 가장 타당하다고 생각하는 견해가 무엇인지 밝히고, 그 이유를 논해보시오.

Q3. 결국 개인의 생존권 및 직업의 자유와 공동체의 가치라고 할 수 있는 인간의 존엄성이 충돌하는 상황이라고 볼 수 있다. 이 경우, 적절한 해결방법이 무엇이 될 수 있는지 설명해보시오.

모범답변

2018 서강대 로스쿨

① 교수:학생 = 3:1 ② 면접 준비 15분, 면접 시간 15분 ③ 메모 불가

2018 | 서강 A 문제

※ 다음 제시문을 읽고, 문제에 답하시오.

(가) 개인은 자신과 관계된 일에 대해서는 자신이 원하는 대로 행동하도록 자유로워야 한다. 개인이나 집단이 타인의 자유를 제한하는 것은 오로지 자기 보호를 위해서만 정당화될 수 있다. 외부에서 개인의 자유에 간섭할 수 있는 유일한 상황은 개인이 타인에게 해악을 끼쳤을 경우이다. 그 물리적 강제력을 정당화하기 위해서는, 그가 행하지 못하도록 제지당하는 행위가 타인에게 해악을 조장할 것이라는 사실이 예측되어야만 한다. 규제받는 자가 규제를 통해 물리적 이익이나 도덕적 이익을 얻더라도 규제를 정당화할 근거가 되지 못한다. 단순히 자신에게만 연관된 부분에 한해서, 개인의 독립성은 당연히 절대적이다.

(나) 사회는 다양한 이념의 집합체이나, 사회의 존속과 유지를 위해서는 도덕에 대한 공동의 이념이 필수적이다. 도덕에 대한 공통된 관념 없이 사회는 존재하지 못하며, 공통의 도덕은 사회를 결속시키는 기능을 한다. 공동의 이념이란 것은 사회의 선과 악의 기준이 된다. 공동의 이념이 없는 상태에서 사회를 이루려는 시도는 실패로 돌아갈 것이다. 공동의 도덕은 예속의 일부이다. 사회의 예속은 사회 지속에 필수불가결한 사항이다.

(다) "저는 대마초를 30년간 피웠는데 아무 문제 없었어요. 대마랑 담배를 같이 했는데 대마가 담배보다 중독성이 심하다거나 신체에 해를 주는지는 잘 모르겠어요. 오히려 담배가 대마초보다 더 중독성이 심한 것 같아요. 미국에서 한 학자의 연구 결과도 대마의 중독성이 담배나 비슷하다고 나왔고요."

Q1. (가)를 국가나 사회, 도덕을 활용하여 쉽게 설명해보시오.

Q2. (나)를 국가나 사회, 도덕을 활용하여 쉽게 설명해보시오.

Q3. (가)의 입장에서 (다)의 발언을 어떻게 평가할 것인가?

Q4. (나)의 입장에서 (다)의 발언을 어떻게 평가할 것인가?

※ 다음 제시문을 읽고, 문제에 답하시오.

김서강은 평범한 직장인이다. 그러던 어느 날 친척 이 모 씨로부터 김서강 앞으로 된 토지가 있다고 연락이 왔다. 그동안 이 모 씨가 대리로 관리해오던 토지인데, 원주인인 친척 A가 김서강에게 물려주었다는 내용이었다. 김서강은 새로운 재산이 생겨 즐거운 마음으로 토지를 확인하러 갔다. 토지를 확인한 후, 자신이 토지를 관리하거나 추가적인 투자를 할 수 없다고 생각하여 이를 매도해 현금 수익을 얻으려 했다. 그러나 근처 부동산 업체에서는 이 땅은 아무도 관심이 없는 토지이고, 시세보다 싸게 내놓더라도 그 누구도 사지 않을 것이라고 말했다. 즉, 김서강은 토지를 팔 수 없는 상황인 것이다. 김서강은 애물단지가 된 토지를 버리고 싶었으나, 토지를 버린다는 개념이 생소하여 주변 지인들에게 물어보았다. 한 지인은 다음 소유자 없이 토지를 버릴 수 없다고 하였고, 또 다른 지인은 자기 소유의 물건을 왜 버리지 못하겠느냐며 버릴 수 있다고 하였다.

Q1. 토지를 버릴 수 없다면 그 이유는 무엇인가?

Q2. 토지를 버릴 수 있다면 그 이유는 무엇인가?

Q3. 토지를 버릴 수 있다면 버린 후에 누가 그 소유자가 되어야 하는가? 또 어떠한 경우에 토지를 버리는 것을 허용할 수 있는가?

Q4. 처치가 곤란한, 소유주가 불분명한 토지에 대해서도 **Q3**의 해결책이 도움이 될 수 있는가?

2017 서강대 로스쿨

① 교수:학생 = 3:1   ② 면접 준비 15분, 면접 시간 15분   ③ 인성 면접은 없으며, 지성 면접만 실시   ④ 메모 불가

2017 서강 A 문제

※ 다음 제시문을 읽고, 문제에 답하시오.

> 지난해 인공지능 알파고가 이세돌 9단과의 대국에서 승리하였다. 내년에는 인공지능이 전략 시뮬레이션 게임 스타크래프트에서 인간 프로게이머와 겨룰 것이라고 한다. 현재 인공지능은 단순한 빅데이터 분석이 가능할 뿐만 아니라 자가 학습기능까지 가능해졌다. 미래학자들은 머지않아 인공지능이 일반적 인간지능을 앞설 것이라고 전망한다.

Q1. 미래학자들은 머지않아 인공지능이 일반적인 인간지능을 앞설 것이라고 전망한다. 수험자도 이 예측에 동의하는가? 동의하지 않는다면 그 이유를 설명해보시오.

Q2. 인공지능 시대에 여러 직업군들이 타격을 입을 것이라고 예상된다. 이때 유망하지 않은 직업군과 유망한 직업군을 법 관련 직종을 포함하여 말해보시오.

Q3. 미래자동차 기술이 발달하고 있다. 스마트 자동차가 보편화되어 자율주행차량이 도로를 다니게 된다면 도로 및 교통상황은 어떻게 될 것으로 전망하나? 교통사고가 날 경우 책임을 져야 할 주체는 누구인가? 손해배상 문제는 어떻게 해결해야 하나?

추가질문

Q4. 구체적으로 두 분야가 어떤 차이점을 보이는 것인가?

Q5. 공공성과 윤리성의 경우에도, 인간의 속성에는 악이 있다. 이를 인공지능이 막을 수 있지 않을까?

Q6. 법조 분야에서도 리서치 등은 인공지능이 훨씬 잘한다. 법조 분야 직종에 어떤 영향을 미칠 것 같은가?

Q7. 자율주행차 이야기를 하는 것 같은데 운행자 완전 무과실에, 자율주행차의 개발자나 기업이 누군지 모르는 경우에는 누가 책임져야 하는가? 완전히 무과실 책임인 경우에는 어떻게 되나?

Q8. 시스템 도입의 당위성과 관련해서 간단하게 답해보시오.
(예를 들면, 그 시스템의 제한적 도입 등에 대해)

※ 다음 제시문을 읽고, 문제에 답하시오.

> A변호사는 사건을 수임하면 착수금을 받고, 승소할 경우 착수금만큼의 성공사례금을 받는다. A변호사는 간신히 사무실의 임대료 정도만 벌고 있다. 그러다 민사사건 성공보수약정이라는 제도가 다른 나라에서 시행되고 있음을 알게 되었다. 성공보수약정이란 변호사가 사건을 수임하면서 착수금을 안 받는 대신 승소할 경우 소송의뢰인이 받아낼 금액의 30%를 받을 수 있는 보수제도이다. 현재 착수금을 받는 제도하에서 가난한 사람들은 권리를 주장할 것이 있어도 경제적 부담 때문에 감히 소송을 진행하지 못하기도 한다.
>
> A변호사는 민사사건의 성공보수약정이 전면적으로 시행될 경우, 착수금을 내야 할 필요가 없으므로 가난한 사람들이 경제적 부담을 덜어 사건을 의뢰할 수 있으므로 문턱이 낮아져 변호사들이 많은 수입을 얻을 수 있다는 장점이 있음을 안다. 반면, 변호사가 성공보수약정을 통해 그 사건에 이해관계가 생기게 되므로 공정한 조력이 어려울 수 있다는 단점도 알고 있다.

Q1. 변호사가 대가를 받고 법률서비스를 제공한다는 점에 대한 아래의 두 가지 관점이 있다. 이러한 관점을 참고하여 변호사 수임비와 관련해 자신이 생각하는 변호사의 직업적 의미에 대해 설명해보시오.

> • A: 변호사는 법률지식을 활용하여 전문적인 서비스를 제공하지만, 공공성을 가진다.
> • B: 변호사는 시장의 경쟁원리에 따라 영리를 추구한다.

Q2. 민사사건 성공보수약정 제도의 전면적 시행에 대한 장단점을 비교하고 자신의 의견을 설명해보시오.

추가질문

Q3. 공공성에 대해 이야기했는데, 그렇다면 수임료 상한선이 있어야 한다고 생각하는가?

Q4. 의료서비스와 관련하여 수가 제한이 있는 것과 마찬가지인데, 그에 대해 어떻게 생각하는가?

Q5. 그렇다면 지원자는 사회적 지탄을 받는 사람이 많은 돈을 준다고 한다면 변호할 것인가?

Q6. 만약 지원자가 국선변호인인데 그런 사건에 배당을 받았다면 어떻게 할 것인가?

Q7. 민사사건 성공보수약정이 저소득층의 진입을 더 쉽게 하는 것 아닌가?

Q8. 민사사건 성공보수약정이 공공성에 도움이 되겠는가? 도움이 되는지 여부만 말해보시오.

※ 다음 제시문을 읽고, 문제에 답하시오.

<제시문 가>
- A: 도박은 중독 등의 부정적인 문제점이 있다.
- B: 도박은 국가 독점사업으로 막대한 수익을 올리고 있다.

<제시문 나: '정의란 무엇인가'의 자유주의, 공리주의, 공동체주의와 관련한 부분을 재구성한 내용>
① 정의로운 사회(개인의 자유를 존중, 선은 없지만 도덕적 '옳음'은 있음)
② 사회복지의 극대화
③ 공공선, 미덕의 증대에 대해 제시하였다.

Q1. <제시문 나>에 제시된 철학적 입장을 해석해보시오.

Q2. <제시문 나>의 각각의 입장에서 <제시문 가>의 A, B 중 어떠한 의견을 택할 것인가?

Q3. 본인의 의견을 제시해보시오.

💬 추가질문

Q4. 도박의 공리를 이익이라고 본다면, 마약이나 매춘에 대한 의견은 어떠한가?

Q5. 도박의 민영화를 허용해서는 안 되는 이유는 무엇인가?

Q6. 현재 우리사회는 3가지 철학적 입장에서 어디쯤 와 있다고 생각하는가?

모범답변

① 교수:학생 = 2:1 ② 면접 시간 20분 ③ 메모 불가

2016 서강 A 문제

※ 다음 제시문을 읽고, 문제에 답하시오.

> 과거에는 단순히 재산을 상속하였다면, 현대에는 상속 방식도 주식 이전이라든지 사회적 가치를 포함하는 등 여러 방식으로 변화하고 있다. 이전까지 이어져 왔던 상속에서 벗어나 그 돈을 잘 사용할 수 있는 사람에게 상속을 더 많이 해주는 것도 생각해볼 수 있을 것이다.

Q1. 상속세가 높아져서 기업 경쟁력이 떨어진다는 의견도 있고, 상속세가 폐지되어야 한다는 의견도 있다. 상속세를 폐지하는 것이 타당한가, 높이는 것이 타당한가?

Q2. 현재 상속세법상 상속분은 배우자에게 1.5배를 부여한다. 그런데 현대사회에서 부모를 부양하고자 하는 사람들이 줄어들고 있는데, 차라리 배우자에게 돌아가는 상속분을 더 높이는 것에 대하여 어떻게 생각하는가? 찬성과 반대 중 한쪽을 택하고 그 근거를 들어 대답해보시오.

추가질문

Q3. 상속세를 높인다고 하더라도, 기업의 상속을 100% 막는 것은 불가능하다. 어떻게 생각하는가?

Q4. 기업 오너들의 기업 상속에 대해 사람들이 반감을 가지는 이유가 무엇이라고 생각하는가?

Q5. 부모 부양 의무가 필요하기는 하나, 그러한 이유 때문에 배우자에 대한 상속분을 높이는 것은 도덕을 법으로 강제한다는 비판을 받을 수 있지 않은가?

Part 1
Part 2
Part 3
Part 4
Part 5
Part 6
Part 7

2016 서강 B 문제

※ 다음 제시문을 읽고, 문제에 답하시오.

경기 용인 '캣맘' 사망 사건에 대한 내용이 제시되었다. B군 등은 지난달 8일 오후 4시 40분께 용인시 수지구의 한 18층짜리 아파트 5~6호 라인 옥상에서 벽돌을 아래로 던져 길고양이 집을 만들고 있던 박 모(55)씨를 숨지게 하고, 또 다른 박 모(29)씨를 다치게 한 혐의를 받고 있다. 가해 학생들은 과학 도서에서 본 물체 낙하실험을 실제로 해보기 위해 '옥상에서 물체를 던지면 몇 초 만에 떨어질까'를 놓고 놀이를 하던 중 옥상에 있던 벽돌을 아래로 던졌다가 사고를 낸 것으로 파악됐다. 실제 B군은 3~4호 라인 옥상에서 A군과 각각 벽돌 1개씩, 돌멩이 1개씩을 던진 뒤 벽돌 1개를 들고, 5~6호 라인 옥상으로 이동해 던지려다가 A군이 "내가 던져보겠다"고 하자 벽돌을 건넨 것으로 조사됐다. A군이 B군으로부터 넘겨받아 아래로 던진 마지막 벽돌에 박 씨 등이 맞았다.

Q1. 형사 미성년 연령을 현행 14세에서 12세 이하로 낮추어야 한다는 주장에 대한 찬성과 반대 중 한쪽을 택하고 그 근거를 들어 답변해보시오.

Q2. 반대한다면 이를 보완할 방안을 제시해보시오.

2016 서강 C 문제

Q1. 메르스 사태에 대하여 사전에 강력하게 대응해야 한다는 강력 대응론과 신중하게 접근해야 한다는 신중 대응론이 있다. 강력 대응론과 신중 대응론이 지닌 각각의 장단점을 제시해보시오.

Q2. 안전에 관한 기업 규제에 대한 자신의 견해를 제시해보시오.

Q3. 테러나 강력범죄에 대한 규제에 대한 자신의 견해를 제시해보시오.

2024~2016 서울대 로스쿨

2024 서울대 로스쿨

① 교수:학생 = 3:1 ② 면접 준비 20분, 면접 시간 15분 ③ 메모 가능 ④ 추가질문 있음

메모 및 휴대 여부	• 메모 및 휴대 가능함
대기실 특징	• 대기실에는 책상이 있는 경우도 있고 없는 경우도 있음 • 대기실 인원도 배정된 조에 따라 15명에서 40명까지 다양함 • 대기실 입실 후 모든 자료들을 가방에 넣어 제출하도록 함 • 지원자가 준비한 간식과 물은 취식 가능함 • 대학 측에서는 물과 일회용 종이컵만 제공함 • 화장실 이용 시 시간이 많이 소요되기 때문에 면접순서를 잘 생각해서 이용해야 함
문제풀이실 특징	• 문제풀이는 면접고사장 바로 앞 복도에서 준비함 • 귀마개는 사용할 수 없음 • A5 사이즈의 메모지 3면을 사용할 수 있고, 스톱워치가 있어 시간을 확인할 수 있음 • 제시문은 클리어파일에 들어있으며, 양면으로 인쇄되어 있음 • 필기구를 제공함
면접고사장 특징	• 문제풀이 종료 후 면접고사장 앞에 놓인 의자에 앉아 3~5분간 대기하며, 대기하는 동안 메모지를 볼 수 없음 • 면접관과의 거리는 가까운 편임 • 면접 종료 1분 전에 밖에서 노크를 하며, 15분이 되면 타이머가 울림
기타 특이사항	• 면접 종료 후에 사용한 메모지를 반납하며, 정해진 출입구로 곧바로 퇴실해야 하고 이를 어길 경우 부정행위로 처리됨

2024 서울 A 문제

※ [가군 오전 면접] 다음 제시문을 읽고, 시험장에 입실 후 면접관의 질문에 답하시오.

<제시문 1>
　가족 내에 순수한 공간은 어떻게 말할 수 있을까? 관심에 기초해야 한다. 그러한 관심에는 두 종류가 있다. 첫째는 형상에 기초한 관심인데, 이는 반드시 행동과 태도에 대한 이야기를 수반하며 평가를 요구한다. 이 관심은 중요한 차원의 것이 결여된 것이고, '순수한 시간'은 완전히 가려진다. 아이에게 "숙제했니?", "방이 더러우니까 치워라" 등이 그 사례이다. 둘째는 형상을 초월한 관심이다. 이는 아이의 존재 자체에 집중하는 관심이다. 형상을 초월한 관심은 '순수한 시간'과 불가분의 관계에 있다. 부모는 아이를 인간으로 대할 뿐만 아니라 존재로도 대해야 한다. 결국 우리는 인간(형상에 기초한 관심)과 존재(형상을 초월한 관심)의 균형을 찾아야 진정한 사랑이 가능하다.

<제시문 2>

멀티태스킹은 원래 생존에 대한 위협이 상존하던 수렵사회의 동물들이 생존과 번식을 위해 수많은 행위들에 복합적인 관심을 기울였던 행동패턴이다. 당연하게도 이 시기 사람들은 깊은 사고를 하거나 한 가지 일을 진득하게 처리하지 못했다. 이러한 행동패턴을 현대사회의 인간이 닮아가고 있는데, 멀티태스킹이 효율성을 올린다는 통념 때문이다. 현대인들은 좋은 삶보다 생존을 목적으로 여기게 되었고, 깊은 심심함을 견디지 못하고 있다. 그러나 창조성에 기여하는 사색이 필요하다.

<제시문 3>

우리는 통념상, 보상을 주면 창조성이 올라간다고 생각한다. 그러나 심리학 실험에 의하면 그렇지 않다는 것을 알 수 있다. 1962년 심리학자들은 외부 자극이 어떻게 개인의 창조성에 영향을 미치는지를 탐구하고자 실험을 기획했다. 이 실험에서는 참가자들에게 해결에 그리 오랜 시간이 걸리지 않는 가벼운 과업이나, 해결을 위해서는 약간의 창조적 발상이 필요한 과업을 부여했다. 그리고 실험군을 '성과 해결에 따른 보상'을 예고한 집단과 그렇지 않은 집단으로 나누었다. 실험 결과 '예고된 보상'을 고지 받은 집단이 그렇지 않은 집단보다 과업수행을 위해 평균 3~4분 정도의 시간이 더 소요되었음이 나타났다. '예고된 보상'이 인간 창조성의 발현에 부정적인 영향을 미친 것이다. 그러나 이러한 실험 결과에도 불구하고 여전히 경영학계에서는 개인의 창의성에 외부 보상을 주는 것을 절대적인 명제로 여기고 현실의 기업들은 실험 결과와 반대되는 기존 통념에 따라 기업을 관리한다.

<제시문 4>

자연관은 오랜 논쟁거리였다. 자연을 인간중심적인 입장에서 바라보며 자원으로 바라보는 관점이 있는 한편, 생태중심적인 입장에서 자연 그 자체의 존재에서 의미를 찾는 입장 또한 존재한다.

수려한 자연환경을 지닌 국가인 에콰도르는 2008년 환경을 보호하기 위해 인간중심적 세계관에서 생태중심적 세계관으로의 변화 내용을 자국의 헌법에 포함시켰다. 에콰도르 헌법[4]은 독립된 장으로 자연의 권리를 규정한다. 생명이 재창조되고 존재하는 곳인 자연 또는 파차마마(Pachamama)는 존재와 생명의 순환과 구조, 기능 및 진화 과정을 유지하고 재생을 존중받을 불가결할 권리를 인정받는다. 파차마마는 안데스 원주민들에게 신앙의 대상인 영적 존재로 어머니 대지로 번역된다.

• 에콰도르 헌법 71조: 자연은 존재로서 그 가치를 지닌다.
• 에콰도르 헌법 72조: 자연환경이 침해된 경우 그 침해된 자연에 의지해 살아가는 개인과 공동체에 대한 보상의무와는 별도로 자연 자체도 원상회복될 권리를 갖는다.

그러나 헌법 조문의 존재와는 별개로, 현실적으로는 자연 자원 채취 등 원주민의 건강과 자연이 파괴되고 있다는 점에서 에콰도르에서 자연은 헌법에 명시된 취급을 받지 못하고 있다.

Part1
Part2
Part3
Part4
Part5
Part6
Part7

해커스 김종수 로스쿨 면접 200주제

4)

헌법상 자연의 권리

Q1. 제시문의 공통적인 주제를 설명하시오.

Q2. <제시문 1>의 부모-자식처럼 사랑에 기초한 관계 외에 형상에 기반한, 초월한 관심이 존재하는 관계의 사례가 있는가?

Q3. <제시문 1>의 필자는 <제시문 2>에 대해 어떻게 평가할 것이라고 생각하며 그 이유는 무엇인가?

Q4. <제시문 3>의 필자는 경영 영역에서 인센티브 지급의 문제를 지적하는데 이에 동의하는가?

Q5. <제시문 1>에 기반하여 <제시문 4>를 설명하시오.

B학생 질문

Q1. 제시문 각각을 한 문장으로 요약하시오.

Q2. 기업의 인센티브 제도에 대해 <제시문 1>과 <제시문 3>의 화자는 어떻게 평가할 것인가?

Q3. 그럼에도 불구하고 기업들은 왜 인센티브를 사용할까?

Q4. <제시문 4>의 에콰도르 헌법에서 어느 부분이 구체적으로 문화적 전환으로 보이는가?

Q5. <제시문 3>의 실험에 동의하는가? 오류가 있다면 어느 부분이 오류인가?

Q6. <제시문 4>에서 에콰도르의 현실과 헌법의 이상이 괴리가 있는데 헌법이 무슨 의미가 있나?

Q7. 지원자는 <제시문 2>에 대해 어떻게 생각하는가?

Q8. 우리는 멀티태스킹을 하면서 살아갈 수밖에 없지 않은가? 지원자도 학부 때 쌓인 공부를 막 해치우듯이 했을 것이라 생각되는데?

Q9. 내가 본 법률가들은 멀티태스킹을 할 수밖에 없는 것으로 보인다. 하나의 사건을 사색하면 뒤에 수임한 사건들을 맡긴 사람들은 피해를 보지 않을까?

Q10. 본인이 말한 의미의 사색이 <제시문 2>에서 말하는 사색과 동일한지 설명하시오.

Q1. 제시문의 공통적인 주제를 설명하시오.

Q2. <제시문 1>의 부모-자식처럼 사랑에 기초한 관계 외에 형상에 기반한, 초월한 관심이 존재하는 관계의 사례가 있는가?

Q3. <제시문 2>에 나타난 좋은 삶의 사례를 현실에서 찾아보면?

Q4. <제시문 3>의 실험결과를 오늘날에도 적용할 수 있을까?

Q5. 보상은 좋은 것 아닌가?

Q6. <제시문 1>의 필자는 금전적 인센티브에 대해 어떻게 생각할까?

Q7. <제시문 1>의 필자가 금전적 인센티브를 반대한다면 <제시문 3>의 필자와 입장이 같은 것인가?

Q8. 자연이 자신의 권리를 주장할 수 없음을 고려하면 <제시문 4>의 에콰도르 헌법은 미사여구에 불과한 것 아닌가?

Part 1

Part 2

Part 3

Part 4

Part 5

Part 6

Part 7

해커스 김종수 로스쿨 면접 200주제

※ 다음 제시문을 읽고, 시험장에 입실 후 면접관의 질문에 답하시오.

<제시문 1>

　'상호작용 의례'는 버스를 탈 때 줄을 서는 것과 같이 나이, 직업, 지위 등을 모두 배제하고 서로를 동등한 존재로 대우하는 것을 의미한다. 이때 서로의 지위와 역할에 대해 따지지 않는 것은 '예의 바른 무관심'이라 한다. 그러나 이러한 상호작용의 의례로부터 배제되는 사람들이 있다. 예를 들어, 과거 백인 위주의 사회인 미국에서 흑인이 그러했고, 현대사회의 경우 노숙자가 그러하다. 상호작용의 의례는 단순한 규칙의 합으로 이해해서는 안 되고 역동성의 관점에서 바라보고 이해해야 한다.

<제시문 2>

　위기의 시대에서 '수용(收容)'이란, 걸인, 도둑 등 노동을 할 수 있음에도 하지 않는 사람들이 부랑자가 되거나 범죄자가 될 가능성이 높다는 이유로 시설에 감금하는 것을 말한다. 결국 위기의 시대의 수용은 수용의 대상이 되는 이들을 탄압했다는 의미로 해석할 수 있다.

　그러나 위기의 사회에서의 수용과 달리, 실업의 사회에서는 수용이 탄압에 더해 이들에게 일자리를 제공하는 추가적인 의미를 갖는다. 이는 수용한 사람들을 사회적 생산을 위한 값싼 노동력으로 이용한다는 것이다. 수용자들을 사회적 생산을 위한 값싼 노동력으로 이용하고 완전고용을 이루어 새로운 가치를 창출할 수 있다고 여긴 것이다.

<제시문 3>

　"언제나 평등하지 않은 세상을 꿈꾸는 당신에게 바칩니다."라는 아파트 광고 문구가 논란이 되고 있다. 다른 국가에 비해 한국은 유독 인간의 존엄성과 가치가 물질적 가치로 환원되는 현상이 극심하게 나타난다. 이를 볼 때, 사실 사람들은 평등을 원한다고 말하지만 사실은 불평등을 원하는 것이 아닌가 의심스럽다. 그렇게 본다면, 자신보다 가진 것이 적은 사람에 대해서는 불평등을, 자신보다 가진 것이 많은 사람에 대해서는 평등을 원하는 것이 현재 한국에서 통용되는 생각이 아닐까?

<제시문 4>

　샌프란시스코는 애플, 인텔 등 세계적인 테크기업이 모여 있는 도시로 고임금 노동자가 많다. 샌프란시스코의 테크기업들이 모여 있는 실리콘 밸리에서 친환경 교통정책을 시행하면서 개인의 자가용 사용을 규제했다. 이는 테크기업에 종사하는 고임금 노동자들에 대해 통근버스를 운영해서 탄소배출량을 줄이는 것이다. 그러나 이 정책은 테크기업 노동자가 아니어서 통근버스 혜택을 받을 수 없는 가난한 모빌리티 빈민들이 도시에서 소외되는 결과로 이어졌다.

Q1. <제시문 1> ~ <제시문 4>가 공통적으로 지적하는 문제점은 무엇인가?

Q2. 각 제시문에서 어떤 그룹이 어떤 그룹에게 차별을 당하는가?

Q3. <제시문 2>의 저자는 수용을 어떻게 바라보고 있는가?

Q4. <제시문 3>과 관련해 경제적 격차를 기준으로 사람을 차별하는 예시를 제시하시오.

Q5. <제시문 4>의 친환경 정책이 모빌리티 빈민들을 도시 밖으로 쫓겨나게 한 원인인가?

💬 **B학생 질문**

Q1. <제시문 1> ~ <제시문 4>가 공통적으로 지적하는 문제점은 무엇인가?

Q2. 더 구체적으로 말해보시오.

Q3. 그렇다면 각 제시문에서 어떤 집단이 배제되고 있고 그에 대한 이유는 무엇입니까?

Q4. <제시문 1>에서 언급하는 '상호작용의 의례'와 '예의 바른 무관심'의 사례를 말해보시오.

Q5. 그렇다면 역으로 이러한 상호작용의 의례가 깨지는 사례는 무엇이 있는가?

Q6. 그러한 사례의 경우 자격과 능력에 대한 영향이 있지 않은가?

Q7. <제시문 3>에서 언급하고 있는 한국에서 불평등이 심화되고 있는 그 원인이 무엇인가?

Q8. <제시문 3>의 의견에 대해 동의하는가?

Q9. 그렇다면 능력 등이 뛰어난 사람에게 더 큰 물질적 가치를 주는 것이 안 좋다고 생각하는가?

Q10. <제시문 3>이 지금 사회에서 나타나고 있는 사례로는 무엇이 있는가?

Q11. 그렇다면 이러한, 임대 아파트 거주자를 무시하는 발언과 더 비싼 돈을 내고 더 좋은 좌석을 원하는 것의 차이는 무엇이라고 생각하는가?

Q12. 그렇다면 <제시문 1>에서 사람들은 왜 노숙자, 흑인에 대해서 차별하고 배제하려고 한다고 생각하는가?

Q13. <제시문 4>의 친환경 교통 정책이 모빌리티 빈민들에게 불이익을 야기했다는 것에 대해 동의하는가?

Q14. 그렇다면 이러한 친환경 교통정책의 방향성 자체가 잘못된 것인가?

Q15. <제시문 2>의 수용은 정당하다고 생각하는가?

Q16. 그렇다면 이러한 격리가 정당화될 수 있는 경우는 무엇이 있겠는가?

Q17. 법, 규칙의 기준으로는 어떤 것이 적절하다고 생각하는가?

Q18. 그렇다면 보호 목적의 격리에 대해서는 어떻게 생각하는가?

Part 1
Part 2
Part 3
Part 4
Part 5
Part 6
Part 7

해커스 김종수 로스쿨 면접 200주제

※ [특별전형 면접] 다음 제시문을 읽고, 시험장에 입실 후 면접관의 질문에 답하시오.

<제시문 1>

X는 영국의 찰스 1세의 총애를 받아 대신으로 임명되었다. X는 바람직하지 못한 정치를 펼쳐서 이에 불만을 가진 사람들이 많았다. 결국 X는 그의 정치에 큰 불만을 가진 런던의 Y 가문 사람에게 암살을 당해 죽게 된다. 암살 당시 X는 포츠머스의 저택에서 많은 사람들을 불러 모아놓고 이야기를 나누고 있었다. Y는 X의 저택에 몰래 잠입하여 X를 칼로 찔러 죽였다.

이 살인사건의 원인은 여러 가지로 생각할 수 있다. Y가 X의 저택에 잠입했다는 것, Y가 포츠머스 지역에 갔다는 것, X가 난폭한 정치를 펼쳤다는 것, 찰스 1세가 그를 대신으로 임명했다는 것, 대장장이가 Y에게 칼을 판매한 것 또한 모두 사건의 원인으로 볼 수 있다. 한 사건의 원인으로는 무한의 원인이 있을 수도 있고, 하나의 원인이 있을 수도 있다. 사건이란 것은 매우 복잡하게 얽혀 직접적으로든 간접적으로든 다 그 사건에 관여하고 있을 수 있기 때문이다. 따라서 한 사건의 원인은 이를 파악하는 사람에 따라 다르게 파악될 수 있다. 이처럼 인과관계의 수와 내용을 결정할 때에는 2가지 기준이 있다. 첫째는 사물 자체의 본성이고, 둘째는 사물을 고찰하는 주체가 가진 능력이다.

<제시문 2>

인과관계를 파악하는 데에는 사회적 차이와 생물학적 차이가 있다.

과거 전통사회에서는 갓 태어난 아기가 사회의 구성원으로 인정받기까지의 시간적 간극이 있었다.

옛날에는 돌잔치와 같은 출산에 대한 통과의례가 존재했다. 이미 태어났어도 통과의례를 거치지 않았으면 사람으로 대우받지 못했으며, 통과의례를 거쳐야만 비로소 사람의 지위를 얻게 되었다.

반면 오늘날에는 출생이 의료기관에 의해 이루어져 태어난 아기가 즉각 사회로 편입되면서, 태아와 신생아 사이에 불연속적인 단절성이 존재하는 것처럼 인식되고 있다. 의료기술은 현대인들이 태아와 이미 태어난 아기 사이에 존재하는 차이 혹은 경계선이 생물학적으로 실재하는 것이라 생각하게 한다. 태아와 신생아 사이의 차이가 생물학적 진실에 근거한 것처럼 여겨지지만 사실 그 둘 사이에 본질적인 차이는 없다. 이는 우리가 사회학적 혹은 인지적으로 만들어낸 사회적으로 구성된 선(line)에 불과하다. 태아와 이미 태어난 아기 사이에는 그 어떤 불연속성도 존재하지 않는다.

<제시문 3>

생물의 역사는 환경과 생물의 끊임없는 상호작용으로 이루어졌다. 오랜 기간 동안 거의 모든 상호작용은 한쪽 방향으로 흘러갔다. 환경이 생물에게 영향력을 행사했으며, 생물은 그 속에서 살아갔다.

그러나 20세기에 접어들면서 인류는 최초로 환경과 지구에 영향을 미치는 생명체가 되었다. 인간은 생물이면서 환경에 영향을 미치고 환경을 변화시켰다. 인간은 농산물을 재배함에 있어 본인이 해충이라 명명한 벌레들이 농산물을 해하는 것을 막기 위해 해충을 포함하여 해충을 조절하는 기능을 가진 다른 벌레들까지 모조리 죽이는 살충제를 만들어냈다. 해로운 화학약품으로 살충제를 만들어서 해충들을 죽였지만, 이로 인해 이러한 살충제에도 버틸 수 있는 더 강한 해충들이 등장하게 되었고 인간은 또 다시 이들을 없애기 위해 더 강력한 살충제를 만들어내는 악순환이 생겨났다. 인간은 인위적으로 환경을 통제하려 하는 것보다 자연이 가지고 있는 자기조절능력, 자연의 저항능력이 더 다양하다는 것을 인정해야 한다.

<제시문 4>

오늘날 인간이 자연을 통제할 수 있다는 시각이 만연하다. 이러한 시각에서 환경 문제를 바라보는 두 가지 관점이 있다. 첫째, 환경 문제를 단순히 인간이 눈부신 문명 발전을 이룩해냄에 있어서 생기게 된 부산물 정도로 바라보는 것이다. 이에 대해 서양 학자 X는 "인간은 이제 신이 되는 법을 배웠고 신이 되었다. 인간은 신 놀이에 익숙해져야 한다."라고 말했다. 둘째, 환경 문제를 인간의 이익에 봉사하기 위한 하나의 수단으로 계산적으로 바라보는 것이다. 예컨대 환경 보호 공원을 조성한다면, 이는 아름다운 나무와 희귀종 생물로 구성된 인위적 환경을 조성함으로써 사람들이 이 공원에서 행복을 느껴 인간의 행복이라는 이익에 봉사할 수 있기 때문이다. 따라서 인간은 환경을 보호함에 있어 본인이 원하는 생물 종만 골라서 보호할 수 있다. 그러나 이 두 관점 모두 옳지 않다. 자연을 인간의 필요와 독립되어 있는 것으로, 있는 그대로의 자연으로 바라보는 관점, 즉 생태적 리얼리즘이 필요하다. 이에 따르면, 환경 보호는 인간이 원하는 것만 골라서 입맛대로 조성된 환경을 보호하는 것이 아니며, 있는 그대로의 지구 환경을 존재하는 그대로 보호하는 것이다.

A학생 질문

Q1. <제시문 1>에서 사람의 능력에 따라 사건의 원인이 달라질 수 있다고 한다. 이는 무슨 의미이며, 사람의 능력에 따라 사건의 원인이 달라진다는 것이 정당한가?

Q2. <제시문 2>에서 옛날에는 통과의례가 존재했지만 현대에는 사라졌다고 한다. 왜 현대에는 통과의례가 없을까?

Q3. <제시문 2>에서 '경계선'을 긋는 것에 대한 이야기가 나온다. 제시문의 예시 외에 우리 주변에서 경계선을 긋는 것이 문제가 되는 또 다른 사례로는 무엇이 있는가?

Q4. <제시문 1>과 <제시문 2>는 공통 주제가 있다. 이는 무엇이며, 이 둘의 차이점은 무엇인가?

Q5. <제시문 4>에서 환경보호에 대한 3가지 의견이 제시된다. 이 3가지 의견은 각각 탄소 배출을 줄이자는 의견에 대해 어떤 입장을 보일 것인가?

Q6. <제시문 3>과 <제시문 4>의 공통점은 무엇인가? 그리고 이러한 공통 의견에 대한 본인의 생각은 어떠한가?

Q1. <제시문 1>에서 사물을 인지할 수 있는 인간의 능력이란 무엇을 의미하는가? 그런 능력에 의해 인과 관계를 다르게 보는 <제시문 1>의 입장이 타당하다고 생각하는가?

Q2. <제시문 2>와 같이 사회적 차이, 생물학적 차이를 보여주는 다른 예시를 들고, 그 때의 구분 기준은 어떻게 설정되어야 하는지 말하시오.

Q3. <제시문 1>과 <제시문 2>의 공통점과 차이점을 말하시오.

Q4. <제시문 4>에는 3가지 입장이 나타나고 있다. 각각의 입장에 따라 인간이 탄소배출량을 줄여야 한다는 주장을 평가하시오.

Q5. <제시문 3>에 나타난 살충제의 악순환을 설명하고, 이에 대해 <제시문 4>의 저자는 어떻게 평가할지 말하시오.

모범답변

2023 서울대 로스쿨

① 교수:학생 = 3:1 ② 면접 준비 20분, 면접 시간 15분 ③ 메모 가능 ④ 추가질문 있음

2023 서울 A 문제

※ 다음 제시문을 읽고, 시험장에서 면접관의 질문에 답하시오. (답변 준비 시 문제를 제시하지 않음)

<제시문 1>(A4 용지 2/5 분량)

인간에게는 이타적 감정이 있다. 인간이 아닌 동물 역시 이타심과 감정을 가지고 있으나, 이에 대한 연구는 제대로 진행되지 않았다. 그 이유는 인간이 동물보다 우월하다는 것을 증명하기 위해 동물 연구가 진행되었기 때문이다. 따라서 지금까지의 동물 연구는 인간이 동물보다 우위에 있는 계산능력, 인지능력에 초점을 맞추어 진행되었다. 그러나 동물은 청각이나 시각 등에서 인간보다 우월한 능력을 보유하고 있는 경우도 있다. 또한 동물은 인간처럼 대량학살, 전쟁을 저지르지 않는다. 지금까지의 연구는 이와 같은 착각으로 인해 인간의 이타적 감정에 대한 동물적 기원을 추적하지 못한 것이다.

<제시문 2>(A4 용지 3/5 분량)

일반적으로 침팬지는 인간과 유사성이 높다고 여겨지는데, 침팬지는 인간과 유사한 지적 능력이 있기 때문이다. 침팬지는 지적 능력을 이용해 경쟁적 속성을 보이기도 하는데, 경쟁적 속성은 타인을 속이려는 것 등을 의미한다. 침팬지는 인간과 달리 공동 목표가 주어졌을 때 타인과 협력하여 그 목표를 달성하는 모습을 보여주지는 못한다.

이에 반해 보노보는 협력적 의사소통 능력을 가지고 있으며, 인간과 유사하게 협력할 수 있다. 보노보는 자신과 짝을 이룬 상대방에게 먹이의 절반을 나누어주는 등 공동체를 유지하기 위한 여러 관행들을 보인다. 이처럼 보노보는 이타성을 기반으로 타인에 대한 용인, 포용을 보여주고 있으며, 이들은 침팬지와 달리 공동 목표를 협력적 의사소통을 통해 성취할 수 있다.

지금까지 동물과 인간의 유사점을 찾는 연구는 '남을 속이는 능력, 계산적인 능력'에 초점을 맞춰 진행했기 때문에, 이와 같은 보노보의 특성을 충분히 다루지 않았다. 실제로 인간의 발전을 견인한 것은 타인과 협력할 수 있는 협력적 의사소통 능력, 즉 친화력이다. 따라서 친화력에 초점을 맞춰 연구하는 것이 인류 발전에 도움이 될 것이다.

<제시문 3>(A4 용지 2/5 분량)

동물도 공정함을 인식할 수 있는지 여부를 파악하기 위해 실험을 진행하였다. 실험에 투입된 흰목꼬리원숭이들은, 토큰을 주면 오이를 받는다는 규칙을 학습했다. 일반적으로 원숭이들은 수분만 가득한 오이보다 달콤한 포도를 더 선호한다.

(1) 원숭이 A와 B에게 모두 토큰을 받고, 모두 오이를 주었다.

(2) 원숭이 A에게 토큰을 받고 오이를 주었고, 원숭이 B에게는 토큰을 받고 포도를 주었다.

(3) 원숭이 A에게 토큰을 받고 오이를 주었고, 원숭이 B에게는 토큰을 받지 않고 포도를 주었다.

(4) 원숭이 A에게 토큰을 받고 오이를 주었고, 다른 원숭이가 없는 빈자리에 포도를 놓아주었다.

실험 결과, 원숭이들은 토큰을 주고서 받은 오이를 집어 던짐으로써 거부를 표현했다. (1)의 원숭이의 거부율은 5% 미만이었다. (2)와 (4) 실험의 거부율은 50%였다. (3) 실험의 거부율은 80%였다.

<제시문 4>(A4 용지 3/5 분량)

소년 갑은 공연예술가로 손가락 대신 물갈퀴를 달고 공연에 나온다. 갑은 이를 통해 장애를 극복의 대상이라거나 역경이라고 보기보다는, 문화적 소수의 경험으로 파악하고 긍정하고 있다. 갑은 자신을 바다표범소년이라 정체화하며, 장애인의 삶과 동물화는 일종의 독창적인 삶의 방식이라는 점에서 유사하다고 본다. 오히려 진짜 문제는 장애에 대한 낙인이다. 혼자서는 이겨내기 힘든 동정의 대상으로 보는 낙인이 장애인의 삶을 힘들게 한다.

그러나 최근 장애인 커뮤니티에서는 다른 대안적 이해방식이 도출되었다. 그 대안적 가치는 4가지인데, 개인의 자율성이 아닌 타인과의 의존, 개개인의 독립성이 아닌 개개인 간의 연결, 이기심이 아닌 이타심 등이다. 우리 커뮤니티에는 상호연대와 협력이 필요하다. 그리고 이 상호협력적인 연대는 인간 간의 관계에서 그치는 것이 아니라 인간에서 확장하여, 동물, 생태계 전체에 미치는 전 지구적 협력이 필요하다.

A학생 질문

Q1. 4개의 제시문은 모두 기존의 통념을 깨뜨리고 있다. 이 관점에서 제시문을 설명해보시오.

Q2. 4개의 제시문은 같은 저자가 작성한 것이고, 모두 동물과 인간을 다루고 있다. 제시문 간의 공통점과 차이점을 설명하시오.

Q3. <제시문 1>의 주장을 말하고, 그에 대한 반론을 제시한 후, <제시문 1>의 입장에서 재반론하시오.

Q4. <제시문 2>는 협력적 의사소통을 통해 사회가 발전할 수 있다고 한다. 협력적 의사소통이 무조건 사회 발전으로 이어진다고 생각하는가?

Q5. <제시문 2>의 주장에 대한 반론 및 재반박을 해보시오.

Q6. <제시문 3>의 흰목꼬리원숭이는 <제시문 2>의 침팬지와 보노보 중에 무엇과 더 유사한가?

Q1. 각 제시문에 나타난 통념과 비판점을 설명하시오.

Q2. 각 제시문의 공통점과 차이점은 무엇인가?

Q3. <제시문 1>의 저자는 <제시문 2>와 <제시문 3>에 대해 어떻게 생각할 것인가?

Q4. <제시문 3>의 원숭이 실험에서 원숭이의 반응에 차이가 나타난 2가지 요소는 무엇이라 생각하는가? 특히 50%와 80% 거부율이 나타난 두 가지 요인은 무엇인가?

Q5. <제시문 3>의 사례는 침팬지와 보노보 중에 무엇에 더 가까운가?

Q6. 보노보와 침팬지 중에 무엇이 더 인간과 유사하다고 제시문은 말하고 있나? 그리고 본인은 계산적 속성 혹은 친화력 중에 어떤 것이 인간 사회의 발전에 더 중요하다고 생각하는가?

Q7. <제시문 4>에서 장애인 공연예술가가 자신을 '바다표범소년'이라면서 긍정적인 표현으로 사용하지만, 사실 평소에 우리가 다른 사람을 동물에 비유할 때는 멸칭 등의 모욕적인 의미로 사용된다. <제시문 1>을 참고해서 이 둘의 차이에 대해 말해보시오.

모범답변

① 교수:학생 = 3:1 ② 면접 준비 20분, 면접 시간 15분 ③ 메모 휴대 가능
④ 문제는 시험장에서 면접관이 직접 물어봄

2022 | 서울 A 문제

※ [오전 면접] 다음 제시문을 읽고, 질문에 답하시오.

> **<제시문 1>**
>
> 미국에서 자살하고 싶다는 내용의 구글 검색 기록은 350만 건인 데 비해, 실제로 발생하는 자살 건수는 월 4,000건에 불과하다는 데이터 분석 결과가 있다. 끔찍한 행동으로 예측되는 검색 결과가 실제 끔찍한 행동으로 이어지는 경우는 드물다. 정부가 개인의 자살을 방지할 목적으로 검색 기록을 활용하여 개인적 수준에 개입할 수 있으려면 신중을 기해야 한다. 이때 법적, 윤리적 관점 뿐만 아니라 데이터 과학적 관점에서도 분석이 필요하다.
>
> **<제시문 2>**
>
> 코로나19의 주요 원인은 자본주의의 폐해, 급격한 산업 발전, 소비주의이다. 코로나19가 발생한 이후 대기는 청명해졌고, 환경에 긍정적인 변화가 나타났다. 따라서 무분별한 과학 발전을 지양하는 태도를 갖추는 것이 우선이다. 물론 코로나19로부터 안전해지기 위해서는 단기적으로 기술적 발전이 필요하겠지만, 장기적으로는 환경과 인간의 생존이 조화를 이룰 수 있는 시스템을 구축해야 한다. 인간은 고립될 때 면역력이 약화된다. 인간이 가장 피해야 할 것은 인간 스스로 면역력과 건강을 약화시키는 '바이러스'이다.
>
> **<제시문 3>**
>
> 유전자조작 식품은 개발 당시에는 환경 단체 등의 반발이 컸으나, 이미 약 10%의 농작물이 유전자변형 농작물인데도 불구하고 실제 구체적인 위험이 발생하지는 않았다. 예를 들어 농작물의 관리 편의를 위해 제초제 성분에 저항성을 가지는 유전자조작 농작물과 일반 잡초 간에 교차 수분이 발생하면 '슈퍼 잡초'가 출현할 것이라 예상했지만, 아직까지 그러한 관찰은 보고된 바 없다. 물론 발생할 수 있는 위험에 대해 일정 정도의 법적 규제가 필요하겠으나, 유전자조작 식품 자체를 폐기하자는 주장은 재고해야 한다. 리스크는 편익과 형량해야 한다. 편익이 크다면 리스크가 어느 정도 크더라도 감수할 수 있다. 가뭄 등으로 인해 식량 문제가 있는 빈민국이나 어린이의 실명을 막을 수 있는 경우라면, 리스크에 비해 편익이 훨씬 크기 때문에 리스크를 감수할 수 있다.
>
> **<제시문 4>**
>
> 긍정의 오류와 부정의 오류가 있다. 긍정의 오류는 '실제로는 존재하지 않지만 존재하는 것'으로 잘못 파악하는 것이고, 부정의 오류는 '실제로는 존재하지만 존재하지 않는 것'으로 잘못 파악하는 것을 말한다. 부정은 반대보다 넓은 개념이다. 반대가 0 또는 1로 이분법적으로 양극단의 값을 가진다면 부정은 0과 1 사이의 스펙트럼을 말한다. 논리적으로 반대는 참과 거짓의 둘 중 하나로 나뉘지만, 부정은 참과 거짓 사이의 가능성 즉 '참인 정도'를 나타낼 수 있다. 예를 들어, "기후변화의 원인은 확실히 기술이다."의 반대는 "기후변화의 원인은 확실히 기술이 아니다."이고, 부정은 "기후변화의 원인이 기술임은 확실하지 않다."이다. 과학자 가설의 경우에는 부정에 해당한다. 가설을 뒷받침하는 증거가 부족하다는 것은, 해당 가설이 틀렸다는 것이 아니라 해당 가설이

확실히 참은 아니라는 것이다. 과학자들은 실제로 '참인 정도'를 예측하고 파악한다. 절대적 확실성은 존재하지 않기 때문에 100% 확실할 때만 행동한다면 아무도 행동을 할 수 없다. 상황의 심각성에 따라 신뢰 수준의 한계선을 조절해야 한다. 약물 부작용과 같이 인간의 생명과 관련된 것이라면 신뢰 수준을 높여서 오류를 줄여야 한다.

A학생 질문

Q1. <제시문 1>, <제시문 2>, <제시문 3>의 핵심 논지는 각각 무엇인가?

Q2. '끔찍한 행동으로 예측되는 검색 결과'의 다른 사례는 무엇이 있는가?

Q3. <제시문 1>에서 정부의 규제는 어떤 방식으로 이루어져야 하는지 본인의 견해를 말해보시오.

Q4. <제시문 2>의 핵심 논지 외에 설정된 명제를 찾아 제시하고, <제시문 4>의 부정이나 반대 개념으로 설명해보시오.

Q5. <제시문 4>의 입장에서 <제시문 3>을 평가해보시오.

Q6. <제시문 3>의 입장에 대한 본인의 견해는 무엇인가?

Q7. 파레토 최적을 알고 있다면, 파레토 최적이 달성되는 경우가 많을지 드물지 말해보시오.

B학생 질문

Q1. <제시문 1>, <제시문 2>, <제시문 3>의 핵심 내용을 각각 요약해보시오.

Q2. <제시문 4>와 비슷한 제시문은 무엇인가?

Q3. <제시문 3>의 이익과 리스크 형량에 대한 지원자의 생각을 말해보시오.

Q4. <제시문 1>과 유사한 사례를 들고, 이 경우에 정부 개입은 어떠한지 답변해보시오.

Q5. 살인과 자살의 경우, 둘의 위험성이 다른데도 정부는 동일하게 개입해야 하는가?

Q6. <제시문 2>에서 코로나 상황의 원인으로 보고 있는 것을 <제시문 4>의 반대, 부정을 사용하여 논해보시오.

Q7. 이익과 리스크 편중을 고려했을 때 백신 미접종자들의 자유를 인정해야 하는가?

Q8. <제시문 2>와 <제시문 3>은 과학기술에 대해 다른 시각을 보인다. 지원자는 어느 쪽이 더 낫다고 생각하는가?

Q9. 기업인재를 공무원으로 뽑을 때 긍정오류와 부정오류 중 어느 것을 더 고려해야 하는가?

Q10. <제시문 4>에서 말하는 가설을 <제시문 2>에서 찾고 그것을 옹호하기 위한 근거를 들어보시오.

Q11. <제시문 2>에서 오류에 해당하는 부분을 2개 제시해보시오.

※ [오후 면접] 다음 제시문을 읽고, 문제에 답하시오.

<제시문 1>

거짓말과 헛소리의 공통점은 부정확한 전달 혹은 기만의 양상이다. 사람들은 헛소리에 더 관대하지만 헛소리가 더 진실의 적이다. 거짓말은 의도적이다. 거짓말하는 사람은 진실을 어느 정도 알고 있다는 점에서 진실을 존중하는 편이다. 그러나 헛소리는 자신이 내뱉는 말이 진실이든 아니든 개의치 않는다. 헛소리는 특히 공적 사안에서 심하게 나타난다. 헛소리가 나타나는 이유는 첫째, 사람들이 객관적 진실이나 진리가 존재한다는 믿음을 잃어버렸기 때문이다. 둘째, 사람들이 자신의 분야를 넘어서는 지식에 대해 말하기 때문이다. 이러한 믿음은 일정 부분 민주시민은 모든 공적인 분야에 대해 알아야 한다는 생각에 근거한다. 사람들은 진실을 찾기보다 보다 낮은 수준의 솔직함에 만족하고 있다. 진리란 존재하지 않기 때문에 솔직하게 자신의 감정이나 생각을 드러내면 족하다고 생각하는 것이다. 그러나 다른 것은 정확하게 모르면서 자신의 생각이나 감정은 정확하게 알 수 있다는 주장이야말로 헛소리에 불과하다.

<제시문 2>

자기검열을 하지 않는 언론은 유언(流言)에 불과하다. 여기서 자기검열은 단순히 사상이나 정치적 편향성을 제거하는 것을 의미하지 않는다. 때때로 사실과 의견은 구분되지 않는다. 사실에도 인간의 주관이 개입될 수 있기 때문이다. 언론의 역할은 세상을 벌거벗겨 세상의 알몸을 드러내는 것이다. 이러한 점에서 보았을 때 정치적 언어가 갖는 고도의 추상성은 위험하다. 삶의 구체성을 배반하기 때문이다. 언론에는 언론기관 자체의 사상이나 생각이 개입될 수 있다. 따라서 언론은 자기검열이라는 부자유를 짊어지지 않을 수 없다.

<제시문 3>

유럽의 문명화된 전쟁이 미개한 야만인의 전쟁보다 우월하다는 생각은 오랜 역사를 갖고 있다. (칸트, 헤겔, 애덤 스미스, 데이비드 터커의 유럽식 전쟁과 비유럽식 전쟁에 대한 주장이 각각 제시되었다. 유럽식 전쟁은 문명에 대한 최소한의 존중을 갖고 있다. 야만인의 전쟁은 첨단 기술 전쟁보다 위험하다. 유럽식 전쟁은 유럽인들이 조직력을 갖고 있기 때문에 우월하다.) 이 생각은 현대 사회의 도덕적 와해와 잔인함의 증가가 서구 식민지화의 실패에 기인한다는 주장으로 이어졌다.

<제시문 4>

추상성은 개념을 정리하고 비슷한 그룹을 묶을 때 유용하다. $A+B$와 $A×B$는 덧셈과 곱셈이라는 점에서 다르지만, $A*B$는 이항연산이라는 점에서는 같다. 적절한 추상화의 수준이 중요하다. 추상화 수준이 적절한지 알 수 있는 방법은 같거나 유사한 대상에도 동일한 기준을 적용해보는 것이다. 추상화가 부적절하다고 비판하는 방법에는 두 가지가 있다. A와 B가 C라는 기준에서 같다고 한다면 첫째, 그 기준보다 더 구체적인 기준이 존재한다고 하는 것이다. 둘째, 그 기준을 적용하면 다른 D도 포섭되기 때문에 부적절하다고 하는 것이다.

Q1. <제시문 4>는 제외하고, <제시문 1>, <제시문 2>, <제시문 3>의 논지를 요약해보시오.

Q2. <제시문 4>를 간단하게 요약해보시오.

Q3. <제시문 4>와 가장 관련 있는 제시문은 무엇이라고 생각하는가?

Q4. <제시문 1>을 통해 <제시문 4>를 설명해보시오.

Q5. <제시문 2>를 통해 <제시문 3>을 설명하고, <제시문 1>을 통해 <제시문 3>을 설명해보시오.

Q6. 우리 사회에서 발견할 수 있는 헛소리의 사례를 제시해보시오.

Q7. 미국은 흑인이 백인에 의해 차별받아왔는데, 사실 흑인 역시 백인을 차별하기도 한다. <제시문 4>의 추상성의 기준을 통해 보았을 때, 두 차별은 같은 것인가?

Q8. 그럼 그 차별이 바람직하다고 생각하는가?

Q9. <제시문 1>의 주장처럼 거짓말이 헛소리보다 위험하다고 생각하는가?

Q10. <제시문 2>의 마지막 문장에서 '언론은 자기검열이라는 부자유를 짊어지지 않을 수 없다.'가 무엇을 의미한다고 생각하는가?

Q11. <제시문 4>는 추상성을 반박하는 기준으로 두 가지를 제시한다. 이 중 하나를 선택해 <제시문 1>에서 거짓말과 헛소리를 묶은 것에 대해 비판해보시오.

Q12. <제시문 1>에서 솔직함도 헛소리라고 한다. 자신의 내면이나 생각에 대해 진술하는 솔직함도 헛소리가 될 수 있을까?

모범답변

2021 서울 A 문제

※ [오전 면접] 다음 제시문을 읽고, 질문에 답하시오.

<제시문 1>

　우리가 저절로 잘하게 돼 있는 일들이 있다. 불행히도, 합리적 논증은 그런 일이 아니다. 우리 뇌가 가진 합리적 사고 기능은 진화이론가들이 '굴절 적응'이라고 부르는 것의 사례다. 어떤 목적을 위해 진화된 기능이 다른 목적으로 전용된 경우를 일컫는다. 대표적인 사례는 깃털이다. 원래는 단열과 보온을 위해 진화한 것으로 보이지만 나중에 하늘을 나는 용도로도 전용됐다.

　이를 클루지(Kluge)라 하는데, 클루지는 기존의 기관을 새로운 목적을 위해 알쏭달쏭하면서도 효과적인 방법으로 전용하는 것을 가능하게 하는 것을 말한다. 클루지란 원래 기계공학자와 프로그래머들 사이에서 쓰이던 말로, 기저의 문제를 고치지 않은 채로 그 문제를 그럭저럭 피해가는 해결책을 의미한다. 예를 들어, 인간의 척추는 교차형이 아닌 일자형인데, 이는 그것이 두발이 몸의 무게를 지탱할 수 있는 최선의 방법이기 때문이 아니라, 그 구조가 네발짐승의 척추에서 진화했기 때문이다. 인간의 소화 기능이 장내의 미생물에 의해 그저 '강화'되는 정도가 아니라 전적으로 미생물에 '의존'하고 있듯이, 인간의 이성도 클루지에 전적으로 '의존'하고 있다.

　하지만 그 사고 과정 중 일부는 주변 환경에 떠넘겨진다. 우리의 소화 기관이 박테리아를 포함하는 것처럼, 우리의 인지 시스템도 "환경적 스캐폴딩(Scaffolding)"을 포함한다. 스캐폴딩은 건축 용어로 비계(飛階)라고 하는 것인데 건축 현장에서 한층 한층 건물을 올릴 때 높은 장소에서 작업할 수 있도록 건물 외부에 세운 철골 구조물, 발판 등을 말한다. 연필, 문자, 포스트잇 메모지, 스케치, 종이, 인터넷 검색, 다른 사람들 등이 모두 환경적 스캐폴딩이며, 우리 인지 시스템의 일부다. 환경적 스캐폴딩의 역할을 가장 잘 보여 주는 사례를 뇌의 메모리 시스템에서 볼 수 있다. 우리는 로마 숫자로 LXXVIII × XLIII를 계산하는 데는 어려움을 겪지만, 43×78은 쉽게 계산할 수 있다. 이때 우리는 아라비아 숫자라는 환경적 스캐폴딩의 도움을 받는 것이다. 이렇듯 클루지와 환경적 스캐폴딩은 인간의 이성적 사고 작동 방식의 근간이 된다.

<제시문 2>

　국민이 많으면 그 가운데는 학식과 덕망이 넉넉히 한 나라를 다스릴 만한 자가 반드시 있으므로, 미국같이 대통령을 선출하는 법도 있다. 서양 학자 가운데는 이 법을 선택하는 것이 좋다고 주장하는 자도 있지만, 이는 사세에 미달하고 풍속에도 어두워 어린아이의 우스갯소리에 미치지 못할뿐더러, 정부를 시작한 유래가 피차간에 차이가 많다. 이러한 의견을 주장한 학자는 임금이 다스리는 정부에서는 죄인이라고 하여도 그 책임을 면키 어려울 것이다.

　그러므로 임금이 다스리는 정부의 국민들은 그같이 어리석고도 망령된 자의 쓸데없는 이야기를 반박하고 자기 나라 정부의 세습하는 제도를 굳게 지키며, 나라 안에서 어질고 능력있는 사람을 추천하여 정부의 관리로 임용하고 국민들의 생명과 산업을 잘 보전하여, 일정한 법률로 태평스런 즐거움을 누리며 선대 임금들이 창업한 공덕을 만세에 받들어 지키는 것이 옳은 일이다.

정부를 시작한 제도가 임금에 의해 세습되든지 대통령에 의해 전해지든지 간에, 가장 커다란 문제는 국민들이 마음을 합하여 한 몸을 이루고 그 권세로 사람 된 도리를 보전하는 데 있다. 그러므로 정부의 중대한 사업과 심원한 직책은 국민을 위하여 태평스러운 행복의 기틀을 도모하고 보전하는 데 있다.

<제시문 3>

인간은 생후 2년이 지나면 추론 지식을 획득한다고 알려져 있다. 엄마가 아이에게 "저기 좀 봐. 꽃에 곰팡이가 있어"라고 하면, 세 살배기 아이는 익숙하지 않은 단어인 곰팡이가 꽃 위에 있는 독특한 하얀 점이라고 추론한다. 이처럼 논리적 추론은 지식의 원천이 된다. 그러나 추론은 사건, 실험의 관찰과 선행적 경험을 필요로 한다. 만약 논리적 추론이 우리가 사전에 경험한 지식이나 관찰한 결과와 부합하지 않는다면, 이 또한 우리의 앎을 넓혀준다.

그러나 논리적으로 정합적인 이론이라 하더라도 이 지식들은 우리가 특정 상황에서 어떻게 행동해야 할 것인지 그 정당성에 대한 답을 제공하지 못한다. 어떤 진화생물학자들은 옳고 그름에 대한 판단이 유전자의 명령에 따른 결과라고 주장한다. 예를 들어, 진화심리학자들은 인간의 이타심이나 나와 유전적 근친도가 높은 친척들에게 선행을 베푸는 것은 떼다람쥐나 벌, 개미 등과 유사하게 인류가 유전적 동질성 혹은 유전적 근친도가 높은 유전자를 보호하기 위한 행동이라고 본다. 그러나 우리는 전혀 모르는 사람을 위해 헌혈을 하거나 처음 보는 사람을 구하고자 목숨을 내놓기도 한다. 이러한 사례의 물음에 대한 답은, '모든 생명은 존중해야 한다, 타인을 배려해야 한다, 타인에게 해를 끼치지 않는 한 개인의 가치관을 존중해야 한다'는 등의 인간이 공유하는 가치나 신념일 수밖에 없다. 이를 통해 지식의 원천이 또 있음을 알 수 있다.

<제시문 4>

사람의 혀에는 음식의 다양한 감각질에 민감하게 반응하는 서로 다른 종류의 미뢰가 들어 있다. 단맛을 느끼는 미뢰가 더 많은 사람은 단맛 미뢰가 적은 사람보다 콜라 같은 음식을 더 달게 경험할 것으로 추측할 수 있다. 그렇다면 "단맛을 느끼는 미뢰가 더 많은 사람은 그렇지 않은 사람보다 더 달콤한 감각을 경험하는가?"라는 질문에 대한 대답은 "그것은 증거가 무엇인가에 달려 있다"가 된다. 즉 증거의 원천이 무엇이며 증거가 어떤 절차를 통해 획득되었는가가 중요한 것이다.

최근 사회과학적인 증거보다는 뇌인지과학적 증거가 더 힘을 얻는 것으로 보인다. 일례로 뇌인지과학자들은 이와 관련한 실험을 했다. 두 학생에게는 추종자의 역할을 주고, 한 학생에게는 그 두 학생의 지도자 역할을 배정한 다음, 정해진 주제에 대해 대화를 나누게 하자 세 사람의 언어 처리와 관련된 뇌 영역의 활성에서 지도자와 추종자 사이에 어느 정도 동기화가 일어났다. 반면 두 추종자 중 한 명이 이야기할 때는 동기화가 일어나지 않았다. 이 연구 결과를 토대로 뇌를 측정하면 정치나 사업 분야에서 가장 능력 있는 지도자를 뽑는 데 유용할 것이라는 주장이 제기되었다. 또다른 사례로 뇌인지과학자들은 20세 미만 청소년들의 판단능력이 뇌과학적으로 미숙하다고 주장한다. 전두엽은 20대 중반까지 발달하기 때문에 20세 미만의 청소년은 뇌가 완전히 성숙하지 않아 충동적인 행동이나 반사회적인 행동을 억제하는 데 어려움을 겪는다는 것이다. 이러한 뇌인지과학자들의 주장은 일부 법관이나 배심원들에게 범죄를 일으킨 청소년의 형량을 감경하는 근거로 쓰인다. 그렇다면 뇌인지 활성화 영역의 차이를 법적 판단에 사용해야 한다는 주장에 신빙성이 있는가?

Part 1
Part 2
Part 3
Part 4
Part 5
Part 6
Part 7

해커스 김종수 로스쿨 면접 200주제

Q1. 각 제시문을 2분 내로 요약해보시오.

Q2. <제시문 1>을 보면 클루지와 스캐폴딩이 나오는데, 이 둘의 관계는?

Q3. 그렇다면 우리 사회 현실 세계에서 클루지와 스캐폴딩의 예를 들 수 있나?

Q4. 지원자 개인적으로 클루지와 스캐폴딩의 관계로 발전한 경험이 있다면?

Q5. <제시문 2>의 주장을 <제시문 1>의 필자의 입장에서 클루지와 스캐폴딩의 개념을 활용해 옹호해보아라.

Q6. <제시문 3>에서 지식의 원천에 대해 말하고 있는데, 제시문에서 찾을 수 있는 지식의 원천을 나열해보시오.

Q7. 그렇다면 감정·경험적 지식과 연역적·추론적 지식의 공통점과 차이점에는 어떤 것이 있겠는가?

Q8. <제시문 4>에서 20대의 경우 처벌을 감경해야 한다는 주장에 대해 지원자는 어떻게 생각하는가?

Q9. <제시문 4>에서 뇌인지과학자의 실험과 결론, 그 둘의 결합에 있는 결함을 발견해본다면?

Q10. 4개의 제시문들을 모아서 책자로 내려고 한다. 지원자가 책자의 제목을 짓는다면 무엇으로 짓겠는가?

Q11. 지원자는 개인적으로 어떤 제시문이 감명 깊었고, 그 이유는 무엇인가?

Q1. 위 제시문을 2분 이내로 요약해보시오.

Q2. 네 개의 제시문을 묶어서 한 권의 책을 낸다고 한다면 책 이름은 어떻게 지을 것인가?

Q3. <제시문 1>에 따르면 <제시문 2>의 클루지와 환경적 스캐폴딩은 무엇이라 생각하는가? <제시문 1>을 통해 <제시문 2>를 정당화해보시오.

Q4. 정치, 경제, 문화 등 영역에서 클루지와 환경적 스캐폴딩에 해당되는 예시가 무엇이 있을지 제시해보시오.

Q5. <제시문 3>을 두 부분으로 나눈다면 어떻게 나눌 것인지 답변해보시오.

Q6. <제시문 3>의 2문단을 다시 두 부분으로 나눈다면?

Q7. <제시문 4>의 요지는 무엇인가?

Q8. 면접자의 생활 속에서 절차적 정당성에 의문이 들었던 때나 절차가 잘못되었다고 여겨졌던 예시가 있는가?

Q1. 제시문을 요약해보시오.

Q2. 공통 주제를 말해보시오.

Q3. 네 개의 제시문이 모두 하나의 단행본에 포함되어 있다면, 이 단행본의 제목은 무엇이겠는가?

Q4. <제시문 1>에서 나타나는 클루지와 환경적 스캐폴딩이란 무엇인가?

Q5. <제시문 1>에서 클루지라는 것이 경제적, 정치적 제도로 기능했다고 되어 있는데 그 예를 들어보시오.

Q6. 정치적 제도로 기능한 예를 들어보시오.

Q7. 제시문에 나와 있는 과학 분야 외에 경제나 정치 등 사회문화적 분야의 예를 들어보시오.

Q8. 클루지와 환경적 스캐폴딩의 법적, 문화적, 환경적 예시를 들어보시오.

Q9. 기존의 정치체제를 없애고 이성에 기반하여 이상적인 정치체제를 설립하자는 주장이 제기되고 있다. 이러한 주장에 대하여 <제시문 1>, <제시문 2>는 각각 어떻게 평가할 것인가?

Q10. <제시문 3>의 지식 습득 방법은 몇 가지인가?

Q11. <제시문 3>에서 제시되어 있는 지식의 습득 방법은 무엇인가?

Q12. 후반부에 암시되어 있는 지식의 원천은 무엇이라고 생각하나?

Q13. <제시문 4>의 예시처럼 전두엽의 미성숙을 근거로 형량을 감경하는 것은 정당하다고 생각하는가?

Q14. <제시문 4>에서 말하는 타당하지 않은 추론의 예시를 들어보시오.

Part 1

Part 2

Part 3

Part 4

Part 5

Part 6

Part 7

해커스 김종수 로스쿨 면접 200주제

※ [오후 면접] 다음 제시문을 읽고, 질문에 답하시오.

<제시문 1>

인도 불교의 '니르바나(Nirvana)'라는 개념이 중국으로 도입될 때, '무위'로 번역했다. 그 이유는 니르바나라는 개념이 기존에 존재하지 않았으며, 니르바나의 의미가 노장사상의 무위와 유사했고, 많은 중국인들이 이미 도가의 '무위'를 알고 있었기 때문이다. 불교의 니르바나와 노장사상의 무위가 완전히 같은 개념이라면 문제가 없었을 것이나, 그렇지 않았기 때문에 문제가 되었다. 무위로는 충분히 설명할 수 없는 니르바나의 요소가 있었고 그렇기 때문에 원래 의미에 가깝게 해야 한다는 인식이 생겼다. 결국 중국에 불교가 널리 퍼지면서, 니르바나를 음운 그대로 음역한 '열반'을 사용하게 되었다. 어쩌면 다른 문화도 마찬가지일 것이다. 서로 다른 문화의 교섭 과정은 '정교한 오해의 기술'일 수도 있다.

<제시문 2>

'이 글은 번역된 것 같지 않다.'라는 말은 칭찬으로 여겨진다. 유창하고 매끄러운 번역을 좋아하는 사람이 많다. 가독성과 유창함을 강조하는 번역은 '동일성의 번역'이다. 동일성의 번역윤리는 기존의 문화를 바탕으로 번역함으로써 번역한 것이 번역한 것처럼 안 보이도록 하는 것이다. 이러한 번역은 번역에 가치를 부여하지 않으려는 빈 공간을 가독성과 유창함으로 채우는 방식이다. 이러한 방식의 번역을 선택하면 번역은 자기 자신을 지우는 방식으로만 달성될 수 있는 것이다. 이처럼 원작의 뜻보다 독자가 쉽게 읽을 수 있도록 한 동일성의 번역은 '베스트셀러의 윤리'라고 할 수 있다.

이와 다른 좋은 번역이 있는데 번역임을 명백하게 드러내는 번역을 말한다. 이는 '동일성의 번역'과 대비해 '차이의 번역'이라 할 수 있다. 이 번역은 우선 어떤 번역이 좋은 번역인지 정의하려 시도했다는 점에서 의미가 있다. 그동안은 번역에 가치를 부여하는 것을 배제함으로써 오히려 기존 가치를 보호하는 역할을 했던 것이다. 번역한 티가 나는 번역이라는 말은 이상하게 들리지만 이는 이질적인 외국의 텍스트를 그대로 받아들이는 것을 의미한다. 이 과정에서 우리말에 혼란이 생길 수도 있으나, 문화적 발전으로 이어지거나 우리의 정체성을 새롭게 확립해나갈 수 있기도 하다.

<제시문 3>

그리스의 서부 아이톨리아 지방은 로마에 정복당했다. 전쟁에 패배한 해당 지역의 사절인 파이네이아는, 화평을 원하며 적절한 절충안 혹은 타협을 원한다는 소식을 전하러 간다. 파이네이아는 로마의 집정관에게 그 의도를 전달하기 위해 "당신의 '신의(fides)' 안에 있고자 한다"고 말한다. 그러나 그리스어로 '신의(fides)'는 협상이나 화친을 뜻하는데, 로마의 라틴어로 '신의(fides)'는 무조건 항복을 뜻하는 것이었다. 로마의 집정관은 그리스가 무조건 항복을 한다는 뜻으로 이해했고, 그리스 사절단을 포로로 억류했다. 이후 그리스 평의회에서 이에 대해 토의하였는데, 파이네이아는 정복자인 로마는 어차피 자신들이 원하는 대로 해석했을 것이기 때문에 큰 의미가 없다는 의견을 밝혔다.

<제시문 4>

　　언어습득과정은 대표적인 방법 지식(knowing how)이다. 인공지능의 자연어 처리를 연구한 학자들은 문법 등과 같은 명시적인 규칙들을 인공지능에 주입하는 규칙접근법을 시도했다. 언어의 다양한 규칙을 적용해 표현이 나오는 규칙접근법을 사용한 것이다. 이 방법은 어린이가 언어를 습득하는 노하우를 모방한 것이다. 그러나 이러한 접근법은 많은 오류를 발생시켰다.

　　이에 전문가들은 인간언어의 현실적 재현이 어렵다는 것을 깨닫고 알고리즘을 만들어 인간언어를 모방하고자 했다. 1980년대부터 컴퓨터에게 다양한 언어 표현을 사실 그 자체로 받아들이게끔하여 데이터를 중심으로 학습시켰다. 단어의 벡터 표현에 기반을 둔 심층 신경망을 사용하는 방법으로 CNN, RNN, GAN, 강화 학습 등이 사용된다. 주의집중 기법으로는 BERT와 GPT-3가 대표적이다. 그러자 컴퓨터는 언어의 다양한 표현을 구사할 수 있게 되었는데, 이는 언어가 '방법지식'에서 '사실지식(knowing that)'으로 변화했음을 나타낸다.

A학생 질문

Q1. 2분간 제시문을 요약해보시오.

Q2. <제시문 1>과 반대되는 입장의 제시문을 골라보시오.

Q3. <제시문 3>의 입장에서 <제시문 2>를 비판해보시오.

Q4. <제시문 3>에서 역사학자가 말한 것이 현재에도 적용이 되는가?

Q5. <제시문 4>에서 규칙 중심으로 컴퓨터를 학습시킨 것이 왜 실패했는지 제시문 중 하나를 차용해 설명해보시오.

Q6. 본인은 동일성의 번역과 차이의 번역 중 어느 것을 선호하는가?

Q7. <제시문 4>의 두 가지 방법의 실제 예시를 제시해보시오.

B학생 질문

Q1. 제시문을 요약해보시오.

Q2. <제시문 1>의 니르바나와 열반의 차이는 무엇인가?

Q3. <제시문 1>의 '정교한 오해의 기술'의 다른 예시가 있다면?

Q4. <제시문 3>의 파이네이아가 '신의(fides)'라는 단어를 사용해서 오해가 발생한 이유와 과정을 말해보시오.

Q5. <제시문 3>의 파이네이아의 번역은 '동일성의 번역'인가, '차이의 번역'인가?

Q6. <제시문 4>의 규칙지식과 사실지식의 차이를 말하고 그렇다면 사실지식으로 컴퓨터가 언어를 학습하는 과정이 인간의 언어 학습과 유사한지 설명해보시오.

Q7. <제시문 4>의 규칙접근법에서 왜 오류가 발생했는지 앞선 제시문 중 하나의 관점을 선택해 설명해보시오.

C학생 질문

Q1. 제시문을 요약해보시오.

Q2. <제시문 4>와 반대되는 입장의 제시문은?

Q3. 차이의 번역을 옹호하는 입장을 취한 것 같은데, 동일성 번역을 옹호하면서 차이의 번역을 비판해보시오.

Q4. <제시문 4>의 규칙접근법이 동일성 번역과 차이의 번역 중 어디에 해당한다고 생각하는가?

Q5. 방법지식과 사실지식을 구체적 사례를 들어 설명해보시오.

Q6. <제시문 1>의 불교 사례는 <제시문 2>에 어떤 시사점을 주는가?

Q7. <제시문 3>의 신의(fides) 사례는 <제시문 4>에 어떤 시사점을 주는가?

Q8. 자신이 로마의 집정관이라면 <제시문 2>에 대해 무엇이라고 비판할 것인가?

Q9. 규칙접근법의 입장에서 통계접근법의 한계를 제시한다면?

D학생 질문

Q1. 각 제시문을 요약해보시오.

Q2. <제시문 2>와 다른 입장에 있는 제시문은?

Q3. <제시문 3>의 입장에서 <제시문 1>이나 <제시문 2>를 비판 혹은 옹호한다면?

Q4. <제시문 3>은 번역의 어떤 측면을 보여주는가?

Q5. <제시문 4>의 규칙 적용 방법은 어떤 제시문과 연결되는가?

Q6. 통계적 모방의 방식도 한계점이 있을 것이다. 다른 제시문과 함께 논해보시오.

Q7. 인공지능의 언어와 인간의 언어 간에 차이점이 있다면? 다른 제시문들과 연결 지어 답변해보시오.

모범답변

① 교수:학생 = 3:1   ② 면접 준비 20분, 면접 시간 15분   ③ 메모 가능   ④ 블라인드 면접
⑤ 복도에서 20분간 준비하고, 제시문과 메모를 볼 수 없는 상태에서 5분간 대기함
⑥ 준비시간에는 제시문만 볼 수 있고, 시험장 입실 후 면접관이 질문하는 문제에 대답하도록 함

2020 서울 A 문제

※ [오전 면접] 다음 제시문을 읽고, 질문에 답하시오.

<제시문 1>

　　일반적으로 동조하는 사람들은 집단의 이익을 위해 침묵하며, 이를 통해 사회적 이익을 보호하는 사람으로 간주된다. 이와는 대조적으로, 이견을 제시하는 사람들은 자신의 생각대로만 행동하는 이기적인 개인으로 비치는 경향이 있다. 그러나 진실은 그 반대에 좀 더 가깝다. 대부분의 경우, 이견을 제시하는 사람들은 다른 사람들에게 이익이 되지만, 동조하는 사람들은 그 자신에게만 이익이 된다. 만약 누군가가 잘못된 관행에 경종을 울리겠다고 나서거나, 집단적 합의에 내포되어 있는 모순점들을 밝히고자 한다면, 그들은 처벌을 받을 수도 있다. 아마도 직장을 잃거나, 따돌림을 당하거나, 적어도 한동안 힘든 시기를 경험해야 할지도 모른다. 이견을 대부분의 사람들이 가진 견해에 반대하는 것을 뜻한다고 정의해보자. 이렇게 정의한다면, 이견은 아마도 칭송받을 수 없었을 것이다. 이견을 제시하는 사람들은 때때로 사람들을 잘못된 방향으로 이끌 수 있다. 그러나 동조하는 사람들은 기본적으로 무임승차자들이다. 그들은 그들 자신이 가진 어떤 것도 보태지 않은 채 다른 사람들의 행위로부터 이득을 얻기 때문이다. 반대로 이견을 제시하는 사람들은 정보나 아이디어를 공동체에 제공함으로써 결과적으로 다른 사람들에게 이득을 준다. 사회적으로 볼 때 문제의 핵심은 잠재적으로 이견을 제시할 수 있는 사람들이 이견을 제시할 동기를 갖고 있지 못하다는 데 있다. 이는 그들이 이견을 제기함으로써 얻는 것이 없기 때문이다. 앞서 살펴보았듯이, 이견 제시자는 처벌받거나 심지어 살해당할 수도 있다. 어떤 집단이나 조직이든 성공하고 싶다면, 이견 제시의 동기를 가질 수 있도록 그들에게 보상을 제공할 수 있는 방법을 찾아야 한다.

<제시문 2>

　　다른 사람들이 내리는 평가는 우리가 스스로에게 내리는 평가에 비하면 나약한 폭군이다. 자기 자신에 대한 견해야말로 그의 운명을 결정, 아니 암시한다. 환상과 상상의 서인도 제도에서 스스로를 해방시킬 윌버포스 같은 존재가 있겠는가? 자신의 운명에 대한 어설픈 관심을 감춘 채 화장대용 방석을 짜며 소일하다가 죽을 날을 맞을 그 땅의 여인들을 생각해보라. 허송세월은 영원에 상처를 입힌다.

　　인간이 추구하는 궁극적인 목적과 삶에서 진정으로 필요한 것이 무엇이며 그것을 얻으려면 어떻게 해야 하는지를 교리문답식으로 따져보면, 사람들이 통상적인 삶의 방식을 선호했고, 그래서 의도적으로 선택한 것으로 보인다. 그들은 자신에게 사실상 선택의 여지가 없다고 생각한다. 그러나 본성이 영민하고 건강한 자들은 해가 분명히 솟았다는 것을 기억한다. 이제라도 늦지 않았으니 고정관념을 버려라. 예부터 전해 내려온 관습이라도 유익하다는 증거가 없으면 과감히 버려라. 오늘날 사람들이 한목소리로 진실이라고 말하거나 암묵적으로 진실이라고 인정하는 것일지라도 내일이 되면 거짓으로 드러날지 모른다. 일부 사람들이 자기의 땅을 비옥하게 만드는 비를 뿌려줄,

진실의 구름이라고 믿었던 것도 그저 견해의 운무(雲霧)에 불과하다.

우리는 너무나도 철저하고 진실하게 현재의 삶을 숭상하도록 강요받으며, 변화의 가능성은 철저히 배제한다. 그러면서 이렇게 사는 방법밖에 도리가 없다고 말한다. 그러나 원의 중심에서 그릴 수 있는 반경(半徑)의 수만큼이나 살아가는 방법은 무한하다. 변화는 모두 기적이고 그 기적을 우리는 눈여겨봐야 한다. 기적은 매 순간 일어나고 있다. 공자는 "자신이 무엇을 아는지와 무엇을 모르는지를 아는 것, 그것이 진정한 앎"이라고 했다. 한 사람이 자신의 상상력을 자신이 이해하는 것에 국한시키면 모든 사람이 마침내 그렇게 제한된 상상력 위에 삶을 꾸려 나가게 되리라.

<제시문 3>

"내 듣건대 지난날 법 제도가 소활(疏闊)하여 변경의 주민들이 암암리에 파저강(婆猪江) 야인들과 사적으로 왕래하며 물건을 서로 대여하기도 하고, 혹은 혼인(婚姻)도 맺어서 교호 관계를 이루고 있다는데, 수령이 혹 이 사실을 들어 알고도 그의 방지가 불가능함을 스스로 깨닫고는 전연 보고하는 사례가 없으니, 국가에서 어찌 이를 알겠는가. 이제 그들을 토벌한 후에 (지난 일을 뉘우치고) 귀순해 오니, 예의상 후하게 대해야 마땅하나, 우리 민족이 아니라서 그 마음이 반드시 검은 면이 있을 것이니, 어찌 그 귀순하는 마음만을 믿고 출입의 방지를 엄중히 하지 않겠는가."[5]

"귀화(歸化)한 야인들이 그 수가 너무 많아서, 녹봉을 받아먹고 하는 일이 없어서 날로 떼를 지어 술 마시는 것으로 일을 삼고, 간혹 술로 인하여 서로 다투어서 사람을 상해하는 일까지 있기에, 이미 인리(隣里)로 하여금 본조(本曹)에 보고하게 하여 위에 아뢰어 치죄(治罪)하옵니다마는, 암만 금지하여 막아도, 그래도 우리 민족이 아니기 때문에 그 마음이 반드시 달라서 국법을 두려워하지 않고 어두운 밤에 모여서 마시고 방종하기를 꺼림 없이 하오니, 장래가 걱정되옵니다. 부득이한 관계가 있는 사람을 제한 이외에는, 그 나머지 불필요한 잡류(雜類)들은 정부와 의논하여 본토로 돌려보내도록 하소서."[6]

<제시문 4>

문화적 다양성의 보존은 바람직한 것이지만 개별 문화의 보존이 항상 바람직하다고 하기는 어렵다. '선언'은 문화 및 문화 다양성을 매우 긍정적으로 평가하고 있다. 이는 지구상의 수많은 문화가 제국주의, 인종주의 그리고 식민 지배 때문에 파괴되고 사라졌으며 '선언'이 이러한 불행한 상황에 대처하려는 뒤늦은 노력이라는 점을 고려할 때 충분히 이해할 수도 있는 일이다. 사라져가는 문화에 대한 기록을 남기거나 하는 등의 방식으로 문화를 구하려는 노력을 통해 문화 다양성을 보존하는 것은 바람직하고 필요한 일일 수도 있다. 그러나 우리는 특정한 사회 또는 사회집단의 문화를 보존한다는 것이 항상 바람직하기만 한 것인지 또한 문화를 보존한다는 것이 무엇을 의미하는 것인지 의문을 제기할 필요가 있다.

특정한 문화의 보존은 그 사회 또는 사회집단의 모든 구성원들은 물론 그 문화의 구성원이 아닌 사람들까지도 그 문화의 가치와 규범, 사회경제적 조건 등에 만족하고 있을 경우에는 문제가 되지 않을 것이다.

최근까지만 해도 대부분의 사람들은 자신이 살고 있는 문화를 선택하지 못하였다. 사람들은 자신들이 태어난 사회의 문화 속에서 사회화되었으며 자신의 사회나 문화는 선택된 것이 아니었다. 많은 사람들은 자신의 문화에 대해 대체로 만족할 수도 있지만 어떤 사람들은 자신들의 문화가 매우 억압적이라 생각하며 스스로 불행하다고 생각한다. 우리들은 우리가 알고 있는 거의 모든 문화에서 평등과 차별과 억압과 착취와 편견의 증거들을 발견할 수 있다.

문화다양성을 보존한다는 이유로 특정한 문화를 현 상태에서 존속하도록 도움을 주는 것은 자신의 문화의 일부 측면에 대해 불행을 느끼고 있는 사람들을 비참한 상황에 계속 몰아넣는 결과

5)
「조선왕조실록」 세종실록 63권, 세종 16년 1월 12일 경인 2번째 기사

6)
「조선왕조실록」 세종실록 107권, 세종 27년 3월 6일 기묘 4번째 기사

가 될 수도 있다.

<사례>

A대학교의 일반대학원(이하 "대학원"이라 한다.)은 대학원 내 다양성을 증진하고 상호이해를 촉진하기 위하여 다양성 위원회를 구성하고자 한다. 다양성 위원회는 위원장 1인과 9인의 위원으로 구성되는데, 그 중 3인은 학생위원으로 구성된다. 3인의 학생위원 추천권은 대학원 학생회장이 갖는다. 지원자가 학생회장이라면 다음 중 어떠한 기준에 따라 3인을 선택할 것인지 그 순서와 이유를 논해보시오.

• 기준(표로 정리되어 있었으며, 각 항목에 대해 집단별 구성원 비율이 제시됨): 연령, 국적, 장애 (장애인 2%), 출신 학교, 출신 지역(농어촌지역, 출신 고등학교 기준), 혼인, 성별, 경제력(기초 생활수급자인지 여부), 자녀 양육 여부

💬 A학생 질문

Q1. 주어진 4개의 제시문 중 가장 유사한 두 개를 묶어보시오.

Q2. <제시문 1>의 필자는 현대 한국 사회를 어떻게 말할 것인가?

Q3. <제시문 1>은 이견을 촉진할 동기가 없다고 하는데, 동기를 부여할 수 있는 현실적 방안이 있는가?

Q4. <제시문 2>의 필자는, 다수가 진실로 받아들이는 것에 휩쓸리지 않고 자신의 의견을 지켜야 한다고 한다. 지원자는 실제로 그러한 노력을 기울이는지, 만일 기울인다면 어떤 노력을 기울이고 있는가?

Q5. <제시문 3>을 보면, 우리 민족이 아니기에 이민족은 법을 안 따른다고 한다. 필자는 왜 그렇게 판단했는가?

Q6. <제시문 4>와 관련해 지원자는 세계화가 다양성 보호에 도움이 될 것인가, 해가 될 것이라 생각하는가?

Q7. <사례>의 세 가지 기준으로 무엇을 선택할 것인가?

Q8. 원자가 생각하는 다양성이란 무엇인가?

Q1. 각 제시문에 대한 요약은 하지 말고, 각 제시문들의 차이점을 구별해보시오.

Q2. <제시문 3>과 <제시문 4>가 같은 입장이라는 것인가?

Q3. 그런데 <제시문 3>의 경우 다양성의 단점이 아닌가? 부작용이라고 볼 수 있나?

Q4. 그렇다면 왜 이러한 부작용이 나타났다고 생각했나?

Q5. 이미 국가에서는 이러한 제도, 체제를 미리 만들어보지 않았었을까? 이 국가의 왕, 또는 대통령이 여러 제도를 만드는 것을 시도했지만 더 이상 되지 않아서 이들을 받아들이지 말라는 결론이 나왔던 것 아닐까?

Q6. <제시문 1>의 이견이 가지는 단점은 무엇일까?

Q7. <제시문 2>는 <제시문 4>에서 차별적이고 억압적인 문화가 존재하는 원인을 무엇이라고 파악했겠는가?

Q8. 본인이 가장 마음에 들었던 제시문은 무엇인가?

Q9. 그럼 이견이 모든 상황에서 필요한 것인가?

Q10. <사례>에서 기준을 선택할 때도 이러한 <제시문 1>을 반영했는가? 간략하게 기준에 대해서 설명해보시오.

Q11. 출신 지역이나 장애의 경우 본인의 선택에 의한 것이 아닌데 혼인은 본인의 선택에 의한 것이다. 그런데도 혼인을 기준으로 선택해야 하는 이유가 있는가?

Q12. <사례>에 주어진 기준 외에 본인이 새로운 기준을 추가한다면?

Q13. 앞서 설명하였으나 출신 지역이랑 혼인에 대해서 추가적으로 질문하겠다. <사례>에서는 출신 고교가 언급되어 있는데, 출생지가 아니라 출신 고교여야 하는 이유가 있는지, 그리고 이미 대학에서 농어촌 전형 등으로 이를 고려해주고 있는데 대학원에서도 고려가 되어야 하는지가 첫 번째 질문이고, 두 번째 질문으로는 자녀를 양육하는 사람들이 자녀를 양육하면서 필요한 것들이 더 많고, 더 어려운 측면이 많은데 기혼자들보다 이들을 고려해주는 것이 합리적이지 않은지?

※ [오후 면접] 다음 제시문을 읽고, 문제에 답하시오.

<제시문 1>

도덕은 결국 의무와 자발성이 결합되어 있다는 점에서 증여와 같다. 사람들은 어느 정도의 선물을 받으면 그에 비슷한 정도로 답례를 하려고 한다. 이는 관습에 의해 따르는 것도 있지만 서로에게 '빚을 지는 기분이 드는 것을 싫어하기 때문'이기도 하다. 따라서 사람들은 비슷한 정도의 선물을 함으로써 빚을 갚아나가려고 한다. 지금도 프랑스의 일부 지방에서는 결혼식 때 이러한 선물을 주고받는 것이 일반적이다. 프랑스에서의 사회보장제도 역시 이러한 차원에서 이해할 수 있다. 국가나 회사 역시 근로자들에게 빚을 지지 않기 위해서 다양한 사회보장제도를 마련하는 것이다. 단순히 노동의 대가로 임금을 근로자들에게 지급하는 것은 이러한 빚을 갚는 것이 아니다. 국가나 회사는 다양한 보험, 수당 등을 근로자에게 보장함으로써 근로자들에게 빚을 갚아 나간다.

<제시문 2>

사람들은 각각 천부적으로 행운, 불운을 가지고 태어난다. 그러나 이 사실 자체가 부정의한 것은 아니다. 이것은 그냥 사람들이 천부적으로 우연에 의해 어떤 운을 가지고 태어난다는 자연적인 사실에 불과하다. 사람들이 특정 지위를 가지고 태어나는 것 역시 그 자체로는 부정의하거나 정의로운 것이 아니다. 오히려 정의롭거나 부정의한 것은 사회제도가 이러한 우연성을 어떻게 다루는지의 문제다. 귀족 사회나 계급사회는 이러한 우연을 그대로 방치하며 일부 계층에게 특권을 귀속시키는 논리로서 사용한다는 점에서 부정의하다. 업적 사회도 마찬가지다. 특정 능력을 갖추면 어떠한 지위나 보상을 받을 수 있다고 기회의 균등을 주장하지만, 실제로 보면 사람들마다 가지고 있는 우연성을 방치하고 상위계층과 하위계층 간의 빈부 격차를 벌어지게 하는 것이다. 사회제도는 불변의 것이 아니고 인간이 통제할 수 있는 것이므로 이러한 우연성을 다루어야 한다. 즉, 공동의 이익을 가져올 수 있는 부분에서만 우연성이 작용할 수 있도록 해야 하는 것이다.

<제시문 3>

비정규직 교사들의 경우 정규직 교사들이 누리는 다양한 공무원으로서의 혜택을 누리지 못한다. 이것은 세월호 사건을 거치며 특히 논란이 되었다. 세월호 사건에서 학생들을 구하느라 목숨을 잃은 단원고의 기간제 교사들은 교육공무원으로서의 지위를 가지고 있지 못하기 때문에 3년이 넘도록 순직공무원의 지위를 부여받지 못하였다. 이 사건을 거치면서 자신이 법률상 공무원이 아니라는 것을 알게 된 교사들도 있었다. 그런데 현장에서 5~6년의 경험을 쌓은 기간제 교사의 경우에는 정규직으로 전환해야 한다는 주장이 있다. 기간제교사협회에서는 정부의 잘못도 있다고 한다. 즉, 정부가 학교 현장에서 필요한 인력을 잘 알지 못하다 보니 학생 수 감소나 예산 문제를 들어 교원발령을 적게 하고 있기에 일선에서는 기간제 교사를 채용할 수밖에 없다는 것이다. 그러나 이에 대해서 사회 형평을 근거로 반대하는 입장도 적지 않다. 정규직 교사나 임용고시를 통과한 예비교사들, 사범대학 학생들은 정규직이 되기 위해서 본인이 노력하거나 노력해왔던 과정들을 근거로 기간제 교사의 정규직 전환은 옳지 못하다고 말한다.

<제시문 4>

도덕이나 주의(主義)의 표준은 어디에서 오는가? 시비에서 오는가? 이해에서 오는가? 도덕의 표준이 시비에서 나오는 것이라고 해보자. 인간은 각종 동물을 죽이고, 자연을 파괴하고 약탈하고 있으므로 도덕의 기준이 시비라면 인간은 가장 먼저 멸절되어야 할 대상이다. 그렇다면 결국 남는 것은 이해이다. 이해는 시대에 따라서 대소, 광협이 있긴 해도 이해는 이해이다. 그런데 도덕의 표준이 이해라면 사람들은 항상 손해를 싫어하고 이득만을 추구해야 할 것이다. 그렇다면 일진회와 같이 나라를 팔아먹고 노예와 같은 삶을 사는 것 또한 긍정해야 하는가? 그렇지 않다. 이들이 보전하려고 하는 이해는 단시안적인 이해이다. 그것이 장기적인 관점에서 진정한 이해가 아님은 명백하며, 그들의 행위는 그들의 나라에 아무런 이득도 되지 않는다.

<사례>

A는 화학 재료를 만드는 회사이다. 최근 A회사의 공장에서 결함으로 발생한 화재로 인해 50대 근로자가 사망하였다. 회사에서는 법에 정한 바에 따라 사망한 근로자의 유가족에게 보상금을 지급하였다. 그런데 그 이후 사망한 근로자가 가족의 생계를 담당하고 있던 유일한 사람임을 A회사의 대표가 알게 되었다. 사망한 근로자의 유가족은 배우자를 포함하여 취업 준비 중인 딸과 고등학생 아들이다.

A회사의 대표는 유가족의 생계를 보장해주기 위해 딸을 채용하기로 하고, 이후에 이런 일이 발생하면 적절한 보장을 해주기 위해 다음과 같은 정책을 만들었다. '회사 측에서 책임이 있는 사고로 인해 근로자가 사망한 경우에는 배우자나 그 직계 자녀를 채용한다.'

회사가 사망한 근로자의 딸을 채용한 것과, 이러한 정책 수립이 옳은 것인지 평가해보시오.

Q1. <제시문 1>의 입장은 무엇인가?

Q2. <제시문 1>이 그렇게 주장하는 근거는 무엇인가?

Q3. <제시문 1>의 입장에 대해서 본인은 어떻게 생각하는가? 국가나 회사가 근로자들에게 빚을 지고 있는가?

Q4. <제시문 2>는 <제시문 3>에 대해서 어떻게 평가할 것인가?

Q5. <제시문 3>의 정규직 전환에 대해 <제시문 1>은 어떻게 평가할 것인가?

Q6. <제시문 3>의 정규직 교사들의 주장에 대해서 <제시문 2>는 어떻게 평가할 것인가?

Q7. <제시문 4>는 <제시문 2>와 유사한 입장인가, 다른 입장인가?

Q8. <제시문 2>는 공동의 이익을 말하고, <제시문 4>도 국가의 이익을 말하고 있는데, 궁극적으로 같은 것을 지향하는 것인가?

Q9. <제시문 1>, <제시문 2>, <제시문 4>는 각각 사례를 어떻게 판단할 것인가?

모범답변

2019 서울대 로스쿨

① 교수:학생 = 3:1 ② 면접 준비 15분, 면접 시간 15분 ③ 메모 가능
④ 답변 준비 시 제시문만 제시, 면접시험장 입실 후 문제 제시 ⑤ 수험생 답변 후 추가질문

2019 서울 A 문제

※ 다음 제시문을 읽으시오. (면접시험장 입실 후 이 제시문과 관련한 문제가 출제됩니다.)

(가) 공리주의의 원리는 우리들의 행복을 증진시키느냐 감소시키느냐에 따라 어떤 행동을 승인하고 거부하는 원리이다. 공리주의의 원리는 크게 행위 공리주의 그리고 규칙 공리주의 2가지로 나누어 볼 수 있다.

행위 공리주의자들은 옳고 그름을 판단할 때 행위에 초점을 맞춘다. 행위 공리주의에서 개별적 행위가 옳은지 그른지를 알기 위해서는 그 행위의 결과를 알아야 한다. 옳은 행위란 다른 어떤 가능한 행위보다 더 큰 공리성을 갖는 것으로 평가된다.

규칙 공리주의는 도덕에 있어서 규칙의 중요성을 강조한다. 즉 일반적으로 우리가 특정한 상황에서 해야 할 바를 판단함에 있어서 어떤 특정한 행위가 문제의 상황에서 최선의 결과를 가져오는 가를 묻는 것에 의존하지 않고 어떤 규칙에 호소한다는 것을 주장한다. 공리주의에 입각한 규칙은 그 규칙을 보편적으로 따르는 것이 더 큰 유용성을 갖는 규칙을 의미한다.

공리주의에 대한 일반적 비판은 전체주의로 흐를 수 있다는 점이다. 사회의 효용 극대화에 초점을 맞추다 보면 다수를 위한 소수의 희생을 정당화할 수 있다. 어떤 행위가 사회에는 큰 효용을 가져다주지만 소수에게는 효용 감소를 유발할 경우 공리주의의 원칙에 의해 정당화될 수 있기 때문이다. 하지만 이러한 사회는 많은 사람들에게 불안감을 가져다줄 것이다. 누구나 희생양이 될 수 있다는 사실은 불안감을 가져다주고 효용을 저해한다. 이에 사람들은 안정을 보장할 수 있도록 일련의 규칙에 합의할 것이다.

규칙 공리주의하에서는 전체주의가 정당화될 수 없다. 독재자의 자의에 의해 지배되는 사회 대신 개인의 안정을 보장해주는 사회가 정당화된다. 사람들은 모두 불안감을 싫어하고 배제되는 것을 두려워한다. 이것이 계산하지 않는 영역의 필요성을 발생시켰다. 그들이 어떠한 상황에서도 침해받지 않아야 하는 영역을 설정하는 것이다. 정의나 인권 같은 것들이 계산되지 않는 영역으로 설정되었다. 규칙 공리주의는 이러한 계산되지 않는 영역을 설정할 수 있다. 그러한 규칙 설정을 통해서 사람들에게 안정감을 가져다줄 수 있다.

(나) 버크에게, 건전한 정치 질서는 역사적 과정의 산물로서 유지되어온 우연한 인과물이었다. 그는 단순히 과거를 배제하고 선험적으로 이루어지는 판단을 공격했다. 과거 선조들이 쌓아온 판단이 담긴 역사나 경험을 배제하고 전적으로 선험적 판단에 기반해서 행해지는 행위를 부정했다. 자의로 이어질 수 있기 때문이다. 버크에게 있어서 혁명은 과거와의 단절을 의미했다. 이상을 설정하고 그것을 극단적 방법을 통해 실현하려는 것은 과거의 경험과 역사를 모두 부정하는 것이었다. 버크에게 있어서 편견은 어떤 의미로 해석되었을까? 버크에 의하면, 편견은 사람들이 사고를 하기 전에 판단을 내릴 수 있도록 도와준다. 편견은, 유사하거나 동일한 상황에 있었던 사람들이 내린 과거의 결정들과 이후 경험을 통해 쌓은 지식들이 결합되어 만들어진 것이다. 이성에 기반한 선험적 판단은 상황과 개인에 따라 다른 답을 내릴 수 있다. 편견에 따르면 틀린 행위를 할 수 있는 대신 사회의 안정감을 가져다주는 반면, 선험적 판단

에 따르면 옳은 행위를 할 수도 있지만 사회의 불안정감을 가져다줄 것이다. 편견을 따르면서 얻을 수 있는 안정감은 버크에게 더 큰 의미가 있었다.

(다) 다수의 사람들이 함께 사고하고 협력함으로써 집단지성을 발휘하여 더 나은 결과를 얻을 수 있다. 하지만 이러한 집단지성의 질을 저하시키는 것이 있다. 집단사고가 나타나면 집단지성의 질이 저하된다. 집단사고란 집단 구성원 간에 의사 결정이 일어날 때, 그 문제 상황과 관련하여 나타날 수 있는 가능한 대안이나 반대되는 정보를 고려하기 어려운 사고 과정에서 문제가 생긴 것이다. 사람들은 갈등을 회피하는 성향이 있다. 다양한 의견을 낸다면 갈등을 촉발할 수 있기 때문에 다양한 의견을 내기보다는 이미 다수가 찬성하는 의견에 편승하려 한다. 집단사고는 다양한 의견을 펼치지 못하게 함으로써 더 나은 결론에 도달하지 못할 뿐만 아니라, 결론이 옳다고 하더라도 그 결론에 대해 심도 있는 논의를 하지 않기 때문에 결론을 잘 활용하지도 못하게 한다. 이러한 점에서 집단사고는 해결되어야 한다.

집단사고의 해결방법으로는 여러 가지가 있다. 먼저 개방적 토론과 반대의견 제시를 적극적으로 촉구해야 한다. 또한 회의적 의견을 조장하는 사람을 비공식적으로 지명하여 집단의사결정의 단점이나 실수를 찾는 방식도 있다. 이외에도 여러 방법을 통해 집단사고를 해결할 수 있다.

(라) 사람들은 행위를 결정할 때 불확실성을 줄이는 것을 원한다. 불확실성은 개인의 효용에 부정적 영향을 끼치기 때문이다. 사람들은 불확실성을 줄이기 위해 이미 일정 정도 친밀감을 형성한 사람과 신뢰에 기반한 행위를 한다. 이러한 관계에 기반한 행위는 불확실성을 줄여주어 안심할 수 있도록 한다. 그러나 친밀한 관계에 있는 사람들 외의 사람들과 거래를 하지 않는 것은 신뢰의 기회비용을 발생시킨다. 친밀한 관계가 아닌 사람들과 거래를 했다면 더 큰 이득을 얻을 수 있었기 때문이다.

사회 전반적으로 불확실성이 클 경우에는, 친밀한 사람들과만 거래를 하려고하는 안심을 추구하는 사람보다는 친밀한 사람뿐만 아니라 다른 사람들과도 거래를 하려고 하는 사람들이 더 이득을 볼 것이다. 사회 전반적으로 친밀한 관계의 사람들과만 거래를 하는 안심사회는 큰 손해를 가져오고 고착화된다. 사람들은 개인적으로 안심을 추구함으로써 신뢰를 잃게 되는 것이다.

※ 다음 제시문을 읽으시오. (면접시험장 입실 후 이 제시문과 관련한 문제가 출제됩니다.)

> (가) 흄: 모든 것에 인과성은 없다.
>
> (나) 모든 일의 원인은 단 하나라 할 수 없고, 다양한 요소가 영향을 미치는 것이다.
>
> (다) 신채호: 서경천도운동은 긍정적으로 평가해야 한다.
>
> (라) 수사학의 변화에 대한 제시문

2019 서울 C 문제

※ 다음 제시문을 읽으시오. (면접시험장 입실 후 이 제시문과 관련한 문제가 출제됩니다.)

> (가) 시장경제의 원리는 자원의 자발적 교환에 기반해 있다. 자원의 이동은 시장 참여 주체들의 필요를 더욱 잘 충족시키는 방식에 따라 조직된다. 만약 생산 주체들이 생산에 기여한 부분들에 대해서만 보상을 받는다면 교환은 일어나지 않을 것이다. 이에 따라 성과에 따른 보상이 필요한 것으로 여겨졌다. 성과에 따른 보상이 주어질 때만 사람들은 그들의 '최선'을 다하며, 이는 강제적인 방식으로는 도모할 수 없다.
>
> 또한 그것이 분배적 정의에 걸맞은 것으로 여겨지지 않는 한, 자발적인 교환은 지속될 수 없다. 자발적 교환과 이에 근거한 시장 경제는 모든 시대의 인간 사회에서 보편적이고도 바람직한 제도이자 가치 판단으로 받아들여졌다.
>
> (나) 근대적 산업화의 과정에서 원재료가 실용적 제품으로 생산되어 상품화되었다. 예를 들어, 굿이어라는 발명가가 생고무를 가황고무로 변화시키는 방법을 발명했다. 이 가황고무의 활용으로 자동차 부품 등 연이은 산업 발전이 일어나 오늘날의 기술혁명이 가능했다. 이러한 기술혁명, 산업혁명으로 인류 역사상 유례없는 부가 창출되었다. 발명가와 자본가의 입장에서는 일종의 영예로운 혁명이라 칭할 만한 것이지만, 조명되지 않는 문제점도 있다. 예컨대 원재료를 공급하는 장소의 열악한 작업환경, 낮은 임금, 아동문제, 빈곤 등의 문제는 은폐된 채 여전히 남아있다.
>
> (다) 인공지능, 무인로봇, 자율주행차 등 4차 산업혁명의 열기가 뜨겁다. 그러나 외국에서 발전을 선도하고 있는 산업이 국내에서는 각종 규제로 인하여 성장하지 못하고 있는 상황이다. 기존 규제 방식의 문제점은 열거 규제, 기존 산업에 맞게 편제된 정부 부처 조직 및 중복규제 등의 각종 진입 규제, 기존 산업과 신흥 산업 간의 갈등을 중재할 수단의 부재를 들 수 있다.
>
> 기존 산업 종사자들은 규제를 따르고 허가를 받아야 하지만 새로운 사업 진출자들은 그렇지 않아 불공정한 경쟁이 된다. 이로 인해 불가피하게 갈등이 발생하는데, 정부는 이 갈등을 중재하는 역할을 수행하지 못하고 있다. 4차 산업혁명과 신산업 유치를 위해 규제 개혁이 필요하다.
>
> 규제 개혁은 현재 존재하는 각종 규제들을 현실에 맞게 완화하거나, 일정기간 동안 신산업에 대한 규제를 유보하는 '규제 샌드박스'를 통해 사전허용, 사후 규제 원칙에 입각하여 갈등을 조정할 수 있다. 그리고 정보통신기술이 무분별하게 활용됨으로써 초래되는 개인정보 유출 문제와 같은 부정적인 측면을 최소화하기 위한 제도 마련이 시급하다. 정부는 소비자와 사업자들의 이익을 위해 적극적으로 노력해야만 한다.

(라) 카풀 서비스 시행을 둘러싸고 카카오 측과 택시업계 간의 갈등이 본격화되고 있다. 현행법상 카풀 서비스는 출퇴근 시간에 한정되어 있다. 카카오 측은 국토교통부가 4차 산업 시대에 걸맞은 새로운 지침을 마련하리라 기대한다며, 최근 서비스 시행을 위한 온라인 어플리케이션 등록까지 마쳤음을 밝혔다. 또한 시범 운영을 위해 카풀 서비스를 제공할 운전자들을 모집할 것이라고 밝혔다.

이에 대해 택시 업계는 카카오 측을 비판하고 있다. 택시 업계는 국토교통부가 최근 1년 동안 관련 안건에 대해 별다른 조치를 취하고 있지 않아 카풀 서비스 시행이 유보되고 있는 것에 대해 카카오 측에서 압박을 가하고 있는 것이라고 비판하였다.

카카오 측은 카풀 서비스 운전자 모집은 원활한 서비스 시행을 위한 사전 과정일 뿐, 실제 서비스의 방식과 내용 등에 대해서는 정부 및 택시업계와 충분한 대화를 나누어, 바람직한 영업 생태계를 도모할 것이라고 주장했다. 이에 대해 택시업계는 카카오가 막대한 자본을 동원해 운송서비스에 개입하는 것은 대기업이 골목상권을 침범하는 것과 같다며 반발하고 있다. 카카오 측은 소비자, 택시업계 등을 모두 고려하는 방안을 위해 노력하겠다고 발표했다.

모범답변

2018 서울대 로스쿨

① 교수:학생 = 3:1   ② 면접 준비 15분, 면접 시간 15분   ③ 메모 가능
④ 답변 준비 시 제시문만 제시, 면접시험장 입실 후 문제 제시   ⑤ 수험생 답변 후 추가질문

2018 서울 A 문제

※ 다음 제시문을 읽으시오. (면접시험장 입실 후 이 제시문과 관련한 문제가 출제됩니다.)

<제시문 1>

　인공지능이 인류를 멸망시킬지도 모른다는 사람들의 우려는 인공지능과 자연지능 간의 잘못된 비유에 기반하고 있다. 인공지능은 자연지능과 달리 감정을 진화시킬 필요가 없기에 감정을 가지지 않을 것이며 따라서 사악한 의도도 가질 수 없다. 설령 감정이 나타난다 하더라도 자연에서 도덕심이 자주 나타나는 것처럼 지배와 같은 남성형 감정이 아닌 배려와 같은 여성형 감정이 나타날 것이며, 인간이 인공지능을 통제하는 킬 스위치를 쥐고 있기 때문에, 인공지능은 인간에 협력할 것이다.

<제시문 2>

　생물학의 발전은 생물을 하나의 알고리즘으로 파악하도록 이끌었고 따라서 컴퓨터의 발전도 하나의 생물학적인 사건으로 볼 수 있다. 그러곤 감정 또한 일종의 알고리즘인데 빅데이터에 기반한 인공지능의 알고리즘이 훨씬 기능이 뛰어날 것이기 때문에 인간이 스스로 자신의 감정을 인공지능으로 대체할 것이라고 예상된다. 그러다 보면 인간은 일종의 초대형 개미로 거대한 알고리즘의 일부로 존재하게 될 것이고 그런 형태로 휴머니즘의 종말이 올 수 있다.

Q1. 각 제시문의 논지와 논거를 요약해보시오.

Q2. <제시문 1>의 전제를 발견하고, 이를 <제시문 2>의 관점에서 비판해보시오.

Q3. <제시문 1>과 <제시문 2>의 공통점과 차이점은 무엇인가?

Q4. AI를 태아에게 심는 것에 대해 각 제시문은 이를 어떻게 평가할 것인가?

Q5. 두 제시문 중 어느 제시문이 감정을 더 중요하게 보는가?

※ 다음 제시문을 읽으시오. (면접시험장 입실 후 이 제시문과 관련한 문제가 출제됩니다.)

<제시문 1>

민주주의 국가에서 정부와 전문가는 상호 의존적인 관계이다. 정책 결정자는 정책 결정 시 전문가의 의견을 듣는다. 전문 지식은 정책을 결정할 때 중요한 요소이다. 민주주의 사회에서 전문 지식인은 사회 전반의 공익을 위해 일한다. 만약 일반 시민이 전문 지식인의 의견을 불신하기 시작한다면, 민주주의 사회는 비극에 빠질 것이다. 정치가는 대중의 입맛에 맞는 전문 지식인의 말만 따를 것이며, 전문 지식인은 대중의 감정에 부응하는 정당이 원하는 지식만을 전달할 것이다. 그렇게 된다면 전문 지식인은 더 이상 공익을 위해 일하지 않게 될 것이다.

<제시문 2>

최근 신 엘리트 계층과 대중 사이의 간극이 더욱 벌어지고 있다. 신 엘리트 계층은 세계주의적이며, 철새 기질이 강하다. 이러한 신 엘리트 계층은 기존 엘리트 계층과 다르게 주로 정보, 전문 지식을 잘 활용하는 사람들을 의미한다.

<제시문 3>

핵무기 자체는 가치중립적인 기술이고, 이것은 매우 기술적인 영역의 문제이기 때문에 일반인들은 이 문제에 대해서는 언급해서는 안 되고, 전문가의 의견에 따라 결정해야 된다는 주장이 있다. 핵무기 도입이 가져올 장점, 부작용 등에 대해서 전문가의 분석만을 따라 핵무기 도입 정책을 결정해야 한다는 것이다. 그러나 이러한 주장은 말이 되지 않는다. 아무리 전문적인 지식이 필요한 결정이라 하더라도, 이러한 핵무기 도입은 도덕적 가치 판단이 필요하다. 이것은 대량 살상무기가 될 수 있고, 그러한 방식으로 사용된다면 수많은 윤리적 문제를 가져올 수 있다. 때문에 정책 결정자는 전문가의 의견뿐만 아니라 일반 시민들의 이야기도 참고하여 결정하여야 한다. 물론 모든 사람들이 정책의 목적에 동의하고 단순히 기술적으로 적절한 방법만을 찾는 상황이라면 전문가의 의견만 들어도 될 테지만, 현실에 이러한 상황은 거의 존재하지 않는다.

Q1. 각 제시문의 핵심 주장을 한 문장으로 요약해보시오.

Q2. <제시문 1>에서 일반 시민들이 전문 지식인의 의견을 믿어야 한다고 했는데, 그 근거는 무엇인가?

Q3. <제시문 3>에서 일반 시민들의 의견을 들어야 하는 근거는 무엇인가?

Q4. <제시문 3>의 핵무기 도입 결정 시 <제시문 1>과 <제시문 3>의 주장에 따른다면 어떤 과정을 거쳐야 하는가?

Q5. <제시문 2>의 주장에 대해 어떻게 생각하는가?

Q6. <제시문 2>에서 신 엘리트 계층이 철새 같다는 문장은 무슨 뜻이라고 생각하는가?

Q7. <제시문 3>의 마지막 문장에 전문 지식인의 의견만으로 정책 결정이 가능한 상황이 있을 수도 있지만 거의 없다고 했는데, 현실에서 이러한 상황이 있다면 무엇이겠는가?

모범답변

2017 서울대 로스쿨

① 교수:학생 = 3:1   ② 면접 준비 15분, 면접 시간 15분   ③ 메모 가능
④ 답변 준비 시 제시문만 제시, 면접시험장 입실 후 문제 제시   ⑤ 수험생 답변 후 추가질문

2017 │ 서울 A 문제

※ [일반전형 면접] 다음 제시문들은 창작과 배움에 관한 내용을 담고 있다. 각 제시문의 주장과 근거, 글 사이의 관계 등을 중심으로 독해하시오.

<제시문 1>

그는 내가 이번 여름에 시를 쓰지 않았는지 물으면서 말을 꺼냈다. 나는 시를 몇 편 쓰기는 했지만 전체적으로 마음에 들지 않는다고 대답했다. 그러자 그가 말했다. '가능하면 대작을 쓰는 것을 피하도록 하게. 아무리 뛰어난 사람도, 재능과 탁월한 노력을 겸비한 사람이라 할지라도 대작 앞에서는 고생하는 법이기 때문이네. 나도 그런 식으로 고통을 겪었기 때문에 그것이 얼마나 해를 끼치는지 알고 있네. 그로 인해 얼마나 많은 것들이 수포로 돌아가 버렸던가! 내가 잘 해낼 수 있는 것만 착실히 했더라면 100권의 책이라도 썼을 텐데 말이야. 현재는 언제나 현재로서의 자신의 권리를 주장한다네. 시인의 마음속에 날마다 솟아오르는 사상이나 느낌은 그 모두가 표현되기를 원하고 또 표현되어야만 하네. 그러나 보다 큰 작품을 염두에 두고 있다면 그것만으로도 머리가 가득 차서 아무 생각도 떠오르지 않고, 모든 사상을 등지고 생활 자체의 안락함까지 잃어버리는 걸세. 단 하나의 커다란 전체를 정리하고 완성하는데 필요한 긴장과 정신력의 소모를 생각해보게. 게다가 그것을 막힘없이 흐르는 시냇물처럼 적절하게 표현하자면 또 얼마만 한 정력과 방해받지 않는 조용한 생활환경이 필요하겠는가. 그러나 일단 전체를 잘못 파악하면 모든 노고는 허사가 되고 말지, 더 나아가서 그처럼 규모가 큰 대상의 경우에는 개별적인 부분에서 그 소재를 완전히 자기 것으로 만들지 못하면 전체적으로 여기저기 결함투성이가 되고 마네. 그러면 비난을 받게 되겠지. 그리하여 그 모든 것에도 불구하고 시인에게 돌아오는 것은 많은 노력과 희생에 대한 보상과 기쁨이 아니라 불쾌함과 정력의 쇠퇴일 뿐이네. 반면에 시인이 날마다 현재를 염두에 두면서 자신에게 주어지는 것을 한결같이 신선한 기분으로 다룬다면 무언가 좋은 것을 만들 수 있고 때로는 잘 안 된다고 하더라도 그 때문에 모든 것을 잃지는 않는다네.

<제시문 2>

오늘날 청년들은 학습에 대한 조급함을 가지고 있다. 청년들은 출세를 위한 지식을 습득하기에만 급급하고, 학교 교육 역시 완성되지 않은 청년들을 내보내고 있다. 인간은 삶의 과정에서 오랜 숙고와 경험을 통해서 직관적 판단을 내리고, 이를 바탕으로 개념에 도달한다. 그 개념을 토대로 원인과 결과, 그리고 전체적인 질서를 판단할 수 있다. 이것이 순서이다. 하지만 오늘날의 교육은 역순으로 일어나고 있다. 충분한 경험과 숙고 없이 바로 이성을 낚아채려는 시도는 허황된 지식을 낳는다.

<제시문 3>

　한국 대학생들을 대상으로 한 설문조사 결과 성적 최우등생의 87%가 수업 시간에 교수의 말을 그대로 받아 적는다고 답변했다. 수업 시간에 의견을 제시하는 일도 적고, 토씨 하나 틀리지 않고 농담까지 받아 적는 방식으로 필기를 하는 것이다. 실제로 이렇게 공부하는 학생들이 A+를 받아가고, 에세이 형식의 시험에서도 자신만의 의견을 표출하는 것보다 교수가 가르친 내용을 그대로 답습해 적어내는 것이 성적 받기에도 유리하다.

　반면, 외국 대학생들의 경우 수업 시간에 교수의 말을 그대로 받아 적는 경우도 드물고, 자유로운 토론과 때로는 교수의 말에 반박하는 주장을 하는 경우도 쉽게 찾아볼 수 있다. 최우등생이라 할지라도 우리나라와 같이 교수의 의견을 전적으로 암기하지 않고 자신의 견해를 표출하는 방식으로 수업과 시험이 이뤄진다.

　우리나라는 수용적 사고를 통해 지식의 기초를 다진 후에 비판적, 창의적 사고를 길러야 한다고 믿는 경향이 있다. 그러나 수용적 사고와 비판적·창의적 사고에는 선후가 없다. 둘은 동시에 이뤄져야 하는 것이다.

<제시문 4>

　그리스 시인 아르킬로코스는 인간을 여우형 인간과 고슴도치형 인간으로 분류한다. 그는 '많은 것을 알고 있는 여우보다 큰 것 하나를 확실히 알고 있는 고슴도치가 항상 이긴다'고 말했다.

　'여우형 인간'은 다양한 목표와 전략을 추구하는 사람들이다. 그들은 다양한 경험을 하면서 대상의 본질을 간파하지만 그렇게 찾아낸 본질을 그대로 받아들일 뿐 결코 변하지 않는 모든 것을 포괄하는 하나의 비전에 자기 자신을 맞추려고 애쓰지 않는다. 따라서 그들은 종종 산만하고 분산적이며 자기 모순적이다.

　이에 비해 '고슴도치형 인간'은 복잡한 세계를 한데 모아 단 하나의 체계적인 개념이나 기본 원리로 단순화한다. 모든 것을 하나의 핵심적인 비전과 원칙을 갖춘 일관된 시스템과 연관시키며 이런 시스템에 근거해 모든 것을 이해하고 판단한다.

Q1. <제시문 1>과 <제시문 2>를 2분 이내로 요약하고 비교해보시오.

Q2. <제시문 1>과 <제시문 2>를 <제시문 4>의 여우와 고슴도치 각각과 연결해보시오.

Q3. <제시문 3>은 여우와 고슴도치 중 어느 인간형에 대해 이야기하고 있는가?

Q4. 지성과 이성의 관계를 설명해보시오.

Q5. <제시문 2>에서 '이성을 낚아채려는'이 무엇을 뜻한다고 생각하는가?

Q6. 고슴도치형 인간과 여우형 인간 두 부류 중 하나만을 지향해야 하는 것인가?

※ [특별전형 면접] 다음 제시문을 읽고, 문제에 답하시오.

<제시문 1>

현재 고졸 취업자는 32만 명 부족하고, 대학 졸업자는 50만 명 과잉이다. 대졸 백수는 점차 늘어나는 추세이며, 취업한 사람들도 고졸 취업자로 대졸 출신이 하향 지원한 경우가 많다. 쓸모도 없는 대학 졸업장을 따려고 사회 진출 시기도 늦어진다. 차라리 고졸 차별을 폐지하고 고졸 CEO, 임원 등을 많이 배출하면서 대학 수를 줄여야 한다. 최소한 25% 이상의 대학은 폐지해야 한다.

<제시문 2>

대학 정원을 늘리자는 주장이 나오고 있는데 사실 정원을 늘리는 것은 좋다. 그런데 과연 그만큼의 시설과 교수진을 확보할 수 있을까? 현재 사학재단들은 영리성만을 보면서 인문계를 집중 육성하고 있고 자연계 비중이 떨어진다. 또 농촌지역의 교육비 부담이 커지고 있다. 교육 재단들이 제 역할을 못 하고 있다. 대학 정원을 늘리는 것은 좋은데 대학들을 지방에 지어서 농촌 지역의 교육비 부담을 최소화하는 방향으로 하는 것이 낫다. 그리고 자연과학 분야를 우대하고 사학 재단들은 설립 인가 기준을 높이는 것이 필요하다.

<제시문 3>

현재, 대학 입학 지원자 증가율을 대학 정원 증가율이 못 따라가고 있다. 대학 문이 점점 좁아지고 있다. 인문계에 너무 많은 비중이 가고 있다. 심지어 작년에 배정되었던 비중보다도 자연과학 비중이 줄어들었다. 과학기술이야말로 국방력과 경제력을 키우기 위한 핵심이다. 60:40은 아니어도 55:45라도 비율을 맞춰야 한다. 이것이 장기적으로 봤을 때 우리나라가 성장하고 살아남을 방법이다.

Q1. 각 제시문은 각기 다른 시대에 쓰인 칼럼이다. 시대순으로 나열해보고 각 제시문을 통해 추론해볼 수 있는 각 시대별 상황 배경, 내용, 해결책 이 세 가지를 각각 말해보시오.

Q2. <제시문 2>와 관련하여, 이렇게 대학 교육을 영리 수단으로 여기는 것에 대해서 어떻게 생각하는가?

Q3. <제시문 3>에서 대학 지원자가 증가하는 상황이라고 생각하는가, 혹은 감소하는 상황이라고 생각하는가?

Q4. <제시문 1>의 경우 첫 번째 문단은 고졸 취업자는 부족하고 대졸 취업자는 과잉이라는 것이 요지, 두 번째 문단은 그래서 청년 사회 진출이 늦어진다는 것, 세 번째 문단은 그러므로 대학 수를 줄이자는 요지인데 논리적으로 올바른 주장이라 생각하는가?

Q5. 만약 이 주장대로 대학 수를 줄이거나 하면 어떻게 될 것이라 생각하는가?

Q6. 제시문에서는 "쓸모없는 대학 졸업장"이라고 하는데 여기서 보는 쓸모는 뭐라고 보는가? 또 지원자의 생각은?

Q7. 요즘은 문·이과 통합에 대한 이야기가 많은데 <제시문 3>은 이에 대해 비판적인 입장인 것 같다. <제시문 3>의 입장에서 문·이과 통합을 비판해보고 다시 문·이과 통합 찬성 측의 입장에서 제시문을 비판해보시오.

모범답변

① 교수:학생 = 3:1　② 면접 준비 20분, 면접 시간 20분　③ 메모 가능

2016 서울 A 문제

※ 다음 제시문을 읽고, 문제에 답하시오.

<제시문 1>
- A: 귀납 추론에 대한 설명, 과학적 추론은 경험적 근거에 의해서 정당성을 얻고 발전해 왔다.
- B: 칼 포퍼의 반증 이론에 관한 설명, 과학적 추론은 하나의 반례만으로도 정당성을 잃게 된다.
- C: 연역 추론에 관한 내용, 감각적 기관을 사용하지 않고 순수 사유만으로 얻은 지식이 합당하다.

<제시문 2>
　현재까지는 언어를 번역하는 데 있어서 단순한 매칭 형태의 알고리즘과 기존의 문법 틀을 사용했기 때문에 언어의 모호함, 함축적 의미 등을 번역하는 것은 불가능했다. 하지만 서로 다른 의미 집합 가운데서 관계를 추론해 내는 의미 전달에 집중을 하는 빅데이터 기술과 머신 러닝 등의 인공 지능 기술이 발달하여, 오늘날에는 언어가 함축하는 다양한 의미를 완벽에 가깝게 해석하여 번역하는 일이 가능하다.

<제시문 3>
　인간의 정신과 언어는 이미 완성되어 있었다. 하지만 이후에 정확한 의사 전달이 필요해짐에 따라서 음절 분리, 주술 구분, 동사 시제의 개발 등 언어가 발달했고 비언어적인 제스쳐도 발달하게 되었다. 즉, 언어가 존재하기 전에 이미 언어는 정신 속에 존재했다.

<제시문 4: 막스 베버의 프로테스탄트 윤리와 자본주의 정신에서 발췌한 글>
　부의 축적은 신이 명령하신 인간 고유의 임무와도 같기 때문에 도덕적으로 합당한 것이다. 인간이 근면하여 자신의 사업을 가꾸고 부를 축적하는 것은 천부적으로 주어진 사명을 다하는 것이다. 능력이 있음에도 불구하고 구걸에 의존하는 것은 나태함과 기망이다.

<제시문 5: 영세자영업자를 위한 신용 카드 수수료 인하에 관한 글>
　카드 수수료 인하 정책은 영세 상인들의 경제적 어려움과 갑을 관계상의 어려움에 근거하고 있다. 이 정책으로 인하여, 가맹점 업주에게 원가 절감의 의무를 전가하거나, 카드사의 수익 감소를 회원 연회비 상승, 포인트 혜택 감소 등으로 보전하려 한다는 비판이 발생했다.

Q1. 각 제시문을 2분 내로 요약해보시오.

Q2. <제시문 2>와 <제시문 3>을 <제시문 1>의 A, B, C 각각의 단락과 연결해보시오.

Q3. <제시문 4>의 두 가지 핵심 주장은 무엇인가?

Q4. <제시문 1>부터 <제시문 5>까지 전체 제시문을 관통하는 주제는 무엇인가?

Q5. <제시문 2>와 <제시문 3> 중 어느 입장이 더 효과적이라 생각하는가?

Q6. <제시문 1>의 A의 사례를 들 수 있는가?

Q7. 위의 사례를 <제시문 1>의 C의 관점에서 비판해보시오.

Part 1
Part 2
Part 3
Part 4
Part 5
Part 6
Part 7

해커스 김종수 로스쿨 면접 200주제

모범답변

2024 서울시립대 로스쿨

① 교수:학생 = 3:1　② 면접관이 질문을 읽으면 곧바로 답변함, 면접 시간 10분　③ 추가질문 있음

메모 및 휴대 여부	• 즉문즉답 형태이며, 문제지, 메모지 모두 제공되지 않음
대기실 특징	• 오전조는 10:30~12:30 중에 자유입실하며, 12:30부터 시험 준비 시작함 • 대형강의실에서 대기함
문제풀이실 특징	• 준비실 없이, 교실 앞에 의자들이 일렬로 놓여있어 앉아 대기함
면접고사장 특징	• 책상이 없고 의자만 놓여있으며, 8분과 10분이 지나면 밖에서 노크로 알려줌 • 시험 종료 후 별도 장소에 2시간 가량 대기한 후 귀가함 • 오후 면접 응시자는 곧바로 귀가함
기타 특이사항	• -

2024　시립 A 문제

※ 면접관의 질문을 듣고, 아래 2문제에 모두 답하시오.

Q1. 코로나 시기에 원격의료가 확대되었는데, 코로나 이후에도 원격의료가 확대되는 것에 대한 찬반 입장을 정해 논하시오.

Q2. 우리나라는 심각한 저출산을 겪고 있다. 이로 인해 고학력 청장년층 이민자를 수용하자는 의견이 있다. 이에 대해 찬반 입장을 밝히시오.

추가질문

Q1-2. 이에 대해 격오지 주민 등이 원격의료를 통해 혜택을 볼 수 있다는 반론이 있다. 어떻게 생각하는가?

Q1. 법조인이 된다면 하고 싶은 일은 무엇인가?

Q2. 법조인으로서 자신의 강점은 무엇인가?

Q3. 본인이 가지고 있는 목표와, 자신이 느끼는 행복의 조건은 무엇인가?

Q4. 법률적인 문제에 대해 관심을 가졌던 예를 들어보시오.

Q5. 스트레스 해소를 위해 무엇을 하는가?

모범답변

해커스 **김종수 로스쿨 면접** 200주제

2023 서울시립대 로스쿨

① 교수:학생 = 3:1   ② 면접 시간 10분   ③ 문제를 듣고 곧바로 답변해야 하며, 메모 불가   ④ 추가질문 있음

2023 | 시립 A 문제

※ 면접관이 읽어준 문제를 듣고, 아래 2문제에 모두 답하시오.

Q1. 최근 정부의 인증서 외에도 민간에서 주도하는 블록체인 기반 인증서가 운영 중인데 이를 확대하는 것에 대한 찬반 의견을 논하시오.

Q2. 대학 내 학생 참여도를 높여야 한다는 주장이 있다. 실제 대학총장 선거에도 학생을 포함시키는 노력을 하고 있다. 이 주장에 대한 자신의 견해를 논하시오.

추가질문

Q1-2. 반대 측 입장도 있을 텐데, 논거를 하나 들어보고 그 논거에 대한 본인의 생각을 말해보시오.

Q2-2. 기업, 임직원 등 외부 관계자도 똑같이 참여를 강화해야 한다고 생각하는가?

2023 | 시립 인성 문제

Q1. 자신에 대한 주변 사람들의 평가를 말해보시오.

Q2. 나중에 졸업해서 변호사가 된다면, 어떤 분야에서 일하고 싶은가?

Q3. 원하는 분야에서 일할 수 없는 상황이라면 어떻게 반응할 것인가?

Q4. 나중에 어떤 변호사로서 평가를 받고 싶은가?

Q5. 변호사, 검사, 법관 등 자신이 꿈꾸는 법조인 분야와 그 분야에서 가장 필요한 자질은 무엇이라고 생각하는가?

Q6. 지원자 자신을 한 단어로 표현한다면?

모범답변

2022 서울시립대 로스쿨

① 교수:학생 = 3:1   ② 면접 준비 시간 없음, 면접 시간 10분   ③ 메모 불가, 휴대 불가

2022 시립 A 문제

※ 면접관이 읽어준 문제를 듣고, 문제에 답하시오.

Q1. 현재 우리나라에서는 일부 전통주를 제외하고 인터넷을 통해서 주류를 판매할 수 없다. 인터넷을 통한 주류 판매 전면 허용에 대하여 찬성 혹은 반대의 입장을 정하고, 그 근거를 말해보시오.

Q2. 최근 카카오, 배달의 민족 등 온라인 플랫폼이 급속하게 성장하고 있다. 이들 플랫폼 업체에 대한 정부의 규제에 대하여 찬반 입장을 정하고, 근거를 제시해보시오.

추가질문

Q1-2. 그렇다면 반대 입장에서는 어떤 근거를 들 것 같은가?

Q1-3. 찬성 측 입장에서 반대 측의 근거를 재반박해보시오.

2022 시립 인성 문제

Q1. 자신에 대한 주변 사람들의 평가를 말해보시오.

Q2. 학업 외에 자신이 한 활동 3가지에 대해 말해보시오.

Q3. 객관적으로 어려운 일이 있다고 할 때 포기할 것인가, 도전할 것인가?

Q4. 로스쿨이 마치 입시학원처럼 운영되고 있는데 이에 대해서는 어떻게 생각하는가?

Q5. 본인을 한 단어로 표현한다면 무엇인가?

Q6. 장차 어떤 변호사가 되고 싶은가?

Q7. 무엇인가 성취한 일이 있는가?

Q8. 취미 생활은 무엇인가?

① 교수:학생 = 3:1   ② 면접 준비 시간 없음, 면접 시간 10분   ③ 메모 불가

2021   시립 A 문제

※ 면접관이 읽어준 문제를 듣고, 다음 2문제에 모두 답하시오.

Q1. 정부는 2022년까지 전기차 보조금 제도를 시행한다. 전기차 보조금 지급에 대한 지원자의 의견을 찬성 혹은 반대 입장에서 답해보시오.

Q2. 우리나라 학교에서 학생의 일과시간 중 휴대전화 사용을 금지하고 있다. 이는 학생의 통신의 자유를 침해한다는 의견이 있다. 학교에서 학생들의 휴대전화를 수거하는 것에 대한 지원자의 의견을 찬성 혹은 반대 입장에서 답해보시오.

추가질문

Q3. 이미 우리나라 정부는 친환경 자동차 보조금을 8년간 지급했다. 그런데 아직 이와 관련된 성과는 눈에 띄지 않는다. 그럼에도 불구하고 보조금 지급을 더 해야 하는가?

Q1. 어떤 법조인이 되고 싶은지 구체적으로 말해보시오.

Q2. 동아리 활동은 했는가?

Q3. 타인을 도운 경험이 있는가?

Q4. 최근에 감명 있게 읽은 책은 무엇인가? 그 책에 감명받은 이유는 무엇인가?

Q5. 나중에 법조인으로 성장하면 주로 어떤 분야에서 일하고 싶은가?

Q6. 본인에게 가장 큰 영향을 준 사람이 있는가?

Q7. 법조인으로서 본인의 장점은 무엇인가?

Q8. 본인과의 약속을 지키지 못한 경험이 있는가?

Q9. 가장 보람 있었던 경험은 무엇인가?

Q10. 조직 내 갈등이 벌어졌을 시에 자신이 이를 해결하는 방법은 무엇인가?

Q11. 변호사시험 준비계획은 어떻게 되는가?

Q12. 만약 합격을 하게 된다면, 입학 전까지 무엇을 할 것인가?

Q13. 본인의 배경(전공, 경험 등)이 향후 법조인으로서 활동할 때 어떤 도움이 될 것이라고 생각하는가?

모범답변

2020 서울시립대 로스쿨

① 교수:학생 = 3:1 ② 면접 준비 시간 없음, 면접 시간 10분 ③ 메모 불가
④ 문제를 미리 볼 수 없고, 준비시간 없이 응시장에서 면접관이 읽어주는 문제에 곧바로 대답해야 함

2020 시립 A 문제

※ 면접관이 읽어준 문제를 듣고, 다음 2문제에 모두 답하시오.

Q1. 혁신사업으로 논의되는 카풀서비스 산업을 자유시장 원리에 따라 허용해야 한다는 입장과 사실상 자가용을 활용하여 일상적인 영업을 하는 것이라는 점에서 반대하는 입장이 있다. 이에 대해 자신의 입장을 논해보시오.

Q2. 미세 플라스틱이 인체에 유해하다는 결과가 나오지 않은 상황에서 국가가 이를 규제하여야 하는지 혹은 시장의 자율적 거래에 맡겨야 하는지 자신의 입장을 논해보시오.

💬 A학생 추가질문

Q3. Q1에 대한 지원자의 답변에 따르면 공공의 이익이 증진된다는 측면에서 이를 허용하자는 것인데, 그에 반대되는 입장에 대해서는 무엇이라고 말할 수 있는가?

Q4. 인체에 유해하다는 결과가 나올 경우 국가가 동원할 수 있는 행정력이 대단하다는 측면을 고려해봤을 때 국가가 규제하는 것이 효율적이지 않은가?

💬 B학생 추가질문

Q3. Q1에서 요즘 산업 구조가 바뀌어가고 있는데, 국가가 규제를 가할 경우 이러한 혁신산업의 발전이 더 더지지 않겠는가?

💬 C학생 추가질문

Q3. Q1에서, 4차 산업혁명 시대에 카풀서비스가 어떻게 도움이 되는가?

Q4. 데이터를 어떻게 활용한다는 것인가?

Q5. Q2에서, 합의를 해야 한다면 국가 규제가 아니라 시장 규제라고 보아야 하지 않나?

Q1. 어떤 법조인이 되고 싶은지, 롤모델은 누구인가?

Q2. 로스쿨을 지망한 사적인 이유를 말해보시오.

Q3. 인생에서 가장 행복했던 순간은 언제인가?

Q4. 인생의 역경이 있었다면 그 경험에 대해 말해보시오.

Q5. 쉴 때는 무엇을 하는가?

Q6. 별명이 무엇인가?

Q7. 좋아하는 운동은 무엇인가? 무슨 팀을 좋아하나?

Q8. 행복이 무엇이라고 생각하나? 그렇다면 본인의 행복은 무엇인가?

Q9. 공부 외에 한 것이 무엇이 있는가?

Q10. 정의란 무엇이라고 생각하는가?

Q11. 가군과 나군 모두 합격한다면, 둘 중 어디에 진학할 것인가?

Q12. 왜 시립대가 지원자를 선발해야 하는가?

Q13. 학업 계획은 어떻게 되는가?

Q14. 지원자의 단점 세 가지를 말해보시오.

Q15. 왜 ○○법 전문가가 되고 싶은가?

모범답변

① 교수:학생 = 3:1

2019 시립 A 문제

Q1. AI 시대에서 빅데이터의 활용이 큰 이슈가 되고 있다. 이때 빅데이터를 잘 활용하기 위해 개인정보에 대한 규제를 완화해야 한다는 목소리가 있는데, 다음 제시문을 읽고 자신의 입장을 제시해보시오.

> AI가 발달하면서 이를 기반으로 4차 산업혁명의 시대로 나아가고 있다. AI와 4차 산업혁명 시대에 빅데이터는 중요 발전 기반이며 수많은 개인정보들을 이용하고 있다. 따라서 이러한 기술, 사회의 발전을 위해 개인정보를 보호하는 여러 규제들을 완화하자는 주장이 제기되고 있다.

2019 시립 B 문제

※ 다음 제시문을 읽고, 문제에 답하시오.

> 최근 인천국제공항에서 패스트트랙 도입 여부가 논의되고 있다. 패스트트랙은 비즈니스석 고객들에게 더 빠른 수속절차 서비스를 제공하는 것으로 해외 32개 공항에서는 모두 이를 도입하는 상황이다.

Q1. 패스트트랙 시스템의 도입 여부에 대해서 찬반 여부를 밝혀보시오.

추가질문

Q2. 국가가 수익사업을 해 얻은 수입으로 더 나은 서비스를 제공하는 것은 좋지 않은가?

2019 시립 인성 문제

Q1. 어떤 분야에서 어떤 법조인이 되고 싶은가?

Q2. 어려운 일에 직면하였을 때 극복하는 방법은 무엇인가?

Q3. 자신의 인생에서 가장 크게 영향을 준 사람은 누구인가?

Q4. 동아리 활동은 해보았는가?

모범답변

2018 서울시립대 로스쿨

① 교수:학생 = 3:1 ② 면접 시간 10분 ③ 면접 문제를 미리 볼 수 없고 고사장 입실 후 문제를 제시 ④ 메모 불가

2018 시립 A 문제

Q1. 수입이 있음에도 복지혜택을 받는 부정수급자들의 문제가 어금니 아빠 사건, 탈세 등을 통해 사회적 이슈가 되며 사회적으로 복지예산을 축소해야 한다는 주장이 있다. 이에 대해 어떻게 생각하는가?

2018 시립 B 문제

Q1. 최근 4차 산업혁명과 함께 인공지능에 대한 관심이 높아지고 있다. 높은 확률로 정확한 진단을 하는 인공지능 의료시스템이 있다고 하자. 만약 이 인공지능 의료시스템이 오진을 한 경우 오진의 책임은 누구에게 있는가?

2018 시립 C 문제

Q1. 낮은 출산율을 올리기 위해, 싱글세를 도입하자는 주장이 있다. 싱글세 도입에 대한 의견을 제시해보시오.

2018 시립 D 문제

Q1. 인공지능의 발달로 자율주행자동차가 상용화될 것이다. 만약 자율주행자동차에서 사고가 발생하면 누가 책임을 져야 하는가?

모범답변

2017 서울시립대 로스쿨

① 교수:학생 = 3:1   ② 면접 시간 10분   ③ 면접 문제를 미리 볼 수 없고 고사장 입실 후 문제를 제시   ④ 메모 불가

2017 시립 A 문제

Q1. 기본적으로 저출산이 사회적으로 문제가 된다고 생각하나?

추가질문

Q2. 저출산 현상이 사회적으로 왜 문제가 된다고 생각하나?

Q3. 저출산 문제를 어떻게 해결할 수 있겠는가? 단순히 보조금 말고 다른 방도는?

2017 시립 B 문제

Q1. 사물인터넷이라는 말을 들어보았는가?

추가질문

Q2. 도입을 찬성하는가 혹은 반대하는가?

Q3. 기술 도입에 있어서 사회적 합의만 필요한가 아니면 기술적 한계만 극복하면 되는가?

Q4. 그러면 기술적 도입에 있어서 사회적 논의가 반드시 선행되어야 한다고 생각하는가?

모범답변

2016 서울시립대 로스쿨

① 교수:학생 = 2:1 ② 면접 시간 10분 ③ 면접 문제를 미리 볼 수 없고 고사장 입실 후 문제를 제시 ④ 메모 불가

2016 시립 A 문제

Q1. 주류세 인상이 단순 세수 확보를 위한 수단인지 국민의 건강권 보호를 위한 노력인지, 어느 것이 맞다고 생각하는가?

추가질문

Q2. 국가가 후견적 위치에서 국민의 건강권을 이유로 국민의 음주할 자유를 제한할 수 있는가?

2016 시립 인성 문제

Q1. 학점이 낮은데 이유는 무엇인가?

Q2. 사법시험 경력이 있는데 왜 떨어졌다고 생각하나?

모범답변

2024~2016 성균관대 로스쿨

2024 성균관대 로스쿨

① 교수:학생 = 3:1 ② 면접 준비 20분, 면접 시간 15분 ③ 메모 가능, 휴대 가능 ④ 추가질문 있음

메모 및 휴대 여부	• 메모 및 휴대 가능함
대기실 특징	• 지하 1층의 계단식 강의실인 모의법정에서 대기함 • 대기 시 지원자 간의 대화는 금지되며, 가져간 자료를 보는 것은 허용됨
문제풀이실 특징	• 약 10명이 한 조가 되어 문제풀이를 하며, 10분 간격으로 교차해서 입장함 • 1개 조가 문제풀이를 하고 있으면, 10분 후에 다음 조가 문제풀이실에 입실해 문제를 풀기 때문에 소음이 발생함 • 필기구는 지급되지 않고, 개인 필기구를 사용해야 함 • 문제지는 문제풀이 후 제출해야 하며, 메모지만 휴대하고 면접고사장으로 이동함
면접고사장 특징	• 면접고사장 앞에 앉아 약 5분간 대기함 • 면접관과 지원자의 거리는 2~3미터 정도임 • 면접고사장에서는 문제지를 확인할 수 없음
기타 특이사항	• -

2024 성균관 A 문제

※ 다음 제시문을 읽고, 문제에 답하시오.

> [가] 마약을 복용하려는 동생을 제지하려다가 완강하게 저항하는 동생을 넘어뜨려 사망에 이르게 한 경우
>
> [나] 애완견 산책 중, 취객이 애완견을 발로 차는 등 학대하자 취객을 밀어 넘어뜨려 죽게 한 경우
>
> [다] 실연으로 인해 자살하려고 물에 들어간 동아리 후배를 구조하는 과정에서 목 부위를 감아 끌어내다 질식시켜 사망에 이르게 한 경우
>
> [라] 음식에 벌레가 나와서 식당 주인이 사과를 했음에도 불구하고 공론화를 위해 지속적으로 혹평을 남겨 영업매출이 급감하자 주인이 자살한 경우
>
> [마] 6세 아동 납치범의 조사과정에서 경찰이 범인의 목을 조르며 다그치다가 죽게 만든 사건
>
> [바] 증거 부족으로 무죄로 풀려난 살인범이 '살인의 추억'이라는 책을 써 베스트셀러 작가가 되자, 피살자의 아버지가 그 책을 살인범의 집 앞에서 태우다가 불이 번져 살인범이 사망한 사건

Q1. 사례들을 비난의 근거에 따라 분류하고, 그 기준을 설명하시오.

Q2. 비난 가능성이 가장 큰 사례와 가장 작은 사례를 골라서 그 이유를 설명하시오.

A학생 추가질문

Q3. [나]의 경우 보호 이익이 애완견일 뿐인데, 이 경우 사람을 지키려고 한 행위보다 더욱 비난 받아야 하는 것 아닌가?

Q4. 간접원인이면서 사망을 예견할 수 없다고 본 [라], [바] 사례에서 악플의 사례가 더욱 비난 가능성이 낮은 것 아닌가?

B학생 추가질문

Q3. Q1과 Q2의 기준을 아예 다르게 잡았는데 왜 그러한가?

Q4. 비난이나 처벌가능성을 고려할 때 다양한 기준을 종합적으로 고려해야 하는 것이 아닌가?

Q5. 최근 법조 인력 과잉 현상이 심화되고 있는데 이에 대해 어떻게 생각하는가?

2024 성균관 B 문제

※ 다음 제시문을 읽고, 문제에 답하시오.

> [가] 만 75세 이상 운전자의 운전면허 효력을 상실하는 것
> [나] 손님이 음주운전을 시도할 경우 술집 주인에게 신고 의무를 부과하는 것
> [다] 도박 전과자는 금융기관 대출 대상에서 제외하는 것
> [라] 아동용 온라인 게임에서 동물을 잔혹하게 살해 또는 학대하는 장면 삽입을 금지하는 것
> [마] 택시, 버스 등 공공 운송업 종사자에게 연 6시간 CPR 교육 이수를 의무화하는 것
> [바] 담배에 해악 경고문과 관련 사진이 담뱃갑 면적의 90% 이상을 차지하도록 하는 것
> [사] 차량 탑승자의 안전벨트 착용 영상을 교통안전국에 실시간 전송하는 장치를 차량 소유자가 차에 장착하도록 의무화하는 것

Q1. 규제의 근거를 고려하여 위 사례를 분류하고 기준을 설명하시오.

Q2. 사례 중 지원자가 가장 찬성하는 규제와 가장 반대하는 규제를 고르고 설명하시오.

추가질문

Q3. [다]의 규제는 도박 전과자를 보호함인지, 대출을 해주는 은행과 일반 고객들을 보호하는 것인지?

Q4. [가]와 [나]를 타인을 보호하기 위한 규제라고 했는데, 사고가 나면 운전자도 크게 다치니 운전자 보호가 아닌가?

Q5. 반대하는 정도를 순서대로 말하시오.

Q1. 초등학생 시절 받았던 상 중 가장 기억나는 것은?

Q2. 법조인을 꿈꾸게 된 계기는?

Q3. 좌우명은 무엇인가?

Q4. 최근 가장 영향을 많이 받은 인물은?

Q5. [자소서 관련] 이주민 인권과 관련하여 우리나라에서 난민을 잘 안 받아주는 이유가 무엇이라고 생각하는가?

모범답변

2023 성균관대 로스쿨

① 교수:학생 = 3:1   ② 면접 준비 20분, 면접 시간 15분   ③ 메모 가능, 휴대 가능   ④ 추가질문 있음

2023 성균관 A 문제

※ 다음 제시문을 읽고, 문제에 답하시오.

① 공원에서의 음주 허용
② 대중교통 내에서의 음식물 섭취 허용
③ 복권 판매액의 제한
④ 비트코인 파생상품 투자 제한
⑤ (파악 불가)
⑥ (파악 불가)
⑦ (파악 불가)

Q1. 1분간 자기소개를 하시오.

Q2. 제시문의 사례를 비난 가능한 행위와 비난 가능하지 않은 행위로 분류하시오.
(시험장 입실 후 3분 내로 답변할 것을 지시받음)

Q3. 위 사례 중 허용될만한 사례가 있다면 무엇인가?

추가질문

Q4. 복권과 비트코인의 차이를 알고 있는가?

모범답변

① 교수:학생 = 3:1 ② 면접 준비 20분, 면접 시간 15분 ③ 메모 가능, 휴대 가능

2022 | 성균관 A 문제

※ 다음 제시문을 읽고, 문제에 답하시오.

(가) 사망률이 굉장히 높은 질병이 유행하고 있는 상황이다. 미성년자인 A의 자녀는 백신맞기를 희망하고 있다. 그러나 보호자인 A는 백신 부작용을 우려하여 자녀의 백신 접종을 허용하지 않았다.

(나) 엔지니어 B는 휴가철에 렌터카 서비스를 이용하였다. 그런데 자신이 운행한 차량의 브레이크 고장 가능성이 상당히 크다는 사실을 알게 되었다. B는 이를 렌터카 서비스업체에 고지할까 고민하다가 렌터카 회사 측에서 정비하며 확인할 것이라 기대하고 알리지 않았다.

(다) 생물학 전공자인 C는 레스토랑에서 서빙 아르바이트를 하고 있었다. 그런데 조리되어 나온 음식에 자신이 전공 수업 중 배웠던 맹독성 식물이 들어가 있는 것 같았다. 손님이 이를 먹으면 위험해질 수도 있으리라는 생각으로 확인하려다가 주문이 많이 밀려 있고 일이 바빠 그대로 내보냈다.

(라) D는 전동 제초기를 갖고 있다. 그런데 D의 이웃집 사람은 손재주가 없어 물건을 사용할 때마다 자주 다치곤 한다. 그런데 이 이웃이 D에게 전동 제초기를 빌려달라고 했다. 전동 제초기는 매우 위험한 물건이고, D가 생각하기에 이웃사람이 전동 제초기를 사용한다면 크게 다칠 수도 있을 것 같았다. D는 이웃의 부탁을 거절하려다가 그냥 빌려주었다.

(마) 택시기사인 E는 차고지로 가기 위해 1차선 편도를 지나가야 한다. 그런데 이 근처에는 횡단보도가 없어서 항상 특정 시간대에 특정 장소에서 어린 아이들이 무단횡단을 하였다. E는 아이들이 또 무단횡단을 할 것이라는 것을 알고 있었다. 그러나 어린이들의 무단횡단에 대응할 수 있도록 낮은 속도로 가지 않고, 법에 정해진 규정 속도로 이를 지나갔다.

Q1. 위 사례들 중 부정적 결과가 발생하는 것을 방지할 의무가 있는 것을 고르시오.

Q2. 위에서 고른 사례 중 가장 무거운 비난을 받아야 하는 사례를 고르고 그 이유를 설명해보시오.

Q3. 학생은 (마) 사례가 가장 무거운 비난을 받아야 한다고 했다. 하지만 (마)의 경우에는 법적으로 불법인 것이 아무것도 없는 상황이다. 반면 (다)의 종업원은 서빙직이기는 하나 손님 입장에서는 음식점에서 일하는 모든 직원이 그 직무와 상관없이 동일한 직원으로 보일 것이기에 직원 모두가 책임이 있을 것이라 여기게 된다. 그렇다면 오히려 손님의 생명에 위협을 가한 (다)가 더 무거운 비난을 받아야 하는 것은 아닌가? 또 법적 처벌의 형평성의 측면에서도 (마)가 너무 지나치게 무거운 비난을 받아야 하는 것은 아닌가?

2022 성균관 인성 문제

Q1. 살아오는 동안 가장 힘들었던 경험은?

Q2. 자신의 가치관에 영향을 미친 사람은?

Q3. 마지막으로 하고 싶은 말은?

모범답변

① 교수:학생 = 3:1   ② 면접 준비 30분, 면접 시간 20분   ③ 답변 준비 후 시험장 앞에 5~10분간 대기
④ 메모 가능   ⑤ 추가 질문 있음   ⑥ 블라인드 면접

2021 | 성균관 A 문제

※ 아래 사례를 읽고, 문제에 답하시오.

> • A: 오토바이를 탈 때 헬멧을 쓰지 않는 행위
> • B: 나체로 거리를 활보하는 행위
> • C: 치료 목적이 아닌 마약 목적의 마리화나 사용 행위
> • D: 코로나19 확진자가 공무원 시험에 응시하는 행위
> • E: 공유 수면에 허가된 양을 초과하여 폐기물을 배출하는 행위
> • F: 낮은 수준의 혈중알코올농도로 음주운전을 하는 행위
> • G: 변호사 자격이 없는 사람이 유료로 법률 자문을 하는 행위
> • H: 배우자 사망 후 임신 목적으로 사망한 배우자의 냉동 정자를 사용하는 행위
> • I: 아동으로 인식될 수 있는 캐릭터가 등장하는 음란물을 시청하는 행위

Q1. 위 사례들을 법적으로 제재가 필요한 것과 시민의 자율에 맡겨야 하는 것으로 나누고, 이때 쓰인 기준을 설명해보시오.

Q2. Q1에서 법적 금지가 필요하다고 언급한 사례들에 대한 비난의 경중을 구분하고, 그 이유를 설명해보시오.

추가질문

Q3. 코로나19 감염자가 공무원 시험에 응시하는 것을 국가가 제한해야 한다고 주장했는데, 실제 이번 수능의 경우에는 확진자도 시험에 응시할 수 있도록 하고 있다. 이처럼 국가가 방역을 철저히 하여, 확진자가 시험에 응시하더라도 전염 가능성이 적다면 D의 행위를 국가가 제한하지 않아도 괜찮다는 것인가?

Q4. (같은 면접관이) 낮은 수준의 음주운전도 국가가 제한해야 한다고 답변했는데, 여기서의 낮은 수준이란 소주 한 잔 정도, 즉 거의 취하지 않은 상태를 의미하는 것이다. 그런데 거의 취하지 않아 인지능력이나 행동에 문제가 없는 상황이라면, 이를 국가가 규제하는 것은 과잉 규제가 아니겠는가?

Q5. 그렇다면 졸음운전도 규제해야 하지 않겠는가? 졸음운전도 타인의 생명권을 위협할 가능성이 있는데?

Q6. 아동의 인격권을 침해하지 않기 때문에 아동 음란물 시청을 국가가 규제해서는 안 된다는 답변은 좋은 답변이었다고 생각한다. 그런데 미국 같은 경우는 아동과 관련된 음란물과 관련해, 생산 및 유통을 하지 않은 단순 소지자에 대해서도 처벌을 하고 있다. 정답을 요구하는 것은 아니고, 미국이 이렇게 하는 이유는 무엇이라고 생각하는가?

2021 성균관 B 문제

※ 아래 사례를 읽고, 문제에 답하시오.

- A: 국가가 흉악범에게 사형을 집행함
- B: 급발진 차량사고로 타인을 치어 사망하게 함
- C: SNS에서 악성 댓글을 달아서 상대방을 자살에 이르게 함
- D: 의사가 말기 암 진단을 고지하여 환자가 우울증으로 자살함
- E: 가족을 살해한 범죄자가 무죄 방면되자 이에 사적으로 복수하여 범죄자를 사망하게 함
- F: 소생이 불능한 환자의 요청에 따라 의사가 환자에게 독극물을 처방하여 환자가 사망함
- G: 코로나19 확진 후 동선을 숨겨 타인을 감염시켜 사망케 함
- H: 호스피스 병동에 수용된 중환자 가족의 간청에 따라 약물 주사로 환자를 사망케 함
- I: 본인의 감염 사실을 모른 채 마스크 없이 활동하여 타인을 감염시켜 사망하게 함

Q1. 보기의 행위들 중 비난받아야 할 행위와 그렇지 않은 행위를 분류하고, 기준을 설명해보시오.

Q2. Q1에서 비난받아야 할 행위들을 경중에 따라 순서대로 열거하고, 이유를 제시해보시오.

추가질문

Q3. F와 H는 서로 대상이 중환자라는 것은 동일하고 본인과 가족이라는 점에서 다른데 어떤 부분에서 판단이 다를 수 있는가?

Q4. 보기가 결국 다 타인을 사망에 이르게 한 것들인데, 그럼 그 결과가 판단에 중요한 것 아닌가? 자신의 감염 사실을 모른 채 활동을 한 것도 과연 비난을 할 수 있는 행위인가?

Q5. C의 댓글을 단 행위가 반드시 비난받아야 하는 행위인가? 만약 그러하다면 표현의 자유에 큰 제한이 되는 것은 아닌가?

Q6. 마지막으로 하고 싶은 말이 있다면?

2021 성균관 인성 문제

Q1. 시간이 2분 정도 남았다. 준비한 말이 있을 텐데 그것을 해 봐도 좋고, 딱히 없다면 우리 학교에 들어와서 어떤 법학 전공을 공부하고 싶은지 말해보시오.

모범답변

① 교수:학생 = 3:1　② 면접 준비 30분, 면접 시간 20분　③ 답변 준비 후 시험장 앞에 5~10분간 대기
④ 메모 가능　⑤ 추가 질문 있음　⑥ 블라인드 면접

2020 성균관 A 문제

※ [오전 면접] 다음 제시문을 읽고, 문제에 답하시오.

<제시문 1>

　A는 고소득자이다. A가 국제구호단체에 기부하면 먼 곳에서 기아로 죽어가는 사람들을 살릴 수 있다. 하지만 A는 전혀 기부를 하지 않는다.

<제시문 2>

　B부부는 인공수정을 통해 아이를 갖기를 원한다. 그런데 B부부는 아이가 청각장애를 가진 자신들과 소속감과 유대감을 갖게 하고 싶었다. B부부는 청각장애를 장애가 아닌 문화적 정체성의 하나로 여긴다. 그래서 일부러 청각장애 출신 집안의 정자를 구해 인공수정을 시도해 청각장애 아들을 얻었다.

<제시문 3>

　C부부는 불임부부이다. C부부의 국가에서는 난자 제공이 합법이다. C부부는 우수한 아이를 갖기 위해 광고를 내고 특별한 조건을 제시했다. 우수한 신체조건과 높은 지능지수를 가진 사람이 난자를 제공하면 1억 원을 지급하겠다고 했다. 이를 통해 C부부는 딸을 얻었다.

<제시문 4>

　대학생 D는 공부 능률을 높여 성적을 올리고자 병이 없음에도 주의력결핍장애 치료 약을 복용했다. 주의력결핍장애 치료 약은 기억력을 증강시키는 효과가 있다고 알려져 있다. D는 우수한 성적을 받아 좋은 회사에 취업했다.

<제시문 5>

　E는 택시를 탔는데, 택시기사가 심장에 고통을 느끼고 쓰러졌다. E는 택시기사를 방치하면 심장마비로 사망할 수 있다고 추측했으나, 그냥 하차했다. 결국 택시기사는 사망했다.

Q1. 위의 5가지 사례 중 비난 가능한 사례를 고르고 그 이유를 설명해보시오.

Q2. 위 문제에서 제시한 비난 가능한 사례 중 한 가지를 선택하여 그럼에도 옹호해야 한다면 옹호할 수 있는 논리를 제시해보시오.

※ [오후 면접] 다음 제시문을 읽고, 문제에 답하시오.

<제시문 A>

갑 공동체의 구성원이 을 공동체의 구성원에 의해 살해당했다. 분노한 을 공동체는 24시간 이내에 살해범을 찾지 못하면 갑 공동체와 전면전이라고 최후통첩하였다. 갑 공동체의 지도자는 24시간 이내에 살해자를 잡는 것이 불가능한 상황에서 을 공동체 구성원들이 학살당하는 것을 막기 위해 무고한 사람 하나를 사형시켰다.

<제시문 B>

테러범들이 100명이 타고 있는 비행기를 탈취하여 운동경기장에 자폭테러를 하겠다고 통보해 왔다. 운동경기장에는 10,000명의 인원이 경기를 관람 중이었다. 대통령은 긴급대책위원회를 소집하였고 회의 끝에 인적이 없는 곳에서 비행기를 격추할 것을 지시하고 전투기를 출격시켰다.

<제시문 C>

갑국은 10여 년간 내전 상태에 있는 국가이다. 갑국의 국민 20명을 태운 선박이 을국의 해안에 도착하였다. 난민으로 추정되는 갑국 국민 20명은 하선을 요청하였으나, 을국의 지도자는 난민 입국에 부정적인 자국 여론을 감안해 하선을 허용하지 않고 공해로 돌려보냈고 난민들은 생명의 위협에 직면했다.

<제시문 D>

중태에 빠진 환자 3명이 병원 응급실에 실려 왔다. 이들 모두 생명이 위급한 상황이지만 인원과 설비가 부족해 담당 의사는 우선순위를 정해야 한다. 3명의 환자 중 한 명은 장기기증을 서약했고 병원에는 장기기증이 필요한 난치병 환자 5명이 있었다. 담당 의사는 장기기증 서약을 한 환자를 우선순위의 마지막에 두었고, 2명의 환자는 수술을 마쳤으나 마지막 환자는 구하지 못했다. 그 후 그 환자의 장기를 난치병 환자에게 이식하여 5명이 회복했다.

Q1. A~D의 사례 중 정당화될 수 있는 것을 고르고 이유를 설명해보시오.

Q2. 위 문제에서 고른 사례를 정당화할 수 없는 논리를 제시해보시오.

🗨️ **추가질문**

Q3. A는 정당화되지 않는다고 했다. 그런데 갑국 사람들이 먼저 을국 사람들을 공격을 해서 발생한 일인데, 그래도 정당화되지 않는다고 생각하는가? 그렇다면 어떻게 문제를 해결해야 한다고 생각하는가?

Q4. B가 정당화되지 않는 상황을 제시해보시오.

Q5. 지원자 본인이 의사 D라면 어떤 선택을 했을 것인가?

Q6. 만일 이런 사실이 미디어 등을 통해 사회에 알려진다면 장기기증에 대한 인식이 안 좋아지지 않을 것인데, 이에 대해 어떻게 생각하는가?

2020 성균관 인성 문제

Q1. 장래 무슨 일을 하고 싶은가?

Q2. 법률가를 고용해도 되는데, 왜 굳이 자신이 직접 해야 하는가?

Q3. 무엇을 위해 법학을 공부하는가?

Q4. 자신의 단점은 무엇인가?

Q5. 최근에 읽은 책이 무엇인가?

Q6. 살면서 가장 보람 있거나 자랑스러운 일이 있는가?

Q7. 살인을 저지른 사람이 무죄 변론을 해달라고 찾아온다면 어떻게 하겠는가?

Q8. 협력해본 경험이 있다면 말해보시오.

Q9. 10년 후에 무엇을 하고 있을 것이고, 왜 그 꿈을 갖게 되었는가?

모범답변

Part 1
Part 2
Part 3
Part 4
Part 5
Part 6
Part 7

2019 성균관 A 문제

※ 다음 제시문을 읽고, 문제에 답하시오.

<제시문 1: 아담 스미스>

　사회의 기반은 개인의 자유를 추구하는 것이다. 우리가 저녁 식사를 기대할 수 있는 것은 빵집, 정육점 주인들의 자비나 자선 때문이 아니다. 빵집과 정육점 주인들 각각은 자신의 자유와 이익을 추구한 결과 빵을 만들고 고기를 만들고 그 결과로 우리가 저녁 식사를 할 수 있다. 그러므로 사회의 존속을 위해 개인의 자유를 존중해야 한다.

<제시문 2>

　개인의 자유를 보장하기 위해 타인의 자유를 존중해야 한다. 개인의 자유는 자기 자신의 자유뿐만 아니라 타인의 자유 역시 존중할 때 보장되는 것이다. 타인의 자유를 존중한다는 것은 자기 자신이 침해받고 싶지 않은 바를 타인에게 하지 않는 것을 의미한다. 즉 자신에게 하지 않을 일을 타인에게 하지 말라는 것이다.

<사례>

1. 가격 상승을 기대하며 신축아파트를 구입하는 행위
2. 택시를 예약하고 예약을 취소하지 않은 상태로 다른 택시를 타고 가는 행위
3. 해외에서는 금지되었으나 우리나라에서 금지되지 않는 식품첨가물을 사용하는 행위
4. 특정 주식이 폭락할 수 있는 정보를 알면서도 매수자에게 알리지 않고 매수자의 주문대로 주식을 매수한 증권사 직원의 행위
5. 유동 인구 증가로 건물값이 세 배 상승한 상황에서 임대료를 2배 올린 건물주의 행위

Q1. <제시문 1>, <제시문 2>에 근거하여 5가지 사례 중 합리화될 수 있는 것을 설명해보시오.

Q2. 사례 중 법적 개입이 필요한 사례를 설명해보시오.

해커스 김종수 로스쿨 면접 200주제

※ 다음 제시문을 읽고, 문제에 답하시오.

> X는 꽤 오랜 구직생활 끝에 Y회사에 입사하게 되었다. X가 입사할 당시 Y회사원이던 친구 아내가 제공한 정보가 입사에 큰 도움이 되었다. X는 보안팀 소속이며, 보안팀장은 X의 능력을 인정하고 있다. X의 업무는 Y회사에 불이익을 초래할 수 있는 행위를 예방, 발견하는 것으로서, 만약 이러한 행위를 알게 될 시 법무팀장에게 보고해야 한다. 또, 사칙에는 개인정보와 프라이버시 보호를 위해 회사에 불이익을 끼치는 행위 외에는 직무를 원인으로 인지한 사실에 관해 비밀을 준수할 의무가 있다. 이 의무를 어겨 퇴사까지 당한 사례가 있다.
>
> X는 직무상 결과로 다음의 5가지 사안을 알게 되었다. X는 이 사안에 관해 어떻게 처리해야 할지 고민하고 있다.
> - 가: 친구 아내가 보안팀장과 바람을 피우고 있다는 사실을 법무팀장에게 보고할지 여부
> - 나: 보안팀장이 영업 비밀에 해당할 가능성이 있는 정보를 외부로 유출한 사실을 법무팀장에게 보고할지 여부
> - 다: Y회사가 조직적으로 고객의 동의 없이 개인정보를 가공하여 판매한 사실을 경찰에 고발할지 여부
> - 라: X에게 부당한 지시를 일삼는 나이 어린 선배 직원이 보안팀장의 사생활을 캐고 있다는 사실을 법무팀장에게 보고할지 여부
> - 마: 보안팀장이 친구 아내와 단둘이 고급식당에서 저녁 식사 후 비용을 접대비 명목으로 처리한 사실을 법무팀장에게 보고할지 여부

Q1. 본인이 X라고 가정하면, 위 사안 각각에 대해 어떠한 판단을 내릴 것인가? 그 근거는 무엇인가?

Q2. 위 사안 중 가장 시급하게 보고·고발해야 하는 사안과, 반대로 보고·고발 사유가 가장 약한 사안은 무엇인가? 그 근거는 무엇인가?

모범답변

① 교수:학생 = 3:1 ② 답변 준비 30분, 면접 시간 20분 ③ 메모 가능 ④ 자기소개 5분, 답변 10분, 추가질문 5분

2018 성균관 A 문제

Q1-1. 다음 사례를 모두 정당화할 수 있는 공통 근거를 제시해보시오.

> (가) 원자력발전소 건립에 대해 여론조사를 통해 건립 여부를 결정하는 사례
> (나) 대통령이 자신의 직무 정지에 대해 국민투표를 통해 결정하도록 하는 사례
> (다) 국회가 여론에 힘입어 특정 범죄자의 공소시효를 연장 또는 소멸시키는 법안을 통과시킨 사례
> (라) 법관 선출을 국민의 선거로 결정하자는 사례

Q1-2. 위 사안 중 가장 정당화하기 어려운 사례를 선택하고 그 근거를 제시해보시오.

Q2. 12주 이내 낙태 허용에 대한 찬반을 결정하고자 국민위원회를 구성하였다. 이 국민위원회는 성별, 나이, 직업 등을 고려하여 적절한 배분을 통해 구성되었다. 그리고 이 국민위원회의 결정에 따라 국회에 법안을 제출하였다고 하자. 이 사례가 정당한지 아닌지 대한 자신의 견해를 정하고 그 근거를 **Q1-1**과 **Q2**의 근거와 연관 지어 설명해보시오.

2018 성균관 B 문제

Q1-1. A국에 튤립구근 열풍이 불어서 사람들이 너도나도 튤립구근을 사려고 하였다. 이웃 나라인 B국에서는 A국에 수출하기 위해 튤립구근을 재배하고 있다. 그런데 B국의 한 사람이 이웃 농가의 튤립구근을 양파로 착각하여 먹었다. 튤립구근은 1개에 1,000골드이고, 양파는 100개에 1골드이다. B국의 법이 다음과 같을 때, 당신이 판사라면 어떤 판결을 내리겠는가?

> (가) 500골드 이상의 타인의 재산에 피해를 입힌 경우 그 사람의 팔을 자른다.
> (나) 1골드 이하의 농작물을 먹은 자는 아무런 벌을 내리지 않는다.

Q1-2. 다음 (가), (나), (다)에 기재된 사항을 고려하여 튤립 투기 열풍을 막기 위한 정책을 구체적으로 제시해보시오.

> (가) 사회적 문제로부터 국민을 보호한다.
> (나) 국민들의 계약의 자유와 재산권을 보호한다.
> (다) 각 국민과 국가의 부를 증진시킨다.

Q2. 비트코인은 가상화폐로, 사용이 편리하고 집행기관의 영향을 받지 않는다는 점 때문에 주목받고 있다. 하지만 서버다운으로 손해를 입거나, 거품이 빠지면서 손해를 입는 사람이 늘어나고 있다는 문제점이 등장하고 있다. 비트코인 규제에 대한 본인의 의견을 밝혀보시오.

모범답변

2017 성균관대 로스쿨

① 교수:학생 = 3:1 ② 답변 준비 30분, 면접 시간 20분 ③ 메모 가능
④ 자기소개 5분, 답변 시간 10분, 추가질문 5분

2017 | 성균관 A 문제

Q1. 다음 사례들은 통상적으로 부모들이 자녀들에 대해 통제(결정)할 수 있다고 여겨지는 것들이다. 부모의 통제가 정당화되는 것과 되지 않는 것을 분류하고 그 이유를 말해보시오.

> ① 자녀의 종교   ② 옷 등 패션   ③ 먹는 음식   ④ 미래의 직업   ⑤ 진학할 학교
> ⑥ 읽는 책   ⑦ 사귀는 친구

Q2. 위 사례 중 가장 정당화되기 어려운 것은 무엇인가?

Q3. 대학수학능력 시험을 앞둔 자녀가 정치 사회적 문제에 대한 집회에 참여하려고 교통비 등을 요구하였으나 부모는 거절하였다. 이는 정당화되는 것인가?

💬 추가질문

Q4. 기준은 잘 생각했는데 너무 어렵게 생각한 것 아닌가? 행복이 구체적으로 무엇인가, 경제력인가?

Q5. 자녀가 공부도 못하고 대학 진학할 생각도 아예 없다. 그래도 집회 참가를 통제해야 하나?

Q6. 가정에서 자녀를 통제하는 것과 국가가 국민을 통제하는 것이 비슷하다. 혹시 차이가 나는 기준이 있는가?

2017 성균관 B 문제

Q1. 다음의 각 사례들은 현재 실시되고 있는 제도들이다. 각 사례들을 정당화하는 근거는 무엇인가?

> (가) 식당 및 지하철 입구 일정 반경 범위 내 흡연 금지
> (나) 경제정책을 담당하는 공무원의 주식투자 금지
> (다) 폭력, 음란물의 사전 심의와 유통 제한
> (라) 휴대폰 단말기 보조금 지급에 대한 규제
> (마) 조류독감, 구제역 등 전염병 발생 지역의 모든 가축 살처분
> (바) 부정 청탁이 가능한 직역에 대한 일정 금액 이상 금품 수수 금지

Q2. 위 사례들을 다음의 두 가지 원칙 중 어느 것에 해당하는지 분류하고, 근거를 밝혀보시오.

> • 원칙 1: 사회적 손해가 발생할 수 있다는 위험만으로 전면 금지
> • 원칙 2: 추상적인 위험이 존재한다는 것만으로는 규제하지 않고, 실제 손해가 발생하였거
>   나 발생 가능성이 상당한 경우에만 규제

Q3. 다음의 사례가 정당화될 수 있는지 여부를 위의 원칙과 연관 지어 설명해보시오.

>   A국가에서는 공교육에서 특정 종교를 지지하거나 차별하는 것을 금지하는 원칙이 있다.
> A국가의 한 학교에서는 교내 모든 수업에서 모든 종교에 대한 언급 자체를 금지한다. 학생
> 이 질문을 하더라도 교사는 대답하지 않고 가정에서 해결하도록 한다.

추가질문

Q4. (가)와 (마)의 사례를 정당화하는 근거와 각 사례들이 <보기>의 어떤 원칙과 연관될 수 있는지 설명
해보시오.

Q5. (가)와 같은 경우는 실제 손해가 발생하지 않았지만 발생 가능한 위험만으로 전면 금지하는 것이고,
(마)의 경우는 재산권에 대한 전면적인 침해를 야기하므로 실제 손해가 발생한 것인데, 이에 대해서
는 어떻게 생각하는가?

2017 성균관 인성 문제

Q1. 앞으로 중국 관련 일을 하고 싶다고 했는데 중국과 우리나라 간의 계약 관계에서 어떤 노력이 필요하
다고 생각하는가?

Q2. 협력을 하는 상황에서 갈등을 겪은 적이 있는지 구체적인 경험을 말해보고, 이런 상황에서 어떻게 대
처할 것인지 말해보시오.

Q3. '절이 싫으면 중이 떠나야 한다'는 말에 대해 어떻게 생각하는가?

모범답변

2016 성균관대 로스쿨

① 교수:학생 = 3:1 ② 답변 준비 30분, 면접 시간 20분 ③ 메모 가능 ④ 지성면접 15분, 인성면접 5분

2016 성균관 A 문제

Q1. 껌 판매 금지, 학교 앞 정크푸드 금지, 개고기 금지 등의 사례를 보고 근거를 제시해보시오.

Q2. 위의 사례 중 가장 타당하지 않은 것은 무엇이라고 생각하는가?

Q3. 귀화자의 모국법에 따른 법률행위를 인정할 수 있는가?

2016 성균관 인성 문제

Q1. 본인이 뽑혀야 하는 이유를 말해보시오.

Q2. 법조인이 되고 싶은 이유를 설명해보시오.

모범답변

2024~2016 아주대 로스쿨

2024 아주대 로스쿨

① 교수:학생 = 3:1   ② 면접 준비 20분, 면접 시간 10분   ③ 메모 가능   ④ 추가질문 있음

메모 및 휴대 여부	• 문제지에 메모가 불가하고, 주어진 메모지를 사용하며 이는 휴대 가능함
대기실 특징	• 대강당에서 모두 모여 대기한 후 면접시간 1시간 전에 조별로 이동해 안내사항을 들은 후 OMR카드에 임의로 부여된 면접번호를 마킹함
문제풀이실 특징	• 같은 조 인원 9~10명이 한 강의실에서 문제풀이함 • 진행요원이 시간 종료 5분 전, 1분 전에 알려줌
면접고사장 특징	• 면접관에게 OMR카드를 제출한 후 책상에 앉아 면접 시작함 • 감독관이 5분 전, 1분 전에 시간을 알려줌 • 종료시간이 되면 밖에서 호루라기를 불어 알려줌
기타 특이사항	• OMR카드의 평가 항목에 창의력, 사고력, 표현력, 의사소통능력(논증력), 문제해결능력이 각각 0~20점까지 기재되어 있음

2024 아주 A 문제

※ [가군 오전 면접] 다음 제시문을 읽고, 문제에 답하시오.

<제시문 1>

카너먼의 전망이론에 따르면, 이득과 손실은 심리적인 것이다. 사람들은 손실 영역과 이득 영역에서의 주관적인 심리적 가치를 보인다. 사람들이 이익을 추구하는 대안을 선택할 때는 전통적인 이론과 같이 위험회피적인 성향을 보이지만, 손실에 대한 선택을 할 때는 오히려 위험을 선호하는 경향을 보인다. 카너먼의 연구에 따르면, 손실은 이득보다 2.5배 정도 더 큰 영향력을 갖는다. 동일한 양의 이득으로 오는 만족보다는, 동일한 양의 손실이 주는 심리적 충격이 더 크다.

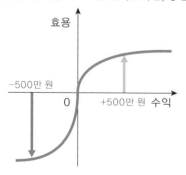

카너먼 교수는 이를 설명하기 위해 새로운 형태의 선호를 나타내는 효용함수 그래프를 추론했다. 그가 생각한 효용함수는 수익이 발생할 때 효용은 완만하게 증가하지만 손실이 발생할 때는 가파르게 감소한다. 결국 같은 금액이라도 수익이 늘어날 때 증가하는 효용보다 손실이 발생할 때 감소하는 상실감이 훨씬 크다. 따라서 사람들은 이익을 선택하는 상황과 달리 손실에 직면하면 손실을 회피하기 위해 위험을 무릅쓰는 경향을 가진다.

<제시문 2>

라클린스키는 카너먼이 제시한 사례를 응용하여 다음과 같은 두 가지 상황을 각각 피험자들에게 제시했다.

• 상황 1: 당신은 지적재산권 침해로 5,000만 원을 청구한 원고이다. 심리 결과 피고는 2,500만 원을 합의금으로 제시하였다. 만일 제안을 받아들이면 2,500만 원을 확실히 얻고, 제안을 거부하면 약 50%의 확률로 5,000만 원 전부를 얻을 수 있다. 당신은 합의 제안을 받아들이겠는가?

• 상황 2: 당신은 지적재산권 침해로 5,000만 원을 청구당한 피고이다. 심리 결과 원고는 2,500만 원을 합의금으로 제시하였다. 만일 제안을 받아들이면 확실하게 2,500만 원을 지급해야 하고, 제안을 거부하면, 약 50%의 확률로 한 푼도 잃지 않을 수 있다. 당신은 합의 제안을 받아들이겠는가?

먼저 상황 1과 상황 2의 기대이익은 수학적으로 완전히 같다. 하지만 실제 로스쿨 대학생들을 상대로 실험한 결과, 상황 1의 이득 프레임에서 합의 제안을 받아들인 비율은 77%, 상황 2의 손실 프레임에서 합의 제안을 받아들인 비율은 31%에 불과하였다.

<제시문 3>

연말정산 세법이 개정되어 국민의 불만이 증가했다. 이 개정으로 인해, 세금을 더 많이 내고 연말정산 후에 많이 돌려받았다가, 세금을 적게 내고 연말정산 후에 덜 돌려받는 것으로 개정되었다. 실제로 총 납세액에는 변화가 없었으나 개정으로 인한 국민들의 불만은 컸다.

Q1. <제시문 1>을 적용하여 <제시문 2>의 라클린스키의 연구 결과에 대해 설명하시오.

Q2. <제시문 3>의 경우 변경된 납세안과 기존안은 납세액 총액 측면에서는 차이가 없다. 그럼에도 사람들의 불만이 컸던 이유를 <제시문 1>을 적용하여 설명하시오.

Q3. <제시문 2>의 상황에서, 청구 금액이 5천만 원이 아니라 10억 원으로 상황이 바뀐다면 사람들의 선택도 바뀌는가?

Q4. '무죄추정의 원칙'에 대해, 범죄자를 사회로부터 격리시킬 수 없어 사회에 큰 피해가 발생하기 때문에 '유죄추정의 원칙'으로 변경해야 한다는 주장이 있다. 이에 대해 의견을 밝히고, <제시문 1>을 적용하여 설명하시오.

Q5. 지원자는 범인인 확률이 매우 적을 가능성을 염두에 두고 답변한 것 같다. 그렇다면 범죄 현장에서 체포되는 등 공공의 이익에 반할 것 같은데 어떻게 생각하는가?

Q6. Q3에서 지원자가 변호사라면 원고와 피고에게 각각 어떤 조언을 할 것인가?

Q7. <제시문 1>의 전망이론이 합리적이라고 생각하는가?

Q8. 범죄의 추가 피해라는 손실 회피를 위해 <제시문 1>에 근거하여 유죄추정이 낫지 않은가? 이에 대해 반박하시오.

Q5. 전체적인 질문 모두 <제시문 1>의 전망이론에 기반하고 있는데, <제시문 2>의 실험 결과가 <제시문 1>과 부합한다고 생각하는가?

Q6. 지원자가 Q4에 대해서 피고의 입장에서 설명했는데, 유죄추정을 주장하는 사람들은 왜 그렇게 주장했을 것인가? 이를 <제시문 1>과 연관 지어 설명하시오.

※ [나군 면접] 다음 제시문을 읽고, 문제에 답하시오.

<제시문 1>

개인의 자유와, 민주주의의 의사 표현으로서 표현의 자유, 언론·출판의 자유는 지켜져야 한다. 단, 공동체의 존립에 반하거나 타인의 인간성, 인격에 침해를 끼치는 것까지 용인할 수는 없다.

<제시문 2>

가짜뉴스는, 주로 전통적인 매체를 이용해 대중을 오인하게 함으로써 발생한다. 특히 금전적, 정치적 이득을 취하기 위해 허위사실임을 알고 있으면서도 특정한 의도를 가지고 유포하는 거짓이 가짜뉴스라고 보는 견해가 많다. 물론 가짜뉴스 자체를 인정하지 않는 일부 견해도 있다.

<보기 1>

2016년 미국 대선 시기, Disinformedia는 Disguardian이라는 사이트에 힐러리 후보와 관련한 가짜뉴스를 게재하고, 약 1만~3만 달러에 달하는 금전적 이익을 얻었다. 특히 위 방식으로 힐러리 후보의 측근이 FBI에 암살당했다는, 민주당에게 부정적인 정보를 유포했다. 위 사이트를 운영하던 자는 민주당 측 인물로 위 정보를 게시해서 논란을 일으킨 다음, 다시 거짓임을 게시해 허탈함을 유발하려고 했다고 한다.

<제시문 3>

개인의 사상은 그 어떤 것이라 하더라도 자유롭게 생각할 수 있는 것이고 사회는 이를 존중해야 한다. 개인의 사상과 그에 따른 정보가 거짓이라면 사회가 그 자유를 제한해야 한다는 주장이 있다. 그러나 이는 타당하지 않은데, 거짓 사상과 정보는 결국 다른 여러 사상과 정보가 자유롭게 표현되기 때문에 자연스럽게 도태될 수밖에 없다. 개인의 자유로운 사상은 폭넓게 보장되어야 하며, 그 제한은 그것이 현존하고 명백한 위협이 될 것임이 명백한 때에만 가능하다.

<제시문 4>

인간은 합리적, 객관적으로 정보를 수용한다고 볼 수 없다. 인간은 본인이 맞다고 생각하는 정보는 받아들이고, 본인의 견해와 다르다고 생각하는 견해는 받아들이지 않는다. 예를 들어, 2016년 미국 대선 당시 트럼프 지지자들은 기존의 지상파 방송국에 대한 불신도가 매우 높았다.

<보기 2>

최근 AI를 통한 가짜뉴스가 많이 생성되고 있다. 특히 <○○뉴스>, <△△뉴스>와 같은 형태의 사이트들이 많이 생겨나고 있다. 이런 사이트들은 AI가 자동으로 뉴스기사를 생산하고, 허위내용을 게재하였다. 특히 미국 대통령의 사망사건이나, 우크라이나 전쟁의 파병 결과로 수천 명이 목숨을 잃었다는 정보가 게재되기도 했다. 언론 관련 전문가는 이러한 AI를 통한 기사 작성은 노동력을 요하지 않고 매우 빠른 속도로 기사를 쏟아낸다고 말했다.

Q1. <제시문 1>, <제시문 2>를 바탕으로 <보기 1>의 사례를 평가하고, 언론출판의 자유로 보호될 수 있는지 말하시오.

Q2. <제시문 4>를 바탕으로 위의 <보기 1>의 사례에 대한 다른 평가가 가능한가?

Q3. <보기 2>의 AI 가짜뉴스에 대하여 <제시문 2>와 <제시문 3>을 바탕으로 찬성, 반대 논거를 각각 말하시오.

A학생 추가질문

Q4. 혹시 AI를 통해 가짜뉴스를 만드는 것에 부정적인 논거를 추가적으로 제시할 수 있는가?

Q5. Q1에서 본인의 견해를 요약하시오.

B학생 추가질문

Q4. Q1에서 본인이 보호 반대를 주장하는 논거를 다시 요약하시오.

Q5. Q3에서 보호해야 한다는 주장으로 정치적 목적이 없다고 했는데, 알고리즘을 입력한 사람이 편향되도록 입력하면 그것은 정치적 목적이 있는 것 아닌가?

Q6. 답변자가 이해한 확증편향은 무엇인가?

Q7. 사람들이 어차피 가짜뉴스를 접하더라도 기존 본인이 생각한 후보자를 투표할 것인데 그렇다면 별로 문제가 없는 것 아닌가?

2024 아주 인성 문제

Q1. 최근에 읽은 책이 있는가?

Q2. 지원자의 전공은 무엇인가?

모범답변

① 교수:학생 = 3:1 ② 면접 준비 20분, 면접 시간 10분 ③ 메모 가능 ④ 추가질문 있음

2023 | 아주 A 문제

※ [가군 오전 면접] 다음 제시문을 읽고, 문제에 답하시오.

<제시문 1>

언론, 출판, 표현, 예술의 자유에 대한 설명이 제시되었다. 이를 제한하기 위해서는 국가안전, 질서유지, 공공복리의 3가지 이유 중 하나가 있어야 한다. 만약 표현의 자유로 인해 타인에게 피해를 입혔다면 그에 대한 손해배상을 진행하면 된다. 그러나 자유와 권리의 본질적인 내용을 침해해서는 안 된다.

<제시문 2>

상영제한등급에 대한 설명이 제시되었다. 영화 상영 전, 영상물등급위원회에서는 5가지 영화등급 판정을 한다. 전체 관람, 12세 이상 관람, 15세 이상 관람, 청소년 관람 불가, 제한상영가의 5가지 등급이 판정된다. 제한상영가 영화는 제한상영관에서만 상영할 수 있는데, 현재 우리나라에 제한상영관이 존재하지 않는다.

<제시문 3>

특정영화들이 제한상영가 판정을 받았는데, 그 이유로 구강성교, 동성애 매춘, 인육 섭취, 시간(屍姦), 모자 간 성관계 등이 제시되었다. 그런데 해당 영화들이 국제영화제 등에서 수상할 만큼 작품성이 훌륭한 작품이어서 제한상영가 등급 선정에 대한 논란이 일어났다. 해당 영화들은 해당 장면을 모자이크 처리하거나 삭제한 후에 재판정을 받아 청소년 관람불가 등급으로 상영했다.

<제시문 4>

하반신이 불편한 포돌이를 주인공으로 하여, 이명박 정권의 사대강사업과 용산 참사, 촛불집회 등을 풍자한 독립영화가 제시되었다. 해당 영화는 특정 계층에 대한 경멸적이고 모욕적 표현의 사용과 폭력적이고 선정적이라는 이유로 상영제한가 등급을 받았으며, 2심에서도 제한상영가 판정을 받았다. 그러나 전주국제영화제, 서울국제영화제, 포럼 등에서 해당 영화를 상영한 적이 있고, 일본에서는 청소년 관람가능 등급으로 해당 영화를 상영했다.

Q1. <제시문 3>에 대해 표현과 예술의 자유 침해로 영화제작사와 감독이 항의를 한다. 본인이 영상물 등급 위원회라면 무엇을 대변하겠는가?

Q2. <제시문 4>에 대해 영화감독이라면 무엇을 대변하겠는가?

Q3. <제시문 3>과 <제시문 4>의 차이가 무엇인가?

Q4. 상영제한등급에 대한 찬반 논리를 답하시오.

Q5. 개인의 견해는 무엇인가?

2023 아주 B 문제

※ [가군 오후 면접] 다음 제시문을 읽고, 문제에 답하시오.

<제시문 1>
타자 담론에 대한 설명이 제시되었다.

<제시문 2>
서구 중심적 타자담론, 열대 지역은 더럽고 불쾌하고 열등하다는 열대이론, 오리엔탈리즘에 관한 내용이 제시되었다.

<제시문 3>
국제법의 어원은 로마만민법인데, 로마 민족과 이민족 간, 서로 다른 민족 간의 관계를 규율한 것이다. 민족 국가 간의 규율과 국가 간의 법에 대한 설명이 제시되었다. 브라이어리 교수는 국제법을 "문명국들 간의 관계에 적용되는 규율"이라고 정의한다.

<제시문 4>
조선의 소중화(小中華) 사상에 따르면, 왜국, 류큐, 안남국 등을 낮은 위치의 국가로 본다.

Q1. 국제법의 어원과 브라이어리 교수의 국제법 정의에서 각각 서구 중심적 타자담론이 담겨있는지 말하고 근거를 말하시오.

Q2. 소중화 사상을 타자담론을 통해 설명하고 열대이론과의 차이점을 말하시오.

Q3. 오리엔탈리즘의 정의를 제시문의 내용을 통해 추론하시오.

💬 추가질문

Q4. 오리엔탈리즘의 정의는 타당하다. 그런데 최근 코로나19와 관련해서 서양에서 동양인 혐오 문제가 있는데 이것도 오리엔탈리즘의 영향으로 보아야 하는가?

Q5. 중세로부터 이어진 이슬람과 기독교 간의 갈등을 3가지 이론을 통해 설명할 수 있겠는가?

Q6. 기독교가 이슬람을 적대한 것이 이슬람을 열등하게 보았기 때문인가? 단지 이질적으로 봐서 그런 것일 수도 있지 않은가?

※ [나군 면접] 다음 제시문을 읽고, 문제에 답하시오.

<제시문 1>

　새롭게 발의된 민법 개정안에서 민법 제98조의2 제1항이 신설되었다. 그 내용은 "동물은 물건이 아니다."라는 것이다. 동물을 물건으로 봄으로써 나타나는 사회적 부작용이 있다. 그 대표적인 예로, 반려동물이 타인에 의해 다치거나 살해당할 경우, 반려동물의 주인이 입게 되는 정신적 피해보상은 받을 수 없었다. 그리고 제98조의2 제2항에서는 "동물에 대해서는 법률에 특별한 규정이 있는 경우를 제외하고는 물건에 관한 규정을 준용한다."고 정하고 있다.

민법 제98조의2 개정

<제시문 2>

　종차별주의에 대한 내용이 제시되었다. 인간은 합리성, 언어 및 도구 사용, 도덕성을 지니고 있기 때문에 동물과 차별된다. 종차별주의 중에서도 계약론에 따르면 타인이 내게 고통을 주지 않는 한 자신도 고통을 주지 않겠다고 약속한 것에서 도덕의 기원이 있다.

<제시문 3>

　싱어는 어떤 존재가 도덕적 고려대상에 포함되는 지를 판별하는 유일한 기준은 고통과 쾌락을 느낄 수 있는 능력, 즉 쾌고감수능력(sentience)이라고 말한다. 쾌고감수능력은 이익을 갖기 위한 전제조건이며, 이익평등원칙을 쾌고감수능력을 지닌 동물에까지 확대해야 한다고 주장한다. 다만, 싱어에 따르면 이 쾌고감수능력에서 정도의 차이는 있다. 싱어는 쾌고감수능력을 도덕적 고려대상을 판별하는 유일한 기준으로 삼고, 이 능력을 지닌 동물들의 고통을 인간의 고통과 동등하게 고려해야 한다는 이익평등이론을 주장했다.

<제시문 4>

　롤스는 영역 성질이라는 개념을 도입하여 도덕적 인격의 능력을 최소치 이상으로 가진 존재들이라면 그 능력의 높고 낮음과 관계없이 그 존재들을 평등하게 대우해야 한다고 본다. 롤스가 그러한 능력을 중시하는 것은 그가 기본적으로 계약론적 관점을 취하고 있기 때문이다. 그래서 계약에 참여할 수 있는 도덕적 능력, 즉 정의감을 갖고 있거나 가질 수 있는 능력이 있다면 그런 사람들은 모두 평등하게 대우해야 한다고 주장한다. 도덕적 인격, 즉 정의감을 가질 수 있는 능력이라는 자연적 성질에 근거하여 평등을 정당화하는 것이다.

Q1. <제시문 1>의 민법 개정안 제98조의2 제1항에 대하여 <제시문 3>의 종차별주의 관점에서 평가하시오. 또한 종차별주의 이론의 논리적 또는 내재적 한계를 제시하시오.

Q2. <제시문 3>의 피터 싱어의 입장에서 민법 개정안 제98조의2 제2항에 특별규정을 두는 것이 필요한지 여부를 설명하시오.

Q3. 민법 개정안 제98조의2 제1항과 제2항의 관계를 <제시문 4>의 영역성질론을 근거로 설명하시오.

추가질문

Q4. 농장 동물이나 동물실험에 대해서는 어떻게 생각하는가?

Q5. 제시문 중에서 민법 개정안 제1항, 제2항과 가장 잘 부합하는 제시문은 무엇인가?

Q6. 본인은 제시문 중 어떤 견해를 지지하는가?

Q7. "모든 인간은 조건 없이 평등하다."라는 헌법 문언과 피터 싱어의 평등이론은 어떤 차이가 있는가?

Part 1
Part 2
Part 3
Part 4
Part 5
Part 6
Part 7

해커스 김종수 로스쿨 면접 200주제

모범답변

① 교수:학생 = 3:1　② 면접 준비 15분, 면접 시간 20분
③ 준비 시 메모 가능하나, 시험장에는 문제지가 없고 메모 휴대 불가함

2022　아주 A 문제

※ [가군 면접] 다음 제시문을 읽고, 문제에 답하시오.

> 　현행법상 음주는 19세 이상만 허용하고 있고, 만약 19세 미만의 청소년이 일반 음식점에서 음주를 하다가 단속에 걸린 경우, 음식점이 영업정지를 당하는 등 처벌을 받게 된다. 그러나 음식점 주인은 청소년이 성인들과 섞여서 들어오면 외모만으로는 이를 구별하기 어렵고, 19세 미만의 청소년이 대학을 일찍 들어간 경우에는 동기들과 어울리고자 하여도 음주를 할 수 없어 불합리함을 호소하는 경우가 많다. 실제로 만 15세 이상은 취업이 가능하며, 만 18세 이상은 병역의 의무도 지고 있는데, 음주의 경우에는 만 19세 이상의 성인에게만 가능한 상황이다.
>
> 　그러나 만 19세 이상의 성인에게만 음주를 허용해야 한다는 입장에서는 청소년을 보호하기 위해 이는 필요한 조치라고 주장한다.

Q1. 만 19세 미만 청소년의 음주 금지 규정이 타당한지 여부를 논해보시오.

💬 A학생 추가질문

Q2. 법치주의는 이 주제에 적합한 근거가 아닌 것 같다. 찬반에 대한 의견을 물어보는 질문이니 다시 생각하여 답변해보시오.

Q3. 평등원칙 논거에 대해 다시 설명해보시오.

Q4. 만 15세에 취업을 하여 직장 생활을 하고 만 18세에 병역의 의무를 지고 있는 개인의 경우 자신이 충분히 책임 능력이 있다고 판단할 텐데, 그럼에도 음주를 금지하는 것이 타당한가?

Q5. 만 19세 미만의 청소년이 집에서 음주를 하는 것은 금지하지 않는데, 일반음식점에서 음주하는 것은 금지하고 있다. 음식점 주인 입장에서는 억울하지 않겠는가?

Q6. 외국의 경우에는 만 19세 미만의 경우에도 음주를 할 수 있는 국가가 있다. 이는 잘못된 것인가?

Q2. 만 18~19세면 대학생인 경우도 있고 고등학생인 경우도 있는데, 이 부분에 대한 차이는 어떻게 생각하는가?

Q3. 음주를 평소 좋아하는지? 미성년자가 술을 사달라고 하면 이에 응할 것인가?

Q4. 미국 오하이오주는 만 21세 이하인 경우 주류를 살 수도 없다. 이에 대한 생각은?

Q5. 학생의 행복추구권과 부모의 교육권이 상충하는 것은 아닌가? 양립할 수 있다고 생각하는가?

2022 아주 B 문제

※ [가군 면접] 다음 제시문을 읽고, 문제에 답하시오.

> 탄소국경세는 탄소의 이동에 관세를 부과하는 조치인데, 이산화탄소 배출 규제가 약한 국가가 강한 국가에 상품이나 서비스를 수출할 때 적용받는 무역 관세를 말한다. 이는 미국과 유럽연합이 주도적으로 추진하고 있는 새로운 관세 형태로, 고탄소 수입품에 추가 관세 등의 비용을 부과하는 제도이다. 이 제도는 국가별로 온실가스 규제 수준이 달라 고탄소 배출 사업을 저규제 국가로 이전하는 행위를 막기 위한 조치이기도 하다.
>
> EU는 2030년까지 탄소 배출량 55%를 감축하기 위해 탄소국경세를 시행한다. EU의 탄소국경세는 2023년에 시범적으로 도입될 것이고 2026년부터 본격적으로 시행된다. EU가 물품을 수입할 때는 EU 배출권에 상당하는 탄소 가격을 관세 형태로 추가 지불해야 한다. 철강, 시멘트, 알루미늄, 전기, 비료의 다섯 품목이 우선 대상이며, 2035년부터는 내연기관차의 판매가 전면 금지된다.

Q1. 탄소국경세에 대한 입장을 정하고 근거를 논해보시오.

   (시험장 입실 후, 5분 이내로 답변하라는 지시사항이 있었음)

💬 **A학생 추가질문**

Q2. 개발도상국의 논리를 다시 말해보시오.

Q3. 유럽이 선진국으로서 이를 악용할 수도 있지 않은가?

Q4. 제시한 세율 차등 정책이나 기술 공유는 너무 추상적인 방안이 아닌가?

Part 1
Part 2
Part 3
Part 4
Part 5
Part 6
Part 7

해커스 김종수 로스쿨 면접 200주제

Q2. 제조업 비율 등이 높은 국가에 대한 탄소국경세 감면을 언급하였는데, 이미 탄소세를 실행 중인 국가에 대해서는 어떤가?

Q3. 탄소국경세가 시장적 거래라고 하였는데 국가의 강제적인 수단이다. 또한 시장적 거래여도 답변 중 언급한 소비자의 합리적인 선택과 모순적이지 않은가?

Q4. 탄소국경세가 선진국이나 탄소 배출량이 적은 국가와 대기업에게만 유리하게 적용될 텐데 이래도 되는가?

Q5. 환경 보호 의식이 투철해 보이는데, 이를 행동한 개인적인 경험과 함께 말해보시오.

2022 아주 C 문제

※ [가군 면접] 다음 제시문을 읽고, 문제에 답하시오.

> 미확정 판결에 대해 언론은 판사의 1심 재판 결과나 검사의 수사 사건을 보도할 때 실명을 공개한다. 이러한 실명 공개로 인해 판사의 신상 정보는 물론이고, 가족들에 대한 사항까지 알 수 있는 상황이다. 또한 허위 사실까지 더해지는 경우가 있는데. 최근 코로나19 상황에서 광화문 집회를 허가한 판사의 실명이 밝혀지며, 국회에서는 이와 관련된 법안이 발의되기도 했다. 문제는 이것이 미확정 판결이라는 점이다. 언론의 입장에서는 국민의 알권리가 더욱 중요하며, 사법에 대한 감시와 통제, 비판을 할 수 있다는 장점을 근거로 들 수 있다. 그러나 미확정 판결의 경우 판사 개인의 명예를 훼손할 수 있고 이로 인해 판사가 여론 눈치를 보며 소신 있는 재판을 할 수 없다는 문제가 있다. 또한 미확정 판결이기 때문에 항소심, 상고심의 판사까지도 국민들의 눈치를 보게 된다.

Q1. 판사의 재판 결과나 검사의 기소사건에 대한 언론의 보도에 대하여 어떻게 생각하는가?

💬 추가질문

Q2. 국민의 알권리도 중요하지 않은가?

Q3. 판·검사도 자기 판결에 책임을 갖게 되어 사법권을 감시·통제한다는 장점도 있지 않은가?

Q4. 획기적인 판결도 나오기는 하는데 그러한 판결이 나오기까지는 판사 입장에서도 쉽지 않다. 이에 힘없는 국민이 여론을 이용한다면 더 좋은 결과가 나타나지 않겠는가?

Q5. 미확정 판결의 경우 인격권 침해가 심하기 때문에 안 된다는 입장인데, 그렇다면 언론인들을 어떻게 규제해야겠는가? 처벌을 해야 하는가?

※ [나군 면접] 다음 제시문을 읽고, 문제에 답하시오.

전 국민 백신 접종률이 70%를 넘어서면서, 구직시장에서도 백신 접종자 선호 경향이 감지되고 있다. 업체들은 구직 공고에 아예 2차 접종까지 완료한 구직자를 찾고, 구직자들은 자기소개서에 백신 접종을 완료했다고 기재하는 경우도 있다. 백신 접종률이 여전히 60%대로 낮은 20~30대 청년 구직자들 사이에서는 "일자리 구하기가 힘든데 백신을 안 맞으면 알바도 못한다"는 하소연까지 나온다.

실제 중소기업 10곳 중 4곳은 채용 시 신규 입사자에게 백신 접종 여부를 확인하는 것으로 나타났다. 10곳 중 4곳은 백신 접종 권장을 위한 사내 보상제도 등을 도입했다. 백신을 접종하지 않는 이유는 기저질환 등 건강 문제, 종교적 이유, 부작용 우려 등으로 다양하다. 일자리를 구할 때 백신 접종이 유리하게 작용할 것이라는 기대감으로, 지원서에 접종 완료를 기재하는 구직자도 늘고 있다. 이와 같은 현상은 미국에서 먼저 나타났는데, 미국의 주요 기업은 백신 접종을 의무화하고 있어 구직자들은 구직 사이트에 자기 이력서와 함께 백신 접종 증명을 함께 제시해야 한다.

기업 입장에서는 집단 감염 우려로 인해 구직자의 백신 접종 여부가 중요하다는 의견도 커지고 있다. 한 기업에서는 신규 입사 직원 중 백신 미접종자가 코로나에 확진된 결과, 같은 층을 사용한 전원이 코로나 검사를 받았고 일부는 밀접 접촉자로 분류되어 2주간 자가격리를 했다. 한 직장인은 "수백 명이 일하는 회사에서 코로나19에 감염되면 연쇄 감염이 발생할 수 있다"며, "집단생활 특성상 백신 접종을 의무적으로 해야 된다고 생각한다"고 말했다.

Q1. 기업이 신규직원 채용 시 백신 접종 여부를 확인하는 것에 대한 찬성 혹은 반대 중 자신의 견해를 정하여 논해보시오.

추가질문

Q2. 개인이 합리적인 존재라는 전제하에 개인의 선택이라는 답변을 한 것으로 보인다. 그러나 사람들은 음모론 등의 신문기사와 같은 영향으로도 백신을 거부할 수 있다. 이 점에 대해서는 어떻게 생각하는가?

Q3. 백신 접종자에게 가산점을 주는 것으로도 충분하지 않겠는가?

Q4. 신규직원이 아닌 기존 직원에게는 어떻게 하겠는가?

Q1. 본인의 전공은?

Q2. 왜 법학 복수전공을 했는가?

Q3. 어떤 법조인이 되고 싶은가?

Q4. 슬럼프를 어떻게 극복할 것인가?

Q5. 슬럼프는 극복해야 할 대상인가?

Q6. ○○○○지원센터에서 일은 얼마나 했는가?

Q7. 재판 방청에서 가장 기억에 남았던 사건은?

Q8. 공부를 잘하는가? 어떻게 공부하는가?

Q9. 사회가 다양하게 변하고 있는데 이런 상황에서 법조인에게 요구되는 자질은 무엇인가?

Q10. 로스쿨 제도는 로스쿨에 가기 위해서는 학부를 반드시 졸업해야 하고, 석사까지 공부해야 하기에 오히려 사법시험에 비해 들어가는 비용이 더 많아져서 개천에서 용 나기가 어려워졌다는 비판도 있다. 그래도 로스쿨 제도가 사법시험 제도보다 더 타당하다고 생각하나?

Q11. 법조인은 글쓰기를 잘 해야 하고, 그래서 리트 논술도 보는 것인데 글쓰기 능력에서 중요한 것이 무엇이라 생각하나? 그리고 평소 글쓰기를 많이 하는 편인가?

Q12. 코로나19 이전과 이후에 대해서 느낀 점은 무엇인가? 개인적인 경험을 더 구체적으로 말해보시오.

Q13. 법학전문대학원 지원동기와 준비 과정을 말해보시오.

Q14. 법학이 양도 많고 단어도 어렵고 암기해야 하는 것도 많다는 말이 있는데 이에 대해서 어떻게 생각하며, 로스쿨에서 공부를 잘 해낼 수 있겠는가?

Q15. 다시 고등학교로 돌아가도 법학을 전공할 것인가?

Q16. 이 시대에 이상적인 법조인 상은 무엇이라고 생각하는가?

Q17. 법 과목 중 가장 좋아하는 과목이 있는가?

Q18. 법조인으로서 어떤 직역을 희망하는가?

Q19. 로스쿨생으로서 가장 필요한 역량이 무엇이라고 생각하는가?

Q20. 법조인과 관련이 없는 일이라도 괜찮으니, 지금까지 해온 노력을 말해보시오.

Q21. 스트레스 해소 방법은 무엇인가?

Q22. 인간관계나 공동체 생활은 어떠한가?

Q23. 평소 어려운 결정을 할 때 어떻게 하는 편인가?

Q24. 법학이 싫증 난 적은 없었는가?

Q25. 자신의 장점은 무엇인가?

Q26. 공부 욕심이 있다고 했는데 그게 천성인가, 목표를 위한 것인가?

Q27. 특별히 아주대 로스쿨에 기대하는 것이 있는가?

Q28. 마지막으로 하고 싶은 말이 있다면 남은 시간을 이용해서 한번 말해보시오.

Q29. 로스쿨 생활을 이겨낼 자신만의 장점은 무엇인가?

Q30. 자신의 롤모델은?

Q31. 어떤 부분에서 법학 공부가 자신과 맞겠다는 확신을 가졌는가?

Part 1
Part 2
Part 3
Part 4
Part 5
Part 6
Part 7

해커스 김종수 로스쿨 맞춤 200주제

모범답변

2021 아주대 로스쿨

① 교수:학생 = 3:1   ② 면접 준비 15분, 면접 시간 20분
③ 면접 준비 시 메모 가능하나, 시험장에는 문제지도 없고 메모도 휴대 불가함

2021 아주 A 문제

※ [가군 면접] 다음 제시문을 읽고, 문제에 답하시오.

> 병역법에 따르면 고등학교 이상의 학교에 재학 중인 자, 국위선양을 한 과학자, 체육자 등에 대한 입영 연기 등의 병역특례가 인정되고 있다. 이에 대해 BTS와 같은 세계적인 대중문화예술인에 대해 병역특례를 인정해야 한다는 의견이 제시되고 있다. 대중문화예술인의 병역특례를 찬성하는 입장에서는 20대에 가장 그 능력을 보여줄 수 있고 인기가 많은데 병역을 이행해야 함은 어렵다고 하여 대중문화예술인 역시 국위선양을 한 것에 대한 인정으로서 특례를 인정해주어야 한다고 한다. 반면 이를 반대하는 입장에서는 병역특례 대상 기준을 명확히 할 수 없다는 이유로 공정성의 문제를 제기한다.

Q1. 이와 같은 대중문화예술인의 입영 연기 등 병역특례에 대한 자신의 견해를 논해보시오.

추가질문

Q2. 국위선양의 기준이 모호한데, 국위선양이 무엇이라고 생각하는가? 경제적 효과, 국가 이미지 개선 등 다양하게 생각할 수 있는데, 그렇다면 이를 어떻게 파악할 수 있는가?

Q3. 현실적인 갈등 해소를 위한 노력에는 어떤 것들이 있는가? 다른 사람들도 특례를 받고 싶어 하지 않겠는가?

Q4. 영화 기생충의 경우 세계적으로 유명해졌다고 할 수 있는데, 이 경우 배우 각각 모두가 국위선양 했다고 할 수 있는가?

Q5. 고등학교 이상의 학교에 다니는 자는 입영 연기가 가능한 것이고, 국위선양을 한 체육인들의 경우 병역 면제가 되어 그 범위가 다르다고 할 수 있다. 그 차이는 어디에서 비롯된 것인가? 대중문화예술인의 경우는 어디에 넣을 수 있겠는가?

※ [가군 면접] 다음 제시문을 읽고, 문제에 답하시오.

> 코로나19가 확산됨에 따라 각국은 전면적인 영업 금지와 지역 간 이동 금지 등 봉쇄정책으로 대응하고 있다. 미국은 약 한 달간 레스토랑, 카페, 교통시설 등과 같은 시설의 영업을 전면 금지하였다. 단, 약국, 마스크 제조 시설과 같이 영업이 필요한 시설을 '필수 사업장'으로 지정해 이들 사업장에 대한 영업은 허용하였다. 프랑스도 마찬가지로 불필요 사업장에 대해서는 영업을 전면 금지하였고, 지역 간 이동을 금지하였다. 이탈리아도 마찬가지로 사업장들에 대해 영업을 금지하는 동시에 봉쇄 정책을 긴 시간 동안 유지하였다.

Q1. 만약 한국에서 코로나19가 급속도로 확산할 경우 위 나라들과 같이 영업 금지와 지역 간 이동 금지를 실시하는 것에 대해 어떻게 생각하는가? 찬성 혹은 반대 입장 중 하나를 정하고 논거를 제시해보시오.

💬 **추가질문**

Q2. 재난지원금을 지급한다고 했는데, 재난지원금은 결국 세금에서 나오는 것이다. 앞으로 세수가 지속해서 줄어들 전망인데, 이에 대해서 어떻게 생각하는가?

Q3. 재난지원금을 지급한다고 했는데, 자영업자 중에서는 영업 금지로 인해서 폐업을 하게 되는 경우에는 돌이킬 수 없는 손해를 입는다. 이에 대한 대책은?

Q4. 정책에 대한 답변을 해줬는데, 내가 물었던 것은 자영업자의 피해가 돌이킬 수 없을 경우에는 어떻게 할 것인가에 관한 것이었다. 만약 폐업을 이유로 국가에게 손해배상을 청구한다면?

Q5. 전 국민고용보험제도와 선별적 재난지원금은 상충하는 것처럼 들린다. 또한 어떤 것은 보편적으로, 어떤 것은 선별적으로 정책을 집행하는 과정에서 결국 행정부의 자율성이 매우 커질 수 있고 이에 자의적 행정권 남용이 우려된다. 이에 대해서 어떻게 생각하는가?

※ [가군 면접] 다음 제시문을 읽고, 문제에 답하시오.

> 최근 우리나라에서는 흡연 규제에 대한 관심이 고조되고 있는 가운데 일부 미국 대학교에서는 Smoke-free Campus를 실시하려는 움직임이 확대되고 있다. 이는 캠퍼스 내에서 흡연을 전면적으로 금지하는 것으로, 건물 내/외에서의 흡연을 금지하는 것과 더불어 캠퍼스 내에서의 담배 판매 및 광고 그리고 담배회사의 후원 및 기금까지 전면적으로 제한하는 규정이다. 흡연 제한 품목으로는 기존 담배뿐만 아니라 전자담배 및 물담배까지 포함하는 것으로 기존 담배만의 흡연을 제한하였던 Tabacco-free보다도 더 엄격하고도 전면적인 제한을 의미한다.
>
> 우리나라 대학에서도 이러한 Smoke-free Campus를 운영하고자 하는데, 위에서 제시되어 있는 것과 같이 전자담배와 물담배를 포함한 모든 담배의 건물 내외 모든 구역에서의 흡연 금지와 더불어 담배 판매와 광고, 담배회사의 후원까지 전면 배제하고자 한다.

Q1. 위 사례에서 제시된 대학의 Smoke-free Campus 추진에 대해 수험자의 입장을 제시하고 그 근거를 논증하시오. (면접장에서 3분 내로 답변하라는 지시를 받은 경우가 있었음)

💬 A학생 추가질문

Q2. 금연을 종용하는 스모크 프리 캠퍼스와 교육이 무슨 연관성이 있나? 교육은 보통 학문을 가르치는 것과 관련되지 않나?

Q3. 학생의 흡연권을 침해하지 않는가?

Q4. 이런 정책을 결정하는 것은 흡연에 대한 교직원의 의사도 중요한 것 아닌가?

Q5. 이 정책을 시행하면 담배 관련 광고 및 담배에 대한 언급도 금지된다. 표현의 자유에 대한 침해 아닌가?

Q6. 대학이 금연이 아닌 다른 가치를 추구할 수도 있는 것 아닌가?

💬 B학생 추가질문

Q2. 논증 중에 담배와 비슷한 술을 이야기하면서 평등원칙을 이야기했다. 반대로 비흡연자들은 평등원칙을 들어 흡연을 규제해야 한다고 말한다. 흡연이라는 것이 사회적으로 많은 이슈가 되며, 특히 비흡연자에게는 대단히 민감할 수 있는 문제다. 그래서 미국에서는 이미 시행하고 있기도 한 것이고 분명 대학에서 이러한 제도를 시행하는 이유가 있을 것이다. 혹시 대학의 입장에서 이 제도를 찬성하는 논증을 할 수 있나. 그에 대해서는 어떻게 생각하는가?

Q3. 대학교뿐만 아니라 요즘에는 금연 아파트와 같이 아파트 건물 내외 전반적으로 흡연을 금지하는 곳이 많다. 이에 대해서는 어떻게 생각하는가?

Q4. 이 사례의 경우에는 대학이지만 기업의 경우에는 우리나라도 이미 시행을 하고 있다. 실제로 삼성전자는 몇 년 전부터 흡연을 전면 규제하고 있기 때문에 직원들의 불만이 많다. 본인이 변호사로서 이 직원의 회사를 상대로 한 흡연권 침해 사건을 맡았을 경우, 승소할 가능성이 높다고 생각하는가?

💬 C학생 추가질문

Q2. 반대하는 이유를 한 줄로 요약하자면?

Q3. 제한적 허용은 찬성한다는 말인가? 그렇다면 방안은?

Q4. 비흡연자의 행복추구권은? 예를 들어 흡연자가 근처에 앉기만 하여도 냄새 때문에 불쾌하지 않나?

Q5. 미국의 경우 우리나라보다 자유를 더 중시하는데도 이런 조치를 하는 이유가 무엇이라고 생각하는가?

Q6. 지원자 말대로 흡연부스 등으로 흡연을 제한적으로 허용한다고 해도 사실상 귀찮아서 금연 효과가 나타날 수도 있지 않은가?

💬 D학생 추가질문

Q2. 흡연 공간을 별도로 마련하더라도 흡연자에게서 냄새가 나는 등의 피해가 있지 않은가?

Q3. 학교에서 흡연을 금지하면 학교 수업을 마치고 학교 밖이나 가정에서 흡연은 할 수도 있지 않나?

Q4. 흡연을 허용하게 되면 흡연부스 설치 등으로 비용이 발생하는데 이 부분은 어떻게 생각하나?

Q5. 흡연을 금지하면 결과적으로 학생들 건강에는 좋지 않나?

💬 E학생 추가질문

Q2. 담배 자체를 금지하는 것이 아니고 흡연 구역과 비흡연 구역을 나누자는 것인데, 그게 왜 개인의 자유를 과도하게 제한하는가?

Q3. 만약 과반인 80%가 스모크 프리 캠퍼스에 찬성하였다면, 지원자가 흡연자일 경우 어떻게 하겠나?

Q4. 그렇다면 원래는 종교재단이 아니었던 학교가 종교재단이 생겨 종교적 색채를 가지게 되었다. 그래서 채플과 같은 수업 등이 포함되었다. 그런데 만일 겨우 과반에 불과한 51%가 합의하였다면, 이 경우에도 반대 입장인 지원자는 제도에 순응하겠나?

Q5. 가중다수결로 80%가 찬성했다면?

Q6. 다수의 의견이면 다 순응해야 하는가?

Q7. 개인의 자유를 왜 구성원이 보장해주어야 하나?

Part 1
Part 2
Part 3
Part 4
Part 5
Part 6
Part 7

해커스 김종수 로스쿨 면접 200주제

※ [나군 면접] 다음 제시문을 읽고, 문제에 답하시오.

지난 8월 영국에서는 코로나19로 대학 입학에 필수적인 A-레벨(Advanced-Level) 시험을 치르지 못하게 되자 교육 당국은 인공지능을 이용해 학생들의 학점을 부여했으나 이는 사회적으로 많은 논란을 불러일으켰다. 학점 평가 알고리즘을 확인한 결과, 흑인과 아시아인 등 소수 민족 학생들과 공립학교에 다니는 학생들이 불이익을 받았기 때문이다. 인공지능 알고리즘은 학생들의 전년도 성적과 교사가 예측한 학점, 교사가 매긴 학생 사이의 순위를 근거로 학점을 부여했다. 여기에 결정적으로 소속 학교의 역대 학업 성취를 반영했는데 이는 주로 백인 부유층이 많이 다니는 사립학교에 유리했기에 결과적으로 빈부격차가 학점으로 이어지는 결과를 낳은 것이다. 인공지능을 이용한 학점 부여는 학생과 학부모 등의 반발로 인해 취소되었다.

미국은 금융권과 형사재판에 AI를 이용한다. 그러나 형사재판 알고리즘이 유색인종의 재범률을 더욱 높게 판단한다는 문제가 제기되고 있다. 얼마 전 한 국회의원이 카카오의 포털 뉴스 편집에 불만을 드러내며 논란이 불거졌다. 해당 의원은 전날 여당 대표 연설을 보면서 다음 포털 사이트를 모니터링 했는데 메인페이지에 뜨지 않았으나, 야당 대표 연설이 시작하자마자 다음 포털에 메인 기사로 떠서 형평성 문제가 있다고 지적한 것이다. 야당 논란이 불거지자 카카오 관계자는 이와 관련 "네이버와 다음 모두 뉴스 배치를 인공지능(AI) 방식으로 하기 때문에 사람이 어떻게 할 수 없다"고 밝혔다. 카카오는 2015년 6월 '루빅스'(RUBICS·Realtime User-Behavior Interactive Content recommender System)를 모바일 뉴스 서비스에 도입했다. 루빅스는 개별 독자가 평소 관심을 보인 분야의 기사, 독자와 성별·연령대가 같은 집단이 많이 보는 기사 등을 분석해 기사를 선별하고 배치한다. 현재는 PC 뉴스 편집에도 적용돼 있다. 카카오 관계자는 "외부는 물론 카카오 내부에서도 누군가 인위적으로 뉴스 배치에 관여할 수 없게 돼 있다"며 "전적으로 AI가 뉴스를 편집한다"고 말했다. 이처럼 AI 알고리즘을 통해 도출된 결과가 가치중립적인지에 대한 의견은 학계에서도 첨예하게 대립하고 있다.

Q1. AI가 빅데이터 알고리즘을 통해 나온 결과가 가치중립적이라고 전제하는 입장과 가치중립적이지 않다고 전제하는 입장 각각에서 알고리즘에 의한 결과에 따라야 하는지 여부에 대해 논증해보시오. (면접장 입실 후, AI가 가치중립적인지에 대한 자신의 의견을 먼저 제시한 후 알고리즘에 의한 결과에 따라야 하는지 여부를 간단하게 답변하라는 지시를 받은 경우가 있었음)

💬 **A학생 추가질문**

Q2. 본인은 어떤 입장인가?

Q3. AI를 이용하는 것이 민주주의 질서를 훼손한다고 말했다. 하지만 AI를 활용하는 것이 오히려 사람들의 선호를 잘 파악하게 해줄 수 있다는 견해로 있다. 그렇다면 AI야말로 민주주의 발전에 꼭 필요하고 도움이 되는 것은 아닌가?

Q2. 기업도 자신들이 정한 임의의 알고리즘으로 채용할 때 자격요건을 따지는데, 국가라고 해서 이런 편향적인 결과를 내놓는다는 이유로 알고리즘 공개를 해야 한다고 생각하나?

Q3. 만약 사회구성원 다수가 AI에 따른 판단을 따르자고 합의한다면 따라야 하는가?

Q4. 그렇다면 그 방안은 무엇인가?

Q5. 판사도 공부해서 이론과 경험을 쌓아 그에 따른 원칙대로 판결을 내리는 것이다. 그렇다면 판사도 AI와 같다고 볼 수 있지 않은가?

2021 아주 E 문제

Q1. [나군 면접] 다음 제시문을 읽고, 본인이 의사라면 누구를 먼저 치료할 것인지 답해보시오.

> (1) 교통사고를 당한 부부 A(남편)와 B(아내)가 응급실에 실려 왔다. A는 두 다리를 다쳤고 B는 손가락을 다쳤다. 둘 모두 응급한 상황이라 치료하지 않을 경우 영구적인 손상을 입는다. A는 B가 피아노 연주를 하는 데에 큰 의미를 두고 있고 B가 수술을 받아야 자신도 행복해지기 때문에 B를 치료해야 한다고 주장했다.
>
> (2) 이후 C가 병원에 이송됐는데 C는 먼저 수술하지 않으면 한쪽 다리에 영구적인 손상이 생긴다. C는 A가 수술을 받지 않을 것이라면 자신이 더 위급한 상황이므로 자신을 먼저 수술해줄 것을 의사에게 요청했다. A는 C가 평소에 정신적인 불안증세를 보여 왔기 때문에 수술을 받더라도 그의 삶은 그저 조금 더 나아질 뿐이라고 하였다. A는 C가 수술받을 것을 포기하게 하기 위해 차라리 자신을 수술해달라고 하였다.
>
> (3) 의사는 A를 수술하기로 결정하였다. A는 의사의 결정을 들은 후, 사실은 자신이 수술받기 위함이 아니라 B가 수술을 받게 하기 위한 것이었다고 하면서, 다시 B를 수술해달라고 하였다. 이에 C는, B를 수술함으로써 얻을 수 있는 A와 B의 행복 추구보다, 자신의 한쪽 다리에 대한 치료가 우선시되어야 한다고 주장했다.

2021 | 아주 F 문제

Q1. [나군 면접] 시, 군, 구 기초단체 의원을 선출하는 기초의회 선거에서 정당 공천제를 폐지해야 한다는 주장이 있다. 다음 제시문을 읽고, 기초의회 선거 정당 공천제 폐지에 대한 찬반을 논해보시오.

> 정당 공천제에 대한 간단한 정의와 이것의 찬반 논란이 발생한 배경에 대한 제시문

2021 | 아주 인성 문제

Q1. 자신의 전공과 함께 로스쿨에 지원하게 된 동기를 말해보시오.

Q2. 법조인에게 가장 중요하다고 생각하는 자질을 말해보시오.

Q3. 퇴사 후 로스쿨 준비를 어떻게 하였나? 전반적으로 무엇을 어떻게 하며 지냈는지 말해보시오.

Q4. 본인 학과를 말하고, 그와 관련하여 자신이 법 적성이 있는지 그리고 로스쿨에 입학하여 법 공부를 어떻게 해나갈 것인지 공부 계획을 말해보시오.

Q5. 가치관에 대한 설명이 빠진 것 같은데, 가치관을 설명해보시오.

Q6. 본인 가치관을 실현할 수 있는 다른 방법도 많을 것 같은데, 어떤 것이 있을까?

Q7. 굳이 법률구조공단을 언급한 이유는?

Q8. 가장 친한 친구가 3개월 시한부라면 무슨 조언을 해줄 것인가?

Q9. 학부 전공이 무엇이며 법학전문대학원에 지원한 동기는?

Q10. 지원동기를 가진 이후 법전원에 오기 위하여 따로 노력한 것이 있는가?

Q11. 활동을 많이 했는데 그러면서 다양한 법조인 관련된 책이나 영화를 봤을 것이라 생각한다. 본인이 생각하는 이상적인 법조인 상은?

Q12. 본인이 생각하는 법조인이라는 직업의 장단점은?

Q13. 검사/판사/변호사 중 어느 분야로 나아가고 싶은지? 구체적인 꿈이 있다면?

Q14. 사실상 4학년 이후에 진로를 결정한 것인데, 그 꿈을 가지게 된 계기가 있는가?

Q15. 법학과 관련한 활동이 있나?

Q16. 입학하게 된다면 공부량이 방대한데 자신 있나? 공부 관련해 자신의 강점이 있나?

Q17. 장애인인데 부유한 사람과 비장애인인데 가난한 사람이 있다면, 누구에게 조력을 주겠나?

Q18. 자신의 전공과 함께 로스쿨에 지원하게 된 동기를 말해보시오.

Q19. 현재 회사를 다니고 있는지? 아니면 퇴사했는지?

Q20. 로스쿨은 3년을 잘 버티며 끝까지 완주할 사람을 원한다. 본인이 잘 해낼 수 있다고 우리가 어떻게 확신할 수 있는지?

Q21. 3년을 잘 버텨내기 위한 자신만의 비결, 강점 혹은 자신만의 방법이 무엇인지?

Q22. 로스쿨 입학 후 걱정되는 부분은?

Q23. 로스쿨 준비를 얼마나 하였는지?

Q24. 로스쿨에서 어떤 과목을 배우는지 아는지?

Q25. 존경하는 법조인이 있다면 누구인가?

해커스 김종수 로스쿨 면접 200주제

Part 1
Part 2
Part 3
Part 4
Part 5
Part 6
Part 7

모범답변

① 교수:학생 = 3:1   ② 면접 준비 15분, 면접 시간 20분   ③ 블라인드 면접   ④ 추가 질문 있음
⑤ 준비 중에는 메모 가능하나, 면접시험장에 문제지와 메모지 소지 불가

2020 아주 A 문제

※ 다음 제시문을 읽고, 문제에 답하시오.

> 직무수행과 관련 없는 내용은 모두 가린 채로 진행하는 블라인드 채용이 시행되고 있다. 법에 따르면 직무수행과 관련 없는 개인의 신상은 밝힐 수 없고, 입증자료 수집도 불가하다. 최근 한 정부출연연구기관에서 뽑은 박사급 연구원 채용이 취소됐다. 연구 경력을 허위 기재한 사실이 밝혀졌기 때문이다. 지원자의 출신 학교와 지도교수 등 세부 정보를 가린 채 진행해야 하는 공공기관 블라인드 채용 특성상 이와 같은 혼란으로 이어졌다.
>
> 이로 인해 블라인드 채용에 대한 비판이 이어졌다. 단순노무직과 달리 박사급 연구원은 전문성이 중요하므로 출신학교나 지도교수, 연구의 내용 등이 전문성을 판단하는 좋은 기준이 될 수 있어 블라인드 채용이 적합하지 않다는 반론이 있다. 이에 반해 블라인드 채용은 학벌, 지역 등 연고주의를 타파할 수 있는 제도로서 이를 시행하지 않는다면 채용의 불공정성이 지속될 것이라는 문제가 제기된다. 반면 외국에서는 박사급 연구원에 대해서는 그의 능력의 지표가 되는 사항은 모두 기재하여 채용에 반영하도록 하고 있다.

Q1. 박사급 연구원에 대한 블라인드 채용이 타당한지에 관하여 논해보시오.

💬 **추가질문**

Q2. 아무리 블라인드여도 연구실적에 관해서는 충분히 질문이 가능하지 않을까?

Q3. 블라인드 채용이 타당하지 않다고 했는데, 지금 우리 로스쿨 시험도 블라인드로 진행하고 있지 않은가?

Q1. 다음 제시문을 읽고, 국민소환제 도입에 대한 자신의 견해를 논해보시오.

> 국회 파행이 장기화되어 6개월째 국회가 열리지 않고 있다. 국회의 개회를 지연시키는 국회의원에 대해 국민소환을 해야 하고, 이를 위해 국민소환제를 도입하자는 주장이 있다. 이와 유사한 지방의회와 지방자치단체장에 대한 주민소환제는 이미 시행 중이다. 그러나 주민소환제의 경험에서 나타난 문제점이 국민소환제에서도 나타날 것이라는 지적이 있다. 주민소환의 경우 주민소환에 대한 서명이 필요하고, 주민소환을 할 것인지 여부에 대한 투표를 해야 하며, 주민 다수가 주민소환을 결정하면 보궐선거를 하며, 이 보궐선거에서 지방자치단체장을 다시 선출하게 된다. 영국은 국민소환제를 시행 중인데, 법에서 정한 사유가 있을 경우 자동적으로 소환 절차가 시작되고, 6주 안에 유권자의 10%가 소환에 찬성한다는 서명을 하면 별도의 소환 투표 절차 없이 국회의원이 소환된다. 그 대신 소환된 국회의원은 소환으로 인해 치러지는 보궐선거에 출마해서 유권자들의 심판을 한 번 더 받을 수 있는 기회를 준다. 이렇게 함으로써 소환 여부를 결정하는 투표를 하고, 연이어 보궐선거를 함으로써 두 번의 투표와 선거가 이어지는 부작용을 피하게 된다.

Q1. 다음 제시문을 읽고, 프랑스의 팍스와 같이 혼전 동거를 제도화하는 것에 대한 찬성, 반대 의견 중 귀하의 입장을 밝히고 그 논거를 제시해보시오.

프랑스는 한때 1.5명까지 떨어졌던 합계 출산율을 지난해 1.9명까지 끌어올렸다. 유럽 최고 수준이다. 합계출산율은 가임여성(15~49세) 1명이 평생 낳을 것으로 예상되는 평균 출생아 수를 나타낸 지표로서, 합계출산율이 높을수록 한 여성이 출생하는 자녀 수가 많다는 의미이다. 프랑스는 1999년 결혼을 꼭 법적 접착제가 아니더라도 자유롭게 동거하고 아이를 낳아 기르면서도 차별받지 않게 하는 팍스(PACS: Pacte civil de solidarité, 시민연대계약)를 도입했는데, 이처럼 보다 느슨한 가족결합제도가 출산율 상승을 도왔다는 의견이 많다.

팍스는 프랑스가 동성 커플에게도 법적인 지위를 인정하기 위해 1999년 도입한 제도이다. 세액공제 등 결혼한 부부와 동일한 수준의 혜택을 보장받는다. 계약을 체결하고 해지할 때 법적으로 기록이 남지 않는다. 이성 커플의 호응도 커 2001년 1만 6,589건이었던 팍스 커플 수는 2017년 19만 3,950건으로 늘었다. 프랑스의 결혼문화는 만 18세 이상 성인이 되어서 연인이 생기면 결혼하기 전에 동거부터 한다.

팍스는 법적 제약을 받지 않는 가족제도인 데 반하여 결혼은 법적 규제를 받는다. 프랑스는 이혼율도 상당히 높기 때문에 결혼해서 이혼을 하게 되면 위자료나 재산 분할 등 그 부담이 만만치 않다. 특히 남성은 여성이 재혼하기 전까지 생활비나 양육비 등 월급의 반 이상을 지불해야 되므로 결혼을 꺼린다. 그래서 동거와 결혼의 중간 형태인 팍스를 선호한다. 팍스는 두 사람이 살다가 서로 뜻이 안 맞아 헤어지고 싶으면 둘 중 한 명이 팍스 해지를 원하는 서류를 행정관청에 제출하면 그것으로 끝이다.

한국사회도 결혼을 하지 않는 동거 커플이 늘어나고 있다. 통계에 따르면 국민의 54.6% 이상이 꼭 결혼을 하지 않아도 살 수 있다고 답했다. 젊은 세대들의 결혼관이 달라지고 있고, 결혼에 대한 인식과 개념이 변하고 있다. 일부 국가들은 이미 가족의 다양성을 인정하는 새로운 가족의 형태를 가족관계법으로 인정하고 있다.

Q1. 다음 제시문을 읽고, 가동 연령과 정년 연령, 노인 기준 연령을 높이는 것에 대해 어떻게 생각하는지 답해보시오.

대법원에서 가동 연령, 즉 육체노동자의 연령 상한을 올려야 한다고 판결하였다. 만약 가동 연령을 올리면 민간 보험회사 등 사회 경제적 여파가 크다. 60세 이상인 사람들에게 언제까지 일하고자 하는지 설문조사한 결과 72.9세까지 일하고 싶다는 결과가 나왔다. 우리 사회는 이미 고령사회로 진입했는데 고령사회는 만 65세 이상이 14% 이상인 사회이다. 그러나 이처럼 노인 기준 연령을 올리면 청년 일자리 문제와 국민연금 지급 등의 문제가 발생할 수 있다는 문제점도 있다.

Q1. 다음 제시문을 읽고, 재산비례 벌금제에 대한 귀하의 입장을 밝히고 그 논거를 제시해보시오.

우리나라에서는 음주운전을 한 경우 음주 운전자의 재산과 무관하게 혈중알코올농도에 따라서 정해진 벌금을 부과하는 '총액 벌금제'를 실시하고 있다. 총액 벌금제의 경우 자산이 100억 원인 사람이나 1천만 원인 사람이나 음주운전으로 적발된 혈중알코올농도가 동일할 경우 동일한 벌금을 내도록 하고 있어 자산에 따른 벌금 부담 능력의 차이를 간과하는 문제가 있다.

이에 따라 최근 '재산비례 벌금제' 도입에 관한 논의가 활발해지고 있다. '재산비례 벌금제'라는 범죄 행위자의 벌금을 행위자의 경제적 사정에 따라 차등적으로 부과하는 제도이다. 독일, 프랑스, 덴마크, 스웨덴 등에서는 이를 일수 벌금제라는 이름으로 적용 중이다. 재산비례 벌금제에 따르면 범행의 경중에 따라 벌금 액수가 아닌 일수를 정하고, 그 일수에 곱해야 하는 하루치 벌금 액수는 각자의 경제 사정에 따라서 다르게 정함으로써 최종 벌금액을 정하게 된다. 예를 들어 소득 상위 1%인 운전자와 70%인 운전자가 똑같이 혈중알코올농도 0.14%로 음주운전을 해서 70일의 벌금을 내야 한다면, 소득 상위 1%인 사람은 1일당 30만 원으로 계산해서 2,100만 원을 내야 한다. 반면에 소득 상위 70%인 사람은 1일당 5만 원으로 계산해서 350만 원만 내면 된다.

실제로 일수벌금제를 도입한 핀란드에서는 2013년 도로에서 속도를 위반한 스웨덴 국적의 한 핀란드 사업가에게 벌금 11만 6천 유로(당시 약 1억 8천만 원)를 부과해 세간의 화제가 되기도 하였다. 당시 그의 수입은 월 2억 2천만 원 정도인 것으로 알려졌다. 그러나 재산비례벌금제에 대하여 재산에 비례해 벌금을 걷으려면 재산을 정확히 파악해야 하는데 그 과정에서 개인정보가 침해될 수 있다는 반론도 만만치 않다.

Q1. 다음 제시문을 읽고, 수술실 내 CCTV 설치에 대한 자신의 견해를 논해보시오.

대리 수술 문제가 불거지면서 수술실 내 CCTV 설치의 필요성이 대두되었다. 여론조사 결과 국민 반수 이상이 수술실 내 CCTV 설치에 찬성하였고, 이에 따라 경기도에서는 의료원에 CCTV를 설치, 운영하고 있다. 대한의사협회 측에서는 발생할 수 있는 부작용들을 충분히 검토하지 않은 채 너무 성급하게 결정해서는 안 되고, 이 문제는 국민 여론으로 결정될 사안이 아니라는 의견을 밝혔다.

Q1. 다음 제시문을 읽고, 머그샷 제도를 도입해야 하는지 자신의 견해를 논해보시오.

> 피의자 신상 공개가 될 때, 실제 피의자들이 고개를 숙이거나 머리카락으로 얼굴을 가리는 등 교묘한 방법으로 자신의 얼굴이 드러나는 것을 피하고 있다. 따라서 피의자 신상 공개의 실효성을 담보하기 위해 얼굴을 가릴 수 없도록 한 상태에서 정면, 측면 등 다양한 각도에서 사진을 찍어 공개하는 머그샷 제도를 도입해야 한다는 주장이 있다.

Q1. 다음 제시문을 읽고, 제시문의 주장에 대한 자신의 견해를 논해보시오.

> 하청 노동자의 비중이 늘어나면서 위험의 외주화가 심각해지고 있다. 이에 따라 원청 사업주의 책임을 강화하고 이에 따라 처벌 수위를 높여야 한다는 주장이 제기되고 있다.

Q1. 다음 제시문을 읽고, 최고임금제 도입에 대한 자신의 견해를 논해보시오.

> 일반 근로자에게 임금 피크제 등 상한제를 적용하는 것과 마찬가지로, CEO 등 고위 임원에게도 임금 상한제를 적용하자는 최고임금제 도입이 논의되고 있다. 유럽에서는 살찐고양이법이라 불리고 있으며 이미 도입되어 시행된 국가도 있다. 우리나라에서는, 민간 기업 임원의 최고 임금은 최저 임금의 30배, 공공기관 임직원은 10배, 국회의원과 고위 공직자는 5배를 넘지 못하도록 하는 안이 발의되었다.

Q1. 다음 제시문을 읽고, 혐오표현 삭제 의무화에 대한 자신의 견해를 논해보시오.

> 혐오표현이 인터넷 등에 게재되었을 때, 사업자가 해당 혐오표현을 삭제할 의무를 부과해야 한다는 주장이 있다.

Q1. 법학전문대학원에 지원하게 된 동기를 말해보시오.

Q2. 학부 전공은 무엇인가?

Q3. 학부 시절 가장 큰 성취는 무엇이었는가?

Q4. 로스쿨 입학 후의 학습량이 방대한데 그에 대한 나의 강점은 무엇인가?

Q5. 변호인이 된 후에 의뢰인이 자신에게 유리한 사항만을 말하고, 무엇인가를 자꾸 감추는 것 같을 경우 어떻게 할 것인가?

Q6. 입학을 한다면 동기들이 많이 생길 텐데 이들과 경쟁을 할 것인지, 협력할 것인지?

Q7. 후회되거나 기억에 남는 일을 말해보시오.

Q8. 공동주택 층간소음문제 해결법을 제시해보시오.

Q9. 선천적 시각장애인에게 바다색을 어떻게 설명할 것인가?

Q10. 기업의 비밀을 알고 있는 상황에서 라이벌 기업에서 스카웃 제의가 들어오면 어떻게 할 것인가?

Q11. 경영과 법의 공통점과 차이점을 제시해보시오.

Q12. 변호사는 무슨 일을 한다고 생각하는가?

Q13. 본인을 색깔로 표현하면?

Q14. 혼자만의 시간을 많이 가지는가?

Q15. 추천할 만한 책은?

Q16. 본인의 가치관 형성의 계기를 말해보시오.

Q17. 경기 지역 발전을 위해 법조인으로서 어떻게 기여할 수 있는가?

Q18. 흉악범 등 민감한 사건의 피의자를 변호할 수 있는가?

Q19. 피해야 할 법조인상을 말해보시오.

Q20. 감명 깊게 본 영화는 무엇인가?

Q21. 존경하는 법조인은 누구인가?

Q22. 마지막으로 더 하고 싶은 이야기가 있다면 말해보시오.

모범답변

① 교수:학생 = 3:1   ② 아래 문제들 중 무작위로 문제가 선정됨

2019 아주 A 문제

※ 다음 제시문을 읽고, 문제에 답하시오.

> 1999년 호주 ○○대학에서 의과대 학생들이 동물 실습 수업에 집단 거부하며 대체 수업을 학교에 요구했다. 학교는 이에 대해 대체 수업을 마련하고 학점을 이수할 수 있도록 조치함으로써 세계적인 각광을 받았다. 최근 우리나라에서도 유명 연예인의 반려견이 사람을 물어 패혈증으로 일주일 만에 사망하는 등의 사건으로 인해 동물의 권리에 대한 관심이 커지고 있다.

Q1. 동물의 생체 실험과 동물의 안락사에 대한 찬반 여부를 말하고, 동물에게도 생명권을 포함한 권리가 인정되는지에 대한 본인의 견해를 논거를 들어 대답해보시오.

추가질문

Q2. 동물의 안락사가 타인의 자유에 해악을 입힌 경우에만 가능하다는 입장인가?

Q3. 국가경제에 대해 이야기를 할 때 축산업을 말했는데, 축산업계에서는 동물을 죽이는 것 즉, 생명권을 빼앗는 것이지 않나? 그렇다면 지원자가 말한 생체 실험의 경우에는 왜 제한적으로 행해져야 하는가?

Q4. 축산업은 전면적으로 인정되고 생체 실험은 제한적으로만 인정되는 것인가?

Q5. 다른 동물들이 문제가 아니라 반려견이나 반려묘에 대해서 문제가 되고 있는 것 같은데, 이들은 다른 동물들보다 강하게 보호되어야 하지 않나?

Q6. 축산업은 인간의 기본적 욕구를 충족시키기 때문에 인정된다고 하자. 그렇다면, 미용은 기본적 욕구가 아닌가?

Q7. 생명권은 원래 있는 것이기 때문에 보호되어야 한다. 어떤 의무를 져야만 권리가 발생하는 것은 아니다. 예를 들어 사형이 실시되지 않는 것도 범죄자의 생명권을 보호하기 위함이다. 중세 시대 노예 같은 경우에도 개인의 소유물로 취급받았으며 생명권이 보호되지 않았다. 그러나 시대의 변화에 따라 점차 권리의 주체가 확대되고 있고, 이를 감안한다면 미래에는 동물도 권리의 주체가 될 수 있지 않은가?

※ 다음 제시문을 읽고, 문제에 답하시오.

> 10월 10일 세계 사형폐지의 날을 맞아 국가인권위원회가 개최한 '사형제도 폐지 및 대체 형벌 마련을 위한 토론회'에서 이 같은 결과가 발표됐다. 이날 발표된 사형제도 폐지 및 대체 형벌에 관한 국민 인식조사 결과에 따르면 단순히 사형제도 찬반에 관해 물었을 때 당장 폐지하자는 비율은 4.4%, 향후 폐지하자는 비율은 15.9%로 높지 않은 편이었다. 그러나 대체 형벌이 도입될 경우를 전제로 하면, 폐지에 동의하는 비율이 66.9%로 높아졌다. 이는 법 제도의 상황 변화에 따라서 사형제도의 유지 및 폐지에 대한 의견도 달라질 수 있음을 나타낸다.
>
> 사형제가 폐지될 경우 대체 형벌로 종신형이 논의되고 있다. 종신형(終身刑) 또는 무기형(無期刑)은 수형자가 사망할 때까지 무기한으로 교도소에 가두는 형벌을 말한다. 종신형은 감형이나 가석방을 허용하지 않는 절대적 종신형과 감형이나 가석방이 가능한 상대적 종신형이 있다.
>
> 우리나라와 일본은 사형제를 유지하고 있다. 독일, 프랑스, 이탈리아 등에서는 사형제를 폐지하면서 절대적 종신형을 두었다가 교정 행정상의 애로와 인권침해 문제로 절대적 종신형을 폐지하고 상대적 종신형으로 다시 일원화했다. 절대적 종신형이 있는 국가는 영국과 미국이 있다.

Q1. 사형제가 폐지된다면, 절대적 종신형과 상대적 종신형 중 무엇을 선택해야 하는가?

추가질문

Q2. 사형제가 폐지되었다는 것을 전제한 상황이니, 생명권 침해나 오판 가능성이라는 논거는 여기서 제외된 것이다. 그렇다면 상대적 종신형이 왜 절대적 종신형보다 나은가? 많은 논거를 이야기했는데 단 하나만 강조한다면?

Q3. 교화가 가능하다고 판단된다면, 모든 범죄자를 석방해도 괜찮다는 것인가?

Q4. 평등원칙 측면에서 종신형을 선고받은 범죄자와 다른 범죄자들을 왜 동일하게 보아야 하는 것인가? 흉악범에 대해서도 동일하게 판단해야 하는가?

Q5. 조두순은 자신이 행한 일에 대한 반성도 없이 이제 곧 출소한다. 이래도 상대적 종신형이 타당한가?

Q6. 종신형만이 아니라 다른 형벌도 신체의 자유를 제한하지 않는가? 이런 형벌들이 모두 잘못된 것인가? 피해자의 응보 감정은 어떻게 해소할 것인가?

※ 다음 제시문을 읽고, 문제에 답하시오.

일본 내각부 지식재산권본부는 만화를 스캔, 복제, 업로드하는 해적판 사이트에 대한 블로킹 법제화를 추진하였다. 이는 일본의 중요 문화인 만화산업이 붕괴할 수 있다는 위기감이 고조되면서 추진되었는데, 만화를 인터넷에 무단 공개하는 해적판 사이트가 증가하여 만화가들의 작품 창작이 어려워진 결과이다. 인터넷에서 만화를 유료로 읽을 수 있는 전자 코믹만화 산업은 빠르게 성장했지만, 무료로 접할 수 있는 망가무라 등의 해적판 사이트 탓에 피해가 급증하고 있다. 일본 정부는 필터링 등의 다양한 수단을 동원했지만 효과적인 문제 해결이 불가능하여, 인터넷 사업자가 해적판 사이트에 대한 액세스를 차단하는 것을 의무화하는 사이트 블로킹 법제화를 추진하였다. 그러나 많은 논란으로 인해 법제화에 이르지는 못했다. 미국 역시 이와 유사한 논의가 있었으나 논란이 커져 사이트 블로킹을 의무화하지 못했다. 구글 등은 이에 반대하는 의사 표명을 하였고, 위키피디아는 반대 의사를 표명하기 위해 하루 동안 위키피디아 영문서비스를 중단하기도 하였다. 우리나라 또한 해적판 사이트 블로킹에 대한 논의가 이루어지고 있는데 최근 대표적인 해적판 사이트인 '밤토끼' 운영자를 검거하였다. 그러나 해외에 서버를 두고 있는 경우 운영자를 검거하거나 사이트 블로킹이 쉽지 않다.

Q1. 해적 사이트 블로킹 의무화 법안에 대한 찬반 입장 중 본인의 의견을 정하여 논증해보시오.

추가질문

Q2. 해적 사이트 블로킹 의무화가 평등원칙에 부합한다는 논거를 제시했는데, 그렇다면 유튜브에서 구독자가 많은 경우와 적은 경우 제재 정도가 달라지는 것은 불평등하지 않은가?

Q3. 찬성 측 의견에 대해서 말했는데, 반대 측이라면 어떤 의견을 제시할 것 같은가?

Q4. 한 천재 개발자가 모든 것을 해킹할 수 있는 해킹툴을 만들어 이를 무료로 배포한다면 어떤가?

Q5. 그럼에도 저작권의 경우 종이 서적의 경우에는 부분별 이용은 저작권에 저촉되지 않으나, 전체를 이용하는 인용은 불법인데, 현실에서는 전체를 이용하는 경우가 많이 있다. 이를 이용하는 복사집 등도 규제해야 하는가?

Q6. 지식재산권 보호는 중요한데, 특히 인터넷의 경우 한번 유포되면 파급효과가 크고 보호가 불가능하므로, 사이트 블로킹 의무화를 실시한다면 사전에 효율적으로 지식재산권을 보호할 수 있다. 사이트 블로킹을 의무화하는 것이 좋지 않을까?

Q7. 그렇다면 사이트 블로킹을 의무화하는 대신 이 문제를 해결할 수 있는 해결책은 무엇이 있는가?

※ 다음 제시문을 읽고, 문제에 답하시오.

> 양승태 전 대법원장은 상고법원 신설을 목적으로 정부를 상대로 하여 재판을 거래하거나 재판에 개입하려 시도하였다. 법관은 그 지위를 강하게 보호받는데, 징역형 이상의 형벌 혹은 탄핵을 당한 경우에만 법관의 지위를 박탈할 수 있다. 최근 양승태 사법부의 사법농단에 대해 국회는 사법농단의 주체들, 즉 사법농단에 가담한 법관들에 대한 탄핵을 소추하려 한다.

Q1. 사법농단의 주체들에 대한 국회의 탄핵 소추가 타당한지 자신의 입장을 정하고 그 논거를 제시해보시오.

추가질문

Q2. 국회가 법관에 대한 탄핵을 소추하는 것은 정치적 쇼라고 비판하는 사람들도 있는데 이에 대해서 어떻게 반박할 것인가?

Q3. 사법부 내에 징계 절차도 있는데 왜 정치적 입장이 개입될 여지를 가지는 국회가 나서서 탄핵을 해야 하나?

Q4. 특별재판부가 도입되면 국회가 탄핵소추를 할 필요가 없는가?

Q5. 내부 감사제도와 외부 감사제도 중 무엇이 타당한지 물어본 것이다. 이에 대해 답변해보시오.

Q1. 다음 제시문을 읽고, 주세 차등 적용에 대하여 본인의 찬반 의견을 논변해보시오.

> 우리나라는 제조원가 기반으로 세금을 부과하고 있어 소주보다 제조원가가 높은 맥주가 소주에 비해 비싸다. 그러나 해외의 경우 알코올 함량에 따라 주세를 차등적용하고 있다. 이 제도가 우리나라에 도입된다면 알코올 함량이 높은 소주가 맥주에 비해 높은 가격으로 판매될 것이다. 이렇게 알코올 함량에 따라 주세를 차등적으로 적용하는 것은 알코올 섭취로 인한 건강 문제, 사회적 문제에 대한 비용 분담을 높은 알코올을 섭취하는 사람이 부담하게 한다는 점에서 타당하다는 의견이 있다.

2019 아주 F 문제

Q1. 다음 제시문을 읽고, 동물원을 폐쇄해야 하는지에 대한 자신의 견해를 제시하고 논거를 들어 논변해보시오.

> 2018년 대전 동물원에서 퓨마가 탈출했다. 동물원 직원의 관리 소홀로 인해 퓨마가 열려 있는 문을 통해서 탈출했다. 퓨마를 발견하고 마취총을 한차례 쐈으나 퓨마가 마취되지 않고 계속 움직여 결국 사살했다. 마취가 되지 않았다고 하여 퓨마를 사살한 것이 적절한 것이었는지 논란이 되었다. 또한 동물원 자체가 동물에게 과도한 스트레스를 주기 때문에 동물원을 폐쇄해야 한다는 주장이 거세게 일었다.

2019 아주 G 문제

Q1. 난민 인정 기준을 완화해 난민을 더 적극적으로 받아들여야 한다는 견해에 대한 찬반 입장 중 자신의 입장을 선택하고 논거를 들어 논변해보시오.

모범답변

2018 아주대 로스쿨

① 교수:학생 = 3:1   ② 답변 준비 15분, 지성 면접 10분, 인성 면접 10분   ③ 메모 불가
④ 인성 면접은 자기소개서에 기반한 상세한 질문   ⑤ 아래 문제들 중 무작위로 문제가 선정됨

2018 아주 A 문제

Q1. 청소년 유해물 차단 앱 설치 의무화에 대한 자신의 견해를 밝혀보시오.

Q2. 부모의 미아방지끈 사용 여부에 대한 자신의 견해를 밝혀보시오.

Q3. 일본에서는 산악 인명구조 작업 시 소방헬기 서비스를 이용한 사람에게 비용을 청구하는 제도를 실시하고 있다. 이는 소방업무를 주로 담당하는 소방헬기가 산악 인명구조 작업에 쓰이는 비율이 절반 이상이 될 정도로 과도하여 시행하게 된 정책이다. 우리나라도 최근 이에 대한 법안이 발의되었다. 산악 인명구조 서비스에 비용을 청구하는 법안 발의에 대한 찬반 여부를 밝혀보시오.

Q4. 12~17세 청소년에게 직접투표권을 부여해야 한다는 입장과 부모가 청소년을 대신해 투표권을 대리행사해야 한다는 입장이 대립하고 있다. 이 두 입장 중 어떤 입장이 타당하지 정하여 논해보시오.

Q5. 현재 대마 흡연은 금지되어 있고 이를 위반 시 징역형에 처하고 있다. 대마를 흡연한 자에 대한 징역형 대신 벌금형으로 처벌하자는 주장이 있다. 대마 흡연자에 대한 징역형을 유지해야 하는지 혹은 징역형을 폐지해야 하는지 입장을 정해 논해보시오.

모범답변

2017 아주대 로스쿨

① 교수:학생 = 3:1 ② 답변 준비 15분, 지성 면접 10분, 인성 면접 10분 ③ 메모 불가
④ 인성 면접은 자기소개서에 기반한 상세한 질문

2017 아주 A 문제

※ 다음 제시문을 읽고, 문제에 답하시오.

예전에는 사진관에 가족사진이 걸리는 것이 영광이고 자랑이었다. 그러나 지금은 누구나 SNS를 통해 사진을 올릴 수 있게 되면서 누구나 주인공이 될 수 있다.

2016년 9월 중순, 오스트리아 출신의 한 10대 여성이 자신의 부모가 Facebook에 자신이 어렸을 때의 사진을 공유했다는 이유로 이를 삭제해달라는 내용으로 소송을 제기한 것이 해외 언론에 보도되었다.

오스트리아 개인정보 보호 법령에 의해 이름이 공개되지 않은 한 10대 여성이 자신의 부모를 상대로 소송을 제기하였다. 이 여성은 자신이 어렸을 때, 부모가 찍어 Facebook을 통해 지인들에게 공유한 사진이 나체나 화장실에 있는 모습 등을 담은 '당혹스러운' 성격에 해당하며 프라이버시를 침해하는 것이라 주장하고 있다.

이 여성은 부모가 Facebook을 통해 공유한 자신의 '문제적' 사진이 500개가 넘으며, 이에 대해 부모에게 내려줄 것을 '반복적'으로 요청하였으나 거절당했다고 한다. 이 여성은 "부모가 이 사안을 심각하게 생각하지 않는 것에 지쳤다."고 인터뷰를 통해 밝혔으며, "내 부모는 이에 대해 부끄러움을 느끼지도 않고, 제한을 두지도 않는다."라고 하소연했다.

결국 그녀는 그녀의 부모를 고소하기에 이르렀고, 이 사건은 오는 11월에 법원에서 다루어지게 되었다. 그녀는 오스트리아 법에 따라, 고소를 할 수 있는 나이인 18세가 되기까지 기다려왔다고 한다.

Q1. 자신의 사진을 타인이 Facebook 등 SNS에 올리는 것에 대해서 어떻게 생각하는가?

Q2. 내년에 로스쿨에 입학하게 되면 입학식에서 단체 사진을 찍을 것이다. 그럼 이 경우에도 사진을 게재하지 말아야 하는가? 사진 게재를 원하지 않는 사람 때문에 사진을 못 올리는 것은 문제가 있지 않는가? 그 사람 부분만 색칠을 할 수도 없지 않는가?

Q3. 친구들끼리는 남의 사진을 SNS에 막 올리기도 한다. 이것도 부당한가?

Q4. 사진이 다양한 정보를 담고 있다고 하자. 사진을 게재한다고 해서 무슨 문제가 발생할 수 있다고 생각하는가?

Q5. 내가 사진을 올리는 것과 타인이 사진을 올리는 것은 무슨 차이가 있느냐? 어차피 내가 사진을 올려도 정보가 노출되는 것은 아닌가?

Q6. 만약 당신이 사례의 소녀이고, 부모에게 삭제해달라고 설득을 해도 해결되지 않는다면 소송할 것인가?

Q7. 소녀의 사진은 SNS의 특성상 이미 많이 유포되어 이제 와서 부모가 사진을 삭제한다고 한들 크게 실익은 없지 않은가? 국가가 소송을 받아들인다고 했을 때, 이러한 소송으로 인해 얻는 국가의 실익은 없지 않은가?

Q8. 자기정보통제권에 대한 문제가 이렇게 많다면, 이를 법 제정을 통해 방지해야 하는가?

Q9. 국민 인식을 먼저 개선하고, 법을 최소로 하겠다는 것인가?

Part 1
Part 2
Part 3
Part 4
Part 5
Part 6
Part 7

※ 다음 제시문을 읽고, 문제에 답하시오.

> 최근 스위스에서는 기초소득을 전 국민에게 지급하는 제도 도입에 대한 국민투표가 있었으나, 부결되었다. 그리고 기초소득액으로 거론된 약 300만 원이라는 액수는 스위스의 물가를 반영한 금액이라는 내용이 제시되었다.

Q1. 기초소득 지급 제도 도입에 대해 어떤 입장인가?

추가질문

Q2. 스위스 국민들은 왜 반대했고, 애초에 이 제도가 제안된 이유는 무엇이라고 생각하는지?

Q3. 우리 사회의 특수성 때문에 기초소득 지급 제도가 부적당하다고 했는데, 그렇다면 우리 사회가 달라지면 장래에는 도입할 수 있는 것인가?

Q4. 근로의욕이 저하된다고 했는데, 개인의 의욕을 국가가 통제하는 것이 정당한가? 저소득 계층은 절대적으로 필요한 금액이 있고, 이것이 뒷받침될 때 비로소 근로의욕이 생길 수도 있다.

Q5. 로봇화가 진행된 미래에는 기계를 보유한 기득권층만 이익을 누리게 되는데 그에 대해서는 어떻게 생각하는가?

Q6. 성남시 청년수당에 대해 어떻게 생각하는가?

2017 아주 C 문제

※ 다음 제시문을 읽고, 문제에 답하시오.

현재 우리나라 공무원 퇴직 연령이 60세인데, 2020년부터 임금피크제 도입과 함께 퇴직 연령을 65로 늘리자는 의견이 있다는 내용의 제시문

Q1. 공무원 정년 연장에 대한 입장을 말해보시오.

💬 **추가질문**

Q2. 임금피크제가 도입되면 어차피 정년 연장을 한다고 해도 월급은 일정 정도 줄어든다. 그리고 청년실업 문제가 발생할 수 있는데 이는 어떻게 해결할 것인가?

Q3. 정년 연장을 하게 된다면 생산에 비해서 효율이 줄어들 수도 있는데 그래도 정년 연장을 해야 한다고 생각하는가?

Q4. 노년층 기초생활수급자를 말했는데 이것이 공무원 정년 연장과 어떻게 연결되는가?

2017 아주 D 문제

※ 다음 제시문을 읽고, 문제에 답하시오.

클린하우스는 쓰레기 배출과 수거가 한 데 이뤄지는 거점을 말한다. 제주시는 재활용률 제고, 도시미관 향상, 행정비용 효율화 등을 들어 2006년 전국에서 처음으로 '클린하우스'를 도입했다. 올해가 도입 10년째 되는 해다. 제주시 삼도1동에 처음 32곳이 설치됐던 클린하우스는 올해 8월 말 현재 제주 전역에 무려 2,660곳으로 늘어났다. 제주시에는 2,037곳, 서귀포시에는 623곳이 있다. 한 골목길 너머 하나씩 클린하우스가 설치되어 있다. 현재 이 지역에는 각각 250여 곳의 클린하우스가 운영되고 있다. 모두 주민편의를 위해서다.

그러나 우후죽순 생겨난 클린하우스는 최근 '무단 투기장' 신세를 면치 못하고 있다. 분리수거되지 않은 채 마구잡이로 버려지는 쓰레기가 하루 1,184톤(8월 말 기준)에 달해 기존 매립/소각장이 포화 직전에 이르면서 쓰레기가 제때 수거되지 못하는 문제로 악취 등에 따른 철거 민원이 쏟아지고 있다. 또 그동안 클린하우스의 경우 공간 확보 문제로 주로 민간 소유의 공한지나 이면도로에 설치돼 왔는데, 최근 해당 부지 토지주들의 환수 요구에도 부딪치고 있다. 결국 이로 인해 2013년 73곳, 2014년 84곳, 2015년 105곳의 클린하우스가 철거됐다. 올해도 150여 곳의 클린하우스가 철거된 것으로 잠정 추산되고 있다. 제주도는 클린하우스 쓰레기 불법투기를 막기 위해 제주시 클린하우스 537곳, 서귀포시 클린하우스 283곳 등 클린하우스 820곳에 CCTV를 설치했다. 생활쓰레기 요일별 배출제, 생활쓰레기 배출 시간 제한 등이 원활히 추진되려면 체계적인 단속이 뒷받침돼야 한다. 읍면지역 클린하우스의 경우 현재 합법적인 쓰레기 무단 투기장으로 전락하고 있어 과거처럼 일정 시간 집 앞에 쓰레기를 배출하는 문전수거 방식을 대안으로 다시 검토해 볼 필요가 있다.

Q1. 클린하우스의 시행과 관련하여 본인의 의견을 제시하고 논거를 들어 설명해보시오.

추가질문

Q2. 클린하우스를 시행하면 왜 쓰레기가 줄어든다고 생각하는가?

Q3. 민간지역에 클린하우스가 설치되어 사유재산 침해와 관련한 문제가 발생하고 있다고 했는데, 이러한 문제를 해결하는 방안에는 무엇이 있는가?

Q4. 비용 절감의 효과가 클린하우스의 목적인데, 공공 이벤트로 그 목적을 충족할 수 있는가? 오히려 비용이 더 들지 않겠는가?

Q5. 기업들이 비용이 드는데도 불구하고 공공 이벤트에 참여하겠는가?

Q6. 사람들의 의식이 단기간에 바뀔 것이라고 보는가?

Q7. 클린하우스 제도와 CCTV 설치는 병행해야 하는가? 요일제는 함께 이용할 수 있는가?

2017 아주 E 문제

※ 다음 제시문을 읽고, 문제에 답하시오.

> 조선시대의 형벌 중 태형(笞刑)은 가장 가벼운 형벌이고 10대에서 50대까지 5등급이 있다. 태형의 집행은 죄수를 형대에 묶은 다음 하의를 내리고 둔부를 노출시킨 후 물푸레나무로 만든 매로 대수를 세어가면서 집행한다. 나이가 70세 이상이거나 15세 이하인 자와 폐질에 걸린 자는 태형을 집행하지 않고 대신 속전을 받았으며, 임신한 여자도 70세 이상인 자에 준하여 처리하였다. 태형은 조선말 장형이 폐지된 뒤에도 오랫동안 존속되다가 1920년에 가서야 완전히 폐지되었다.
>
> 장형(杖刑) 태형보다 중한 벌로 60대에서 100대까지 5등급이 있다. 장형의 집행 방법은 태형과 대체로 같고, 단지 매의 규격이 더 크다. 갑오경장 이듬해인 1895년 행형제도를 개혁하면서 장형은 폐지되었다.
>
> 태형과 장형은 현재 우리나라에는 없는 형벌이지만, 중동이나 아프리카 등에는 현존하고 실제 사우디 왕자가 태형을 받은 적이 있다. 현대사회에서는 반인권적이라는 지적이 있는데, 우리나라에서도 태형이 도입되어야 한다는 논의가 있다.

Q1. 태형이 반인권적인가에 대해 본인의 견해를 밝히고 그 근거를 논해보시오.

Q2. 태형은 주로 경범죄 범죄자들에게 가해질 듯한데, 경범죄 범죄자들이 차라리 몇 대 맞고 끝내려고 하면 무엇이라고 할 것인가? 또 일반인들에게 조사를 했는데, 태형에 대한 찬성이 더 많다면 어떤가?

Q3. 법조인에게는 역지사지가 중요한데, 태형 찬성 입장에서 논한다면 무엇이라고 할 것인가?

Q4. 성범죄자들이 전자발찌나 화학적 거세, 사형제 등으로 처벌받는 것 역시 비인륜적인가?

2017 아주 F 문제

Q1. 다음 제시문을 읽고, 어떤 방식을 택하는 것이 타당한 것인지 밝히고, 그 근거를 제시해보시오.

> 4차 산업혁명에 있어 수출입도 법과 정책을 통한 규제가 마련되어야 한다.
> ① 규율적 규제: 수출입이 허용되는 물품만 수출입 가능
> ② 원칙적 규제: 수출입 금지 물품 제외하고 모든 물품에 대한 수출입 가능
> ③ 자율적 규제: 민간사업체의 판단에 따라 수출입 품목 허용

2017 아주 인성 문제

Q1. 자신의 단점은 무엇인가?

Q2. 학부시절에 개인적으로 가장 치열하게 했던 활동은 무엇인가?

Q3. 요즘 문제되는 사건의 인물을 변호할 수 있는가?

모범답변

Part 1
Part 2
Part 3
Part 4
Part 5
Part 6
Part 7

해커스 김종수 로스쿨 면접 200주제

2016 아주대 로스쿨

① 교수:학생 = 3:1   ② 답변 준비 20분, 지성 면접 10분, 인성 면접 10분   ③ 메모 불가
④ 인성면접은 자기소개서에 기반한 상세한 질문

2016 아주 A 문제

※ 다음 제시문을 읽고, 문제에 답하시오.

> 구조자가 피구조자 구조 시 문제가 발생하여 피구조자에게 침해가 발생하였다. 이에 어떤 나라에서는 피구조자 구조 시 최소한의 주의 의무를 부담하게 해야 한다는 주장이 일어나고 있다. 특히 미국에서는 피구조자 구조 상황에서 침해가 발생할 시, 국가 등 관련 당국에서 손해배상을 하자는 주장이 있다.

Q1. 구조자에게 피구조자 구조 시 최소한의 주의 의무를 부담하게 하는 것이 타당한가?

추가질문

Q2. 피구조자에 대한 실질적 보호를 언급했는데, 구조 의무를 법제화하는 것이 더 효율적이지 않은가?

Q3. (이제 인성면접을 봐야할 시간이지만, 지성질문 답변에 이어 추가질문을 더 하겠다.) 그렇다면 구조자가 선의로 구조했지만 피구조자에게 심대한 침해가 발생한 경우에는 어떻게 할 것인가?

Q4. 지원자의 답변은 구조 의무를 법제화하는 것보다 주의 의무의 책임을 지우지 않는 것이 더 효과적이라는 것인데 맞는가?

Q5. 생명·신체의 위급한 침해로 구급차가 빨리 도로를 지나가야 하는 상황에서 교통신호를 위반하는 것은 정당한가?

Q6. 생명·신체에 대한 직접적 위협은 아니나 선의로 다른 사람의 위급한 일을 도와주는 것과 구조 시 구조하는 것이랑 주의 의무에 대한 책임을 지우는 것은 어떻게 다른가?

※ 다음 제시문을 읽고, 문제에 답하시오.

> 백 씨는 훈민정음 해례본을 갖고 있으며 국가에게 이를 헌납하는 대가로 1,000억 원을 자신에게 보상해줄 것을 요구하고 있다. 그러나 조 씨는 백 씨가 자신에게서 해례본을 훔쳐간 것이라고 주장하고 있다. 대법원은 백 씨가 조 씨로부터 해례본을 훔쳐간 것으로 판결을 내렸다. 이후 조 씨는 해례본은 자신의 것이니 국가에게 무상으로 헌납하겠다고 했다. 국가는 백 씨가 가진 해례본을 찾으려고 강제집행 등을 시행했지만 찾지 못했다. 해례본은 문화적·학문적 가치가 매우 뛰어난 문화재이다.

Q1. 위 사례를 바탕으로 개인이 소유한 문화재를 국가에 헌납할 시에 보상을 해주는 것이 타당한지에 대해 논해보시오.

[추가질문]

Q2. 모범답안 같은 답변 잘 들었다. 그런데 진짜 물어보고 싶은 것은 지금 백 씨가 해례본의 소재를 알려주지 않고 있어 해례본을 찾는 것이 불가능한 상태이다. 어떻게 해결할 수 있겠나?

Q3. 그것은 현행법상 가능하지 않다. 해례본의 가치가 매우 높아서 이를 되찾는 것이 굉장히 중요한데 그렇다면 백 씨에게 고문을 사용하는 것은 어떠한가?

Q4. 지원자 본인이 백 씨라면 무상으로 헌납하겠는가? 본인도 무상으로 헌납하지 않겠다고 했는데, 지금 백 씨도 언론 등에서 자신이 악독한 사람으로만 비춰지고 있어 억울한 면이 있다고 주장한다. 백 씨를 감동시켜서 해례본의 소재를 말하게 할 방법은 없을까?

※ 다음 제시문을 읽고, 문제에 답하시오.

> 아프리카, 중동 지역 난민을 인도주의적 차원에서 수용해야 하는지에 대한 내용

Q1. 진짜 난민이 아닌 이민 목적으로 우리나라에 오는 해당 국가의 부유층은 어떻게 처리해야 하는가?

[추가질문]

Q2. 기후 난민도 받아야 한다면, 일본의 경우는 어떠한가?

Q3. 난민을 수용할지 여부를 결정할 때 정부 결정, 국회 결정, 국민투표 중 어떤 방법이 타당한가?

Q4. 우리나라에 난민법이 제정되어 있는가?

Q1. 학점은 왜 이런가?

Q2. 성적장학금을 한번은 받지 않았나?

Q3. 성적 제출 전 마지막 토익 점수를 제출했는데, 그전에는 몇 점이었나?

Q4. 어떤 법조 분야로 나가고 싶나?

Q5. 시간이 얼마 안 남았는데 마지막으로 하고 싶은 말이 있으면 해보시오.

Q6. 지원자가 하고자 하는 일은 법조인이 아니고서도 가능한 일이다. 왜 굳이 법조인이 되려고 하는가?

Q7. 법 관련 과목을 들은 적이 있는가?

Q8. 국제법은 외대 로스쿨도 유명하지 않나? 왜 외대가 아닌 아주대 로스쿨에 지원했는가?

Q9. 답변이 굉장히 침착하다. 자신이 생각하기에 자신의 성격의 장단점은 무엇인가?

Q10. 본인의 LEET 점수에 만족하는가?

Q11. LEET 준비 기간이 짧은데 무엇을 집중적으로 공부했나?

Q12. 사법시험 준비와 로스쿨 입시 준비에서 달랐던 점은 무엇인가?

Q13. 판사, 검사, 변호사 중 무엇이 되고 싶은가?

Q14. 지원자는 장손인데 제사를 몇대 손까지 지내는가? 제사를 물려받을 것인가?

Q15. 본인이 재판에 져서 의뢰인에게 피해가 발생한다면 본인이 피해를 책임질 것인가?

Q16. 사법시험을 준비했다면서 토익 점수가 왜 이리 낮은가?

Q17. 다니던 회사의 위치는 어디인가?

Q18. 회사에서 무엇을 했나?

Q19. 아주대 로스쿨에 지원한 특별한 계기가 있는가?

Q20. 나군은 어디를 지원했나? 나군 지원 대학 특성화는 무엇인가?

Q21. 결혼은 했나?

Q22. 나이가 많은데 집에서 걱정은 안 하시나?

모범답변

2024~2016 연세대 로스쿨

2024 연세대 로스쿨

① 교수:학생 = 3:1   ② 면접 준비 10분, 면접 시간 10분   ③ 메모 가능   ④ 추가질문 있음

메모 및 휴대 여부	• 메모 및 휴대 가능함
대기실 특징	• 본인 신원확인을 하고 전자기기를 제출함 • 조 번호와 면접 번호에 따라 지정석에 앉아 대기함 • 가져간 자료나 책을 자유롭게 볼 수 있음 • 화장실은 약 20분마다 진행요원을 따라 이용 가능함
문제풀이실 특징	• 문제지가 클리어파일에 끼워져 책상 위에 놓여있음 • 문제지에는 필기가 불가하며, 메모지를 이용해야 하고 개인 필기구 사용 가능함 • 전면 스크린에 타이머 화면을 보여줌
면접고사장 특징	• 고사장 책상 위에 문제지가 있어 답변 중에 메모지와 함께 확인 가능함 • 면접 종료 5분 전, 1분 전에 밖에서 노크를 해서 시간을 알려줌
기타 특이사항	• 대기실과 문제풀이실의 거리가 멀어 이동시간이 꽤 소요됨

※ 다음 제시문을 읽고, 문제에 답하시오.

<제시문 1>

계약에 있어서 핵심 정보를 공유하는 것은 중요한 부분을 차지한다. 그런데 상대방에게 정보 공유를 요구할 권리가 있는가? 이에 대해 갑, 을, 병은 다음과 같은 시각을 제기한다.

• 갑: 정보소유자가 취득을 위해 높은 비용과 많은 노력을 들인 정보는 고지하지 않아도 되지만, 우연히 얻은 정보는 고지해야 한다. 비용을 들여서 취득한 정보를 타인에게 고지하도록 하면 정보 취득을 위해 노력할 유인이 사라져 사회적으로 긍정적인 효과를 얻을 수 없다. 그러나 우연히 얻은 정보는 공유해도 그런 유인이 사라지지 않는다.

• 을: 정보를 통해 백신의 독점적 생산이나 새로운 항로 등과 같이 사회적 효용이 클 것이라면, 정보의 주체는 정보를 공개적으로 고지하지 않고 해당 정보를 사용할 수 있다. 그러나 정보 공개와 고지가 거래가격의 변동으로 이어져서 새로운 부의 재분배를 일으킬 것으로 예상되는 경우에는 정보를 고지해야 한다.

• 병: 거래의 상대방이 정보를 취득하기 위해 상당한 고비용을 들여야만 한다면, 상대방을 보호하기 위해 정보를 고지해야 한다. 그러나 상대방도 충분히 합리적인 방법으로 취득 가능했으나 그 자신이 소홀해서 인지하지 못한 정보라면 해당 정보를 고지하지 않아도 된다.

[사례 1] 채굴회사 A는 B의 토지를 구매하는 과정에서, 전문업체에 금액을 지불하고 토지 조사를 의뢰하여 B의 토지 100m 아래에 금맥이 있다는 사실을 알게 되었다. 이후 A는 B에게 그 사실을 알리지 않은 채 특별한 프리미엄 없이 토지 매매 계약을 체결했다. B는 뒤늦게 이 사실을 알게 되었고, A에게 토지를 넘겨주는 것을 거부하고 있다.

[사례 2] H 아파트에 거주하는 A는 자신의 아파트 주변에 공동묘지가 지어진 사실을 알리지 않은 채 H 아파트 주변에 살고 있는 B와 계약을 체결했다. 이 사실을 알게 된 B는 공동묘지의 건설 정보를 고지하지 않았다는 이유로 A에게 매매대금 지급을 거부하는 상황이다.

Q1. 갑, 을, 병의 입장에서 [사례 1], [사례 2]의 A가 B에게 정보를 고지할 의무가 있는지 각각 설명하시오.

<제시문 2>

(가) 교도소의 목적은 단순히 범죄자에 대한 처벌을 하는 것이 아니라 교화를 하는 것을 포함한다. 북유럽 등 선진국의 교도소에서는 다양한 교화프로그램을 운영하여 범죄자들의 재범률을 낮추었다. 재소자의 특성에 따라 다양한 교화프로그램을 실시하는데, 미국에서는 정신 질환 재소자들을 대상으로 맞춤 프로그램을 제공하기도 한다. 여러 전문가들이 교화프로그램의 효과에 대해 연구한 결과, 교화프로그램은 특히 자기통제력이 낮은 재소자의 재범률을 낮추는 데 더 효과적인 것으로 나타났다.

(나) 학자들의 연구 결과에 따르면, 재범률은 선천적인 유전적 요인에 의해 영향을 많이 받으며 가정적, 사회적 환경은 재범률에 거의 영향을 끼치지 않는다고 주장한다. 입양아들의 경우, 양부모 가정의 환경은 재범률에 큰 영향을 미치지 못했으나 생부의 유전적 기질에 많은 영향을 받는다. 환경적 요인은 재범률에 영향을 주지 않고 친부모의 유전적 형질과 요인이 재범률에 영향을 준다. 재범률은 선천적인 자아통제감과 큰 상관관계가 있고, 자기통제력이 낮은 재소자의 재범률이 높다.

<그림 1> 가정환경에 따른 재범률 그래프

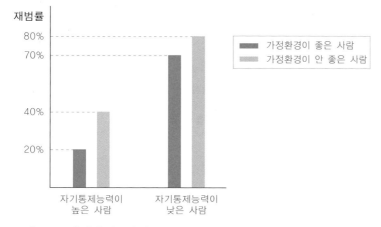

<그림 2> 교화프로그램 실시 여부에 따른 재범률 그래프

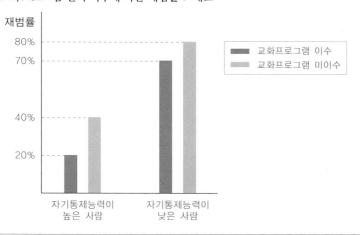

Q2-1. <그림 2>에 입각해 (가)를 평가하시오.

Q2-2. <그림 1>에 입각해 (나)를 평가하시오.

A학생 추가질문

Q3. 교화프로그램 후 재범률이 크게 낮아지지 않았다고 했는데, 자기통제능력이 높은 사람들에게서 재범률이 절반이나 줄어든 것은 큰 것이 아니라고 생각하는가?

Q4. 갑, 을, 병 중에 병이 가장 타당하다고 했는데, 실제 거래 상황에서는 어떨 것이라 생각하는가?

Q5. 자신의 답변에 보충할 것이 있다면 더 해보시오.

B학생 추가질문

Q3. 자신의 답변 중에 보충하고 싶은 부분이 있으면 보충하시오.

C학생 추가질문

Q3. 교화프로그램과 유전적 요인 중 어느 것이 재범률에 영향을 더 미치는가?

Q4. 정신질환이 있는 경우 자아통제력이 낮다고 볼 수 있는가?

모범답변

2023 연세대 로스쿨

① 교수:학생 = 3:1 ② 면접 준비 10분, 면접 시간 10분 ③ 메모 가능 ④ 추가질문 있음

2023 연세 A 문제

※ 다음 제시문을 읽고, 문제에 답하시오.

<제시문 1>

(가) 러시아와 우크라이나 간의 전쟁이 발발했다. 러시아의 푸틴은 러시아의 국익을 위해 전쟁을 시작했다고 밝혔다. 전쟁의 이유는 우크라이나 돈바스 지역의 친러시아 지역 주민들을 보호하는 것이 목표라는 것이다. 돈바스 지역은 친러시아 성향을 보여 우크라이나로부터 포격을 받는 등으로 위협을 받고 있어 루한스크와 도네츠크 지역의 분리주의 지도자들이 러시아의 지원을 요청한 결과물이라는 것이다. 러시아는 우크라이나 돈바스 지역 주민의 요청을 받아들여 전쟁이 아니라 특별 군사작전을 벌이고 있다면서, 이는 유엔헌장 51조 집단자위권에 따른 작전이기 때문에 정당성이 있는 것이라고 밝혔다.

(나) 미국의 트럼프 대통령은 미국의 국익을 위해 WHO(세계보건기구)에서 탈퇴한다고 밝혔다. 트럼프 대통령은 세계보건기구에 코로나19 팬데믹을 위한 기금이 제대로 쓰이지 못하고 있기 때문에 탈퇴한다는 입장이다.

(다) 공무원 甲이 초과근무수당을 부당하게 수령했다. 甲은 자신의 초과근무시간이 수당을 받을 수 있는 최대시간보다 길기 때문에 규정을 어긴 것이 아니라고 주장한다.

(라) 운전자 乙은 속도 제한 도로라 하더라도 주변에 보행자가 없다면 제한 속도를 준수할 필요가 없다고 생각한다. 또 과속 단속 카메라 등이 없다면 제한 속도를 준수할 필요가 없다고 생각한다.

<제시문 2>

(가) 사회자본이론에 따르면, 사회문화적으로 자신과 상이한 집단과의 만남이나 접촉이 늘어날수록 개인의 삶의 질이 높아진다. 고소득층과 저소득층의 접촉지수가 높아질수록 그에 따르는 개인의 삶의 질 지수도 비례적으로 상승한다.

(나) 개구리 연못 이론에 따르면 큰 연못보다 작은 연못에서 개구리가 먹이사슬에서 우위를 차지함으로써 삶의 질이 높아진다.

(다) 특정 지역의 학교에서 저소득층 학생들을 대상으로 조사했다. 저소득층 학생들이 고소득층 자녀와 어울리는 빈도가 높을 경우, 저소득층 부모를 둔 저소득층 자녀 중에서 훗날 고소득자가 되는 경우가 많았다.

(라) 두 학교를 대상으로 저소득층 학생들을 조사했다. 전체 학생 중 고소득층 자녀의 비중이 한 학교는 20%였고, 다른 학교는 40%였다. 고소득층 자녀 비중이 높은 학교에서 저소득층 학생들의 학업 성취도와 자존감 수치가 더 낮았다.

(마) ① 생태계이론에 따르면, 개인의 특성을 집단에 적용할 경우 오류가 발생할 수 있다. 미국 선거에서 평균 상위 소득인 유권자가 바이든에게 투표하는 비율이 높았지만, 상위 소득자들이 몰려 있는 지역에는 트럼프에게 투표하는 비율이 더 높았다.

② 학교에서 학업 성과가 좋은 것은 사회, 경제, 문화적 뒷받침이 있기 때문이다.

③ (파악 불가)

④ 학생들에게 특정 활동을 하도록 했다. 그 효과는 활동을 하도록 한 직후에만 효과가 있었고 그 이후에는 효과가 미미했다. 그런데 장기적으로 보았을 때 특정 활동을 한 학생들의 삶의 질이 더 높았다.

⑤ (파악 불가)

Q1-1. 국가가 규범과 제도를 바라보는 시각과 개인이 규범과 제도를 바라보는 시각이 어떻게 다른지, 제시문에 근거해서 설명하시오.

Q1-2. 규범과 제도에 어떤 결함이 있는지를 말하고, (가) 또는 (나)의 상황이 일어나는 이유에 대해 말하시오.

Q1-3. (가)와 (나) 중 1개, (다)와 (라) 중 1개를 골라 1개의 조합을 만들고, 그 이유를 설명하시오.

Q2-1. (가)와 (나)의 이론과 경험적 일관성을 유지하는 (다)와 (라)의 실험조사 결과를 조합하고 근거를 설명하시오.

Q2-2. (마)의 5가지 논리 중에 2개를 골라서 위에서 조합지은 것을 모두 비판하시오.

추가질문

Q1-4. <제시문 1>의 (가)와 (다)의 공통점은 무엇이라고 생각하는가?

Q3. 시간이 좀 남았는데 보충하고 싶은 말 있으면 자유롭게 하시오.

모범답변

① 교수:학생 = 3:1 ② 면접 준비 10분, 면접시험 시간 10분 ③ 메모 가능, 휴대 가능

※ 다음 제시문을 읽고, 문제에 답하시오.

<제시문 1: 소셜 미디어가 정치에 미치는 영향>

소셜 미디어는 플랫폼 기능을 하여 민주주의의 질적 향상을 이룰 수 있다는 장점이 있다. 그러나 한편으로 가짜뉴스나 허위 정보가 퍼질 수 있다는 단점도 있다.

(가) 이론 1: 정보에는 가짜와 진실이 섞여 있기 때문에 무엇이 진실인지 알기 어렵다. 이는 소수 집단이나 다수집단 모두 마찬가지일 수밖에 없는데, 비슷한 사람끼리 있으면 본래 자신이 갖고 있던 의견이 강화되기 때문이다. 자신의 의견과 다른 상대방의 의견도 접해보아야 진실에 가까워질 수 있다.

(나) 이론 2: 자신의 의견과 반대되는 의견을 접하면 접할수록 더 반발하게 된다. 이에 따라 자신의 의견과 생각이 더 강화될 뿐이다.

(다) 실험 1: 적극적 우대 조치에 대한 찬반 의견을 제시했다. 진보적 집단은 적극적 우대 조치에 대해 찬성하고 있으며, 보수적 집단은 이에 반대하고 있다. 진보적인 집단과 보수적인 집단에서 각각 집단 내에서 토론을 했다. 토론 이후 진보 집단과 보수 집단 모두 기존의 의견이 더 강해져, 진보 집단은 더 강한 찬성 의견을, 보수 집단은 더 강한 반대 의견을 보였다.

(라) 실험 2: 트위터를 통해 실험을 했다. 자신의 의견과 다른 반대 의견을 접한 경우와 아닌 경우를 제시했다. 사용자들은 자신의 의견과 다른 반대 의견을 접한 경우에 오히려 자신의 의견을 더 강화하게 된다는 결과가 나왔다.

Q1-1. 이론 하나와 실험 하나를 골라서 정치적 양극화의 원인을 설명해보시오.

Q1-2. 소셜 미디어에 대한 법적 규제를 해야 하는가?

Q1-3. Q1-1에서 고른 실험의 문제점, 한계에 대해서 논해보시오.

<제시문 2>

　　혈우병 치료 방법은 크게 2가지가 있다. 첫째, 혈액 제제는 가격이 저렴하나 HIV의 전염 가능성이 있다. 둘째, 유전자 재정비제는 가격이 매우 비싸지만 치료 효과가 매우 좋다. 유전자 재정비제는 고가의 치료비가 들어 건강보험에서 지급하지 않는 비급여 대상이었는데 이를 급여 대상으로 바꾸고자 한다.

Q2-1. 급여로 바꾸는 기준을 15세 이하로 설정했다. 이 기준의 문제점은 무엇인가?

Q2-2. 그 기준을 지원자가 설정한다면, 어떻게 할 것인가?

💬 추가질문

Q1-4. 유튜브와 같은 경우는 알고리즘을 통해 자신이 원하는 정보만 보게 되는 구조인데 이것이 오히려 다양한 정보를 접하기에 방해가 되지 않는가? 이를 규제해야 한다고 생각하지는 않는가?

Q1-5. 문제의 전제를 생각해서 다시 (다)의 실험 1에 대한 비판해보시오.

Q2-3. 건강보험은 고소득층이 많이 내는데, 저소득층부터 지원하는 것은 고소득층에 대한 형평성에 어긋나지 않는가?

모범답변

2021 연세대 로스쿨

① 교수:학생 = 3:1   ② 면접 준비 10분, 면접 시간 10분   ③ 메모 가능

2021 연세 A 문제

※ 다음 제시문을 읽고, 문제에 답하시오.

(가) 사회를 운영하는 방식에 대해 2가지 관점이 있다. 개인의 자유를 옹호하는 자들은 개인이 잠재력을 발휘해 개인이 자아실현을 하면 사회발전을 이룰 수 있다고 생각한다. 반면 사회 질서를 옹호하는 측에서는, 자아실현을 하기 위해 필요한 안정적인 사회를 만들기 위해서는 규칙과 규정이 중요하다고 생각한다.

(나) 오늘날 현존하는 여러 사회들을 보면 그 구성원들이 '나'를 강조하는지 '우리'를 강조하는지에 따라 두 그룹으로 분류할 수 있다. '나'를 강조하는 사회는 구성원들의 개성과 자유를 중시하며, 국가가 그 구성원들의 삶에 개입하는 것을 최소화하려는 경향이 있다. 이들은 개인이 가지는 개성, 권리와 이익을 우선적으로 고려하는 반면 다른 사회구성원과의 유대감과 동질감이 상대적으로 약하다. 반대로 '우리'를 강조하는 사회는, 개개인이 가진 고유의 색깔보다 사회 공동체 전체의 이익을 중시한다. 이들은 다른 사회구성원들과 공유하는 가치와 문화를 뚜렷이 인식하고, 소속 집단에 대한 정체성이 명확하다.

(다) 오늘날의 사회공동체는 문화적으로 느슨한지 빡빡한지를 기준으로 분류할 수 있다. 먼저 문화적으로 느슨한 사회는, 사회적으로 공유되는 문화나 전통에 반하는 개개인의 행동에 대해 너그럽다. 이들 사회에서는 주류문화에 반하는 많은 하위문화들이 주류문화와 함께 공존하고 있으며, 주류문화에 대한 반대가 사회적 제재로 이어지지 않는다. 반면 문화적으로 빡빡한 사회는, 다수가 공유하는 주류 문화와 전통이 주를 이루며 이에 대한 일탈은 용납되지 않는다. 사회 다수의 반감을 사는 행위는 곧바로 사회적 일탈로 간주되며, 이에 대한 다른 사회구성원들의 비난이나 각종 제재가 뒤따른다.

<그림 1> 기출문제와 동일한 자료는 아니며, 유사한 자료임

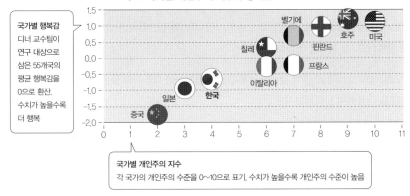

주요 국가별 개인주의 지수와 행복감

국가별 행복감
디너 교수팀이 연구 대상으로 삼은 55개국의 평균 행복감을 0으로 환산. 수치가 높을수록 더 행복

국가별 개인주의 지수
각 국가의 개인주의 수준을 0~10으로 표기, 수치가 높을수록 개인주의 수준이 높음

<그림 2> 기출문제와 동일한 자료는 아니며, 유사한 자료임

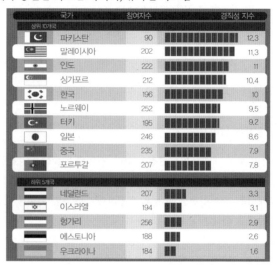

국가	참여자수	경직성 지수
상위 10개국		
파키스탄	90	12.3
말레이시아	202	11.3
인도	222	11
싱가포르	212	10.4
한국	196	10
노르웨이	252	9.5
터키	195	9.2
일본	246	8.6
중국	235	7.9
포르투갈	207	7.8
하위 5개국		
네덜란드	207	3.3
이스라엘	194	3.1
헝가리	256	2.9
에스토니아	188	2.6
우크라이나	184	1.6

<표> 기출문제와 동일한 자료는 아니며, 유사한 자료임

구분	국가	확진자 수
1	미국	22,132,045명
2	브라질	7,961,673명
3	영국	2,889,419명
4	우크라이나	1,105,169명
5	네덜란드	1,105,169명
6	포르투갈	456,533명
7	일본	271,118명
8	한국	67,358명
9	뉴질랜드	2,188명

Q1. <그림 1>과 <그림 2>를 보고 **빡빡한 개인주의, 빡빡한 집단주의, 느슨한 개인주의, 느슨한 집단주의** 국가의 예시를 찾고, 그 국가들이 그런 사회 운영 방식을 갖게 된 배경을 설명해보시오.

Q2. <표>를 보고 문화적으로 **빡빡함과 느슨함, 개인주의와 집단주의와 코로나19 확진자 수** 간의 연관성을 설명하고, 그 이유를 설명해보시오.

Q3. 우리나라의 코로나19 방역 정책에서 휴대폰을 이용하여 확진자의 동선을 파악하는 방식이 옳은지 제시문을 이용하여 논증해보시오.

추가질문

Q4. 뉴질랜드의 경우 확진자 수가 굉장히 적은데 이에 대해서는 어떻게 생각하는가?

Q5. 혹시 한국이 개인정보를 이용해서 코로나19 확산을 막고 있는데 대해서 지원자가 느끼기에 지나치다고 느끼는 면은 없는가?

모범답변

① 교수:학생 = 3:1   ② 면접 시간 8분   ③ 메모 가능   ④ 블라인드 면접   ⑤ 추가질문 있음

2020 | 연세 A 문제

※ 다음 제시문을 읽고, 문제에 답하시오.

(가) '평등'이란 주어진 조건에 상관없이 모두 같은 환경에서 경기를 관람해야 한다는 논리다. 그래서 키가 큰 아버지와 가장 작은 막내아들 모두 같은 크기의 발 받침대를 밟고 올라가 경기를 관람한다. 그러나 문제는 키가 큰 아버지와 형은 발 받침대를 밟고 올라가면 경기를 볼 수 있지만, 막내아들은 발 받침대 한 개로는 경기를 관람하기에 역부족이라는 것이다.

그렇다면 '형평'이 실현되는 모습은 무엇일까? 형평이란 균형이 맞는 상태를 의미한다. 이를 그대로 실현하면 키가 큰 아버지는 발 받침대가 없어도 경기를 관람할 수 있으므로 막내아들에게 아버지의 발 받침대까지 2개의 발 받침대를 주는 것이 맞다. 그래야 아버지와 두 아들 모두 경기를 관람할 수 있기 때문이다.

(나) 우리나라는 그동안 부의 축적을 불법·탈법과 정경유착의 산물로 보고, 특정 계층에 집중된 부를 공공부문으로 흡수하는 것이 선이라는 사회적 시각에서 상속 과세를 강화하여 왔다. 그러나 글로벌 경쟁이 심화되고 기업의 경쟁력이 국가의 존립과 직결되는 상황에서, 기업의 사회적 기여(일자리 및 소득 창출)와 부의 양극화 완화(출발선의 평등, 과세형평)에 대한 냉정한 평가가 필요하다. 부의 양극화 완화는 정부지출(예산)을 주요 수단으로 하고, 조세는 보조 수단으로 활용하는 것이 보다 효과적인 점을 직시해야 한다. 즉 기업의 승계를 원활하게 하여 기업이 일자리 및 소득 창출을 계속할 수 있도록 하고, 증가된 기업 활동으로 추가 징수되는 소득세·법인세·부가가치세 등으로 소득재분배 내지 사회적 약자를 지원하는 것이 보다 효과적이고 생산적인 방법이라는 것이다.

미국·독일·스웨덴 등 주요 선진국은 차등 의결권 주식발행·공익재단에 대한 주식 출연·지분관리회사 설립 등 다양한 방식으로 경영권을 승계할 수 있으나, 우리나라는 이러한 방법들이 원천적으로 차단되어 원활한 경영권 승계가 어렵다. 현재 상속세 평가 시 최대주주의 주식은 20%(중소기업 10%)를 가산하고, 최대주주 지분이 50%를 초과하는 경우 30%(중소기업 15%)를 가산하고 있다. 미국, 영국, 독일, 일본 등 주요 국가는 최대 주주에 대한 일률적인 할증평가제도가 없으며, 영국, 독일 등은 오히려 소액 주주에 대하여 할인평가를 적용하고 있다. 최대 주주에 대한 획일적인 할증평가로 인해 최대 주주 상속세율이 최고 65%에 달하여, 상속 재산의 크기가 줄어들 뿐만 아니라 경영권의 승계라는 권리 실현 자체가 불확실해져 기업가 정신이 크게 약화될 우려가 있다. 따라서 구체적 타당성이 결여되고 상속세 부담만 과중시키는 최대 주주 할증평가 제도는 폐지하는 것이 바람직하다.

(다) 최근 선별적 복지와 보편적 복지에 대한 논쟁이 가열되고 있지만 논쟁의 상당 부분이 가치 혹은 이념적인 주장에 바탕을 두고 있어 선별적 복지와 보편적 복지의 타당성에 대한 결론을 내기 쉽지 않은 상황이다. 이러한 맥락에서 최근 논란이 되고 있는 무상급식, 무상보육, 반값 등록금 등 보편적 복지의 전형적 사례인 무상복지 정책을 상정하여 무상복지와 선별적 복지의 소득재분배 효과를 비교하고 무상복지 정책과 선별적 복지정책의 정책적 효과를 검토하였다. 본 연구에서 노동패널 데이터를 사용하여 분석한 결과 무상급식, 무상보육, 반값 등록금 등의 무상복지 정책을 전 가구를 대상으로 시행하게 되면 정책 시행 전보다 지니계수가 0.0076~0.0084포인트 감소하는 것으로 나타나 소득재분배(소득분배의 불평등도) 개선 효과가 있는 것으로 분석되었다. 하지만 무상복지와 동일한 정책을 유지하되 급식, 보육, 및 등록금 지원 대상자의 소득분위 대상을 맨 처음 소득 하위 10% 수준으로 한정한 후 이를 점차 확대시켜 나가면 지니계수가 점차 낮아지는데 소득 하위 70% 이하에서 지니계수가 가장 낮게 나타나고 소득 하위 70%를 넘게 되면 지니계수가 다시 상승하는 것으로 나타났다. 소득 하위 70%까지만 제공하는 경우에는 지니계수가 0.0110~0.0113포인트 낮아지는 것으로 나타나 선별적 복지에서의 소득재분배(소득불평등도) 개선 효과가 전면적 무상복지에서의 소득재분배 효과보다 훨씬 큰 것으로 분석되었다.

(라) 소수인종 등 사회 후발주자의 도약을 돕기 위해 마련된 미국의 적극적 우대 조치(Affirmative action)가 갈림길에 놓였다. 텍사스주 스티브 F 오스틴 고등학교 학생이었던 애비게일 피셔는 2008년 텍사스 대학에 지원했다. 피셔의 고등학교 졸업 성적은 674명 중 82등, 대학입학 자격시험(SAT)에서 1,180점(1,600점 만점)을 받았다. 결과는 불합격이었다. 당시 텍사스대학 신입생들의 SAT 성적은 1,120~1,370점 사이였다. 피셔는 자신의 SAT 점수가 최저 합격선보다 높았다는 점, 자신보다 졸업 성적이 낮았던 소수인종 동급생들은 합격했다는 점 등을 들어 대학에 항의했다. 자신이 백인이라 낙방했다며 텍사스대학을 상대로 소송도 제기했다. 그는 미국 수정 헌법 제14조항이 보장한 평등권을 침해당했다고 주장했다.

Q1. (가)에 나타난 평등과 형평의 개념을 설명해보시오.

Q2. (가)의 평등과 형평의 개념을 사용하여, (나)와 (다)의 논지를 설명해보시오.

Q3. (가)에 근거해서 (라)를 옹호할 것인지 비판할 것인지를 정하고 그 논거를 제시해보시오.

모범답변

① 교수:학생 = 3:1

2019 연세 A 문제

※ 다음 제시문을 읽고, 문제에 답하시오.

(가) 우리는 거인의 어깨 위에 있는 난쟁이와 같아서 거인보다 더 많이, 그리고 더 멀리 볼 수 있지만 이는 우리 시력이 좋거나 신체가 뛰어나기 때문이 아니라, 거인의 거대한 몸집이 우리를 들어 높은 위치에 올려놓았기 때문이다.

(나) 공자께서는 '시경', '서경'을 산삭하시고 예악을 정립하시고 '주역'을 찬술하시고 '춘추'를 편찬하셨는데, 다 선왕의 옛것을 전술하셨을 뿐이지 일찍이 창작하신 것은 없다. 이는 당시에 창작이 되어있으니, 공자께서는 여러 성인이 집대성한 것을 모아 절충하신 것이다. 하지만 그 일이 비록 옛것을 전술한 것이지만 공은 창작보다 배나 되는 것이니 이것 또한 몰라서는 안 될 것이다.

(다) 하느님께서는 세계를 공유물로서 주었으나 동시에 생활상 그것을 가장 유리하게 이용하기 위한 이성 그리고 편의도 주었다. 대지와 그것에 속하는 모든 것은 인간의 부양과 안락을 위해서 모든 인간에게 주어진 것이다. 그러한 것들에 대해서는 그것들이 자연적인 상태에 남아 있는 한, 어느 누구도 처음부터 다른 사람을 배제하는 사적인 지배권을 가지지 않았다. 그것들을 특정한 사람이 일정한 용도에 맞게 사용하거나 그것으로부터 이득을 얻기 위해서는 자신의 것으로 만드는 수단과 방법이 있어야 마땅하다.

(라) 문장을 어떻게 지을 것인가? 논자들은 반드시 '법고(法古)'해야 한다고 한다. 그래서 마침내 세상에는 옛것을 흉내 내고 본뜨면서도 그것을 부끄러워하지 않는 자가 생기게 되었다. 그렇다면 '창신(創新)'은 어떠한가. 창신을 하여 마침내 세상에는 괴벽하고 허황되게 문장을 지으면서도 두려워할 줄 모르는 자가 생기게 되었다. 그렇다면 어떻게 해야 옳단 말인가? 소위 '법고'한다는 사람은 옛 자취에만 얽매이는 것이 병통이고, '창신'한다는 사람은 상도(常道)에서 벗어나는 게 걱정거리이다. 진실로 '법고'하면서도 변통할 줄 알고 '창신'하면서도 능히 전아하다면, 요즈음의 글이 바로 옛글인 것이다.

(마) 로미오와 줄리엣을 예로 들어보자. 이 연극은 셰익스피어에 의해 쓰여졌다. 그의 천재성으로 인하여 이 작품은 탄생할 수 있었다. 그는 작품을 쓰면서 타인의 재산을 도용하지 않았으며, 그의 작품으로 인하여 타인의 작품 활동이 곤란해진 바도 없다. 그렇다면 법은 셰익스피어의 연극을 상속인의 허락 없이 타인이 도용하도록 허용하지 말아야한다. 셰익스피어의 작품을 훔치도록 법이 내버려 둘 이유가 무엇이라 말인가?

(바) 워커 에반스(Walker Evans)는 완성도 높은 사진들로 새로운 예술적 가능성을 보여준 미국의 대표적인 사진작가이다. 그는 미국 남부 지방을 돌아다니면서 카메라를 사용해 당시 소작인들의 가난한 일상 풍경들을 기록하였다. 작품 '소작농의 아내' 또한 그의 대표적인 작품이다. 쉐리 레빈(Sherrie Levine)은 워커 에반스의 작품 '소작농의 아내'를 독특한 방식으로 전시하였다. 쉐리 레빈은 이후 이 작품을 전혀 수정하지 않고 사진기로 재촬영해서 '워커 에반스 이후'라는 제목을 달아 전시하였다. 쉐리 레빈은 이에 대하여 '미술이란 자연이라는 도서관에서 빌려오는 것'이라고 말했다.

(사) 아마추어 사진작가 김성필의 '아침을 기다리며'는 우리나라의 소나무로 된 섬을 찍은 사진이다. 김성필의 작품은 대한항공이 2011년 TV와 인터넷 광고 등에 실제 사용하기도 했다. 하지만 영국의 사진작가 마이클 케나의 '솔섬'과 피사체 그리고 카메라의 구도와 각도가 매우 유사하여 표절 논란이 일어나기도 했다. 하지만 빛의 방향이나 양 조절, 흑백 및 컬러, 촬영 방법 등을 봤을 때는 두 사진은 다르다. 김성필은 자신도 또한 케나의 작품을 이전에 당연히 본적이 있지만, 자신은 빛의 방향이나 양 그리고 촬영 방법 등을 달리하여 촬영한 것이라고 했다.

Q1. (가)에는 거인과 난쟁이의 비유가 나온다. 이를 바탕으로 인류문명의 발전을 설명해보시오.

Q2. (가)의 비유를 바탕으로 (나), (다), (라)의 논점을 말해보시오.

Q3. (나), (다), (라)를 통해 (마)에서 말하는 셰익스피어의 권리의 타당성을 논해보시오.

Q4. (바)와 (사)의 사례를, (가)의 비유를 통해 설명해보시오.

2019 연세 B 문제

※ 다음 제시문을 읽고, 문제에 답하시오.

(가) 자연상태에 있는 개인들은 생명, 안전 등을 영위하기 위해서 사회 계약을 통해 공동체를 이룬다. 이 과정에서 공동체 속 개인들은 자유를 일부 포기하고 공동체의 법에 따라야 한다. 그러나 개인의 자유는 공공의 안전이나 공동선을 위한 것일 때에만 제한이 가능할 것이다. 즉 자유를 제한하려는 목적이 특정 개인의 부와 명예여서는 안 된다.

(나) 과거 미국은 전염병인 천연두로 인한 피해를 막기 위해 모든 성인에게 예방접종 의무를 부과하고, 이를 어길 경우 5달러의 벌금을 부과하였다. 그러나 국민 A는 예방접종을 거부하고 있는 상황이다. A는 자신의 신체와 안전에 대해 국가가 특정한 방식만을 강제하는 것은 자신의 자유를 제한하는 것이므로 따를 수 없다고 주장하고 있다.

(다) 과거 우리나라는 한센병을 특수 전염병 3종으로 분류하고 병이 타인들에게 전염될 것을 우려하여, 한센병 환자들을 소록도에 격리해 수용했다. 소록도에 격리되어 수용된 한센병 환자들은, 비록 부부 사이라고 할 지라도 남녀가 철저하게 분리되어 수용되었고 임신과 출산을 할 수 없도록 남자에게는 정관수술을, 여자에게는 임신중절수술을 강제하였다.

Q1. (나)와 (다)의 공통점과 차이점을 말해보시오.

Q2. (가)를 바탕으로 (나)의 A를 옹호할지 반박할지 선택하고, 근거를 말해보시오.

Q3. (가)를 바탕으로 (다)의 정부의 결정이 정당한지에 대해 본인의 생각을 말해보시오.

모범답변

2018 연세대 로스쿨

① 교수:학생 = 3:1   ② 답변 준비 12분, 면접 시간 12분   ③ 메모 가능

2018 | 연세 A 문제

※ 다음 제시문을 읽고, 문제에 답하시오.

(1) 민간단체인 A와 경비업체 B가 교도소를 새로 짓고 운영하려고 한다. 그런데 이 민영 교도소는 수감자가 비용을 지불할 경우 수감시설의 넓이나 편의시설 이용 등을 차등적으로 선택할 수 있도록 하려 계획 중이다.

(2) 현재 전력 수요는 많은 것에 비해 전력 공급이 부족하다. 거대기업인 C기업은 자사의 설비 운용을 위해 전기를 자체 생산하고 있다. C기업은 자체 생산한 전기 중 남는 부분을 일반 소비자에게 판매하려 한다.

(3) D지역은 갑자기 인구가 급증하여 새로운 도로 건설이 필요한 상황이다. 그런데 예산이 부족하여 도로 건설이 쉽지 않다. E기업은 D지역 도로 건설비용의 30%를 투자하는 대신 15년간 통행 수입을 받은 후, 15년 후 무상으로 국가에 도로를 기부하겠다고 했다. 그리고 D지역에 등록된 차량은 통행료의 20%만 받는다.

(4) 대학들은 정부 보조금이 감소하는 등 재정이 악화되자 등록금을 인상하려 하였다. 정부는 등록금을 인하할 것을 요구했고, 그럼에도 불구하고 등록금을 인상한다면 정부 보조금을 삭감하겠다고 하였다. 이 결과 많은 대학들이 폐교하게 되었다. F대학은 재정난 해결을 위해 정원의 5%에 대해 기부금 입학제도를 도입하려 한다.

(5) G는 경복궁 시설을 이용해 음식점을 개업했는데 이 음식점이 성공하여 예약자가 과도하게 많아지는 문제가 발생했다. 이에 G는 별도 금액을 더 지불하는 사람에게 예약 순번을 앞으로 바꿔주는 제도를 도입했다. 100만 원 이상을 기부하는 경우 기부 금액이 클수록 예약 순번은 더 앞으로 바뀌지고 5천만 원을 기부하는 경우 당일 방문도 가능하다. 이 기부 금액은 모두 경복궁과 문화재를 보호하고 궁중음식을 연구하는 기관에 기부된다.

(6) 청소년을 대상으로 각종 직업 체험을 제공하는 기관이 있는데, 학생들에게 인기가 많아 대기시간이 길어지는 문제가 발생했다. 직업 체험 기관은 지불하는 금액에 따라 직업 체험 가능 코스를 차별화하여 대기시간이 길어지는 문제를 해결했다. B코스는 3가지 체험에 20만 원, A코스는 6가지 체험에 30만 원, S코스는 무제한 체험에 60만 원을 지불해야 한다.

Q1. (1)~(6) 사례를 일정한 기준에 따라 분류해보시오.

Q2. 위 사례 중 허용되는 것과 허용되지 않는 것을 구분하고, 나아가 그들 사이의 우선순위를 설정해보시오.

Q3. 아래의 정부 제안에 대한 허용 여부와 (1)~(6) 사례와의 우선순위 관계에 대해 설명해보시오.

> 국민연금 재정이 납부자 축소 등으로 인해 문제가 되고 있다. 현 정책을 유지할 경우 앞으로도 재정난이 지속될 수 있다. 이러한 상황에서 정부는 전문 투자업체 B에게 전체 국민연금 기금의 10%에 해당하는 50조 원을 투자할 경우 높은 이자수익을 주고 투자금의 50%를 보장받을 수 있도록 하는 제안을 했다.

※ 다음 제시문을 읽고, 문제에 답하시오.

<제시문 1>
- 학자 A: 노동시간이 만족도, 피로도, 기술 발전, 근로 대체율의 4가지 요인에 영향을 미치고, 이 요인들이 노동생산성에 영향을 미친다.
- 학자 B: 만족도, 피로도, 기술 발전, 근로 대체율의 4가지 요인이, 노동시간과 노동생산성에 동시에 영향을 미친다.

<제시문 2>

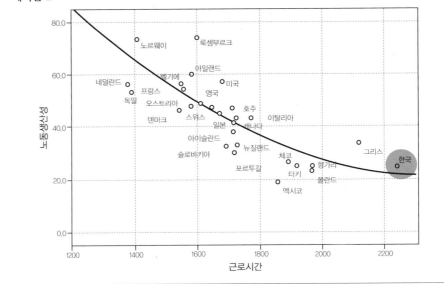

Q1. 학자 A의 주장을 뒷받침하기 위한 근거를 제시해보시오.

Q2. 학자 B의 주장을 뒷받침하기 위한 근거를 제시해보시오.

Q3. <제시문 2>의 그래프의 경향성을 설명해보시오.

모범답변

Part 6

2017 연세대 로스쿨

① 교수:학생 = 3:1 ② 답변 준비 12분, 면접 시간 12분 ③ 메모 가능
④ 1번 문제 8분, 2번 문제 4분 답변 시간으로 정해져 있으나 면접관 재량에 따라 변경 가능

2017 연세 A 문제

※ 다음 제시문을 읽고, 문제에 답하시오.

<제시문 1>

　에퀴타니아 공화국은 법으로 통치하는 국가이다. 그리고 법의 적용에 관해 '법 앞에 깨끗한 사람만이 법의 도움을 받을 수 있다.'라는 규범이 있다. 이 규범의 적용에 있어 몇 가지 분쟁이 발생하였다. 이 규범을 근거로 아래의 4가지 사례에서 B는 A의 요청을 거절하고 있다.

• 사례 1: 에퀴타니아 공화국에는 월 이자를 10%로 제한하는 법이 있다. 또한 빚을 갚기 위해 신체의 일부분을 떼어주는 행위를 금지하고 있다. 급전이 필요했던 B는 A에게 월 이자 100%로 돈을 빌렸고, B는 이를 갚지 못해 갚아야 할 돈이 1억 3천만 원에 이르게 되었다. 한편 A는 신장 이식이 필요한 상태에 있었고, B는 한 달 내로 이 돈을 갚지 못하면 자신의 신장을 떼어주겠다는 약속을 했다. 한 달이 지나 B는 돈을 갚지 못하였고, A는 B에게 신장을 달라는 요구를 하고 있다.

• 사례 2: A는 건물의 소유주이고, B는 건물 점포 세입자이다. B는 지금까지 매월 성실히 점포세를 내왔다. 그런데 한 시민단체 회원이기도 한 B는 고소득 탈세자 명단에서 A를 발견하게 된다. B는 자신과 같은 영세 사업자들도 세금을 꼬박꼬박 내는데 A와 같은 고소득자가 탈세를 했다는 사실에 분노하였고, 이러한 이유에 따라 B는 점포세를 낼 것을 거부했다. A는 점포세를 내지 않는 B에게 점포를 비워달라는 요구를 하고 있다.

• 사례 3: 에퀴타니아 공화국에는 야구 리그가 매우 활성화되어있고, 모든 구단들은 시즌 우승을 하기 위해 혈안이 되어있다. A구단은 소속 선수 K의 금지 약물 복용 사실을 알면서도 경기에 출전시켰고, K의 활약으로 시즌 우승을 차지했다. 한편 준우승을 차지한 B구단은 K선수와 A구단 사이에 계약기간이 남아있음에도 불구하고 K선수와 계약을 체결하였다. 그리고 K선수를 영입한 이후에 건강 검진을 하는 과정에서 K선수가 금지 약물을 복용했다는 사실을 알게 되었다. A구단은 K선수가 A구단 선수로 뛰어야 한다고 주장하고 있다.

• 사례 4: 에퀴타니아 공화국에는 야구 리그가 매우 활성화되어있고, 모든 구단들은 시즌 우승을 하기 위해 혈안이 되어있다. 공화국에는 에퀴타니아 국적을 가진 선수만 경기에 출전할 수 있다는 법이 있다. 선수 K는 해외에 잔류하는 시간이 길어 국적이 박탈되어 외국인 신분이 되었고, A구단은 소속 선수 K의 국적 박탈 사실을 알고 있었음에도 경기에 출전시켜 시즌에서 우승을 했다. A구단은 시즌 도중 K선수의 국적 회복절차를 밟아 시즌이 끝날 때쯤에는 공화국 국적을 다시 취득한 상태였다.

　B구단은 K선수와 A구단 사이에 계약기간이 남아있음에도 불구하고 K선수와 계약을 체결하였다. A구단은 K선수가 A구단 선수로 뛰어야 한다고 주장하고 있다. A구단은 K선수의 국적 박탈 사실을 알면서도 경기에 출전시킨 위법 사항에 대한 처벌로 벌금 1억 원을 지불했다.

<제시문 2>

어느 평화로운 마을에 인자한 주민 A가 있다. A는 독실한 종교인으로 마을에 있는 예배당에서 자주 기도를 하곤 했다. 어느 날 이 평화로운 마을에 젊은 사제 B가 부임하였다. 순수하고 진지한 이상주의적인 사제 B는 이 평화로운 마을에서 성실하게 교리를 전파하였다. 독실한 종교인인 A는 사제 B의 삶에 큰 감명을 받았고 사제 B에게 호감을 가지게 되어 그에게 점점 빠져들었다. 사제 B도 A의 독실한 종교활동에 감동하여 둘은 친한 사이로 발전했다.

그러나 사실 A는 14년 전에 큰 범죄를 저지른 사실이 있었다. A가 저지른 사건의 전말은 다음과 같았다. 과거 A는 이 마을의 한 여자를 사랑했었다. 그 여자는 과부였고, 또 다른 사람을 마음에 두고 있었다. 그래서 A의 마음을 받을 수 없었다. 끈질기게 구애하였으나 A는 그 여자의 마음을 얻지 못했고, 이에 앙심을 품은 A는 그 여자를 살해하였다. A는 증거를 남기지 않아 잡히지 않았고, 대신 살해당한 여자의 하인이 그 죄의 누명을 썼고 재판을 받던 도중 병이 들어 사망하였다.

그 후 A는 아름다운 아내를 만나 결혼을 하였고, 슬하에 자녀를 셋이나 두게 되었다. 아내와 자녀들 모두 성실하고 인자한 A의 모습에 A를 매우 사랑하였고 가정은 매우 화목했다. 그리고 사업 수완도 좋았던 A는 꽤 많은 돈을 벌게 되어 이 돈을 마을의 자선활동에 대부분 사용하였고, 스스로 시간도 내어 직접 자선활동에 참여하기도 하였다. 이에 이웃 주민들로부터 많은 칭송을 받았고, 공동체의 모든 사람들이 그를 존경했다. 그리고 자기 대신 누명을 쓰고 재판 도중 사망한 하인의 부모에게 익명으로 큰 재산을 증여하기도 하였다.

그러나 A는 이 모든 것에 진심으로 웃을 수가 없었다. 가족과 이웃 주민들이 자신에게 존경을 표시할 때마다 그는 과거의 잘못에 대한 죄책감에 몸부림치며 괴로워했던 것이다. 죄책감에 시달리던 A는 자신의 14년 전의 잘못을 사제 B에게 고백하였다. A의 고백을 들은 B는 심사숙고한 뒤에 A에게 모든 사람들에게 14년 전의 사건의 진실을 밝힐 것을 권유하였다. 이에 A는 B의 충고에 대해 갈등하기 시작하였다.

Q1. <제시문 1>의 4가지 사례의 공통점은?

Q2. <제시문 1>의 4가지 사례의 차이점은?

Q3. <제시문 1>의 위 사례들에서 나온 B의 거절에 대한 정당성을 판단해보시오. **Q2**에서 지적한 차이점에 따라 그 정당성이 달라지는가?

Q4. <제시문 2>의 사례에서 A가 B에게 진실을 고백한 이유들이 무엇이라 생각하는가?

Q5. <제시문 2>의 사례에서 B의 충고를 받아들이지 않고 주저하고 있는 A의 내면의 양심에 대해 A의 입장에서 답해보시오.

모범답변

2016 연세대 로스쿨

① 교수:학생 = 3:1   ② 답변 준비 10분, 면접 시간 10분   ③ 메모 가능

2016 | 연세 A 문제

※ 다음 제시문을 읽고, 문제에 답하시오.

> (1) 베버(Weber)는 법의 유형을 합리성과 형식성을 기준으로 분류하였다. 그에 의하면 법은 비합
> 리적이고 실질적인 규범, 비합리적이고 형식적인 규범, 합리적이고 실질적인 규범, 합리적이고
> 형식적인 규범이 있다고 하였다.
> (2) 미국의 국민 심사에 대한 사례가 제시되었다.

Q1.   (2)의 사례는 베버의 4가지 분류 중 어디에 해당하는지 말하고 근거를 말해보시오.

Q2.   (2)의 사례가 갖는 긍정적 작용과 부정적 작용을 모두 말하고 이를 종합하여 어느 쪽이 더 타당한지
논해보시오.

모범답변

2024~2016 영남대 로스쿨

2024 영남대 로스쿨

① 교수:학생 = 3:6   ② 면접 준비 10분, 면접 시간 54분(3회 발언기회, 3-3-3분 발언)   ③ 메모 가능

메모 및 휴대 여부	• 메모 가능하며, 메모지는 면접 종료 후 제출함 • 개인 필기구를 지참해야 함
대기실 특징	• 대기실 입장 시에 귤, 초코파이, 물과 같은 간식을 나눠줌 • 2층 강의실에서 대기하다가 5층 강의실에서 면접을 응시함 • 대기하는 동안 화장실 이용 가능함 • 대기 중에 다시 한 번 간식박스(김밥, 샌드위치 등)를 나눠주는데 부피가 커서 입실할 때 짐이 됨 • 면접고사장에 본인의 모든 짐을 들고 가야 하기 때문에 최대한 적게 가져가는 것이 좋을 듯함 • 대기 중 전자기기는 사용 불가하나, 개인 자료는 열람 가능함
문제풀이실 특징	• 따로 없고 면접관 앞에서 문제를 받고 10분간 준비함
면접고사장 특징	• 면접관 3명이 있고, 옆에 타임 키퍼(time keeper)가 있음 • 개인 발언 시간 30초 전에 팻말을 들어 알려주고, 시간이 지나면 종을 쳐서 알려줌
기타 특이사항	• -

2024 영남 A 문제

Q1. [가군 오전 면접] 홀수 번호 지원자는 의대정원 확대 찬성 측에서, 짝수 번호 지원자는 의대정원 확대 반대 측에서 토론해 보시오.

> 정부가 의대정원 확대정책을 발표했다. 정부의 의대정원 확대정책은 공공의대 신설, 지역의대 신설, 지역의사제를 함께 추진하는 것까지 포함한다. 그러나 정부의 주장대로 할 경우 정원 확대에 대한 의료계의 반발만 더 커질 수 있다는 우려가 나온다.
>
>
>
> 필수의료 공백

Q1. [가군 오후 면접] 홀수 번호는 B가 본인의 종교 생활을 계속 유지하도록 내버려둬야 한다는 입장에서, 짝수 번호는 B의 종교 생활을 부모가 강압적으로 개입해서 그만두도록 해야 한다는 입장에서 토론하시오.

> 딸 B는 성격이나 학업 측면에서 부모에게 매우 자랑스러운 자녀였다. 다른 사람들이 부러워할 만한 대학에 진학하기도 했다. 그러나 남의 말을 잘 듣는 착한 성격 때문인지 대학교 1학년 때부터 어떤 종교에 푹 빠져 살게 되었다. 아르바이트로 돈을 버는 족족 해당 종교단체에 헌금하였고 직장에 다니게 된 후로도 번 돈의 대부분을 헌금했다. 인간관계도 같은 종교를 믿는 사람들 위주로 형성하여 매우 좁은 인간관계를 갖게 되었다. 그러나 B는 이를 문제라고 생각하지 않았고 매우 기쁜 마음으로 종교생활을 했다. B는 해당 종교의 교주와 사귀었고 성관계도 하였는데, 교주는 유부남이었다. B는 이 관계에 대해서도 문제라고 생각하지 않았고 오히려 영광스럽게 여겼다. B의 부모는 B의 종교 생활이 너무 과도하다고 생각했고 B의 종교 생활을 그만두게 하고 싶어 한다.
>
> <참고자료>
> 1. 해악의 원칙이 제시되었다. 개인의 자유는 타인의 자유에 직접적 해악을 주지 않는 한 제한할 수 없다.
> 2. 종교의 자유의 가치에 대한 내용이 제시되었다. 종교의 자유는 헌법적 가치이며, 종교는 인간의 발전을 돕는다.
> 3. 자율적 행동 원칙이 제시되었다. 어떤 행동이 자율적이기 위한 조건 3가지가 있다. 첫 번째는 외압이 없어야 한다는 것, 두 번째는 이성적 판단 능력이 있어야 한다는 것, 세 번째는 무엇이 자신이 원하는 것인지를 판단할 수 있는 능력이 있어야 한다는 것이다.
> 4. 인간관계에 관한 내용이 제시되었다. 개인의 선택은 타인과의 관계에 영향을 받는다.

Q1. [나군 오전 면접] 홀수 측은 재개발 지역의 강제 조치를 찬성하는 입장에서, 짝수 측은 재개발 지역의 강제 조치를 반대하는 입장에서 토론하시오.

> 재개발이 예정된 30년이 된 아파트 단지 내에서 백제 시대의 유물이 발견되었다. 이 유물은 백제의 옹벽으로 추정되고 학계의 전문가들은 이 옹벽의 주변이 백제의 왕성 터일 것이라 주장한다. 해당 지역의 시장은 재선을 앞두고 있는데, 유물 발굴과 백제 시대의 왕성 복원을 위해 해당 아파트 단지 주민들을 설득해 이 아파트 단지를 매수하려 한다. 시장은 우선 아파트 단지 주민들과 협상을 하고 협상이 실패하면 관련 법령에 의한 강제조치를 통해 백제 시대의 왕성 터를 복원하겠다는 공약을 발표했다. 해당 아파트 단지 주민들은 백제 시대의 왕성 터라는 것은 단순히 학계의 주장에 불과하며, 고서나 문헌 등의 근거도 없는데 아파트 단지 내에서 일부 유물이 출토되었다는 이유만으로 왕성 터라 추정하는 것은 과도하다며, 왕성 터 복원에 반대한다.
>
> <자료>
> 자료 (1) 헌법 제23조 ① 모든 국민의 재산권은 보장된다. 그 내용과 한계는 법률로 정한다.
> ② 재산권의 행사는 공공복리에 적합하도록 하여야 한다.
> ③ 공공필요에 의한 재산권의 수용·사용 또는 제한 및 그에 대한 보상은 법률로써 하되, 정당한 보상을 지급하여야 한다.
> 자료 (2) 헌법 제9조 국가는 전통문화의 계승·발전과 민족문화의 창달에 노력하여야 한다.
> 자료 (3) 조선 성종 시대에 유생들이 조상에게 제사를 드리기 위해 백성들의 땅을 도로로 만들자고 건의했으나 성종은 받아들이지 않았다.
> 자료 (4) 국가공동체를 위하는 것이 일반이익이고 특정 단체를 위하는 것이 특별공익이다. 일반적인 경우에는 일반이익이 특별공익보다 우선한다.

Q1. [나군 오후 면접] 저출산 문제를 해결하기 위한 방안으로, 아이를 낳는 모든 가구에 1억 원을 출산장려금으로 지급하는 정책을 도입해야 하는가? 홀수 번호는 찬성 입장에서, 짝수 번호는 반대 입장에서 토론하시오.

> A국가는 저출산 문제가 심각해지자 이를 해결하기 위해 대출금 지원정책을 시행하였다. 이 정책은 총 4,000만 원 한도로 대출금을 지원하는데, 자녀 수가 많을수록 더 큰 혜택을 주고 있다. A국은 이 정책을 시행한 이후로 출산율이 높아졌다. 우리나라도 저출산 문제가 심각해지면서 A국의 정책과 유사하게 총 1억 원 한도로 낮은 이자율로 대출금을 지원하는 정책을 도입하고자 한다. 그러나 저출산 문제의 근본적인 원인이 되는 취업난, 내 집 마련의 어려움 등을 해소하는 정책을 시행해야 한다는 반대 의견 또한 제기되고 있다.
>
> <참고자료>
> 자료 (1) 저출산 예산 추이 그래프
> 자료 (2) 합계출산율 그래프
> 자료 (3) 혼인증감률 그래프
> 자료 (4) OECD 양육비 비교 그래프
> 자료 (5) OECD 저출산 지출 현금보조 비중 그래프

모범답변

① 교수:학생 = 3:6, 집단면접   ② 면접 준비 10분, 면접 시간 54분   ③ 메모 가능
④ 각 3분, 총 3번의 발언 기회가 있음

2023 | 영남 A 문제

Q1. [가군 오전 면접] 다음 제시문을 읽고, 홀수 번호 지원자는 A가 B의 제안을 받아들여야 한다는 입장에서, 짝수 번호 지원자는 거절해야 한다는 입장에서 논거를 들어 토론하시오.

> 서구열강세력이 남아메리카를 침략하는 가상의 시대상이 제시되었다. 식물학자 A는 남아메리카 한 나라에 탐사차 방문했다. 식물학자 A는 라틴아메리카에서 활동하는 서구열강 출신의 평화주의자인데, 라틴아메리카의 한 나라에 탐사를 위해 방문했다. A가 방문한 지역은 특히 서구열강의 침략에 반대하며 반정부 활동을 하는 원주민이 많이 거주하고 있다. B는 해당지역 지도자로, 반정부 활동을 하는 원주민을 체포하면 사형에 처하는 경우가 많았다. B는 반정부 활동을 하는 원주민 20명을 생포했고, 이들을 죽일 계획을 공표했다. 그런데 지도자 B는, 평소 존경하는 학자인 A가 원주민 1명을 선택하고 직접 죽이면 나머지 19명을 풀어주겠다고 제안했다. 그 제안을 받아들이지 않을 경우에 20명의 원주민이 모두 죽게 된다.
>
> A는 고민에 빠졌다. 왜냐하면 A는 평화주의자로서 타인에 피해를 주는 것을 극도로 싫어하는 사람이었기 때문이다. 이러한 가치관에 반하는 살인을 하는 행위는 그의 가치관을 완전히 훼손하는 것이며 그가 더 이상 인간으로 살아갈 수 없을 정도의 큰 문제였기 때문이다. A는 B를 제압하는 것이 가능할까 고민했으나 현실적으로 불가능하다는 것을 깨달았다.
>
> <참고자료>
> 윤리관마다 5줄 내외의 한 문단 분량이 제시되었음
> • 공리주의: 쾌락의 극대화에 대한 내용
> • 칸트의 의무론: 정언명령과 관련된 내용
> • 덕윤리: 올바름과 공동선을 반복하여 숙달해야 한다는 내용

Q1. [가군 오후 면접] 다음 제시문을 읽고, 행복동에 이슬람 사원 건축을 허가해야 하는지에 대해 토론하시오. 홀수 번호 지원자는 찬성 입장에서, 짝수 번호 지원자는 반대 입장에서 논하시오.

> 행복동에 이슬람 사원을 건설하고자 하는 유학생들이 이슬람 사원을 건설하고자 법적인 허가를 모두 받아 정당한 대가를 지불하여 부지를 구매하였다. 그런데 행복동 주민들이 이슬람 사원 건설을 반대하고 있다. 행복동 주민들은 행복추구권과 주거권을 들어 반대하며, 이슬람 사원을 건설한다면 그 일대가 슬럼화가 될 것이며 실제로 슬럼화된 경우가 있다고 주장하고 있다. 이슬람 종교활동은 하루 5차례의 예배로 소음을 유발하고, 해당 지역의 외부인인 이슬람 종교인들이 많이 들락거리면서 주민들이 두려워할 것이라는 점을 우려한다. 이에 더해 이슬람은 배타적 태도가 있다는 점도 문제시한다. 행복동에는 "모든 테러범이 무슬림은 아니지만, 모든 무슬림은 테러범이다."라는 플래카드가 걸려있을 정도로 주민의 반발이 거세다.
>
> 반대로 유학생들은 종교의 자유, 자신들의 재산권에 대한 정당한 행사, 학교와 가깝기 때문에 부지를 선정했다는 점, 학교에서 수업을 듣고 방문하기 좋다는 등의 근거를 들었다. 그리고 사원 건축을 허가해주지 않는 것은 인권 침해라고 한다. 그리고 행복동 주민들이 제시하는 근거가 과도한 억측이라고 말하고 있다.
>
> 시에서는 이 갈등을 완화하고자, 제3의 지역에 이슬람 사원을 건설할 것을 대안으로 제시했다. 그러나 이슬람 유학생들이 대학에서 걸어서 갈 수 있는 거리에 사원이 있기를 원하여 이 대안을 거부하였다.
>
> **<추가자료 1>**
> 유럽은 이슬람 난민이 늘어나면서 샤리아법이 적용되는 지역이 늘어나고 있다. 샤리아법이 적용되는 지역에서는 이슬람 종교인이 아니더라도, 히잡이나 종교 예배, 종교 규범에 따른 식사 등을 준수할 것이 강제된다.
>
> **<추가자료 2>**
> 세계인권선언 1조 2항 차별금지: 모든 인간은 자유롭고 평등하게 태어났다.

Q1. [나군 오전 면접] 다음 제시문을 읽고, 홀수 번호를 뽑은 지원자는 현행 택시제도 안에서 택시요금 인상을 찬성하는 입장, 짝수 번호 지원자는 반대하는 입장에서 논거를 들어 토론하시오.

택시 수요-공급의 불균형 상황과 원인을 제시하였다. 원문은 신문기사이며 저작권 문제로 인해 QR코드를 통해 확인하기 바란다.

택시 수요–공급 불균형

<참고자료>

참고자료 2개를 제시했고, 이 역시 신문기사이며 저작권 문제로 인해 QR코드를 통해 확인하기 바란다.

서울 택시부제 해제

택시대란

Q1. [나군 오후 면접] 다음 제시문을 읽고, 홀수를 뽑은 지원자는 PB상품의 자사 플랫폼 상단 노출 등을 금지하는 자사우대 규제정책에 찬성하는 입장에서, 짝수를 뽑은 지원자는 자사우대 규제정책에 반대하는 입장에서 토론하시오.

세계온라인 플랫폼 기업 중 구글이 1위를 차지하고 있는 순위표가 제시되었다. 구글은 검색 플랫폼인 구글과 동영상 제공 플랫폼인 유튜브를 통해 성장했다.

4차 산업혁명 시대의 핵심 산업은 ICT 산업임이 분명하다. 그리고 이를 이끌어가는 기업은 온라인 플랫폼 기업일 수밖에 없다.

EU는 온라인 플랫폼 기업에 대한 입법을 진행 중인데 대표적인 것으로 디지털시장법이 논의되고 있다. 디지털시장법은 대형 플랫폼이 게이트키퍼 역할을 하는 행위, 즉 자사우대, 최혜대우, 끼워팔기 등을 금지한다. 그리고 기존 법률에는 없었던 새로운 의무를 부과한다. 이는 서로 다른 플랫폼 간의 상호 운용성 의무, 예를 들어 서로 다른 메신저 간의 메시지나 파일 등의 송수신을 허용하는 것, 데이터 접근 및 활용 등의 의무를 말한다. 만약 이 법을 위반할 경우 전 세계 매출액의 최대 10%, 반복 위반 시 20%까지 과징금이 부과된다.

국내 플랫폼 기업의 경우, 자사 상품의 상단 노출이 문제되고 있다. 온라인 플랫폼 기업이 제조한 PB상품이 광고 최상단에 노출되는 것이다. 공정거래위원회는 온라인 플랫폼 중개거래의 공정화에 관한 법률안을 발의했다. 이 법은 온라인 플랫폼 입점업체 간의 불공정을 완화하기 위한 대책들이 포함되어 있다. 법안에 포함된 대책들 중에는 다음과 같은 내용이 있다. 검색 순위를 결정하는 기본 원칙을 공개하고, 검색결과 상단에 플랫폼 기업의 자사 PB상품이 노출되도록 하는 등의 자사우대행위를 금지한다.

＜참고자료＞

• A교수: 일반적인 네트워크는 필수 기반 시설이다. 그러나 온라인 플랫폼은 사업자가 단순히 네트워크를 활용하여 사업을 하는 것이므로 온라인 플랫폼 자체를 필수 기반 시설로 볼 수 없다.

• B교수: 온라인 플랫폼 사업자의 이익은 정당하지 않은 측면이 있다.

• C교수: 온라인 플랫폼을 그대로 둘 경우 민주주의와 공정성이 훼손될 우려가 있다.

• 브랜드 기업 직원: 온라인 플랫폼 상단에 등장하는 자사 PB상품에 만족하는 소비자가 매우 많다.

• D교수: 완벽하게 중립적인 알고리즘은 사실상 불가능하다. 만약 그것이 가능하더라도 존재의 이유가 없다.

• 기 자: 자사우대라는 용어의 의미가 불분명한데, 이 용어는 미국에서 공룡 기업을 제한하기 위해서 급작스럽게 등장한 단어이기 때문이다.

모범답변

① 교수:학생 = 3:6 ② 집단면접 ③ 면접 준비 10분, 면접 시간 54분(1명당 3분씩 3번의 발언 기회가 부여됨)

2022 | 영남 A 문제

Q1. [가군 면접] 다음 제시문을 읽고, 홀수 번호를 뽑은 사람은 탄소 중립을 위해 현 정책을 유지해야 한다는 입장에서, 짝수 번호를 뽑은 사람은 그린플레이션에 대비하기 위해 탄소 중립의 속도 조절이 필요하다는 입장에서 논해보시오.

> 기후변화의 위험성에 대한 위기의식이 고조되면서 2015년, 전 세계 195개국은 온실가스 배출량을 단계적으로 감축하는 협약을 파리에서 채택했다. '파리협약'이라 부르는 이 협약을 지키기 위해 현재 세계 각국은 2050년을 전후로 '탄소 중립(Net-zero)'을 달성하기 위한 다양한 정책을 추진 중이다. EU와 미국 등 주요국을 중심으로 탄소배출권 거래제, 탄소세 등 시장 기반 정책이 시행 중이며, 내연기관차 판매금지 등의 직접적 규제 정책과 전기차 및 신재생에너지 관련 인프라 구축 등의 대규모 공공투자도 계획되어 있다. 최근 우리나라 정부도 2030년까지 온실가스 배출량을 2018년 대비 40% 감축하고 2050년에는 '탄소 중립'을 달성하겠다는 목표를 발표했다. 이 목표를 달성하기 위해 석탄 발전 축소 및 신재생에너지 확대와 더불어 산업, 건물, 수송 등 다양한 분야에서 온실가스를 감축하는 시나리오가 마련되었다. 전주시의 경우 2050년 탄소 중립 도시를 실현하기 위해 생태 교통 인프라 구축, 탄소 저감을 위한 에너지 전환 등을 추진할 계획이다.
>
> 하지만 탄소 중립 사회로 전환되는 과정에서 발생하는 문제점도 나타나고 있다. 친환경을 의미하는 그린(Green)과 물가의 지속적 상승을 의미하는 인플레이션(inflation)의 합성어인 소위 '그린플레이션(Greenflation)'이 대표적이다. 이는 탄소 중립 사회로 이행하는 과정에서 발생하는 인플레이션을 의미한다. 최근 각국의 친환경 정책 및 규제가 주요 원자재의 공급 부족 현상을 초래하면서 글로벌 원자재 가격이 상승하는 부작용이 나타나고 있다. 작년 12월 말과 비교하여 올해 9월 말 천연가스 가격은 400% 이상, 석탄도 290% 이상 급격히 상승하였으며, 국제유가도 50% 이상 상승하였다. 알루미늄, 구리, 니켈 등 재생 에너지 발전 및 전기차 생산에 필수적인 원자재 가격도 크게 상승하고 있다. 이에 따라 기업들의 부담도 커지고 있다.
>
> 이러한 상황에서 정부의 온실가스 감축 목표 등과 관련하여 탄소 중립 사회로의 전환에 속도 조절이 필요하다는 목소리가 커지고 있다. 온실가스 감축 목표를 지키기 위한 기업의 부담이 늘어나면서 국내 생산설비 신·증설 중단, 해외 이전 및 고용 감소로 이어질 수 있다는 우려가 제기되고 있는 것이다. 특히 우리나라는 철강과 석유화학 등 탄소 배출이 많은 제조업 비중이 높다는 점도 이러한 우려를 가중시키고 있다. 반면, 반대 입장도 만만치 않다. 전 세계적으로 탄소 중립이 새로운 경제 질서로 대두되고 있는 상황에서 우리가 이에 적극적으로 동참해나갈 수밖에 없다는 것이다. 어느 입장이든 탄소 중립 사회로의 전환에 대한 필요성은 전제되어 있다. 다만, 기업 부담 및 그린플레이션 등 전환 과정에서 나타날 수 있는 부작용을 줄일 수 있는 방안과 목표 기간 등에 대한 이견이 존재할 뿐이다. 이에 대한 다양한 토론과 고민이 필요한 시점이다.

Q1. [나군 면접] 다음 제시문을 읽고, 인공지능을 활용해 재판 전에 피고인의 석방을 결정하는 것에 대해, 홀수 번호를 뽑은 사람은 타당하다는 입장에서, 짝수 번호를 뽑은 사람은 타당하지 않다는 입장에서 논해보시오.

> 인공지능의 의사결정 원리와 인공지능 변호사인 ROSS 사례가 제시되었다. 인공지능은 130여 개의 다양한 지표를 판단하여 재범 가능성을 판단할 수 있다. 인공지능은 인간과 달리 판단할 때 개인적 상황이나 편견 등을 배제하고 객관적으로 판단할 수 있고, 무제한적이며 즉각적인 업데이트가 가능하다. 그러나 인공지능의 의사결정 과정이 어떻게 되는지는 확인 불가능하고, 인공지능의 의사결정에 편향성이 존재한다는 문제가 있다.

모범답변

해커스 김종수 로스쿨 면접 200주제

① 교수:학생 = 3:6   ② 집단면접   ③ 면접 준비 10분, 면접 시간 54분   ④ 1명당 3분씩 3번의 발언 기회가 부여됨

2021 영남 A 문제

Q1. [가군 면접] 다음 제시문을 읽고, 홀수 번호는 지방자치단체의 공공배달앱 개발에 찬성하는 입장에서, 짝수번호는 개발에 반대하는 입장에서 토론해보시오.

> O2O(Online to Offline) 플랫폼으로 배달앱이 성행 중이다. 코로나19의 영향, 1인 가구 증가 등으로 인해 배달앱의 이용 빈도가 폭증함에 따라 기존 배달앱이 과도한 수수료, 광고비를 받고 있다. 상단에 노출되기 위한 상단 노출 광고비도 과도하다. 자영업자들은 A배달앱과 B배달앱에서 음식 가격을 다르게 설정하자 배달앱마다 음식 가격을 같게 설정하라는 요구도 받고 있는 실정이다. 따라서 지방자치단체마다 공공배달앱을 만들어내려는 시도가 나타나고 있다.
> - 추가자료 1: 각 배달앱의 중개수수료, 광고비, 상단 노출 광고비, 외부 결제 비용 등에 대한 구체적인 퍼센티지를 제시했다.
> - 추가자료 2: O2O 플랫폼의 3가지 구조가 설명되어 있다.
> - 추가자료 3: O2O 플랫폼이 출혈경쟁을 막고 소비자 효용 증대에 도움이 된다는 내용이 제시되었다.

※ [나군 면접] 다음 제시문을 읽고, 문제에 답하시오.

2008년 범죄자 Z는 등교 중이던 초등학교 1학년 8세 여아를 성폭행해 장기 파손 등의 상해를 입혔다. 이 사건에서 검찰은 Z를 기소하면서 13세 미만 미성년자에 대한 성폭력 범죄를 가중 처벌하는 '성폭력범죄의 처벌 및 피해자보호 등에 관한 법률(성폭력특별법)'을 적용하지 않고 형법상 '강간상해죄'를 적용했다. 검찰이 적용한 형법상 강간치상(상해)은 무기 또는 5년 이상의 징역인 반면, 성폭력방지법상 13세 미만 아동강간죄는 무기 또는 7년 이상의 징역으로 처벌이 훨씬 강하다. 이후 1심 법원은 Z가 범행 당시 술을 마신 상태이며 심신미약 상태로 범행을 저지른 것으로 인정하여 징역 12년형을 판결했다. 당시 법원은 검찰이 무기징역을 구형했음에도, 음주에 대한 심신미약을 적용해 형량을 깎았다는 비판을 받았다. 이 판결에 대해 검찰은 항소하지 않았고, 오히려 Z가 항소해 2심과 대법원까지 이어졌으나 원심이 유지되면서 12년형이 확정됐다. 법원에 기소자인 검찰이 항소 또는 상고하지 않고 피고만 항소 또는 상고하게 되는 경우, 불이익 변경 금지의 원칙에 의해 1차 법원에서 판결된 형량보다 많은 형량을 받을 수 없다. 이처럼 검사의 항소 포기로 2심 법원과 대법원은 1심이 선고한 징역 12년보다 높은 형을 선고할 수 없었다.

Z의 출소가 다가오면서 Z가 피해자에게 해코지하는 것을 막기 위해 출소 제한, 보호수용제도를 포함한 여러 가지 방안이 논의되었다. 그러나 일사부재리에 어긋난다는 점과 이중 처벌금지 논란, 범죄자의 기본권을 과도하게 침해한다는 점에서 무산되었다.

Z와 비슷한 범죄로 오랜 기간을 복역한 다른 성범죄자가 재범을 저지른 바 있다. Z의 거주지는 피해자 가족의 거주지와 500m밖에 떨어져 있지 않아 불안에 떨던 피해자 가족은 이사를 결심했다. 피해자 가족이 이사를 가야 한다는 것에 대해 사회 다수가 분노했다.

Q1. 피해자 보호를 위해, 복역을 마치고 출소한 가해자의 주거 및 생활지역 등을 규제하여야 한다는 주장이 있다. 범죄자의 기본권 보장에 대해, 홀수 번을 뽑은 사람은 찬성의 입장에서, 짝수 번을 뽑은 사람은 반대의 입장에서 말해보시오.

Q2. '동물에게 인간과 같은 법적 권리를 부여할 수 있겠는가?'에 대한 찬반을 논해보시오.

Q3. 기업이 로봇을 이용하여 자동화하는 것에 대한 찬반을 논해보시오.

모범답변

2020 영남대 로스쿨

① 교수:학생 = 3:5　② 집단면접　③ 면접 준비 10분, 면접 시간 54분　④ 3분씩 3번의 발언 기회가 부여됨
⑤ 번호에 따라 정해진 입장을 논증하고, 반대 입장에 반론해야 함

2020 영남 A 문제

Q1. 짝수 번호는 현금 중심 사회, 홀수 번호는 캐시리스 사회 입장에서 본인의 입장을 논증하고, 상대의 의견에 반론해보시오.

> A대학교 ○○교수는 해외 출장을 갔다가 당황스러운 일을 겪었다. ○○교수는 신용카드를 사용할 수 없는 상황이었기 때문에 해당 국가의 화폐를 환전하여 소지하고 있었는데 대부분의 식당이 현금을 받지 않고 신용카드만으로 결제를 해야 했기 때문이다.
>
> 현재 노르웨이, 스웨덴, 이스라엘 등 몇몇 국가에서는 현금 없이 신용카드와 모바일 결제 등으로만 거래를 하는 '현금 없는 사회'를 도입하기 위한 정책을 펼치고 있다. 하지만 이에 반대하는 목소리도 있다. 먼저 신용등급이 낮아 신용카드를 발급 받을 수 없는 저소득층은 현금을 사용하지 못한다면 일상생활에 불편함이 발생할 수 있다. 영세 자영업자의 경우 카드 결제가 증가하면 수수료에 대한 부담이 있어 소득에 영향을 미칠 수 있다.

2020 영남 B 문제

Q1. 홀수 번호는 B은행의 입장에서, 짝수 번호는 C시민단체의 입장에서, 상대의 의견을 반론하고 본인의 견해를 논증해보시오.

> B은행은 최근 AI와 빅데이터를 기반으로 한 핀테크 알고리즘을 통해 고객 자금 대출 프로세스를 확충했다. 그러나 소비자 입장에서 확인해보니, 남성보다 여성에 대한, 화이트칼라보다 블루칼라 노동자에 대한, 대출 거부율이 압도적으로 높게 나타났다.
>
> C시민단체는 금융 비리 감시를 주된 업무로 하는 단체인데, B은행을 상대로 대출 AI 알고리즘에 관한 공개를 촉구하고 있다. 그러나 B은행은 여러 이유로 대출 관련 AI 알고리즘 공개를 거부하고 있다.

Q1. 홀수 번호는 공공의 이익을 위해 개인의 희생을 감수해야 한다는 입장으로, 짝수 번호는 개인의 삶과 행복을 중시해야 한다는 입장으로 의견을 밝혀보시오.

<사례 1>

본래 기차의 선로에서는 5명의 인부가, 다른 선로에서는 인부 1명이 작업하고 있다. 당신이 만약 브레이크가 고장이 난 기차의 선로를 바꿀 수 있는 기관사라면, 레버를 당겨 5명을 살리고 1명을 희생시키는 것이 옳다고 생각하는가?

<사례 2>

태평양전쟁 당시, 카미카제 대원으로 선발된 대원의 자기성찰에 관한 내용이다. 카미카제 대원으로 함께 선발되어 전장에 나간 동료들은 단 한 명도 돌아오지 못했다. 본인은 국가를 위해 생명을 내던져야 하는 상황이라면 어떻게 하겠는가?

<사례 3>

국가를 우선시하는 아버지와 가족을 우선시하는 아들이 갈등하고 있는 상황이 제시되었다.

모범답변

2019 영남대 로스쿨

① 교수:학생 = 5:6 ② 집단면접

2019 영남 A 문제

Q1. [가군 오전 면접] 명분론(1, 3, 5번 지원자)과 실리론(2, 4, 6번 지원자)의 입장에서 의견을 개진해보시오.

> **<제시문 1>**
> 병자호란 당시 남한산성에 피난한 인조에게 두 신하가 주장을 펼치고 있다. 명에 대한 명분과 의리를 지켜 청나라와 싸워야 한다는 주전파(主戰派)인 김상헌과, 실리를 도모해 청나라에 항복해야 한다는 주화파(主和派)인 최명길이 대립하고 있다.
>
> **<제시문 2>**
> 대북 제재 문제에서 한국과 미국 간의 견해 차이가 있다. 미국 트럼프 대통령은 한국이 대북 제재와 관련한 대북정책을 행함에 있어 미국의 '승인'이 있어야 한다고 발언하였다.
>
> **<제시문 3>**
> 한중 FTA 이후 우리나라와 중국의 교역 폭이 크게 증가하고 있는 반면, 한미 FTA 이후 한국과 미국 간 교역 폭이 감소세로 돌아섰다는 데이터를 제시하였다.

2019 영남 B 문제

Q1. [가군 오후 면접] 블라인드 채용에 대한 찬반 의견 중 자신의 견해를 정하여 논변해보시오.

> 최근 채용 비리의 문제가 심각하고 그에 따라 블라인드 채용을 실시하고 있다. 블라인드 채용은 출신학교, 학부 전공, 가족관계 등을 서류에 기재하는 것을 금지한다. 고용노동부에서 블라인드 채용에 관한 표를 제시하였다.

Q1. [나군 오전 면접] 6세 미만의 아이가 있는 부모에게 지급되는 아동수당을 부모의 소득과 무관하게 보편적으로 지급해야 하는지, 선별적으로 지급해야 하는지 본인의 입장을 밝혀보시오.

Q1. [나군 오후 면접] 우리나라에는 낙태를 할 경우에 처벌하는 낙태죄가 있다. 낙태를 허용하는 예외적인 사유는 여성의 건강에 심각한 위협이 되는 경우, 태아에게 질병이 있는 경우, 강간에 의한 임신인 경우가 있다. 낙태죄를 존치해야 하는지 혹은 폐지해야 하는지 자신의 입장을 밝혀보시오.

Part 1
Part 2
Part 3
Part 4
Part 5
Part 6
Part 7

해커스 김종수 로스쿨 면접 200주제

모범답변

2018 영남대 로스쿨

① 교수:학생 = 5:6, 집단면접 ② 답변 준비 10분, 면접 시간 60분
③ 수험생은 3번의 발언기회가 있고, 각 3분간 발언시간이 부여됨
④ 학교에서 부여한 번호표에 따라 홀수표를 받은 응시자는 해당 법안에 찬성, 짝수표를 받은 응시자는 해당 법안에 반대 입장
⑤ 순서대로 3분간 발표한 이후, 각 응시자가 희망하는 순서대로 추가 발언 및 마무리 발언의 기회를 각 3분 부여함

2018 영남 A 문제

Q1. 인공지능이 주도하는 미래는 긍정적인가, 부정적인가?

2018 영남 B 문제

Q1. 최저임금을 1만 원까지 인상해야 한다는 주장이 있다. 이에 대한 찬반 견해를 정하고 이를 논변해보시오.

2018 영남 C 문제

Q1. 현재 우리나라의 병역법에 의하면 남성만 징병의 대상이 된다. 이에 대해 여성도 징병의 대상이 되어야 한다는 주장이 있다. 이에 대한 찬반 견해를 정하고 논변해보시오.

2018 영남 D 문제

Q1. 현행 대학수학능력평가시험의 난이도를 높여야 하는가, 낮춰야 하는가?

모범답변

2017 영남대 로스쿨

① 교수:학생 = 5:6, 집단면접   ② 답변 준비 10분, 면접 시간 60분
③ 수험생은 3번의 발언기회가 있고, 각 3분간 발언시간이 부여됨
④ 학교에서 부여한 번호표에 따라 홀수표를 받은 응시자는 찬성, 짝수표를 받은 응시자는 반대 입장
⑤ 순서대로 3분간 발표한 이후, 각 응시자가 희망하는 순서대로 추가 발언 및 마무리 발언의 기회를 각 3분간 부여함

2017　영남 A 문제

Q1. 모병제에 대하여 찬반 논리를 펼쳐 보시오.

2017　영남 B 문제

Q1. 기여입학제에 대하여 찬반 논리를 펼쳐 보시오.

2017　영남 C 문제

Q1. 검찰의 경찰에 대한 수사권 이전에 관한 수사권 재조명 문제에 대하여 찬반 논리를 펼쳐 보시오.

2017　영남 D 문제

Q1. 투표 의무제에 대하여 찬반 논리를 펼쳐 보시오.

Part 1
Part 2
Part 3
Part 4
Part 5
Part 6
Part 7

해커스 김종수 로스쿨 면접 200주제

모범답변

① 교수:학생 = 5:10, 집단면접   ② 답변 준비 10분, 면접 시간 60~90분
③ 수험생은 3번의 발언기회가 있고, 각 3분간 발언시간이 부여됨
④ 학교에서 부여한 번호표에 따라 홀수표를 받은 응시자는 찬성, 짝수표를 받은 응시자는 반대 입장
⑤ 순서대로 3분간 발표한 이후, 각 응시자가 희망하는 순서대로 추가 발언 및 마무리 발언의 기회를 부여함

2016   영남 A 문제

Q1. 부정청탁 및 금품 등 수수의 금지에 관한 법률에 대한 견해를 주어진 입장에 따라 논거를 들어 답변해 보시오.

> (가) 부정청탁 및 금품 등 수수의 금지에 관한 법률(김영란법)
> - 공직자뿐만 아니라 사립학교 임직원, 언론인까지 처벌 적용 대상에 포함됨
> - 직무 관련 여부에 관계없이 1회 100만 원 이상, 매 회계연도에 300만 원 이상 초과하는 금품을 수수 또는 요구했을 경우 3년 이하의 징역 또는 3천만 원 이하의 벌금에 처함
> - 배우자가 금품 수수를 했을 경우 이를 신고하지 않으면 처벌함
>
> (나) 우리나라의 부정부패가 심각한 상황에 이르렀다. 이에 따라 부정청탁에 관한 15개의 상세한 범주를 구체화하였고, 대법원에서도 '부정청탁'에 대한 정의를 내린 바 있으므로 김영란법은 죄형법정주의 위반이라 할 수 없다. 뇌물 받은 배우자로 인해 처벌하는 것은 배우자와의 실질적, 경제적 연대성이 있음에 근거하고 있으며, 고로 김영란법이 연좌제라 볼 수 있는 근거는 없다.
>
> (다) 김영란법은 부정청탁의 범위가 모호하므로 죄형법정주의에 위반된다. 또한 같은 민간 분야인데도 변호사, 의사 등과 같이 공공성 있는 직종들은 적용 대상에서 제외되었으므로 평등원칙을 위반한 법이다. 공인에게만 적용되어야 할 법을 갑자기 민간 분야까지 적용시킨다면 실효성이 없을 것이고, 뇌물 받은 배우자를 신고하지 않을 경우에도 처벌하는 것은 연좌제에 해당된다.

모범답변

2024~2016 원광대 로스쿨

2024 원광대 로스쿨

① 교수:학생 = 3:1   ② 면접 준비 8분, 면접 시간 8.5분   ③ 메모 가능   ④ 추가질문 있음

메모 및 휴대 여부	• 메모, 휴대 가능
대기실 특징	• 1층에서 휴대소지물품 검사 후 5층에서 150명 전체가 면접 대기함 • 다과와 음료가 준비되어 있음 • 호명하게 되면 첫줄에 앉아 있다가 문제풀이실로 이동함
문제풀이실 특징	• 3개 고사실을 한 팀으로 하여 3명이 입실해 8분간 준비함
면접고사장 특징	• 문제풀이실에서 나온 후 바로 옆에 있는 면접실로 입실함
기타 특이사항	• -

2024 원광 A 문제

※ [가군 면접] 다음 제시문을 읽고, 문제에 답하시오.

> 안전한 나라로 꼽히던 한국에서 불특정 다수를 상대로 한 길거리 흉기 난동 사건 같은 '묻지마 범죄'가 잇따르고 있다고 영국 BBC 방송이 보도했다. BBC는 2023년 10월 13일(현지시각) "'이유를 묻지마세요', 한국은 잇단 '묻지마 흉기 난동'과 씨름 중"이라는 제하의 기사를 통해 이 같이 전했다. 특히 '묻지마'를 알파벳 그대로 'Mudjima'로 표기해 조명했다.
>
> BBC는 한국 사회에서 '묻지마 범죄'는 피해자와 개인적 연관성이 없거나 분명한 동기가 없는 낯선 사람들을 대상으로 한 범죄를 칭하는 말로 오래전부터 쓰여왔지만, 경찰은 2022년에서야 이를 공식적으로 '이상동기범죄'로 규정하고 대응 전담팀을 꾸렸다고 소개했다. 경찰은 정신병리학적 문제가 아닌 경우 이상동기범죄에도 원인은 있다고 본다.

Q1. 묻지마 범죄(이상동기범죄)의 사회구조적 원인과 해결방안에 대하여 논하시오.

💬 A학생 추가질문

Q2. 수도권으로 집중해서 답변했는데, 이유가 있는가?

Q2. 가짜뉴스 규제는 어떻게 해야 하는가?

Q3. 묻지마 범죄의 구체적 기준을 어떻게 정해야 하는가?

Q2. 유튜브가 혐오표현이나 사이버불링 콘텐츠를 주로 올리는 유저의 수익을 중단시키는 사례를 말했다. 유튜브는 외국 기업인데 국내 기업이 할 수 있는 것은 없는가?

Q2. 사법입원제는 어떻게 생각했는가? 책에서 본 것인가, 본인이 생각한 것인가?

2024 원광 B 문제

※ [나군 면접] 다음 제시문을 읽고, 문제에 답하시오.

> 민영화란, 국가 및 공공단체가 특정 기업에 대해 갖는 법적 소유권을 주식 매각 등의 방법을 통해 민간 부분으로 이전하는 것을 의미한다. 구체적으로는 공기업에 대한 정부 소유 주식의 50% 이상을 민간 소유로 전환시키는 것을 의미한다. 공기업 민영화는 국가에서 운영하던 기업을 민간인이 자율적으로 경영하게 되는 것이다. 이러한 민영화가 타당한지에 대해서 논의가 되고 있다.
> • 찰스: 민영화의 성공 사례로 영국의 브리티시 텔레콤 사례가 있다. 영국의 통신 분야 민영화의 결과, 브리티시 텔레콤은 최초의 사업 분야였던 유선전화에서 시작해 차츰 사업을 키워나가 무선통신 분야까지 진출했다. 민영화는 시장의 영역을 확대할 수 있다는 장점이 있고, 국민의 선택 다양성 확보에서도 도움이 된다.
> • 토미: 민영화의 실패 사례로 독일의 고속도로 민영화 사례가 있다. 고속도로 운영의 효율화를 위해 고속도로 민영화를 진행했으나, 정부와 국민들의 기대와는 달리 고속도로 통행료가 과도하게 인상되었다. 그 결과 저소득층은 고속도로 이용에 큰 부담을 느끼고 실제로도 고속도로 통행이 불가능해지는 경우마저 있었다.

Q1. 찰스와 토미의 의견 중 하나를 선택하여 추가 근거를 들어 반대 측 입장을 설득하시오.

Q2. 대한항공은 공기업이 아니다. 알고 있는가?

Q3. 그렇다면 공기업의 민영화로 인해 독점 가능성 등의 문제점들이 존재하는데 그런 것들은 어떻게 해결할 것인가?

Part 1

Part 2

Part 3

Part 4

Part 5

Part 6

Part 7

B학생 추가질문

Q2. 민영화된 시설이나 서비스 등을 사회적 약자들이 돈이 없어 이용을 못할 수 있는데 이에 대해서는 어떻게 생각하는가?

Q3. 정부가 40% 예산을 투자했다고 가정하자. 민간기업은 수익을 통해 원금을 회수한다면 정부는 어떤 방식으로 원금을 회수해야 하는가?

2024 원광 인성 문제

Q1. 법을 공부해본 경험이 있는가?

Q2. 국가고시를 합격했다고 했는데 어떤 국가고시를 준비했는가?

Q3. 법전원에 입학하면 학습량이 매우 많은데 공부할 자신이 있는가? 자신의 학업역량을 객관적으로 증명하시오.

Q4. 법조인이 되고 싶은 동기나 계기를 말해보시오.

Q5. 수험생활을 한 적이 있는가? 있다면 성공 경험을 말해보시오.

Q6. 왜 법학전문대학원에 지원했는가?

Q7. '나'군은 어디를 지원했는가?

Q8. 변호사시험 합격을 위해 어떻게 공부하겠는가?

Q9. 법학전문대학원을 진학해야겠다는 계기가 있는가?

Q10. 변호사가 되려는 계기가 있는가?

Q11. 로스쿨에 진학하면 직장도 출퇴근하며 다닐 것인가?

Q12. 왜 원광대여야 하는가?

Q13. 법조인이 되어야 하는 이유 3가지를 말해보시오.

Q14. 로스쿨 입시를 시작하게 된 계기와 준비기간은?

Q15. 변호사 시험을 위한 자신의 강점은 무엇인가?

Q16. 마지막으로 하고 싶은 말은?

모범답변

① 교수:학생 = 3:1 ② 면접 준비 8분 30초, 면접 시간 8분 ③ 메모 가능 ④ 추가질문 있음

2023 원광 A 문제

※ [가군 면접] 다음 제시문을 읽고, 문제에 답하시오.

> 이태원 참사와 관련한 신문기사가 제시되었다. 2022년 10월 29일, 이태원 참사가 발생했는데, 사상자는 151명이다. 외국인 사망자는 26명으로 이란 5명, 중국 4명, 러시아 4명, 미국 2명, 일본 2명, 프랑스·호주·노르웨이·오스트리아·베트남·태국·카자흐스탄·우즈벡·스리랑카 각 1명씩이다.

Q1. 위 제시문이 내포하는 함의와 우리 사회에 남긴 과제를 다음 제시어를 모두 포함하여 답변하시오.
(안전관리체계, 국가의 기능, 법적·제도적 개선, 시민의식)

A학생 추가질문

Q2. 교통카드 데이터를 활용한다고 하였는데 개인정보 침해문제가 있지 않은가?

Q3. 시민의식이 무엇이라 생각하는가?

Q4. 이태원 압사와 관련하여 법을 알고 있는 것이 있는가?

B학생 추가질문

Q2. 여러 해결방안을 제시했는데, 또 다른 해결방안을 제시할 수 있는가?

Q3. 건축법의 경우 해당 건물들이 이행명령에도 불구하고 말을 듣지 않은 것인데 그럼에도 개정이 필요하다고 생각하는가?

Q4. 유족 지원금은 타당한가?

Q5. 이태원 사고에서 변호사로서 할 일이 무엇이 있는가?

※ [나군 면접] 다음 제시문을 읽고, 문제에 답하시오.

<제시문 1>

　섬유 업체인 A와 B기업은 레이온 소재의 섬유를 판매하면서 대나무 소재의 친환경 섬유라 속여서 홍보 마케팅을 했다. 이 기업들은 친환경 제품을 생산, 판매하여 ESG 경영을 실천하고 있다는 점을 강조해서 홍보하였으나 허위광고였던 것이다. 이에 당국은 소비자를 기만한 행위로 보아 각각 벌금을 부과했다.

<제시문 2>

　C기업은 디젤 자동차가 연비가 좋기 때문에 친환경이라 광고했다. 그러나 실상은 디젤 자동차의 연비 효율이 좋지 않아 친환경이라 볼 수 없었다. 이에 이 기업은 연비를 조작해 판매했다. 당국은 소비자를 기만하는 행위로 보아 벌금을 부과했다.

※ ESG 경영: E(environment, 환경), S(social, 사회적 책임), G(governance, 지배구조 개선)

Q1. 위 두 사례에 나타난 문제점을 파악하고, 다양한 이해당사자 측면에서 해결책을 제시하시오.

　　 (시험장 입실 후 4분 내로 답변하라는 지시사항을 받은 경우가 있음)

💬 A학생 추가질문

Q2. 소비자들이 친환경 상품을 왜 구매한다고 생각하나?

💬 B학생 추가질문

Q2. 그렇다면 이해관계자가 국가, 소비자, 기업이라는 것인가?

Q3. 소비자들이 왜 ESG에 관심을 갖게 되었다고 생각하나?

💬 C학생 추가질문

Q2. 징벌적 손해배상과 인센티브를 말했는데, 그렇다면 무엇을 해야 하는가? 둘 다 해야 한다면 무엇부터 해야 하는가?

Q3. 소비자에게 정보를 공개하는 등 교육이 필요하다고 했는데, 그렇다면 기업의 입장에서는 본인의 민감한 정보가 있을 수 있는데, 이를 받아들일 것이라 생각하는가?

Q1. 지금까지 가장 큰 성취는 무엇인가?

Q2. 학업 성취에 대해 말해보시오.

Q3. 로스쿨에서 어떻게 공부할 것인가?

Q4. LEET 점수가 얼마나 올랐나?

Q5. 로스쿨 잘 다닐 자신이 있는가?

Q6. (나)군은 어디에 지원했는가?

Q7. 본인의 인생에서 이룬 가장 큰 성취가 무엇인가?

Q8. 로스쿨을 가기 위해 노력한 것이 무엇인지 말하시오.

Q9. 어떤 법학과목이 가장 재미있었는가?

Q10. 법학 공부해 본 적이 있는가?

Q11. 기업에 재직했다고 했는데, 현재도 재직 중인가?

Q12. 언제 그만두었는가?

Q13. 공백기간은 어떻게 되는가?

Q14. 금융권에 있었다고 하니 질문하는데, 답변 중 징벌적 과세를 말했는데 징벌적 손해배상과 다른 점을 알고 있는가?

Q15. (가)군은 어디에 지원했는가?

Q16. 로스쿨 지원동기는?

Q17. LEET가 처음인가?

Q18. 작년에는 왜 탈락했다고 생각하나?

Q19. 전업 수험생가?

Q20. (가)군은 어디에 지원했고, (가)군 면접은 잘 봤나?

Q21. 면접 끝난 후, 바로 법학 선행을 시작할 수 있나?

Q22. 입학 전 어떻게 법학 선행학습을 할 것인가?

Q23. 어떤 책으로 선행학습을 했나?

Q24. 법학 공부는 재미있나?

모범답변

2022 원광대 로스쿨

① 교수:학생 = 3:1   ② 면접 준비 8분, 면접 시간 8분 30초   ③ 메모 가능, 휴대 가능

2022 원광 A 문제

※ 다음 제시문을 읽고, 문제에 답하시오.

> 코로나19 문제를 해결하기 위해 백신 접종률을 높여야 하는데, 여러 이유로 반대하는 사람들이 있다는 내용의 제시문

Q1. 백신 접종률을 높이는 것이 타당한지 찬성 측과 반대 측의 근거를 각각 제시해보시오.

💬 **A학생 추가질문**

Q2. 그렇다면 반대 측과 찬성 측의 입장을 모두 절충할 수 있는 방안이 있을까?

💬 **B학생 추가질문**

Q2. 백신을 미접종하면 전파 가능 확률이 올라가는데 타인에게 직접적 해악을 미치지 않는다고 말한 이유는 무엇인가? 그리고 개인의 자유를 실질적으로 보장한다는 논거가 정확히 무슨 의미인가?

Q1. 지금까지 이룬 가장 큰 성취는 무엇인가?

Q2. 고시 공부를 얼마나 했는가?

Q3. 왜 고시 공부하다가 로스쿨로 진로를 바꿨는가?

Q4. 법학 공부를 한 경험이 있는가?

Q5. 고시 준비하면서 무슨 과목을 제일 잘 했고, 잘 못했는가?

Q6. 피해자가 국비 지원을 통해 의뢰를 해왔고, 변호사인 '나'는 10만 원만 받고 변호해야 한다. 그럼에도 변호할 것인가?

Q7. 피해자가 계속 전화를 하고 하루에 4, 5시간씩 내 시간을 뺏고 정신적으로 피해를 준다. 그럼에도 변호할 것인가?

Q8. 피해자가 이에 대해 고마워하지 않는다. 그렇다고 하더라도 변호할 것인가?

Q9. 공부가 재미있는가?

Q10. 지원동기는 무엇인가?

모범답변

① 교수:학생 = 3:1   ② 면접 준비 8분, 면접 시간 8분 30초   ③ 메모 가능

2021 원광 A 문제

※ [가군 면접] 다음 제시문을 읽고, 문제에 답하시오.

> 평창 올림픽을 앞두고 강원도와 올림픽 위원회가 가리왕산 산림유전자원보호구역을 '알파인스
> 키장'으로 만들고자 한다. 당시 환경단체 등의 반발이 있었음에도 불구하고 '2018년도까지 산림
> 유전자원보호구역[7] 전면 복원'을 조건으로 하고 시행하였다. 그러나 평창 올림픽이 끝나고 난 후
> 강원도 지역주민들이 곤돌라와 관리도로 등을 그대로 두어 '관광 산업'으로 활용하겠다고 주장하
> 여 산림유전자원보호구역 복원이 늦춰지고 있는 상황이다.

Q1. 제시문에 나와 있는 내용을 바탕으로 다방면에서 문제점을 찾고, 근거를 제시해보시오.

추가질문

Q2. 그렇다면 지원자는 원상 복원을 해야 한다는 입장인가?

2021 원광 B 문제

Q1. [나군 면접] 다음 제시문을 읽고, 개발도상국에 대한 국제적 원조가 이루어지고 있음에도 불구하고,
경제 성장이 저조한 원인과 그에 대한 해결방안을 제시해보시오.

> 개발도상국에 지속적인 국제적 원조가 이어짐에도 그들의 경제 성장률이 저조하다는 내용

7)
산림유전자원보호구역: 산림에 있는
식물의 유전자와 종 또는 산림생태
계의 보호 및 보전을 위하여 필요하
다고 인정되는 구역

모범답변

2020 원광대 로스쿨

① 교수:학생 = 3:1   ② 면접 준비 8분, 면접 시간 8분 30초   ③ 메모 가능   ④ 블라인드 면접

2020 원광 A 문제

Q1. SNS, Youtube 등 인터넷 발달로 인해 가짜뉴스 및 인신공격성 악성댓글 등의 인터넷 역기능이 나타나고 있다. 이로 인해 공동체가 피해를 입고 있으며, 공동체의 와해까지도 우려되는 지경이다. 인터넷의 역기능에 대한 원인과 해결방안을 논해보시오.

추가질문

Q2. 처벌 강화를 말했는데, 개인 피해뿐만 아니라 사회적 피해의 경우에도 처벌할 수 있는가?

2020 원광 B 문제

Q1. 사회적 약자에 대한 반감과 배제가 심해지고 있다. 예멘 난민, 외국인 노동자 등이 그 사례이다. 이런 배제의 원인과 해결방안에 대해 논해보시오.

추가질문

Q2. 교육을 통한 인식 개선이 가능한가?

Q3. 사회적 소수자, 특히 제시문에 나온 난민이나 외국인 노동자 같은 경우 사회에 통합된다고 하더라도 자국민과 동등한 대우를 받을 수는 없지 않은가?

Q4. 어떤 부분까지 동등하게 대우를 해줄 수 있겠는가? 어느 부분에서 동등한 대우를 해서는 안 되는가?

Q1. 왜 법조인이 되고 싶은가?

Q2. 로스쿨의 공부양이 방대한데, 이를 잘 해낼 수 있음을 자신의 공부 경험을 사례로 해 답변해보시오.

Q3. 로스쿨에서의 3년은 힘들 텐데, 장기간에 걸쳐 성과를 이룬 경험이 있었나?

Q4. 법학을 공부한 적이 있는가?

Q5. 왜 로스쿨을 지원하였는가?

Q6. 학점이 높은데 가시적인 성과 말고 다른 성과는 없는가?

Q7. 사회적 약자를 돕는 것과 법학의 연관성은 무엇인가?

모범답변

① 교수:학생 = 3:1

2019 원광 A 문제

Q1. [가군 오전 면접] 다음 제시문을 읽고, 우리나라 출산율 하락의 원인과 해결책을 제시해보시오.

> 출산율이 급격하게 하락하고 있고, 결혼하는 인구도 줄어들었다. 이에 정부는 여러 가지 정책을 시행하였지만, 큰 효과를 보지 못하고 있다. 외국의 경우 비혼 동거인들을 위한 정책을 새롭게 제정하는 등 여러 노력을 하고 있다.

2019 원광 B 문제

Q1. [가군 오후 면접] 다음 제시문을 읽고, 교육부의 '소규모 학교 통폐합'과 전라북도 교육청의 '소규모 학교 살리기' 정책을 비교·분석하고, 해결방안을 제시해보시오.

> 대도시는 학교 수가 늘어나는 추세인 것에 반해, 소도시와 농촌은 학교 수가 줄어들고 있다. 이에 교육부는 교육 재정 운영의 효율성을 달성하기 위해 작은 학교들을 통폐합해야 한다며 '소규모 학교 통폐합'을 권유, 권장하고 있다. 그 정책에 따르면 전라북도의 학교들은 대부분 통폐합의 대상이 된다.
> 그러나 전라북도 교육청은 소규모 학교 통폐합에 반발하고 있다. 소규모 학교를 통폐합하면 아이들과 부모들이 대도시로 이주하게 되어 지역 격차가 커져 지역 발전을 저해할 뿐만 아니라 소도시 학생들의 등하교 거리가 멀어지는 등의 문제점이 발생하기 때문이다. 이에 전라북도 교육청은 농어촌교육 발전 기본계획을 발표했는데, 마을-학교 협력공동체를 만들어 지방학교에 대한 지원을 늘려 '농어촌 작은 학교 살리기' 정책을 시행하려 한다.

2019 원광 C 문제

Q1. [나군 오전 면접] 다음 제시문을 읽고, 보통형 인재의 좌절감이 조직에 미치는 영향은 무엇인지 말해보시오.

> 직장 내에서 묵묵히 자신의 일을 해내는 보통형 인재와, 뛰어난 능력으로 높은 성과를 내는 엘리트형 인재가 있다. 회사 구조상 엘리트형 인재에게 큰 보상을 하는 경우가 대부분이다. 이에 따라 보통형 인재의 좌절감이 커지고 있다.

Q1. [나군 오후 면접] 다음 제시문을 읽고, 카풀 서비스는 앞으로 우리 사회에 어떤 영향을 미칠 것인지 다각도로 설명해보시오.

> 최근 카풀서비스를 시작한 기업이 있고, 택시업계는 이에 반발하고 있다는 내용의 제시문

2019 원광 인성 문제

Q1. 법학 공부가 힘든데 잘할 수 있는가?

Q2. 무슨 과목이 가장 자신 있나?

Q3. 로스쿨에서 어떻게 공부할 것인가?

Q4. 왜 법학에 관심이 생겼는가?

Q5. 익산에 올 때 누구와 어떻게 왔는가?

Q6. 법학을 공부한 경험이 있는가?

Q7. 입학한다면, 기숙사 생활을 할 것인가?

Q8. 익산에 연고가 있는가?

Q9. 작년에 리트를 응시하였는가?

Q10. 올해 리트 점수에 만족하는가?

Q11. 법학 이외의 자격증은 있는가?

Q12. 선행학습 계획은 어떻게 되는가? 지금 면접시험을 마친 직후부터 법학을 공부할 수 있는가?

Q13. 현재 체력은 좋은 편인가, 앞으로 어떻게 관리할 것인가?

Q14. 교육에 대해서 굉장히 잘 아는데, 대학 이후에 교육계에 종사했는가?

Q15. 학부 시절 법학 수업을 들은 것이 있는가? 무슨 과목이 어려웠는가?

Q16. 직장 생활을 얼마나 했는가? 왜 직장 생활을 그만두고 로스쿨에 진학하고자 하는가?

Q17. 변호사시험은 장기간 준비를 해야 하는데, 장기간 노력하여 성과를 거둔 경험이 있는가?

Q18. 법학을 접한 적이 있는가?

모범답변

2018 원광대 로스쿨

① 교수:학생 = 3:1   ② 면접 준비 15분, 면접 시간 15분

2018 | 원광 A 문제

Q1. 다음 제시문의 상황이 사회에 끼치는 긍정적·부정적 영향을 말하고, 부정적 영향을 해소할 수 있는 방안을 논해보시오.

> 최근 30대 미만의 1인 가구가 증가하고 있다는 내용의 제시문

2018 | 원광 B 문제

Q1. 다음 제시문에 드러난 상황의 긍정적인 측면과 부정적인 측면을 소통의 측면에서 논하고, 부정적인 측면을 극복하기 위한 해결방안을 제시해보시오.

> 스마트 기기가 발달하고 널리 보급되면서 소통에 많은 영향을 미치고 있다는 내용의 제시문

2018 | 원광 C 문제

Q1. 카탈루냐 독립에 대한 찬반 견해를 밝히고 그 이유를 논해보시오.

> 스페인 카탈루냐 지방의 독립 선언에 대한 내용의 제시문

2018 | 원광 D 문제

Q1. 다음 제시문의 상황에 따른 문제점과 그 해결방안을 제시해보시오.

> 인공지능과 로봇의 발달로, 생활의 편리함이 커진다는 장점이 있으나 일자리 문제가 심각해질 것이라는 단점도 예상된다는 내용의 제시문

Q1. 비정규직을 정규직으로 전환하는 정책이 폭넓게 논의되고 있다. 이에 따라 기간제 교사를 정규직으로 전환하자는 의견에 대해 찬반양론이 대립하고 있다. 이에 대한 자신의 의견을 논해보시오.

Q2. A는 제약회사의 CEO인데, 난치병 치료제 개발에 엄청난 금액을 투자한 끝에 최근 치료제 개발에 성공했다. 그런데 이 난치병 치료제의 가격이 높아 난치병 환자들이 치료제를 구입할 수 없는 상황인데다가 이에 대한 여론도 좋지 않다. 당신이 A라면 어떤 선택을 할 것인가?

Q3. 교수 A는 현재 청년들이 헬(hell)조선이라고 부르는 이유를 개개인의 책임이라고 자신의 SNS에 올렸고, 교수 B는 사회 구조적 모순 때문이라고 주장한다. A와 B 중 어느 판단이 자신의 생각과 일치하는가? 그렇다면 어떻게 헬조선을 힐(heal)조선으로 바꿀 수 있는가?

Q4. A와 B는 인턴사원으로 1년간 근무했고 마지막 업무로 중요한 팀 프로젝트를 앞두고 있다. 그러나 B는 지금 가정 문제로 인해 업무에 집중하지 못하는 상황이다. 당신이 A라면 상사에게 B의 문제를 보고할 것인가?

모범답변

2017 원광대 로스쿨

① 교수:학생 = 3:1　② 면접 준비 15분, 면접 시간 15분

2017　원광 A 문제

※ 다음 제시문을 읽고, 문제에 답하시오.

> 55살부터 79살까지의 고령층의 61%는 일자리를 원하고 있으며, 일하기를 희망하는 나이는 72 살까지가 가장 많았다. 통계청이 발표한 지난 5월의 경제활동인구 조사 가운데 청년층 및 고령층 결과를 보면 고령층 가운데 일자리를 희망하는 비율이 61.2%로 1년 전보다 소폭 증가했다. 일하기를 희망하는 나이는 72살까지가 가장 많았고, 일자리를 원하는 이유로는 생활비에 보탬이 58%, 일하는 즐거움이 35% 순이었다. 고령층 61%가 일자리를 원하지만 지난 1년간 구직 경험이 있는 사람은 16%에 불과했고, 일자리를 구하지 못한 이유 가운데 건강상의 이유가 가장 많았다.

Q1. 노년층을 위해 취업 보장을 하는 정책의 긍정적 측면과 부정적 측면은 무엇인지 이야기하고, 바람직하다고 생각하는 방향을 제시해보시오.

추가질문

Q2. 장년층이 왜 국익 증진에 도움이 되지 않는다고 생각하는가?

Q3. 나이를 먹었다고 해서 새로운 기술에 적응하지 못할 것이라는 것은 편견 아닌가?

Q4. 장년층의 생활 안정과 같은 경우, 장년층이 일을 하기 싫다면 계속 고용한다고 해서 장년층의 생활 안정을 보장할 수 있을 것이라 보기 어렵지 않은가?

Q5. 전문가에 대한 신뢰 훼손이 어떻게 국민의 자유와 권리 보장과 연결되는가?

Q6. 기업의 경쟁력을 약화시키는 노년층에 대해서는 어떠한 조치를 취해야 하는가?

2017　원광 B 문제

Q1. 현재 공공기관에서 신규인력을 채용 시 지방의 대학생들을 채용하는 지방인재 채용이 시행되고 있다. 이에 대한 찬성 측, 반대 측의 주장과 논거를 상세히 말해보시오.

Part 1
Part 2
Part 3
Part 4
Part 5
Part 6
Part 7

해커스 김종수 로스쿨 면접 200주제

Q2. 공공기관이 지역인재를 채용하는 이유는 현재 능력 위주의 선발이 제대로 이루어지고 있지 않기 때문이라고 생각한다. 학생은 지역인재를 채용하는 것에 반대하는 것 같은데 그렇다면 현재 채용이 공정하게 이뤄지고 있다고 생각하는가?

2017 원광 C 문제

Q1. 다음 제시문을 읽고, 지역구 국회의원에 대한 주민소환제도 도입에 대한 찬반 의견을 정하여 논리적으로 답변해보시오.

> 지방자치단체장은 주민소환제로 해임이 가능하나 국회의원은 가능하지 않다는 내용의 제시문

2017 원광 인성 문제

Q1. TV에서 비춰지는 모습이, 사회가 전문직을 대하는 태도와 가치관에 어떤 영향을 미치겠는가? 아래 제시문을 참고하여 답해보시오.

> 요즘 방송되거나 방송될 예정인 드라마의 주인공 직업은 의사, 변호사, 그리고 재벌로 넘쳐나고 있다. 이 세 가지 직업이 나오지 않는 드라마를 찾기가 더 어려울 정도다.

Q2. 기술이 발달되면서 '자율주행자동차'가 곧 상용화될 것이다. 하지만 이에는 딜레마가 있다. 예를 들어 '운전자를 먼저 보호할 것인지?', '보행자를 먼저 보호할 것인지?'이다. 위와 같은 자율주행자동차의 다양한 딜레마 상황을 제시해보시오.

Q3. 잊혀질 권리와 알 권리가 충돌할 때, 어떤 권리를 더 보호해야 하는지에 대한 지원자의 의견을 제시해보시오. 아래 제시문을 참고하여 잊혀질 권리와 알 권리의 충돌에서 문제점과 그 해결방안을 제시해보시오.

> 온라인에서 자신이 과거에 썼던 글이나 행적, 범죄 사실 등을 삭제할 수 있는 잊혀질 권리와 공직자 검증 시에 국민의 알권리가 충돌하는 부분이 존재한다는 내용의 제시문

Q4. 난민 수용에 대한 찬반 의견을 아래 제시문을 참고하여 제시해보시오.

> 난민 유입으로 인한 유럽의 사회적 갈등(예 범죄율이나 사회비용 등의 증가) 상황에 관한 내용의 제시문

모범답변

2016 원광대 로스쿨

① 교수:학생 = 3:1 ② 면접 시간 14분 30초

2016 | 원광 A 문제

Q1. 현재 공공기관의 70% 정도가 임금피크제를 시행하고 있다. 임금피크제 시행 시 사용자, 노동자의 긍정적인 측면과 부정적인 측면에 대해 설명하고, 제도 시행 시 고려해야 할 점에 대해 설명해보시오.

2016 | 원광 B 문제

※ 우리나라의 TPP(환태평양 경제동반자 협정) 추가 가입에 따른 긍정적 영향과 부정적 영향은?

추가질문

Q1. 외국기업도 국내기업과 비슷하게 취급해달라는 것인데, 이로 인한 부정적 영향은 무엇인가?

2016 | 원광 인성 문제

Q1. 서울시 중학교 교내에 장애인직업센터를 설립하고자 한다. 이에 대해 장애 학생 부모들은 찬성을 주장하며 무릎을 꿇고 호소하는 반면, 중학교 학부모들과 인근 주민들은 반대를 주장하고 있다. 토론을 통한 설득이 계속되고 있지만 의견이 좁혀지지 않는 상황이다. 이들의 의견을 어떻게 통합할 것인지 방안을 제시해보시오.

Q2. 아파트 주민은 쾌적한 주거권을 보장 받고자 외부 차량의 아파트 진입을 막았다. 이로 인해 택배기사들은 아파트 입구에서 아파트 내부까지 걸어서 배달해야 하는 상황이다. 그러자 택배기사는 아파트 관리사무실에 택배를 맡기게 되었다. 그런데 주민들은 집 앞까지 택배를 배달해야 한다고 항의했다. 택배기사와 아파트 주민의 입장을 조율할 수 있는 해결방안은 무엇인가?

모범답변

2024~2016 이화여대 로스쿨

2024 이화여대 로스쿨

① 교수:학생 = 3:1   ② 면접 준비 9분 30초, 면접 시간 10분(지성 7~8분, 인성 2~3분)   ③ 메모 가능
④ 추가질문 없음

메모 및 휴대 여부	• 메모 및 휴대 가능함
대기실 특징	• 큰 강의실에서 200여 명의 지원자가 함께 대기함 • 대기실 가장 뒤쪽에 의자를 배치하고, 문제풀이실 이동 직전에 이 의자에서 대기하다가 이동함 • 다과는 없으며, 물은 제공함
문제풀이실 특징	• 문제풀이실 앞에서 12명이 함께 대기했다가, 앞 순서 수험생들이 문제풀이가 끝나고 나오면, 다음 순서의 수험생들이 입실함 • 시계는 없으며, 남은 시간 등을 알려주지 않기 때문에 수험생이 개인 시계로 시간을 확인해야 함 • 문제지는 코팅되어 있어서 필기할 수 없음
면접고사장 특징	• 문제지가 코팅되어 책상에 부착되어 있음 • 면접관과 응시자의 거리는 2~3미터 정도임
기타 특이사항	• -

2024 이화 A 문제

※ 다음 제시문을 읽고, 문제에 답하시오.

> 브라질은 경제발전을 위해 아마존 산림 채벌을 계획 중이다. 국제사회는 지구온난화를 가속화시킬 수 있다는 점에서 브라질의 아마존 산림 채벌계획을 비판하고 있다. 이에 브라질은 국제사회가 브라질 환경기금을 제공해야 한다고 주장한다.

Q1. 국제사회가 아마존 열대우림 보존을 위해 브라질에 지원금을 제공해야 하는가?

추가질문

Q2. 지원금을 줄 경우, 국제사회의 국가들이 돈을 어떻게 분배하여 부담해야 하는가?

Q3. 지원금을 줘야 한다고 했는데, 이는 형평성에 어긋나지 않은가?

Q4. 아마존과 브라질을 지원하는 것보다 선진국의 환경오염을 막아야 하는 것 아닌가? 사실상 미국과 중국과 같은 국가들이 환경에 피해를 더 많이 주지 않느냐? 만약 미국과 중국에 대한 환경 규제와 브라질에 지원금 지급 중 단 하나만 할 수 있다면 무엇을 우선시해야 한다고 생각하는가?

Part 1
Part 2
Part 3
Part 4
Part 5
Part 6
Part 7

해커스 김종수 로스쿨 면접 200주제

※ 다음 제시문을 읽고, 문제에 답하시오.

<제시문 1>
　한 언론사에서 지구온난화의 심각성을 모르는 것은 교육이 부족하기 때문이라는 내용의 칼럼을 게재했다. 다음은 "지구온난화는 과장되었다는 질문에 동의하는가?"에 관한 설문조사 결과이다. (정확한 수치는 아니며 대략적인 수치가 복원되었음)

<표 1>

	대학교육 받음	대학교육 받지 않음
도시 거주자	76%	50~60%
농어촌 거주자	30~40%	20~30%

<표 2>

	대학교육 받음	대학교육 받지 않음
석유산업 종사자	90%	90%
신재생에너지산업 종사자	10~20%	10~20%

Q1. '지구온난화에 대한 경각심 부족은 교육 부족 탓'이라는 칼럼의 주장을 위 제시문의 표를 모두 이용하여 비판하시오.

Q2. 다음 두 사람의 주장을 비판하시오.
- A: 신재생에너지만으로는 경제개발이 불가하다. 탄소 배출 규제는 인플레이션을 야기하고, 이로 인해 저소득층과 저개발국가가 피해를 입는다. 미래세대를 위해 현세대를 희생할 필요는 없다.
- B: 지구온난화를 막기 위해서는 극단적인 탄소 감축이 필요하다. 일률적으로 탄소 배출을 40% 감축해야 한다.

Q3. 지구온난화 대응책에 대한 지원자의 의견을 논하시오.

Q1. 결혼자금에 대한 증여세 공제를 확대해야 한다는 주장이 있다. 이에 대한 찬반 입장을 정해 논하시오.

> 정부가 청년들의 결혼 비용 부담을 덜어주기 위해 결혼자금에 한해 증여세 공제 한도를 현행 5,000만 원에서 1억 5,000만 원으로 높이기로 했다. 이번 세법개정안에서 가장 눈에 띄는 부분은 결혼·출산·양육에 대한 세제지원이다. 추 부총리는 "혼인신고일 전후 각 2년 이내 부모로부터 증여받은 재산에 대해서는 1억 원을 추가로 공제받을 수 있도록 해 전세자금 마련 등 청년들의 결혼관련 경제적 부담을 덜어주고자 한다"고 밝혔다. 기존 10년간 5,000만 원이었던 증여세 공제는 혼인에 한해 부모가 자녀에게 1인당 최대 1억 5,000만 원까지 증여할 수 있다는 의미다.
>
>
>
> 결혼자금 증여세

※ 다음 제시문을 읽고, 문제에 답하시오.

> 챗GPT가 몰고 온 생성 인공지능(AI) 충격파의 위력은 검색 제국 '구글'이 휘청할 정도로 엄청나다. 생성 AI의 대표선수로 자리 잡은 챗GPT는 기존의 AI 모델과는 비교가 안 되는 엄청난 파라미터를 자랑한다. 강력해진 생성 AI가 변호사나 판사 같은 법률 전문가를 대신할 수 있을까.
>
>
>
> 인공지능 판사

Q1. 인공지능 판사 도입에 대한 찬반 입장을 정해 논하시오.

Q2. 현행 14세인 촉법소년 연령을 하향해야 한다는 주장이 있다. 이에 대한 찬반 입장을 정해 논하시오.

Q1. 지원자가 로펌 인사부서에 있다면 어떤 변호사를 뽑을 것인지? 중요도 순으로 대답하고 지원자는 어떠한지 답하시오.

Q2. 경쟁사회에 살면서 경쟁에 대해 어떻게 행동해왔는지 답하시오.

Q3. 가장 힘들었던 순간은 언제였는가?

Q4. 가장 행복했던 순간은 언제였는가?

모범답변

2023 이화여대 로스쿨

① 교수:학생 = 3:1　② 면접 준비 9분 30초, 면접 시간 10분(지성 6분, 인성 4분)　③ 메모 가능　④ 추가질문 없음

2023　이화 A 문제

※ 다음 제시문을 읽고, 문제에 답하시오.

재소자 과밀 수용 문제가 심각하다. 이를 해결하기 위한 방안으로 두 가지 방안이 제시되고 있다.
(A) 국영교도소의 과밀 수용 문제는 기본적인 인간 존엄성에 어긋나며, 기존의 관료주의적 체계로
인해 국영교도소가 이 문제를 해결하는 데에는 시간이 오래 걸리기 때문에, 이를 해소하기 위
해서는 민영교도소가 필요하다. 또, 민영교도소가 실시하는 사회복귀 프로그램이 재범률 감소
에 유의미한 영향이 있다는 데이터가 제시되었다.
(B) 형사사법은 국가의 의무이기 때문에 민간에 위탁해서는 안 된다. 과밀 수용 등의 문제가 발생
했다면 국영교도소에서 해결해야 할 문제이지 이를 민간에 위탁할 일이 아니다. 민영교도소
는 국영교도소와 달리 이윤 추구 목적을 가질 수밖에 없다. 그렇기 때문에 민영교도소에서 오
히려 인권 침해가 발생할 수 있다.

Q1. 제시문 (A)와 (B)의 공통점과 차이점을 논하시오.

Q2. 본인이 지지하는 입장을 선택하고 이유를 설명하시오.

Q3. 본인이 지지하는 입장이 갖는 한계 혹은 그 입장을 따랐을 때의 문제를 설명하고, 이를 보완할 수 있
는 해결책을 설명하시오.

2023　이화 인성 문제

Q1. 최근 전장연 지하철 시위에 대한 본인의 생각을 답하시오.

Q2. 경쟁사회에서 살아왔는데, '경쟁'에 대한 본인의 생각을 답하시오.

Q3. 현대사회에서 변호사가 필요한 분야가 무엇일지 본인의 생각을 답하시오.

모범답변

2022 이화여대 로스쿨

① 교수:학생 = 3:1 ② 면접 준비 9분 30초, 면접 시간 10분 ③ 메모 가능, 휴대 가능

2022 이화 A 문제

※ 다음 제시문을 읽고, 문제에 답하시오.

> **<제시문 A>**
>
> 인공지능과 로봇기술이 발전하면서 기존에 인간이 접근할 수 없었던 심해, 화산, 우주 등 위험한 영역에서 자율적 임무 수행이 가능하게 되었다. 이에 따라 화산 지역, 핵발전소 내부 등과 같은 인간이 활동할 수 없는 곳에서 지능형 로봇이 사용될 수 있다.
>
> **<제시문 B>**
>
> 인공지능이 발전하면서 인간보다 사물 인식능력이 더 뛰어난 정도에 이르고 있다. 움직이는 사물을 인식하고 그에 대응하는 운전에서도 인공지능이 활용되고 있다. 인간 운전자보다 자율주행차의 AI가 더 안전한 운전을 할 수 있다. 실제로 자율주행차는 통계적으로 인간 운전자가 운전하는 자동차보다 사고 확률이 낮다.
>
> **<제시문 C>**
>
> 자율 살상 무기가 개발되어 전쟁 수행의 효율성이 높아지고 있다. 자율 살상 무기로 인해 사상자 수가 줄어들고 군사비용을 절감할 수 있어 경제적이다. 또 감정적인 결정을 하지 않기 때문에 과도한 살상이나 반인도적인 전쟁을 예방할 수 있기도 하다.

Q1. <제시문 A>, <제시문 B>, <제시문 C>의 공통점과 차이점에 대하여 설명해보시오.

Q2. 각 제시문에 대하여 제기될 수 있는 반론을 제시해보시오.

Q3. <제시문 C>에 대해 지원자가 제시한 반론에 대한 해결방안을 제시해보시오.

2022 이화 인성 문제

Q1. 조직에서 리더가 갖추어야 할 가장 중요한 능력은 무엇이라고 생각하는가?

Q2. 다른 사람과 협력하여 이룬 성취가 있는가?

Q3. 자존심이 상할 때는 어떻게 대처하는가?

Q4. 의뢰인이 거짓말을 한다면 어떻게 하겠는가?

모범답변

2021 이화여대 로스쿨

① 교수:학생 = 3:1　② 면접 시간 9분 30초　③ 메모 가능　④ 블라인드 면접　⑤ 추가질문 있음

2021 이화 A 문제

※ 다음 제시문을 읽고, 문제에 답하시오.

> (A) 전염병 확산을 효과적으로 방지하기 위해 개인정보를 활용해야 할 필요성이 있다. 그러나 그러한 개인 정보와 관련하여 주의해야 할 점은 개인이 그 정보에 관한 권리를 갖고 있다는 점이다. 그리고 개인의 사생활 보장을 위해 그러한 정보를 공개하고 관리함에 있어 굉장히 엄격한 관리가 요구된다.
>
> (B) 국가는 전염병 확산을 방지하기 위해 방역 과정 중 개인정보를 활용해야 할 필요가 있다. 그러나 그러한 개인과 관련된 정보는 국가에게 과도한 정보를 제공하는 것일 수 있고, 빅브라더와 같은 문제가 발생할 위험이 있다. 따라서 국가는 개인정보보호위원회 등 공적 기구를 통해 개인정보에 대한 엄격한 집행과 행정을 통해 관리하고 있다.
>
> (C) 빅브라더와 관련한 사례가 제시되었고, 국가의 통제와 그에 대한 문제점이 제시되었다.

Q1. (A)와 (B)의 공통점과 차이점을 논해보시오.

Q2. (A)와 (B)를 바탕으로, 다음 다섯 가지 사항 중 감염자와 관련해 공개해야 할 정보를 고르고 그 근거를 설명해보시오.

> 다섯 가지 사항을 파악할 수 없었음

Q3. (C)를 고려하여 본인이 담당 공무원이라 가정하고 감염병 관련 개인정보 처리에 관한 지침을 만들어보시오.

> (C)의 구체적인 사례의 내용을 파악할 수 없어 모범답변에 답변의 방향을 제시함

2021 이화 인성 문제

Q1. 국민이 원하는 법조인의 자질은 무엇이라고 생각하는가?

Q2. 불합리한 차별에 어떻게 대응하는 편인가?

Q3. AI 시대 법조인의 역할이 어떻게 달라질까?

Q4. 친구에게 불만스러운 점이 있을 때 어떻게 대처하는가?

Q5. 인생에서 중요한 가치관은 무엇인가?

Q6. 의뢰인이 거짓말을 할 경우 어떻게 대처할 것인가?

모범답변

2020 | 이화 A 문제

※ 다음 제시문을 읽고, 문제에 답하시오.

(A) 최근 한 산부인과에서 간호사가 신생아를 떨어뜨려 뇌출혈이 발생하거나 의사가 대리 수술을 하는 등 문제가 많이 발생하고 있다. 이에 따라 병원에 CCTV를 설치하자는 주장이 커져 CCTV를 설치하고자 한다. 그러나 의사들은, "이는 의사를 잠재적 범죄자로 취급하는 데다가 의사의 프라이버시를 심각하게 침해하여 의사의 업무를 위축시킨다."고 하며 비판하고 있다.

(B) 어린이집에서 일어나는 아동학대를 방지하고자 어린이집에 CCTV 설치를 의무화하려고 한다. 이에 대해 한 어린이집 교사는 "학부모들이 조금만 의구심이 생겨도 CCTV부터 돌려보고 이를 유포해서 힘들다. 그래서 근무 시간 동안 위축되게 만들며, 극도의 업무 스트레스와 심리적 압박을 느끼고 있다."고 비판하고 있다.

(C) 어떤 한 회사는 전자출결 시스템으로 IC칩이 내장된 카드를 이용하여 출퇴근 및 근무 시간을 체크한다. 출근 및 퇴근 시에 게이트에 카드를 찍고, 외출할 때, 돌아올 때도 체크한다. 이에 대해 한 회사원은 "매일 매시간 나의 위치나 일거수일투족을 감시당하는 것 같아서 굉장히 불쾌하다. 이는 순전히 행정편의만을 고려한 것으로 지나친 처사이다. 감시받는 느낌 때문에 업무에 집중하기가 어렵다."라고 비판한다.

Q1. CCTV 설치 조치 및 IC카드 사용 조치와 이 조치에 대한 비판에 있어 (A), (B), (C)의 공통점은 무엇인가?

Q2. CCTV 설치 조치 및 IC카드 사용 조치와 이 조치에 대한 비판에 있어 (A), (B)와 (C)의 차이점은 무엇인가?

Q3. 해당 사안들에서 지원자의 견해는 찬성, 반대, 절충 중 무엇인지, (A), (B), (C)의 순서대로 답변해보시오.

2020 | 이화 인성 문제

Q1. 시민들이 법조인에게 가장 바라는 것과 그것을 충족하기 위해 법조인에게 필요한 능력은 무엇이라고 생각하는가?

Q2. 글로벌 시대에 우리나라가 세계를 선도하는 위치에 서기 위해서 무엇이 필요하다고 생각하는가?

Q3. 양성평등 시대에 본교 로스쿨이 필요한가?

모범답변

① 교수:학생 = 3:1

2019 이화 A 문제

※ 다음 제시문을 읽고, 문제에 답하시오.

> 공공기관의 비정규직을 정규직으로 전환하려는 논의들이 있다. 그 논의는 크게 두 가지이다.
> • A: 모회사가 직접 고용하여 정규직으로 전환해야 한다.
> • B: 자회사를 통해 직접 고용을 해야 한다.
> • A에 대한 비판: 모회사의 정규직 직접 고용을 반대한다. 이는 경영상의 어려움을 초래하고, 업무의 비효율성을 초래할 수 있다. 또한, 모회사의 직무와 비정규직 노동자가 수행하는 직무와 연관성이 없는 경우가 있으므로 비정규직 노동자들을 모회사 정규직 노동자로 전환할 경우 문제가 생길 여지가 있다.
> • B에 대한 비판: 자회사가 아닌, 모회사가 비정규직 노동자를 직접 고용해야 한다. 자회사를 통해서 정규직 전환이 이뤄질 경우, 사실상 자회사가 용역회사처럼 운영될 여지가 있다. 또한, 노동자의 복지와 지위를 보장하기 위해서는 모회사 아래 직접 전환이 이뤄져야 한다.

Q1. 제시된 A견해와 B견해의 주장 차이는 어디서 비롯되는가?

Q2. A와 B 중 한 견해를 택하여 자신의 입장을 논변해보시오.

Q3. 두 견해를 극복할 대안을 제시하고, 그 이유를 논변해보시오.

모범답변

2018 이화 A 문제

※ 다음 제시문을 읽고, 문제에 답하시오.

> (가) 기업 A가 경영난에 빠졌다. 피치 못할 경영난으로 인하여 750여 명의 직원을 감원해야만 하는 상황이다. 현재 A기업에는 총 760여 쌍의 사내 부부가 있다. A기업은 맞벌이 가계의 경우 상대적으로 경제적 여유가 있다고 여겨지기 때문에 이들 맞벌이 부부를 대상으로 하여 부부 중 일방을 감원 대상으로 정하려 한다.
>
> (나) B양로병원은 현재 간호 인력이 부족해 간호조무사를 증원해야 하는 상황이다. 현재 B양로병원의 환자 중 대부분은 여성이어서 환자들은 여성 간호조무사들을 원하고 있는 상황이다. 간호조무사의 업무는 소변줄 갈기, 기저귀 갈기, 목욕 등의 일이 포함되어 있다. 이에 B양로병원은 남성 간호조무사를 선발하지 않기로 결정했다.

Q1. (가)의 A기업과, (나)의 B양로병원의 조치가 타당한지 평가해보시오.

Q2. 귀금속 운송 업체에서 경비 인력을 선발하기 위해서 키 178cm 이상, 70kg 이상 등의 조건을 내걸었다. 이 사례는 (가)와 (나) 중 어떤 사례와 유사한가, 그 이유는 무엇인가?

2018 이화 인성 문제

Q1. 수험생이 경찰이라 하자. 무단횡단을 하는 사람을 적발하였는데 "다른 사람들도 무단횡단을 많이 하고 있는데, 다른 사람은 잡지 않고 왜 나만 잡느냐"고 거칠게 항의하였다. 이에 대해 어떻게 대응할 것인가?

Q2. 수험생이 변호사라고 하자. 그런데 자신의 의뢰인이 거짓으로 진술하고 있음을 알았다. 변호인으로서 어떻게 할 것인가?

Q3. 수험생이 다니는 길목에 노숙자가 지속적으로 구걸을 하고 있다. 본인이라면 적선할 것인가?

Q4. 특정 국가와 우리나라가 FTA를 체결하였다. 상대방 국가의 기업이 우리나라를 대상으로 소송을 제기하려 한다. 변호사인 수험생에게 해당 외국기업이 사건을 의뢰하였다면 수락할 것인가?

Q5. 우리나라에 불법체류하고 있는 외국인 노동자에게 의료비 지원을 하는 것에 대해 어떻게 생각하는가?

모범답변

Part 6

2017 이화여대 로스쿨

① 교수:학생 = 3:1   ② 답변 준비 9분 30초, 면접 시간 9분 30초   ③ 지성 면접 6분, 인성 면접 3분 30초
④ 메모 가능

2017 이화 A 문제

※ 다음 제시문을 읽고, 문제에 답하시오.

> (가) 무엇을 인간 능력의 개발로 보고 무엇을 인간 본질의 훼손으로 볼 것인가? 예전 육상선수들은 맨발로 뛰는 것이 원칙이었다. 이들에게 운동화의 등장은 신체의 본질 훼손으로 보였을 수도 있다. 하지만 모두가 운동화를 신는다면 비난할 수 없다. 유전학적 강화도 이와 마찬가지다.
>
> (나) 누구나 오래 사는 것을 열망하고, 더 나은 재능 갖기를 원한다. 인간이 신으로부터 무차별적으로 주어진 것을 개발하는 것은 나쁜 것이 아니다. 이것은 인간의 노력의 산물이다. 오히려 주어진 것을 개선해 나가는 것이 윤리적이다.
>
> (다) 유전자 개선은 인간에게 더 큰 책임과 부담을 지게 한다. 더 나은 유전자를 가졌기 때문에 스스로의 행동에 더 큰 책임이 따르기 때문이다. 유전자를 개선하게 될 경우 운명이 노력의 성취로 여겨질 것이고 그에 따른 노력의 부담감 역시 커질 것이다. 이 과정에서 인간은 오직 자신과 그 후손만을 생각하게 될 것이다. 이것은 자신의 행위에 대한 부담감과 과도한 책임감으로 이어져 전체 사회연대를 약하게 만들 것이다.

Q1. 유전학적 신체 강화가 인간의 능력을 향상시키는 것에 지원자는 어떤 입장인지 (가), (나), (다)의 근거를 활용하여 설명해보시오.

Q2. 유전학적 신체 강화가 사회에 허용되기 위한 사회적 조건에 대한 자신의 견해를 논거와 함께 말해보시오.

2017 이화 인성 문제

Q1. 중요한 시험을 앞두고 친구가 힘든 일이 있다고 만나자고 하면 만나겠는가?

Q2. 본인이 직장인인데 상사가 자신에게 부당한 명령을 내린다. 그런데 상사는 한 달 뒤 본인의 업무평가를 한다. 이 상황에서 부당한 명령에 따르겠는가?

Q3. 살면서 가장 힘들었던 일을 말해보시오.

Q4. 정의란 무엇이라고 생각하는가? 남성과 여성은 정의를 받아들이는 데 어떤 차이가 있다고 생각하는가?

Q5. 본인이 형편이 어려운 상황에서 누군가가 무료 변론을 요청한다면 응하겠는가?

Q6. 검사로서 선거운동 중에 뇌물을 수수한 자를 기소하려고 한다. 이때 피의자가 '다른 사람들도 다 하는데, 왜 나만 처벌하는가?'라고 묻는다면 어떻게 대답할 것인가?

모범답변

① 교수:학생 = 2:1　② 답변 준비 9분 30초, 면접 시간 9분 30초　③ 지성 면접 7분, 인성 면접 2분 30초
④ 메모 가능

2016 | 이화 A 문제

※ 다음 제시문을 읽고, 문제에 답하시오.

> (가) 퍼트넘에 따르면 구성원들이 서로에 대해 잘 알고, 구성원 간 유사성이 높은 집단에서 집단사
> 고가 일어나는데, 이들은 서로 의견이 일치되는 것을 중시한다. 이에 따라 의사결정이 효율적
> 으로 이루어진다는 장점이 존재하는 반면, 합리적으로 숙고하여 의사를 결정하지 못한다는
> 단점도 있다.
>
> (나) 테러리스트들은 다음과 같은 경향을 띤다.
> ① 타인이 자신과 다른 견해를 가질 수 있다는 점을 인정하지 않는다.
> ② 자기 집단 외부의 사람들은 모두 자기 집단에 대해 배타적이라고 믿는다.
> ③ 개인의 의미를 집단 내에서 찾으려 한다.
>
> (다) 뇌사자 판정을 할 때에는 의료인 2명을 포함한 3명의 만장일치로 결정한다.
>
> (라) 교황 선거는 추기경들의 선거를 통해 선출된다. 추기경 중 2/3 이상의 표를 얻는 사람이 나올
> 때까지 선거는 계속된다. 3일째가 되어도 2/3 이상의 표를 얻는 사람이 나오지 않을 경우에
> 는 예외적으로 다수의 의견에 따라 2/3 이상의 득표 수 대신 최다 득표를 얻은 후보자 2명의
> 결선투표를 시행한다.

Q1. (가)의 판단에 따르면, (나)의 사례를 어떻게 설명할 것인가? 이유는?

Q2. (가)의 관점에서 (다), (라)를 어떻게 판단할 것인가? 각각 이유는?

Q3. (다)와 (라)의 사례가 정당화될 수 있는가? 각각 이유는?

2016 | 이화 인성 문제

Q1. 여성 법조인으로서 갖추어야 할 자질은 무엇인가?

Q2. 로스쿨에 입학해 기숙사에 들어갔는데, 룸메이트가 여러 불편을 준다. 해결 방법을 순서대로 3가지
제시해보시오.

Q3. 본인이 다른 지원자와 차별화된다고 생각하는 점은 무엇인가?

모범답변

2024~2016 인하대 로스쿨

2024 인하대 로스쿨

① 교수:학생 = 3:1　② 면접 준비 15분, 면접 시간 15분　③ 메모 가능　④ 추가질문 있음

메모 및 휴대 여부	• 메모, 휴대 모두 가능함
대기실 특징	• 별도의 가번호를 부여하고, 가번호 순서대로 자리가 배정되었음 • 대기실 내에서 간식 섭취, 가져온 자료 열람, 지원자 간의 대화 모두 가능함 • 화장실 이용과 흡연 역시 별도의 제한이나 감독관 동행 없이 자유롭게 이용 가능함
문제풀이실 특징	• 이전 순번 지원자들이 문제풀이실로 이동한 후에 다음 순번 지원자들이 대기실 앞에 모여 있도록 하고, 10분 정도 대기한 후에 문제풀이실로 이동함 • 문제풀이실은 작은 강의실이며, 시계가 있음 • 감독관이 종료 3분 전, 1분 전에 알려줌 • 제공된 펜을 사용해야 하며, 메모지로 A4 용지 1매를 제공하고, 이 메모지를 면접고사장에 들고 감
면접고사장 특징	• 로스쿨 내에 있는 스터디룸을 면접고사장으로 사용했음 • 면접고사장 문 앞에 짐을 두고 입실함 • 별도의 자기소개 없이 곧바로 면접 답변 시작함 • 면접고사장 내부에도 시계가 있음 • 스톱워치로 시간을 재며 알람이 울리면 퇴실함 • 면접고사장 퇴실 후에는 건물 밖으로 곧바로 나가게 됨
기타 특이사항	• -

2024 인하 A 문제

※ [가군 면접] 다음 제시문을 읽고, 아래 문제에 모두 답하시오.

<제시문 1>

　과거 중동지역은 영국이 장악했고, 그 당시에는 이 지역에 팔레스타인과 아랍인들이 주로 거주하고 있었으며 유대인은 소수 민족이었다.

　제1차 세계대전 중인 1915년, 영국은 오스만 제국 내의 아랍인들의 반란을 지원하고, 팔레스타인을 포함한 독립국가 건설을 약속하는 맥마흔 선언을 한다. 그러나 이후 영국은 밸푸어 선언으로 팔레스타인 내의 유대인 민족국가 건설을 약속한다. 영국은 동일한 지역에 팔레스타인 독립국가 건설과 유대인 민족국가 건설을 동시에 약속한 것이다. 이후 이 문제를 해결하지 못한 영국은 팔레스타인 지역에서 철수했다. 유대인 지도자들은 이스라엘 국가 건국을 선언했고, 팔레스타인은 이스라엘 건국에 반대했다. 이로 인해 1차 중동전쟁이 발발한 결과, 이 전쟁이 휴전으로 끝날 무렵 이스라엘은 팔레스타인 지역의 대부분을 장악하게 되었다. 이후 팔레스타인 세력이 무장 단체인 하마스를 창설하고 하마스는 팔레스타인의 정권을 장악한다. 하마스와 이스라엘의 적대적 관계는 계속되어 현재까지 이르렀다.

<제시문 2>

　　다크패턴(Dark Patterns)이 이슈가 되고 있는데, 이것은 소비자가 의도하지 않은 선택과 구매 결정을 하도록 교묘하게 설계된 속임수 설계·디자인을 뜻한다. 대표적인 다크패턴으로는, 서비스 가입은 용이하나 탈퇴가 어려운 점, 추가 비용지불에 대한 내용을 미리 고지하지 않고 결제 시에 알려주는 점, 알고리즘 광고, 개인정보를 수집하고 이용하는 약관을 보기 어렵게 만드는 점 등이 있다. 특히 기업의 교묘한 마케팅 전략은 아동, 청소년이나 노인들이 쉽게 현혹될 수 있다는 문제점이 있다. 이처럼 소비자를 기만하는 다크패턴을 규제하기 위해 최근 공정거래위원회는 다크패턴에 대한 대책을 발표하였고, 국회에서도 다크패턴을 규율하는 전자상거래법 개정안이 여러 건 발의되었다. 그런데 사업자가 소비자의 선택을 유도하는 것은 사업의 본질적 속성이고, 현행 법제도상으로도 충분히 규제할 수 있으므로 중복규제의 우려 때문에 신중하게 접근해야 한다는 지적도 있다.

Q1. <제시문 1>의 팔레스타인과 이스라엘 전쟁의 원인과 해결책을 제시하시오.

Q2. 이러한 기업 마케팅 전략에 사회적 규제가 필요한지 찬반 견해를 정해 논하시오.

A학생 추가질문

Q1-2. 국내 정치도 안정이 어려운데 전쟁 중인 국가의 정치를 안정화시킬 수 있는가?

Q1-3. 국제사회 개입 시 민간인의 반발이 심하지 않을까?

Q2-1. 영업의 자유를 침해하는 측면에서는 어떻게 생각하는가?

Q2-2. 광고 규제를 한다면 기준은 무엇인가?

B학생 추가질문

Q1-2. 지원자의 답변처럼 이 지역을 중심으로 한 종교적 믿음이 크다. 그렇다면 과연 각 종교의 신도들이 변화하고자 할 것인가?

Q1-3. 만약 이대로 전쟁이 계속된다면 승전국이 생길 것인데, 승전국이 수복한 영토를 인정할 것인가?

Q2-2. 문제가 생기면 제재하겠다고 했는데 그것이 사회적 규제와 다른 점은 무엇인가?

Q2-3. 알고리즘의 시대에 개인 판단력이 흐려지고 주체성을 잃는 것은 어떻게 생각하는가?

Q2-4. 교육만으로 해결될 수 있겠는가? 특히 노인이나 어린이들은 쉽지 않을 것인데 어떻게 해야 하는가?

※ 다음 제시문을 읽고, 아래 문제에 모두 답하시오.

<제시문 1>

　알렉산드로스 대왕은 얼음장 같은 강물에 뛰어들었다가 폐렴에 걸려 사경을 헤매고 있었다. 대왕의 오랜 친구이자 의사인 필리포스는 처방약을 조제했다. 그러나 마케도니아군의 2인자였던 부하 장군인 파르메니온은, 필리포스를 믿을 수 없고 분명히 독약을 만들었을 것이라는 내용의 편지를 알렉산드로스 대왕에게 보낸다. 그러나 알렉산드로스 대왕은 필리포스의 약을 받자마자 마시면서 자신이 받은 파르메니온의 편지를 필리포스에게 보여준다. 알렉산드로스 대왕이 약을 마시는 동안 필리포스는 편지를 읽어 내려가는데, 둘은 서로 다른 표정을 짓고 있다.

　조건 1. 알렉산드로스 대왕과 필리포스는 막역한 오랜 친구이다.

　조건 2. 알렉산드로스의 지병은 당장 죽을 병은 아니다.

　조건 3. 필리포스의 가족이 페르시아에 인질로 잡혀있다.

<제시문 2>

　한국에 6개월 이상 체류하는 외국인 유학생들에게 건강보험 강제가입을 하고자 한다. 단, 소득이 없는 점을 감안하여 건강보험료 전체 가입자 평균 보험료의 50%만 부과하기로 한다. 해당 내용으로 설문조사를 한 결과 우리나라 국민의 70% 이상은 외국인 유학생의 건강보험 강제가입에 긍정적으로 생각하지만, 외국인 유학생들은 16%만 찬성했다.

Q1.　알렉산드로스 왕이 필리포스의 약을 마신 행위에 대해 하나의 입장을 택하고 근거를 들어 설명하시오.

　　（문제 복원이 미흡하여 해설이 불가함）

Q2.　외국인 유학생의 건강보험 의무가입에 대해 찬반의 입장을 정하고 근거를 3가지 들어 설명하시오.

💬 **A학생 추가질문**

Q1-2.　칸트와 마키아벨리는 제시문에 대해 어떻게 평가했을까?

Q1-3.　제시문 끝에 서로 다른 표정이라면, 어떻게 달랐을 것인지 그 이유는 무엇인지 답하시오.

Q2-2.　내국인도 의료쇼핑이 문제인데 외국인의 의료쇼핑에 대해서는 어떻게 생각하는가?

Q2-3.　외국인 유학생이 사회적 약자인가? 왜 건강보험의 혜택이 필요한가?

💬 **B학생 추가질문**

Q1-2.　종교적 갈등도 원인 중 하나인데 다른 종교를 가진 자들이 평화적으로 협정을 맺을 수 있을까?

Q1-3.　국제 개입 시 민간인 반발이 더 크지 않을까?

Q2-2.　광고 규제를 한다면 기준은 무엇인가?

Q1. 평화와 정의 실현의 공존이 가능한가?

Q2. K-pop의 미래는 어떻게 될 것이라 생각하는가?

Q3. 출산율을 높일 수 있는 방안을 제시하시오.

Q4. 인하의 의미는 무엇인가?

Q5. 인생의 책 한 권은 무엇인가?

Q6. 본인 인생에서 가장 깊게 몰입한 한 가지를 말하시오.

Q7. 대영박물관의 약탈 문화재를 본국에 돌려줘야 하는가?[8]

8)

약탈 문화재

모범답변

2023 인하대 로스쿨

① 교수:학생 = 3:1   ② 면접 준비 15분, 면접 시간 15분   ③ 메모 가능   ④ 추가질문 있음

2023 인하 A 문제

※ [가군 면접] 다음 제시문을 읽고, 2문제에 모두 답하시오.

<제시문 1>

정부는 추석 민생대책의 하나로 추석 연휴 나흘간 전국 고속도로 통행료를 면제하기로 했다. 국민여론은 명절 고속도로 통행료 면제에 대해 찬성하는 의견이 60% 정도이다.

명절 고속도로 통행료 면제는 2017년 법제화되었다. 2017년 대선 당시 명절 연휴 고속도로 통행료를 면제하겠다는 대통령 후보 공약이 있었는데, 명절 때마다 차량이 몰려 '저속도로'가 됨에도 고속도로 통행료를 그대로 받는 건 부당하다고 본 것이다. 서민부담 경감과 지역경제 활성화 목적도 있다. 선심성·일회성 조치에 그치는 것을 막기 위해 아예 유료도로법을 개정해 관련 내용을 법제화했다. 면제 기간은 설날과 추석 연휴 3일이고, 명절 고속도로 통행료 면제는 2017년 추석을 시작으로 2020년 설까지 총 6차례에 걸쳐 시행됐다. 2020년 설 이후엔 코로나19 확산으로 잠정 중단됐고, 2022년 추석 통행료 면제는 3년 만에 재개되는 것이다. 이 제도 시행 이후 도로공사가 면제한 통행료는 2,872억 원이다.

경영공시 자료에 따르면 도로공사의 2021년 총부채는 33조 원이 넘지만, 통행료 면제가 도공의 부채를 늘린 것이라 단언할 근거는 없다. 지난 10년간 자료를 보면 도공의 부채는 25조 원(2012년)에서 33조 원(2021년)으로 꾸준히 늘어났다.

<제시문 2>

• 사례 1: 세계적인 화가인 카라바조는 살인을 저질러 사형 선고를 받았으나 도주했다. 세계적인 음악가인 바그너는 폭력, 가정폭력, 불륜 등을 저질렀다. 세계적인 지휘자인 카라얀은 과거 나치 전범이었다.

• 사례 2: 예술인재영재원에서 아이들이 한 진술이 담겨 있다. 어떤 아이는 아침에 일찍 일어나기 싫어서 매일 늦잠을 잘 것이라는 서술, 다른 아이들은 자신들이 욕을 더 잘하고 화를 잘 낸다며 서로 내가 더 잘한다고 하는 서술, 이후 이들에 대한 인성교육이 필요한가에 대한 질문이 서술되어 있다.

Q1. 명절 연휴기간 고속도로 통행료 면제 제도 운영에 대한 찬반 의견을 정하고, 논거를 3가지 이상 제시하여 설명하시오.

Q2-1. 예술작품을 감상하거나 교육할 때 예술가의 삶과 작품을 하나로 보고 감상하는 것이 타당한지(A견해) 예술가와 작품은 별개로 보는 것이 타당한지(B견해) 두 가지 견해 중 하나를 선택하고, 그 이유를 설명하시오.

Q2-2. 예술영재원에서 학생들에게 인성 교육을 강화하는 것이 타당한지에 대한 견해를 논하시오.

Q1-2. 국민 다수가 원한다고 하여 정책을 시행하는 것이 타당한가?

Q1-3. 명절 연휴 통행료 면제 조치로 지역 경제 활성화까지 된다고 볼 수 있는가?

Q1-4. 환경 문제와 부채 해결을 위해 배기가스 배출 차량에 통행료를 높이는 것은 이해 가는데, 1인 차량은 사업자들이 대부분 1인 차량인데 통행료를 높이는 것이 타당한가?

Q2-3. <사례 1>에서 작품에 대한 객관적 평가가 여전히 가능하다고 했는데, 개인들에게 맡긴다는 말인가? 범법자들의 작품에 대한 별도의 제재나 강제는 불가한가?

Q1-2. 통행료 면제를 하면 한국도로교통공사의 부담이 상당하다. 제시문에 있듯 적자가 상당하지 않은가?

Q1-3. 그래도 누군가는 적자를 부담해야 하고, 이는 결국 국민의 세금이다. 이동하지 않은 사람들도 비용을 내야 하지 않은가?

Q1-4. 아까 말한 서비스 질 향상은 무엇을 의미하는가?

Q2-3. 예술가가 어떤 잘못을 했어도 그 예술가의 작품은 완전히 따로 봐야 한다는 것인가?

Q2-4. 친일파 예술인의 작품 퇴출, 미투운동의 여파로 고은 시인 등의 작품을 교과서에서 빼는 등의 사회적 움직임에 대해서도 반대하나?

Q2-5. 과거 미국에서 일본에 원자폭탄을 투하했었음에도 푸틴이 우크라이나에 핵폭탄을 투하하겠다고 하는 것에 반대하고 있다. 미국이 과거에 동일한 행동을 했음에도 이를 반대하는 언행을 어떻게 정당화할 수 있는가?

Q2-6. 미국이 동일한 행동을 과거에 했다는 것에서 이미 러시아에게 정당성이 떨어지지 않겠나?

Q1-2. 통행료 인상이 발생하면 운송 기사들의 경우에는 특히 많은 피해를 볼 텐데 이에 대해 어떻게 생각하는가?

Q1-3. 면제를 하면 역차별이지 않은가? 모두가 명절에 내려가는 것은 아니지 않은가?

Q1-4. 평등원칙은 보통 사람과 사람 간에 적용되는 것인데 굳이 명절과 명절이 아닌 날에 적용한 이유가 있는가?

Q2-3. 수업시간에 작가의 작품과 작가의 생애 모두를 다루는 것이 시간상 가능할까?

Q2-4. Q2-1에서 분리해야 한다고 답변했는데, Q2-2에는 인성 교육을 해야 한다고 본 이유가 있는가? 모순 아닌가?

※ [나군 면접] 다음 제시문을 읽고, 2문제에 모두 답하시오.

<제시문 1>

• 자료 1: 개미집단에 대한 실험 결과를 제시했다. 개미는 부지런하다고 알고 있지만 사실 게으르다. 개미 집단의 40%는 일하지 않는다. 놀랍게도 일하지 않는 개미를 일부 제거하여도, 다시 일정비율로 일하지 않는 개미가 생겨난다. 열심히 일하던 개미를 집단에서 제거하면 게으른 개미들이 열심히 일하기 시작한다. 결국 개미 집단의 40%는 일하지 않는다.

• 자료 2

줄을 당기는 사람 수	줄을 당기는 총 힘	1인당 당기는 힘
1명	80kg	80kg(100% 힘 사용)
2명	144kg	72kg(90% 힘 사용)
3명	192kg	64kg(80% 힘 사용)
4명	224kg	56kg(70% 힘 사용)
5명	360kg	48kg(60% 힘 사용)

<제시문 2>

공정무역 커피는 우리의 생각만큼 투명하지 않다. 커피 생산국은 생산량은 많으나 임금을 제대로 받지 못하고 있으며, 소비국은 값싼 가격으로 커피를 마시고 있다.

커피 생산국	커피 소비국
브라질	미국
베트남	독일
콜롬비아	프랑스
인도네시아	이탈리아
에티오피아	일본
온두라스	한국

• A: 공정무역을 해야 한다. 농부들에게 적절한 보상을 지급한다는 점에서 중요한 운동이다.
• B: 공정무역을 해봐야 중간 상인이 이익을 가져가기 때문에 소용이 없다.

Q1. <제시문 1>의 <자료 1>과 <자료 2>에서 나타난 것처럼, 조직과 집단에서 개인의 역량이 최대한 발휘되지 못하는 이유 2가지를 제시하시오.

Q2. <제시문 2>에서 공정무역 커피를 소비할 것인지 A와 B의 견해 중 하나를 선택하고, 그 이유를 두 가지 제시하시오.

Q3. 무임승차는 나쁜 것인가?

Q4. 보상과 역할 분담은 어떻게 해야 하는가? 수치에 따라 하는 것이 적절한가?

Q5. 보상을 한다면 정신적, 물질적 보상 중 어떤 것이 적절한가?

Q6. 공정무역 커피가 제시문에 나온 것처럼 공정하지 않다는 조사가 있다. 그럼에도 자신의 견해를 유지할 것인가?

2023 인하 인성 문제

Q1. 과학기술은 가치중립적인지, 선한지, 악한지, 셋 중 자신의 견해를 말해보시오.

Q2. 스님의 팔에 모기가 앉았다. 스님이 어떻게 할 것 같은가?

Q3. 악한 사람이 행복할 수 있는가?

Q4. 가장 행복했던 냄새와 그때 느꼈던 것은 무엇인가?

Q5. 아이들 입학연령을 6세에서 5세로 낮추는 것에 대해서 어떻게 생각하는가?

Q6. 현재 북한의 포격에 대해 어떻게 생각하는가?

Q7. 리더의 자질 2가지를 제시하시오.

Q8. 노인분들이 전단지 나누어줄 때 받는가?

모범답변

Part 1
Part 2
Part 3
Part 4
Part 5
Part 6
Part 7

해커스 김종수 로스쿨 면접 200주제

2022 인하대 로스쿨

① 교수:학생 = 3:1   ② 면접 준비 15분, 면접 시간 15분   ③ 메모 가능, 휴대 가능

2022 인하 A 문제 [가군 면접]

Q1-1. 오랜 기간에 걸쳐 모든 부속품이 새것으로 교체된 테세우스의 배는 진정한 '테세우스의 배'라고 할 수 있는지 논거 2가지 이상을 들어 설명해보시오. (배점 70%)

> 아테네인들은 크레타의 미궁 속에 있는 미노타우로스를 무찌르고 아테네 청년 33명을 구한 테세우스를 아테네의 영웅으로 칭송했다. 아테네인들은 영웅 테세우스의 배를 팔레론의 디미트리오스 시대까지 보존했다. 그들은 이 배의 판자가 썩으면 그 낡은 판자를 떼어버리고 더 튼튼한 새 판자를 그 자리에 박아 넣었다. 커다란 배에서 겨우 판자 조각 하나를 갈아 끼운다 하더라도 이 배가 테세우스가 타고 왔던 '그 배'라는 것은 당연하다. 한 번 수리한 배에서 다시 다른 판자를 갈아 끼운다 하더라도 마찬가지로 큰 차이는 없을 것이다. 하지만 그렇게 계속 낡은 판자를 갈아 끼우다 보면 어느 시점에는 테세우스가 있었던 원래의 배의 조각은 하나도 남지 않을 것이다. 그렇다면 그 배를 테세우스의 배라고 부를 수 있는가?
>
> 또한, 토머스 홉스는 리바이어던에서 테세우스의 배 난제를 다음과 같이 논하고 있다. 위와 같이 테세우스의 배에서 판자를 하나씩 갈아 끼우는 방식으로 만들어진 배를 '배 1'이라고 하자. 그런데 테세우스의 배에서 갈아 끼운 낡은 판자들을 버리지 않고 그걸로 다시 테세우스의 배와 똑같이 생긴 배를 만들어 '배 2'라고 부르자. '배 1'과 '배 2', 배 두 척이 생긴 셈이다. 그렇다면 둘 중에 테세우스의 배는 무엇인가?

Q1-2. Q1-1의 논거를 적용하여 홉스의 리바이어던에 나오는 '배 1'과 '배 2' 중 어떤 것이 '테세우스의 배'라고 할 수 있는지 설명해보시오. 이때 '배 1'은 운행이 가능한 상태이며, '배 2'는 운행이 불가능한 상태다. (배점 30%)

Q2. A와 B 중 어떠한 삶의 방식이 더 타당한가에 대하여 논거 3가지를 들어 설명해보시오.

(자신의 개인적 경험에 근거하지 말 것)

> **<제시문: 선택과 집중에 관한 설명과 다각화의 정의>**
>
> 사업 다각화는 크게 2가지로 나뉜다. 기업의 기존 비즈니스의 연장선상에서 산업을 확장하는 '관련 다각화', 그리고 기존 사업과 다른 새로운 산업에 진출하는 '비관련 다각화'이다. 과거 80년대에 우리나라는 다양한 분야의 다각화를 꾀했으나 점차 특정 산업에 집중하는 방식으로 바뀌었다.
>
> 투자에 있어서도 분산투자와 집중투자가 있다. 액티브 투자는 집중투자이며, 패시브 투자는 분산 투자를 하는 것이다. 투자에 있어서 분산투자보다 집중투자를 하는 것이 오히려 더 큰 수익을 얻을 수 있다는 장점이 있다.
>
> 골프선수인 A와 B가 있다. 골프선수 A는 부모가 자녀의 진로로 골프를 선택해 어릴 적부터 오로지 골프에만 매진했고 다른 분야의 운동은 일절 해본 적이 없다. 골프선수 B는 어머니가 운동 코치인데 어릴 적부터 B에게 특정 운동을 권하지 않고 수영, 탁구, 테니스, 축구, 농구 등 무수히 많은 운동을 함께 하며 시간을 보냈고, B는 그 중 골프선수가 되는 것을 스스로 택했다. A와 B는 모두 커서 세계적으로 유명한 골프선수가 되었다. 물론 모든 아이가 이와 같은 과정을 거친다고 해서 다 성공하는 것이 아니고, 이 같은 성공을 이루어야만 성공한 삶을 살았다고 할 수도 없다.

💬 A학생 추가질문

Q1-3. 그렇다면 널빤지 하나만 남더라도 사람들이 테세우스의 배라고 인정한다면, 그 널빤지가 테세우스의 배가 되는 것인가?

Q1-4. 새롭게 테세우스의 배라고 인정할 수 있을만한 유물이 발굴된 다른 배가 발견된다면 둘 중 어느 것이 테세우스의 배인가?

Q2-2. 김연아 선수의 삶은 둘 중 어느 유형에 해당한다고 생각하는가? (A라고 대답함) 김연아 선수는 행복해보이고 A유형이 성공하기에도 더 쉬워 보이는데 A가 더 바람직하지 않은가?

Q2-3. 영화 기생충을 보면 부잣집 아이들은 여러 과외를 하며 다양한 경험을 할 수 있는데 가난한 아이들은 그럴 수 없다. 이런 차이가 바람직하다고 보는가?

Q2-4. 만약 다양한 경험을 위해 과도하게 많은 과외를 경험하는 아이가 고통을 느끼더라도 더 바람직하다고 할 수 있는가?

Q2-5. 나중에 다양한 경험을 하기 위해 시간을 보내느라 결국 어느 한 가지도 성공하지 못한 아이가 왜 하나에 집중하게 하지 않았냐고 부모에게 따진다면 어떻게 해야 하는가?

Q1-3. 만약 교체 작업 과정을 직접 경험하지 못한 후대 사람도 '배 1'을 테세우스의 배라고 인정할 수 있을까?

Q1-4. 원본이 완전히 소실된 것이라고 보아야 하지 않는가?

Q2-2. 첫 번째 논거에 대해서 스스로 반론하고 재반론해보시오.

Q2-3. 두 번째 논거에 대해서 스스로 반론하고 재반론해보시오.

Q2-4. 세 번째 논거에 대해서 스스로 반론해보시오.

Q1-3. 문화재 중에 불에 의해 전소된 후 다시 짓게 되면 문화유산 등재에 취소되는 경우가 있는데, 그렇다면 물질이 바뀔 때 정신도 바뀐다고 볼 수 있지 않은가?

Q2-2. 자신이 제시한 세 가지 근거에 대해 전부 반박하고 재반박해보시오.

Q1. 영화 배트맨에서 범죄자에 대해 배트맨이 폭력으로 단죄하는 것이 타당하다고 보는가? 폭력은 어느 수준까지 허용될 수 있는가?

Q2. 자신의 가치관에 가장 크게 영향을 준 영화나 책은 무엇인가?

Q3. 중앙은행이 발행한 가상화폐에 대해 알고 있는가? 이것이 갖는 문제점은 무엇인가?

Q4. 고령 운전자의 운전면허 반납 제도에 대한 자신의 생각을 말해보시오.

Q5. 본인이 생각하기에 수험 생활을 색깔로 표현하면 어떤 색깔이라고 생각하는가?

Q6. AI 군인에 대해서 어떻게 생각하는가?

Q1. 다음 제시문을 읽고, 정보의 투명성은 개인과 기업의 권리와 이익을 증진하는지 여부에 대해 본인의 생각을 말하시오. 이때 정치, 경제, 사회·문화의 영역으로 세분화하여 구체적인 사례나 논거를 제시해보시오.

> 오늘날 네트워크로서의 세계에는 들판의 거친 바람 대신 디지털 폭풍이 불어대고 있다. 디지털 태풍 속에서 하이데거의 '거주'는 불가능하다. 하이데거가 말하는 농부의 '땅'은 디지털의 대척점에 놓여 있다. 땅은 본질적으로 열리지 않는 것, 닫혀 있는 것이다. 반면 디지털은 투명성의 강제를 낳는다. '땅'은 투명성에서 완전히 벗어나 있다. 땅의 폐쇄성은 정보에게는 근본적으로 낯선 것이다. 정보는 그 본질에 있어서 공개되어 있는 것, 혹은 공개되어야만 하는 것이다. 투명사회의 명령은 다음과 같다. 모든 것이 정보로서 공개되어야 하고, 모두에 정보에 접근할 수 있어야 한다. 투명성은 정보의 본질이다. 투명성은 디지털 매체의 걸음걸이다.

Q2-1. 다음 제시문을 읽고, 초고령화 시대에 고령 운전자의 운전면허를 반납하도록 규제해야 하는지 교통 환경을 보완해야 하는지 둘 중 하나의 입장을 선택하여 논거를 2개 이상 들어 논해보시오.

> 저출산 고령화에 따라 고령 노인이 인구 구성에서 큰 비율을 차지하고 있다. 그런데 고령 운전자의 운전이 사회적으로 문제가 되고 있다. 예를 들어 2019년 교통사고 사망의 47% 정도가 고령 운전자였다. 그러나 고령 운전자의 운전면허 자진 반납 비율은 불과 2% 정도에 머무르고 있어 이에 대한 논란이 커지고 있다. 고령 운전자의 운전을 규제해야 한다는 입장과 교통 환경을 개선하여 보완하여야 한다는 입장이 대립하고 있다.

Q2-2. 본인이 선택한 입장에 대한 현실적인 정책적 실행 방안과 대안을 제시해보시오.

Q1-2. 지원자의 경우에는 정보의 공개성에 대해 논증을 수행하였지만, 정보의 접근성에 대해서는 논증한 바가 없다. 정보의 접근성 측면에서 논증을 진행해보시오.

Q1-3. '하이데거의 땅'이 의미하는 것은 무엇이라고 생각하는가?

Q1-2. 국정농단 사례와 자동차 중고매매 사례는 언론과 기업이 윤리적 책임을 가지고 수행해야 하는 일에 가깝지 않은가?

Q2-3. 국민 중에 많은 수가 고령인데도 불구하고 운전면허를 반납시켜야 하나? 이들의 이동권을 보장하기 위한 방법은 무엇이 있는가?

Q1. 요소수 사태의 원인은 무엇이라고 생각하는가?

Q2. 요소수 사태를 보고 느낀 점을 말해보시오.

Q3. 양심은 선천적으로 타고나는 것인가, 후천적으로 개발되는 것인가?

Q4. 설탕과 소금의 차이점과 공통점을 각각 5개 이상 제시해보시오.

Q5. 20대가 메타버스에 더욱 열광하는 이유에 대해 설명해보시오.

Q6. 인생에 있어 재미가 중요한가, 의미가 중요한가?

Q7. 타인의 도움을 받은 적이 있는가? 타인의 도움이 필요했는데 주지 못한 경험이 있는가?

Q8. 로스쿨 선배로부터 특정 교수의 시험 족보를 받으면 동기들과 이를 공유하겠는가?

Part 1
Part 2
Part 3
Part 4
Part 5
Part 6
Part 7

해커스 김종수 로스쿨 면접 200주제

모범답변

2021 인하 A 문제 [가군 면접]

Q1. 아래 제시문을 참고하여 민간 교육기업이 참여하는 K-에듀 플랫폼을 구축할 시 학생들의 교육환경에 긍정적인 영향을 미칠지 부정적인 영향을 미칠지 입장을 정하고 3개 이상의 근거를 말해보시오.

<제시문 1>

　교육부가 민간 에듀테크 기업들이 초중고등학교 원격수업 등에 참여할 수 있도록 하기 위해 '케이(K)-에듀 통합플랫폼'을 구축하기로 했다고 밝혔다. 이에 학교가 민간기업의 이익 추구를 위한 장이 될 수 있다는 우려와 함께 학생의 개인정보와 학습 정보 보호 또한 문제되고 있다.

　교육부의 통합 플랫폼은 개방형 시스템이 될 예정인데, 이 플랫폼의 기술표준을 지키면 자유롭게 진입이 가능하고, 사용자는 로그인 한 번으로 플랫폼의 모든 서비스를 선택해서 사용할 수 있다. 또한 학생의 학습 이력이나 특성, 학습 시간 등의 학습 활동 정보를 빅데이터와 AI를 이용해 수집하여, 학생별 맞춤형 콘텐츠를 제공하는 등으로 자기주도 학습을 지원할 수 있다. 그러나 민간기업에 학생의 개인정보와 학습 활동 정보 등이 개방되기 때문에, 학생의 개인정보 유출 문제가 제기되고 있다.

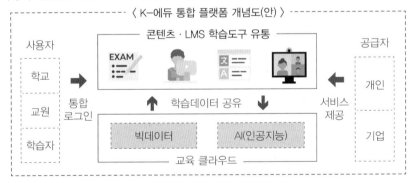

〈 K-에듀 통합 플랫폼 개념도(안) 〉

<제시문 2>

　빅데이터와 AI를 이용한 맞춤형 정보 제공과 이로 인한 사회적 변화에 대한 내용이 간략하게 제시되었다.

Q2. 다음 제시문을 참고하여, 면접시험 가번호 홀수 지원자는 백신 개발 및 방역 대응 전반에 관해 개별국가 주도 방식을 지지하는 입장으로 논증하고, 면접시험 가번호 짝수 지원자는 국가 간 공동 대응 방식을 지지하는 입장으로 논증해보시오. 단, 5개 이상의 근거를 제시해 논증해보시오. 예를 들어, 개별국가 주도 방식의 논거에는 국가의 자국민 보호 의무가 있고, 국가 간 공동 대응 방식의 논거에는 인류애가 있다.

> 코로나19의 백신 개발과 극복에 있어 전 세계는 WHO가 주도하는 C-TAP이라는 협력적 체제를 갖추고 공동 대응하기로 하였다. C-TAP은 코로나19 치료제와 백신의 개발과 관련한 기술, 자료 등을 모든 사람이 이용할 수 있도록 마련한 장치로 개방된 정보 저수지(Pool) 역할을 한다. C-TAP은 △유전자 염기서열과 자료 공개 △모든 임상실험 결과의 투명한 공개 △각국 정부와 다른 기금 제공자가 제약사와 계약할 때 공평한 배포와 합리적인 가격, 실험 자료 공개를 조항에 포함하도록 장려 △모든 잠재적 치료·진단·백신 또는 기타 보건 기술을 약품 특허 풀(Medicines Extension Pool)에 올리는 것 △기술 접근 파트너십 등 현지 제조 및 공급 능력을 높이는 개방형 혁신 모델 및 기술 이전 촉진 등이 주된 내용이다.
>
> 그러나 이미 유럽은 이 체제와 유사한 다른 유럽 국가들과의 의료 공동체를 구성하였다. 또한, 심지어 미국은 WHO가 중국의 후원과 사주를 받아 활동한다는 주장과 함께 WHO를 탈퇴하겠다고까지 말하였다. 이와 관련하여 우리나라는 코로나19의 대응이 K방역이라고 불릴 정도로 호평을 받고 있지만, 아직 어떤 구체적인 백신 개발 프로그램이나 협력적 체제를 시행할지는 정해진 바가 없다.

📢 A학생 추가질문

Q1-2. 부정적인 영향을 미친다는 측면에서 근거를 제시해보시오.

Q1-3. 코로나19 상황 이후 LMS의 역할은 무엇인가?

Q1-4. 코로나19 상황 이후의 LMS의 비중은 어느 정도가 되어야 하는가?

Q2-2. 지원자는 입장을 자유롭게 선택할 수 있더라도 지금의 개별국가 주도 방식의 입장을 선택할 것인가?

Q2-3. 문제에서 유럽이 IVA를 결성하여 기업과 사전에 접촉했다고 했는데, 그 이유는 무엇이라 생각하는가?

Q2-4. 문제에서 제약 기술들을 국제적으로 공개한다고 하는데, 이렇게 되면 오히려 개발이 빨리 되지 않겠는가?

Q2-5. 백신 개발에 성공한 기업에게 독과점을 인정해야 하는가?

Q1-2. 평등권에 대해서 설명해보시오.

Q1-3. 예체능의 경우 어떤 방식으로 수업을 할 수 있는가?

Q1-4. 오히려 사교육 의존도가 심화되지는 않겠는가?

Q2-2. 국가 주도 개발의 경우 백신 개발능력이 없는 개발도상국은 어떻게 해야 하는가?

Q2-3. 세계화 시대에 상부상조해야 하지 않을까?

Q2-4. 국제협력이 어려운 이유는 무엇이라 생각하는가?

Q2-5. 국제기구에 있어서 강제성을 만들 방안은 무엇인가?

Q2-6. 국제기구와 달리 국내적인 강제가 가능한지, 가능하다면 범위는 어느 정도로 해야 될 것인지 답변해보시오.

자유 추가질문

Q1. 올드 미디어와 소셜 미디어의 특징과 차이점을 얘기해보고, 각각의 장단점에 대해 설명해보시오.

Q2. 소셜 미디어를 이용하면 생각이 편협해진다고 생각하는가?

Q3. 소비자들은 자신이 원하는 정보 위주로 정보를 취득한다고 생각하지만, 마케팅 기업 등에 의해 선별적으로만 정보가 제공되는 경우가 있다고 한다. 이처럼 선택적 정보 제공이 불화를 조장하는 원인이 될 수 있다고 생각하는가?

Q4. 가짜뉴스를 막기 위한 방법에는 무엇이 있는가?

Q5. 유전자 가위를 사용하는 것에 대해 어떻게 생각하는가?

Q6. 그렇다면 유전자 가위를 사용할 수 있도록 정부가 지원해주면 어떠한가?

Q7. 능력중심주의 사회에서 능력 있는 자를 우대하는 것은 차별인가?

Q8. 능력이 부족한 사람들은 어떻게 해야 하는가?

Q9. 능력을 교육으로 키울 수 있다고 생각하는가?

Q10. 마지막으로 하고 싶은 말?

Q11. 인간의 생존에 필요한 자질 3가지?

Q12. 사과 대행 서비스에 대해서 어떻게 생각하는가?

모범답변

2020 인하대 로스쿨

① 교수:학생 = 3:1   ② 면접 준비 15분, 면접 시간 15분   ③ 메모 가능   ④ 블라인드 면접

2020 인하 A 문제

※ [가군 면접] 다음 제시문을 읽고, A형과 B형 2문제에 모두 답하시오.

<A형>
- 1-1: 스티브는 매우 소심한 성격이며 다른 사람을 돕기를 좋아하지만, 현실 세계에는 관심이 없다. 스티브는 물건이 제자리에 놓여있는 질서 정연한 상태를 좋아하고, 자신의 일에 매우 꼼꼼하다. 그는 참을성이 많고, 질서와 배열을 중시한다. 스티브는 사서일 확률이 높은가, 농부일 확률이 높은가?
- 1-2: 야구공과 야구방망이는 합쳐서 1달러 10센트이다. 야구방망이는 야구공보다 1달러가 비싸다. 야구공은 얼마인가?
- 2-1: 비행기가 버드 스트라이크로 사고가 날 가능성이 높아 관제탑에서는 회항을 명령했다. 하지만 조종사는 회항할 수 없는 상황이라 판단해 불시착을 시도했고 그 결과 모두 살아남았다.
- 2-2: 한 건물에 불이나 소방관이 화재를 진압하고 있었다. 소방관은 평소와 다르게 불길이 잘 진압되지 않아 이상함을 느끼던 중 갑자기 불안함을 느끼고 모든 사람을 건물 밖으로 대피시켰다. 이후 건물이 붕괴했고 소방관의 판단으로 인해 모두 살아남을 수 있었다.

<B형>
빅터 프랑켄슈타인은 크리처라는 생명체를 창조했다. 크리처는 인간을 뛰어넘는 지성과 신체능력을 지니고 있지만 혐오스러운 외형을 갖고 있다. 크리처는 처음에는 선한 듯 했으나, 창조자에게도 혐오를 당하고 인간들에게 배척받으면서 결국 창조자인 빅터의 여동생과 하인을 죽이게된다.
(크리처와 빅터 프랑켄슈타인의 대화가 제시됨)
- 크리처: 나에게 여자 크리처를 만들어 달라. 인간들에게 배척받아 결국 범죄를 저지르게 된 것이다. 다른 크리처를 만들어 준다면 둘만의 세상에서 행복하게 살면서 인간을 해치지 않겠다.

Q1. <A형> 1-1과 1-2 질문에 답변해보시오.

Q2. <A형> 1-1과 1-2는 직관적 이성의 공허함을 나타낸 사례이고, 2-1과 2-2는 직관적 이성의 적합성을 나타낸 사례이다. 지원자는 직관적 이성에 대해 찬성하는지 반대하는지 밝히고, 그 근거를 들어 설명해보시오.

Q3. <B형> 본인은 크리처의 부탁을 들어줄 것을 권고할 것인가, 반대할 것인가 대답하고, 그 근거를 3가지 이상 들어 답해보시오.

Part 1
Part 2
Part 3
Part 4
Part 5
Part 6
Part 7
해커스 김종수 로스쿨 면접 200주제

추가질문

Q4. Q1에서 본인이 틀렸을 수도 있지 않은가? 스티브가 농부라고 생각하는 입장에서는 무엇을 근거로 주장할까?

Q5. 사람이 좋아하는 일을 항상 직업으로 삼는 것은 아니지 않은가?

Q6. Q2에서 사람도 결국 귀납적 사고를 하는 것 아닌가?

Q7. Q3에서 크리처는 나쁜 행동을 하기 전에는 착했다고 하는데, 사람들이 크리처를 먼저 배척해서 살인을 저지른 것이 아닌가?

Q8. 크리처를 어떤 식으로 처벌을 해야 하는가?

Q9. 크리처는 사람이 아닌데도 행동에 책임을 져야 하는가?

Q10. 사람과 교류할 수 있는 기회가 없어서 범죄를 저지른 것 아닌가, 차라리 여자 크리처를 만들어주는 것이 낫지 않을까?

Q11. 앞으로 이런 상황이 발생하지 않고 크리처가 교화된 것이 확실하다면 사회로 다시 돌아갈 수 있나?

Q12. 그런데 크리처는 교화 가능성이 없어 보인다. 그렇다면 계속 격리된 상태로 둬야 하는가?

2020 인하 B 문제

※ [나군 면접] 다음 제시문을 읽고, A형과 B형 2문제에 모두 답하시오.

> **<A형>**
>
> 1951년 국민 보건법 제정에 따라 서구의 의학인 양방 의료와 전통적 의학인 한방 의료는 이원화되었다. 교육기관도 의학전문대학원과 한의학전문대학원으로 나누어 교육 중이다. 의료 이원화 체계에 대해서 의사들과 한의사들의 일원화에 대한 주장이 제기되고 있다. 서로의 장비나 지식을 공유하면 좋을 것인데, 의료 이원화 때문에 중복 치료 등의 문제가 발생해 국민건강에 부정적 영향이 있는 경우도 있다.
>
> **<B형>**
>
> A국은 불법취업 외국인 노동자로 인한 문제가 제기되고 있다. A국은 고령화와 저출산으로 인해서 기업들이 인력난을 겪고 있다. A국 노동자들은 힘들고 어려운 직업에 대해서 기피한다. A국은 찬란한 역사와 문화를 가지고 있고, 이에 대해서는 외국에서도 관심이 많다.

Q1. <A형> 양의학과 한의학의 의료 일원화 문제에 대해서 찬반을 정하고 논거를 제시해보시오.

Q2. <B형> 불법체류 외국인 노동자가 A국 경제에 긍정적인지 부정적인지 자신의 견해를 논해보시오.

Q3. 양의학과 한의학은 학문의 기초가 다른데도 합쳐야 하는가? 한방은 양방과는 달리 경험적인 의료체계이기에 교육도 다르게 하는데, 이 둘을 합쳐야 하는 이유가 무엇인가?

Q4. 한방이 양방에 일방적으로 흡수되지 않겠나?

Q5. 의료 일원화가 되면 의사들이 한방이나 양방을 자신이 원하는 대로 선택하게 되어 오히려 국민의 진료 선택권이 제한되지 않겠나?

Q6. 외국인 노동자로 인한 국가재정의 효율적 사용과 비효율적 사용이 모두 가능한데, 본인은 어떤 쪽이 더 클 것 같나?

자유 추가질문

Q1. 고령화 사회가 빠르게 진행 중인데 고령자에 대한 고용률은 변함이 없다. 어떻게 해결할 것인가?

Q2. 정년 연장을 하면 새롭게 구직활동을 하는 사람들이 힘들어질 것이다. 이를 어떻게 해결할 것인가?

Q3. 살상 드론이 세계적으로 문제가 되고 있다. 이를 규제하기 위한 방안으로 무엇이 있을까?

Q4. 국가 지도자의 리더십은 무엇이라 생각하는가?

Q5. 특목고 폐지 찬반 의견을 논해보시오.

Q6. 법조인은 리더인가?

Q7. 법조인의 자질은 무엇인가?

Q8. 자사고 폐지에 대한 견해를 논해보시오.

Q9. BTS 병역특례에 대한 견해를 논해보시오.

모범답변

2019 인하대 로스쿨

2019 인하 A 문제

※ 다음 제시문을 읽고, 문제에 답하시오.

<제시문 1>

한 시민단체가 양심적 병역거부와 대체 복무에 대한 입장을 밝혔다.

- 주장 ①: 대체 복무 기간을 육군 병사 복무 기간의 2배인 36개월로 하는 것은 징벌적 성격이다.
- 주장 ②: 대체 복무를 할 때, 교도소 등의 교정시설에서 합숙하도록 한정하는 것은 부당하다.
- 주장 ③: 대체 복무의 내용과 결정은 군이나 국방부와 관련 없는 별도의 독립위원회에서 정해야 한다.
- 관련 자료: 대체 복무 기간이 육군 병사 복무기간의 1배, 1.5배, 2배인 사례가 제시되었다.

<제시문 2>

A는 성년자이나 지적 장애를 가지고 있다. A는 놀이공원인 '네버랜드'의 연간 회원권을 가지고 있어 보호자와 함께 '네버랜드'에 방문했다. A는 보호자와 함께 해적선 놀이기구를 타려고 줄을 서 있었으나, 직원이 A의 지적 장애를 알고 놀이기구 탑승을 금지하였다. 해적선 놀이기구는 안전을 위해 안전벨트를 반드시 해야 하는데 놀이기구의 특성상 수동으로 안전벨트를 풀 수 있다. 해당 놀이기구는 110cm 미만의 어린이는 보호자와 동반하여 탑승이 가능하지만, 지적 장애인의 탑승은 금지한다고 안내하고 있다.

Q1. <제시문 1>에서 양심적 병역거부에 대한 시민단체의 주장은 적절한가, 적절하지 않은가?

Q2. <제시문 2>에서 A가 지적 장애가 있다는 이유만으로 놀이기구 탑승을 금지한 것에 대해 사회경제적 측면 및 인권·윤리적 측면에 따라 지원자의 견해를 말해보시오.

💬 추가질문

Q3. 양심적 병역거부 문제에서, 다른 영역에서의 인력 활용은? 합숙이 꼭 필요하다고 생각하는가?

Q4. 양심적 병역거부자들을 교정시설에 수용한다면 비용이 많이 발생할 것인데 이에 대해 어떻게 생각하는가?

Part 1
Part 2
Part 3
Part 4
Part 5
Part 6
Part 7

2019 인하 B 문제

※ 다음 제시문을 읽고, 문제에 답하시오.

<제시문 1>

2018년 제주도 예멘 난민 사태가 발생한 이후, 난민 신청자들이 급증하고 있다. 난민 신청을 한 예멘인 551명 중 130여명은 제주도에 남아 있다. 2014~2018년 제주출입국외국인청에 난민 신청을 한 외국인은 2,379명이다. 그러나 2018년 예멘 난민 사태 발생 후에는 1년간 1,227명이 난민 신청을 했다. 2018년의 난민 신청자는 예멘 551명, 중국 429명, 인도 127명, 몽골 32명, 파키스탄 17명, 기타 71명 등이다. 예멘 난민 사태 이후 난민 신청자의 제주도 출도를 제한한 뒤로는 난민 신청이 크게 줄어들어 2019년 1~2월의 난민 신청자는 24명에 불과하다.

<제시문 2>

어느 지역에 동물원이 있다. 이 동물원에는 멸종위기에 놓인 희귀종 동물 여러 종이 있다. 지역주민들은 이 동물원을 자주 찾을 뿐만 아니라, 특히 아이들에게는 동물과 접촉하면서 발생하는 교육적 효과가 크다. 현재 이 지역의 시장은 재선을 앞두고 시장 선거를 준비하면서 이 동물원 시설을 확충하겠다는 공약을 제시했다. 그런데 동물보호단체는 이 동물원에서 동물 학대가 있고 동물들이 열악한 환경에 놓여있다고 하며 동물원 폐쇄를 요구하고 있다.

Q1. 난민 수용에 대해 찬반 입장 중 하나를 선택하여 국제적 위상과 경제적인 측면을 고려하여 논해보시오.

Q2. 해당 지역 주민으로서 당신은 동물원 폐지에 찬성하는지 여부를 정하고 이에 대해 논해보시오.

2019 인하 인성 문제

Q1. AI로 인해 사라질 직업과 생겨날 직업, 우리의 대처방안을 제시해보시오.

모범답변

2018 인하대 로스쿨

① 교수:학생 = 3:1 ② 면접 준비 14분, 면접 시간 15분 ③ 지성 면접 10분, 인성 면접 5분 ④ 메모 가능

2018 인하 A 문제

※ 다음 제시문을 읽고, 문제에 답하시오.

> 4차 산업혁명으로 인해 고용이 줄어들 것이라는 예측이 있는 한편, 오히려 일자리가 늘어날 것이라는 예측도 존재한다는 내용의 제시문

Q1. 4차 산업혁명이 고용에 가져올 영향은 낙관적인가, 비관적인가?

Q2. 외국인 노동자를 저임금으로 고용하는 것에 대해 찬성하는가 반대하는가?

Q3. 어떤 나라에 쥐가 창궐해서 쥐를 잡으면 포상금을 주는 제도를 만들었다. 그런데 이 제도를 사람들이 악용할까 우려된다. 특히, 쥐를 양육해서 포상금을 받는 사람들은 어떻게 해야 하는가?

Q4. 기업의 해외 이전 등이 가능할 수 있지 않겠는가?

2018 인하 B 문제

Q1. 공론조사의 개념과 절차를 설명해보시오.

Q2. 공론조사의 적합성과 문제점을 지적하시오.

Q3. 공론조사 방식의 의사 결정이 현대 민주주의의 한계를 극복할 수 있겠는가?

Q4. 2000년 전 인류보다 현대 인류가 더 똑똑한가? 예/아니오 중 하나를 정하고 사례를 들어 2분 이내로 답변해보시오.

모범답변

① 교수:학생 = 3:1　② 면접 준비 14분, 면접 시간 15분　③ 지성 면접 10분, 인성 면접 5분　④ 메모 가능

2017 인하 A 문제

Q1. 기본소득제도의 필요성에 대해 관심이 높아지고 있다. 프랑스의 경제학자 앙드레 고르는 '사회의 생산력이 점진적으로 발전하고, 더 적은 노동으로도 같은 양의 상품을 생산할 수 있어 노동의 양으로 임금이 결정되면 사회구성원들이 삶을 지탱할 수 없다'며 기본소득의 필요성을 주장했다. 기본소득은 3가지 지점에서 현재 대부분의 나라에서 시행되고 있는 사회보장제도와 다르다. 첫째, 기본소득은 가구가 아니라 개인에게 지급된다. 둘째, 다른 소득의 여부와 관계없이 지급된다. 셋째, 취업하려는 의지가 있다거나 노동을 했다는 등의 증명이 필요 없다. 이를 참고할 때 우리 삶의 안정과 지탱을 위해서 기본소득이 적절한가, 적절하지 않은가?

2017 인하 B 문제

Q1. 중국에서 원숭이 머리를 사람 몸에 이식하는 수술(일명 프랑켄슈타인 수술)이 성공했다. 사람 간에도 이 수술을 하려고 한다. 이 수술의 위험성과 성공 가능성은 논외로 하고 수술에 대한 찬반 의견을 제시해보시오.

추가질문

Q2. 전신 마비 등의 장애가 있는 사람이 뇌사 상태의 신체를 활용해서 삶을 살아가면 더 좋은 일 아닌가?

Q3. 그렇다면 장기 이식도 생명 경시가 생기나?

Q4. 현재도 장기이식 등이 허용되고 있는데 머리 아래를 하나의 장기로 생각하고 허용하면 되지 않는가?

Q5. 이 수술을 찬성하는 입장에서는 어떠한 이유로 찬성할 것이라고 생각하는지?

Q6. 시험관 아기의 경우도 생명 윤리에 관련해 비판이 많았지만 지금은 하고 있지 않나? 프랑켄슈타인 수술도 시간이 지나면 허용되지 않겠는가?

※ 다음 제시문을 읽고, 문제에 답하시오.

> A지역에서 구의회의원의 월급 수준을 올리기 위해서 주민을 대상으로 설문조사를 했고, 그 설문조사 내용은 다음과 같다. 원래 구의회의원의 활동비는 월 약 250만 원, 연 약 3,000만 원 선이다. 이 설문조사 결과에 따라 연 5,000만 원 선으로 인상하기로 결정되었다.
>
> <설문조사>
> 1. 답변자의 직업은 무엇입니까?
>   ① 사무직   ② 영업직, 자영업   ③ 주부   ④ 학생   ⑤ 기타
> 2. 구의회의원의 활동비 산정에 가중치를 준다면 어떤 부분을 고려하는 것이 타당하다고 생각하십니까?
>   ① 주민 평균소득   ② 구 소득 수준   ③ 의회의원의 실적   ④ 타 시도와의 균형
> 3. 구의회의원 활동비가 현재 연 3,000만 원 정도인데, 어느 정도가 적당하다고 생각하십니까?
>   ① 4천만 원 이상   ② 4천 5백만 원 이상   ③ 5천만 원 이상
>   ④ 5천 5백만 원 이상   ⑤ 6천만 원 이상
> 4. 구의회의원의 직급으로는 어느 정도가 적당하다고 생각하십니까?
>   ① 구청장 수준   ② 계장 수준 등등

Q1. 다음 설문 중 금액 인상에 가장 영향을 준 문항은 무엇이라고 생각하는가?

Q2. 그 문항의 문제점은 무엇인가?

Q3. 주민 설문 조사의 질문과 대답은 적절한가? 적절하지 않은가?

추가질문

Q4. Q1에 대해서 좀 더 자세하게 설명해보시오.

Q5. 구의회의원이 무슨 일을 하고 있는지는 아는가?

Q6. 구의회의원에게 활동비를 월별로 지급하는 것이 적절하다고 생각하는가?

※ 다음 제시문을 읽고, 문제에 답하시오.

> 인간의 본성은 악하고 이기적이고 비사회적인 존재다. 동물과 같은 인간을 사회에서 교육을 통해 사람답게 만들어야 한다. 아이들이 사회적 인간으로 성장하게 하기 위해서는 본성을 억누르고 사회적으로 통용되는 도덕 규칙을 지킬 수 있도록 가르치는 것이 성인들의 의무이다. 기성세대가 주도하여 어린 세대를 교육해야 한다. 우리 사회에 필요한 사람이 되도록 교육이 이뤄져야 한다.

Q1. 인간은 악하기 때문에 교육을 통해 사회적 인간으로 만들어야 한다는 주장에 대한 찬반 의견을 제시해보시오.

추가질문

Q2. 인간의 본성이 이기적이고 비사회적이라는 의견에 동의하는가?

Q3. 그렇다면 획일적인 인간이 양산되는 부작용은 없겠는가?

Q4. 훌륭한 관료가 퇴직 후 후배 관료들의 일에 대해 나서는 것에 대해 어떻게 생각하는가?

Q5. 그렇다면 획일적인 관료가 탄생하게 되지 않나?

Q6. 개개인에 특화된 교육이 이뤄져야 한다고 했다. 이러한 교육은 주로 영국, 미국 등에서 이뤄지는데, 최근 브렉시트 국민투표와 미국 대선을 보면 고립주의를 택한 결과가 나왔다. 오히려 개인화된 교육이 이러한 문제를 일으킨 건 아닌가?

Q7. 일반화된 교육과 개별화된 교육 간 조화를 이룰 수 있는 방법은?

모범답변

① 교수:학생 = 3:1 ② 면접 준비 20분, 면접 시간 20분 ③ 지성 면접 15분, 인성 면접 5분 ④ 메모 가능

2016 인하 A 문제

※ 공교육 정상화를 위해 선행학습 금지법을 제정하였다. 선행학습 금지는 타당한가?

추가질문

Q1. 이유는 알겠는데, 이 법이 제정된 이유가 있지 않겠는가? 그 이유는 무엇이고, 그에 대한 대안은 무엇인가?

Q2. 선행학습의 문제점에는 가계지출에 큰 영향을 미치는 과외비가 있는데, 과외비 지출은 어떻게 막을 것인가?

Q3. 답변자는 이 법이 타당하지 않다고 답변했다. 만약 답변자가 판사이고, 이 법에 저촉된 자가 고소를 당했다고 한다면, 이에 대한 판단을 어떻게 할 것인가?

Q4. 교사의 질을 개선하기 위한 방법은 무엇이 있는가?

Q5. 교사는 우리나라에서 가장 우수한 인력들인데, 어떻게 더 개선할 수 있는가?

※ 다음 제시문을 읽고, 문제에 답하시오.

> B는 전자공학 박사로, A회사에 2009년 7월 입사하여 같은 해 8월에 전략기술부서에 배치되었다. 그리고 서약서를 썼는데 퇴사 후 3년 이내에 동종업종 동일 기술을 사용하는 타기업에 이직하지 않을 것이며, 만약 이를 어기고 이직할 경우 1일당 100만 원의 위약금을 지불하겠다는 내용이었다.
>
> B는 A회사의 전략기술부서에서 연구개발 성과를 많이 냈다. 그러나 몇 년 후 B는 승진심사에서 탈락했고, 연구개발 성과가 부족한 기업 임원들의 친인척이 승진했다. B는 이에 부당함을 느끼고 2015년 7월 퇴사하였다. 그리고 B회사의 경쟁업체인 동종업종 동일 기술을 연구하는 C회사 연구개발팀으로 전직하면서 고액 연봉을 제안 받았다. A회사는 계약 위반이라면서 B씨를 고소하였다.

Q1. B의 전직을 허용해야 하는가, 혹은 허용해서는 안 되는가?

💬 **추가질문**

Q2. 근로자와 사용자의 관계가 사실상 권력관계인데, 근로자인 B가 입사할 때 이러한 조건을 어쩔 수 없이 받아들였을 것이다. 그런데도 불구하고 이 계약을 지켜야 하는가?

Q3. 지식재산권도 중요하지만 그만큼 개인의 노동권도 중요하다. 이를 해결하기 위해서는 구체적으로 어떻게 해야 하는가?

Q4. 만약 B가 지식재산권 자체에 대한 위반을 했다기보다는, B가 기술을 이끌어 낼 수 있는 노하우만 전수해준다고 하자. 그래도 법에 저촉된다고 보는가?

Q5. 이 기술은 몇백억 원대의 기술일 수도 있고, 억대 연봉에는 그 가치가 이미 포함되어 있을 수도 있다. 그래도 전직을 허용해야 하는가?

Q6. 자동차 설계도 등 산업스파이 문제가 심각한데 이런 것들도 방치해야 하는가?

※ 다음 제시문을 읽고, 문제에 답하시오.

<제시문 1>

　2013년 4월 미국을 테러 공포로 몰아넣은 보스턴 마라톤 폭탄테러 용의자가 확인됐다. 사건 발생 이틀 만에 발견된 용의자는 빅데이터로 포착됐다. 미국 FBI는 보스턴 마라톤 행사장 근처 이동통신 기지국 로그기록과 주변 사무실, 주유소, 아울렛 등의 감시카메라(CCTV), 청중의 휴대폰 카메라 등에서 수집한 10테라바이트 데이터를 분석해 용의자를 찾아냈다. …(중략)… 영상을 분석해 사람의 신원을 식별하는 디지털 서베일런스는 현재 상당히 높은 수준에 이르렀다. 얼굴의 표정까지 식별해낼 수 있을 정도다. 여기에 무수한 통화기록을 더하면 용의자가 더 구체적으로 나타난다. …(중략)… 관련 업계 등에 따르면 테러범 검거뿐만 아니라 빅데이터는 범죄 예방 등 사회 안전 분야에서도 성과를 올리고 있다. 한편, 빅데이터로 인해 사생활의 비밀과 자유가 침해될 수 있다는 논란도 함께 불거지고 있는 상황이다.

① 빅데이터 수집이 향후 안전하고 편리한 세상을 만들 것이다.

② 빅데이터는 개인 정보 유출 등의 빅브라더 문제를 야기하고, 나아가 사회를 감시하고 통제하는 부정적 기능을 할 것이다.

<제시문 2>

　증자의 처가 시장에 가는데, 어린 아들이 그녀를 따라가려 하였다. 아내가 말하기를 "너는 돌아가거라. 내가 돌아와서 너를 위해 돼지를 잡아주겠다."고 하였다. 아내가 시장에서 돌아오자 증자가 돼지를 잡아 죽이려고 하였다. 아내가 증자를 말리면서 "그저 어린애와 더불어 농담을 했을 뿐입니다."라고 하였다.

① 돼지를 잡는다.

② 돼지를 잡지 않는다.

Q1. <제시문 1>의 두 입장, ①과 ② 중에서 본인의 입장을 선택하고 이에 대한 논거를 제시하여 논증해보시오.

Q2. <제시문 2>에서 돼지는 증자의 가장 큰 재산이다. 본인이 증자라면, ①과 ② 두 입장 중 어떤 선택을 할 것인지 결정하고 그 이유를 제시해보시오.

💬 **추가질문**

Q1-1. Q1에서 공익적 부분에서 빅데이터를 활용하는 데 있어 사회적 합의를 어떻게 이룰 수 있는가? 법리적인 부분 외에 다른 근거는 없는가?

Q2-1. Q2에서 돼지를 바로 잡을 경우와 그렇지 않을 경우의 이익을 비교해보시오.

모범답변

2024~2016 전남대 로스쿨

2024 전남대 로스쿨

① 교수:학생 = 3:1   ② 면접 준비 10분, 면접 시간 15분   ③ 메모 가능   ④ 추가질문 있음

메모 및 휴대 여부	• 메모, 휴대 가능함
대기실 특징	• 대기실은 두 곳이며, 수험번호와 무관하게 랜덤으로 배치한 좌석표에 따라 착석함 • 8:30 입실 마감시간 직후 5분간 오리엔테이션을 진행하며, 이전에는 자유롭게 이동 및 화장실 출입 가능함 • 신분증 및 수험표를 검사하고, 신분증, 수험표, 필기구, 전자기기 등 모든 소지품은 커다란 부직포 가방에 통째로 집어넣음 • 이후 가수험번호가 적힌 명찰 목걸이를 받음 • 소지품 제출을 마친 후, 분반별 1번부터 응시함을 고지함 • 대기실 앞에는 빔 프로젝터로 시계를 보여줌 • 화장실 이동 시 출입문 앞에서 금속탐지 검사하고 전자기기 적발 시 곧바로 퇴실임을 안내함
문제풀이실 특징	• 문제지에 표기할 수 없음 • 연필과 메모용 A4 용지를 받고, 메모지에 필기하고 메모지만 휴대 가능함 • 1분 단위로 비프음으로 시간을 알려주며, 감독관이 종료 1분 전에 별도로 안내함
면접고사장 특징	• 문제 답변 시간, 추가질문 3개, 인성질문 1개, 마지막으로 하고 싶은 말 순서로 진행함 • 면접관과 지원자 간의 거리가 좀 멀어 면접관의 목소리를 집중해서 들어야 함
기타 특이사항	• -

Part 1
Part 2
Part 3
Part 4
Part 5
Part 6
Part 7

해커스 김종수 로스쿨 면접 200주제

2024 전남 A 문제

※ [가군 면접] 다음 제시문을 읽고, 문제에 답하시오.

> 갑과 을이 지역구 국회의원 선거에 출마했다. 해당 지역구 주민들은 A시와의 광역철도 유치에 대한 민원을 제기하고 있는 상황이다.
> • 갑: A시로 향하는 광역철도 노선을 우리 지역구에 유치하겠다. 나는 관련분야 소관 상임위원회 경력과 연구경력이 있다. 내가 우리 지역구에 광역철도를 유치할 수 있는 적임자이다.
> • 을: 갑의 주장은 옳지 않다. 광역철도 유치 이전에 전문가 검토가 필요하다. 갑은 지역주민의 인기를 끌기 위해 인기영합적인 주장을 하고 있다. 갑은 지역구 의원과 지역로비스트를 혼동하고 있다.
> • 갑의 재반박: 지역구 의원이 지역의 이익을 위해 노력하는 당연한 것이다. 모든 지역구 의원이 자신의 지역구 주민의 뜻에 따르고, 이러한 경쟁이 결과적으로 국가 발전으로 이어진다.

Q1. 갑과 을 중 어느 의견이 합리적인지 판단하고 근거를 제시하시오.

Q2. 을의 입장을 선택한다면 주민들의 의사를 무시하는 결과를 낳을 수 있는데 이에 대해 어떻게 생각하는가?

Q3. 을이 지역구에서 당선되었다. 이후 쓰레기매립장이 을이 당선된 지역구에 세워지는 것이 가장 바람직하다는 연구 결과가 나왔다. 쓰레기매립장 같은 혐오시설의 경우, 주민들의 반발이 심할 텐데 을의 경우 이에 대해 어떻게 대처할 수 있는가?

Q4. 지역의 균형 발전을 이루기 위해서는 어떤 접근이 필요한가?

Q2. 갑의 주장이 합리적이라고 말했는데 그렇게 된다면 국회는 모든 지역구 의원들의 로비의 장이 될 것이다. 이에 대해서는 어떻게 생각하는가?

Q3. 정치 경력이 많은 베테랑 정치인과 정치 신인 사이에는 지역에 이권을 줄 수 있는 사업을 유치하는 데 능력에 차이가 있을 것이다. 이에 대해서는 어떻게 생각하는가?

Q4. 해당 사업에 대한 조사 결과, A가 아닌 B와 철도를 연결하는 것이 더욱 국가 발전에 유리하다는 결과가 나왔다. 그러나 주민들은 여전히 A시와의 광역철도 유치를 주장하고 있는 상황이다. 당신이 국회의원이라면 지역 주민들에게 어떤 입장을 내놓겠는가?

Q2. 한 도시에 광역철도를 유치하는 것이 사회갈등으로 이어질 수 있는가? 형평성과 관련해서 우리 도시에 없으면 다른 도시에도 없어야 하는가?

Q3. 국회의원의 공약이 해당 국회의원만의 의견이라고 생각하는가?

Q4. 국가재정문제를 말했는데, 그럼 지역구 국회의원은 아무것도 할 수 없지 않은가?

Q5. 갑은 단순히 공약을 제시한 것인데, 갑이 국회에서 다른 의원들의 의견을 듣는다면 심사숙고한 것이므로 갑 역시 타당하다고 볼 수 있지 않은가?

Q6. 보완책이 구체적으로 무엇인가?

Q7. 을이 국회의원으로 있는 지역에 쓰레기 처리장이 들어온다고 결정이 났다면, 이에 대해서 어떻게 생각하는가?

Q2. 공약하기에 앞서 사안에 대한 타당성 조사만 계속 요구하면 모든 공약을 제시할 시도조차 할 수 없지 않은가?

Q3. 후보자 입장에서 실현 가능성이 낮더라도 공약 정도는 해야 하지 않나? 공약을 하지 않으면 꼭 필요한 지역에도 철도 유치를 하지 못하는 경우가 있지 않겠는가?

Q4. 민의를 반영함에 있어서 국민 전체의 뜻을 따라야 한다고 했는데, 그것은 비례대표가 하면 되지 않나? 지역구 의원은 국민 전체에 의무를 지는 것이 아닌 자신을 뽑아준 지역구 주민에 대한 의무가 더 강하지 않은가? 을은 지역구 주민의 뜻을 거스르라는 말 아닌가?

Q5. 갑은 철도 유치라는 지역구 주민들이 원하는 공약을 내세웠고, 을은 아무 공약도 없는 것이나 다름없다. 아직 당선되지 않은 후보자라는 입장에서 충분히 이런 공약을 내세울 수 있지 않은가?

Q2. 지역구의 발전이 반드시 국가 전체의 발전으로 이어진다고 볼 수 있는가?

Q3. 후보자 입장에서 실현 가능성이 낮아도 지역주민에게 공약은 해야 하지 않은가?

Q4. 내가 국회의원인 지역구에 쓰레기 처리장을 설치하기로 결정된 상황인데 지역주민들의 반대가 심하다면 재선을 원하는 국회의원의 입장에서 어떻게 할 것인가?

Q2. 국회의원의 경우, 국가 전체를 위해야 하는 자리인데 모두가 자신의 지역구만을 위할 경우, 국가 전체 발전이 어렵지 않을까?

Q3. 만약 모든 지역에서 철도 개설을 주장하는 경우 어떻게 해야 하는가?

Q4. 그럼 철도가 없는 지역 간의 경쟁은 어떻게 해결해야 하는가?

※ [나군 면접] 다음 제시문을 읽고, 문제에 답하시오.

> 아동을 상대로 성범죄를 저지르거나 재범 위험이 있는 고위험 성범죄자들의 출소 이후 주거지를 제한하는 이른바 '한국형 제시카법'이 추진된다. 2023년 10월 24일 법무부는 '고위험 성폭력 범죄자의 거주지 제한 등에 관한 법률' 제정안과 '성폭력 범죄자의 성 충동 약물치료에 관한 법률' 개정안을 2023년 10월 26일부터 입법예고한다고 밝혔다.
>
>
>
> 한국형 제시카법

Q1. 고위험 성범죄자의 거주지 제한 명령, 소위 한국형 제시카법에 대한 자신의 견해를 논하시오.

A학생 추가질문

Q2. 지원자가 말했듯이 이미 성범죄자에 대해 전자발찌 착용, 보호관찰, 신상정보 공개 등의 조치가 취해지고 있다. 이 또한 지원자가 제시한 기본권 침해에 해당하는 것 아닌가?

Q3. 대다수 국민들이 찬성한다고 해서 현행법에 문제가 없다고 볼 수 있는가? 그럼 현행 제도에는 문제가 없는 것인가?

B학생 추가질문

Q2. 대다수 국민이 찬성한다는 것은 현행법에 문제가 있다는 것이 아닌가?

Q3. 전과자들의 인권도 중요하다고 했는데, 피해자들의 인권도 중요하지 않은가?

Q4. 성범죄자에 대한 취업 제한 등의 제재를 하고 있는데, 거주지 제공이 오히려 성범죄자에게는 좋은 혜택이라 볼 수 있지 않은가?

Q1. 요즘 들어 칼부림 사건, 성 착취물 제작 등 흉악범죄가 증가하고 있다. 이러한 흉악범죄가 생겨나는 원인에 대해 말하고, 법조인이 된다면 어떤 자세로 이러한 사건들을 대할 것인지 답하시오.

Q2. 대학을 다니면서 대학에 대해 여러 생각을 했을 듯한데, 개선해야 할 점을 자유롭게 말해보시오.

Q3. 본인이 자소서를 심사한다면, 사회적 소수자를 위한 변호사가 되겠다는 학생과 돈을 벌고 싶어서 변호사가 되겠다는 학생 중에 누구를 고를 것인가?

Q4. 본인이 자소서를 심사한다면, A는 사회적 약자의 이익을 대변하며 향후 정치활동을 하고 싶다는 학생이고, B는 로펌에 들어가서 사회경제 정의 실현을 하겠다는 학생이라면, 누구의 자소서에 더 높은 점수를 줄 것인가?

Q5. 좋은 직장의 조건 3가지는 무엇인가?

Q6. 흉악범죄가 늘어나는 이유가 무엇이라고 생각하는가?

Q7. 법이나 제도로 인해 본인이 부당한 대우를 받은 적이 있거나 사회에서 목격한 경우가 있는가?

Q8. 자살률이 증가하고 있다. 대중매체의 발달로 자살에 관한 보도가 많아지는 것을 배제하고, 자살률이 높아진 원인을 제시하시오.

Q9. 대학에 대한 부정적 인식이 늘어나고 있다. 원인은 무엇이라 생각하는가?

Q10. 동물원, 돌고래 쇼 등에 대해 어떻게 생각하는가?

Q11. 마지막으로 하고 싶은 말이 있다면 하시오.

모범답변

2023 전남대 로스쿨

① 교수:학생 = 3:1 ② 면접 준비 10분, 면접 시간 15분 ③ 메모 가능 ④ 추가질문 있음

2023 전남 A 문제

※ [가군 면접] 다음 제시문을 읽고, 문제에 답하시오.

> 저출산과 고령화 문제가 심각해지고 있다. 향후 몇 년간 320만 명의 경제활동인구가 줄어들 것으로 전망된다. 농업, 어업, 제조업 등 산업 전반에서, 그리고 특히 지방에서 노동인구 부족이 현실화되고 있고 노동생산성이 낮은 상황이다.
>
> 이에 정부는 외국인 근로자의 고용 확대를 통해 이를 해결하고자 한다. 다만, 외국인 근로자 취업 확대를 할 경우 자국민 일자리 문제에 있어서 선택에 제한이 생길 수 있기 때문에 현재 고용허가제라고 하여 3년간 3회 이직제한을 두고 있다. 그런데 현행 고용허가제의 경우, 이직을 3회로 제한하는 등의 제한이 존재해 직업 선택의 자유가 제한되고, 고용주가 이를 악용해 외국인 근로자의 여권을 압수하는 등 인권 침해가 발생하고 있는 상황이다. 이에 헌법소원이 제기되었다.
>
> 그러나 헌법재판소는 합헌 판결을 내렸다. 대한민국 국민의 고용 보장과 지역별 고용 안정을 위한 어쩔 수 없는 조치라는 것이다.

Q1. 고용허가제 폐지 등의 외국인 근로자 고용 확대에 대하여 찬성, 반대 중 한 입장을 택하여 논하시오.

💬 A학생 추가질문

Q2. 현재 청년들의 실업문제가 심각하지 않느냐. 이번 쟁점과 별개로 왜 실업문제가 심각한 것인지 답하시오.

Q3. 청년들이 양질의 일자리를 얻지 못하고 있다. 여기에 대한 대책을 말하시오.

Q4. 그렇게 하더라도 앞으로 일자리가 줄어들면 어떻게 하는가?

Q5. 공공복리가 증가한다고 하였는데 어떻게 증가하는 것인지 더 자세하게 말해보시오.

Q6. 오히려 외국인 혐오가 증가하지 않겠는가?

Q7. 중국이 고급 인력을 유입받아 국가발전을 하고 있다고 말했는데 주로 어떤 영역에서 그렇게 되고 있는가?

Q8. 중국의 고급인력 유치를 통한 국가발전 이야기를 했는데 오히려 기술 유출 건으로 비난을 받고 있지 않은가?

Q9. 고용허가제와 외국인 고용 확대가 무엇인지 각각 잘 파악하고 있는 것 같다. 각각 무엇을 말하는지 다시 설명하시오.

B학생 추가질문

Q2. 제시문에서 보면 서비스업이 고용허가제 대상에서 빠졌는데 이는 어떻게 생각하는가? 예를 들면 섬 지역의 음식점을 가보면 대부분 외국인들이 일을 하고 있지만 이 사람들은 고용허가제의 대상이 아니다.

Q3. 요즘 뉴스에서 보면 외국인 유학생들이 학생비자를 받고 들어와 불법으로 취업하고 이렇게 번 돈을 고국으로 보내거나 브로커에게 불법자금으로 넘긴다. 이는 어떻게 생각하는가?

Q4. 국가의 역할 중 우리나라 국민의 기본권을 지키는 것이 중요한 것인가, 아니면 인류는 모두 평등하다는 점에서 외국인과 내국인을 동일하게 대해야 하는가?

C학생 추가질문

Q2. 외국인 노동자들을 수용하게 되면 그들의 경우 언어도 다르고 문화도 달라서 별도로 직업교육을 해야 할 텐데 사업자입장에서 비용이 많이 들 것이다. 그래도 확대해야 하는가?

Q3. 청년실업문제가 대두되고 있는 상황에서 외국인에게 이러한 일자리를 확보해주는 것은 자국민 이익 우선의 원칙에 위배되는 것이 아닌가?

Q4. 단순히 자국민의 이익을 위해 외국인 노동자의 직업선택의 자유를 과도하게 제한하는 것은 아닌가?

Q5. 3번째 논거로 문화의 다양성을 통해 다양한 인재가 포섭되고 창조도시로 갈 수 있다고 하였는데, 외국인 노동자는 3D업종이나 단순노동에 동원되는 경우가 많을 것이다. 과연 이런 창조적인 업무와 연관된 산업을 증진시키는 데에 실효성이 있겠는가?

D학생 추가질문

Q2. 외국인 노동자들이 건설현장 등 돈을 더 잘 주는 곳으로 빠진다고 했는데, 그러면 사람들을 더 많이 뽑아서 해결할 수 있는 문제가 아닌가?

Q3. 그럼 만약 위와 같은 문제가 해결된다면 외국인 노동자 고용 확대에 찬성하겠나?

※ [나군 면접] 다음 제시문을 읽고, 문제에 답하시오.

> A는 우울증을 앓고 있다. 어느 날 A는 식칼을 들고 혼자 길을 걷다가 자살을 하려고 했다. 길에는 A 외에는 아무도 없었다. 경찰관 甲은 CCTV를 모니터링 하다가 A가 자살을 하려는 것을 발견하고 A가 죽지 않도록 막을 수 있었다.
>
> 경찰관 乙은 CCTV 화면을 보면서 행인들의 신체의 특정 부위를 관찰하였고, 친구의 이혼한 배우자를 추적하기 위한 용도로 친구에게 CCTV 자료를 제공하였다. 경찰은 축구경기장에서 범인을 잡으려는 목적으로 경기장 전체에 안면인식이 가능한 CCTV를 설치하고 운영하였다. 이러한 CCTV 설치에 대해 관중들은 모르고 있었다.
>
> 범죄예방과 안전을 위해 CCTV를 활용해야 한다는 입장이 있다. 반면에 CCTV 설치로 인해 인권 침해와 사생활의 자유가 침해된다는 입장이 있다. CCTV가 설치된 지역에서 범죄가 줄어드는 대신 설치되지 않은 지역에서 범죄가 늘어나는 풍선효과가 일어나기도 한다.

Q1. CCTV 활용에 대해 찬성, 반대 입장을 각각 제시하고 본인의 의견을 논하시오.

💬 **A학생 추가질문**

Q2. 그럼 CCTV 설치 및 활용을 찬성하는 입장인가? CCTV의 적극적 활용에 대해 찬성하는가? 그런데 CCTV 자료가 유출된다면 피해자 입장에서는 돌이킬 수 없는 인권 침해가 발생할 수 있는 문제가 있지 않은가?

Q3. 범죄예방과 안전이 더 중요하다는 입장인가? 그런데 CCTV 중에서는 방범용도 있지만, 비방범용도 있다. 또 안면인식이 불가능한 것도 있고, 안면인식이 가능한 CCTV도 있다. 그럼 이 모든 CCTV를 적극 활용해야 한다는 것인가?

Q4. 그럼 지원자는 CCTV를 보조적으로 사용하자는 입장으로 보면 되겠는가? 답변을 들으면서 적극적 활용에는 찬성하지 않고, 보조적 사용으로 이해되는데, 그래서 질문을 하는 것이다.

Q5. 국민적 합의를 말했다. 그런데 국민의 합의가 있다면 CCTV를 어떤 수단으로든 사용해도 괜찮은 것인가? 이에 대해 어떻게 생각하는가?

💬 **B학생 추가질문**

Q2. 범죄자도 CCTV의 존재를 알 텐데, 사각지대에서 범죄를 저지르면 예방이나 검거효과가 없는 것 아닌가?

Q3. 그렇다고 사생활 침해가 심해 모든 골목에 CCTV를 설치할 수는 없는데 어디에 설치하는 것이 적절한가?

Part 1
Part 2
Part 3
Part 4
Part 5
Part 6
Part 7

C학생 추가질문

Q2. 범죄에 대해 강력처벌이 필요하다고 했다. 정부 내부에서 징계를 내릴 텐데, 효과가 있겠는가?

Q3. 정부에서는 그렇다고 하자. 방범용 CCTV가 정부에서 설치하는 것만 아니라 개인이 설치하는 것도 있을 텐데?

Q4. 아까부터 강력한 처벌에 초점을 두어 이야기하는데, 강력한 처벌만 강조되다 보면 법의 규범이 더 촘촘해질 것이고 이 경우에 개인의 자유가 제한된다고 느낄 수 있지 않겠는가?

Q5. 표지판을 설치하는 것에 대해서 궁금한 점이 있다. 이 경우 범죄자가 CCTV로 찍히고 있다는 점을 인지하고 있기 때문에 오히려 다른 곳에서 범죄가 늘어날 수 있는데, 여기에 대해서 어떻게 생각하는가?

2023 전남 인성 문제

Q1. 타인과의 갈등, 혹은 내적 갈등을 해결한 사례는?

Q2. 친구인 변호사가 의뢰인이 자꾸 자신에게 거짓말하고 자신을 못 믿어서 도움을 주기가 어려우며, 자신도 상대편의 주장이 더 타당하다는 생각이 든다고 고민상담을 한다면 어떻게 이야기해줄 것인가?

Q3. 로스쿨에 오면 서로 다른 배경과 다양한 연령의 사람들이 많이 모이고, 변호사시험이라는 큰 시험을 준비하기 때문에 예민해져있어 갈등이 발생한다. 입학하여 갈등을 어떻게 해결할 것인가?

Q4. 세대 차이를 경험해본 적 있는가?

Q5. 살면서 갈등을 해결해본 경험이 있는가? (내면의 갈등도 가능하다.)

Q6. 일상에서 갈등을 중재해본 경험은 무엇인가?

Q7. 법조인이 전문지식 이외에 갖춰야 할 덕목은 무엇인가?

Q8. 그럼 지원자는 신뢰를 주기 위해 어떻게 노력할 것인가?

Q9. 친한 친구가 시험 중 부정행위를 하였다. 이것을 당신이 보았는데 어떻게 할 것인가?

Q10. 법조인이 되기 위해 어떤 덕목이 중요하다고 생각하는가?

Q11. 마지막으로 1분간 하고 싶은 말이 있다면 하시오.

Q12. 마지막으로 하고 싶은 말은?

모범답변

① 교수:학생 = 3:1   ② 면접 준비 10분, 면접 시간 10~15분   ③ 메모 가능, 휴대 가능

2022 전남 A 문제

※ [가군 면접] 다음 제시문을 읽고, 문제에 답하시오.

> 백신 접종 의무화에 관한 설명이 제시되었다. 해외의 접종 의무화 현황에 대한 설명이 있고, 미
> 국은 공무원의 접종 의무화, 항공사 등이 접종을 의무화했다는 내용이 제시되었다.
> 백신패스 제도에 관한 설명이 제시되었다. 백신패스 제도의 해외 현황에 대한 내용이 있었고, 백
> 신패스 증명서를 발급하고 이를 사용하여 다중이용시설을 이용하는 방식이 설명되었다.
> 우리나라는 백신 접종 의무화와 백신패스 제도에 대한 법안을 검토 중이라는 내용이 제시되었다.

Q1. 백신 접종 의무화와 백신패스 제도에 대한 본인의 견해를 말해보시오.

추가질문

Q2. 본인은 정확히 백신 접종 의무화와 백신패스 제도 모두에 대한 찬성인 입장인가?

Q3. 의무화라는 것은 인센티브를 주는 것과 달리 처벌 등을 함으로써 강력하게 규제를 하는 것을 말하는
것이므로 인센티브 방식과 다른 것이다. 그렇다면 지원자의 견해는 공무원에게는 접종 의무화를 시키
고, 일반인이나 기업에게는 백신패스 제도를 도입하자는 것인가?

Q4. 그렇다면 백신 접종 의무화를 하였을 때, 이를 따르지 않는 사람은 어떻게 해야 하나?

Q5. 코로나19 바이러스 확산의 근본적인 원인이 무엇이라고 생각하는가?

※ [나군 면접] 다음 제시문을 읽고, 문제에 답하시오.

> 국내 영주 자격 취득 후 3년이 경과한 외국인 선거권자의 수가 급격히 증가하고 있다. 외국인 선거권자의 투표가 처음 가능했던 2006년 지방선거 당시 6,726명이었으나, 2021년에는 12만 명으로 급증했다.
>
> 지난 3월 4·7 재보궐선거를 한 달여 앞두고 청와대 국민청원 게시판에는 '중국인 영주권자의 지방선거 투표권을 박탈해야 합니다'라는 제목의 글이 올라왔다. 청원인은 "시민권자만 누릴 수 있는 투표권을 소중히 지켜 진정한 자유민주주의를 실현해야 한다"라며 "대한민국 국적을 취득하지 않은 자들에게 영주권자라는 이유로 투표권을 주는 행위는 대한민국의 미래를 그들의 손에 맡기는 행위"라고 주장했다.
>
> 청와대는 이에 대해 "주민공동체인 지방자치단체의 대표자를 선출하는 지방선거에 주민의 한 부분을 이루는 일정 요건을 가진 외국인도 선거권을 행사할 수 있도록 한 것"이라며 "지역주민으로서 지역사회의 기초적인 정치 의사 형성과정에 참여할 수 있게 함으로써 민주주의 보편성을 구현하려는 취지"라고 답했다. 또 "영주권자의 선거권은 '주민'의 개념으로, 지방선거에 한정돼 있으며 영주권자의 비율은 전체 선거인단의 0.25%"라며, "현재 영주권자는 '외국 국적의 동포'와 '대한민국 국민의 배우자 및 자녀'가 80% 가량 차지하고 있다"라고 설명했다.

Q1. 제시문에 대해 찬성 입장과 반대 입장을 각각 설명하고, 자신의 견해를 밝혀보시오.

추가질문

Q2. 일본이나 중국은 우리나라 동포들의 선거권을 보장하고 있지 않다, 그런데 우리나라만 그들의 선거권을 보장한다면 이는 상호호혜 원칙에 반하는 것이 아닌가?

Q3. 외국인들에게 선거권을 부여한다면 국가안보에 위협이 될 수 있다. 이에 대해서는 어떻게 생각하는가?

Q4. 외국인들이 선거권을 행사한다면 사회갈등이 심각해지지 않겠는가?

Q5. 지원자가 귀화를 권유할 수 있다고 했는데, 선거권을 준다고 그들이 귀화를 하고 싶을까?

Q1. 가족이나 친구 등 가까운 사람과의 갈등 상황을 해결했던 경험에 대해서 말해보시오.

Q2. 전남대학교 로스쿨에 지원한 동기가 무엇인지 말해보시오.

Q3. 나를 한마디로 표현하자면 어떻게 말할 것인가?

Q4. 살면서 가장 후회하는 선택은?

Q5. 세상을 바꾼 사람이 있다면?

Q6. 마지막으로 면접관에게 하고 싶은 말이 있다면 말해보시오.

모범답변

① 교수:학생 = 3:1 ② 면접 준비 10분, 면접 시간 20분 ③ 메모 가능
④ 지원자는 5분 이내로 답변하고, 이후 면접관의 추가질문에 대답해야 함

2021 │ 전남 A 문제

※ [가군 면접] 다음 제시문을 읽고, 문제에 답하시오.

> 2013년 미국 연방대법원은 동성 커플을 이성 커플에 비해 차별하고 있던 결혼보호법이 평등 보호에 반한다고 선언하였다. 그리고 2015년에는 결혼에 관한 권리는 인간의 자유권에 내재된 기본적 권리로서 이성커플뿐만이 아니라 동성 커플에게도 이러한 권리와 자유가 훼손당하지 않고 보장되어야 하므로 이것을 금지하는 주의 모든 행위를 위헌이라고 결정하였다. 이에 따라서 미국은 동성 간에 혼인이 가능한 국가가 되었다. 또한 프랑스에서도 2013년 동성혼인법을 제정하여 동성 간의 결합을 혼인으로 인정하는 법이 시행되었다.
>
> 위의 판결과 법에 근거하여 미국과 프랑스에서는 공동체를 구성하고 생활해온 동성 커플이 합법적으로 혼인이 가능하게 되었다. 이에 미국 어느 주에서 동성 커플이 혼인을 하고 담당 공무원에게 결혼증명서 발급을 요청하였다. 그러나 담당 공무원은 자신의 종교적 신념에 근거하여 동성 커플에게 결혼증명서 발급을 거절하고 이로 인하여 징계를 받게 되었다. 또한 프랑스에서도 혼인식 수행 사무를 처리하는 공무원들이 개인의 양심의 자유를 근거로 이를 거부하는 현상이 나타나고 있다. 그뿐만 아니라 일부 지역의 사진사협회는 동성 간의 혼인을 하는 커플에 대한 사진 촬영을 거부하기로 하였다.

Q1. 결혼증명서 발급을 거부한 공무원에게 징계를 하는 것은 정당한가?

Q2. 동성커플의 혼인사진 촬영을 거부한 사진사협회에 대해 제재수단이 마련되어야 하는가?

💬 A학생 추가질문

Q3. 앞서 공무원을 처벌해야 한다고 했는데 그럴 경우 위험성이 존재하지 않나? 물론 극단적이기는 하나 나치의 경우 아이히만이 전범 재판에 서면서 "본인은 나치의 명령만 따랐을 뿐이다."라고 했다. 만약 공무원을 처벌할 경우 이러한 부정의에 대항할 수 없게 될 수 있다. 그렇다면 공무원의 징계는 과하지 않은가?

Q4. 앞서 사진사협회의 경우 제재가 필요 없다고 했는데 그럼 개인 사진사도 영업의 자유와 양심의 자유에 따라 동성혼인 커플에 대한 사진 촬영을 거부해도 되는가? 그렇다면 기업이 장애인을 고용함에 있어서 영업의 자유의 논리로 노동생산성이 더 높은 장애인을 차별해도 되는가?

Q3. 나치 독일의 경우 자신을 그저 공무원이기 때문에 국가가 시키는 대로 할 수밖에 없었던 것이라는 주장이 있다. 이러한 경우 공무원에게 징계를 내려야 하는가?

Q4. 개인의 성적 자기결정권을 근거로 제시했는데, 그렇다면 공무원의 양심의 자유는?

Q5. 그렇다면 사진사협회는 어떠한가?

Q6. 제시문을 보면 우리나라가 아니라 미국과 프랑스의 경우이고 이미 법이 만들어졌다. 그렇다면 동성커플에 대한 사회적 합의가 이루어진 후가 아닌가? 공론화위원회가 필요한가?

Q3. 사진사 협회 제재가 부당하다고 판단하였는데, 그렇다면 지금 미국 내에서 현존하는 흑인차별을 근거로 흑인이 식당에 들어오는 것을 거부하는 것에 대해서는 어떻게 생각하는가?

Q4. 국민이 자발적으로 해결할 수 있다는 측면을 얘기해주었는데, 그러한 방법이 효과가 없어서 현재 법이 제정된 것 아닌가? 법으로 제정하고, 국가가 제재를 한다면 차별을 더욱 효과적으로 줄일 수 있지 않겠는가?

Q5. 지원자가 공공부문과 민간부문을 나누어서 설명하였는데, 그렇다면 장애인 고용할당제에 대해서는 어떻게 생각하나? 장애인 고용할당제는 민간과 공공을 나누지 않고, 국가적 차원에서 모두 의무를 부과하고 있다.

※ [나군 면접] 다음 제시문을 읽고, 문제에 답하시오.

> 최근 한 비혼 여성 유명인의 정자 기증 임신이 논란이 되고 있다. 현재 한국에서는 정자 기증 임신은 결혼한 부부에게만 허용되고 있다. 이와 같은 비혼 여성의 정자 기증 임신 허용 여부에 대해서 자기결정권과 공동체의 가치 훼손이 대립 중이다.

Q1. 비혼 여성의 기증 정자 임신 출산 허용에 대한 수험생의 입장을 찬반을 정해 논거를 들어 논해보시오. 찬성을 선택할 경우 보완책을 제시하고, 반대를 선택할 경우 예외적 허용이 가능한 예시를 5분 내로 답해보시오.

💬 A학생 추가질문

Q2. 낙태죄 폐지는 어떻게 생각하는가?

Q3. 정자은행을 이용하게 하면 여러 아이의 아빠가 같은 사람이거나, 혈족 간의 아이를 낳게 되는 문제가 발생할 수도 있지 않나?

💬 B학생 추가질문

Q2. 수험생이 말한 저출산과 관련해서, 그럼 낙태죄 폐지에 대해서는 어떻게 생각하는가? 태아의 생명권을 보장하는 쪽이 저출산 문제 해결에 도움이 되지 않겠는가?

Q3. 그럼 태아는? 출산 직전에도 낙태를 허용해야 하는가?

Q4. 사례로 돌아와서, 만약 그런 가정에서 자란 아이가 겪을 사회적인 편견에 대해서는 어떻게 생각하는가?

Q5. 현재 한 부모 입양은 자격 제한 심사를 하고 있다. 이 경우에도 필요한가? 아동학대 전력이 있는 사람은 어떠한가? 제한을 둬야 하는가?

Q6. 그럼 아까 산모에게 제한적인 정보를 제공한다고 했는데, 어떤 정보를 제공할 수 있을 것인가?

Q7. 그럼 만약 유전적 장애가 있거나 전과가 있는 사람의 정자라면 이것도 제공해야 하는가?

Part 1
Part 2
Part 3
Part 4
Part 5
Part 6
Part 7

해커스 김종수 로스쿨 면접 200주제

Q2. 지원자가 여성의 자기결정권이 보호된다고 했다. 하지만 아이의 경우 아무 선택권 없이 강제로 한 부모 가정에 태어나게 된다. 한 부모 가정에서 태어나면 아이가 겪을 차별이 상당할 텐데 그렇다면 여성의 자기결정권을 위해 아이의 복리는 희생되어도 된다고 생각하는가?

Q3. 그렇다면 대리모 출산에 대해서는 어떻게 생각하는가? 찬성하는가?

Q4. 지원자는 이를 인정하는 것이 저출산 해결의 방법이 될 수 있다고 했다. 그런데 이런 저출산 해결을 할 때는 국가가 그 원인 같은 것을 분석하고, 사회적 공감대가 형성되어야 하는 것 아닌가? 지원자는 비혼 여성의 출산에 대한 사회적 공감대가 형성되었다고 보는가?

Q5. 지원자의 답변에 따르면 결국 사회적 공감대가 형성되지 않았다는 것이 아닌가. 그렇다면 다른 문제를 생각해보자. 만약 비혼 여성의 출산을 허용한다고 가정했을 때, 동일한 정자를 이용하여 태어난 아이들이 있을 수 있다. 극히 예외적이고 가능성이 낮다고 하더라도 이러한 자들이 서로 결혼한다고 했을 때, 이것이 문제가 될 수도 있지 않겠는가?

Q2. 한 남성의 정자로 여러 여성에게 정자 기증을 해도 되는가? 그럼 아이의 아버지는 어떻게 되는가?

Q3. 이것도 허용하면 AI 결혼이나 동성혼 등도 다 허용해야 하는가?

Q4. 개인의 자유라는 명목으로 전통적인 가족 형태를 바꿔도 되는가?

Q5. 중혼의 편법으로 이용할 수도 있지 않은가?

Q6. 다른 폐해들도 있는데도 도입해야 하는가?

2021 전남 인성 문제

Q1. 변호사로서 가장 중요하다고 생각하는 자질은?

Q2. 변호사로서 흉악범을 변호할 것인가?

Q3. 지원자는 소수자나 약자의 어려움을 야기하거나 외면한 경험이 있는가?

Q4. 스트레스를 받은 경험이 있다면 어떻게 극복했는지 말해보시오.

Q5. 법조인으로서 가져야 할 덕목은 무엇인가?

Q6. 일차적 목표는 변호사가 되는 것일 텐데 변호사가 된 후에 다른 방향으로 진로를 결정할 것인가?

Q7. 마지막으로 하고 싶은 말을 1분 이내로 해보시오.

모범답변

① 교수:학생 = 3:1 　② 면접 준비 10분, 면접 시간 20분 　③ 메모 가능

2020 　전남 A 문제

※ [가군 면접] 다음 제시문을 읽고, A형과 B형 중 한 문제를 선택하여 답하시오.

> **\<A형\>**
>
> 　병역법 33조의 7과 병역법 시행령 68조 등에 따르면 △올림픽 3위 이상 △아시안게임 1위 입상자는 체육요원으로, △국제 예술경연대회 2위 이상 △국내 예술경연대회 1위 입상자 △중요무형문화재 전수교육 이수자 등은 예술요원으로 편입된다. 이들은 4주간의 기초 군사훈련만 받고 사회에 나와 체육 및 예술 분야에서 34개월간 근무하며 특기활용 봉사활동을 544시간 하는 것으로 병역을 마치게 되기 때문에 사실상 병역 면제에 해당된다.
>
> **\<B형\>**
>
> 　가짜뉴스가 널리 확산되고 있다. 현재 정보에 대한 조작, 짜깁기도 가능해지면서 이러한 허위 정보들이 SNS 등에서 확산되고 있다. 이에 가짜뉴스 규제 법안이 제출되었다. 이 법안에 대한 구체적인 내용이 제시되었다. 그러나 학계와 시민단체는 가짜뉴스의 문제점이 크다는 점은 인정하지만, 규제의 구체적 내용과 기준 등은 설정하기 어렵다며 법안에 반대한다.

Q1. 　\<A형\> BTS 병역특례 의견에 대한 자신의 입장을 이유를 들어 제시해보시오.

Q2. 　\<B형\> 가짜뉴스 규제에 대한 자신의 입장을 이유를 들어 제시해보시오.

💬 A학생 추가질문

Q2-2. 　가짜뉴스 규제를 한다면, 규제를 어느 정도까지 잡아야 하는가? 규제 대상은?

Q2-3. 　소수자에 대해 혐오하는 가짜정보가 있는 상황에서 그것을 국가가 규제하는 것이 타당한가?

Q2-4. 　아까 논거로 절대 국가 우려를 제시했는데 충분히 민주주의가 발전된 상태에서, 절대 국가까지 등장할 수 있을까? 가짜뉴스를 규제하는 현실 국가는 절대국가인가?

Q2-5. 　만약 메이저 언론사에서 가짜뉴스를 배포한다면 문제가 많이 생기지 않을까?

Q2-6. 　가짜뉴스의 자정작용을 말했는데, 그저 집단지성에 맡겨두는 것으로 가짜뉴스 문제가 해결될 것이라 보는가?

Q2-2. 첫 번째로, 가짜뉴스의 대상이 소수자라고 했는데, 만약 명백하게 부정의한 내용을 다수 대 다수로 공격을 하면 어떻게 해야 하는지, 그리고 두 번째로 소수자를 어떻게 나누는지에 따라도 기준이 모호한 것 아닌가?

Q2-3. 현재 명백하게 부정의한 내용에 대해서도 가처분 신청을 하게 된다면, 금지가 되고 있는데도 굳이 더 많은 제재를 해야 하는 것인가?

Q2-4. 그럼 지금 현재 가짜뉴스에 대해서 보상하는 것이 타당하다고 생각하는가?

Q2-5. 가짜뉴스를 제재해야 한다는 목적은 잊혀질 권리를 보호해야 한다는 것에서 나온 것 같은데, 그럼 뉴스를 먼저 심의하고, 그다음 가짜뉴스가 아니라는 것이 밝혀지면 보내는 것은 어떻게 생각하는가?

Q2-6. 국가가 사전 규제를 하는 것이 아니라, 언론사 협회에서 자체적으로 시행하는 것은?

Q2-7. 역사적 왜곡에 대해서는 어떻게 생각하는가?

Q2-2. 법으로 제제해야 한다고 했는데 처벌 기준과 처벌 주체는?

Q2-3. 답변이 너무 모호하다. 예를 들어, 어떤 단체라던가 구체적인 답변을 해보시오.

Q2-4. 개인의 경우 가짜뉴스로 인한 피해를 증명하는 것이 어렵다. 이 경우 개인의 침해되는 자유가 큰 것이 아닌가?

Q2-5. 개인이 법조인의 도움을 받는 것이 쉽지 않은데 이에 대해 어떻게 생각하는가?

Q2-6. 사회는 서로 다른 이익을 추구하기 마련이다. 이때 중립을 지키는 것은 어려운 것으로 판단되고, 민주주의는 개인의 자유를 바탕으로 성립된 것인데 개인의 자유를 침해하면 민주주의의 근본을 무너뜨리는 것이 아닌가?

Q2-7. 최근에 본 가짜뉴스가 무엇인가? 그 뉴스가 널리 퍼졌는가?

Q2-8. 그럼 그렇게 유통되는 경우를 제재해야 하는 것 아닌가?

Q2-9. 유통을 제재하는 경우 유통 주체가 제3국인 경우도 있다. 제3국에 우리나라 법을 적용하는 것은 어려움이 있다. 결국 개인의 자유의 침해는 큰 것이 아닌가?

Q2-2. 악의와 고의의 판단 기준과 주체를 답해보시오.

Q2-3. 표현의 자유를 제한하는 측면을 구체적으로 말해보시오.

Q2-4. 국민의 자정작용이 있을 것인데 반드시 국가가 규제해야만 하는가?

2020 전남 B 문제

※ [나군 면접] 다음 A형과 B형 중 한 문제를 선택하여 답하시오.

Q1. <A형> 수술실 내 CCTV 설치 의무화에 대한 자신의 견해를 정하여 논해보시오.

Q2. <B형> 탈원전에 대한 자신의 견해를 정하여 논해보시오.

추가질문

Q2-2. (친환경 에너지 개발에 대한 답변에 대해) 대안이 모호한 것 같은데 구체적으로 답변해보시오.

Q2-3. 원자력이 화석연료보다 환경오염이 덜 된다는 주장이 있다. 이에 대해 어떻게 생각하는가?

Q2-4. 유럽은 원전을 폐로하겠다고 결정했다. 이러한 결정을 내렸던 배경은 무엇이라 생각하는가?

Q1. 지원자가 변호사가 된 후 수임을 5개월간 못했다. 그런데 같은 로스쿨을 나온 친구인 판사가 자신이 맡은 사건의 피고인을 소개, 수임계약을 하지 않은 상태에서 피고인이 "판사와 친분을 이용해서 사건을 잘 해결해 줄 것이라 믿는다"고 말한다. 어떻게 할 것인가?

Q2. 무인도에 3명의 생존자가 표류한 상황이다. 이 중 1명은 다쳐서 부상이 매우 심해 곧 죽을 것으로 예상된다. 구조대는 이미 출발해 3일 후에 구조가 가능하다. 그런데 남은 식량과 식수는 2명이 3일간 간신히 생명을 유지할 정도에 불과하다면, 지원자는 부상자에게 식량과 식수를 나누어줄 것인가?

Q3. 본인이 생각하기에 법전원에 진학해서 3년간 학습하면서 어떤 것이 중요하다고 생각하는가?

Q4. 마지막으로 1분간, 하고 싶은 말이나 정리할 것이 있다면 말해보시오.

Q5. 감명 깊게 읽은 책이나 영화가 있는가?

Q6. 책 말고, 뮤지컬, 공연이나, 전시회 등을 최근에 갔다 온 적이 있는가?

Q7. 로스쿨 입시 시험을 위해 준비한 것이 무엇인가?

Q8. 공부법이 무엇인가?

Q9. 변호사 시험은 어떻게 구성되어 있는지 아는가?

모범답변

① 교수:학생 = 3:1

※ [가군 면접] 다음 제시문을 읽고, A형과 B형 중 한 문제를 선택하여 답하시오.

> **<A형>**
>
> 심신미약 감형에 대해 이슈가 되고 있다. 의견 1은 수많은 국민들이 국민청원을 제기했으므로 심신미약 조항을 없애거나 가중 처벌을 해야 한다고 주장한다. 그러나 의견 2는 심신미약을 감형하는 법 자체에 문제가 있는 것이 아니라 법을 적용할 때 문제가 발생하므로 심신미약에 관한 법 조항 자체를 없애거나 수정할 필요는 없다고 주장한다.
>
> **<B형>**
>
> 현실적으로 볼 때 장기 이식을 원하는 대기자가 많아 장기 매매를 합법화해야 한다는 주장이 있다. 그러나 장기 매매를 합법화할 경우 발생할 문제점이 매우 많고 심각하기 때문에 장기 매매를 합법화해서는 안 된다는 주장 역시 거세다.

Q1. <A형> 제시문의 의견을 평가하고, 이에 대해 자기 견해를 제시해보시오.

Q2. <B형> 장기 매매 허용에 대한 찬반 입장 중 하나를 선택하여 답변해보시오.

추가질문

Q1-2. 자기책임원칙을 제시했다. 술 취해서 타인을 폭행한 자와 술에 안 취했지만 사람을 폭행한 사람이 있다고 했을 때, 결국 폭행했다는 결과는 같은데 술에 취한 사람만 감형을 받게 될 수 있다. 이를 고려했을 때도 자기책임원칙에 어긋난다고 할 수 있는가? 그래도 감형하는 것이 옳은가?

Q1-3. 요건을 강화해야 한다고 했는데, 기준이 모호할 수 있다. 예를 들어 어디부터 심신미약으로 볼 수 있는지 요건이 무엇일지에 대해서는 여기서 지금 논의할 필요는 없다. 그런데 이런 기준의 모호성에 대해서는 어떻게 생각하나? 모호한데도 심신미약을 이유로 감형해야 한다고 보는가?

Q1-4. 법적 안정성을 말했는데, 지금 단기적으로 보자면 법을 개정하거나 없애서 법적 안정성을 해친다고 생각할 수 있다. 그러나 많은 사람이 심신미약 감형을 폐지하거나 가중 처벌하자고 주장하고 있기 때문에 이를 받아들여 법을 개정한다면 장기적으로는 이것이 하나의 사회적 가치가 되어 새로이 법적 안정성을 구축하고, 이것이 이어진다고도 볼 수 있지 않은가?

Q1-5. 법 자체가 아니라 악용이 문제라고 했는데, 악용이 아니라 법 자체가 문제일 수도 있다. 법이 모호하면 그 자체가 문제가 된다. 그러니 법을 고치거나 없애야 하지 않겠는가?

※ [나군 면접] 다음 제시문을 읽고, A형과 B형 중 한 문제를 선택하여 답하시오.

\<A형\>

　종교인 과세를 두고 논쟁이 크다. 종교인들은 종교인 과세를 반대하고 있으며, 국회는 종교인 과세 법안을 계속해서 발의하고 있다.

\<B형\>

　공유경제가 발전하면서 해외에서는 우버가 큰 인기를 끌고 있다. 우리나라에서도 스마트폰과 앱을 이용해서 개인 소유의 자가용을 택시처럼 이용할 수 있는 카풀서비스가 시작될 예정이다. 이에 대해 택시업계는 거세게 반발하고 있다.

Q1. **\<A형\>** 종교인 과세에 대한 공론화위원회가 구성되었고 면접자가 공론화위원회의 위원으로 참가하게 된다면 어떠한 주장을 펼칠 것인가?

Q2. **\<B형\>** 카풀서비스 허용에 대한 찬성과 반대 입장의 논거를 모두 제시하고, 자신의 견해를 논변해보시오.

모범답변

2018 전남 A 문제

Q1. 양심적 병역 거부에 대한 찬성과 반대 중 자신의 견해를 정하여 논증해보시오.

Q2. 인공지능의 노동력 대체에 대한 찬성과 반대 중 자신의 견해를 정하여 논증해보시오.

Q3. 공공기관 지역인재 우선 채용 제도에 대한 찬성과 반대 중 자신의 견해를 정하여 논증해보시오.

Q4. 김광석 씨 부인과 기자 간 갈등 상황과 관련하여 사인 간의 분쟁 해결에서 언론은 적극론과 신중론 중 어느 것을 택해야 하는지 자신의 견해를 정하여 논증해보시오.

모범답변

① 교수:학생 = 3:1   ② 면접 준비 10분, 면접 시간 20분(지성 면접과 인성 면접 합하여 20분)   ③ 메모 가능

2017 전남 A 문제

※ 다음 제시문을 읽고, 문제에 답하시오.

> 제시문을 파악하지 못함

Q1. '강력범죄 피의자에 한하여 피의자의 얼굴을 공개하는 제도'의 긍정적인 효과와 부정적인 효과를 말해보고, 이 제도에 대한 자신의 의견을 말해보시오.

추가질문

Q2. 지금 제시문에서도 그렇고, 기준이 모호하니까 법 제정에 문제가 된다는 입장이 나오는데, 법이라는 것은 원래 구체적으로 정할 수 있는 것이 아니지 않는가? 이것에 대해서 어떻게 생각하는가?

Q3. 지금 수험자가 자신의 의견을 말할 때, 위 제도에 대한 반대 입장을 취한 것으로 이해된다. 그렇다면 국가가 현재 피해자의 인권은 제대로 챙겨주지 못하고, 보호하지 못한다는 비판을 많이 받고 있는데 국가가 이 정책을 시행하게 되면 강력범죄의 피의자의 얼굴을 공개하지 않아서 결국 피해자보다 피의자의 인권만 더 챙겨주는 것 아니냐는 비판을 받게 되는 반론에 대해서는 어떻게 반박할 것인가?

Q4. 강력 범죄 피의자의 얼굴이 공개되면 가족 등이나 지인 등이 방송 등을 통해 알게 되어 피의자 당사자가 아닌 사람들 또한 피해를 입게 된다고 하였다. 그렇다면 수험생이 언급한 위 경우와 공개재판에서 피의자와 피해자 그리고 그 가족들이나 그 외 사람들이 공개적으로 재판에 들어와 볼 수 있기 때문에 피의자의 얼굴을 볼 수 있는 것은 마찬가지이다. 그렇다면 수험생은 이 상황과 앞에 언급한 경우는 동일하다고 생각하는가?

2017 전남 B 문제

※ 다음 제시문을 읽고, 문제에 답하시오.

> A기업이 막대한 돈을 투자하여 알파컴이라는 기계를 개발했다. 알파컴은 인간과 거의 흡사한 외모를 가지고 생각도 하며 인간처럼 감정도 느끼고 고통까지 느끼며 행동할 수 있는 수준이 되었다. 그러던 어느 날 연구소에서 연구 대상으로만 존재했던 알파컴이 자신의 자유를 희망하기 시작했다. 인간처럼 밖에서 자유롭게 생활하고 싶다며 본인의 자유를 요구하기 시작한 것이다. 이에 연구소 측은 알파컴의 요구를 묵살하고 순순히 이전처럼 연구에 협조하지 않을 경우 물리적 고통을 줄 것이라고 위협을 가하였다. 이에 관하여 알파컴에게 인격적 대우를 해주어야 한다고 주장하는 측과 단지 연구소의 소유물인 기계일 뿐이라고 주장하는 측 간의 토론이 벌어졌다.

Q1. 본인의 입장에서 양쪽의 입장을 평가하고 본인의 의견을 제시해보시오.

추가질문

Q2. 인공지능을 인격체로 받아들였을 때 발생하는 제조회사의 권리 문제와 인공지능의 재생산권 문제에 관련된 질문

Q3. 인공지능의 위법 행위 시 법적 책임 문제에 관련된 질문

2017 전남 C 문제

Q1. 다음 제시문을 읽고, 본인의 입장을 한 가지 선택하여 의견을 제시해보시오.

> 과거에 A국회의원의 성추행 사건이 있었는데 10여 년이 지났음에도 여전히 그와 관련한 정보를 검색할 수 있다. A국회의원은 이미 본인의 잘못에 대한 합당한 처벌을 받았고 세월도 상당히 지났기에 해당 정보를 삭제해달라고 요청했으나 받아들여지지 않았다. 이러한 문제에 대해 찬성, 반대, 중립 3가지의 입장이 있다.

2017 전남 D 문제

※ 다음 제시문을 읽고, 문제에 답하시오.

> 소득 수준에 관계없이 국민 모두에게 일정한 금액을 지급하는 기본소득제에 대한 논의가 이루어지고 있다. 인공지능의 발전으로 일자리가 점점 줄어들고 있는 상황에서 사회보장제와 다른 기본소득제는 여러 이점이 있을 것이다. 하지만 기본소득제는 그 재원 조달 등 문제점 역시 존재한다.

Q1. 기본소득제의 긍정적인 측면과 부정적인 측면들이 있다. 이에 대한 본인의 견해를 제시하고, 보완할 부분과 고려할 사항이 무엇인지 논해보시오.

추가질문

Q2. 고령화 사회에 대비해 노년층들이 자기개발 비용으로 사용할 수 있는데 이점은 어떻게 생각하는가?

Q3. 기본소득이 자기개발이나 생활 유지에만 사용되어야 하는가? 유흥비로는 사용되어서는 안 되는가?

Q4. 증세에 대한 국민적 반감이 크다는 것이 제도 도입을 반대하는 주장에 정당한 논거인가?

Q5. 증세를 통해 재원 확보가 가능하지 않은가?

Q6. 성남시, 서울시 모두 청년수당을 지급하는 데 예산상 어려움이 없지 않은가?

Q7. 이건희에게 100만 원의 가치와 어려운 사람에게 100만 원의 가치가 다르다. 그렇다면 어려운 사람에게 당장 100만 원이 더 급하게 필요한 것 아닌가?

2017 전남 인성 문제

Q1. 전남대 법학전문대학원에 지원한 이유는 무엇인가?

Q2. 전남대에 와본 적 있는가? 느낌은?

Q3. 본인의 가치관 형성에 가장 영향을 미친 책은?

Q4. 왜 법조인이 되려고 하는가?

Q5. 본인이 생각하는 법조인의 중요한 자질 2가지를 제시해보시오.

Q6. 기말고사 민법 시험에서 아무런 필기가 되어 있지 않은 법전을 참고할 수 있는데 형법 부분에 필기가 되어있는 법전을 사용한 학생에게 시험 0점 처리나 이외의 제재가 이루어지지 않았다. 이에 대한 본인의 생각은?

Q7. 자신이 부부 변호사인데, 한 사건의 원고, 피고를 부부가 각자 맡게 되었을 경우 어떻게 할 것인가?

Q8. 본인이 인생을 살면서 정말 중요하게 생각하는 가치관을 2가지 제시해보시오.

Q9. 법조인으로서 경제적으로 성공하고 싶은 마음은 없는가?

Q10. 최근 고부간의 갈등보다 사위와 장모 간의 갈등이 늘어나고 있다. 왜 그렇다고 생각하는가?

Q11. 로스쿨 입시를 준비하며 읽은 책들 혹은 감명 깊게 본 영화가 있다면?

모범답변

① 교수:학생 = 3:1   ② 면접 준비 10분, 면접 시간 20분(지성 면접과 인성 면접 합하여 20분)   ③ 메모 가능

2016 전남 A 문제

※ 아래 2문제 중 한 문제를 선택하여 자신의 견해를 논리적으로 제시해보시오.

Q1. 성매매 특별법에 대한 찬성 혹은 반대 의견을 정하고 그 근거를 논리적으로 답변해보시오.

Q2. 기술 발전과 도덕적 가치관의 충돌에 대한 자신의 생각을 말해보시오.

추가질문

Q1-1. 그럼 특정인이 돈을 주면서 자신을 죽여 달라고 요청한다면?

Q1-2. 엄청난 부자가 성매매를 독점하여 인간의 근본적인 욕구에 대해 양극화가 발생하더라도 국가는 가만히 있어야 하나?

Q1-3. 그렇다면 장기매매나 안락사도 허용할 수 있는가?

Q1-4. 성매매 특별법을 제정한 이유가 미성년자에게 나쁜 인식을 심어줄 수 있고 범죄 등 기타 여지가 많아서 제정한 것이다. 이에 대해 어떻게 생각하는가?

Q1-5. 답변 중에 평등원칙을 언급했다. 그럼 도로 중앙선에 다섯 명이 걸어가고 있다가 경찰관이 그중 한 명만 잡았다. 경찰관에게 잡힌 그 사람이 모두 법을 어겼는데 자신만 잡는 것은 불평등하다고 항의했다. 이것도 평등원칙에 위반된다고 생각하는가?

해커스 김종수 로스쿨 면접 200주제

※ 아래 2문제 중 한 문제를 선택하여 자신의 견해를 논리적으로 제시해보시오.

Q1.　재판상 이혼 청구에서 유책주의와 파탄주의 중 어느 입장이 타당한가?

Q2.　프랑스의 적극적 이민자 정책에 대한 자신의 견해를 제시해보시오.

Q1.　지원자가 사내 변호사인데 회사의 부정을 알게 되었다면 공익을 위해 내부고발을 할 것인가?

Q2.　법조인이 된다면 행복할 것이라고 생각하는가?

Q3.　변호사의 자질은 무엇이라고 생각하는가?

Q4.　자신이 겪었던 힘들었던 일과 그것을 어떻게 극복하였는지 말해보시오. 갈등의 양 당사자가 있을 때, 그들을 어떻게 화해시킬 것인가?

Q5.　행복은 무엇이라고 생각하는지를, 로스쿨에 진학하려는 이유와 연결하여 답변해보시오.

Q6.　수험생이 사내 변호사가 되었다고 하자. 그런데 회사 내부의 비리를 알게 되었다 이때 수험생은 어떻게 할 것인가? 비리를 고발하고 회사를 그만두게 되더라도 그런 선택을 할 것인가? 생계 문제는 어떻게 할 것인가?

모범답변

2024~2016 전북대 로스쿨

2024 전북대 로스쿨

① 교수:학생 = 3:6   ② 면접 준비 10분, 1인당 면접 시간 총 9분(3분, 2분, 2분, 2분)   ③ 메모 가능

메모 및 휴대 여부	• 메모 가능함
대기실 특징	• -
문제풀이실 특징	• -
면접고사장 특징	• -
기타 특이사항	• -

2024 전북 A 문제

Q1. [가군 면접] 이민청 설립 후 실시될 이민자 문호 확대정책에 대해 홀수 번호는 찬성 입장에서, 짝수 번호는 반대 입장에서 논하시오.

> <찬성 측 논거>
> 저출산 문제의 해결, 생산가능인구의 확보, 저숙련 노동자의 유입, 인재 확보, 이민 기준 완화 시 불법체류자의 감소
>
> <반대 측 논거>
> 국민 전체의 의사를 확인하지 않은 정부의 독단적 정책, 이민청 설립의 정당성이 부족함, 한국은 장기간 단일민족 국가였기 때문에 사회 갈등 발생 우려, 한국인 저숙련 노동자의 실업, 복지재정의 파탄 우려, 치안 문제

Q1. 비선별적 기본소득 제도의 도입과 관련하여 제시문을 읽고 찬반을 나누어 토론하시오.

> 기본소득제는 지급 대상자를 특정한 선별조건 없이 사회 개개인에게 각자의 몫을 조건 없이 매달 현금으로 제공하는 것이다. 기본소득제를 두고 찬반 의견이 대립한다.
> (1) 기본소득 지급 기준이 모호해 이로 인한 혼란이 발생할 수 있다.
> (2) 기본소득이 주어지면 소비가 증가해 경제가 활성화될 수 있다.
> (3) 모든 시민에게 동일한 금액의 기본소득을 지급하면 노동 의욕이 감소할 수 있다.
> (4) 선별복지를 통해 특별한 지원이 필요한 취약 계층을 지원하는 것이 더 효과적이다.
> (5) 선별복지는 낙인효과를 야기할 수 있다.
> (6) 기본소득을 지급하면 생계형 범죄를 예방할 수 있다.

Q1. 자연보호구역 내의 케이블카 설치에 대한 의견에 찬반을 나누어 토론하시오.

> 자연보호구역 내에 케이블카를 설치하는 것과 관련하여 찬반 견해가 대립한다.
> (1) 산림에 케이블카를 설치하면 환경이 훼손된다.
> (2) 케이블카 설치 결과 지자체의 적자가 심화되었다. 해상 케이블카가 설치된 여수 지역을 제외한 대부분의 지역이 적자 운영 중이다.
> (3) 케이블카 설치로 산림 내의 희귀동물은 사라지고 동물들이 케이블카 운영 소음으로 인해 스트레스를 받고 있다.
> (4) 케이블카 설치로 인한 자연 훼손은 일반적인 생각보다 적고, 오히려 지역 경제를 살리는 효과가 있다.

Q1. 인터넷 실명제에 대하여 찬반을 나누어 토론하시오.

> 인터넷과 SNS에서 악성 댓글로 인한 자살 문제가 심각해지고 있어, 인터넷 실명제에 대한 찬반 견해가 대립한다.
> (1) 익명으로 게시된 악성 댓글로 인한 자살이 증가하고 있다.
> (2) 인터넷 실명제를 시행하면, 익명 악성 댓글로 인한 명예훼손을 예방할 수 있다.
> (3) 익명성으로 표현의 자유가 확대되고 사생활을 보호할 수 있다.

Q1. 동물원 폐지에 대한 제시문을 읽고 찬반을 나누어 토론하시오.

> 동물을 가두어놓는 현재의 동물원에 대해 논란이 커지면서 동물원 폐지에 대한 찬반 견해가 대립한다.
> (1) 동물원은 각 동물들에게 적합한 환경을 제공하고 있지 않다.
> (2) 동물원에서 스트레스를 받아 죽어가는 동물들이 많다. (통계가 제시되었음)
> (3) 동물원의 동물들은 이미 자연적인 습성을 잃어버린 동물들이 많아 자연 방생이 어렵다.
> (4) 동물원은 멸종위기 동물들의 유일한 터전이며 개체 수를 보전하는 역할을 한다.

모범답변

① 교수:학생 = 3:6 ② 면접 준비 10분 ③ 인당 4회, 총 9분(3분, 2분, 2분, 2분) 발언 ④ 메모 가능

2023 전북 A 문제

Q1. [가군 오전 면접] 다음 제시문을 읽고, '8촌 이내 근친혼 혼인 금지' 조항에 대해 A입장은 찬성하는 측, B입장은 반대하는 측에서 논하시오.

> 헌법재판소는 2022년 10월 27일, 근친혼의 금지와 무효에 관한 민법 조항들에 대하여 아래와 같은 결정을 선고하였다. 민법 제809조 제1항을 위반한 혼인을 무효로 하는 민법(2005.3.31. 법률 제7427호로 개정된 것) 제815조 제2호는 헌법에 합치되지 아니한다는 결정을 선고하였다. 그러나 8촌 이내의 혈족 사이에서는 혼인할 수 없도록 하는 민법(2005.3.31. 법률 제7427호로 개정된 것) 제809조 제1항은 혼인의 자유를 침해하지 아니하여 헌법에 위반되지 아니한다는 결정을 선고하였다.
>
> <참고자료>
> • A입장(아래 논거와 같이 약 8개의 논거가 제시되었으나 모두 파악하지 못했습니다.)
> 1. 유전학적 질병을 가진 자녀가 태어날 위험이 존재한다.
> • B입장(아래 논거와 같이 약 6개의 논거가 제시되었으나 모두 파악하지 못했습니다.)
> 1. 8촌 이내 혼인금지문화는 조선시대 이후부터 보편화된 것으로 우리나라의 전통문화라 보기 어렵다.
> 2. 혼인 무효의 경우 결혼 상대방과 자녀의 생존권을 위협할 수 있다.
> 3. 독일 등은 3촌 이내의 혼인을 금지하고, 프랑스와 일본 등은 4촌 이내의 혼인을 금지한다.

Q1. [가군 오후 면접] 다음 제시문을 읽고, 횡재세 도입에 대해, A입장은 찬성하는 측, B입장은 반대하는 측에서 논하시오.

> 횡재세는, 정상 범위를 넘어서는 수익에 대해 추가적으로 징수하는 소득세의 일종이다. 횡재세는 정부의 정책적 지원 등을 통해 막대한 이익을 창출하는 업종에 부과해, 그 재원을 사회복지 등 분배 정책 등 취약층을 돕는 데 사용한다.
>
> 코로나19, 러시아의 우크라이나 침공 등으로 에너지 위기 상황이 고조되자 환경을 파괴하며 시추한 석유, 천연가스 등의 에너지를 비싸게 팔아 막대한 이익을 거두는 석유·가스 기업들을 대상으로 횡재세를 거둬야 한다는 목소리가 높아졌다. 이들 기업은 천문학적인 이익을 거두면서도 고유가로 피해를 입는 빈곤층을 위한 대책은 마련하지 않아 부도덕하다는 지적을 받아 왔다. 이에 영국 정부는 급등한 에너지로 혜택을 입은 석유·가스 기업에 세금을 더 걷기로 했고, 유럽 일부 국가를 비롯해 미국 등에서 관련 주장이 제기되고 있다.
>
> 국내 정유사의 경우에도 유가 상승으로 인해 수출액이 크게 늘었다. 4대 정유사의 흑자만 10조 원에 육박하고 있다. 이에 우리나라에서도 횡재세를 부과해야 한다는 목소리가 커지고 있다.
>
> **<횡재세 찬성>**(7개의 논거가 제시되었습니다.)
> 1. 정유사의 이익은 우연으로 얻은 이익
> 2. 에너지 취약계층 보호
> 3. 가격폭리 억제유도
> 4. 기업의 사회적 책임
> 5. 먼저 정유사에서 횡재세가 자리 잡으면, 이후 일반기업도 횡재세를 유도할 수 있다.
> 6. 법인세 인하 방식으로 하면, 이중과세가 아니다.
> 7. 헌법 119조 2항: 경제민주화
> **<횡재세 반대>**(7개의 논거가 제시되었으나 모두 파악하지 못했습니다.)
> 1. 기업의 영업의 자유
> 2. 이중과세
> 3. 2년 전 유가 하락으로 정유사가 5조 원의 적자가 났을 때에는 정부가 지원하지 않았다.

Q1. [나군 면접] 다음 제시문을 읽고, 능력주의에 대해 A입장은 찬성하는 측, B입장은 반대하는 측에서 논하시오.

> (모든 자료의 찬반 표기는 없었고, 더 많은 논거가 제시되었으나 모두 파악하지 못했습니다.)
> 1. 능력은 다원적이다.
> 2. 부의 대물림이 나타나고 있다.
> 3. 봉건사회보다는 적절히 정의된 능력을 통한 사회적 보상이 더 좋다.
> 4. 지능은 전 계층이 비슷한 것에 비해, 사회적 성공 지표는 한쪽으로 쏠려 있다.

모범답변

① 교수:학생 = 3:6   ② 집단면접   ③ 면접 준비 10분, 면접 시간 54분   ④ 메모 가능

Q1. [가군 오전 면접] 다음 제시문을 읽고, 홀수 번호는 A단체의 입장에서, 짝수 번호는 B단체의 입장에서 주장을 펼쳐보시오.

> 주거 밀집 지역에 이슬람 사원 건축을 하려 한다. 사원 건축을 허가해야 한다는 A단체와 주민 생활을 위해 사원 건축을 허가해서는 안 된다는 B단체의 입장이 대립한다.
>
> C지역 D동의 주민들은 현재 자신들이 주거하는 지역에 이슬람교도들이 사원 건축 허가를 낸 것을 반대하며 시위를 하고 있다. 약 30명이 모여 사원 건축으로 인해 예상되는 소음 문제를 제기하며 허가를 반대하고 있다. 건축 허가를 요청한 부지는 D동의 주거지로서, 주거지로 사용되는 옆 건물과 불과 1m 정도밖에 떨어져 있지 않다.
>
> A단체는 그 지역에 이슬람 신도들이 있는데 이들이 예배를 드릴 장소가 없다며 이들을 보호하기 위해 이슬람 사원을 허가해야 한다고 주장한다. 또한 주거 밀집 지역에서 부흥 예배를 하는 교회에 대해서는 제재를 가하지 않으면서 이슬람 사원만 허가하지 않는 것은 불합리하며 명백한 차별이라고 한다. 우리나라 사람들 역시 해외에 나가서 아시아인이라고 차별받았던 아픔이 있었던 시절이 있었다.
>
> 반면 B단체는 이들이 매우 배타적이며 음식 냄새도 이상하며, 주거 밀집 지역이라 소음 문제도 있을 것이라고 지적한다. 또한 이들이 기부금 활동을 하는데 정식 등록도 하지 않았다며 제대로 된 종교 활동으로 인정할 수 없다고 주장한다.

Part 1
Part 2
Part 3
Part 4
Part 5
Part 6
Part 7

해커스 김종수 로스쿨 면접 200주제

Q1. [가군 오후 면접] 다음 제시문을 읽고, AI가 독자적인 권리 의무의 주체가 될 수 있도록 법인격을 부여할 수 있는가에 대하여 찬성 입장과 반대 입장에서 논거를 제시해보시오.

> AI가 독자적인 권리 의무의 주체가 될 수 있도록 법인격을 부여할 수 있다는 주장이 있다. 벌써 AI가 독자적 의사결정이 가능한 수준에 다다를 정도이다. AI와 무인자율주행 자동차, 메타버스, 사물인터넷 등이 급속도로 발전하고 있다. 해외에서는 전자인격을 부여해야 한다는 움직임이 있다. 반면, AI의 법인격 부여에 대해 우려하는 입장이 있다. AI의 법인격을 인정해야 한다는 이유는 알고리즘의 독자적 의사결정이 가능하기 때문이다. 개발자도 알고리즘의 결과 도출 과정을 정확히 모를 정도로 독자성이 있다. AI 법인격 부여에 대한 우려는 다음과 같다. 기존 법체계의 권리와 의무의 주체로는 자연인과 법인이 있다. 자연인은 독자적 의사결정이 가능하고 한곳에 존재하는 데 반해, AI는 복제가 가능하기 때문에 여러 곳에 복수로 존재할 수 있다. 산업구조 변화로 인한 사회적 필요에 의해 등장한 법인은 일정한 목적을 위하여 결합한 사람의 집합체로 그 의사결정 과정을 위한 기구가 존재하는 데 반해, AI는 그 의사결정 과정을 알 수 없기 때문에 권리능력을 인정할 수 없다. AI는 무인자율주행 자동차, AI 이루다 사례 등 예상치 못한 문제에 대해 책임을 회피하는 수단으로 악용될 수도 있다. 알고리즘의 결과 도출 과정을 알 수 없기 때문에 AI의 의사결정이었다는 이유로 책임을 회피하여 사회적 위험성이 크다.

Q1. [나군 면접] 다음 제시문을 읽고, 플랫폼 기업에 대한 규제에 대해, 찬성 입장과 반대 입장에서 논거를 제시해보시오.

> • 플랫폼 기업에 대한 일반적인 내용이 주어짐
> • 로톡에 대한 내용도 포함됨

모범답변

Part 6

2021 전북대 로스쿨

① 교수:학생 = 3:1   ② 면접 준비 10분, 면접 시간 20분(지성 10분, 인성 10분)   ③ 메모 가능
④ 시험장에 입실 후 답변을 6분 내에 끝내라는 지시사항이 있었으며, 추가질문 있음

2021 전북 A 문제

※ [가군 면접] 다음 제시문을 읽고, 문제에 답하시오.

> 한국의 뉴스 신뢰도는 31%로 낮은 수준이다. 가습기 살균제와 같은 가짜뉴스로 인한 피해에 대해서 언론사의 가짜뉴스에도 징벌적 손해배상제도를 도입해야 한다는 의견이 있다. 한편, 이와 같은 언론사에 대한 징벌적 손해배상제도가 표현의 자유를 침해한다는 의견도 존재한다.

Q1. 찬성과 반대 중 자신의 입장을 정하고 근거를 들어서 논해보시오.

추가질문

Q2. 언론사에 대한 규제가 표현의 자유를 침해한다는 주장에 대해서는 어떻게 생각하는가?

Q3. 가짜뉴스 소송 기간 동안 기업 영업에 어려움을 겪을 텐데 손해배상제도가 영업의 자유를 보장한다고 볼 수 있는가?

Q4. 아예 가짜뉴스를 원천적으로 금지하는 것은 어떤가?

Q5. 가짜뉴스로 인해서 기업이 입을 수 있는 피해에는 어떤 것이 있는가? 예시를 들어보시오.

※ [나군 면접] 다음 제시문을 읽고, 문제에 답하시오.

> 갑과 을 부부는 1976년에 결혼하여 3명의 친자녀가 있으며 현재 1명은 미성년자이다. 그러나 남편 갑이 1998년 동거녀와 혼외 자녀를 낳았고 2000년부터 현재까지 동거녀, 혼외자와 함께 살고 있다. 남편 갑은 부인 을에게 꾸준히 생활비를 100만 원씩 보내왔으나, 동거녀와의 사이에서 혼외자(현재 미성년)를 출산하고 양육하면서, 동거녀와 혼외자를 중심으로 한 가정에 충실한 생활을 하고 있다. 2000년경 남편 갑은 건강 악화로 직장을 그만두고 퇴직연금으로 생활을 하게 된다. 이후 남편 갑이 병세가 심해져 신장 투석을 받던 중, 부인 을과 친자녀들에게 신장 이식을 부탁했지만 거절당했다. 이후 2015년, 남편 갑은 부인 을과의 혼인 관계를 종료해야겠다는 진지한 결심을 하게 되면서, 부인 을에 대한 생활비 지급을 중단했다. 2020년 남편 갑은 '실질적 결혼생활 종료'를 사유로 이혼을 청구했다. 이에 부인 을은 혼인 관계가 회복될 수 있다는 믿음과 자녀들의 안위를 고려해서, 이혼을 거부하고 있다. 부인 을은 2020년 현재 63세의 고령에 암수술을 받고 갑상선 질환으로 약을 복용 중이며, 건강 악화로 인해 경제활동이 불가능한 상태이다.

Q1. 위 사안에서 법원은 갑의 이혼 청구를 승인해야 하는가? 본인의 생각과 근거를 말해보시오.

추가질문

Q2. 을에 대한 금전적 배상만으로도 상처 회복이 가능한가?

Q3. 갑의 이혼 청구를 승인한다면, 을의 행복추구권을 침해하는 결과가 되지는 않는가?

Q4. 파탄에 이른 혼인 관계를 해소하는 것이 옳다고 보는 의견에 대해 어떻게 생각하는가?

Q5. 결혼 관계를 여타 다른 민법상의 계약 관계와 동일하게 취급하는 것이 타당한가?

Q1. [나군 면접] 다음 제시문을 읽고, 개인정보 활용은 자신이 결정해야 한다는 입장과 4차 산업혁명 시대에 데이터를 이용하여 경쟁력을 강화해야 한다는 입장을 각각 요약하고, 이 중 자신의 입장을 선택하여 근거 3가지와 예상되는 반론에 대한 대안책을 제시해보시오.

> 4차 산업 기술혁명이 진전됨에 따라, 개인정보를 활용하는 빅데이터가 중요해지고 있다. 인공지능(AI), 사물인터넷(IoT) 등 다양한 부분에서 개인정보는 4차 산업의 원유 혹은 쌀이라고 불릴 만큼 핵심을 차지하고 있다. 개인정보를 활용하려는 기업 입장에서는 자신의 서비스를 무료로 제공함으로써 사용자들의 개인정보를 요구하는 측면이 있다. 기업들의 사업 범위가 확장됨에 따라 더 많은 개인정보 수집을 요구하고 있고, 사용자들은 이에 대해 무의식적으로 동의함에 따라 개인정보 무단 사용 문제 발생하기도 한다. 실제 개인정보가 유출된 사례도 존재한다. Facebook-캠브릿지 애널리티카에서 개인정보가 유출된 사건에 있어서 독일은 페이스북을 비롯한 인터넷 플랫폼 기업들이 취해야 할 조치들을 발표하기도 했다.

※ [나군 면접] 다음 제시문을 읽고, 문제에 답하시오.

> **<제시문: 전동킥보드 규제>**
>
> 16세가 안 된 A는 부모 신분증을 빌려서 전동킥보드를 몰래 사용해왔다. 그런데 16세 미만의 전동킥보드 사용을 금지했던 규제가 13세 미만 사용 금지로 연령 규제가 하향되어 A는 전동킥보드를 자유롭게 이용할 수 있게 되었다. 규제 완화의 내용은 다음과 같다. 13세 이상이면 누구나 이용 가능하고, 면허는 불필요하고, 안전모 미착용에 대한 범칙금이 폐지되었으며, 음주 후 이용 시 처벌이 약화되었고, 전동킥보드의 자전거도로 이용이 가능해졌다.
>
> 그러나 전동킥보드의 안전 문제를 지적하는 목소리도 크다. 전동킥보드는 바퀴가 작아서 제동 거리가 길고 중심을 잡기도 힘들다. 특히 대학 내 캠퍼스를 전동킥보드 연습 장소로 사용하면서 교직원과 학생들이 전동킥보드를 공포의 대상으로 인식하고 있는 실정이다.

Q1. 전동킥보드 규제 완화에 대해 찬성, 반대 입장을 정하고 근거를 제시해보시오.

**A학생 추가질문**

Q2. 개인의 자유에 대한 과도한 침해라고 생각하지 않나?

Q3. 전동킥보드가 왜 타인의 자유를 침해하나?

Q4. 피해를 줬다면 개인 간 배상으로 해결이 가능한데, 굳이 국가가 규제를 해야 하는가?

Q5. 전동킥보드를 타본 적이 있는가?

Q6. 전동킥보드가 그렇게 위험하다고 생각하는가?

Q7. 담배나 술도 타인에게 해악을 줄 수 있는데 규제하지 않는다. 무엇이 다르다고 생각하는가?

Q8. 따릉이 등 다양한 이동 수단 관련 신사업들이 생겨나고 있는데, 국가발전을 위해 규제를 완화하는 쪽으로 가는 것이 타당하지 않은가?

Q9. 청소년을 미성숙한 존재라고 했는데, 이는 청소년에 대한 차별적인 발언은 아닌가?

Q10. 청소년보다 미성숙한 어른들도 많다. 청소년들은 가르치면 말이라도 듣는데 어른들은 말도 안 듣는다. 이들은 어떡하나?

B학생 추가질문

Q2. 산업 발전을 저해하지 않으면서 안전도 챙기는 방안이 있는가? 자전거의 경우도 안전구를 제대로 챙기고 타는 사람들은 거의 없지 않나?

Q3. 자전거랑 킥보드랑은 어떻게 다른가?

Q4. 대학에서 전동킥보드를 허용해야 하는가?

Q5. 새로운 개정안을 만든다면 기준은 무엇으로 할 것인가?

Q1. 국가시험을 준비해본 적 있는가?

Q2. 졸업은 언제 할 예정인가?

Q3. 로스쿨에 진학하려고 하는 이유는?

Q4. 변호인이 되어서 의뢰인을 맡아 조사하는 중에 다른 죄목이 있다는 것을 발견한다면 어떻게 할 것인가?

Q5. 학창시절 학교 폭력 사건을 접해본 경험이 있는가? 그때의 수험생은 어떻게 대응하였고 무엇을 느꼈는가?

Q6. 법학 공부는 해보았는가?

Q7. 졸업하고 무엇을 했는가?

Q8. 로스쿨 입시는 몇 번째인가?

Q9. 전북대 로스쿨에 지원한 이유는?

Q10. 가장 재미있게 공부했던 과목은 무엇이며, 그 이유는 무엇인가?

Q11. 어떤 법조인이 되고 싶은가? 검사는 어떠한가?

Q12. 법조인이 되려고 로스쿨에 지원한 이유는 무엇인가?

Q13. 입학해서 도움이 될 부분과 힘들 것 같은 부분은?

Q14. 변호사 수가 늘어나면서 수익을 보장받기 힘들어지고 있는데, 왜 변호사가 되고자 하는가?

Q15. 인문학을 공부해봤다면, 밀의 자유론의 내용에 대해 알고 있는가?

Q16. 자신이 가장 빛나던 순간이나 무엇인가 이룩했던 순간이 있는가?

Q17. 그 당시 왜 자신이 좋은 평가를 받았다고 생각하나?

Q18. 시험 등 무엇인가를 특별한 관심을 가지고 집중적으로 공부해본 적이 있는가?

Q19. 법조인은 글을 잘 써야 하는데 어떤 글이 잘 쓴 글이라고 생각하는가?

Q20. 본인이 글쓰기를 잘해서 성과를 이룬 적이 있는가?

Q21. ○○분야 석사를 했는데 ○○분야와 법학 학부 시절 배운 과목 중 어떤 것이 연관이 있다고 생각하는가?

Q22. 가장 힘들었던 경험과 극복사례를 말해보시오.

Q23. 로스쿨에 입학하여 학우가 공부를 방해하면 어떻게 할 것인가?

Q24. 반대로 내가 로스쿨 도서관에서 공부하는데 학우들의 컴플레인을 계속 받으면 어떻게 할 것인가?

Q25. 마지막으로 하고 싶은 말은?

모범답변

① 교수:학생 = 3:1 ② 면접 준비 10분, 면접 시간 20분 ③ 메모 가능
④ 시험장에 입실 후 답변을 6분 내에 끝내라는 지시사항이 있었으며, 추가질문 있음

2020 전북 A 문제

Q1. [가군 오전 면접] 정시모집을 확대하여 대학수학능력평가 점수로만 대학 입시가 결정되는 것에 대한 자신의 의견을 논해보시오.

추가질문

Q2. 다양한 학생들의 성향에 맞는 교육이 중요하다고 하는데, 이를 반드시 고등학교에서 할 필요 있나? 중고등학교 때에는 획일적인 기준하에 교육하고, 대학에 가서 다양성에 맞는 교육을 받아도 되지 않나?

Q3. 수시모집의 경우, 학생 선발의 기준이 모호하다는 점에서 비판이 있다. 최근 숙명여고 사건에서도 이와 같은 일이 반복되고 있는데, 어떻게 생각하나? 해결방안은 없는가?

※ [가군 오후 면접] 다음 제시문을 읽고, 문제에 답하시오.

<제시문 1>

성인지 감수성은 성범죄 사건 등 관련 사건을 심리할 때 양성평등에 대한 이해를 바탕으로 피해자가 처한 상황의 맥락과 눈높이에서 사건을 바라보고 이해해야 한다는 것을 뜻한다. 이 개념은 2018년 4월 대법원판결에서 등장하면서 화제를 모으기도 했는데, 당시 대법원 제2부는 학생을 성희롱했다는 이유로 징계를 받은 대학교수가 낸 해임 결정 취소소송 상고심에서 원고 승소 판결한 원심을 깨고 원고 패소 취지로 파기 환송했다. 재판부는 이때 판결에서 "법원이 성희롱 관련 소송 심리를 할 때는 그 사건이 발생한 맥락에서 성차별 문제를 이해하고 양성평등을 실현할 수 있도록 '성인지 감수성'을 잃지 않아야 한다."고 밝힌 바 있다. 법관에게 요구되는 성인지 감수성이란 성별 간의 차이로 인한 일상생활 속에서의 차별과 유·불리함 또는 불균형을 인지하는 것을 말하며 피해자의 관점에서 바라보아야 한다는 것을 의미한다.

<제시문 2>

A(피해자)를 여관방으로 이끌어 성폭행을 한 B(가해자)에 대한 형사사건에서, 1심 법관은 A의 몸에 저항의 흔적이 거의 없고 범행 전 여관방에 이르기까지 CCTV에 찍힌 영상을 볼 때 저항이나 거부의 흔적이 없다는 점, 주변 편의점 주인이나 대리기사에게 구조를 요청할 수 있었음에도 구조를 요청하지 않았다는 점, 범행 후 A와 B가 산책을 하고 술을 마시는 등 일상적인 행동이 이어졌다는 점을 근거로, 술에 취한 A와 B가 서로 합의하여 성관계를 하였다는 B의 주장을 받아들여 무죄를 선고하였다.

Q1. 성인지 감수성이 재판의 판단기준으로 들어왔을 경우 장단점을 말해보시오.

Q2. A는 B에게 성폭력을 당했다고 주장하는데, A가 주장하는 성폭행 이후에 A는 B와 주변을 산책했고, 주변에 충분히 신고 가능한 상황임에도 신고하지 않았다. 원심은 이를 토대로 A의 주장을 받아들이지 않고 무죄를 선고하였다. 만약 당신이 2심 판사라면 원심에 대해 어떤 판단을 내릴 것인가?

> 💬 **A학생 추가질문**

Q3. Q2 관련해서 그럼 지원자는 성인지 감수성이라는 판단 근거를 들어도 무죄판결을 유지할 것인가?

Q4. 본인이 법관이라면 이런 양성평등 기준 말고 어떤 기준을 제시할 수 있을 것 같나? 정확한 기준을 제시할 수 없다면 자유롭게 법관이라면 어떻게 할 수 있을 것인가?

Q5. 미투운동이 왜 일어났다고 생각하는가?

Q3. Q1에서 답변한 단점의 문제점에 대해서는 어떻게 해결할 수 있을까? 기존의 사법절차만으로 가능하다고 생각하는가?

Q4. 그렇다면 사실상 피고인에게 무죄를 증명하라는 것과 다름이 없지 않은가?

Q5. 남자 입장에서는 판결에 상당히 불만을 느낄 수 있을 것 같은데?

2020 전북 C 문제

Q1. [나군 면접] 다음 제시문을 읽고, 혐오표현에 대한 형사처벌 규제 실시의 찬반 여부를 밝히고 근거를 들어 논해보시오.

> 최근 전 세계적으로 혐오표현이 만연하고 있다. 유럽의 여러 국가들은 혐오표현을 제재하고 있다. 일본 역시 '헤이트 스피치' 법을 만들어 규제하려 하나 이 법에 형사처벌은 포함되어 있지 않다. 미국은 표현의 자유를 폭넓게 인정하며 혐오표현에 관련한 규제가 없다.

2020 전북 D 문제

※ [나군 면접] 다음 제시문을 읽고, 문제에 답하시오.

> 복지국가는 사회 불공평을 제거하고 시장의 부정적 효과를 줄이기 위해 다음의 두 가지 모델 중 하나를 선택한다.
> • 가: 보편적 복지국가 모델은 모든 사람에게 복지 혜택이 돌아가도록 하며, 여기 막대한 예산이 들기 때문에 재정지출을 늘리고 조세를 늘린다.
> • 나: 선택적 복지국가 모델은 도움을 필요로 하고, 능력이 없는 사람들에게 복지혜택이 주어지도록 하며, 인구조사를 필요로 한다.

Q1. 두 모델에 대해 간략하게 요약해보시오.

Q2. 둘 중 하나의 입장을 선택해서 반대 주장에 대해 사례를 들어 반박해보시오.

2020 전북 인성 문제

Q1. 본인이 가장 빛났던 순간은?

Q2. 법학 전공자인데 가장 잘하고 흥미를 느끼는 법 과목은?

Q3. 변호사가 된다면 어떤 분야로 진출하고 싶은가?

Q4. 면접이 끝나면 가장 먼저 하고 싶은 것이 무엇인가?

Q5. 역경 극복 사례를 말해보시오.

Q6. 좋아하는 과목이나 책은 무엇이고 이유는?

Q7. 싫어하는 과목이 있으면 어떻게 하나?

Q8. 법률가에게 필요한 능력으로 창의성과 분석력 중 어떤 것이 더 중요하다고 생각하나?

Q9. 대법원의 기존 판례를 하급심에서 그대로 따르는 것에 대해 어떻게 생각하나? 하급심에서 창의력 있게 대법원의 기존 판례를 뒤집어야 할 필요성에 대해 어떻게 생각하나?

Q10. 어떤 변호사가 되고 싶나?

Q11. 리걸마인드에 대해 어떻게 생각하는가?

Q12. 가장 존경하는 법률가가 있다면?

Q13. 주변에 문제가 생겼을 때 어떻게 도와 주었는지 말해보시오.

Q14. 고등학생이 로스쿨에 진학하고자 한다면 어떤 조언을 해줄 것인가?

Q15. 본인 학과에 만족하지 못하는 것인가?

Q16. 법조인들이 정치권에 많이 진출하고 있는데 이에 대한 장점과 단점은?

Q17. 요즘 로스쿨 학생들이 학원 수업, 학원 교재로만 공부를 하는데, 이에 대해서 어떻게 생각하는가?

Q18. 전북대 로스쿨에서 특별히 배우고 싶은 과목이 있는가?

Q19. 구체적으로 어떤 분야를 지망하는가?

Q20. 전공 수업 중 가장 재미있었던, 인상 깊었던 수업이 무엇인가?

Q21. 전공이 무엇인가? 왜 그 전공에서 갑자기 로스쿨을 지원했는가?

Q22. 재판에서 변호사의 모습에 실망했다는 식의 말을 했는데, 왜 변호사가 되려고 하는가?

Q23. 중재에 대한 절차를 대략 알고 있는가?

Q24. 본인의 강점을 살릴 수 있다고 했는데, 어떻게 접목할 수 있겠는가?

Q25. 법 관련 수험 경험이 있는가? 꼭 법 관련이 아니더라도 국가시험 수험 경험이 있는가?

Q26. 목표했던 바를 이루었는가?

모범답변

2019 전북대 로스쿨

① 교수:학생 = 3:1

2019 전북 A 문제

※ [가군 오전 면접] 다음 제시문을 읽고, 문제에 답하시오.

> 우리나라의 저출산 문제가 심각하다. 2016년 40만 명이었던 신생아 수는, 2017년 35만 명으로 11% 이상 감소하였다. 국가는 저출산 문제를 해결하기 위해 여러 수단을 강구하고 있다. 아동수당 지급, 신혼부부 주거비용 지원, 출산장려금 지급 등의 제도를 시행 중이나 실질적으로 출산율이 높아지지 않는다는 문제가 있다.
>
> 정부는 2016년 지방자치단체 간의 출산장려 대책 경쟁을 촉진하겠다는 목적으로 가임기 여성을 조사한 출산지도를 만들어 공개한 바 있다. 또한 K 도에서는 2018년 신혼부부 주거대책의 일환으로 주거비 지원 정책을 시행하면서 아내가 만 44세 미만인 경우에만 주거비를 지원하였다. 위두 사례에 대해 여성들은 "우리가 애 낳는 기계냐"며 반발하였다.

Q1. 제시문의 사례에 대해 인권적·법적 관점에서 평가해보시오.

Q2. 행정 정책의 효율성 및 실효성 관점에서 논해보시오.

추가질문

Q3. 면접자가 한 비판에 대해 정부의 변호사가 되어 대변해보시오.

Q4. 공론화위원회를 사용할 수 있는 또 다른 정책은 무엇이 있는가? 단점은?

Q5. 선진국(프랑스)의 출산 대책을 평가해보시오.

2019 전북 B 문제

Q1. [가군 오후 면접] 다음 제시문을 읽고, 가짜뉴스 규제에 대한 찬반을 선택하고 논거를 제시해보시오.

> 가짜뉴스와 허위 조작정보에 대한 내용이 제시됐고, 그 사례로 트럼프와 힐러리 대선에서의 프로파간다 사례와 현 정부의 대북정책 중 쌀을 퍼준다는 거짓 정보로 인해 정부 신뢰가 저하됐던 것이 제시됨

Q1. [나군 오전 면접] 우리나라의 법적, 정의적 측면에서 보았을 때 다음 제시문의 A의 요청을 받아들여야 한다고 생각하는가?

> H사는 노동조합과 단체협약을 맺었다. 이 중 "노동조합원이 업무상 재해로 사망 혹은 장애로 퇴직했을 경우 당사자의 직계가족 또는 배우자 중 1인이 요청할 경우 결격사유가 없는 한 요청한 지 6개월 이내에 특별고용을 해야 한다."라는 규정이 있다.
>
> A는 노동조합원인 아버지가 업무상 재해로 사망하자, 이러한 단체협약 규정을 근거로 하여 자신을 특별고용해 줄 것을 요청했다.

※ [나군 오후 면접] 다음 제시문을 읽고, 문제에 답하시오.

> <제시문: 개인의 소유권과 재산권, 계약의 자유>
> **여객자동차 운수사업법 제81조【자가용 자동차의 유상 운송 금지】** ① 사업용 자동차가 아닌 자동차(이하 '자가용 자동차'라 한다.)를 유상(자동차 운행에 필요한 경비를 포함하고, 이하 이 조에서 같다.)으로 운송용으로 제공하거나 임대하여서는 아니 되며, 누구든지 이를 알선하여서는 아니 된다. 다만, 다음 각호의 어느 하나에 해당하는 경우에는 유상으로 운송용으로 제공 또는 임대하거나 이를 알선할 수 있다.
> 1. 출·퇴근시간대 승용자동차를 함께 타는 경우

Q1. 카풀과 택시의 이익의 성격의 차이점을 제시해보시오.

Q2. 출퇴근 시간의 기준에 대해 제시해보시오.

Q3. 카풀서비스 이용자의 안전 보장 및 신뢰 구축 방안을 제시해보시오.

※ [특별전형 면접] 다음 제시문을 읽고, 문제에 답하시오.

> 자치경찰제도를 도입하는 것에 대해 논란이 있다.
>
> 자치경찰제도 도입을 반대하는 입장에서는, 지역의 경찰 조직을 해당 지방자치단체가 운영할 경우 막대한 재원을 감당할 수 없다고 주장한다. 그렇게 된다면 결국 국가안보나 시민의 치안이 위협받을 것이라는 주장이다.
>
> 자치경찰제도 도입을 찬성하는 입장에서는, 지역의 경찰 조직을 해당 지방자치단체가 운영할 경우 주민의 동의와 지지, 참여를 바탕으로 한 지역 밀착형 치안 서비스를 제공할 수 있다고 주장한다. 현재의 국가경찰제에서는 경찰청장이나 지방청장 등의 지휘관이 바뀌면 주요 정책도 같이 바뀌게 된다. 이렇게 되면 지휘관이 지역에 대한 이해도가 부족해, 강력 사건 등에 집중하여 단기적인 성과에만 몰두할 수 있다는 문제점이 있다.

Q1. 자치경찰제도가 시행되었을 때 경찰 내부에서 발생할 장단점을 제시해보시오.

Q2. 시민들에게 발생할 장단점을 제시해보시오.

Q3. 자치경찰제도 시행에 대한 자신의 견해를 논변해보시오.

Q1. 법조인이 되려고 하는 이유는?

Q2. 법을 전공했는데, 민법과 헌법의 공부법의 차이는 무엇인가?

Q3. 선택형과 사례형의 공부법 차이는 무엇인가?

Q4. 로스쿨은 정말 공부를 많이 하는 학생들만 오는 곳이다. 그들보다 특별히 지원자가 공부를 더 많이 할 수 있는가? 있다면 왜 그런지?

모범답변

2018 전북대 로스쿨

① 교수:학생 = 3:1 ② 답변 준비 10분, 지성 면접 15분, 인성 면접 5분

2018 전북 A 문제

Q1. 다음 제시문을 읽고, 교사의 처분은 정당한지 답해보시오.

> 어느 중학교에서 학교 폭력 및 왕따 문제가 발생했다. A는 왕따 및 학교 폭력을 주도한 가해 학생과 친한 친구 사이다. 학급 담임 선생님은 교육적인 벌로써 가해자뿐만 아니라 가해자와 친한 친구들인 A를 포함한 7명의 학생에게 반성문과 함께 피해자 B에게 사과 편지를 쓰게 하였다. A는 자신은 실제로 B를 괴롭힌 적이 없기 때문에 양심상 반성문과 사과 편지를 쓸 수 없다고 주장했다.

2018 전북 B 문제

※ 다음 제시문을 읽고, 문제에 답하시오.

> 식물이 멸종되어 식량이 없어질 위기에 처했다는 생각으로 누군가 많은 식물 종들의 씨앗을 모은 사례가 있었다. 이를 알라미즘(Alarmism)이라 하는데, 닭이 재채기만 해도 무서워하는 현상을 말한다. 미디어가 사건을 왜곡하고 확장하여 국민들에게 미래에 대한 공포와 불안을 야기하여 사회갈등을 일으키는 것을 알라미즘이라고 할 수 있다. 예를 들어 메르스 사태의 경우도 미디어가 대중들에게 필요 이상의 공포를 확산시킨 것이라는 점에서 알라미즘 사례로 볼 수 있다.
>
> 우리 사회는 고령사회로 접어들고 있다는 주장이 있다. 우리나라의 고령 인구는 일본에 이어 세계 2위이고, 고령화 속도는 세계 1위이다.

Q1. 제시문의 사례 외에 알라미즘의 사례를 들고, 그 근거를 제시해보시오.

Q2. 고령사회에 대한 알라미즘은 근거가 있다고 생각하나? 아니면 근거가 없다고 생각하는가? 두 입장 중 하나를 선택하여 자신의 견해에 대한 근거를 제시해보시오.

※ 다음 제시문을 읽고, 문제에 답하시오.

최근 이영학, 초등학생 제자와 성관계를 맺은 여교사, 15살 연습생과 관계한 연예기획사 사장 등 청소년을 대상으로 한 성범죄가 늘어나고 있다. 최근 이슈가 된 사건들의 공통점은 피해자와 피의자가 서로 '사랑했다'고 주장했다는 점이다. 이를 그루밍 성범죄라 하는데, 성인인 가해자가 미성년자인 피해자를 오랜 시간 계획적으로 길들여 성폭력을 용이하게 하거나 은폐하는 행위를 말한다.

대표적인 예로 연예기획사 사장인 A씨의 경우가 있다. A씨는 15세 소녀에게 연예인이 되게 해주겠다며 접근하고 수차례 부적절한 관계를 맺어 결국 임신까지 시키게 되었다. 이후 A씨는 상습 성폭행이라는 죄명으로 재판을 받게 되었는데, 1심에서 12년 형을, 2심에서는 9년 형을 선고 받았지만, 대법원에서는 '사랑'이라는 남자의 주장을 인정하고 파기 환송하여 5년 만에 무죄 판결이 났다. 전문가들은 A씨의 '서로 사랑했다는 주장'은 터무니없으며, 이것은 범죄 수법일 뿐이라고 한목소리로 말한다. 이런 식으로 진로상담을 해주면서 친밀해진 후 자발적 성관계를 하도록 유도하거나 이후에도 협박 등을 통해 이를 은폐하고자 하는 그루밍 범죄가 사회적 문제가 되고 있다.

Q1. 청소년의 성적 자기결정권 행사, 성적 가치관 형성 등을 돕기 위한 방법을 제시해보시오.

Q2. '그루밍 범죄'를 막기 위한 방법을 제시해보시오.

Q3. 우리나라의 현행법상 죄형법정주의에 따라 A씨의 사례 등은 무죄가 되는 경우가 많다. 이러한 문제를 해결하기 위해 법을 어떻게 개선해야 할지 제시해보시오.

모범답변

① 교수:학생 = 3:1   ② 답변 준비 10분, 지성 면접 15분, 인성 면접 5분

2017 전북 A 문제

Q1. 법학전문대학원생 甲은 자신의 유흥비를 마련하고자 은행원장 아들 V를 납치하고, 살해했다. 甲은 경찰에 잡힌 후에 V를 살해한 사실을 밝히지 않았다. 수사관 P는 날이 추워져 V의 생명이 위급해질 것이라 생각했고, 이에 甲을 V가 있는 곳을 밝히지 않는다면 폭행 및 고문을 가할 것이라고 협박했다. 甲은 이것이 두려워 V를 살해한 사실을 밝혔다. 위 상황에서 P가 甲에게 정신적 고문을 가한 것이 정당한지 찬반 견해를 정하여 논해보시오.

💬 추가질문

Q2. 범죄자도 국민인데, 범죄자의 인권은 중요하지 않은가?

Q3. 내 생각에는 정신적인 고통이 신체적 고통보다 클 수 있다. 예를 들어 잠을 못 자게 한다거나 하는 등이 있을 수 있다. 여기에 대해서는 어떻게 생각하는가?

Q4. 그렇다면 고문을 가할 수 있는 상황에 대한 기준은 법으로 정해져 있어야 하는가, 아니면 수사관의 자의적인 판단으로 행해져야 하는가?

Q5. 아무리 상급자의 동의를 받고, 좋은 의도로 시작했어도, 그런 절대권력을 주게 되면 남용의 우려가 있다. 대안이 있는가?

Q6. 이러한 수단이 정당화될 수 있는 상황은?

Q7. 수험생이 범죄자의 변호사라면 어떻게 변호할 것인가?

※ 다음 제시문을 읽고, 문제에 답하시오.

> 배상책임은 타인에게 입힌 손해에 대한 보상이다. A와 B가 교통사고가 났을 경우 과실의 유무, 과실의 비율 등을 고려하여 과실비율을 결정한다. 과실비율이 A가 50%, B가 50%라면 각각 상대방의 손해 발생액의 절반씩 배상을 해주게 된다. 보험회사의 실무상 A가 차량 수리비의 전액을 먼저 지불하고 B의 보험사에게 수리비의 절반을 청구하고, 마찬가지로 B도 차량 수리비 전액을 먼저 지불하고 A의 보험사에 수리 비용의 절반을 청구하게 된다.
>
> 그런데 만약 A의 차량가액이 3억 원이고, B의 차량가액이 2천만 원인 상황에서 A, B의 차량은 모두 반파되어 수리비로 각각 1억 5천만 원, 1천만 원의 수리비가 발생하게 되었다면, A와 B는 각각 8천만 원씩의 수리 비용을 부담하게 된다. 그런데 이때, B는 본인 차량 수리비로 1천만 원이 발생하였으나, 총 8천만 원을 부담하게 되는 상황에 처하게 된다.

Q1. 이것이 공정한가? 이유를 들어 수험생의 견해를 제시해보시오.

추가질문

Q2. 예측 가능성을 논했는데 내 앞에 비싼 차가 있을지 싼 차가 있을지는 우연적인 요소에 의한 것이 아닌가?

Q3. 이렇게 차량가액을 무시하고 책임 비율에 따라서만 배상액을 산정하면 싼 차를 소유한 사람은 비싼 차를 피해 다니게 되고, 비싼 차를 소유하는 사람은 운행에 있어서 상대적으로 자유롭게 운전을 할 것이다. 그렇다면 경제력을 이유로 개인의 자유를 누리는 데 차이가 생기는 것이 아닌가?

Q4. 고가의 차와 사고가 날 경우 저가차량의 주인은 어마어마한 금액을 지불하게 될 수 있는데, 실제적으로 그러한 능력이 없어서 고가차량 주인은 보상을 받지 못하고, 저가차량 주인은 이러한 채무에 묶이게 되는 일이 생긴다. 그러면 보상도 받지 못하고 문제도 해결되지 못하는 상황이 생기는데 이에 대해서는 어떻게 생각하나?

전북 C 문제

※ 다음 제시문을 읽고, 문제에 답하시오.

스폰서 검사, 성범죄 검사, 전관예우 등에 대한 내용의 제시문

Q1. 법조비리를 근절시킬 수 있는 방안을 제시해보시오.

💬 추가질문

Q2. 공수처의 견제 수단은?

Q3. 검경 수사권 독립의 필요성은?

Q4. 대법관의 전관예우 해결책은?

2017 전북 D 문제

※ 다음 제시문을 읽고, 문제에 답하시오.

인공지능의 장단점에 대한 내용의 제시문

Q1. 인간에 비해 인공지능이 우월한 점과 인공지능에 비해 인간이 우월한 점은 각각 무엇인가?

Q2. 인간과 인공지능 간의 본질적 차이점을 근거를 들어 제시해보시오.

Q3. 알파고가 이세돌을 상대로 한번 졌는데 왜 졌을까?

Q4. 인공지능에게 사람처럼 죄목을 부여해서 처벌할 수 있을까?

Q5. 인공지능이 전 세계에 큰 영향을 끼치고 있다고 가정하자. 그런데 인공지능을 다루는 극소수의 사람들이 살짝 장난을 쳐서 정보를 다르게 입력했고 결과적으로 사회적으로 큰 악영향을 끼쳤다고 한다면 이런 상황에 어떻게 대처할 수 있을까?

Q6. 법률가로서 인공지능을 활용할 수 있는 방안이 있을까?

Q7. 인공지능 판사와 인간 판사가 있다고 할 때, 수험생이 재판받는 입장이라면 누구를 택할 것인가?

Q8. 인공지능이 활발해질 미래에 대해 낙관적인가, 비관적인가?

Q9. 인공지능이 감정을 갖춘다면, 인간과 동일하다고 보는가?

Q10. 출산 후에 육아와 직장을 병행할 수 없어 육아전문 인공지능에게 맡긴다면 맡길 것인가?

Q11. 그렇다면 부모님이 나이가 드셔서 간호도 필요하다면 인공지능에게 맡길 수 있겠는가?

Q12. 인공지능이 대체할 수 없는 분야가 있다면?

2017 전북 인성 문제

Q1. 대마초를 허용하는 것에 대해 찬성과 반대의 근거를 제시하고 본인의 의견을 말해보시오.

모범답변

2016 전북대 로스쿨

① 교수:학생 = 3:1 ② 답변 준비 10분, 지성 면접 10분, 인성 면접 10분

2016 전북 A 문제

※ 다음 제시문을 읽고, 문제에 답하시오.

> 유전자 조작, 약물치료 등으로 인간 향상에 따른 가치 판단 관련 내용의 제시문

Q1. 각 사안별로 발생할 수 있는 문제를 말해보시오.

> ① 미용 목적으로 행한 유전자 조작
> ② 면역력 향상을 위한 유전자 조작
> ③ 운동선수가 운동능력 향상을 위한 약물 투여

💬 **추가질문**

Q2. ①에 대한 논거로 생명과 신체 보호를 말했는데, 과학기술을 통한 모든 인간 향상은 타당하지 않은가?

Q3. ①에 대한 논거는 생명과 신체 보호 외에 다른 권익 침해는 없는가? 예를 들어 부모가 태아의 눈, 코, 입을 디자인하는 것을 어떻게 생각하는가?

Q4. ①에 대한 논거에서 생명과 신체의 문제는 모든 수술이나 약품에도 부작용이 있으므로 모두 발생한다고 볼 수 있지 않은가?

Q5. 절차적 정당성을 제시했다. 이 사안에서 절차적 정당성을 어떻게 확보하면 되는가?

Q6. 만약 절차적 정당성을 확보해야 할 국가가 절대주의 국가라면 어떠한가?

2016 전북 B 문제

※ 베이비박스 합법화에 대한 자신의 견해를 정하고 논거를 들어 답변해보시오.

추가질문

Q1. 아이가 성장한 후 정체성 문제를 겪지 않겠는가?

Q2. 낙태에 대하여 어떻게 생각하는가?

Q3. 여성의 권리를 어떻게 보장해야 하는가?

Q4. 국가가 베이비박스를 관리할 경우 비용 문제가 있는데 어떻게 생각하나?

Q5. 베이비박스 합법화가 낙태를 줄이기는 힘들 것이다. 실효성이 있겠는가?

2016 전북 C 문제

Q1. 국가가 대형 국책사업(원자력 발전소 신설)을 실시할 때 일어나는 갈등에 대한 해결방안을 제시해보시오.

Q1. 비법학도인데 법 공부를 어떻게 할 것인가?

Q2. 사학도인데 한국과 일본의 역사문제에 대한 의견을 제시해보시오.

Q3. 인권변호사를 지망하고 있다. 다른 분야 변호사보다 돈벌이가 좋지 않을 텐데 괜찮은가?

Q4. 대학 시절 좋아했던 과목은?

Q5. 로스쿨에 입학하면 열심히 할 자신이 있는가?

Q6. 범죄의 객관성을 취하는가, 주관성을 취하는가?

Q7. 특수한 전공을 했는데 실력이 어느 정도 되나?

Q8. 로스쿨을 준비하면서 가장 힘들었던 점은?

Q9. 지역인재 쿼터제에 대한 생각은?

Q10. 지원자는 물류 전문변호사가 되고 싶다고 했다. 물류법 특성화 로스쿨이 따로 있는데 왜 전북대를 지원했는가?

Q11. 우리나라의 사회적 문제로 어떤 것이 가장 심각하다고 생각하나?

Q12. 그렇다면 지원자가 변호사라면 그러한 사회적 문제를 어떻게 해결할 것인가?

Q13. 그것만으로 문제가 해결될 것이라 생각하는가?

Q14. 빈부 차이로 인해 직접적인 피해를 받은 적이 있는가?

Q15. 자격증이 많은데 지원자 자신의 능력 향상을 위한 일 외에 사회를 위해 행한 일이 있는가?

모범답변

2024~2016 제주대 로스쿨

2024 제주대 로스쿨

① 교수:학생 = 3:4   ② 면접 준비 30분, 면접 시간 50분   ③ 메모 가능   ④ 추가질문 있음

메모 및 휴대 여부	• 메모, 휴대 가능함
대기실 특징	• 물을 마실 수 있음 • 대화는 불가함
문제풀이실 특징	• 펜이 비치되어 있음 • 대화, 질문, 화장실 이용은 불가함
면접고사장 특징	• 계단식 강의실이며, 위쪽 약 3번째 줄에 면접관이 앉아 있고, 지원자 책상은 각각 나란히 조금 떨어져 있음
기타 특이사항	• 자유토론은 없었음 • 지원자 각각 답변하고, 한 문제당 답변 시간을 안내하고 스톱워치로 시간을 재며 알려줌

2024 제주 A 문제

※ [가군 오전 면접] 다음 제시문을 읽고, 아래 문제에 모두 답하시오.

> **<제시문 1>**
> 프로리그 선수가 12년 전 저지른 학교폭력이 밝혀졌다. 이에 구단은 해당 선수를 퇴출했다.
>
> **<제시문 2>**
> 장관 후보의 자녀가 학교폭력을 저지른 것으로 밝혀졌다. 이에 장관 후보가 사퇴했다.

Q1-1. <제시문 1>의 학교폭력 선수 퇴출은 타당한가?

Q1-2. <제시문 1>에서 구단 퇴출은 하지 않고 국가대표 자격을 영구 박탈한다면 이는 타당한가?

Q1-3. <제시문 2>에서 장관 후보 사퇴는 타당한가?

Q2-1. <제시문 3>에서 저작권 수익은 누구에게 주어야 하는가?

Q2-2. <제시문 4>의 로봇 J-2를 형사처벌할 수 있는가?

Q2-3. <제시문 5>의 D사의 원칙의 문제점을 제시하시오.

Q2-4. <제시문 6>의 E는 스스로 생각하고 판단하는 J-3를 어떻게 대우해야 하는가?

Q2-5. <제시문 7>의 로봇세 도입은 타당한가?

※ 다음 제시문을 읽고, 아래 문제에 모두 답하시오.

<제시문 1>

인간은 고통과 쾌락에 지배받는다. 고통과 쾌락은 옳고 그름의 기준이다. 행복을 증가시키느냐 또는 감소시키느냐에 따라 어떤 행동이 칭찬할 행동인지 비난할 행동인지가 결정된다. 효용성은 개인의 행위뿐 아니라 국가의 모든 정책의 판단기준이다. 효용성은 이익, 쾌락, 행복을 가져오고 불이익, 고통, 불행을 예방하는 속성이다. 공동체 이익은 도덕의 가장 일반적인 표현 중 하나이다. 공동체는 개인으로 구성된 허구체일 뿐이다. 공동체의 이익이란 그 공동체를 구성하는 구성원들의 이익을 합한 것이다. 따라서 개인의 이익을 별개로 하여 공동체의 이익을 논한다는 것은 무익하다.

<제시문 2>

아무런 사회적 규제가 없는 자연 경쟁 체제에서, 사회의 분배 제도는 재능 있는 사람은 누구나 출세할 수 있다는 관념에 의해 규제될 것이다. 여기서 최초의 자산 분배는 자연적·사회적 우연에 의해 강력한 영향을 받게 된다. 그리고 현재의 소득과 부의 분배는 타고난 자산, 곧 자질과 능력의 선행적 분배의 효과가 누적된 결과다. 다시 말해 타고난 자산의 선행적 분배가 사람들에게 일정 기간 동안 어떻게 유리하게 또는 불리하게 사용되었는가에 따른 결과다. 이런 경쟁 체제가 정의롭지 못하다는 것은 직관적으로 명백하다. 무엇보다도 그 체제에서는 도덕적 관점에서 아무런 본질적 중요성을 갖지 않는 요인들 때문에 배분의 몫이 부당하게 좌우된다. 그렇기 때문에 어떤 사람들은 재능이 있으면 출세할 수 있다는 요구 조건에 실질적 기회균등이라는 조건을 부가함으로써 이러한 부정의를 시정하자고 한다. 직위는 단지 형식적 의미에서만 개방되어서는 안 되고 모든 사람이 그것을 획득할 수 있는 실질적 기회를 가져야만 한다는 것이다. 다시 말해 유사한 능력과 재능을 가진 사람들은 유사한 삶의 전망을 가져야 한다.

그러나 이런 실질적 기회균등의 체제는 사회 속에서 우연적 요인의 작용을 줄이는 장점은 있어도 여전히 천부적인 재능과 능력에 따라 부나 소득의 분배가 결정되도록 내버려둔다는 단점이 있다. 그래서 이러한 체제도 도덕적 관점에서 마찬가지로 정당화되기 어렵다. 소득과 부의 분배가 역사적·사회적 행운에 의하여 이루어지는 것을 허용할 이유가 없는 것과 마찬가지로, 그 분배가 천부적 자산에 따라 이루어지는 것을 용인할 이유도 없다. 천부적 재능의 불평등도 부당하며, 이러한 불평등 역시 어떤 식으로든 교정되어야 한다. 그래서 사회는 더 불리한 사회적 지위를 갖고 태어난 사람은 물론 천부적 자질을 더 적게 가진 사람에게도 마땅히 더 많은 관심을 가져야 한다.

<제시문 3>

매킨타이어는 인간은 '서사적 존재'라고 하였다. 이야기는 시간의 흐름에 따라 만들어지고, 나 혼자 독백은 가능할지언정 이야기를 만들어 나갈 수는 없다. 매킨타이어에 의하면 서사적 존재로서의 인간을 부정하고 독립적 개인을 말하는 것은 현실의 인간을 부정하고 가상의 존재를 인간으로 상정하는 것이나 다름없다. 매킨타이어는 나와 이야기를 갖고 있는 존재를 더 중요하게 생각할 수밖에 없다고 하였다. 이것이 우리가 가족을, 친구를, 민족을, 국민을, 타인보다 더 중요하게 여길 수밖에 없는 이유라 할 수 있다.

<제시문 4>

<제시문 4>
　토지가치공유제가 새롭게 논의되고 있는데, 이는 토지사유제와 토지공유제 모두를 지양하는 입장이다. 토지공유제는 토지의 사용권, 수익권과 처분권을 모두 공공이 소유하는 것이다. 그러나 토지가치공유제는 사용권과 처분권은 소유자에게 두고, 시세 차익으로 생기는 수익권을 세금으로 부과하는 제도이다.

Q1. 토지가치공유제가 공리주의, 자유주의, 공동체주의에 부합하는지 논하시오.

Q2. 위 문제에 대한 다른 지원자의 답변을 듣고, 본인의 의견을 제시하시오.

Q3. 제시문의 사상과는 관련 없이, 지원자는 토지가치공유제에 대해 어떻게 생각하는지 답하시오.

Q4. 다음의 주제로 지원자들 간에 상호 토론하시오.
　　[주제] 인간에게 선택의 권리가 있다는 것만으로 충분히 자유로운가?

※ 다음 제시문을 읽고, 아래 문제에 모두 답하시오.

<제시문 1>

부의 양극화 문제가 심각해지고 있다. 이 문제를 해결하기 위한 방안으로 2가지 입장이 대립하고 있다.

첫째, 정부가 부의 양극화를 해결하기 위해 적극적으로 재분배를 시행하고 시장에 개입해야 한다는 주장이 있다. 그러나 이는 개인의 자유를 과도하게 제한할 수 있다는 문제가 있다. 둘째, 시장의 자정 원리에 맡겨야 한다는 주장이 있다.

<제시문 2>

개를 식용 목적으로 사육하거나 증식, 도살, 개를 원료로 조리, 가공한 식품을 제조, 판매하는 것을 금지하는 개 식용금지법이 논의되고 있다. 여론조사 결과, 응답자의 86.3%는 과거 개 식용 여부와 관계없이 앞으로는 개 식용을 할 생각이 없다고 밝혔다. 또한 응답자의 57%는 개 식용을 법으로 금지하는 것에 찬성했으며, 65%는 개 식용 관련 법안이 통과된 뒤 종식 시기를 2년 이내로 답했다.

개 식용 금지법

Q1. <제시문 1>과 <제시문 2>를 요약하고, 공통주제를 바탕으로 제목을 정하시오.

Q2-1. <제시문 1>의 부의 양극화 해소 방안으로 정부 개입이 타당한가?

Q2-2. 개 식용금지법 입법은 타당한가?

Q3. 횡재세를 부과하는 것은 타당한가?

모범답변

2023 제주대 로스쿨

① 교수:학생 = 3:4 ② 면접 준비 30분, 면접 시간 50분
③ 3문제는 개별답변, 2문제는 지원자 간 자유토론(사전공지 없었음) ④ 메모 가능

2023 | 제주 A 문제

※ 다음 제시문을 읽고, 3문제에 모두 답하시오.

> **<제시문 1>**
> 어떤 불치병 환자가 극심한 고통에 시달리고 있고, 회복 불가능하다는 의사의 진단을 받은 상황이다. 환자 역시 이를 인지하고 있다.
> 사안 1. 환자가 안락사를 위해, 받고 있던 치료를 중단할 것을 요청한 경우
> 사안 2. 환자가 안락사를 위해, 먹으면 죽는 약을 스스로 복용하고자 의사에게 약을 줄 것을 요청한 경우
> 사안 3. 환자가 안락사를 위해, 죽음에 이르는 주사를 의사가 투여해줄 것을 요청한 경우

Q1-1. 사안 1, 2, 3에서 의사의 행동은 정당한가?

Q1-2. 사안 1에서 환자가 극심한 고통이 아니라 가족의 경제적 부담 때문에 연명치료중단을 선택했다면, 의사의 행동은 정당한가?

> **<제시문 2>**
> EU는 2022년 7월, 원전과 천연가스발전을 포함한 그린 택소노미 법안을 확정했다. 그린 택소노미는 어떤 산업이 친환경 산업인지 구분한 분류체계이며, 기업과 투자자들이 투자와 관련해 참고하는 기준이다. 그간 재생에너지만 인정하겠다는 기류가 강했고, 원자력 발전소는 운영과정에서 탄소배출은 적지만 위험성이 크다는 반대 의견이 있었다. 그러나 프랑스 등 원전국가들의 협상에 의해 원전과 천연가스발전 모두 그린 택소노미로 포함하기로 했다. 다만, 신규 원전 건설 시 까다로운 조건을 만족해야 한다.

Q2-1. EU 택소노미의 관점에서 핵에너지를 사용하는 것이 타당한지 찬반 입장을 정해 논하시오.

Q2-2. 일반적인 탄소중립 관점에서 핵에너지를 사용하는 것이 타당한지 찬반 입장을 정하고, 지원자 간에 자유토론하시오. (사전에 공지되지 않았으며, 시험장에서 자유토론 하도록 지시받음)

Part 1
Part 2
Part 3
Part 4
Part 5
Part 6
Part 7

해커스 김종수 로스쿨 면접 200주제

<제시문 3>

소비자 A는 배달업 관련 플랫폼 기업을 통해 원하는 시간에 주문을 할 수 있고, 배달원의 위치까지 파악하는 등 편의를 누리고 있다.

배달원 B는 플랫폼 기업 D에게 배달마다 일정한 수수료를 납부한다. 배달원 B는 빗길에서 피자 배달을 하던 중, 새로 들어온 주문을 운전 중에 확인하다가 사고가 나서 전치 12주의 부상을 입었다. 해당 피자가게 주인 C도, 플랫폼 기업 D도, B의 사고 치료비를 지불해줄 수 없다고 한다.

Q3. 배달원 B가 교통사고가 나서 다쳤는데 그 치료비는 누가 부담해야 하는지, 지원자 간에 자유토론하시오. (사전에 공지되지 않았으며, 시험장에서 자유토론 하도록 지시받음)

모범답변

① 교수:학생 = 3:4   ② 면접 준비 30분, 면접 시간 50분   ③ 메모 가능   ④ 집단면접
⑤ 면접시험 하루 전 예비소집 있음

2022 제주 A 문제 [가군 면접]

※ 다음 제시문을 읽고, 3문제에 모두 답하시오.

<제시문 1>

(가) 민법 개정안에서 동물은 물건이 아니라는 조항을 선언적으로 넣을 예정이다.

(나) 갑은 반려견 X와 함께 횡단보도 앞에서 신호 대기 중이었다. 횡단보도에 녹색 불이 켜지자, X가 갑자기 튀어 나갔고, 운전 중이던 을은 X를 들이받아 X가 죽었다. 갑은 X를 지인으로부터 무상으로 입양하였고, X는 현재 4살이고, X는 현재 시장가격으로 10만 원이다. 갑은 X를 4년간 키우면서 150만 원의 비용을 소요하였다. 갑은 X를 아기라고 부르며 가족같이 지냈다. 을은 연봉 5,000만 원 정도의 평범한 회사원이다.

Q1-1. 민법 개정안이 제안된 이유는 무엇인가?

Q1-2. (가)에 따라 민법 개정안이 시행되었을 때, 긍정적인 측면과 부정적인 측면은 무엇인가?

Q1-3. (나)에서 지원자가 중재인이 되어 손해배상액(중재액)을 제시하고, 그 근거를 설명해보시오.

<제시문 2>

여성이 남성보다 사회적으로 열등한 지위를 차지하게 된 원인을, 생물학적 원인에서 찾는 세 가지 이론이 있다.

• 이론 1: 여성은 남성보다 힘이 약하다. 힘이 강한 남성은 여성을 힘으로 굴복시키고, 사회에서의 영향력을 증대시켰다. 나아가 정치에서의 영향력도 장악하고 있다.

• 이론 2: 여성은 공격적이지 않은 반면, 남성은 폭력적인 성격을 지닌다. 따라서 남성은 폭력적 성향을 이용해 군대를 통제하며, 전쟁을 거듭할수록 군에서의 지배력을 확대했다.

• 이론 3: 남성은 가임기 여성을 통해 자신의 우수한 유전자를 후대에 남겼다. 남성은 다른 남성들과의 경쟁에서 가임기 여성을 쟁취하였다.

Q2-1. 각 이론에서 상정하고 있는 여성에 대한 편견을 설명해보시오.

Q2-2. 각 이론에 대하여 반론해보시오.

<제시문 3>

　　피고인 4명은 탐사동아리의 회원이다. 웻모어 역시 피고인들과 함께 탐사를 떠났다. 동굴을 탐사하던 중 산사태가 일어나 동굴의 입구가 가로막혀 동굴에 갇히게 되었다. 이들은 매우 적은 식량만을 가지고 있었다. 구급대원들은 탐사대의 무전기를 통해 이들이 매우 적은 식량을 가지고 있음을 확인했다. 이들은 당장 인육이라도 먹지 않으면 생존 가능성이 매우 희박하다고 답하였다. 웻모어는 주사위로 희생자를 정하여 인육을 먹는 것을 제안하였다. 탐사대는 구급대에게 무전기로 연락을 취해, 주사위로 희생자를 정하여 살인을 하는 것을 정당화할 수 있는 근거가 있는지 문의하였으나 구급대도, 어떠한 정치인도, 학자도 그에 대한 대답을 하지 못했다. 탐사대원들은 조금 더 버텨보자고 하여 주사위를 굴리는 것을 미루었다. 그러나 결국 탐사대원들은 많은 대화를 나눈 끝에 합의하였다. 그런데, 이를 최초로 제안했던 웻모어는 긴 생각 끝에 이런 무서운 합의를 인정할 수 없다며 주사위 굴리는 것을 거부하였다. 탐사대원들은 웻모어에게 주사위를 굴려 희생자를 정하는 것의 정당성에 대하여 물었고, 웻모어는 그 정당성에 대하여 인정하였다. 결국 피고인들은 웻모어로 하여금 강제로 주사위를 굴리도록 하였고, 희생자로 결정된 웻모어를 살해하여 인육을 먹었다. 그들이 갇힌 지 23일째 되던 날이었다. 탐사대원들은 감금 32일 만에 구조를 받았다. 그들은 심각한 영양실조와 정신적 피해를 호소하였다.

- 이 나라의 법률에는 "사람을 죽인 자는 살인죄로 처벌한다."라는 규정이 있다.
- 1심 재판에서 판사는 피고인들에게 살인죄를 선고하고, 교수형을 내렸다.
- 피고인들의 형을 징역 6개월형으로 감경해달라는 청원이 올라왔다.
- 피고인들의 형 감경에 대한 청원은 판사가 아니라 국가의 원수가 승인 여부를 결정할 수 있다.

Q3-1. 탐사대원이 10명이었다면 이들에 대한 평가가 달라질 여지가 있는가?

Q3-2. 지원자가 이 국가의 원수라면, 징역 6개월형으로 감경해달라는 청원을 승인할 것인지 여부를 그 근거와 함께 설명해보시오.

Q3-3. 피고인들에게 살인죄가 적용되어야 하는지 여부를 그 근거와 함께 설명해보시오.

💬 추가질문

Q1-4. 파충류가 무엇인가, 뱀도 보호해야 하는가?

Q1-5. 낚시는 어떻게 해야 하는가?

※ 다음 제시문을 읽고, 3문제에 모두 답하시오.

<제시문 1>
(가) 공유지의 비극에 대한 제시문으로, 공유지의 비극을 목초지의 소 방목을 예로 들어 원론적으로 설명하는 내용이 제시되었다.

(나) 죄수의 딜레마에 대한 제시문으로, 두 죄수가 징역 1년 형에 해당하는 범죄를 저질렀으나 정확한 증거가 없어 자백을 유도하려 한다. 한쪽만 자백하면 다른 한쪽은 징역 10년 형을 받고 둘 다 자백하면 징역 5년 형을 받는다. 죄수의 딜레마 상황에서는 결국 1년 형의 범죄를 받을 죄수들이 둘 다 자백하여 5년 형을 받게 된다.

Q1-1. 공유지의 비극에서 말하는 환경문제를 죄수의 딜레마의 관점에서 설명해보시오.

Q1-2. 공유지의 비극을 죄수의 딜레마 관점으로 바라보는 것이 타당한가?

<제시문 2>
X국은 달리기를 중요한 능력으로 보기 때문에, X국에서는 달리기 대회에서 우승한 자가 사회적 명예와 부를 누린다. A는 경제적으로 풍족한 가정환경에서 전문 교육과 훈련을 받아 달리기 대회에서 우수한 성적을 거뒀다. 한편 B는 경제적으로 풍족하지 못한 부모 밑에서 태어나 아르바이트를 통해 생계를 유지하며 달리기 능력을 키우고자 노력했으나 우승하지 못했다.

이에 대해 A는 자신이 노력한 결과이므로 공정하다는 입장이다. 그러나 B는 자신도 A와 똑같이 노력했다며 이는 공정하지 못한 결과라고 했다.

Q2-1. A의 주장이 타당하다고 생각하는가?

Q2-2. B입장에서 '공정'이란 무엇인가? B의 견해에 대한 지원자의 견해는?

Q2-3. 지원자가 생각하는 '공정'이란 무엇인가? 또한 공정한 사회로 나아가기 위한 해결방안에는 무엇이 있는가?

<제시문 3>

(가) 민주주의에 대한 원론적 제시문(고대 그리스의 직접 민주주의에 대한 간략한 설명이 제시되었음)

(나) 전문가주의에 대한 제시문

Q3. 우리나라는 대통령이나 정치인은 선거로 뽑지만, 판사나 검사는 국민이 선출하지 않는다. 이를 민주주의를 위협하는 전문가주의의 사례라고 할 수 있는가?

Q2-4. (Q2-1과 Q2-2를 일관적이지 않게 답변한 지원자에게) 입장이 바뀐 것인가?

Q2-5. 사회에서 공정하지 않은 부분이 있을 수 있는데 어떤 해결방안이 있는가?

(A가 타당하다고 한 지원자에게 먼저 물어본 후 다른 지원자에게도 순서대로 다 답변하도록 함)

Q3-2. 모두가 전문가주의의 사례가 아니라고 했는데, 판사나 검사를 국민이 선출하지 않는 것에는 일정 부분 민주주의에 위협이 되는 부분도 있다. 이에 대한 해결방안이 있는가?

모범답변

① 교수:학생 = 3:4 ② 면접 준비 30분, 면접 시간 50분 ③ 메모 가능 ④ 블라인드 면접 ⑤ 다대다 토론 면접
⑥ 면접시험 하루 전 예비소집 있음

2021 │ 제주 A 문제

※ 다음 제시문을 읽고, 2문제에 모두 답하시오. (시험장에서 문제당 1분 20초 내로 답변할 것을 요구함)

<제시문 1>

법무부가 디지털 포렌식 조사에 있어, 사망한 피의자의 휴대전화에 대해 사자의 의사와 무관하게 암호를 풀어 휴대전화에 담긴 개인정보를 수사에 활용할 수 있도록 하는 법안을 제시했다.

<제시문 2>

추미애 법무부 장관은 페이스북에 "어떤 검사장 출신 피의자가 압수 대상 증거물인 휴대전화의 비밀번호를 알려주지 않아 수사가 난관에 봉착했다고 한다. 따라서 우리나라도 영국 수사권한 규제법과 같이 디지털 증거 압수수색에 대한 실효적 방안을 도입해야 한다. 해당 법에 따르면 암호를 풀지 못할 때 수사기관이 법원에 암호해독명령허가 청구를 하고, 피의자가 이에 불응 시 국가안전이나 성폭력 사범은 5년 이하, 기타 일반 사범은 2년 이하의 징역형에 처하도록 하고 있다."고 글을 남겼다.

영국의 수사권한규제법(Regulation of Investigatory Powers Act 2000)은 압수 대상 증거물에 대해 휴대전화 비밀번호를 포함하여 모든 암호의 해제 조건에 관한 내용을 포함하고 있다. 이 법에 따르면, 수사기관이 휴대전화 비밀번호에 대한 영장을 청구하고 법원이 허가 여부를 판단한다. 법원의 허가 명령이 나왔는데도 피의자가 휴대전화 비밀번호를 풀지 않으면 법원명령위반죄로 처벌받게 된다. 영장 발부 기준은, 국가안보 목적(in the interests of national security), 중대한 범죄 방지(for the purpose of preventing or detecting crime), 국가 경제에 대한 심각한 영향(in the interests of the economic well-being of the United Kingdom)에 해당할 경우이다. 이에 수사기관이 휴대전화 비밀번호 해제 영장을 청구하기 위해서는 피의자의 혐의가 3가지 범죄 중 하나에 해당함을 입증해야 한다.

Q1. <제시문 1>의 해당 법안에 대한 찬반 여부를 논해보시오.

Q2. <제시문 2>에서 추미애 법무부 장관이 피의자 휴대전화 비밀번호를 강제로 해제할 수 있는 법안 검토를 지시했다. 이 법안에 대한 찬반 여부를 논해보시오.

※ 다음 제시문을 읽고, 2문제에 모두 답하시오. (시험장에서 문제당 1분 20초 내로 답변할 것을 요구함)

<제시문 1>

윤창호법과 민식이법이 제정되어 시행되고 있다. 윤창호법은 특정범죄 가중 처벌 등에 관한 법률 제5조의 11, 민식이법은 동법 제5조의 13을 말한다. 내용은 다음과 같다.

제5조의 11(위험운전 등 치사상) 음주 또는 약물의 영향으로 정상적인 운전이 곤란한 상태에서 자동차(원동기장치자전거를 포함한다.)를 운전하여 사람을 상해에 이르게 한 사람은 1년 이상 15년 이하의 징역 또는 1천만 원 이상 3천만 원 이하의 벌금에 처하고, 사망에 이르게 한 사람은 무기 또는 3년 이상의 징역에 처한다.

제5조의 13(어린이 보호구역에서 어린이 치사상의 가중 처벌) 자동차(원동기장치자전거를 포함한다.)의 운전자가 「도로교통법」 제12조 제3항에 따른 어린이 보호구역에서 같은 조 제1항에 따른 조치를 준수하고 어린이의 안전에 유의하면서 운전하여야 할 의무를 위반하여 어린이(13세 미만인 사람을 말한다. 이하 같다.)에게 「교통사고처리 특례법」 제3조 제1항의 죄를 범한 경우에는 다음 각호의 구분에 따라 가중 처벌한다.

1. 어린이를 사망에 이르게 한 경우에는 무기 또는 3년 이상의 징역에 처한다.

2. 어린이를 상해에 이르게 한 경우에는 1년 이상 15년 이하의 징역 또는 500만 원 이상 3천만 원 이하의 벌금에 처한다.

<제시문 2>

AI(인공지능)의 효용성에 대한 내용이 제시되었다. AI는 산업, 행정, 생활 등의 다양한 분야에서 효용성을 지니고 있다.

Q1. 윤창호법과 민식이법을 평가하고 극복방안을 제시해보시오.

Q2-1. 홀수 번호 응시자는 AI가 행복한 삶을 보장한다는 입장에서, 짝수 번호 응시자는 AI가 불행한 삶을 가져올 것이라는 입장에서 논해보시오. (면접관이 시험장에서 구두로 질문함)

Q2-2. 자신의 의견을 반대 입장에서 스스로 반박해보시오.

※ 다음 제시문을 읽고, 2문제에 모두 답하시오. (시험장에서 문제당 1분 20초 내로 답변할 것을 요구함)

제시문을 파악하지 못함

Q1. 자녀의 키, 외모 등을 우월하게 하고자 유전자에 조작을 하는 적극적 유전자 조작 허용 여부에 대한 의견을 논해보시오.

Q2. 불치병이나 난치병, 유전병 등 질병을 후대에 물려주지 않도록 하기 위해 유전자에 조작을 하는 소극적 유전자 조작 허용 여부에 대한 의견을 논해보시오.

💬 Comment 시험장 입실 직전 제비뽑기로 부여받은 번호의 인성 면접 문제에 대해 답변해야 하기에 답변 준비시간에 인성 면접 6문제의 답변을 모두 준비해야 한다.

Q1. A교수님이 비대면 원격 강의 방식을 도입했다. B학생이 수업 중 발언하는데 처음에는 잘 들리다가 나중에는 점점 잘 들리지 않게 되었다. 하지만 교수님은 아무 반응이 없다. 나는 학생 C이다. 어떻게 할 것인가?

Q2. 우리 집은 감귤과 한라봉 농사를 한다. 나는 농업회사 법인을 차려 농업경영인이 되고 싶은데 부모님은 내가 법학전문대학원 진학하여 법조인이 되기를 바란다. 나는 어떻게 할 것인가?

Q3. 매년 친한 친구들끼리 여행을 가는데 올해는 코로나19로 사회적 거리두기가 행해지고 있는 상황이다. 이에 A는 한라산 등반, B는 골프여행, C는 낚시, D는 올해는 여행을 건너뛰자고 주장한다. 나라면 무엇을 택할 것인가? 이들 모두 공통적으로 서로 이야기를 나누며 우정을 쌓기를 원한다.

Q4. 나는 동료 변호사와 개업한지 10년이 되었다. 업무가 많아 퇴근 후 집에서 일을 계속 하는 경우가 많다. 처음 5년간은 잘 되다가 그 후부터 수임 건수가 줄고 있다. 나의 승소율은 꾸준히 80%인 데 반해, 동업하는 변호사는 최근 비교적 간단하고 쉬운 사건에서도 패소를 하였고 그 의뢰인이 항의하고 있다. 나는 이 경우 어떻게 할 것인가?

Q5. 갑은 법학전문대학원 재학생이고, 갑의 자매인 을은 의과대학 재학생이다. 갑과 을은 본가에서 나와 함께 자취를 하고 있는 상황인데 순번을 정해 번갈아 가며 집안일을 하고 있다. 갑의 기말고사 이후이고, 을은 한창 기말고사 기간 중에 있었다. 집안일을 을이 해야 할 차례였으나, 을은 자신의 시험 때문에 바쁘다며, 갑에게 불평했다. 이 경우 수험자가 갑이라면 어떻게 대처할 것인가?

Q6. 침대 가구 회사를 운영하는 갑은, 자신의 회사에서 종업원으로 근무하던 을이 퇴직 이후 다른 침대 가구 회사에서 영업을 하고 있는 모습을 확인했다. 그런데 갑과 을은 경업금지 약정을 체결한 바 있다. 경업금지 약정이란 회사에서 퇴직한 이후, 동종의 회사에 재취업하여 업무하는 것을 일정 기간 동안 금지하는 약정을 말한다. 이 경우 수험자가 갑이라면 어떻게 대처할 것인가?

💬 추가질문

💬 Comment 응시자 4명에게 모두 인성 면접 추가질문이 있었다.

Q7. 조별 과제에서 무임승차자를 어떻게 처리할 것인지 경험에 비추어 설명해보시오.

Q8. 가장 보람찼던 봉사활동은 무엇이었으며 봉사활동을 한 계기와 왜 보람찼는지 설명해보시오.

모범답변

① 교수:학생 = 3:4   ② 면접 준비 20분, 면접 시간 50분   ③ 메모 가능   ④ 블라인드 면접
⑤ 다대다 토론 면접   ⑥ 면접시험 하루 전 예비소집 있음

2020 제주 A 문제

※ 다음 제시문을 읽고, 3문제에 모두 답하시오.

> **<제시문 1>**
>
> 현재 많은 키즈 유튜버들이 활동하고 있다. 주 수입원은 광고 수입이 대부분이다. 하지만 아동
> 학대, 불건전한 콘텐츠라며 논란이 있는 영상에 대해서는 유튜브 측에서 광고 게재 중단이라는 페
> 널티와 함께 시정조치를 내렸다. 유튜브는 국내 키즈 유튜버에게 콘텐츠가 어린이를 위해 제작되
> 었는지를 유튜브에 고지하라고 하고 아동용으로 확인될 경우 개인 맞춤 광고와 일부 댓글 기능이
> 중단된다고 하였다. 4개월의 유예기간을 주기로 하였고 이 기간 동안 신고하면 방송은 계속할 수
> 있지만 광고 수익은 포기해야 한다.

Q1-1. 키즈 유튜버들의 광고 수입 전면적 제한에 대한 본인의 입장과 논거를 함께 제시해보시오.

Q1-2. 본인의 의견과 반대 입장을 평가해보시오.

> **<제시문 2>**
>
> 2018년 11월, 김정은 국무위원장의 방한에 대해 서울시 시민들 500명을 대상으로 한 설문조사
> 에서 찬성이 64%, 반대가 36%로 찬성 의견이 더 많았다. 그러나 2019년도에는 찬성이 54%, 반
> 대가 46%로 반대의견 비중이 높아졌다.

Q2-1. 김정은 국무위원장의 한국 방문에 대한 본인의 입장과 논거를 함께 제시해보시오.

Q2-2. 본인의 의견과 반대 입장을 평가해보시오.

> **<제시문 3>**
>
> 현대사회는 가족의 형태가 대가족에서 1인 가구로 그 형태의 변화를 보이고 있다. 1인 가구가 늘
> 어나면서 반려동물을 기르는 가구가 증가하고 있다. 주로 키우는 동물은 개 20%, 고양이 6% 등
> 이다. 현재 반려동물을 기르는 인구는 590만 명에 이른다. 그러나 반려동물을 비행기에 태우는 것
> 에 대해서는 많은 논란이 있다. 현재 반려동물을 비행기에 태우는 것은 항공사별로 규정하고 있다.
> 이를 위한 법과 제도는 마련되어 있지 않은 상태다.

Q3-1. 항공기 내 반려동물 동반 탑승 허용에 대한 본인의 입장과 논거를 함께 제시해보시오.

Q3-2. 본인의 의견과 반대 입장을 평가해보시오.

💬 Comment 제비뽑기로 1문제만 답변하면 되었다.

Q1. 교수님이 설명식 강의가 아닌 토론식 강의로 수업을 진행한다. 토론식 수업 중 학생 B의 발언이 점점 길어졌고, 학생들도 처음에는 B의 발언에 경청을 하다가 시간이 지나자 웅성거림이 심해졌다. 그러나 교수는 학생 B의 발언을 중단시키지 않았다. 본인은 해당 수업에 참여하는 C학생이다. 이런 상황에서 어떤 행동을 할 것이고, 어떤 방법으로 할 것인지, 왜 그렇게 할 것인지 제시해보시오.

Q2. 한 학생이 진로를 고민하고 있다. 아버지는 건설회사를 운영하며 학생이 가업을 물려받기를 원한다. 어머니는 자신이 이루지 못한 꿈인 의사가 되기를 원한다. 그러나 학생은 법학전문대학원에 진학해 법조인이 되고 싶다. 본인이 해당 학생이라면 어떤 행동을 할 것이고, 어떤 방법으로 할 것인지, 왜 그렇게 할 것인지 제시해보시오.

Q3. 나는 겨울방학에 친구 두 명과 함께 해외여행 계획을 하고 있다. 그러나 두 친구는 여행지 선정부터 의견이 달랐다. A는 유럽, B는 동남아시아를 선호한다. 이동 수단도 다르다. A는 여행비용 절약을 위해 대중교통, B는 편의를 위해 렌터카를 이용하고자 한다. 숙박시설 선정 시에도, A는 이동 수단에서 아낀 돈으로 호텔에서 자고 싶어 하고, B는 숙박에서 돈을 아끼기 위해 모텔 등 저렴한 숙박시설에서 자고 싶어 한다. 나는 이런 상황에서 어떤 행동을 할 것이고, 어떤 방법으로 할 것인지, 왜 그렇게 할 것인지 제시해보시오.

Q4. A변호사는 법조인 경력이 10년 정도 되고 승소율은 80% 정도이다. 한편 한 의뢰인의 사건에 대해 많은 노력을 했지만 어떤 이유에서인지 패소하였다. 그 의뢰인은 다 변호사의 탓이라며 A변호사의 과실로 패소하였다면서 항의하고 있다. 내가 A변호사라면 어떤 행동을 할 것이고, 어떤 방법으로 할 것인지, 왜 그렇게 할 것인지 제시해보시오.

모범답변

2019 제주대 로스쿨

① 교수:학생 = 3:4 ② 면접 준비 30분, 면접 시간 50분

2019 제주 A 문제

※ 다음 제시문을 읽고, 3문제에 모두 답하시오.

<제시문 1>
　　공유자원이란 공기, 하천, 호수, 늪, 공공 토지 등과 같은 자연자원과 항만, 도로 등과 같이 공공의 목적으로 축조된 사회간접자본을 일컫는다. 공유자원은 사회 전체에 속하며, 모든 개인에게 필요하고 이용도 가능하다. 공유자원을 이용함으로써 발생하는 비용은 사회 전체가 부담하게 된다. 그런데 공유자원은 남용되는 경향이 있기 때문에, 공유자원의 이용으로 각 개인이 얻는 편익(便益)이 종종 사회 전체가 부담해야 할 비용을 웃돈다. 하딘(Garrett Hardin)은 이러한 현상을 공유지(共有地)의 비극이라고 불렀다. 먼저 한 마을의 농부들이 소를 자유롭게 키울 수 있는 제한된 넓이의 목초 공유지가 있다고 가정하자. 농부들이 방목하는 소의 숫자가 증가함에 따라 문제가 발생한다. 방목하는 소들이 일정 수준을 넘어서면, 풀이 다시 자라는 속도에 비해서 풀이 소모되는 속도가 더 빠르기 때문에 공유지는 점점 더 황폐해질 것이다. 만약 사용할 수 있는 목초의 양을 할당하고 그것을 강제할 수 있는 농부들 간의 합의된 정책이 없다면, 목초가 없어지기 전에 자신의 이익을 최대로 높이려는 농부들의 욕구 때문에 공유지의 황폐화는 시간문제이다. 이러한 공유지의 비극 문제를 해결하기 위하여 국가가 전면적으로 통제하는 방법, 시장 메커니즘에 맡기는 방법 및 공동체의 상호 협력 및 감시·견제에 의하는 방법이 주장되고 있다.

Q1-1. 국가통제를 통해 공유지의 비극을 해결할 경우의 장점과 문제점을 논거를 들어 답변해보시오.

Q1-2. 시장 매커니즘을 통해 공유지의 비극을 해결할 경우의 장점과 문제점을 논거를 들어 답변해보시오.

Q1-3. 공동체 상호 협력 및 감시·견제에 의한 방법을 통해 공유지의 비극을 해결할 경우의 장점과 문제점을 논거를 들어 답변해보시오.

<제시문 2>
　　정부의 내년도 최저임금 인상안에 대해 경총, 전경련, 중소기업중앙회, 소상공인연합회 등에서 반대하는 입장을 보이고 있다는 신문기사를 제시하였다. 내년도 최저임금 인상안은 현행 7,530원에서 10.9%를 인상하려는 것이다. 최저임금위원회는 총 9명으로 노동자를 대표하는 위원 3명, 사용자를 대표하는 위원 3명, 공익을 대표하는 위원 3명으로 구성된다.

Q2-1. 최저임금위원회의 결정에 대해 찬성하는 입장에서 2가지 이상의 논거를 들어 답변해보시오.

Q2-2. 최저임금위원회의 결정에 대해 반대하는 입장에서 2가지 이상의 논거를 들어 답변해보시오.

Q2-3. 최저임금 인상에 대하여 자신의 입장에서 2가지 이상의 논거를 들어 답변해보시오.

Q3. 과거 산업혁명과 비교하여 4차 산업혁명이 일자리에 어떤 영향을 가져올지 논거를 들어 답변해보시오.

2019 제주 B 문제

※ 다음 제시문을 읽고, 3문제에 모두 답하시오.

<제시문 1>

미투 운동(Me Too Movement)은 성폭행이나 성희롱을 고발하기 위한 것으로, 미국에서 시작되었다. 2017년 10월 할리우드 유명 영화제작자인 하비 와인스틴의 성추문을 폭로하고 비난하기 위해 소셜 미디어에 해시태그(#MeToo)를 다는 것으로 대중화되었다. 직장 및 사업체 내의 성폭행 및 성희롱을 SNS를 통해 입증하며 보편화되었다.

1. 사회 전반에 SNS를 통해 미투 운동이 확산되고 있다. 미투 운동은 유명인들이 먼저 적극적으로 나서면서 시작되었다.
2. No Means No Rule: 상대방이 거절 의사를 표시했는데도 성관계를 했을 경우 강간으로 보고 처벌함

Yes Means Yes Rule: 상대방의 명확한 동의 의사가 없는 모든 성관계는 강간으로 간주함
3. 펜스룰은, 2002년의 미국 부통령 마이크 펜스의 발언에서 비롯된 것이다. 펜스 부통령은, "아내가 아닌 다른 여성과는 단둘이 식사하지 않고, 아내 없이는 술자리에 참석하지도 않는다"고 말했는데, 이는 성추행 등의 가능성을 사전에 방지하기 위해 아내 외의 여성과는 교류나 접촉하지 않는다는 의미이다.
4. 갑은 남자 사장이며 을은 여성 직원이다. 둘은 회식이 끝나고 둘만 따로 나가 호텔에 갔다. 6개월 뒤 을은 심경의 변화가 생겨 갑을 성폭행으로 신고했다. 갑은 을이 거절하지 않아 동의한 것으로 생각했다고 주장하고 있다.

Q1-1. 미투 운동 확산의 사회적 배경이 무엇이라 생각하는가?

Q1-2. 펜스룰에 대한 수험생의 견해를 논해보시오.

Q1-3. 각자 4의 갑 또는 을의 입장이 되어 No Means No Rule과 Yes Means Yes Rule 중 무엇을 기준으로 하는 것이 타당하다고 생각하는지 토론하시오.

<제시문 2: 범죄 처벌의 정당성>

1. 범죄의 원인을 볼 때, 선천적으로 타고난 유전자나 범죄자가 놓인 사회적 환경이 미치는 영향이 크다.

2. 인간은 자유로운 존재로 자신의 이성을 사용하여 스스로 판단하고 행동하는 주체이다.

Q2. 1과 2 중 어느 입장이 타당하다고 생각하는지 논해보시오.

<제시문 3>

제주도에 난민 신청자가 늘어나고 있다. 제주도에 입국한 난민 대부분은 난민으로 인정받지 못하고 인도적 체류만 허용되었다.

Q3-1. 난민에 대한 수험생의 견해에 대해 자유토론을 해보시오.

Q3-2. 난민 문제와 관련하여 법조인이 할 수 있는 역할은 무엇인가?

모범답변

2018 제주대 로스쿨

① 교수:학생 = 3:3   ② 답변 준비 30분, 면접 시간 30분   ③ 메모 가능
④ 수험생 간의 토론 및 반론으로 진행되는 문제가 있음

2018 제주 A 문제

※ 다음 제시문을 읽고, 문제에 답하시오.

<제시문 1: 칼 폴라니의 「거대한 전환 - 우리 시대의 정치·경제적 기원」>

노동과 토지와 화폐는 산업의 필수 요소이며 이는 시장에서 조직되어야 한다. 즉 경제체제에서 노동 시장, 토지 시장, 화폐 시장은 핵심적인 부분이 된다는 것이다. 그러나 토지, 노동, 화폐는 상품이 아니다. 본래 시장에서 거래되는 모든 것들은 판매를 위해 생산된 것이라는 가정은 이 3가지에 적용될 수 없다.

먼저, 노동은 인간 활동의 다른 이름이다. 인간의 활동은 인간의 생명과 연결되어 있고 판매가 아닌 다른 이유로 생산되는 것이다. 노동은 생명의 다른 부분들과 분리할 수 없고 비축하거나 저장할 수 없고 사람 그 자신과 분리해 동원할 수도 없는 것이다.

둘째, 토지는 자연의 다른 이름이다. 자연은 인간이 생산할 수 있는 것이 아니다.

마지막으로, 화폐는 구매력을 표시하는 징표일 뿐이다. 구매력은 은행이나 국가 금융 메커니즘에서 발생하는 것일 뿐 생산할 수 없는 것이다.

이처럼 노동, 토지, 화폐는 판매를 위해 생산되지 않는 것이므로 이들을 상품으로 묘사하는 것은 허구일 수밖에 없다. 따라서 현실의 노동, 토지, 화폐가 거래되는 시장은 허구의 도움으로 조직되는 것이다. 노동, 토지, 화폐는 시장에서 실제로 매매가 일어나고 있으며 수요와 공급도 현실에 존재하는 수량이다. 어떤 법이나 정책이 그러한 요소 시장이 형성되는 것을 억제하게 되면, 시장 체제의 자기 조정을 저해하는 결과로 이어진다. 이러한 상품 허구(commodity fiction)는 사회 전체에 결정적인 조직 원리를 제공할 뿐만 아니라 이 원리는 사회의 다른 제도들에도 다양한 영향을 미친다. 즉 이 원리에 따르면, 시장 메커니즘이 현실 세계에서 상품 허구의 원칙에 따라 작동하는 것을 방해하는 어떤 제도나 행위도 허용되어서는 안 된다.

그런데 노동·토지·화폐에는 이 논리를 적용할 수 없다. 인간과 자연환경의 운명이 순전히 시장 메커니즘에 좌우된다면, 사회는 결국 폐허가 될 것이다. 구매력의 양과 그 사용을 시장 메커니즘에 따라 결정하는 것도 똑같은 결과로 이어진다.

많은 사람들이 노동력도 시장에서 거래되는 여타 상품과 동일한 것이라고 우긴다. 그러나 일하라고 재촉하거나 마구 써먹거나 심지어 사용하지 않고 내버려두거나 하면, 그 특별한 상품을 몸에 담은 인간 개개인은 반드시 영향을 받을 수밖에 없다. 이런 체제 아래서 인간의 노동력을 그 소유자 마음대로 처리하게 되면 노동력이라는 꼬리표를 달고 있는 '사람'이라는 육체적·심리적·도덕적 실체 또한 소유자가 마음대로 처리하게 된다. 인간은 문화적 제도라는 보호막이 모두 벗겨진 채 사회에 알몸으로 노출되고 악덕, 인격 파탄, 범죄, 굶주림 등을 거치며 사회적 혼란의 희생양이 되어 결국 쇠락할 것이다.

자연을 시장 메커니즘에 전적으로 맡기게 되면 자연은 그 구성 원소들로 환원되고, 주거지와 경관은 더럽혀진다. 또 강이 오염되고, 군사 안보가 위협당하며, 식량과 원자재를 생산하는 능력도 파괴된다.

마지막으로, 전적으로 구매력의 공급을 시장 기구가 관리하면 영리 기업들은 주기적으로 파산할 것이다. 원시 사회가 홍수나 가뭄으로 인해 피해를 입었던 것처럼 화폐 부족이나 과잉은 경기에 엄청난 재난을 가져올 것이기 때문이다.

노동 시장, 토지 시장, 화폐 시장이 시장경제에 필수적이라는 점은 분명하다. 그러나 인간과 자연이라는 사회 실체와 사회 경제 조직이 보호받지 못하고 시장경제라는 악마의 맷돌에 노출된다면, 어떤 사회도 무지막지한 상품 허구의 경제 체제가 야기할 결과를 견뎌낼 수 없다.

Q1-1. 시장경제가 '악마의 맷돌'이라는 주장에 대한 찬성 근거를 2개 제시해보시오.

Q1-2. 시장경제가 '악마의 맷돌'이라는 주장에 대한 반대 근거를 2개 제시해보시오.

Q1-3. 시장경제가 '악마의 맷돌'이라 가정했을 때, 이에 반대되는 개념이 제시문에 비유되어 있는데 실제로 이것이 존재하고 있다고 생각하는지 이에 대한 논거를 함께 제시해보시오.

<제시문 2>
정부는 절박하고 시급한 과제인 사회 양극화 문제를 완화하고 고용-복지-성장의 선순환 구조를 복원하고자 비정규직을 정규직으로 전환하고자 한다. 이를 위해 기간제만을 대상으로 하던 기존 전환방식을 넘어 대부분 상시 지속적 업무인 파견 용역 근로자들을 전환 대상에 포함하였다. 정규직 전환 작업은 비정규직 현황이 상당 부분 파악된 중앙정부·자치단체·공공기관·지방 공기업·국공립 교육기관 등 852개 기관을 대상으로 연내에 추진한다.

(1) 정규직 전환 기준
1. 절박하고 시급한 과제인 사회 양극화 문제를 완화하고 고용-복지-성장의 선순환 구조를 복원하기 위해서는 '최대의 사용자'인 공공부문이 '모범적 사용자'로서 선도적 역할을 하여야 함. 선도적 역할을 위한 전환 정책은 기존의 소극적인 방식에서 탈피하여 근본적인 원인에 대해 보다 전향적인 접근법이 모색하여야 함
2. 당해 직무가 연간 9개월 이상 계속되는 업무이거나 향후에도 2년 이상 지속될 것이 예상되는 업무인지 여부 판단
3. 공정 채용이 보다 요구되는 업무는 현재 근무 중인 자를 정규직으로 전환하는 경우 여타 국민들의 공공부문 채용 기회가 박탈되는 불공정이 발생함. 이 경우 경쟁 방식에 의한 채용을 원칙으로 하되, 공공부문 비정규직의 정규직 전환 정책의 취지를 고려하여 가점 부여, 제한경쟁 등 일정 부문 비정규직 보호도 병행할 필요가 있음
4. 임금 체계는 직무급, 직능급, 호봉제 등을 설계할 수 있으나 '동일 가치노동-동일 임금'의 취지에 부합하는 형태로 설계함. 기관별로 임금 체계를 설계할 때, 동일 직종의 임금 체계를 충분히 조사·검토하되, 기관의 예산 사정과 전환 전 임금 체계 등을 우선적으로 고려하여 지속 가능하고 합리적인 임금체계를 설계하여 국민에게 과도한 부담이 되지 않도록 함

(2) 자료

- 가: 1997년 IMF 경제위기와 2008년 외환위기를 거치면서 우리 경제는 체질적인 변화를 겪고 있다. 고성장과 완전고용의 신화가 붕괴되고, 저출산 고령화의 문제들이 결부되면서 선진국 진입의 마지막 진통에 있다. 외환위기 이후 기업들은 비용 절감과 탄력적 인력 운용을 위해 비정규직을 적극 활용하였고, 늘어난 비정규직은 저임금과 고용의 불안정성에 노출되어 사회 양극화의 핵심적인 원인이 되었다.

- 나: 통계청의 '9월 고용동향'에 따르면 청년층 실업률은 9.2%로 여전히 9%대로 머물러 있고, 체감실업률을 나타내는 청년층 고용보조지표는 21.5%로 지난해 같은 달에 비해 0.2% 포인트 상승했다. 취업을 준비하는 청년들이 지나치게 공무원 준비에 쏠리는 문제가 있다.

- 다: 공공부문 비정규직의 정규직 전환 정책의 취지를 고려할 때 기존 비정규직 근로자의 고용 안정이 최대한 보장되어야 하나, 채용 절차를 둘러싸고 기존 정규직 및 구직자와의 형평성 논란이 발생할 수 있다. 각 기관에서는 고용 승계를 통한 고용 안정과 공정한 채용원칙 간 조화를 이룰 수 있도록 이해관계자와의 충분한 협의를 통해 채용 절차를 결정할 필요가 있다. 다만 노조 간 갈등으로 이어질 우려가 있다.

- 라: 규모 측면에서 국민 3명 중 1명('16년 32.8%)이 비정규직이고, 시간당 임금도 정규직의 65.5%에 불과하며, 대기업 정규직과 비교했을 때는 37.4% 수준에 불과한 상황이다. 비정규직 근로자의 절반이 1년 미만 근무자이고, 청년층(15~29세)과 장년층(50세~)이 비정규직의 64.8%를 차지하여 비정규직 문제가 곧 청년과 장년의 일자리 문제로 이어지고 있다.

- 마: 정부가 지방공기업과 공공기관, 공직유관단체 등 1,000여 곳의 공공부문에 지난 5년간 채용 비리가 있었는지 대대적 전수조사에 나선다. 비리 관련자는 직무 배제는 물론 해임 등 중징계하고, 채용된 당사자까지 '퇴출'을 원칙으로 했다. 최근 불거진 금융감독원 채용 청탁 사건 등을 계기로 공공부문 채용 비리에 '무관용 원칙'을 세워 민간부문까지 전반에 채용의 공정성을 높이겠다는 포석이다.

- 바: 급격한 환경 변화에 대한 유연한 대응이라는 측면에서 고용의 유연성이 필요하다. 사회 변화가 빨라지고 있어 2년 후, 5년 후, 10년 후에 어떤 직종이 어떤 직무가 중요할지 알 수 없다.

- 사: 정부는 이번 정규직 전환 정책에 따라 공공기관·중앙행정기관에서 소요되는 예산이 약 1,226억 원 정도일 것으로 예상했다. 나머지 지방자치단체·지방공기업은 지방재정이나 지방교부세로 충당할 예정이다.

Q2-1. 자료에서 근거를 찾아 정규직 전환의 가이드라인 기준 2, 3, 4가 타당한지 각각 판단해보시오.

Q2-2. 정규직 전환 가이드라인에 대한 찬반 입장 중 본인의 의견을 정하여 논해보시오.

Q2-3. 위 문제에 대해, 면접관이 지정하는 수험자의 입장을 반박하고, 자신의 논변에 대한 반박에 재반박해보시오.

※ 다음 제시문을 읽고, 3문제에 모두 답하시오.

> 법관을 법원 외부에서 평가해 평가 결과를 공개하는 것이 타당한지에 대한 찬반 논거 6개가 제시됨

Q1. 법관에 대한 외부 평가가 공정하다 혹은 공정하지 않다는 논쟁에 대해 주어진 논거 자료를 이용해 설명해보시오.

Q2. 법관 평가가 공정하다고 생각하는가?

Q3. 법관 평가를 통한 평가 결과 공개가 공정한가? 그 이유는 무엇인가?

Q4. 옆 지원자와 의견이 다르다면 이에 반박해보시오.

※ 다음 제시문을 읽고, 3문제에 모두 답하시오.

> 소년법과 관련하여 청소년 처벌 강화에 대한 내용의 제시문

Q1. 청소년 처벌 강화 찬성과 반대에 대한 논거를 제시해보시오.

Q2. 청소년 처벌 강화에 찬반 입장을 정하고, 근거를 들어 논증해보시오.

※ 다음 제시문을 읽고, 3문제에 모두 답하시오.

> 브레이크가 고장 난 전차 앞에 5명의 사람이 서 있다. 기관사는 선로를 유지하여 5명을 치어 죽일 수도 있고, 한 사람만 서 있는 선로로 방향을 틀 수도 있다. 선로 위에 있는 사람들은 어떤 이유에서인지는 모르지만 선로 위에서 벗어날 수 없다고 하자. 기관사는 5명이 서 있는 선로 대신 1명이 서 있는 선로로 방향을 틀어야 할까?
>
> 이제 나는 기관사가 아니라 전차 선로 위 육교 위에 서 있는 사람이다. 내 옆에는 한 뚱뚱한 사람이 서 있다. 이 경우에서는 기관사가 방향을 틀 수 있는 측선이 없다. 육교 아래에 선로는 하나뿐이고 이 선로에는 5명의 사람이 서 있다. 내가 아무 일도 안 하고 있으면 5명의 사람이 전차에 치여 죽는다. 5명의 사람을 살리는 유일한 방법은 무거운 물체를 떨어뜨려 전차를 멈추는 것뿐이다. 나 자신을 포함해 근처에 있는 모든 물체 중에 전차를 멈출 만큼 무거운 것은 옆에 서 있는 뚱뚱한 사람뿐이다. 나는 5명의 사람을 살리기 위해 이 사람을 떠밀어야 할까?

Q1. 이 상황에서 5명의 인부 대신 1명의 인부를 죽이는 선택을 한다면 비난이 가능한가? 그 이유는 무엇인가?

Q2. 전자와 후자를 비교하여 누구를 더 비난할 수 있는가?

Q3. 옆 지원자와 생각이 다르다면 자유롭게 토론해보시오.

모범답변

2017 제주대 로스쿨

① 교수:학생 = 3:3 ② 답변 준비 30분, 면접 시간 30분 ③ 메모 가능
④ 각 제시문의 3번 문제는 수험생 간의 토론/반론

2017 | 제주 A 문제

※ 다음 제시문을 읽고, 문제에 답하시오.

> (가) A법원이 양심적 병역거부자 갑에게 유죄를 선고하였다. 그 근거로 종교와 양심의 자유가 헌법에 보장된 자유라 하더라도 이는 무제한적으로 행사할 수 있는 권리가 아니라는 점과, 모든 국민의 의무인 국방의 의무를 저버리는 것은 형사처벌의 대상이 된다는 점이 제시되었다.
>
> (나) B법원이 양심적 병역거부자 을에게 무죄를 선고하였다. 근거는 종교와 양심의 자유는 헌법에 보장된 기본권으로 존중받아야 한다는 것, 그리고 세계적으로 양심적 병역거부자에 대한 관점이 바뀌고 있는 추세이며 이를 반영할 필요가 있다는 것이 제시되었다.

Q1. 양심적 병역거부자 유죄판결에 대한 찬성 논거를 2개 이상 제시해보시오.

Q2. 양심적 병역거부자 무죄판결에 대한 찬성 논거를 2개 이상 제시해보시오.

Q3. 징병제와 모병제 중 어느 쪽이 타당하다고 생각하는지 이유를 들어 설명해보시오.

2017 | 제주 B 문제

※ 다음 제시문을 읽고, 문제에 답하시오.

> (가) 인공지능이 판사를 대체한다면 나타날 긍정적 결과에 대한 내용으로, 사법 비리 해결 등을 포함하여 3~4가지 정도가 제시됨
>
> (나) 가난한 대학생이 등록금 마련을 위해 택시기사를 흉기로 협박해 15만 원을 갈취한 사례와, 부잣집 아들이 유흥비 마련을 위해 택시기사를 흉기로 협박해 15만 원을 갈취한 사례가 제시됨

Q1. (가)에 대한 반대 논거를 제시해보시오.

Q2. 인공지능이 (나)를 어떻게 판결할 것인가?

Q3. 인공지능이 판사와 공존할 수 있는가에 대한 자신의 견해를 설명해보시오.

💬 추가질문

Q4. 자신이 판사라면 양심적 병역거부자에 대하여 어떠한 판결을 할 것인가?

2017 제주 C 문제

※ 다음 제시문을 읽고, 문제에 답하시오.

> 기본소득제 찬성 측의 근거로는 기본소득제가 부의 양극화와 고용 불안을 해결할 수 있다는 점이 제시되었다. 반대 측의 근거로는 기본소득제가 재정 악화와 근로의욕 저하를 불러일으킬 수 있다는 점을 제시했다.

Q1. 찬성 측 주장을 2가지 이상의 근거를 사용하여 반박해보시오.

Q2. 반대 측 주장을 2가지 이상의 근거를 사용하여 반박해보시오.

Q3. 기본소득제와 개인의 자유의 상관관계에 대해 말해보시오.

2017 제주 D 문제

※ 다음 제시문을 읽고, 문제에 답하시오.

> 차벽금지법에 관한 찬반 양쪽의 입장이 제시되었고, 찬반 논거가 번호로 나열되었다.
> • 차벽금지법 찬성 논거: 차벽 설치 기준이 경찰에 의해 자의적으로 판단이 된다.
> • 차벽금지법 반대 논거: 불법 및 폭력 시위를 막기 위해 차벽 설치가 불가피하다는 것과 불법 및 폭력 시위는 차벽과 무관하게 과거부터 항상 있었다.

Q1. 차벽금지법 찬성 논거에 대한 자신의 견해를 말해보시오.

Q2. 차벽금지법 반대 논거에 대한 자신의 견해를 말해보시오.

Q3. 차벽금지법에 대한 자신의 견해를 말해보시오.

해커스 김종수 로스쿨 면접 200주제

모범답변

2016 제주대 로스쿨

① 교수:학생 = 3:3 ② 답변 준비 30분, 면접 시간 30분 ③ 메모 가능 ④ 지성 면접 25분, 인성 면접 5분

2016 | 제주 A 문제

※ 다음 제시문을 읽고, 문제에 답하시오.

> 삶의 의미가 없으면 우울, 불안 등을 느낀다. 삶이란 무의미한 삶 속에서 의미를 찾는 것이다. 삶의 의미는 삶에 충실해야만 찾을 수 있다.

Q1. 제시문의 의견에 대한 찬성 측 견해에 대한 논거 2개를 제시해보시오.

Q2. 제시문의 의견에 대한 반대 측 견해에 대한 논거 2개를 제시해보시오.

Q3. 자기 입장을 정하고 논리적으로 답변해보시오.

2016 | 제주 B 문제

※ 다음 제시문을 읽고, 문제에 답하시오.

> <제시문 1>
> 甲과 乙은 모두 구걸하는 할머니의 구걸함 속에 든 돈을 훔쳤다. 甲은 15세의 소년이고, 乙은 소득이 없는 70세 노인이다.
>
> <제시문 2>
> 술집을 운영 중인 甲과 乙은, 둘 다 미성년자 신분증 확인을 안 하고 술을 판매하여 영업정지 처분을 받았다. 甲의 술집은 매장 크기 100평, 월 매출 5,000만 원, 종업원 4명이고, 종업원이 신분증을 확인하지 않고 미성년자에게 술을 판매했다. 乙의 술집은 매장 크기 10평, 월 매출 500만 원, 종업원 없이 혼자 운영하고 있다.
>
> <제시문 3>
> 여성 甲은 돈을 받고 워터파크 여자 탈의실에서 몰카를 촬영했다. 乙은 甲에게 돈을 주고 여자 탈의실 몰카를 의뢰했다.

Q1. 각 제시문에서 甲과 乙 중 누가 더 나쁘다고 생각하는가? <제시문 3>에 대한 답변에는 다른 지원자의 답변에 대한 반박 내용도 포함하여 답변해보시오.

Part 1
Part 2
Part 3
Part 4
Part 5
Part 6
Part 7

해커스 김종수 로스쿨 면접 200주제

Q2. <제시문 3>의 甲은 시킨 대로 한 것뿐이지 않은가?

Q3. 의뢰를 한 乙이 더 나쁘다고 볼 여지는 없나?

Q4. 다른 조에서 乙이 더 나쁘다고 한 지원자의 주장에 따르면, 甲이 거절했더라도 乙은 다른 촬영자를 찾았을 것이고 결국 범죄는 똑같이 일어났을 것이라고 하는데, 그렇다면 乙이 더 나쁜 것 아닌가?

Q5. 다른 의견 있는 사람은 없나?

Q6. 비슷한 다른 예를 들어 보겠다. 조직폭력단의 경우, 조직의 수뇌부가 있을 것이고, 조직이 시키는 대로 범죄행위를 저지르는 말단 조직원들이 있을 텐데, 이런 경우는 누가 더 나쁘다고 생각하는가?

2016 제주 C 문제

※ 화장실 크기와 변기 개수를 어떻게 정할 것인지에 대한 다음 3가지 의견이 있다. 제시문을 읽고, 이 중 어떤 의견이 타당하다고 생각하는지 답변하시오.

<의견>
① 화장실 크기만 동일하면 된다.
② 변기 개수를 동일하게 해야 한다.
③ 생물학적 차이와 화장실 이용시간을 고려하여 여자화장실이 변기 개수가 더 많아야 한다.

<제시문: 남자화장실과 여자화장실 현황>
• 남자화장실: 대변기 5개, 소변기 5개
• 여자화장실: 대변기 5개, 화장대

2016 제주 D 문제

※ 다음 제시문을 읽고, 문제에 답하시오.

고려 말 부정부패로 고려는 쇠락했고, 개혁 세력으로 온건파와 급진파가 등장했다는 내용의 제시문

Q1. 온건파의 지지 논거를 제시해보시오.

Q2. 급진파의 지지 논거를 제시해보시오.

Q3. 지원자의 생각은?

모범답변

2024~2016 중앙대 로스쿨

2024 중앙대 로스쿨

① 교수:학생 = 3:1   ② 면접 준비 15분, 면접 시간 15분   ③ 메모 가능   ④ 추가질문 있음

메모 및 휴대 여부	• 문제지와 메모지를 풀이시간 종료 후 제출하고, 면접실 입실 시에 다시 받음
대기실 특징	• 조별 11명, 3개 조가 하나의 대기실에서 대기함 • 다과, 물을 제공하고, 화장실 사용은 자유로움 • 왼쪽 가슴에 가번호를 부착한 수험표를 핀으로 꽂아야 함 • 대기실 내에서 개인 자료를 볼 수 있으며, 전자기기는 금지됨
문제풀이실 특징	• 조당 5명이며, 6개 조가 동시에 문제풀이를 함 • 일반적인 강의실이며, 앞에 큰 시계가 있음 • 진행요원이 문제지와 메모지를 배부하고, 종료 5분 전, 1분 전에 공지함 • 풀이시간이 끝나면 문제지와 메모지를 스테이플하고 면접실로 이동함
면접고사장 특징	• 타원형 회의 테이블에 가로로 면접관 3명과 마주 앉아 거리가 매우 가까움
기타 특이사항	• -

2024 중앙 A 문제

※ [가군 오전 면접] 다음 제시문을 읽고, 문제에 답하시오.

> (가) 신문을 들어라.
>
> 가위를 들어라.
>
> 당신의 시에 적합할 만한 분량의 기사를 이 신문에서 골라내라.
>
> 그 기사를 오려내라.
>
> 그 기사를 형성하는 모든 낱말을 하나씩 조심스레 잘라서 자루 속에 넣어라.
>
> 조용히 흔들어라.
>
> 그 다음에 자른 조각을 하나씩 꺼내보아라.
>
> 정성 들여 베껴라.
>
> 그리하여 당신은 무한히 독창적이며 매혹적인 감수성을 지녔으나 무지한 대중에게는 이해되지 않는 작가가 될 것이다.

(나) 라퓨타에서 교수를 만났다. 이 교수는 본인이 책을 만드는 작업장을 소개시켜주었다. 작업장에서는 여러 사람들이 기계장치를 돌리고 있었다. 장치는 여러 면이 있고, 레버를 돌리면 그것이 돌아가면서 그 면 중 하나가 도출된다. 그리고 각 면 위에는 단어들이 적혀있다. 여러 장치들이 이어져 있고, 레버를 돌리면 무작위로 여러 단어의 조합이 도출되는 것이다. 이러한 장치들은 36명의 제자들이 작동했다. 작동시켜서 말이 되는 문장이 나오거나 하면 받아 적어서 교수는 책을 만들어 냈다. 이런 방식으로 수백 페이지의 정치, 철학, 역사 등 책을 만들었다. 교수는 이 방법을 사용하면 매우 효율적으로, 적은 노동력으로 더 나은 삶에 기여하는 책을 만들 수 있다고 한다.

(다) 잭슨 폴록이 작품을 만드는 방식은 매우 특이하다. 캔버스와 물감을 준비한 이후, 그 작가는 아무런 패턴이나 경향 없이 캔버스에 물감을 쏟는다. 아무런 형태와 의미를 알 수 없지만 이것이 작품이 되는 것이다. 어떤 비평가는 잭슨 폴록의 작품에 대해, 그의 작품이 분출하는 양상을 잘 표현한다고 말했다.

Q1. 제시문 (가)와 (나)의 글쓰기의 비교기준을 설정하고, 공통점과 차이점에 대하여 말하시오.

Q2. 제시문 (다)의 작품을 만드는 방식과, 제시문 (가)의 시(詩) 작법(作法)의 유사점을 말하시오.

A학생 추가질문

Q3. 최근 Chat GPT와 같이 AI 모델이, 사람이 일정 정보만 입력하면 무작위하게 예술작품을 뽑아내고 있는 추세이다. 이러한 결과물에 저작권을 인정할 수 있는가?

Q4. 법률 실무에서 무작위에 의미를 부여하는 경우가 있다고 보는가?

B학생 추가질문

Q3. 결국 우연성이 제시문의 핵심이 될 텐데, 각 제시문의 우연성의 정도를 순서대로 나열하시오.

Q4. 만약에 어떤 사람이 와서, (가)와 (다)는 작품이지만, (나)는 작품이 아니라고 한다면 어떻게 대답할 것인가?

Q5. 만약에 (가)를 만들 때 기사를 심혈을 기울여서 작가가 골랐다면, 우연성에 대한 판단은 달라질 수 있을까?

※ [가군 오후 면접] 다음 제시문을 읽고, 문제에 답하시오.

> (가) 민주주의와 법치주의는 인간의 존엄성 보장, 이를 구체화한 국민의 자유와 권리를 보장하기 위한 수단이라는 점에서 같은 목적을 갖고 있다. 따라서 국민의 자유와 권리를 안정적으로 보장하기 위해 민주주의와 법치주의는 상호보완적인 관계여야만 한다.
>
> (나) 법치주의는 민주주의의 필수 덕목으로 이해된다. 그러나 민주주의가 없다면 법치주의는 아무 의미가 없다. 민주주의 없는 의회, 민주주의 없는 법률이 아무 의미가 없는 것과 같다. 현실적으로 민주주의는 대의제라는 형식으로 이루어진다. 통치자와 피치자가 일치해야 한다. 만약 그 균형이 깨져 어느 한 쪽이 강해지면 권위주의나 중우정치로 흐를 수 있다.

Q1. 민주주의가 국민의 일반의지가 반영되어야 한다는 인식 아래, 제시문 (가)와 (나)를 통해 포퓰리즘에 대한 비판을 어떻게 이해해야 하는가?

Q2. 민주주의와 법치주의의 관계를 말하고, 법치주의가 악용될 수 있는 사례와 그 해결방안을 제시하시오.

💬 A학생 추가질문

Q3. 포퓰리즘에 대해 대의제 민주주의하에서 국민의 의사가 반영되지 않아 일어나는 것이라고 이해했다고 말했다. 그렇다면 포퓰리즘은 바람직한 현상인가?

Q4. 선거에서 이긴다는 것은 국민 다수가 지지한다는 것이다. 그렇다면 이것이 포퓰리즘에 따른 것이기 때문에 옳지 않다는 것인가?

Q5. 국민의 진정한 의사가 무엇인가?

💬 B학생 추가질문

Q3. 포퓰리즘이 단기적 인기를 위해 국익에 저해되는 결과를 불러일으킬 수 있다고 하였는데, 무엇이 국익인지, 국익에 저해되는 것인지 아닌지는 누가 판단하는 것인가?

※ 다음 제시문을 읽고, 문제에 답하시오.

> (가) 인간은 공적인 일에 참여하는 경험을 통해 공적인 사안을 깊이 사유하게 되고 생각과 감정을 크게 키울 수 있다. 또한 공적인 일에 참여할 때 사익보다 공익을 더 중시하는 성향을 갖게 된다. 그들은 공공의 이익과 자신의 이익을 동일하게 여기고 사적인 일로 공적인 일을 그르치지 않는다.
>
> (나) 정치적 관심도를 기준으로 유권자는 호빗, 훌리건, 벌컨으로 분류된다.
> 첫째, 호빗은 정치에 무관심하고 그들의 일상에만 관심을 가지며 정치 관련 지식도 부족하다.
> 둘째, 훌리건은 자신의 이익을 추구하며 자신의 이익에 부합하는 정치 세력을 항상 옹호하며 자신이 그에 속한 것을 자랑스럽게 여긴다. 그러나 자기 입장을 쉽게 바꾸지 않고 다른 입장의 주장과 근거를 들어도 비이성적인 것으로 치부한다.
> 셋째, 벌컨은 객관적이고 이성적으로 생각하려 한다. 그러나 진정한 벌컨은 실제로 존재한다고 볼 수 없는데, 사람들은 누구나 편견이 있으며 자기 이익을 추구하기 때문이다.
>
> (다) 권세가는 자기 이익을 추구하고 법을 어기더라도 자기 이익을 보전하려 한다. 그러나 법술을 아는 선비는 반드시 멀리 보고 밝게 살펴 사사로운 책략을 밝혀내려 한다. 법령을 집행할 수 있는 선비는 강하고 곧기 때문에, 임금의 치우침 또한 바로 잡으려고 하며 임금의 명이라도 맹목적으로 따르지 않는다. 그렇기에 법술을 아는 선비는 언제나 고독하다.

Q1. 제시문 (나)를 바탕으로 제시문 (가)를 비판하시오.

Q2. 제시문 (나)의 훌리건과 제시문 (다)의 권세가의 유사점을 비교하고, 제시문 (나)의 벌컨과 제시문 (다)의 법술을 아는 선비의 유사성을 비교하시오.

🗨 추가질문

Q3. 제시문 (가)는 현실적으로 어렵다고 한다면, 어떤 의미가 있는 것인가?

Q4. 지원자는 제시문 (가)와 제시문 (나) 중 어느 관점에 찬성하는가?

※ 다음 제시문을 읽고, 문제에 답하시오.

> (가) 우타는 나움부르크의 백작 부인인데, 평범한 여성으로 독실한 신자의 삶을 살았다. 그녀는 죽기 전 자신의 전 재산을 교회에 기부했고, 교회는 우타의 동상을 세워 추모했다. 그러나 세월이 흘러 나치 정권은 우타를 독일 민족의 전사이자 영웅으로 묘사하고 국경의 수호자이자 독일의 여성상으로 추앙했다. 나치 독일은 우타에 대한 민족적 집단기억을 만들어내고 재생산한 것이다.
>
>
>
> 나움부르크의 우타
>
> (나) 한 민족이 조상을 영웅화하는 이유는 민족을 단합시킬 수 있기 때문이다.
>
> (다) 사람은 다양한 매체를 통해서 자연스럽게 암묵적 편향을 가지게 된다. 고정관념, 연상(聯想)은 동의하거나 인지하지 않아도 습득되는 것이라는 점에서 문화적 지식이다. 따라서 고정관념과 연상은 역사적, 문화적으로 주변 환경 변화에 따라 수용되는 것이기 때문에 암묵적 편향을 이끌 수 있다.

Q1. 제시문 (가)와 제시문 (나)에서 민족적 영웅을 우상화하는 것의 공통점과 차이점을 설명하시오.

Q2. 제시문 (가)의 '우타'가 영웅이 될 수 있었던 메커니즘을 제시문 (다)를 활용해 설명하시오.

Q3. 현대에서 암묵적 편향을 야기하는 다양한 활동들의 예시를 들어보시오.

Q1. 학부과정 중 무엇을 전공했는가?

Q2. 법조인의 진로를 결정한 이유는 무엇인가?

Q3. 향후 진로계획은 무엇인가?

Q4. 일반 기업에 취업하는 것도 가능한데, 로스쿨을 진로로 희망하는 이유는 무엇인가?

Q5. 재학 중인가, 졸업하였는가?

Q6. 졸업 후 무엇을 하였는가?

Q7. 본인의 스트레스 해소 방식은 무엇인가?

Q8. 직장생활 중 어려웠거나 속상했던 점은 무엇이었는가?

Q9. 중앙대 로스쿨에 지원하게 된 이유는 무엇인가?

Q10. 로스쿨에 다니게 되면 학비가 많이 들텐데 괜찮은가?

모범답변

① 교수:학생 = 3:1 ② 면접 준비 15분, 면접 시간 15분 ③ 메모 가능 ④ 추가질문 있음

2023 중앙 A 문제

※ [가군 오전 면접] 다음 제시문을 읽고, 문제에 답하시오.

> (가) 고대 그리스에 제욱시스와 파라시우스, 두 화가가 있었다. 제욱시스가 자신의 그림 위에 드리워진 커튼을 젖혀 파라시우스에게 포도송이를 그린 그림을 보여주었다. 마침 그곳을 지나가던 새들이 날아와 진짜 포도인 줄 알고 그림을 쪼아댔다.
> 제욱시스는 잔뜩 고무돼 우쭐해졌고, 파라시우스는 제욱시스를 자신의 아틀리에로 안내했다. 제욱시스는 파라시우스의 화실에 들어서자마자 파라시우스에게 그림에 드리워진 커튼을 젖혀달라고 요구했다. 그런데 아뿔싸! 커튼은 그림의 일부였다. 제욱시스는 파라시우스에게 힘 한번 제대로 써보지 못하고 카운터펀치를 맞은 셈이었다. 패배를 시인한 후 제욱시스는 "나는 새를 속였을 뿐이지만 파라시우스는 인간인 나를 속였다."며 탄식했다고 한다.
> (나) 사람들은 관광지에 간다. 루브르 박물관이나 파리의 에펠탑에 간다. 다비드상이나 에펠탑을 보고 그들은 기념품을 산다. 이러한 기념품을 통해 그들은 추억을 상기한다. 예술품은 단 하나일 수밖에 없고, 나머지는 모두 복제품에 불과한 것이 된다. 박물관에서 파는 기념품은 키치, 즉 복제품이다.
> (다) 앤디 워홀은 모나리자를 30개 복제했다. 그리고 30개가 하나보다 낫다고 하였다. 사람들은 이러한 앤디 워홀의 태도를 보고 그림의 가치를 격하하고 그 예술가에 대한 존중을 하지 않는다고 비판하였다. 그러나 앤디 워홀은 오히려 복제하여 한 사람이 그린 예술품이 나머지 사람들이 그린 예술품과 구분이 되지 않을 때 더 좋은 상황이라고 하였다.

Q1. 복제를 정의하는 기준을 설정하고, 이에 따라 제시문 (가), (나), (다)를 분류하여 체계적으로 설명하시오.

Q2. 제시문 (다)의 앤디 워홀이 "30개가 하나보다 낫다."고 한 이유를 설명하고, 이러한 앤디 워홀의 태도가 가져올 수 있는 문제점을 설명하시오.

💬 A학생 추가질문

Q3. 앤디 워홀이 제목을 지은 이유를 더 구체적으로 설명하시오.

Q4. 아까 언급한 AI와 관련해서 AI가 그린 그림에 대해서는 이 제시문과 관련해 어떻게 생각하는가?

Q5. 앤디 워홀과 다빈치 사이에 소송이 있다고 하자. 앤디 워홀 측에서는 어떻게 주장하겠는가?

Q6. 자신이 앤디 워홀의 변호인이라면 어떻게 반론할 것인가?

Q7. 본인은 앤디 워홀과 다빈치 중 누구를 변호하고 싶은가?

Q3. 예술이 꼭 특정 가치를 산출해야 하는가?

Q4. 그렇다면 예술은 긍정적 가치만을 산출해야 예술인가?

Q5. 예술과 외설의 기준은 무엇인가? (일본 어느 모델의 누드화보집을 예로 들었음)

Q6. 그럼에도 시대에 따라 예술을 달리 판단하지 않나? 지원자가 말한 마광수 작가의 <즐거운 사라> 역시 그러하다.

Q7. 자기소개를 해보시오.

Q8. 운동을 좋아한다고 했는데, 우리 학생 중 운동을 좋아해서 공부를 소홀히 하는 학생이 있다. 지원자는 어떤가?

Q9. 형사법을 좋아한다 했는데, 민법에는 관심이 없는가?

Q10. (나)군은 어디에 지원했는가?

`2023` 중앙 B 문제

※ [가군 오후 면접] 다음 제시문을 읽고, 문제에 답하시오.

> (가) 13세인 코제트는 고아이고, 부모가 없으니 할아버지인 내가 필요하다. 내가 코제트를 사랑하는 것은 의무이다.
> (나) 제우스는 인간이 난폭해지지 않도록 하기 위해 인간의 몸을 둘로 쪼개었다. 본래 남녀 한 몸에서 쪼개진 여자는 남자를 찾게 된다. 본래 남자 한 몸에서 쪼개진 남자는 남자를 찾게 된다. 그리고 본래 여자 한 몸에서 쪼개진 여자는 여자를 찾게 된다.
> (다) 사랑은 갈등의 부재가 아니라 갈등의 공동 해결작업이다. 갈등을 회피하는 것이 아니라 참된 갈등 해결을 해야 성숙해진다.

Q1. 제시문 (가), (나)의 비교 기준을 몇 개 설정하고, 자신이 정한 비교 기준에 따라 제시문 (가)와 (나)의 사랑의 차이를 설명하시오. 그리고 제시문 (가)와 (나)가 어떤 종류의 사랑인지 명명하시오.

Q2. 제시문 (다)를 근거로, 제시문 (나)의 사랑의 전제가 어떤 문제점이 있는지 설명하시오. 그리고 그러한 문제점에 대한 해결 방안을 제시하시오.

Part 1
Part 2
Part 3
Part 4
Part 5
Part 6
Part 7

해커스 김종수 로스쿨 면접 200주제

Q3. 제시문 (가)에서 경제적 측면의 사랑을 얘기했는데, 할아버지의 코제트에 대한 사랑이 경제적인 부조 외에도 있지 않은가?

Q4. 제시문 (가), (나)의 사랑은 어디에서 비롯된다고 생각하는가?

Q5. 제시문 (다)의 참된 갈등이 무엇이라고 생각하는가? 참된 갈등을 해결함으로써 성숙해진 경험이 있는 지 말해보시오.

2023 | 중앙 인성 문제

Q1. 지원동기를 1분 내로 답하시오.

Q2. 1분간 자기소개를 하시오.

Q3. 학과가 어디인가?

Q4. 사범대라고 했는데 왜 교사가 아닌 법조인의 길을 걷게 되었는지 설명하시오.

Q5. 가장 친한 사람과 가장 사이가 안 좋은 사람은 어떤 사람인지, 그 이유는 무엇인지 말하시오.

모범답변

① 교수:학생 = 3:1　② 면접 준비 15분, 면접 시간 15분　③ 메모 가능, 휴대 가능

※ [가군 면접] 다음 제시문을 읽고, 문제에 답하시오.

> **<제시문 가: 토마스 아퀴나스>**
>
> 이자를 받는 것은 죄에 해당한다. 이 주장에 대한 근거는 다음과 같다.
>
> ① 물건의 이전은 물건 그 자체가 이미 이전된 것이기 때문에 이자를 받을 이유가 존재하지 않는다.
>
> ② 건물 양도의 경우 물건 그 자체가 이전된 것은 아니나 사용 대가로 지불한 금액이 있기에 이자까지 받게 될 경우 이중 지급의 문제가 발생할 소지가 역력하다.
>
> ③ 유태인들은 유태인들 간에는 이자를 주고받지 않지만, 다른 집단과의 교류 시 이자를 받는다.
>
> ④ 빌리는 사람이 자발적 의사로 이자를 주는 것까지 막을 수 있는 것은 아니다. 빌리는 사람의 자유의사로 이자를 제공하는 것은 이를 금할 그 어떠한 정당한 이유도 없기 때문이다.
>
> **<제시문 나>**
>
> 경제 영역의 자유화와 민주화에 따라 최고 이자율을 폐지하는 이자제한법 개정안이 발의되었다. 현재 이자율 최고 한도는 연 20%인데, 이는 20년 전의 법정 최고 이자율 66%의 1/3 이하 수준이다. 이에 정치권에서는 법정 최고 이자율은 15%까지 낮추어야 한다는 주장까지 나오고 있는 상황이다. 한편 법정 최고 이자율을 폐지해야 한다는 주장이 제기되기도 하는데, 이는 높은 이자율을 감당하고서라도 돈을 빌리고자 하는 사람은 돈을 빌릴 방법 자체가 없는 현실을 시정하기 위함이다.

Q1. <제시문 나>의 관점에서, <제시문 가>의 주장과 논리를 비판적으로 검토해보시오.

🗨 A학생 추가질문

Q2. 돈의 가치가 시기에 따라서 달라진다고 했는데, 사회적으로 돈의 가치가 내려간다면 오히려 돈을 빌린 사람 입장에서 이자까지 부담하게 되는 것이 더욱 부당하지는 않은가?

Q3. 지원자는 돈이 <제시문 가>의 근거 ①에서 포도와 밀, 그리고 집 중 무엇에 더 가깝다고 생각하는가?

Q4. 돈을 빌려주는 것은 위험을 감수하는 것이라고 했는데, 이 위험에 대해서 더 구체적으로 말해볼 수 있는가?

Q2. 이자를 받는 것은 죄라는 주장 외에, 최고이자율을 두는 것 자체에 대해서는 어떻게 생각하나?

Q3. 묘지 선정에 있어 해당 관내 지역 사람에게는 더 값싸게 제공하고, 관외 지역 사람에게는 더 비싸게 제공하는 등 경제 정책적인 차등을 두는 것은 인정될 여지가 있다. 유태인들이 유태인 집단 내에서는 이자를 금하고, 집단 외에서는 이자를 허용하는 것은 이와 같은 관점에서 바람직하다고 볼 여지가 있는 것은 아닌가?

Q4. <제시문 나>의 관점과 무관하게, 지원자는 최고이자율 폐지에 대해서 어떻게 생각하는가?

2022 중앙 B 문제

※ [가군 면접] 다음 제시문을 읽고, 문제에 답하시오.

(가) 논쟁에서는 한쪽이 승리하고 다른 한쪽이 패배하지만, 그렇다고 하더라도 자신의 의견을 바꾸지는 않는다. 대화는 어느 쪽도 패배하지 않지만, 양쪽 다 변화한다. 이제는 다른 관점에서 보는 현실이 어떤지 알게 되기 때문이다. 이는 어느 쪽도 애초에 가졌던 확신을 포기한다는 뜻이 아니다. 그건 대화가 아니다. 남의 의견도 용인해야 한다는 것을 깨달음과 동시에 상대방도 (내 의견에 충분히 설득력이 있다면) 그래야 한다는 걸 깨달을 가능성이 크다는 뜻이다. 이것이 다원사회에서 공공도덕이 성립되는 방식이다. 즉 하나의 목소리가 앞장서거나 도덕 문제를 가정이나 지역 주민에게 일임하는 방식이 아니라, 차이의 경계를 넘어서 서로 이해하고 이해받으려는 꾸준한 노력을 통해서만 공공도덕은 성립할 수 있다.

(나) 사회적 폭포효과는 우리가 판단을 내릴 때 타인의 생각과 행동에 의존하려는 경향을 보이면서 일어나고, 집단 극단화는 같은 생각을 가진 사람들끼리 토론을 하면 거짓 루머에 대한 믿음이 더 극단화된다는 이론이다.

(다) 나는 파벌을 여러 시민이 전체의 다수인지 소수인지와 관계없이 공통의 열정이나 이익으로 뭉치는 것으로 이해한다. 파벌의 잠재적 원인은 인간의 본성에 내재해 있으며, 우리는 이러한 원인이 문명사회의 상이한 상황에 따라 상이한 정도의 활동으로 나타나는 것을 도처에서 본다. 종교와 관련하여, 정부와 관련하여, 여러 가지 다른 생각과 관행의 주제와 관련하여 다른 의견을 가지는 열정과, 우월성과 권력을 놓고 야심을 가지고 경쟁하는 다른 지도자에 대한 애착과, 인간 열정의 관심을 받는 행운을 누린 다른 사람들에 대한 애착 등이 인류를 파벌로 분열시켰으며, 서로에 대한 적대감으로 불타게 하였으며, 인류를 공동의 선을 위해 협력하기보다는 서로 괴롭히고 억누르도록 하였다. 서로 적대감을 가지려는 인류의 성향이 너무 강한 나머지, 실질적인 사유가 없는 경우에도, 가장 하찮고 비현실적인 차이조차도 좋지 아니한 감정을 불러일으키고 가장 폭력적인 분쟁을 촉발시키는 데 충분하였다.

Q1. (가)의 논쟁과 대화라는 이분법적 구도를 바탕으로 (나)에 나타난 집단극단화의 문제점을 설명해보시오.

Q2. 사회적 갈등 예방과 해결을 위해 제시된 (가)와 (다)에 나타난 방법의 차이점을 설명해보시오.

Q3. (나)에 나타난 집단극단화의 문제점을, 제시문에 쓰인 문장을 이용해서 다시 말해보시오.

Q3. (가)는 개인 간의 대화를 통해 해결하는 방법을, (다)는 국가의 규제에 의한 방법을 제시한 것 같은데, (가)의 해법의 사례는 무엇이 있는가?

Q4. (가)에서는 공공도덕이, (다)에서는 정의와 원칙이 어떻게 형성된다고 보고 있는가?

Q5. 독일의 나치를 사례로 말했는데, 일반인이 소수자를 차별하고 갈등을 일으키는 경우는 없는가?

Q6. 일반인이 페이스북이나 유튜브 등 알고리즘에 의해 특정 견해에만 노출되는 경우도 있을 것이다. 그렇다면 그것이 문제라는 것을 다 알고 있을 텐데 법조인으로서 해법을 제시해야 할 것 아닌가? 페이스북을 없애야 하는가?

2022 중앙 C 문제

※ [가군 면접] 다음 제시문을 읽고, 문제에 답하시오.

> (가) 우리는 누구나 모방된 그림을 보고 즐거움을 느낀다. 그 그림이 얼마나 잘 모방되었는가와 관계없이, 추리력과 이해력을 활용하여 예술을 해석하는 것에 즐거움을 느낀다.
>
> (나) 한 화가와 구두장이의 사례가 제시됐다. 화가는 일평생 구두를 본 적이 없지만, 구두를 그려왔다, 아무리 옆에서 구두장이가 그 구두 그림의 잘못 묘사된 부분에 대해 이야기해도 화가는 구두를 보려 하지도 않고 그림을 고치지도 않는다. 화가는 자기 입맛에 따라 그림을 그린다. 이는 화가의 입맛(취향)이 잘못되었음을 이야기하는 것이 아니라, 화가의 구두 만드는 기술 지식 인식이 잘못되었음을 이야기하는 것이다. 근원을 인식하고, 세밀한 외관 진동에 대해 그린다. 온당하게 인식하는 한 예술에 공감하고 즐거움을 느낄 수 있다.
>
> (다) 세밀한 외관 묘사가 중요하다.

Q1. (가)와 (나)에서 말하는 예술적 모방의 공통점과 차이점에 대해서 이야기해보시오.

Q2. (나)와 (다)에서 화가의 작업이 의미하는 바에 대해서 서술해보시오.

Q3. (나)에서 말하는 예술은 화가의 입맛에 따라 그림을 그린다는 것이다. 지원자는 피카소의 그림에 대해서 어떻게 생각하는가? 피카소의 그림에 대해 대중이 어떻게 느끼겠는가?

Q4. 그렇다면 디지털 카메라가 화소도 훨씬 높고 대상에 대한 묘사도 정확한데, 화가의 그림과 디지털 카메라의 그림에 대해 어떻게 생각하는가?

Part1
Part 2
Part 3
Part 4
Part 5
Part 6
Part 7

해커스 김종수 로스쿨 면접 200주제

Q1. 법조인으로서 꼭 이루고 싶은 한 가지가 있다면?

Q2. 학부 시절 갈등 상황에서 문제를 해결한 경험이 있는가?

Q3. 학부 시절 전공이 무엇인가?

Q4. 학부 시절을 떠올려 보았을 때 아쉬웠던 점이 있는가?

Q5. 법조인에게 필요한 소양은?

Q6. 공감 능력을 키우려면 어떻게 해야 할까?

Q7. 봉사활동 실적을 위조한 사례가 언론에 다수 보도되는데, 그럼에도 공감 능력을 키울 수 있는 방안이 될까?

Q8. 법학 과목은 많이 들었나? 어떤 과목이 제일 재미있었는가?

Q9. 채권법, 물권법, 해상법 등에는 관심 없는가?

Q10. 법학 과목을 들은 적이 있는지, 들었다면 어떤 점이 좋았고 어려웠는지 말해보시오.

Q11. 어떤 직위를 담당하고 싶은가?

Q12. 한국의 법전을 읽어본 적은 있는가?

Q13. 한국의 자격증 공부는 안 했는가?

Q14. 협력한 경험에 대해 말해보시오.

Q15. 학업 외의 활동에는 무엇이 있는가?

Q16. 지원자의 10년, 20년 후의 법조인의 모습은?

Q17. 지원자가 ○○○한 변호사가 되고 싶다고 했는데, 변호사라는 직업에는 많은 야근과 힘든 업무들이 수반된다. 요즘 젊은이들은 워라밸을 선호하는데, 지원자가 변호사가 된다면 이에 대해 어떻게 대응할 것인가?

Q18. 로스쿨에 오기까지 열심히 공부했을 텐데, 그렇게 오랜 기간 공부를 잘할 수 있었던 이유는 무엇이라고 생각하나?

모범답변

① 교수:학생 = 3:1 ② 면접 준비 15분, 면접 시간 15분 ③ 메모 가능

2021 중앙 A 문제

※ [가군 면접] 다음 제시문을 읽고, 문제에 답하시오.

> (가) 편향동화에 대한 실험이 제시되었다. 사람들은 상반된 두 의견에 대한 정보를 균형있게 접하더라도 원래 자신의 생각을 강화하는 방식으로 두 정보를 이해한다. 두 사람에게 중립적인 내용의 동일한 정보를 주더라도 A라는 신념을 가진 사람은 A를 강화하는 입장으로 받아들이고, B라는 신념을 가진 사람은 B를 강화하는 입장으로 받아들인다. 그래서 자신의 본래 입장이 더욱 강화된다.
>
> (나) 탈개인화에 대한 내용이 제시되었다. 전쟁 상황에서는 평범한 보통 사람들이 잔혹한 행위를 하는 경우가 많다. 군인들은 익명화되어 자신이 속한 집단 밖의 사람들에 대한 도덕적 의무나 사회적 제재를 신경 쓰지 않게 된다. 이처럼 전쟁 상황 속 개인들에게는 그들의 욕망과 욕구를 그대로 표출하는 디오니소스적 욕망이 표출되고, 감정과 욕망을 억제하는 이성을 상징하는 아폴로적 욕망은 억제된다.
>
> (다) 포퓰리즘과 정치적 이원론에 대한 내용이 제시되었다. 포퓰리즘의 핵심 기제는 정치적 이원화이다. 포퓰리즘이 만연한 사회는 이분법적으로 나뉘어 적 혹은 동지로 편이 갈리게 된다. 이때 엘리트와 민중이 계급적 차이를 뛰어넘어 한편이 되기도 한다.

Q1. (다)를 참고해서 (나)처럼 보통의 개인이 상대방을 악마화하는 가능성에 대해 말해보시오.

Q2. (가), (나), (다)의 핵심 개념을 활용해서 민주주의가 건전하게 작동하는 데 가장 위협이 되는 것이 무엇인지 말하고 그것이 어떻게 위협을 초래하는지 말해보시오.

추가질문

Q3. (나)의 탈개인화 현상은 인간의 본능인가? 아니면 선동되어서 발생하는 것인가? 제시문에 근거해 말해보시오.

Q4. 현대 한국 사회는 전시 상황같이 위급한 상황도 아닌데, 상대방을 악마화하는 이러한 현상을 논의하는 것이 가치가 있는 일일까?

Q5. 지원자는 타자화에 대해서 중점적으로 언급했는데, 그렇다면 이때 개인이 어떤 집단에 속한 일원으로서 그 집단 내부에서 타자화가 문제 되는 경우는 없을까?

※ [가군 면접] 다음 제시문을 읽고, 문제에 답하시오.

> (가) 로데스 섬에서는 기아 상태로 사람들이 죽어가고 있다. 어떤 상인이 곡물을 싣고 로데스 섬에 가고 있다. 그는 자신이 먼저 도착할 것이고, 이후 다른 배가 많은 곡물을 싣고 뒤따라 도착할 것을 알고 있지만 섬 사람들은 이를 모른다. 상인은 선한 사람이다. 따라서 그는 자신의 행동이 부도덕하다는 것을 알면 그것을 행하지 않을 것이다. 하지만 이 행위가 부도덕한지 아닌지 알 수 없다. 상인이 상인만이 알고 있는 사실을 로데스 주민에게 알리지 않는다면 곡물을 비싸게 팔아치울 수 있다.
>
> (나) 어떤 선한 집주인이 있다. 그는 그의 집에서 뱀이 나오기도 하고, 건축 시 나쁜 목재를 써서 집이 허물어질 위험이 있다는 것도 알고 있다. 이때 어떤 구입자에게 집을 팔면서 자신이 집에 대해 알고 있는 사실을 숨긴 채 적정 가격보다 비싼 가격으로 집을 팔 수도 있고 그렇지 않을 수도 있다.

Q1. (가)와 (나)는 각각에서 상반된 견해가 도출될 수 있다. 이러한 상반된 견해가 무엇이고 그 견해가 나타난 근거를 추론해보시오.

Q2. 침묵은 거짓말과 같이 부정적으로 평가될 수 있다. (나)의 침묵이 부정적으로 평가될 수 있는지 말하고, 그 근거를 제시하시오.

※ [가군 면접] 다음 제시문을 읽고, 문제에 답하시오.

> (가) 민족은 본래 주권을 가진 것으로 상상되는 정치공동체이다. 가장 작은 민족의 구성원들도 대부분의 자기 동료들을 알지 못하고 그들에 대한 이야기도 듣지 못하지만, 그들 각자의 마음에는 서로에 대한 친교의 이미지가 살아있기 때문에 민족이란 상상된 것이다. 민족이 제한된 것으로 상상된다는 것은 민족과 민족 사이에 경계가 존재함을 의미한다. 어떤 민족도 그 자신을 인류 전체와 동일시하지는 않으며, 모든 인류가 자신의 민족에 동참할 것이라고 기대하지도 않는다. 민족이 주권을 가진 것으로 상상된다는 것은 이 개념이 등장한 시기와 관련이 있다. 민족이라는 개념이 등장한 18세기 말은 이제껏 종교적으로 뒷받침되어온 왕국의 합법성이 붕괴되던 시기였다. 이러한 단계에서 민족들은 자유롭기를 꿈꾸었고 이 자유의 표식과 상징은 주권국가이다. 마지막으로 민족은 공동체로 상상된다. 민족 내부에 실질적으로 존재하는 불평등에도 불구하고 민족은 형제애라는 심오하고 수평적인 동료 의식으로 상상되기 때문이다.
>
> (나) 시민으로서 공공의 일에 참여할 수 있는 그리스 로마적 국가에서 '시민사회'는 곧 '국가'로 이해되었다. 그러나 근대 산업사회의 구성원은 자기 자신의 이익을 자기의 목적으로 삼는 사인으로서의 '시민'이다. 이들을 구성원으로 갖는 '시민사회'는 아직 보편적 의지의 현실태인 진정한 의미에서의 국가라 할 수 없다. 그러나 개인들이 시민사회의 체험을 통해 단지 이기적으로 자신을 보존하는 것이 아니라, 그들의 특수한 목적을 보편적인 목적으로 고양함으로써 하나의 전체가 될 때 '국가'는 비로소 구체적으로 실현된다.
>
> (다) 1909년 일제강점기에 관한 내용이 제시되었다. 민족의 흥망성쇠에 대해 개인주의를 앞세운 자들을 비판하고 민족 공동체를 강조하였다.

Q1. (가)의 '주권을 가진 민족', '공동체적 민족'의 개념을 바탕으로, (나)의 개인과 민족의 관계를 말해보시오.

Q2. (다)의 '개인주의를 가진 자'가 의미하는 바와 같은 것을 (나)에서 고르고 그 이유를 말해보시오.

Q1. 로스쿨에 진학하려는 이유와 로스쿨 입시를 위해 한 가장 큰 노력은 무엇인가?

Q2. 존경하는 법조인이 있는가?

Q3. 혼자 무엇을 하면서 시간을 보내는가?

Q4. 향후 법조인으로서의 진로는?

Q5. 법학 수업을 들은 적이 있는가?

모범답변

① 교수:학생 = 3:1　② 면접 준비 15분, 면접 시간 15분　③ 메모 가능

2020 중앙 A 문제

※ 다음 제시문을 읽고, 문제에 답하시오.

> **<제시문 가: 조너선 스위프트 「걸리버 여행기」>**
>
> 　변호사들 사이에서는 격언이 하나 있습니다. '과거에 일어난 모든 일은 법률적으로 다시 일어날 수 있다'라는 것입니다. 따라서 그들은 평범한 정의와 인류의 일반적인 이성에 반하여 과거에 행해진 모든 결정 사항들을 기록하는 데 특별한 관심을 기울입니다. 그들은 가장 부정한 견해를 정당화하는 권위 있는 근거로 판례라는 이름의 이 기록물들을 이용해먹습니다. 그리고 판사들은 반드시 그에 따라 판단을 합니다.
>
> 　변론을 하는 데 있어서 그들은 사건의 공과를 가리는 일로 들어서는 것을 애써 피합니다. 그러나 주제와 관련 없는 자질구레한 정황을 다루는 데에는 큰 소리로, 격렬하게 그리고 집요하게 떠들어댑니다. 앞서 얘기했던 사건의 예를 들어 봅시다. 그들은 내 상대가 암소에 대해 어떤 권리나 자격이 있는지는 알려고도 하지 않습니다. 다만 전술한 소가 빨간색인가 검은색인가, 뿔은 긴가 짧은가, 내가 그 소에게 풀을 먹인 들판이 둥근가 사각형인가, 소젖을 집에서 짜는가 밖에서 짜는가, 소가 어떤 병에 잘 걸리는가 등에만 관심이 있습니다. 그런 다음 그들은 판례를 참고하고는 이따금 재판을 연기해버립니다. 결과가 나오는데 10년, 20년, 30년이 걸리기도 합니다.
>
> 　이 집단의 사람들은 누구도 이해할 수 없는 자신들만의 독특한 은어와 전문 용어들을 가지고 있다는 점도 이야기해야겠습니다. 이런 전문 용어로 모든 법들이 작성되어 있으며, 그들은 이를 늘려나가기 위하여 특별한 관리를 하고 있습니다. 이를 통하여 그들은 진실과 거짓, 선과 악의 본질을 완전히 혼동시키고 있습니다. 따라서 여섯 세대에 걸쳐 조상들에 의해 내게 주어진 들판이 내 소유인지, 아니면 300마일이나 떨어진 곳에 사는 낯선 사람의 소유인지를 판결하는 데 30년이 걸릴 정도입니다.
>
> **<제시문 나: 알렉시스 드 토크빌, 「미국의 민주주의」>**
>
> 　프랑스의 성문법은 종종 난해하지만, 누구나 읽을 수 있다. 그런데 판례에 기반한 법률일수록 비전문가가 뜻을 알 수 없거나, 손이 미치지 않는 것은 아니다. 영국 및 합중국에서는 법률가가 필요하여, 그 지식이 높이 평가되지만, 그러한 필요성의 평가가 점차 법률가를 인민으로부터 분리하여, 결국 특별한 계급을 형성하게 하였다. 프랑스 법률가는 학자에 지나지 않으나, 영국이나 미국의 법조인은 이집트의 신관에 비할 정도다. 그들과 동일한 하나의 비전(祕傳)의 독점해석자인 것이다.
>
> 　영미에서 법조인이 점유하는 위치도 또한 그와 뒤지지 않으며, 그들의 습성과 의견에 큰 영향을 미치고 있다. 영국의 귀족계급은 자신들과 본래 유리한 것들은 무엇이든 동료로 삼고자 노력하였으므로, 법률가에게 사회적 경의와 권력을 대폭 나누어 주었다. 영국사회에서 법률가는 최고 위치는 아니나, 자신이 점유한 위치에 만족하고 있다. 그들은 영국 귀족사회의 분가와 동일하게 형성하고 있어, 귀족의 특권을 모두 향유하고 있지 않음에도, 본가를 사랑하고 존경하고 있다. 즉, 영국의 법률가는 직업상 귀족적 이해에 더하여, 그들이 그 가운데 생활하는 사회의 귀족 취미를 위해 교제하고 있는 것이다.

따라서 또한 영국이야말로 내가 그리고자 하는 법률가의 전형을 뚜렷이 볼 수 있는 곳이다. 영국의 법률가는 좋은 법이란 이유보다 오래된 법이란 이유로 법률을 존중한다. 그뿐만 아니라, 시대가 사회에 초래한 변화에 마땅히 적응시키며, 몇 가지 점으로 법을 수정해야 할 때조차, 도무지 믿기 힘든 번거로운 구실을 이용하여, 선조의 작품에 무엇인가 덧붙여도, 그것은 선조의 생각을 발전시켜, 그 작품을 완성시키는 것에 지나지 않는다고 자신들을 납득시킨다. 영국의 법률가에게 개혁자임을 인지하도록 생각할 수 없다. 그 정도의 대죄를 자백할 정도라면, 비논리의 극에 다하여도 꺼리지 않을 것이다. 사물의 근본은 어떻든 상관없다는 듯이 그저 표면만을 쫓고, 법을 벗어날 정도라면 오히려 이성과 인간성의 권외로 나가고자 하는 법률가 정신이 생겨난 것은 영국이다. 영국의 법제는 법률가가 전혀 다른 나뭇가지를 자르지 못하고 접목해 온 노목과 같은 것이다. 맺힌 열매는 다르다고 해도, 적어도 잎은 열매를 맺는 소중한 줄기와 하나가 되도록 그들은 접목해 온 것이다.

미국에서는 법률가야말로 최고의 정치적 계급이며, 사회의 가장 지적인 부분을 형성한 것이다. 따라서 법률가에게는 개혁으로 상실할 것밖에 없었을 것이다. 이 점이 법률가가 선천적으로 질서를 좋아하는 보수적인 이해를 부가한다. 미국의 귀족계급은 어디에 있는가 묻는다면, 부자 가운데 귀족이 존재하지 않다는 점은 망설이지 않고 대답할 수 있다. 부자를 결집하는 공통기반은 전혀 없기 때문이다. 미국의 귀족계급은 변호사석이나 판사석에 있다.

합중국의 사태를 생각하면 생각할수록, 이 국가에서는 법조인 신분이 민주주의에 대한 균형을 취할 가장 강력한, 아니 거의 유일한 저울추가 된다는 점을 확신할 수 있다. 민주정 고유의 폐해를 중화하기 위해 법률가 정신이 어느 정도 합당한가, 이를 간단히 알 수 있는 것은 합중국이며, 여기서는 법률가의 장점뿐만 아니라, 결함조차 그 역할을 담당한다고 말할 수 있을 것이다.

미국의 인민이 정세에 쫓기거나, 혹은 관념에 질질 끌려갈 때, 법률가는 거의 눈에 보이지 않는 브레이크를 사용하여, 인민을 달래어 붙잡는다. 인민의 민주적 본능에 대해, 법률가는 은밀히 그 귀족적 경향을 대치한다. 인민이 새로운 것을 선호하는 데 반해 오래된 것에 대한 미신적인 경의를, 웅장한 계획에 대해 엄밀한 것의 아군을, 규칙 무시에 대해 형식 중심을, 그리고 인민의 혈기에 대해서는 법률가의 습성인 느긋한 방식을 제안하는 것이다.

법원은 법조인 신분이 민주주의에 작용하기 위해 이용하는 가장 두드러진 기관이다. 법관은 법률을 공부하는 가운데 익힌 질서를 좋아하며, 형식 선호와 별도로, 그 지위가 파면되지 않는 점에서도 안정을 사랑하게 된다. 법률 지식에 의해 이미 동포 위에 선 지위를 보장받는 것으로, 정치권력이 첨가되어 그를 특별한 신분에 두고, 특권계급의 본능을 수여하기에 이르는 것이다.

법률에 위헌판결을 내리는 힘을 가진 미국의 사법관은 끊임없이 정치문제에 개입한다. 사법권의 축소에 인민을 부추기는 은밀한 경향이, 합중국에 존재하는 것을 모르는 것은 아니다. 개개 주 헌법의 대부분에서, 주 정부는 양원의 요청에 기반하여, 법관직을 해임할 수 있다. 몇 가지 헌법은 법원의 구성원을 선거하고, 더 나아가 빈번히 이를 반복할 수 있다. 굳이 예언하자면, 이러한 개혁은 결국 불길한 결과를 초래하여, 사법권의 독립을 이와 같이 손상시켜, 사법권뿐만이 아니라 민주적 공화정 그 자체를 공격하고 말 것임을 사람들은 언젠가 깨닫게 될 것이다.

그런데도 합중국에서 법률가 정신이 법원 울타리 안에서만 머문다고 생각해서는 안 된다. 그 외에도 훨씬 광대하다. 법률가는 인민이 경계하지 않는 유일한 지식계급이므로, 당연히 많은 공직에 취임을 요청 받는다. 법률가는 입법부에 넘쳐나고, 행정의 지도자적 지위에 선다. 따라서 법 작성에도 집행에도 법률가의 영향은 크다. 물론 법률가도 그를 움직이는 여론의 작용에는 양보하지 않을 수 없다. 그러나 그 제약이 없을 때, 그가 무엇을 이루는가 보이는 단서는 손쉽게 찾는다. 정치의 법제를 그토록 일신한 미국인이, 민사법제에는 근소한 변경만을 더했을 뿐, 그 미량의 변경조차 쉽지 않았다. 민사법률 가운데는 그들의 사회 상태에 현저히 반영하는 것이 있음에도 불구하고, 그런 것이다. 이것은 민법에 관해서는 다수자도 항상 법률가의 의견을 들을 수밖에 없는 것이다. 미국의 법률가라 해도, 법률가의 고유의 의견에 맡긴다면 결코 새로운 것을 도입하고자 하지 않는다. 미국에서는 법률가의 정신이 보수적이라든가, 기성 사실을 중시하는 편견에 사로잡혀있다는 불만이 들리지만, 프랑스인에게 있어 이것은 정말 기묘한 일이다.

법률가 정신의 영향은 내가 지금 여기에 쓴 분명한 구조 가운데 머무는 것이 아니라, 그 밖에도 미친다. 합중국에서는 대부분 어떠한 정치문제라도 모두 사법 문제로 전화한다. 이를 위해 정당은 매일의 논쟁 가운데 법적인 관념과 용어를 빌릴 수 있다. 대부분의 공인은 법률가, 혹은 법률가 출신이므로, 법률가의 고유 관행과 사고가 정치문제 처리로 가져오게 된다. 배심제는 모든 계급 사람들을 법적인 사고에 친숙하게 한다. 이러한 법적 용어가 어느 정도 일반용어가 되어, 학교와 법원 깊숙이 생겨난 법률가 정신이 조금씩 그 울타리를 넘어 퍼진다. 그것은 대부분 사회 전체에 스며들어, 최하층 사람들에게까지 미친다. 마침내 인민 전체가 법조인의 습성과 취미에 어느 정도 물들고 만다.

법률가는 합중국에서 하나의 권력을 형성하고 있으나, 이 권력은 사람들을 두렵게 하지 않고, 권력으로 의식되기 어렵다. 그 장해가 되는 것은 아무것도 없으며, 시대의 요청에 유연히 대응하여, 사회의 어떤 움직임에도 저항 없이 추종할 수 있는 권력이다. 그럼에도 불구하고, 이 권력은 사회 전체를 뒤덮고, 사회를 구성하는 각 계급에 구석구석 침투하여, 알지 못하는 사이 끊임없이 사회에 작용하여, 결국 그 생각대로 사회를 형성하고 만다.

Q1. <제시문 가>와 <제시문 나>에서 저자의 영국 법률가와 미국 법률가에 대한 인식을 검토하고, 여러 기준을 제시하며 공통점과 차이점을 답해보시오.

Q2. 영국 법률가와 미국 법률가의 성향을 국정 운영에 반영하였을 때 기대되는 긍정적인 효과를 생각나는 대로 답해보시오.

💬 **추가질문**

Q3. 현대사회의 가치는 빠르게 변화하고 있는데 이에 대하여 과거의 사례를 적용하는 것이 일관성이 있다고 생각하는가?

Q4. 과거에는 일어나지 않았던 예상치 못했던 일들이 최초로 발생한다면, 이에 대한 해결을 예측 가능하다고 할 수 있는가?

Q5. <제시문 가>의 법률가는 사리에 맞지 않은 판결을 하는데 일관성 있게 사리에 맞지 않는 판결을 한다는 것이 말이 되는가?

※ 다음 제시문을 읽고, 문제에 답하시오.

<제시문 가: 원나라 때 이행도(李行道)의 희곡, 「회란기」>

마씨 집안의 첩이 아들을 낳았는데, 이를 질투한 정실부인이 남편을 독살하고 첩에게 뒤집어씌웠다. 또 아이가 있어야 남편의 재산을 상속받을 수 있기 때문에, 첩의 아이가 자신의 아이라고 주장하며 산파와 이웃을 매수해 거짓증언을 하도록 했다. 첩과 그 오라비가 억울함을 호소하자 포청천은 땅바닥에 동그라미를 하나 그린 다음 아이를 그 안에 세웠다. 첩과 정실부인에게 아이의 양팔을 각각 잡게 하고 원 밖으로 끌어내는 쪽이 친모일 것이라고 선언했다. 정실부인은 사력을 다해 아이를 잡아당겼으나 첩은 아이가 아파하는 것을 보고 아이를 놓아 버렸다. 그러자 포청천은 첩이 진짜 어머니라는 판결을 내렸다.

<제시문 나: 20세기 독일의 극작가 베르톨트 브레히트의 서사극, 「코카서스의 백묵원」>

중국의 '회란기'를 중세 러시아의 코카서스 지방에서 펼쳐지는 이야기로 옮겨놓은 것이다. 반란이 일어나 총독이 살해당하고 총독 부인은 피난하며 어린 아들을 놔둔 채 도망간다. 젊은 하녀 그루쉐가 아이를 구해 온갖 위험과 고생을 겪으며 피난길에 오른다. 반란이 진압된 뒤 총독 부인이 아이를 찾으러 온다. 아이가 있어야 총독의 재산을 상속받을 수 있기 때문이다. 이에 재판관 아츠닥은 원 안에 아이를 놓은 후, 아이의 양팔을 각각 잡게 하고 원 밖으로 아이를 끌어내는 쪽이 친모일 것이라고 선언했다. 그루쉐는 아이의 손을 놓아버리며 "아이에게 누구에게나 친절하라고 가르치고 아주 어려서부터 그 애가 할 수 있는 일을 하도록 했습니다. 그런데 아이를 찢을 듯이 팔을 잡아당기라고요? 나는 못 합니다."라고 말했다. 아츠닥은 그루쉐가 진짜 어머니라고 선언했다.

Q1. <제시문 가>와 <제시문 나>를 읽고 재판관의 판단 기준을 제시한 후, 두 기준의 공통점과 차이점을 제시해보시오.

Q2. <제시문 나>의 아츠닥이 말한 진짜 어머니의 의미는 무엇인가?

Q3. <제시문 나>의 아츠닥의 재판의 문제점을 제시하고, 자신이 재판관이었다면 어떻게 판결했을지 제시해보시오.

※ 다음 제시문을 읽고, 문제에 답하시오. (2문제 모두 합하여 5분 내에 답할 것)

(가) 아이디가 '거북이알'인 개인이 어느날 월급이 들어오지 않아 확인해보니 월급이 포인트로 지급되어 있었다. 기업 회장의 일방적인 말 한마디 때문이었다. 거북이알은 이에 굉장히 좌절감을 느꼈지만, 이내 곧 '돈도 결국에는 우리가 현실에서 사용하는 일종의 포인트 아닐까?', '포인트를 현금화해서 사용하면 되지 않을까?'라는 생각을 하게 되었다. 거북이알은 포인트를 현금화할 방법을 찾았고, 중고거래 앱을 통해 자신의 물건을 내놓고 타인과 직접 만나 거래하는 방식을 통해 포인트를 현금화했다. '거북이알'은 포인트를 이용해 외식상품권을 구매하기도 했고, 부모님의 생신선물을 살 수 있었다.

(나) SNS는 사람들이 타인으로부터 멀어지게 만들고 개인 간의 거리를 멀게 한다. 부부가 대화에서 빠질 구실을 만들어주고, 개인이 세상과 타인으로부터 거리를 만들도록 한다.

Q1. (가)에서 기업 회장의 '갑질'에 대해 '거북이알'은 어떻게 대응하였는지 말하고, 이러한 '거북이알'의 대응 방식을 옹호하거나 반박해보시오.

Q2. (가)의 거북이알의 중고거래 앱 활용과 연관하여, (나)의 논조가 놓치고 있는 SNS의 순기능을 지적해보시오.

💬 **추가질문**

Q3. 본인이 생각하는 '갑질'에 대해서 정의해보시오.

Q4. 포인트를 통해서도 충분히 필요한 재화를 다 구매했지 않았는가?

Q5. 근로자는 자신이 회사에서 해고당할 경우 생계를 유지하기 어렵다는 점에서, 정면으로 문제를 제기하는 것이 힘들 수 있다. 수험자의 말에 따르면, 장기적인 근로자의 권리 보호를 위해서는 정식으로 문제를 제기하는 것이 타당한데, 그렇다면 정식으로 문제 제기하지 않은 거북이알의 대응 방식은 이기적이라고 비난받을 수 있는 행동이라고 생각하는 것인가?

Q6. 본인이라면 어떻게 할 것인가?

※ 다음 제시문을 읽고, 문제에 답하시오.

<제시문 가: 라캉의 욕망이론>

어린 시절에는 거울에 보이는 자신의 모습을 그 자신 자체와 완전 동일시한다. 자신이 타인과의 관계에서 보여지는 존재라는 것을 아직 모르기 때문이다. 세계는 타인을 보는 존재인 인간이 스스로 타인에 의해 보여지는 존재라는 것을 깨닫게 만들고 이때 사회적 자아가 탄생한다. 세계란 타인과의 관계 맺음을 통해 개인의 사회적 자아가 형성되고 개인의 고립감과 고독을 해소하는 곳이다. 세계는 모든 것을 보고 있으나 그 모습을 드러내지 않는다.

<제시문 나: 조지 오웰의 「1984」>

빅브라더는 모든 것을 지켜보고 있다. 텔레스크린을 통해 수신과 송신이 동시에 가능하기 때문에 개인이 작은 목소리로 한 이야기도 빅브라더는 언제든 그 내용을 파악하고 들을 수 있다. 따라서 이 사회에서 개인은 자신이 언제나 감시되고 있다는 판단하에 어떤 행동을 하든지 긴장과 공포에 떨며 행동을 하게 된다.

<제시문 다: 제레미 벤담의 「판옵티콘」>

판옵티콘을 통해 감시자는 수감자를 언제든 감시할 수 있다. 감시자는 언제든지 수감자를 볼 수 있지만 수감자는 자신이 언제 감시되는지 알 수 없다. 때문에 판옵티콘의 상황에서 수감자는 자신이 감시되고 있다고 생각하여 순한 양이 되어 돌발 행동이나 반항을 하지 않고 그 상황에 순응하게 된다. 이 상황에서 수감자는 실제로 자신이 언제 감시되고 있는지는 알 수 없으나 항상 감시되고 있다는 확신을 갖고 있기 때문이다.

Q1. <제시문 가>의 세계, <제시문 나>의 빅브라더, <제시문 다>의 판옵티콘의 유사성과 그 역할의 차이점을 제시해보시오.

Q2. 아이돌보미 A는 CCTV가 설치된 환경에서 근무하는 것에 대해 사전에 동의하고 아이를 돌보게 되었다. CCTV로 감시되는 상황이라면 아이돌보미 A는 아이를 돌보는 과정에서 어떤 내면 상태와 행동 방식을 취할 것인지를 <제시문 나>, <제시문 다>의 논지를 참고해 답해보시오.

💬 **추가질문**

Q3. <제시문 가>의 세계가 모습을 드러내지 않는다고 했는데, 세계에는 인적 요소와 물적 요소가 있다. 이중 인적 요소인 타인과의 관계에서는 타인의 모습이 드러나니 세계도 모습을 드러낸다고 볼 수 있는 것 아닌가?

Q4. <제시문 가>가 오히려 개인이 규범화되어 가는 과정을 보여주는 것이기에 개인의 자유를 제한하는 것이 아닌가?

Q1. 지원동기에 대해서 말해보시오.

Q2. 어떤 법조인이 되고 싶은가?

Q3. 법조인이 된 후 공익의 대척점에 서 있는 사람의 변호를 한다면 어떻게 할 것인가?

Q4. 요즘 '내로남불'이라는 단어가 이슈인데, 이 단어에 대해 어떻게 생각하나?

Q5. 학업 외적인 요소로 가장 기억에 남는 일은?

Q6. 지원자가 차별화될 수 있는 부분은?

Q7. 본인이 생각하는 중요한 법조인의 자질은?

Q8. 왜 법조인이 되려고 하는가?

Q9. 법조인이 되기 위해서 노력한 것 중 가장 잘한 것은 무엇인가?

Q10. 언제부터 법학전문대학원에 지원하겠다고 마음먹었는가?

Q11. 자신이 법학전문대학원에 지원하겠다고 마음먹은 후 법전원에 진학하기 위해 노력한 것을 말해보시오.

Q12. 법학 과목은 왜 적게 수강했는가?

Q13. 자신이 생각하는 법조인에게 필요한 자질과, 자신이 법전원에 진학하여 공부하는 데에 있어 자신의 가장 큰 장점은 무엇이라고 생각하는가?

Q14. 법조인의 덕목은 무엇이라 생각하는가?

Q15. 왜 중앙대 로스쿨에 지원했는가?

Q16. 고위공직자비리수사처에 대해 어떻게 생각하는가?

Q17. 검경 수사권 조정에 대해 어떻게 생각하는가?

Q18. 검찰 개혁은 어떤 방식으로 해야 한다고 생각하는가?

모범답변

Part 1
Part 2
Part 3
Part 4
Part 5
Part 6
Part 7

해커스 김종수 로스쿨 면접 200주제

2019 중앙 A 문제

※ 다음 제시문을 읽고, 문제에 답하시오.

(가) 용서에 있어서 가장 장애가 되는 것은 사람들이 용서의 의미를 제대로 알지 못한다는 것이다. ① 상대방이 나에게 한 행동을 정당화하는 것이 용서이다. ② 상대방과의 관계를 지속하기 위한 것이 용서이다. ③ 용서를 하게 되면 앞으로는 자기의 권리를 주장하지 못하게 될까 봐 겁이 나서 용서를 못하게 되기도 한다. ④ 용서는 화해의 전 단계로서, 지난 일을 잊고 새로운 인간관계를 형성하는 것이다.

(나) A씨는 연구원으로서 지도교수의 제안에 따라 후배와 함께 논문을 공동으로 집필하게 되었다. 15페이지의 챕터를 5개씩 나누어 진행하였다. 그러던 중 지도교수가 학과장이 됨에 따라 시간이 부족하다는 이유로 챕터 2개를 A씨와 후배에게 각각 나누어서 쓰게 하였다. 나중에 책이 출간되자 머리말에 각 챕터는 5개씩 A씨, 후배, 지도교수가 작성했다고 적혀 있었다. 이에 후배는 부당하다고 생각되어 연구위원회에 문제 제기를 할 것이라고 하였다. 반면, A씨는 자신의 이름이 저서에 반영되었고 자신의 몫은 제대로 적혀있었기 때문에 크게 문제 될 것이 없을 것이라 생각했다. 또한 지도교수와의 관계를 고려했을 때 문제제기를 하지 않는 편이 낫다고 판단했다. 자신에게 특별히 손해되는 것이 없기 때문에 A씨는 지도교수를 용서했다고 말했다.

(다) 영화 '밀양'을 보면 주인공의 딸이 유괴되었다가 결국 살해되기까지 이른다. 이에 주인공은 분노를 참지 못한다. 주인공의 분노는 우선 자신의 딸이 처참히 살해되었다는 슬픔, 처벌이 너무도 약한 현실에 대한 울분, 딸을 제대로 지키지 못했다는 자신에 대한 사회적 낙인 등으로부터 비롯한다. 그러다 주인공은 교회를 다니게 되었는데 거기서 결국 하나님의 용서를 알게 된다. 이에 따라 주인공은 가해자를 용서하기로 마음을 먹고 교도소에 면회를 간다. 그러나 가해자는 주인공을 보자 약간의 미소를 띤 이후, 자신은 이미 하나님의 용서를 모두 받았다고 말한다. 그러면서 주인공에게도 하나님을 믿으라고 권유한다. 이에 주인공은 울분을 터뜨리며 참을 수 없는 분노를 느낀다.

Q1. (가)를 읽고, (나)의 A씨의 행동과 (다)의 주인공의 행동이 진정한 용서인지 말해보시오. 진정한 용서라면 그 이유를, 아니라면 그 이유를 설명해보시오.

Q2. 학생의 답변 중에 이상한 것이 있다. (나)와 같은 경우에는 A가 특별히 손해될 것이 없다고 느꼈다고 말했는데, 그렇다면 '용서'라는 상황 자체가 성립되지 않는 것이 아닌가?

Q3. 그렇다면 개인에게 있어서 용서는 공동체의 유지와 존속을 위해서 필요하다는 것인가? 아니면 그보다 개인의 내심의 감정을 해소하는 것이 우선해야 한다는 것인가? 선택해서 답변해보시오.

Q4. 진정한 용서의 조건은 어떻게 되는지 답변해보시오.

2019 중앙 B 문제

※ 다음 제시문을 읽고, 문제에 답하시오.

> (가) 사람들에게 0부터 100까지 적힌 숫자 카드 중에서 한 장씩 숫자를 뽑게 한다. 이후에 사람들에게 UN 회원국 중 아프리카 국가가 몇 개일지 질문한다. 상식적으로 볼 때, 무작위로 뽑은 숫자 카드와 UN 가입 국가와 연관성이 없다는 것을 알 수 있음에도 놀랍게도 사람들은 자신이 뽑은 카드 숫자에 의존해서 아프리카 국가 수를 말하는 비율이 높았다.
>
> (나) 교육수준과 경제수준 등 여러 면에서 유사한 사람들을 두 그룹으로 나누어 실험을 진행한다. 실험의 내용은 다음과 같다. 만약 할아버지가 자신에게 증여를 했는데 이를 현금, 주식, 국채, 위험한 회사채 중에 투자하려 한다. 그룹 1과 그룹 2의 증여재산 총액은 동일하다. 그룹 1의 경우 증여받은 재산이 전액 현금이고, 그룹 2의 경우 증여받은 재산이 현금과 주식이다. 그룹 2가 더 안전한 투자를 하겠다는 답변 비율이 더 높았다.

Q1. 두 제시문의 공통점은 무엇인가?

Q2. 위 두 제시문이 판매자에게 시사하는 것은 무엇인가?

Q3. 초기가격을 높게 설정하면 소비자들이 늦게 사지 않겠는가?

Q4. 제품의 종류나 가격대와 상관없이 초기 가격을 높게 설정하는 것이 판매자에게 유리한가?

Q5. 소프트웨어 기본가격이 5만 원이고, 추가적인 보증이 1만 원이라 가정하자. 초기 가격을 5만 원으로 하고 1만 원을 추가적으로 선택하는 방법과 초기 가격을 6만 원으로 두고 보증을 자기 선택에 따라 1만 원을 할인받을 수 있도록 하는 방법 중 어느 것이 판매자에게 유리할 것인가?

※ 다음 제시문을 읽고, 문제에 답하시오.

> (가) 사회적 자본이란, 사람들 사이의 협력을 가능케 하는 구성원들의 공유된 제도, 규범, 네트워크, 신뢰 등 일체의 사회적 자산을 포괄하여 지칭하는 것이다. 이중 사회적 신뢰가 사회적 자본의 핵심이다. 사회적 자본은 물질적 자본, 인적 자본에 뒤이어 경제성장의 중요한 요소로 손꼽히고 있다. 사회적 자본이 잘 확충된 나라일수록 국민 간의 신뢰가 높고 이를 보장하는 법 제도가 잘 구축돼 있어 거래비용이 적고 효율성은 높다. 따라서 생산성이 올라가고 국민소득은 높아지게 마련이다.
>
> (나) 중국은 경제력이 급격하게 상승하고 있으나, 경제력에 비해 국가신뢰도가 낮고 국가브랜드 가치가 낮다.

Q1. 중국의 경우 경제력은 G2 반열에 올라가 있음에도 왜 국가브랜드 지수 순위는 그에 미치지 못한다고 생각하는가?

Q2. 왜 한국에 비해 일본의 국가브랜드 지수 순위가 높은지 답해보시오.

※ 다음 제시문을 읽고, 문제에 답하시오.

> (가) A는 아파트 아래층, B는 아파트 위층에 산다. B가 여름철 전기요금을 줄이기 위해 미니 태양광발전기를 설치하였다. B는 이로 인해 전기요금을 크게 감면받았다. 그러나 A는 이로 인해 큰 피해를 보았는데, 여름철에 건물 외벽을 따라 상승하는 뜨거운 공기가, B가 설치한 미니 태양광발전기에 막혀 B의 아래층에 사는 A의 집 창문으로 들어가는 상황이 되었기 때문이다. 이로 인해 A는 한여름에도 창문을 열 수 없고, 에어컨을 계속 가동할 수밖에 없어 A의 전기요금이 크게 상승하였을 뿐만 아니라 A는 에어컨의 인위적인 바람 자체를 좋아하지도 않는다. A는 B에게 태양광발전기 제거를 요구했고, B는 우선 A에게 사과를 한 뒤 동네 커피숍에서 만나 협상을 하기로 하였다.
>
> (나) 코스의 정리: 재산권이 확립되어 있고, 협상 비용이 충분히 낮을 경우 정부의 개입 없이 민간 당사자들끼리 협상이 가능하다.
>
> (다) ① 어떤 사람은 1950년도에 5달러를 주고 산 와인을 2000년도에 100달러를 제시해도 팔려 하지 않는다. 동시에 똑같은 와인을 2000년도에 35달러에 구입할 기회가 있음에도 사려고 하지 않는다.
>
> ② 첫 번째 집단에게는 초콜릿을 주고 재래시장에서 가격이 비슷한 머그컵과 바꿀 수 있는 기회를 주고, 두 번째 집단에게는 반대로 머그컵을 주고 가격이 비슷한 초콜릿과 바꿀 기회를 준다. 세 번째 집단은 초콜릿과 머그컵 중 한 가지를 자유롭게 선택할 수 있는 기회를 준다.
>
> 그 결과 첫 번째, 두 번째 집단은 대부분 처음 받았던 물건을 그대로 갖고 있었던 반면, 세 번째 집단에서는 초콜릿과 머그컵을 가지고 있는 비율이 대략 반반이었다.

Part 1
Part 2
Part 3
Part 4
Part 5
Part 6
Part 7

해커스 김종수 로스쿨 면접 200주제

Q1. (나)에 따르면, (가)의 A와 B의 협상은 어떤 방향으로 귀결되겠는가?

Q2. (다)에 따르면, (가)의 A와 B의 협상은 어떤 방향으로 귀결되겠는가?

💬 추가질문

Q3. Q1에 대해 답할 때, A의 심리적 스트레스 요소에 대해서는 언급하지 않았는데, 이것이 협상에 어떤 영향을 미칠 것인가?

Q4. 건설 허가를 받기 위해 지방자치단체에 허가 출원을 한 사람에 대하여, 지방자치단체가 지역 축제에 1억 원을 기부할 경우 허가를 해주겠다고 한다면, 지방자치단체의 행동은 부당한 것인가?

Q5. 좀 더 구체적으로 묻겠다. 지방자치단체가 허가의 조건으로 공영 주차장을 지으라고 요구하는 것과 지역 축제에 1억 원을 기부하라고 하는 것에는 차이가 있지 않은가?

2019 중앙 인성 문제

Q1. 고등학교는 언제 졸업했는가?

Q2. 법조인으로서 길을 걷고자 마음먹게 된 계기가 있는가?

Q3. 그 계기가 된 사건에 굳이 지원자가 나서야 할 상황이었는가?

Q4. 대학 졸업연도와 입학연도는 어떻게 되는가?

Q5. 어떤 분야에서 일하고 싶은가? 돈을 많이 못 벌어도 괜찮은가?

Q6. 미·중 무역 분쟁에 대해 설명해보시오. 이는 우리나라에 피해가 될 것인가, 이득이 될 것인가?

모범답변

Part 1
Part 2
Part 3
Part 4
Part 5
Part 6
Part 7

2018 중앙대 로스쿨

① 교수:학생 = 3:1   ② 답변 준비 15분, 면접 시간 20분   ③ 메모 가능   ④ 지성 면접 15분, 인성 면접 5분

2018 중앙 A 문제

Q1. 다음 제시문과 같이 자율주행자동차는 우리 사회에 다양한 영향을 끼칠 것으로 예상된다. 자율주행자동차 도입이 가져올 긍정적인 변화와 부정적인 변화를 각각 1개씩 말해보시오.

> 엘론 머스크 테슬라 최고경영자(CEO)는 "20년 뒤면 자동차 핸들 없어질 것"이라고 말하며 자율주행자동차가 빠르게 우리 생활의 일부가 될 것이라고 예상했다. 그는 "10년 내로 새롭게 생산되는 대부분의 자동차가 자율주행 기능을 탑재해 결국 사람이 운전하기 위해 만든 핸들은 없어지리라 본다."며 이른 시일 내 자율주행자동차가 상용화될 것으로 예상했다. 또한 그는 블로그를 통해 "실제 도로에서 주행거리를 쌓아가면서 학습을 통해 기술이 계속 발전하고 있다."며 "사람이 운전하는 것보다 10배 안전한 자율주행 능력을 개발할 것이라고 밝혔다."
>
> 이처럼 긍정적인 변화를 가져올 것으로 예상되는 자율주행자동차이지만 그로 인한 문제 역시 만만치 않다. 대표적인 예로 자율주행자동차에 대한 보험료를 누구에게 부과해야 할 것인가라는 문제가 있다. 자율주행자동차를 구매한 사람만이 그 부담을 질 것이 아니라 상황에 따라 자동차 제조사, 소프트웨어 공급사도 일부 책임을 져야 한다는 견해도 존재한다. 이렇듯 자율주행자동차는 우리 삶에 있어서 긍정적인 변화와 문제 모두를 가져올 것으로 예상된다.

※ 다음 제시문을 읽고, 문제에 답하시오.

> (가) 콜럼버스 신대륙 발견 이후 유럽인들의 정착을 위해 아메리카 대륙 원주민에 대한 집단학살, 강제 이주 정책이 이루어졌다. 이에 따라 원주민의 수가 급감하였다. 제2차 세계대전 이후 유대인 학살이 있었는데, 이는 아메리카 원주민 학살에서 모티브를 얻은 것이다.
>
> (나) 제2차 세계대전 당시 전쟁 막바지에 미군은 독일까지 진격하여 독일에 진주하였다. 그런데 이 미군들이 독일인 여성을 강간한 사건이 많이 일어났는데 이는 역사적으로 잘 알려지지 않았다.

Q1. (가)에 나타난 두 사건 간의 공통점과 차이점을 제시해보시오.

Q2. (가)의 아메리카 원주민의 학살과, (나)의 미군의 독일인 여성 강간은 왜 역사적으로 잘 알려지지 않았을까? 이에 대하여 법조인으로서의 자질과 관련하여 답변해보시오.

Q3. 서양의 정의의 여신상은 눈을 가리고, 천칭을 들고, 칼을 들고 있다. 각각이 의미하는 것은 무엇인가?

Q4. 우리나라 법정 앞에 있는 정의의 여신상은 왜 눈을 가리지 않고 있을까?

모범답변

① 교수:학생 = 3:1   ② 답변 준비 15분, 면접 시간 20분   ③ 메모 가능   ④ 지성 면접 15분, 인성 면접 5분

2017 | 중앙 A 문제

※ 다음 제시문을 읽고, 문제에 답하시오.

> (가) TV로 정보 수집하는 것에 대한 부정적인 영향만 서술되어 있음. 선동적이고 정보 수집과정
> 에서 일방적이라는 내용. 그러나 일반대중은 TV로만 정보를 얻을 수 있고 특정 계층만이 TV
> 에서 구제되어 활자로 정보를 얻는다는 내용의 제시문[9]
>
> (나) 인터넷은 저렴한 비용으로 누구나 손쉽게 접근이 가능하고 가장 대중 참여가 쉽고 많은 매체
> 로서, 표현의 쌍방향성이 보장되고, 정보의 제공을 통한 의사표현뿐 아니라 정보의 수령, 취
> 득에 있어서도 좀 더 능동적이고 의도적인 행동이 필요하다는 특성을 지닌다. 따라서 일반 유
> 권자도 인터넷상에서 정치적 의사 표현이나 선거운동을 하고자 할 개연성이 높고, 경제력 차
> 이에 따른 선거의 공정성 훼손이라는 폐해가 나타날 가능성이 현저히 낮으며, 매체 자체에서
> 잘못된 정보에 대한 반론과 토론, 교정이 이루어질 수 있고, 국가의 개입이 없이 커뮤니케이
> 션과 정보의 다양성이 확보될 수 있다는 점에서 확연히 대비된다. 그리고 이러한 특성으로 인
> 하여, 인터넷은 국민주권의 실현 및 민주주의의 강화에 유용한 수단인 동시에 '기회의 균형
> 성, 투명성, 저비용성의 제고'라는 선거운동 규제의 목적 달성에도 기여할 수 있는 매체로 평
> 가받고 있다고 할 수 있다.[10]

Q1. (가)와 (나)를 참조해 대중의 정치적 의사 형성과 결정에 텔레비전과 인터넷이 어떤 영향력을 미치는
지 대조하고 설명해보시오.

Q2. (가)를 참조해, (나)에서 언급되지 않은, 대중의 정치적 의사 형성에 있어서 인터넷의 악영향을 설명
해보시오.

9)
헌재, 2007헌마1001

10)
헌재, 2007헌마1001

Q3. (가)를 비판하시오. (가)는 1960~70년대의 개념이다. 이 개념이 현대에도 적용될 수 있다고 생각하는가?

Q4. 채널의 수가 증가한 것이 어떤 영향을 미치는가?

Q5. 우리나라의 인터넷 댓글 문화에 대해서 긍정적으로 보는가, 부정적으로 보는가?

Q6. 조지오웰의 「1984」에 나오는 TV는 어떠한 역할을 하는가?

Q7. 「1984」의 TV가 현대와 같다고 생각하는가?

Q8. 그렇다면 지금 「1984」의 TV와 같은 역할을 하는 것이 무엇이 있는가?

Q9. 스마트폰이 그런 역할을 하고 있다고 생각하지 않는가?

Q10. 구글의 경우 개인의 위치와 경로가 다 표시되는데, 그것도 감시와 통제의 역할을 하는 것 아닌가?

Q11. 그렇다면 그 권리를 뭐라고 하는지 아는가?

※ 다음 제시문을 읽고, 문제에 답하시오.

> (가) 최대 경매 사이트인 e-bay에서는 여러 경매 방식을 채택하고 있는데, 그중 자동입찰 경매 방식은 다음과 같다. 자동입찰이란 2번째 비싼 입찰자 가격을 보여주고 새롭게 경쟁에 진입하게 된 입찰자가 2등 입찰자보다 비싼 가격을 써내더라도 1등 입찰자 가격보다 낮은 가격이면, 자동으로 경매 가격이 올라가는 시스템을 말한다. 이는 승자의 저주를 막기 위한 시스템인 동시에 판매자에게도 유리한 방식으로 1등 입찰자가 낙찰을 받을 경우 지불해야 하는 금액은 자신이 써낸 금액이 아닌 2등 입찰자가 써낸 금액이기에 1등에게도 유리하고 판매자 입장에서도 2등 입찰가가 올라갈 수 있으니 유리한 방식이다. 승자의 저주란 경쟁에서는 이겼지만 승리를 위하여 과도한 비용을 치름으로써 오히려 승자가 위험에 빠지게 되거나 커다란 후유증을 겪는 상황을 뜻하는 말이다. 그리고 같은 가격을 써낼 경우 먼저 써낸 입찰자가 우선적으로 입찰을 받는다. 또한 판매자가 정한 최저가격에 도달하지 못할 경우 판매자는 낙찰되더라도 판매하지 않을 수 있다. 이러한 방식을 사용하면서 이베이는 가장 높은 가격을 부른 사람이 경매에서 낙찰되는 방식을 사용할 때보다 더 높은 경매 참여율을 얻을 수 있었다. 또한 사이트 이용자들의 만족도 역시 높았다.
>
> (나) 골프에는 규정 타수가 있다. 이는 홀별로 정해진 타수 안에 넣어야 한다는 것을 의미한다. 골프는 라운드마다 정해진 타수가 있으며 가장 적은 타수를 기록한 선수가 승리하게 된다. 규정 타수와 같을 때에는 파(par)라고 한다. 규정 타수 72타를 기준으로 이와 동일하면 이븐파(even par)가 된다고 이야기한다. 대부분 이븐파가 나왔으면 평균 이상의 점수로 점수를 잘 받았다는 것을 의미한다. 각 점수에 따른 이름은 각기 다른데, 파를 기준으로 1타가 적으면 버디(Berdie)라고 한다. 이와 반대로 1타를 많이 칠 경우 보기(Borgey)라고 한다. 최근의 연구 결과에 따르면 사람들은 파를 목적으로 할 때, 버디를 목적으로 할 때보다 보기를 내는 경우가 드물다. 즉, 파를 목적으로 할 때의 성공률이 버디를 목적으로 할 때의 성공률보다 높은 것이다.

Q1. (가)와 (나)의 사람들의 행동 방식의 공통점을 제시하고 그러한 공통점을 보이는 이유를 설명해보시오.

Q2. (나)에서 '파'퍼트와 '버디'퍼트에서 상이한 결과가 나타나는 이유를 설명해보시오.

💬 추가질문

Q3. 쓰레기를 길거리에 버리지 않는 이유는 무엇인가?

Q4. 공장이 설립되는 경우 주민들의 집에 각각 매연방지시설을 설치하는 것이 아니라 공장에서 매연방지시설을 설치한다. 그 이유가 무엇인가?

Q5. 정보의 가치에 대해 설명해보라. 예를 들어 정보가 없는 경우, 목적지로 갈 수 있는 길이 세 가지가 있으면 어디를 선택해 가야 할지 모르게 된다. 그런데 어느 길이 지름길인지에 대한 정보가 있으면 시간을 절약할 수 있다. 이런 정보에 대한 가치에 대해 설명해보시오.

※ 다음 제시문을 읽고, 문제에 답하시오.

(가) 1586년 전라도 영암에서 노비 재판이 있었다. 스스로를 노비라 주장하는 노파 다물사리와 양반 이지도 사이의 송사인 것이었다. 이지도는 다물사리가 본인의 아버지의 소유인 노비와 결혼을 해 딸인 '인아'를 낳았기 때문에 일천즉천(一賤則賤)에 따라 '인아'와 인아의 여섯 자녀가 본인의 소유라는 소를 제기했다. 한편 다물사리는 자신의 어미가 성균관 소속의 공노비이며, 노비종모법(奴婢從母法)에 의해 자신과 자신의 자손들 모두 이지도의 사노비가 아닌 성균관의 공노비가 되어야 함을 주장하였다. 한편, 이지도는 다물사리의 부와 모가 모두 양인이기 때문에 다물사리는 양인임을 주장하였다. 또한 다물사리는 이지도의 아버지의 노비와 혼인하였고, 자녀들 또한 다물사리의 소생이기 때문에 일천즉천의 법리에 따라 다물사리의 자손은 모두 이지도의 사노비가 되어야 한다고 주장하였다. 이에 영암 수령은 양측의 증언이 갈리는 지점인, 다물사리가 노비인지 여부를 조사하였고, 그 결과 다물사리의 주장에 모순점이 발견되었고, 끝내 다물사리의 위증 사실이 밝혀졌다. 그리하여 다물사리의 자손이 청구인 이지도의 사노비로 인정된다는 판결이 내려졌다.

(나) 남북전쟁 이전, 에머슨의 흑인 노예였던 드레드 스콧은 에머슨의 사망 후 그의 주인이 샌드포드로 바뀌자 미주리 주 대법원에 소를 제기했다. 에머슨은 군인이라는 신분상 임지를 이리저리 옮겨 다닐 수밖에 없었는데, 노예 드레드 스콧을 항상 데리고 다녔다. 그들이 거쳐 간 위스콘신주는 노예 제도를 금지하는 자유주였는데, 노예가 일정 기간 상주한 사실이 증명되면 자유인 신분을 보장하는 주법이 있었다. 드레드 스콧은 자신이 위스콘신에 오래 체류했기 때문에 자신은 이미 자유민이 되었으며 노예를 부리는 샌드포드의 행위는 불법이라고 주장하며 법원에 재판을 청구하였다. 그러나 당시 미주리주 대법원은 흑인은 헌법상 연방 시민이 아니기 때문에 재판을 청구할 자격이 없다는 판결을 내렸다. 이후 드레드 스콧은 연방 대법원에 항소를 했지만 당시 판사였던 로저 태니 판사는 항소 역시 기각하였다. 그에 대한 이유는 첫째 연방 대법원에서 다뤄지는 판결은 다른 주의 시민 간의 분쟁이어야 하고, 둘째 흑인 노예는 연방 대법원의 시민이 아니므로 헌법에 의해 보호되지 않고, 셋째 재산권 박탈에 대한 문제는 수정헌법 제5조의 취지에 어긋나므로 샌드포드의 재산권을 박탈할 근거가 부족하다는 것이었다.

Q1. 두 제시문의 차이점을 모두 골라 설명해보시오.

💬 **추가질문**

Q2. 다물사리는 왜 노비가 되고자 하였을까?

Q3. 다물사리의 남편이 양인이고 다물사리가 노비였다면 결과는 어떻게 되었을까?

Q4. 일천즉천과 노비종모법을 근거로 했을 때 아버지가 사노비고 어머니가 양인이라면 그 자식의 신분은 무엇인가?

2017 중앙 D 문제

※ 다음 제시문을 읽고, 문제에 답하시오.

> (가) 당시에는 수면마취 내시경 수술은 발달하지 않았을 때이다. 그래서 대장내시경 수술밖에 없었는데 이는 고통을 유발한다. 환자 A와 B 둘 다 처음에 고통을 느꼈다. 그러나 A는 8분 동안만 고통을 받았고 B는 24분 동안 그 고통을 느끼게 되었다. 고통의 총량은 B가 더 많다. 하지만 설문조사 결과 환자 A가 고통을 더 느꼈다는 결과가 나왔다.
>
> (나) 한 소설가가 있었다. 그 소설가는 두 명의 미혼 여성 A와 B를 가정했다. A는 30세에서 60세까지, B는 35세에서 65세까지 살았고 둘 다 자신의 일을 충실히 즐기면서 행복하게 살았다. 그런데 B에게, 행복하지만 조금 덜 행복한 5년을 추가로 주었다. 행복의 총량은 B가 더 많다. 하지만 사람들의 평가에서 A와 B가 느끼는 행복감은 달랐다. A가 더 행복한 삶을 살았다는 결과가 나왔다.

Q1. (가), (나)의 결과가 발생한 공통원인을 찾아보시오.

Q2. 의사라면 위 논리를 이용해서 어떤 치료를 할 것인가? 또한 자신이 행복하기 위해서는 어떤 삶을 살아야 하는가?

2017 중앙 인성 문제

Q1. 수강했던 법 과목, 로스쿨에 가고자 하는 이유, 법학 답안을 작성하는 방법은 아는지에 관한 질문

Q2. 전공이 무엇인가? 법과 관련 없는 전공인데 왜 법조인이 되고자 결정했는가?

Q3. 본인이 미래 법조인으로서 어떤 준비가 되어있다고 생각하는가?

Q4. 법전원에 진학해서 필요한 덕목은 무엇이라 생각하나?

Q5. 본인의 장점을 잘 어필한 것 같은데 스스로 생각하기에 단점은 무엇이라 생각하는지 2가지를 제시해 보시오.

Q6. 만약 최순실이 거액의 금액을 제시하며 변론을 요청한다면 어떻게 할 것인가?

Q7. 본인이 살면서 잘한 일 2가지와 후회되는 일 2가지는?

Q8. 본인의 성격상의 특징과 살면서 갈등이 발생했던 경우에 대해 말해보시오.

Q9. 최근 미국의 대선 결과에 대해 의견을 말해보시오.

Q10. 장차 되고자 하는 법조인의 모습에 대해 말해보시오.

모범답변

① 교수:학생 = 3:1   ② 답변 준비 15분, 면접 시간 20분   ③ 메모 가능   ④ 지성 면접 15분, 인성 면접 5분

2016 중앙 A 문제

※ 다음 제시문을 읽고, 문제에 답하시오.

<헌법재판소, 2015. 2. 26. 2009헌바17 등, 판례집 27-1상, 20>

　사회 구조 및 결혼과 성에 관한 국민의 의식이 변화되고, 성적 자기결정권을 보다 중요시하는 인식이 확산됨에 따라 간통 행위를 국가가 형벌로 다스리는 것이 적정한지에 대해서는 이제 더 이상 국민의 인식이 일치한다고 보기 어렵고, 비록 비도덕적인 행위라 할지라도 본질적으로 개인의 사생활에 속하고 사회에 끼치는 해악이 그다지 크지 않거나 구체적 법익에 대한 명백한 침해가 없는 경우에는 국가권력이 개입해서는 안 된다는 것이 현대 형법의 추세여서 전 세계적으로 간통죄는 폐지되고 있다. 또한 간통죄의 보호법익인 혼인과 가정의 유지는 당사자의 자유로운 의지와 애정에 맡겨야지, 형벌을 통하여 타율적으로 강제될 수 없는 것이며, 현재 간통으로 처벌되는 비율이 매우 낮고, 간통 행위에 대한 사회적 비난 역시 상당한 수준으로 낮아져 간통죄는 행위규제규범으로서 기능을 잃어가고, 형사정책상 일반예방 및 특별예방의 효과를 거두기도 어렵게 되었다. 부부 간 정조의무 및 여성 배우자의 보호는 간통한 배우자를 상대로 한 재판상 이혼 청구, 손해배상청구 등 민사상의 제도에 의해 보다 효과적으로 달성될 수 있고, 오히려 간통죄가 유책의 정도가 훨씬 큰 배우자의 이혼 수단으로 이용되거나 일시 탈선한 가정주부 등을 공갈하는 수단으로 악용되고 있기도 하다. 결국 심판대상조항은 과잉금지원칙에 위배하여 국민의 성적 자기결정권 및 사생활의 비밀과 자유를 침해하는 것으로서 헌법에 위반된다.

<제시문 가: 토마스 모어, 「유토피아」>

　여자들은 18세가 되어야 결혼할 수 있고, 남자들은 4년을 더 기다려야만 합니다. 혼전 성교의 죄를 범한 남녀는 누구든지 엄중한 처벌을 받으며, 시장이 그 처벌을 취소하지 않는 한 결혼할 수 있는 자격을 영원히 상실하게 됩니다. 혼전 성교가 발생한 가정을 관리하고 있는 부부 역시 자신들의 의무를 다하지 못한 것이므로 공개적인 망신을 당합니다. 유토피아인들은 이러한 종류의 일은 특히 엄격하게 다룹니다. 만약 결혼 관계 외의 성관계를 신중하게 막지 못한다면 결혼(결혼이란 같은 사람과 평생을 함께 보내며 결혼 생활에 포함된 온갖 불편함을 참는 것입니다)하려는 사람은 거의 없을 것이라고 생각하기 때문입니다.

　결혼하려고 생각할 때, 비록 그들은 진지하게 여기는 일이지만, 우리의 눈에는 정말 어리석어 보이는 일을 합니다. 신부가 될 여자는 처녀든 과부든 간에 존경할 만한 기혼 부인의 입회하에 신랑이 될 남자에게 자신의 벌거벗은 몸을 보이며, 신랑의 보호자는 신랑이 될 남자의 벗은 몸을 신부에게 보여줍니다. 어이없는 풍속이라 생각한 우리가 웃음을 터뜨리자, 그들은 즉시 우리의 풍속을 꼬집었습니다.

"우리는 다른 곳에서 벌어지고 있는 결혼 절차를 정말 이상한 것이라고 생각합니다. 당신들은 말을 살 때, 기껏해야 돈 몇 푼을 주는 것인데도 무척이나 조심스럽게 따져봅니다. 말은 이미 벌거 벗고 있는데도, 안장을 비롯한 마구들을 모두 벗겨내고 그 밑에 혹시 상처라도 있는지 확인하고, 그러기 전에는 절대로 사려고 하지 않습니다. 그런데 아내를 선택할 때는, 좋든 싫든 평생 지켜야 할 약속을 맺는 일임에도 불구하고, 믿을 수 없을 정도로 주의를 기울이지 않습니다. 옷을 벗겨볼 생각조차 하지 않습니다. 기껏 눈으로 확인할 수 있는 조그마한 얼굴만 보고 그 여자를 모두 파악 했다는 듯 결혼을 진행시킵니다. 그녀의 실제 모습을 보게 되었을 때, 정말 마음에 들지 않는 부분 을 발견할 수도 있다는 위험을 감수하면서 그렇게 합니다. 당신들이 오로지 도덕적인 심성만을 중 요하게 생각한다면 전혀 걱정할 필요는 없겠지요. 하지만 우리는 그럴 만큼 현명하지도 않으며, 또 현명하다고 해도 결혼했을 때 가끔, 아름다운 신체가 아름다운 영혼을 더욱 아름답게 해줄 수 있다는 것을 발견합니다. 옷은 분명 헤어질 수 없는 상황이 될 때까지, 남편을 기분 나쁘게 만들 수 있는 육체적인 결함을 쉽게 감춰줄 수 있을 것입니다. 결혼한 후에는 아내가 보기 흉하게 되었다 고 해도 남편은 당연히 자신의 운명을 받아들여야 합니다. 하지만 거짓된 꾸밈으로 인해 맺어지는 결혼에 대해서는 어느 정도의 법적인 보호가 분명히 필요합니다."

주변의 다른 나라들과는 달리 그들은 엄격하게 일부일처제를 지키고 있기 때문에 유토피아인 들의 입장에서는 일정 정도의 예방책이 필요한 것입니다. 대부분의 부부는 오직 죽음에 의해서만 헤어지는데, 간통이나 견디기 힘든 악행을 저지르는 경우는 예외입니다. 이럴 경우 결백한 사람은 의회로부터 다른 사람과 결혼할 수 있는 허락을 얻어낼 수 있습니다. 잘못을 저지른 사람은 망신 을 당하고 평생 독신으로 살아야 하는 처벌을 받습니다.

그러나 본인의 과실로 생긴 것이 아닌 육체적인 결함을 이유로 남편이 아내와 이혼하는 것은 절대로 허용되지 않습니다. 따뜻한 보살핌이 가장 필요한 시기에 아내를 버리는 잔인함은 논외로 하더라도, 이러한 식의 일들이 허용되면 노년에 이른 사람들에게 보장해줄 수 있는 것이 전혀 없 다고 생각하기 때문입니다. 노년기에는 여러 가지 질병들이 생길 뿐만 아니라, 늙는 것 자체가 질 병입니다.

하지만 가끔 남편과 아내 모두 다른 배우자를 만나면 보다 더 행복할 수 있다고 생각하는 경우, 성격이 맞지 않는다는 것을 근거로 상호 간 합의 하에 이혼이 허용되기도 합니다. 그러나 이 경우 에는 트라니보루스 부부의 철저한 심사를 거친 다음에만 얻을 수 있는 특별한 허가가 필요합니다. 쉽게 이혼할 수 있다고 생각하게 되면 결혼제도를 약화시킬 수 있기 때문에, 철저한 심사를 거친 후에도 이러한 허가의 승인은 신중하게 합니다.

간통죄를 범한 사람들은 가장 힘든 노역형에 처해집니다. 간통한 사람들이 모두 기혼자들일 경 우, 상처를 입게 된 배우자들은 만약 그들이 원한다면 이혼할 수 있으며, 그들끼리 결혼을 하거나 자신들이 선택한 사람과 결혼할 수 있습니다. 하지만 죄를 범한 배우자를 변함없이 사랑한다면, 그 에게 부과된 노역을 함께 수행한다는 조건으로 결혼 관계를 유지하도록 허용합니다. 이런 경우에 가끔은 죄를 범한 배우자의 뉘우침과 피해자의 충절에 감동한 시장이 두 사람을 자유롭게 석방해 주기도 합니다. 그러나 다시 한번 더 죄를 범할 경우에는 사형이 선고됩니다.

<제시문 나>

조선에서는 일본과 다르게 간부와 간부가 합하여 본부인을 살해하는 범죄가 많이 일어난다. 이 는 조혼 때문에 여자의 나이가 더 많기 때문이기도 하고 이혼이 절대 불가하기 때문이다.

Q1. <제시문 가>와 <제시문 나>의 간통에 대한 인식의 공통점과 차이점을 제시해보시오.

Q2. <제시문 가>와 <제시문 나>의 관점 모두 현대 사회에 적용될 수 없는 이유를 말해보시오.

추가질문

Q3. 토마스 모어의 「유토피아」를 읽어봤나? 어느 나라 사람인지는 아는가?

Q4. 도덕적 관점이라고 했는데, 답변자는 이제 우리 사회에서 보편적 관점이 아닌, 그러니까 사회가 개인에게 한 가지 보편적 관점을 강제할 수 없고 다양한 관점과 가치를 지닌 개인을 수용해야 한다고 생각하나?

2016 중앙 B 문제

※ 다음 제시문을 읽고, 문제에 답하시오.

> <제시문: 훔볼트의 역사관>
> - 첫 번째 과제: 객관적이고 비판적인 서술과 사건 간의 연결점을 찾는 것
> - 두 번째 과제: 역사적 방향성과 같은 가치판단을 하는 것

Q1. 한 공동체에서 어떤 '역사서술'과 '역사가의 태도'를 기대하는 것이 바람직하다고 생각하는가?

Q2. 다양한 문제가 발생하고 있는 현대사회에서는 위 제시문이 제안한 역사가의 태도와 '법조인의 역할'이 어떠한 연관이 있다고 생각하는가?

추가질문

Q3. 역사가와 법률가의 역할에 있어 비슷한 점도 있지만 다른 면도 있을 것이다. 특히 개인은 국가에 속하기 때문에 국적이라는 요소가 개입될 수 있을 것인데 어떻게 생각하는가?

Q4. 그렇다면 역사와 법이라는 학문의 분야를 차별하는 것인가?

Q5. 일본에서 안중근 의사에 대해 유죄 판결하여 사형 선고를 한 것에 대해 본인은 어떻게 생각하는가?

※ 다음 제시문을 읽고, 문제에 답하시오.

> <제시문 가: 자유와 예속>
>
> <제시문 나: 한나 아렌트의 '국민', '대의제', '폭민', '투표제'>
>
> <제시문 다: 마리네티의 「미래주의」>
>
> "전쟁은 아름답다. 왜냐하면 전쟁은 방독면, 화염방사기와 소형탱크 등을 빌려 버림받은 기계에 대한 인간의 지배를 굳건히 하기 때문이다. 전쟁은 아름답다. 왜냐하면 전쟁은 오래 꿈꾸어온 인간 육체의 금속화 과정의 시대를 열어주기 때문이다. 전쟁은 아름답다. 왜냐하면 전쟁은 총탄의 포화와 대포의 폭음, 사격 뒤의 휴식, 향기와 썩는 냄새 등을 합해 교향곡을 만들기 때문이다. 전쟁은 아름답다. 왜냐하면 전쟁은 대형탱크, 기하학적 비행편대, 불타는 마을에서 피어오르는 나선형의 연기와 같은 새로운 건축구조를 창조하기 때문이다."

Q1. <제시문 가>의 논지로 <제시문 나>를 설명하고, <제시문 다>를 비판해보시오.

추가질문

Q2. <제시문 가>의 예속된 대중과 <제시문 나>의 폭민의 공통점과 차이점은?

Q3. 세계대전 당시의 독일 국민들이 투표제를 내심으로 동의하지 않았다고 볼 수 있는가?

※ 다음 제시문을 읽고, 문제에 답하시오.

(1) A판사는 최근 교도소를 방문했다. …(중략)… 교도소에는 여러 명이 함께 수감되는 혼거실과 혼자 있는 독거실이 있다. 독거실은 1.6평이다. 혼거실은 6.6평인데, 18명이 수감돼 있었다. 평당 세 명이다. 수감자들이 정좌해 있으니 틈이 없어 보였다. 체취가 뒤섞여 강렬한 냄새가 났다. 한여름에 어떨지 잠시 상상했다. 잠잘 때는 옆으로 누워 칼잠을 잔단다. 쇠창살에 작은 그림이 붙어 있었다. 1번부터 18번까지 번호를 붙여 잠잘 위치를 표시한 그림이다. 신입이나 약자만 변기 옆에서 자게 되는 것을 막기 위해 교도소 측이 잠잘 위치를 지정한 후 차례로 바꿔 준다고 한다.

(2) 좁디좁은 6.6평 되는 공간에는 18명 남짓한 수형자들이 함께 생활하였고, 내가 숨 쉴 수 있는 공간은 극히 한정되어 있었다. 우리를 감시하는 감독관의 눈동자에도 피곤함이 가득 찼다. …(중략)… 이곳은 꿈도 희망도 없는 공간이었다. 복역 중인 우리도, 감시자들도 모두가 햇살 너머로 고개를 숙인 채 다가오는 절망만을 기다릴 뿐이었다.

(가) 일부 청구인들은 징역에 집행유예가 확정되어 집행유예 중이고, 일부 청구인들은 유기징역의 실형이 확정되어 교도소에 수형 중인 자들로서 공직선거법 제18조 제1항 제2호의 선거권이 없는 자에 해당한다는 이유로 선거권을 행사하지 못하자, 위 법률조항에 대하여 헌법 제11조의 평등권, 헌법 제24조의 선거권 등을 침해한다고 주장하면서 헌법소원심판을 청구하였다. …(중략)… 2014년 1월 28일 헌법재판소는 집행유예 중인 자에 대한 선거권 제한에 대해서는 위헌 결정을, 유기징역 또는 유기금고의 실형을 선고받은 자에 대한 선거권 제한에 대해서는 헌법불합치 결정을 내렸다.

(나) 수형자라 하여 모든 기본권을 제한하는 것은 허용되지 아니하며, 제한되는 기본권은 형의 집행과 도망의 방지라는 구금의 목적과 관련된 기본권(신체의 자유, 거주이전의 자유, 통신의 자유 등)에 한정되어야 하고, 그 역시 형벌의 집행을 위하여 필요한 한도를 벗어날 수 없다. 특히 수용시설 내의 질서 및 안전 유지를 위하여 행해지는 기본권의 제한은 수형자에게 구금과는 별도로 부가적으로 가해지는 고통으로서 다른 방법으로는 그 목적을 달성할 수 없는 경우에만 예외적으로 허용되어야 한다. …(중략)… 이 사건 계구사용행위 및 동행계호행위는 엄중한 이동계호가 필요한 경우에 한하여 부득이한 범위 내에서 실시되고 있다고 할 것이므로 CCTV 설치가 기본권을 부당하게 침해하지 않는다고 봄이 상당하다. 이는 다른 수용자나 교도관과의 접촉을 차단하기 위한 조치이다.

Q1. (1), (2)는 교도소의 모습을 보여주고 있는 신문기사와 소설이다. 두 제시문 사이의 시대적 간격은 40여 년이 넘음에도 불구하고, 교도소 내의 열악한 환경이 그대로 유지되고 있는 원인은 무엇인가?

Q2. (1), (2)와 관련해서 (가), (나)의 판결이 어떠한 영향을 미칠 것이라 생각하는가?

Q3. 교도소에 들어오는 인원이 절대적인 것이 아님에도 불구하고, 수형자의 권리 개선을 위해 교도소를 확충하는 것이 옳은가? 세금으로 교도소를 짓는 것인데, 국민들이 반대한다면?

Q4. 수형자에게 선거권을 제공하는 것이 수형자의 권익을 위한 실효성이 없다면 어떡할 것인가?

Q5. 국민대다수가 단순형벌 수형자에게 선거권을 제공하는 것을 반대한다면 어떻게 해야 하는가?

2016 중앙 인성 문제

Q1. ○○학과 ○○학 복수전공이라면 충분히 좋은 곳에 취업이 가능할 텐데 왜 굳이 법학전문대학원에 지원했는가?

Q2. 법학 공부가 상당히 힘든데 이를 잘 해낼 자신이 있는가?

Q3. ADR을 공부하고 싶다고 했는데 내가 ADR을 가르친다. 대체적 분쟁 해결 수단이 무엇인지 알고 있는가? ADR이 무엇의 약자인가?

Q4. NYU로 LL.M.을 가고 싶다고 했는데, 여기는 가기 힘든 곳이다. 이를 선택한 특별한 이유가 있는가?

Q5. 영어, ○○어와, ○○어 모두 speaking과 writing이 가능한가? ○○자격이 있는데, 어느 정도 수준인가?

Q6. 로스쿨을 졸업한 후 무엇을 하고 싶은가?

Q7. 자기소개서에 '법 없이도 살 수 있는 사회가 바람직하다'라고 적었는데 무슨 뜻인가?

Q8. 자기소개서에 교통사고를 당했다고 적혀있는데, 공부하는 데 불편함은 없는가?

Q9. 특정 분야의 전문 변호사가 되겠다고 했는데, 구체적인 계기는 무엇인가?

Q10. 학점이 좋지 않은데 이유는 무엇인가?

Q11. 본인의 리트 점수가 높다고 생각하는가? 그리고 그 점수에 만족하는가?

모범답변

2024~2016 충남대 로스쿨

2024 충남대 로스쿨

① 교수:학생 = 3:5   ② 면접 준비 20분, 면접 시간 30분(인당 총 6분(2분, 3분, 1분) 발언)
③ 문제지, 메모지, 볼펜 휴대 가능

메모 및 휴대 여부	• 문제지, 메모지, 볼펜을 면접실에 가져갈 수 있음
대기실 특징	• 다과 등이 구비되어 있고, 개인자료 열람은 불가함 • 대기실 입장 전에 개인 짐을 다른 곳에 보관한 후에 대기실로 이동함
문제풀이실 특징	• 6개 조, 30명이 동시에 문제풀이를 한 후에 조별로 면접실로 이동함
면접고사장 특징	• 회의실처럼 생긴 장소이며, 면접관과 지원자의 거리가 매우 가까움
기타 특이사항	• 1번 지원자부터 제비뽑기로 답변할 문제의 번호를 뽑고, 모두 뽑은 다음 각자 선택한 문제에 대해 2분간 답변함 • 5번 지원자까지 모두 답변 후 다시 1번 지원자부터 답변할 문제의 번호를 다시 뽑고, 해당 번호 문제에 대해 앞 지원자가 말한 내용을 요약하고 자신의 의견을 답변함 • 답변 시 키워드 중심으로 짧게 대답할 것을 요구했고, 추가질문에도 3문장 이내로 답변할 것을 지시받음

2024 충남 A 문제

※ [가군 면접] 아래 Q1~Q6 중 지원자가 추첨한 번호에 대해 지원자의 견해를 논하시오.

Q1. GMO 식품은 부작용이 존재한다는 우려가 있으나, 미래의 식량 부족 문제의 대책임은 분명하다. GMO 식품을 연구, 개발, 소비하는 것에 대해 어떻게 생각하는가?

Q2. 전투용 로봇이 빠르게 발전하고 있다. 전투용 로봇에 대해 어떻게 생각하는가?

Q3. 저출산으로 인한 인구 감소로 난민을 적극적으로 수용해야 한다는 의견이 있다. 난민 수용에 대해 어떻게 생각하는가?

Q4. 카드결제, 간편결제 등으로 동전의 사용이 줄어들고 있다. 특히 10원 동전의 관리 및 생산, 폐기에는 많은 비용이 소모되고 있는 상황에서, 10원 동전을 없애는 것에 대해 어떻게 생각하는가?

Q5. 정직함에 관한 아래의 2가지 입장 중 어떤 입장을 지지하는가?
- 섭공: 우리 마을에 몸가짐이 바른 자가 있으니, 그 아버지가 양을 훔치자 아들은 이를 고발했다.
- 공자: 우리 마을의 정직한 사람은 그와는 다르다. 아버지는 아들을 위해 숨기고, 아들은 아버지를 위해 숨겨주는 것이 도리이다.

Q6. 건축법상 발코니는 건물의 일부로 간주된다. 전체 건물을 금연구역으로 지정한 상황에서 발코니에서의 금연은 위법한가? 흡연자들이 발코니에서의 흡연을 당연하게 생각하고 있는 상황에서 담배연기가 싫은 한 사람이 관계부처의 승인과 같은 공식적인 절차 없이 임의로 금연 표시를 부착했다. 해당 행위가 정당하다고 생각하는가?

> **추가질문**

Q1-2. GMO 식품의 부작용에 대한 연구결과가 확실하지 않은 상황임을 반대 측에서 근거로 든다면 어떻게 대응하겠는가?

2024 충남 B 문제

※ [나군 면접] 아래 **Q1~Q6** 중 지원자가 추첨한 번호에 대해 지원자의 견해를 논하시오.

Q1. 식량난의 효과적인 해결방안으로 GMO 식품이 각광받고 있다. GMO 식품의 생산 및 소비에 대해 어떻게 생각하는가?

Q2. 공매도란 자신이 소유하지 않은 자산을 매도하는 행위인데, 통상적으로 유가증권이 그 대상이 된다. 장래 더 낮은 가격으로 매수하여 인도할 수 있다는 예상에 따라 그 차익을 얻으려는 거래라고 볼 수 있다. 이는 크게 차입 공매도와 무차입 공매도로 구분할 수 있다. 전자는 장래의 이행을 위해 미리 자산을 빌려 놓는 경우로서 후자에 비하여 상대적으로 이행의 가능성이 높으므로 각국이 이를 일정한 범위 내에서 허용한다. 공매도가 시장에서 수행하는 순기능을 고려할 필요가 있기 때문이다. 반면에 후자는 시장남용적 행위에 악용될 여지가 있고 차입조차 하지 않은 경우이므로 불이행의 가능성이 크다고 보아 이를 엄격히 금지한다.
최근 정부에서 발표한 한시적 공매도 전면금지안에 대해 어떻게 생각하는가?

Q3. 초등학교 저학년의 학교 숙제를 없애는 것에 대해 어떻게 생각하는가?

Q4. 배달 플랫폼 내 리뷰 및 별점 제도로 가게에 테러를 하는 경우가 있으며, 반대로 이벤트를 이용하여 별점 조작을 하는 경우가 있다. 배달앱 리뷰와 별점 시스템의 개선방안과 가이드라인을 제시하시오.

Q5. 지역축제는 지역경제 활성화에 도움이 된다는 의견과 과도한 예산 낭비라는 의견이 대립하고 있다. 지역 축제 개최에 대해 어떻게 생각하며 활성화 방안은 무엇인가?

Q6. 현재 청년의 나이는 19~34세이다. 청년의 연령 기준을 19~39세로 상향하는 것에 대해 어떻게 생각하는가?

모범답변

① 교수:학생 = 3:1　② 면접 준비 10분, 면접 시간 12분　③ 문제지에 메모 가능　④ 추가질문 있음

2023 충남 A 문제

※ 다음 제시문을 읽고, 지성 면접과 인성 면접 문제에 모두 답하시오.

<제시문 1: 지성 면접>

　기후 변화에 대응하기 위해서 탄소 총배출을 0으로 만드는 탄소중립(net zero)을 선언했다. 이는 1997년 교토의정서, 2015년 파리기후협정에 이어 기업의 ESG 경영 등이 논의되고 있는 상황이다. 국가 간에 자유로운 거래로 탄소감축을 유도하기 위해서 유엔 기후변화협약에서 탄소배출권 거래제도를 운용할 것을 결의했다.

　탄소중립에 대해 미국과 개발도상국 간의 갈등이 벌어지고 있다. 먼저, 미국은 개발도상국이 더 적극적으로 탄소배출을 감축할 것을 요구하고 있다. 둘째로, 미국의 자동차세를 올리는 것보다 개발도상국의 석탄 연료 사용 공장을 친환경 공장으로 전환하는 것이 더 효과적이라고 주장한다.

Q1. 전 지구적 탄소중립이 목표라면, 일부 국가나 지역에서만 탄소배출량을 감축하는 것이 효과가 있는가? 이 효과에 의문이 든다면, 탄소배출권 거래제도를 반대하는 이유가 무엇인지 논해보시오.

<제시문 2: 인성 면접>

　유가는 성선설을 주장한다. 성선설에 따르면, 인간의 본성은 선하게 결정되어 있다. 인간의 본성은 선하게 태어났음에도 현실의 인간은 악한 행동을 한다. 그 이유는 선한 인간의 본성이 주변 환경에 의해 가려지고 왜곡되었기 때문이다. 반면, 법가는 성악설을 주장한다. 성악설에 따르면 인간의 본성은 악한 것으로 결정되어 있다. 인간의 본성은 그 자체가 악하기 때문에 현실의 인간이 악한 행동을 하는 것이 당연하다.

　유가의 성선설에 따르면, 악한 행동에 대한 책임은 선한 본성을 왜곡시킨 주변 환경에 있는 것이지 결코 당사자의 책임이 아니다. 사회와 국가는 선한 인간의 본성이 그대로 드러날 수 있도록 주변 환경을 잘 정비해주면 충분하다. 반면 법가의 성악설에 따르면, 형벌을 적극적으로 사용해야 한다. 인간을 선하게 만들려면 사회 전체가 나서서 형벌 등을 통해 악한 본성을 강하게 억제해야 한다. 사회와 국가가 이런 역할을 하지 않는다면 인간의 악한 본성이 모두 드러나 서로가 서로를 공격하여 사회는 유지될 수 없을 것이다.

Q2-1. 성선설과 성악설에 대해 입장을 말해보시오.

Q2-2. 판사는 동일한 범죄에 대해 엄벌에 처하기도, 교화와 갱생을 위해 다른 판결을 내리기도 한다. 이처럼 동일한 범죄에 대하여 다른 처벌을 내리는 것이 정당하다는 입장과 정당하지 않다는 입장이 있는데, 각각 논거를 말해보시오.

Q2-3. 형사미성년자(촉법소년) 제도가 현재 시행되고 있다. (미국 일부 지역, 이라크 등에서 시행한다는 정보) 촉법소년 제도를 폐지 혹은 존치해야 하는지 자신의 입장을 말해보시오. 또한 최근 우리나라는 형사미성년자를 14세에서 13세로 개정을 추진하고 있는데, 형사미성년자 연령은 어느 정도가 적절하다고 생각하는지 말해보시오.

🗨 A학생 추가질문

Q1-2. 문제에 "어느 나라"라고 되어 있는데 구체적으로 어느 나라인지 제시해보시오.

Q1-3. 단계적 효과가 있다고 했는데 단계적 효과가 결과로 이어지려면 어떻게 해야 하는지 제시하시오.

🗨 B학생 추가질문

Q1-2. 마지막에 해결방안으로 제시한 공동체적 해결방안에 대해서 다시 말해보시오.

Q1-3. 그렇다면 탄소배출권 거래제도의 장점은 무엇이 있는가?

Q2-4. 사람의 본성이 악하다면 사형을 시켜서 사회에서 격리해야 되는 것이 아닌가?

Q2-5. 같은 판단을 내려야 한다면 데이터를 더 효율적으로 처리할 수 있는 AI판사를 도입하는 것은 어떻게 생각하는가?

🗨 C학생 추가질문

Q1-2. 탄소배출거래제도에 반대한다고 했는데, 그렇다면 탄소배출거래제도 외에 다른 해결방안은?

Q2-4. 한 법관은 교화를, 다른 법관은 엄격함을 중시해서 같은 판단을 다르게 내렸는데, 이 판단이 정당하다고 할 수 있는가?

Q2-5. 그렇다면 재판 당사자가 억울하지 않겠는가?

🗨 D학생 추가질문

Q1-2. 평소 탄소중립에 대해 관심이 있었는가? 알고 있는 것이 있다면 말해보시오.

Q2-4. 13세 미만으로 형사미성년자 연령을 낮추는 것에 대해 어떻게 생각하는가?

모범답변

2022 충남대 로스쿨

① 교수:학생 = 3:1 ② 면접 준비 10분, 면접 시간 12분 ③ 메모 가능, 휴대 가능

2022 충남 A 문제

※ [가군 면접] 다음 제시문을 읽고, 문제에 답하시오.

> **<제시문 1>**
>
> 대기업 사내 변호사인 A는 사내 변호사 선배와 동업을 준비 중이었다. 그런데 동업하려던 선배 변호사가 사내 비리를 적극적으로 도운 사실을 알게 되었다. A는 이를 수사기관이나 언론사에 고발해야 하는가를 두고 고민 중이다. 위약금 및 불이익 조항이 제시되었고, 마지막 단서조항에 "단 공익신고자 보호법으로 보호받을 수도 있다"는 조항이 있다.
>
> **<제시문 2>**
>
> 재화의 통합으로 글로벌화되고 있다. 글로벌화의 장점은 소득 증대와 경제발전이 가능하나, 단점으로는 사회 불평등이 문제된다. 아시아의 빈곤이 심각해졌는데, 방글라데시나 인도네시아 등의 극빈국과 선진국 간의 국가 간 발전격차가 커지고 있으며, 국가 내의 소득격차도 커졌다.

Q1. <제시문 1>의 A에게 무엇이라 조언하겠는가?

Q2. <제시문 2>의 글로벌화 옹호론자와 비판론자의 입장을 각각 평가해보시오.

Q3. 아시아의 빈곤과 글로벌화의 관계를 설명해보시오.

Q4. 아시아의 빈곤에 있어 대한민국의 역할이 있다면 말해보시오.

추가질문

Q1-2. 변호사의 비밀유지의무는 왜 있는 것이라 생각하는가?

Q1-3. 그렇다면 의뢰인이 믿고 사건을 맡기겠나?

Q1-4. 23억 원이나 위약금으로 물어야 하는데, 변호사에게 너무 가혹한 것 아닌가?

Q1-5. 이후 개업이 힘들어 보이는데, 만약 당신이라면 공익 신고 변호사에게 사건을 맡기겠는가?

Q1-6. 해당 기업이 대기업이기에 폭로해야겠다고 생각한 듯한데, 중소기업이라면 달라지는가?

Q4-2. 아시아 빈곤국가가 아닌 우리나라도 소득 불균형 현상이 심한데 이에 대한 해소방안이 있는가?

Q4-3. 만약 코로나 백신 3,000도스가 있다면 구체적으로 몇 도스나 빈곤국가에 지원 가능한가?

Q4-4. 그렇게 자국 주권을 먼저 보호하려 하니까 빈곤이 해소되지 않는 것이 아닌가?

※ [나군 면접] 다음 제시문을 읽고, 문제에 답하시오.

<제시문 1>

코로나19 문제가 심각하다. 특히 개발도상국 국민이 고통을 받고 있다. 국경없는의사회는 코로나 치료제와 백신에 대해 특허권을 중지해야 한다고 밝혔다. 반면 제약 업계는 신약 개발을 위해 거액의 돈과 많은 시간이 투자되었으므로 이윤을 창출할 권리가 있다고 밝혔다.

<제시문 2>

2016년 미국의 독립언론 <프로퍼블리카>는 탐사보도를 통해, 미국 여러 주 법원에서 사용하고 있는 알고리즘 콤파스(COMPAS)가 흑인을 차별한다는 사실을 밝혀냈다. 콤파스는 피고의 범죄 참여, 생활 방식, 성격과 태도, 가족과 사회적 배제 등을 점수로 환산해 재범 가능성을 계산해 판사에게 구속 여부를 추천하는 알고리즘이다. 콤파스는 과거의 데이터에 기반하여 흑인의 재범 가능성을 백인보다 2배 위험하다고 판단했다. 이는 흑인들의 무고한 수감으로 이어졌다. (이후 알고리즘의 공정성에 대한 설명이 이어졌다.)

Q1-1. <제시문 1>의 국경없는의사회와 제약 회사의 의견을 '정의' 혹은 '공정성'에 의거하여 서술해보시오.

Q1-2. 저소득 국가의 국민과 신약 개발 회사의 입장이 충돌하고 있다. 이에 대해 고려할 사항을 서술해보시오.

Q2-1. <제시문 2>에서 과거의 데이터에 기반하여 판단을 내리면 어떤 문제점이 생기고 이에 대한 해결 방법을 서술해보시오.

Q2-2. 기술적 윤리와 규범적 윤리를 사용하여 AI의 알고리즘을 어떻게 구성해야 하는지 설명해보시오. 기술적 윤리는 어떻게 윤리적이게 행동할 것인가? 규범적 윤리는 무엇이 윤리적인가에 대한 것이다.

Q2-3. 현재 알고리즘은 과거의 결과에 따라 미래를 예측하는 방식으로 미래에 대한 판단을 할 수 있다고 생각한다. 알고리즘의 산출 결과가 공정성이 없어 타당하지 않다는 비판이 있는데, 이 비판은 타당한가? 그리고 알고리즘 산출의 공정성이 요구되지 않는 분야가 존재하는지 자신의 생각을 논해보시오.

💬 A학생 추가질문

Q1-3. 빈국에 약을 공급한다고 했는데 어떤 방식이어야 하는가?

Q1-4. 제약회사에게 너무 큰 손해가 아닌가?

Q2-4. 알고리즘의 편견이 강화되는 사례가 무엇인지 제시해보시오.

Q2-5. 구체적으로 어떤 편견들인가?

Q2-6. 지원자가 답변한 대로 한다면 AI의 학습 원리상 다수의 의견만 강화되고 소수의 의견은 도태될 수 있는데, 이는 어떻게 해결할 수 있을까?

Q2-4. AI 판사의 장점과 단점, 그리고 AI 판사 도입에 대한 자신의 생각을 말해보시오.

Q2-5. 그런데 판사가 왜곡된 가치관에 따라 판단할 수 있는 것이 아닌가? 그럼 AI의 판결이 오히려 더 정의롭지 않은가?

C학생 추가질문

Q2-4. 가치의 보정을 어떻게 할 것인가? 무엇이 보정해야 할 가치라고 생각하는지 예를 제시해보시오.

Q2-5. 지방인재선발은 역차별이라는 논란이 있다. 이에 대해 어떻게 생각하는가?

D학생 추가질문

Q2-4. AI에게 공정성을 요구하는 것 자체가 타당하다고 생각하는가?

2022 충남 인성 문제

Q1. 지원동기를 말해보시오.

Q2. 관심 있는 법조 분야가 있다면 말해보시오.

모범답변

2021 충남대 로스쿨

① 교수:학생 = 3:1 ② 면접 준비 10분, 면접 시간 12분 ③ 메모 가능 ④ 추가질문 있음 ⑤ 블라인드 면접

2021 | 충남 A 문제

※ [가군 면접] 다음 제시문을 읽고, 문제에 답하시오.

> **<제시문 가: 마틴 루터 킹의 연설>**
>
> 나의 친구인 여러분들에게 말씀드립니다. 고난과 좌절의 순간에도, 나는 꿈을 가지고 있다고. 이 꿈은 아메리칸드림에 깊이 뿌리를 내리고 있는 꿈입니다. 나에게는 꿈이 있습니다. 언젠가 이 나라가 모든 인간은 평등하게 태어났다는 것을 자명한 진실로 받아들이고, 그 진정한 의미를 신조로 살아가게 되는 날이 오리라는 꿈입니다. 언젠가는 조지아의 붉은 언덕 위에 예전에 노예였던 부모의 자식과 그 노예의 주인이었던 부모의 자식들이 형제애의 식탁에 함께 둘러앉는 날이 오리라는 꿈입니다. 언젠가는 불의와 억압의 열기에 신음하던 저 황폐한 미시시피주가 자유와 평등의 오아시스가 될 것이라는 꿈입니다. 나의 네 자녀가 피부색이 아니라 사람의 품성에 따라 평가받는 그런 나라에 살게 되는 날이 오리라는 꿈입니다.
>
> **<제시문 나: 「그리스인 조르바」의 일부>**
>
> 헝가리인인가, 불가리아인인가, 그리스인인가는 제게 중요하지 않습니다. 사람이 사람을 평가할 때 품성을 중요시하게 되었습니다.

Q1-1. 다음 중 <제시문 가>, <제시문 나>에서 밑줄 친 부분의 취지와 가장 부합하지 않는 문장은 무엇인가?

> ① 일을 많이 하거나 적게 한다고 해서 월급이 달라져서는 안 된다.
> ② 여자는 굴삭기 기사가 될 수 없다.
> ③ 성적이 높은 순으로 직원을 선발해야 한다.
> ④ 일찍 온 사람이 좋은 자리를 차지해야 한다.

Q1-2. Q1-1에서 고른 문장을 선택한 이유는 무엇인가?

Q2. 다음 제시문의 '성적 취향'과 '성적 정체성'의 단어 사용에 관련한 논란이 제기된 이유는 무엇인가?

> 미국 연방대법관 지명자에 대한 상원 인준 청문회에서 성적 취향(sexual preference)이라는 용어를 놓고 논란이 되었다. 에이미 코니 배럿 연방대법관 지명사가 상원 인준 청문회에서 성적 취향이라는 용어를 거듭 사용하자 민주당 소속 의원들이 이를 강하게 문제 삼고 나선 데 따른 것이다. 메이지 히로노 민주당 의원은 배럿 지명자를 향해 "2015년 대법원의 동성결혼 합헌 결정에 대한 견해를 묻는 질문에 성적 취향이라는 용어를 두 번이나 사용했다. 그 표현은 동성애 차별을 하는 집단이 사용하는 가장 전형적인 표현으로 성적 정체성(sexual orientation)이라는 단어를 사용해야 한다"고 지적했다. 배럿 지명자는 이에 대해 "성 소수자들에게 모욕을 주려는 의도가 아니었다."라고 해명하면서 사과했다.

Q3-1. 다음 제시문을 읽고, 안락사에 대한 찬성, 반대 중 한 입장을 정하고 논거를 말해보시오.

> 안락사는 회복의 가망이 없는 중환자의 고통을 덜어주기 위하여 인위적으로 생명을 단축시켜 사망케 하는 의료행위를 말한다. 존엄사로도 불리며 이에 대해 찬성하는 입장과 반대하는 입장이 있다.
>
> 찬성하는 입장에서는 첫째 자기 결정권에 따른 결정으로 존중되어야 한다, 둘째 환자의 고통을 줄일 수 있다, 셋째 의료비용으로 지출되는 비용을 줄여 가족들의 부담을 줄일 수 있다는 근거를 제시한다.
>
> 반면 안락사를 반대하는 입장에서는 첫째 생명권을 침해한다, 둘째 다수에 의한 소수의 희생양으로 전락한다, 셋째 의사의 윤리적인 가치관에 반하는 결정을 하게 된다, 넷째 정치적·사회적으로 안락사가 이용될 수 있다는 근거로 안락사에 부정적이다.

Q3-2. 본인은 소극적 안락사가 적극적 안락사보다 도덕적으로 명백하게 옳다고 생각하는가?

💬 **추가질문**

Q1-3. 답변하면서 집단적 특성에 대해 언급했는데 이것을 말한 이유가 있는가?

Q1-4. 제시문에서 인격과 성품을, 피부색과 국적을 각각 한 분류로 보고 있는데 이를 나누는 기준이 무엇이라 생각하는가?

Q2-2. 예를 들어 커피를 좋아한다는 것처럼, 성적 취향에 싫다는 의미는 없지 않나?

Q3-3. 본인은 적극적 안락사에 대해 찬성하는가?

Q3-4. 적극적 안락사와 소극적 안락사 모두 자기결정권을 기반으로 하는 것이 아닌가?

※ 다음 제시문을 읽고, 문제에 답하시오.

한 아파트는 단지 내 헬스장 운영비를 '평수'에 따라 분담하는데, 이에 대해 '헬스장을 이용하지 않는 주민이 헬스장 운영비를 왜 내야 하느냐'라는 문제가 발생하였다. 다음은 이 문제에 대한 주민 A, B, C, D의 의견이다.

- A: 아파트 내에는 헬스장을 이용하지 않는 주민도 있다. 아파트 내의 노인정이나 어린이 놀이터 등의 시설을 이용하지 않는 사람이 비용을 지불하게 되는 경우가 있는데, 이는 부당하다. 따라서 헬스장을 이용하는 주민만 비용을 지불하게끔 해야 한다.
- B: 헬스장 운영비를 주민 모두가 부담하게 되면, 시설을 이용하는 사람이 시설 내 기구를 마구잡이로 사용할 것이다. 헬스장을 사용할 주민만 비용을 지불하게 해야 이러한 문제를 막을 수 있을 것이다.
- C: 아파트 내의 공유 헬스장이므로 모든 주민이 운영비를 분담해 운영하는 것이 맞다.
- D: 이용주민만 비용을 낸다면, 헬스장 이용 주민만을 걸러내기 위한 노력이 필요할 것이다. 이러한 노력은 쓸모없는 시간과 비용을 초래한다.

Q1. 아파트 헬스장과 본질적으로 비슷한 사례를 말해보시오.

Q2. 네 명의 주민들 주장의 타당성을 검토해보시오.

Q3. 아파트 헬스장 비용을 누가 내야 한다고 생각하는지 자신의 견해를 말해보시오.

모범답변

2020 충남대 로스쿨

① 교수:학생 = 3:1 ② 면접 준비 10분, 면접 시간 15분 ③ 메모 가능 ④ 추가질문 있음 ⑤ 블라인드 면접

2020 충남 A 문제

Q1-1. 아래 제시문의 A는 요리를 할 수 있을 것인지 말해보시오.

> **<학업수행 영역>**
>
> A, B, C는 요리를 하고자 하는데, 소금이 없다. A는 B가 소금을 사 온다면 요리를 하겠다고 했다. B는 C가 냄비를 가지고 있다면 소금을 사 오겠다고 했고, C는 B가 냄비를 사용하지 않는다고 약속하면 냄비를 빌려주겠다고 했다.

Q1-2. 요리를 할 수 있다고 가정했을 때, A, B, C의 기여도를 설정하고 내가 어떤 인물이 되고 싶은지 설명해보시오.

Q2-1. 아래 제시문의 일원론과 이원론 둘 중 어느 입장이 더 설득력 있는지 논변해보시오.

> **<의사소통 영역>**
>
> 이광수와 최남선은 일제강점기의 문학가들이다. 이들은 독립운동가로 활동하며 <기미독립선언서>의 작성에 참여하는 등 반일 활동을 하였고, 이들이 쓴 「무정」과 「해에게서 소년에게」 등은 우리 민족 문학의 태동기에 숨을 불어넣은 위대한 작품으로 평가받는다. 그러나 이들은 일제에 굴복하여 변절하였고 친일파로 돌아섰다. 이들의 침략전쟁을 정당화하는 글을 쓰고, 징용에 참여할 것을 독려하는 태도를 보이기도 하였다. 이러한 입장에 있어서 이들의 삶과 문학을 하나로 보아 문학사에서 제외시켜야 한다는 일원론과, 이들의 작품과 삶을 분리하여 그에 대한 공과를 평가해야 한다는 이원론이 있다.

Q2-2. 식민사관을 비판하시오. 단, **Q2-1**에서 본인이 선택한 입장을 근거로 활용해보시오.

💬 A학생 추가질문

Q1-3. 그럼 실제로 A는 음식을 만들었겠는가?

Q1-4. 그렇다면 현실적으로 음식을 만들 수 있는 조건은?

Q1-5. A가 음식을 만들 수 없다고는 생각해보지 않았는가?

Q1-6. B도 재료를 구해왔고, B가 없었다면 A가 요리를 하지 않았을 텐데 A가 B보다 더 기여도가 높다고 판단한 이유는?

Q2-3. 신분제나 일부일처제 등 사회문화적 측면은?

Q2-3. 역사 교육의 투명성을 강조했는데 역사 교육을 투명하게 할 수 있는 방법이 무엇이 있겠는가?

Q2-4. 다양성을 인정하다 보면 역사는 남지 않고 다양성만이 남지 않겠는가?

C학생 추가질문

Q2-3. 이원론이 맞다고 했는데 그럼 방금 답변에서는 어떤 근거로 이원론이 맞다고 생각했나?

Q2-4. 근대화가 좋은 것이 아니라고 얘기했는데 어떤 점에서 좋지 않은지 얘기해보아라.

Q2-5. 우리나라에서 근대화가 이미 진행되고 있었다고 했는데 그 근거는 무엇인가?

D학생 추가질문

Q1-3. A가 하려는 요리가 과연 냄비가 필요한 요리일까?

Q1-4. 냄비가 필요하다면 요리를 못할 것이 아닌가?

Q1-5. 본인이 A와 같은 사람이 되겠다고 했는데 그럼 지원자는 사업가나 정치인을 해야 하지 않은가? 이들이 직접적으로 사회에 이바지할 수 있지 않나?

Q1-6. 법조인은 B나 C와 같이 간접적으로 누군가를 돕는 사람이 아닌가?

Q1-7. 본인은 변호사가 되고 싶어 하는 것 같은데 그렇다면 판사 등이 되고 싶은 생각은 전혀 없나?

E학생 추가질문

Q2-3. 문학작품을 퇴출시키는 것이 오히려 좋지 않을까?

Part 1
Part 2
Part 3
Part 4
Part 5
Part 6
Part 7

※ 다음 제시문을 읽고, 문제에 답하시오.

<제시문 1>

　　입법에서의 근원적 공정성(Epiekeia)은 정의에 속하지만, 정의를 바로잡는다는 점에서 어떤 종류의 정의로움보다 더 낫다. 법적 정의는 형평에 근거하여 교정되어야 하는 것이다. 법은 잘못을 범할 수 있기 때문이다. 근원적으로 공정한 것은 어떤 정의로움보다는 더 나은 것이긴 해도 역시 정의로운 것이며, 그것도 다른 어떤 유(genos, 고대 그리스의 씨족 단위)라서 어떤 정의로움보다 더 나은 것은 아니다. 따라서 정의로운 것과 근원적으로 공정한 것은 동일하며, 양자 모두 신실한 것이되 근원적으로 공정한 것이 더 뛰어날 뿐이다. 그런데 여기에서 문제는 근원적으로 공정한 것이 정의로운 것이기는 하지만, 법에 따른다는 의미에서의 정의로운 것이 아니라 법적 정의를 바로 잡는 것이라는 의미에서 정의로운 것이라는 점이다.

<제시문 2>

　　양도소득세는 부동산의 양도 금액과 취득 금액 간 차익에서 보유기간에 따른 장기보유 특별공제액을 차감하여 그 크기에 따라 6~26%의 세율을 적용한다. 일반적으로 양도 당시 1가구가 1주택을 2년 이상 보유한 경우라면 비과세 혜택을 받을 수 있다.

　　甲은 서울 내의 주택을 보유한 자로 이 집에서 가족과 함께 20년 이상 거주하였다. 최근에 강원도 산간지방에 거주하던 양친이 사망하였고, 甲이 모르는 채로 시가 수백만 원으로 추정되는 강원도 산간 소재의 주택이 상속되었다. 甲은 원래 거주하던 서울 소재의 주택을 처분하고 다른 곳으로 주거를 옮기고자 한다. 하지만 이 시기에는, 부동산 양도소득세와 관련된 법제가 완성되지 않아 추가로 주택을 취득하여 일시적 2주택이 된 경우에 비과세 혜택이 유지되는 경과 규정이 마련되지 않은 상황이다. 甲은 과세당국으로부터 2억 원의 부동산 양도소득세를 추징 받았다.

Q1. <제시문 1>에서 아리스토텔레스가 말한 근원적 공정성과 정의의 관계를 설명해보시오.

Q2. <제시문 2>에서 甲에게 부동산 양도소득세 규정을 적용하는 것은 타당한가? 비슷한 사례와 함께 설명해보시오.

※ 다음 제시문을 읽고, 문제에 답하시오.

고교생인 이 모(17) 군 등 16여 명은 XX지역 4개 학교 고교생과 함께 지적장애인 여중생을 집단 성폭행하였다. 하지만 학교 측에서는 사건을 은폐·축소하였고, '가해 학생이 미성년자인데다 피해자가 강하게 저항하지 않았고 폭력이 수반되지 않았다'는 이유로 가해 학생들은 불구속 입건되었다. 이 모 군 등 가해 학생들 중 일부는 대학 입시를 앞두고 있었고, 가해 학생들의 담임교사들은 부모들의 강한 요청에 따라 학교생활기록부에 관련 사항을 기록하지 않았다. 이에 일각에서는 "사회약자인 장애인에 대한 사회안전망이 허술한 상황에서 많은 장애인 성범죄가 은폐되며, 솜방망이 처벌되는 현실은 개선할 필요가 있다"고 주장하였다.

Q1. 위와 같은 장애인 성범죄, 더 나아가 비장애인 여성들에 대한 성폭행의 숫자가 줄어들지 않는 이유는 무엇이라고 생각하는가? 자유롭게 이야기해보시오.

Q2. 해당 사안에서 학교생활기록부에 장애인 여중생 집단성폭행 관련 사항이 기록되지 않은 것은 적절한가?

Q3. 가해 학생 학부모들이 자식들을 위해서 적극적으로 행동한 것에 대해서는 어떻게 생각하는가?

모범답변

2019 충남대 로스쿨

① 교수:학생 = 3:1

2019 충남 A 문제

※ 다음 제시문을 읽고, 문제에 답하시오.

<제시문 1>
소극적 안락사는 죽음보다 더 한 고통을 겪는 환자들의 아픔을 덜어줄 수 있다.

<제시문 2>
신고리 원자력발전소 건립에 대한 공론화위원회가 마련되어 숙의민주주의를 실현했다. 찬성과 반대를 두고 각 단체들이 공론화위원회의 시민들을 설득하는 과정이 있었다.

[찬성 입장] ① 안전성이 어느 정도 확증되었다.

② 환경 오염을 발생시키지 않는 청정 에너지원이다.

③ 현재 상황에서 경제적으로 값싼 에너지를 대량 생산할 수 있는 유일한 방법이다.

④ 원전 기술의 해외 수출이 가능하다.

[반대 입장] ① 후쿠시마 원전 사태와 같이 자연재해로 인해 위험이 발생할 수 있어 안전성이 담보되지 않았다.

② 핵폐기물과 같은 오염물질을 방출하므로 청정 에너지원이라고 할 수 없다.

③ 진정한 청정 에너지원인 대체에너지의 개발을 늦추게 된다.

④ 대체에너지의 개발로 인해 현재 원자력발전소 고용인원의 두 배의 고용 창출이 가능하다.

Q1. <제시문 1>에서 소극적 안락사를 통해 추구하고자 하는 웰다잉은 무엇을 뜻하는가?

Q2. <제시문 1>의 소극적 안락사를 행한 의사는 살인을 한 것인가?

Q3. 본인이 <제시문 2>의 신고리 원전 공론화위원회의 발표를 맡은 시민대표단의 일원이라 가정하고, 원자력발전소 추진정책에 대한 본인의 찬반 의견을 말해보시오.

추가질문

Q4. 소극적 안락사에 대한 본인의 의견을 말해보시오.

Q5. 적극적 안락사에 대해 찬성하는가?

Q6. 자살방조법에 대해서는 어떻게 생각하는가?

Q7. 사고로 인해 부득이하게 소극적 안락사를 선택할 기로에 놓인 사람들과, 자기결정권으로 소극적 안락사를 선택하는 사람들은 다른가?

※ [나군 면접] 다음 제시문을 읽고, 문제에 답하시오.

<제시문 1>
유럽의 정의의 여신상인 유스타시아는 눈을 가리고, 한 손에는 저울, 한 손에는 칼을 들고 있다. 우리나라 대법원에 있는 정의의 여신상은 눈을 가리지 않았고, 한 손에는 법전을, 한 손에는 저울을 들고 있다.

<제시문 2: 동물 보호와 공리주의의 기준>

Q1. 유럽의 정의의 여신상에서 법전, 칼, 눈을 가리고 있는 이유를 각각 설명해보시오.

Q2. 한국의 정의의 여신상에서 저울, 눈을 가리지 않고 있는 이유를 각각 설명해보시오.

Q3. '악법도 법이다'라는 제언에 대해서 <제시문 1>을 바탕으로 본인의 생각을 설명해보시오.

Q4. 본인만의 정의의 여신상을 만들면 어떻게 만들 것인지 설명해보시오.

Q5. <제시문 2>에 언급된 공리주의 기준 4가지를 들어 동물을 보호해야 하는 이유에 대해 설명해보시오.

Q6. 동물을 보호하기 위해 육식도 금해야 하고, 동물실험도 금해야 하는가?

모범답변

2018 충남대 로스쿨

① 교수:학생 = 3:1 ② 면접 준비 10분, 면접 시간 15분 ③ 메모 가능

2018 | 충남 A 문제

※ [가군 면접] 다음 제시문을 읽고, 문제에 답하시오.

> 돈키호테가 숲을 지나가는데, 주인이 하인의 상의를 벗겨놓고 매질을 하고 있었다. 돈키호테가 이유를 물어보니 하인이 근무를 게을리하는 바람에 양이 몇 마리 없어져서 혼냈는데, 오히려 하인은 밀린 임금을 내놓으라고 거짓말을 했다는 것이다. 돈키호테는 저항할 수 없는 하인에게 이 무슨 비겁한 행동이냐며 주인에게 겁을 줘서 다시는 그러지 않겠다는 맹세를 받아냈고 의기양양하게 숲을 떠났다.

Q1. 돈키호테가 떠난 뒤에 어떠한 일이 벌어졌을지 예상해보고, 돈키호테의 행위를 평가해보시오.

Q2. 당신이 돈키호테였다면 어떻게 할 것인가?

2018 | 충남 B 문제

※ 다음 제시문을 읽고, 문제에 답하시오.

> 다음은 회식비 분담 방법이다.
> • A: 직급에 따라 차등
> • B: 먹은 양에 비례
> • C: 연봉에 따라 차등
> • D: 재산에 따라 차등
> • E: 회식하자고 제안한 사람
> • F: n분의 1

Q1. 각 방법 중 회식비 분담 방법으로 가장 바람직하다고 생각하는 것을 고르시오.

Q2. 제시한 방법 외에 다른 방법이 있다면 제안해보시오.

2018 | 충남 C 문제

※ 다음 제시문을 읽고, 문제에 답하시오.

> 최근 에어비앤비, 우버와 같은 공유경제가 활성화되고 있다. 대기, 물 등의 자연 자원과 관련하여 공유지의 비극 현상이 발생하고 있다. 공산주의는 생산수단의 사유화를 부정하였다.

Q1. 공유경제와 공유지의 비극, 공산주의의 공통점과 차이점은 무엇인가?

Q2. 최근 활성화되고 있는 공유경제가 개인, 사회, 국가 각각에 미치는 영향은 무엇인가?

Q3. 에어비앤비, 우버 등의 공유경제와, TED TALK, LINUX 등의 공유경제의 차이점은 무엇인가?

2018 | 충남 D 문제

※ 다음 제시문을 읽고, 문제에 답하시오.

> ① 미국의 현세대들 중 일부는, 노예제도 등 과거 선조들의 잘못된 행위에 대하여 자신들이 사과해야 할 이유는 전혀 없다고 주장한다.
> ② 외국인 노동자들의 열악한 노동환경 등 다양한 인권 문제가 발생하고 있다. 이들 또한 외국인이기 이전에 인간이므로 국가가 외국인 노동자를 대상으로 한 복지정책을 시행해야 한다.
> ③ 가족 구성원의 범죄행위에 대한 신고 의무를 부과하는 불고지죄는 부당하다.

Q1. 제시문의 3가지 주장에 대해 각각 평가해보시오.

Q2. 수험생의 Q1 답변에 적용된, 일관된 논리적 기준을 설명해보시오.

모범답변

2017 충남대 로스쿨

① 교수:학생 = 3:1   ② 면접 준비 10분, 면접 시간 15분   ③ 메모 가능

2017 충남 A 문제

※ 다음 제시문을 읽고, 문제에 답하시오.

> '제왕적 대통령제'의 폐단으로 인해 국민이 피해를 보고 있다. 이에 따라 의원내각제, 이원집정
> 부제, 4년 중임제로 개헌해야 한다는 논의가 나오고 있다.

Q1. 개헌반대론자의 입장에서 개헌찬성론자를 비판해보시오.

Q2. 개헌찬성론자 입장 중 의원내각제, 이원집정부제, 4년 중임제 중 우리나라에 맞는 것은 무엇인가?
(문제에는 없었으나 면접관 지시사항으로 3가지 논거를 제시해 답변할 것을 요구받음)

추가질문

Q3. 미국의 장기 집권(부시 대통령과 트럼프 대통령의 예시를 들며)을 볼 때, 대통령 4년 중임제 또한 폐
단이 있지 않은가?

Q4. 현재 한국 대통령제가 알다시피 문제를 겪고 있는데 이 상황에 어떻게 하는 것이 좋은가?

Q5. 계엄선포권, 법률안거부권 등의 법 요건 강화를 하기 위해서는 어쨌든 개헌을 해야 하는데?

Q6. 4년 중임 대통령제를 시행하게 된다면, 대통령이 다음에 또 당선되기 위해서 국민의 인기에 영합하려
는 포퓰리즘 정책을 펼칠 수도 있는데 어떻게 생각하나?

Q7. 우리나라 현 국회는 여소야대 상황이라서 정책이 무산되는 경우가 많은데, 내각책임제를 한다면 효율
적이고 안정적으로 국정을 운영할 수 있는 장점이 있지 않을까?

Q8. 4년 중임 대통령제의 문제점은 없겠는가?

2017 충남 B 문제

※ 다음 제시문을 읽고, 문제에 답하시오.

> 덴마크와 우리나라의 국회의원이라는 직업 선호도는 사뭇 다르다. 어느 날 덴마크에서 설문조사를 하였는데 '가장 인기 없는 직업'이 무엇인가 물었을 때 국회의원이 1위로 꼽혔다. 반면 우리나라에서는 국회의원의 직접적 선호도가 높다.

Q1. 두 국가 간 이러한 차이가 나는 이유를 ① 1인당 국민소득 격차, ② 국회의원의 역할, ③ 국가정책적 관심, ④ 가정·사회문화적 측면 중 한 가지 이상 영역을 골라 설명해보시오.

추가질문

Q2. 개인주의 사회가 심화될수록 개인 간 갈등이 더 많이 발생하는데 국회의원은 이를 봉합하는 역할을 할 수 있다. 그렇다면 국회의원의 역할이 더 크게 느껴지지 않겠는가?

Q3. 출세지향적 문화의 영향도 있지 않나?

Q4. 기초생활수급자와 같은 사회보장제도도 영향을 준다고 보는가?

Q5. 권위와 권력의 관계를 어떻게 볼 것인가?

2017 충남 C 문제

Q1. 현재 국가 쌀 재고량이 늘어나고 있다. 기존에는 국가가 계속해서 감소하는 쌀 수요로 발생하는 쌀 잉여량을 사들였다. 하지만 농민들의 기대가격이 높아짐에 따라 정부의 추곡수매 비용과 보관비용 등이 계속 증가하여 이제는 국가가 모든 잉여 쌀 재고를 사줄 수 없는 실정이다. 그래서 국가는 손실을 줄이고자 농업전용토지면적(토지진흥면적)을 줄이려고 하고 있다. 이러한 현상이 나타나는 원인이 무엇이라고 생각하는가?

Q2. 토지진흥면적을 줄이는 것에 대해서 자신의 의견을 말해보시오.

추가질문

Q3. 농사를 짓는 분들 대부분 어르신들인데 이제와서 지속적으로 해오던 쌀농사를 바꿀 수 있을까?

Q4. 요즘 쌀과자 소비량도 줄었는데, 개발을 한다고 해서 수요가 바뀔 수 있나?

Q5. FTA 등으로 자유무역이 확대되면 우리나라의 쌀 소비가 더욱 줄어들지 않는가?

Q6. 대북 지원정책 변화 기조가 무엇이고 어떤 것이 그 변화의 원인인가?

Q7. 군사 비축 등의 요소도 고려했는가?

Q1. 지구온난화와 이상기후 같은 문제를 기술 발전, 예를 들어 안정성 있는 원자력, 핵융합, 이산화탄소포집기술 등으로 해결할 수 있는가?

Q2. 그렇다면 새로운 과학기술에 따른 부작용은 없다고 생각하는가?

Q3. 부작용이 있다면 그것을 최소화할 수 있는 방안은 무엇인가?

Q4. 그러면 내가 극단적으로 질문을 한번 해보겠다. 지원자의 말은 원시사회로 돌아가야 한다는 말인가? 휴대폰도 현재 수많은 단점을 가지고 있는데 다 없애야 하는가? 자동차도 수많은 대기오염을 일으키고 있는데 그런 것들을 다 없애야 하는가?

Q5. 이산화탄소포집기술을 알고 있는가? 지원자의 마을에 원자력발전소가 생긴다면 어떻게 하겠는가? 만약 수용한다면 주민들에게 발생한 피해는 어떻게 보상하겠는가? 예를 들어 위락시설 설치 혹은 금전 보상인가?

Q6. 전기차 보조금을 지급하여 전기차로 시장이 대체된다면 기존 가솔린, 디젤 시장에 종사하는 노동자는 어떻게 될 것인가?

Q7. 파리기후협정에 대해 지원자가 말을 했는데, 이에 대해 구체적으로 설명해보시오.

Q8. 환경문제에 대한 대안으로 국가적 차원이 아닌 다른 극복 방법은 없는지?

Q9. 원자력발전소의 경우 초기 건설비용이 비싸지만 이후 생산비용이 저렴해 현재 우리나라 전기의 상당 부분을 생산하고 있는데, 이것들을 중단한다면 앞으로 필요한 전기들은 어떻게 생산할 것인가?

Q10. 세계에는 원자력발전소가 무수히 많은데, 그중 한두 군데 사고 난 것일 뿐이고, 더군다나 일본 후쿠시마의 경우는 원자력발전소의 문제가 아니라 자연재해로 인해 발생한 것인데 이 부분은 어떻게 생각하는가?

Q11. 어떤 기술은 육성하고 어떤 기술은 제지하는 것이 정책으로 가능한가?

Q12. 타임머신이 있어서 아인슈타인이 처음 원자력을 발견하던 당시로 돌아갈 수 있다면, 그 연구를 육성하겠는가, 금지하겠는가? 이미 만들어진 핵폐기물은 어떻게 하나?

Q13. 한국이 핵을 가져야 하는가? 북한에서 과연 핵을 포기할 것 같은가?

Q14. AI가 득실이 있는가?

Q15. 지원자 집 앞에 쓰레기매립장을 만든다고 하면 어떻게 할 것인가?

모범답변

2016 충남대 로스쿨

① 교수:학생 = 3:1   ② 면접 준비 10분, 면접 시간 15분   ③ 메모 가능

2016 | 충남 A 문제

※ 다음 제시문을 읽고, 문제에 답하시오.

당대 최고의 소피스트였던 A에게 B청년이 찾아와 자신을 제자로 받아줄 것을 간청하며 대개 다음과 같은 취지로 말했다. "다른 모든 사람들은 당신이 최고로 지혜로운 사람이며 당신에게 배우면 어느 누구에게도 변론에서 지지 않는다고 합니다. 그렇지만 저는 당신에게 배워보지 않아 확신할 수 없습니다. 따라서 배워보지 않은 상태에서 수업료를 내는 것은 불합리합니다. 당신에게 배운 후 다른 사람들의 말이 맞다면, 그때 수업료를 내도 되겠습니까?"

자신의 논리에 대해 강한 자신감을 갖고 있던 A는 당돌한 이 청년의 제안에 흔쾌히 동의한다. 그런데 수업이 끝난 뒤에도 B가 자신에게 수업료를 지불할 생각을 하지 않자, 결국 화가 난 A는 수업료를 받기 위해 B를 그리스 법정에 고소한다. 재판정에 선 A는 대개 다음과 같은 취지로 말했다. "어차피 너는 수업료를 줄 수밖에 없다. 재판에서 내가 이기면, 너는 판결에 따라 수업료를 주어야만 한다. 또한 내가 만일 재판에서 지더라도, 너는 수업료를 줄 수밖에 없다. 왜냐하면 내가 그만큼 훌륭하게 잘 가르친 것이므로, 계약에 따라 당연히 너는 나에게 수업료를 지불해야 한다."

그러나 B는 다음과 같이 주장한다. "스승님, 저는 결코 당신에게 수업료를 지불할 수가 없습니다. 만약 제가 재판에서 이긴다면 당연히 판결에 따라 수업료를 줄 수 없고, 만약 제가 재판에서 진다면 계약에 따라 땡전 한 푼도 지불할 수 없습니다."

Q1. A와 B 중 변론할 입장을 선택하고, 논리적인 이유를 들어 변론해보시오.

Q2. 집주인이 세입자에게 집에서 나갈 것을 요청했고, 분쟁 결과 계약만료 이전임을 이유로 집주인은 분쟁에서 졌다. 그 후 계약 기간이 만료하자 이때 집주인은 세입자에게 집에서 나갈 것을 다시 명령할 수 있는지에 대한 분쟁을 **Q1**의 답변 논리에 근거해 해결해보시오.

추가질문

Q3. (**Q1**에 대한 답변을 물어보기 전에 질문) 이 사안의 쟁점이 무엇이라고 생각하는가?

※ 다음 제시문을 읽고, 문제에 답하시오.

> 개인들은 집단행동을 통해 자신들의 주장이 관철될 수 있고, 그로 인해 이득을 얻을 수 있다는 것을 안다. 그럼에도 개인들의 선택이 실제로 집단행동으로 이어지는 경우는 많지 않다.

Q1. 개인들이 집단행동을 하지 않는 경우의 조건에 대해 ①조건 외의 ②, ③조건을 제시하고 그 이유를 밝혀보시오.

① 목적이 정당하지 않다고 여기는 경우, ② (   ), ③ (   )

Q2. 위의 개인들이 집단행동을 하지 않는 경우에 대한 개인적인 경험이 있는가?

추가질문

Q3. 만약 위에서 말한 ②와 ③의 조건이 완성되었는데도 개인들의 집단행동이 이뤄지지 않는다면, 다른 이유로는 무엇이 있다고 생각하는가?

Q1. 법조인이 다른 사회구성원과는 다르게 가져야 할 특별한 도덕적 의무가 있는가?

Q2. 분쟁의 원인과 해결 방안은 무엇인가?

Part 1

Part 2

Part 3

Part 4

Part 5

Part 6

Part 7

 추가질문

Q3. 변호사의 사회적 의무가 있다고 생각하는가?

Q4. 있다고 생각한다면, 그 이유는?

Q5. 의무는 구체적으로 어떤 것이 있는가?

Q6. 그 의무를 위해 무엇을 준비해야 하는가?

Q7. 없다고 생각한다면 이유는?

2016 충남 인성 문제

Q1. 면접관에게 말하면 본인이 합격할 수 있을 것 같은 사항이 있다면 말해보시오.

Q2. 학점이 낮은데, 이유가 있나?

Q3. 사법시험 탈락 경험이 있는데, 변호사 시험은 잘 준비할 수 있겠나?

Q4. 언제부터 법조인을 꿈꾸었는가?

Q5. 교수들에게 하고 싶은 질문이 있다면?

모범답변

2024~2016 충북대 로스쿨

2024 충북대 로스쿨

① 교수:학생 = 3:1   ② 면접 준비 5분, 면접 시간 10분(3문제 중 택일하여 답변)   ③ 메모 가능

메모 및 휴대 여부	• 메모, 휴대 모두 가능함
대기실 특징	• 오전 면접 응시자는 면접 종료 후 한 대기실에서 모여 있다가 귀가함 • 오후 면접 응시자는 면접 종료 후 곧바로 귀가함 • 전자기기를 제출한 후에 응시표를 배부하며 응시표의 번호에 따라 지정된 대기실의 지정석에서 대기함 • 준비한 자료를 볼 수 있으며, 화장실 이용도 자유로움
문제풀이실 특징	• 면접고사장 복도에 놓여있는 책상에서 문제풀이를 하게 되며, 다른 지원자들이나 면접 진행요원이 왕래하므로 다소 산만함 • 타이머로 5분이 되면 곧바로 펜을 놓아야 함 • 문제풀이를 한 메모지는 면접고사장에 가지고 들어갈 수 있음
면접고사장 특징	• 면접 종료 후 문제지는 반납하고 퇴실함
기타 특이사항	• –

2024 충북 A 문제

※ [가군 면접] 아래 3문제 중 한 문제를 택하여 답변하시오.

Q1. 최근 디즈니 영화 <인어공주>에서 PC(Political Correctness), 즉 정치적 올바름에 대한 내용이 반영되어 화제가 되었다. 문화예술작품에 PC 요소를 반영하는 것에 대해 찬반 입장을 정하여 논하시오.

Q2. 전국장애인연합회에서 장애인들의 이동권 보장과 확대를 위해 출퇴근 시간대에 여러 지하철역에서 시위를 진행하고 있다. 이로 인해 국민들의 출퇴근 이동의 방해 등 여러 피해가 예상된다. 이러한 시위에 대해 찬반 입장을 정하여 논하시오.

Q3. 최근 이스라엘-하마스 분쟁이 진행 중이다. 유엔 안전보장이사회는 양측의 교전 중단 결의안을 찬성 12표, 기권 3표로 가결했다. 안보리 결의는 15개 이사국 중 9개국 이상이 찬성해야 하고, 상임이사국 5개국 모두가 거부권을 행사하지 않아야 한다. 이 결의안은 인도주의 차원에서 가자지구 교전의 즉각적 중단, 하마스의 인질 석방, 아동과 민간인 보호를 위한 국제인도법 준수를 그 내용으로 한다. 한국은 이 결의안에 하마스의 테러 행위 규탄, 인질 석방 내용이 없다는 이유로 기권했다. 이에 대해 다른 일부 국가는 한국이 이 문제에 대해 침묵했다고 비판했다. 한국의 선택에 대해 자신의 견해를 논하시오.

Part 1
Part 2
Part 3
Part 4
Part 5
Part 6
Part 7

A학생 추가질문

Q1-2. PC를 조건부로 적용한다고 했는데, 어떤 개별 작품에 적용할 것인지, 그리고 평가도 해보시오.

B학생 추가질문

Q2-2. 장애인들이 다른 수단을 다 사용했음에도 효과가 없다고 판단하여 지하철역 점거 시위를 택했다면 그래도 반대할 것인가?

Q2-3. 동물과 인간은 같은 생명이다. 그렇다면 이 둘은 같은가? 영유아와 식물인간의 경우는 어떠한가?

C학생 추가질문

Q2-2. 위 사례의 시위가 불법이라면 다른 불법시위와의 차이점은 무엇인가?

2024 충북 B 문제

※ [나군 면접] 아래 3문제 중 한 문제를 택하여 답변하시오.

Q1. 정부는 2023년 11월 한시적 공매도 금지안을 발표했다. 공매도는 주가가 하락할 것을 예상하고, 갖고 있지 않은 주식을 빌려서 팔았다가 주가가 내려가면 싸게 사서 갚아 이익을 내는 투자 기법이다. 공매도 금지안에 대한 자신의 견해를 논하시오.

Q2. 정부가 의대 정원 확대 정책을 발표했다. 정부의 의대 정원 확대 정책은 공공의대 신설, 지역의대 신설, 지역의사제를 함께 추진하는 것까지 포함한다. 그러나 정부의 주장대로 할 경우 정원 확대에 대한 의료계의 반발만 더 커질 수 있다는 우려가 나온다.[11] 의대 정원 증가로 예상되는 문제점과 대안을 논하시오.

Q3. 중대재해처벌법은 상시근로자 5명 이상 사업 또는 사업장에서 사망자가 1명 이상 발생하거나 동일 사고로 6개월 이상 치료가 필요한 부상자가 2명 이상 발생하는 등의 중대산업재해가 발생한 경우 대표이사 등의 경영책임자를 처벌하는 법이다. 중대산업재해 발생 시 기업 대표를 처벌하는 것이 과도한 책임을 부과하는 것인지 자신의 견해를 논하시오.

추가질문

Q3-2. 경영 책임자나 사업주에게 직접적인 책임이 없는데도 처벌해야 한다고 생각하는가?

Q3-3. 현장에서 직접적인 안전관리 소홀 때문에 일어나는 사건이어도 경영주가 책임을 저야 하는가?

11)

필수의료 공백

Q1. 변호사로서 반인륜적 범죄자가 수임료로 수십억 원을 준다고 한다면 수임하겠는가?

Q2. 변호사가 되고 싶은 이유는 무엇인가?

Q3. 청소년에게 술, 담배를 팔아야 하는가?

Q4. 이웃집에서 반려견 학대가 의심되는 정황이 있다면 지원자는 어떻게 할 것인가?

Q5. 지원자가 로펌에 입사했는데 후배 변호사가 인사를 하지 않는다면, 어떻게 할 것인가?

Q6. 최근 문제가 되는 전화공포증에 걸린다면 어떻게 하겠는가?

Q7. 청소년이 담배를 구입하려는 것을 목격했다면 어떻게 하겠는가?

Q8. 왜 충북대 로스쿨에 지원했는가?

Q9. 10년 후의 자기 모습을 말해보시오.

Q10. 공부를 몇 시간까지 해보았는가?

Q11. 지원동기를 말하시오.

모범답변

2023 충북대 로스쿨

① 교수:학생 = 3:1   ② 면접 준비 5분, 면접 시간 10분   ③ 메모 가능   ④ 추가질문 있음

2023 충북 A 문제

※ [가군 면접] 다음 3문제 중 한 문제를 택하여 답하시오.

Q1. 다국적 담배기업인 P는, 담배와 질병의 상관관계에 대해 100억 원의 연구비를 지원하여 대학에 연구를 의뢰하려 한다. 이 의뢰에 대해 b대학은 P로부터 연구비가 지원되었으므로 연구 자체가 다국적 담배기업에 유리하게 될 것을 우려하여 연구를 거절했다. a대학은 해당 연구를 연구윤리위원회에서 승인했고, 비용 지원이 있는 것은 당연하다고 하며 연구를 수락했다.
대학 연구는 연구의 진실성이라는 일차적 이익 이외에도 대학 수입, 학교 평가 등 이차적 이익도 고려한다.
a대학과 b대학은 각각 어떤 이익을 고려한 선택을 한 것인가?

Q2. 코로나19 등 공급망 대란으로 리쇼어링 현상이 나타나고 있다. 그러나 리쇼어링의 폐해 또한 있다. 반대 측 입장에서 주장하시오.

Q3. 수도권 대학의 반도체 학과 인원 증설에 관련해서 지역균형발전에 역행한다는 비판이 있다. 이 비판에 대한 자신의 입장을 논하시오.

추가질문

Q1-2. 지원자는 a대학과 b대학 중 어떤 대학을 선택할 것인가? (대답 시 대학 선택 후 선택 이유를 같이 답변함)

Q1-3. a대학에서 다국적 담배기업에 지원을 받았으면 해당 연구를 신뢰하기 어렵다고 생각하는데 이에 대해 어떻게 생각하는가?

Q1-4. 지원자는 흡연권, 혐연권 중 어떤 것이 더 중요하다고 생각하는가?

Q1-5. a대학의 경우 연구의 진실성이 담보되지 않는다는 비판이 있는데 이에 대한 해결책이 있는가?

Q1-6. 최근 발생한 이태원 사고의 문제점은 무엇이고, 그에 대한 해결방안은 무엇인가?

Q1-7. 이태원 사고에 대해 국가에서 배상을 해야 하는가?

Q2-2. 본인은 어떤 입장인가? 국내 자국민 보호는?

Q3-2. 거시적인 이야기를 했다. 반도체 기업은 주로 수도권에 있는데, 이러한 관점에서 반도체 특성을 고려해 구체적으로 답변하시오.

Q3-3. 중대과실로 인해 물의를 일으킨 기업에 대해 소비자들이 불매운동을 하는 것이 정당한가?

※ [나군 면접] 다음 3문제 중 한 문제를 택하여 답하시오.

Q1. 갑이 친구 을에게 "미국으로 유학 간 내 딸이 문신을 하고 귀국했다. 그리고 같이 들어온 여자친구와 문신(타투)업을 하고자 한다. 요즘 트렌드라길래 이해했는데 내 딸이 여자친구를 애인이라 소개하고 결혼하겠다고 한다."고 말했다. 을의 입장에서 할 수 있는 말은?

Q2. 블라인드 채용 제도의 역기능과 개선방안을 제시하시오.

Q3. 정부가 신생아 감소 등의 이유를 들어 교원시험 합격자 수를 축소한다고 발표했다. 이에 교원대는 시험을 준비한 4학년 학생들이 피해를 볼 수 있다며 반대하는 중이다. 4학년의 입장에서 찬반을 말하시오.

💬 A학생 추가질문

Q1-2. 공공에 위해를 가한다는 것이 어떤 의미인가?

Q1-3. 동성결혼은 허락한다는 개방적인 입장인데 문신업은 보수적인 답변을 했다. 그 이유는 무엇인가?

Q1-4. 현재 타투이스트들의 수가 많은데 이들을 인정하는 것은 어떻게 생각하는가?

💬 B학생 추가질문

Q1-2. 개인의 자유를 존중한다고 하는데, 문신의 경우 공중보건을 해할 수 있고, 동성혼의 경우 결과적으로는 인구 수 감소와 같은 문제가 생길 수 있다. 이에 대해 어떻게 생각하는가?

Q1-3. 의료인만 문신 시술이 가능하다고 했는데, 갑의 딸이 수년에 걸쳐 의료인이 되면서까지 문신사가 되려는 것이라고 보기 힘들다. 지원자가 답한 의도를 확실히 알고 싶다.

Q1-4. 만약 의료인 외에도 문신시술을 확대하려면 어떤 조치가 필요한가?

모범답변

① 교수:학생 = 3:1   ② 면접 준비 5분, 면접 시간 10분   ③ 메모 가능, 휴대 가능

2022 충북 A 문제

※ [가군 면접] 다음 3문제 중 한 문제를 택하여 답하시오.

Q1. 주식투자 과열로 인해 신용투자가 확대되고 있다. 빚을 내 투자하는 개인투자자가 늘어나고 있는데 특히 20대는 43% 정도가 주식을 하고 있다고 답변했다. 20대의 주식 투자가 증가하는 사회적 배경과 그 폐해에 대해 논해보시오.

Q2. 지역 균형 발전을 시도하면서 혁신도시를 건설했다. 지역 균형 개발을 반대하는 입장에서 찬성하는 입장을 반박해보시오.

Q3. 카카오, 네이버 등 빅테크 기업이 문제 되고 있다. 카카오는 문어발식 확장을 하고 있으며, 네이버는 자사 스마트스토어를 검색 상단에 노출하고 있다. 이에 빅테크 기업에 대한 규제가 논의되고 있다. 이에 대해 규제반대론 입장에서 주장해보고, 규제찬성론 입장에서도 주장해보시오.

추가질문

Q3-2. 3가지 이유를 들었다. 3가지가 연결되는 논리인 것 같은데 직접적 침해를 논한 것을 미루어 볼 때, 직접적 침해가 있다면 제한적으로 규제할 수 있다는 것으로 들렸다. 빅테크 기업의 무분별한 확장이 국민의 자유를 침해하고 있는 것은 사실인데, 빅테크 기업들의 영업의 자유를 여전히 주장할 수 있는가?

Q3-3. 만일 규제가 이루어지면 해외업체들도 똑같이 규제받는 것이 아닌가?

Q3-4. 배달의 민족과 같은 경우는 인수합병의 원인이 명확하게 밝혀지지 않았는데 국가의 규제로 인해 인수합병되었다고 볼 수 있는가?

Q4. 수술실 CCTV 설치 의무화에 대해 어떻게 생각하는지 짧게 말해보시오.

※ [나군 면접] 다음 3문제 중 한 문제를 택하여 답하시오.

Q1. 현재 엘리트 체육 위주의 체육 정책이 중심이 되고 있다. 그러나 이에 대해 국민 생활 체육 중심으로 정책을 변경해야 한다는 주장이 있다. 이 주장에 대한 찬반 입장 중 하나를 선택하여 논해보시오.

Q2. 우리나라 신생아 감소가 극에 달해 현재 저출산 문제가 매우 시급하다. 이를 해결하기 위해 다양하게 시도된 저출산 정책들의 실효성이 미미한 상태이다. 그중 대안으로 이민자들에 대한 적극적인 귀화 정책이 논의되고 있다. 이민자들을 적극적으로 수용해야 한다고 생각하는가?

Q3. 자의(自意)에 의해 원하는 아이를 가질 수 있다고 해도 부작용은 존재한다. 영화 <딜리버리 맨>은 한 남성이 정자 기증을 했고, 그의 정자로 태어난 533명의 아이들의 이야기를 담았다. 한 남성의 정자가 남용되면 수많은 이복형제가 태어날 수 있다. 실제로 세계 곳곳에서는 특정 정자 기증자 한 명을 아버지로 둔 아이들이 10명, 20명, 심지어 100명이 넘는 사례가 발생한 바 있다. 정자 기증을 통해 태어난 아이가 추후 아버지가 누구인지 알려달라고 하였을 경우, 알려주어야 하는가?

💬 A학생 추가질문

Q2-2. 지원자는 논증 과정에서 한민족이라는 표현을 했다. 그런데 한민족 간에도 서로 불협화음을 일으켜 사회갈등이 발생하고 있는 현실인데, 외국 이민자를 적극적으로 귀화시키면 더 큰 문제가 있을 것이다. 이 부분은 어떻게 해결할 수 있는가?

💬 B학생 추가질문

Q2-2. 전제 자체가 기존 저출산 정책이 효과가 적다는 것인데, 그래도 적극적으로 외국인을 유입하면 안되는가?

Q2-3. 예를 들어 아메리칸 드림과 같은 흐름도 있는데, 세계적으로는 이런 추세가 아닌가?

Q2-4. 우리나라 사람들이 문화적 다양성을 받아들이기 어려운 이유는 무엇이라 생각하는가?

Q2-5. 생산인구 감소가 심각한 상황인데도 그러한가?

Q2-6. 정말 급박해서 유입하자는 것인데 그래도 반대하는가?

Q2-7. 결론적으로는 시행하자는 것 아닌가?

모범답변

2021 충북대 로스쿨

① 교수:학생 = 3:1   ② 면접 준비 5분, 면접 시간 10분   ③ 메모 가능   ④ 추가질문 있음
⑤ 블라인드 면접   ⑥ 3문항 중 택1

2021 충북 A 문제 [가군 면접]

Q1. 다음 제시문을 읽고, 고령 운전자의 운전면허 자진납부제도에 대한 찬반을 논해보시오.

> 해마다 고령 운전자 교통사고가 늘어나면서 이들의 사고 예방 및 안전 대책을 둘러싼 사회적 고민도 커지고 있다. 지난해 말 기준 65세 이상 고령 운전자는 334만 명을 기록했으며, 이미 버스·택시·화물차 등 운수종사자 중 65세 이상 비중은 17.4%에 달한다. 문제는 고령 운전자가 돌발 상황에 대처할 수 있는 능력이 상대적으로 떨어진다는 데 있다. 도로교통공단이 발표한 보고서에 따르면 65세 이상 운전자의 경우 차선 유지를 위한 핸들 움직임이 상대적으로 많고 신호등 색상 판별에 더 많은 인지 시간이 필요한 것으로 나타났다. 이에 따라 지자체와 정부에서는 65세 이상 고령 운전자들이 운전면허증을 자진 반납하면 10만 원 상당의 교통카드를 지원하는 등 자진 운전면허 반납을 유도하고 있다. 그러나 면허 반납은 여전히 미미한 상태다. 고령 운전자 사이에서는 평생 사용했던 이동 수단을 대체하는 것에 비해 주위지는 혜택이 적다는 불만이 존재한다. 이에 따라 지자체들은 교통카드 지원 금액을 올리고 반납 절차를 간소화하는 등 대책 마련에 나섰다.

Q2. 다음 제시문을 읽고, 학교에서 청소년의 휴대전화 사용을 일률적으로 규제하는 것에 대한 본인의 견해를 밝혀보시오.

> 많은 고등학교에서 이루어지고 있는 등교 후 휴대전화 일괄 수거가 학생들의 인권을 침해한다는 판단이 나왔다. 국가인권위원회는 4일 매일 아침 조례시간에 학생 휴대전화를 수거하고 종례시간에 돌려주는 한 고등학교의 생활 규정은 학생들의 기본권을 침해한다고 판단했다. 인권위는 이 규정이 헌법상 일반적 행동과 통신의 자유를 침해한다고 판단해 해당 규정을 개정할 것을 권고했다. 인권위에 따르면 이 고등학교는 매일 오전 8시 20분에 학생들의 휴대전화를 걷어가고 방과후학교가 끝난 오후 8시 30분에 돌려준다. 그리고 학생이 제출한 휴대전화 기계가 실제 사용하는 휴대전화인지를 확인하기 위해 담당 교사와 선도부원이 학생들의 휴대전화를 일일이 켜보아 공기계를 제출한 학생에게는 벌점을 부과했다.
> 학교 현장에서는 인권위 판단에 대해 "수업 현실을 고려하지 않은 결정"이라는 반응이다. 한국교총은 "인권위가 교사의 수업권과 학생의 학습권 등 교육의 본질을 훼손하는 권고를 계속하고 있다"며 "교실은 휴대전화와 전쟁 중이라는 학교 현실을 고려해야 한다"고 했다.

해커스 **김종수 로스쿨 면접 200주제**

Q3. 다음 제시문을 읽고, 코로나19의 치료제 및 백신에 대한 강제실시 찬반 여부를 논해보시오.

> 미국의 대형 제약사 화이자와 독일 제약사 바이오앤테크는 공동 개발 중인 코로나19 후보물질에 대한 3상 임상시험 결과, 90% 이상의 예방효과가 나타났다고 밝혔다. 통상적으로 기대되는 60% 수준을 크게 웃도는 결과다. 조만간 화이자는 미 식품의약청(FDA)에 긴급 사용 승인을 신청할 예정이다.
>
> 이에 국내에서도 코로나19 백신·치료제 공급을 위한 강제실시권이 국회 입법을 통해 추진되고 있다. 더불어민주당 박홍근 의원은 5일 이 같은 내용을 담은 감염병예방법과 특허법 일부개정 법률안을 각각 발의했다. 강제실시권이란 세계무역기구 무역관련 지식재산권에 관한 협정 제31조에서 규정하고 있는 권리로, 정부 등이 공익적 목적을 위해 특허권자의 허가 없이 특허를 사용할 수 있도록 규정하고 있다. 즉, 코로나19 팬데믹과 같은 공중보건 위기나 국가 비상 상황에 정부가 강제실시권을 발동해 코로나19 백신이나 치료제의 복제약을 생산해 공급할 수 있도록 하는 특허권의 예외를 인정하는 규정이다.

💬 A학생 추가질문

Q1-2. 국민의 자유를 제한할 수 있는 방법을 알고 있는가? 모르면 모른다고 해도 된다.

Q1-3. 고령자 운전면허 자진반납제도의 경우 법률로 이를 제정해야 한다고 생각하는가?

Q1-4. 만약 지원자의 부모님이 고령에 운전하기 여의치 않은 상황인데도 운전을 하겠다고 고집을 부리신다 하자. 지원자라면 어떻게 하겠는가?

Q3-2. 지식재산권의 침해를 어떻게 보상할 것인가? 사회적 가치에 대한 보상을 하는 것인가?

Q3-3. 강제 실시를 한다면 몇 기에 하는 것이 적절한가? 1기에 해도 되는가?

💬 B학생 추가질문

Q3-2. 국가가 강제실시를 하고 발생하는 지식재산권 피해를 배상해야 한다고 했는데, 그 금액은 국민의 세금으로 내는 것이다. 그렇다면 처음부터 세금으로 의약품을 적법하게 구입하면 되는 것 아닌가? 그리고 코로나19와 같은 팬데믹 상황이라도 국가가 배상을 해야 하는가?

Q3-3. 아까 답변 내용 중 구입이라고 했는데, 강제실시로 필요한 물량을 모두 만들면 되지 않는가?

Q3-4. 지원자는 강제실시의 개념이 무엇이라고 알고 있는가?

Q3-5. 특허권을 침해받은 사람에 대해 국가는 무엇을 해줘야 하는가?

2021 충북 B 문제 [나군 면접]

Q1. 국가가 종교적 행위를 규제하는 것에 대한 자신의 견해를 논해보시오.

Q2. 온라인 게임상의 도박 행위를 규제하는 것에 대한 자신의 견해를 논해보시오.

Q3. 반려동물을 키우는 가정이 늘어나고, 반려동물과 감정적 교감을 형성하여 가족과 같이 지내는 경우도 쉽게 찾아볼 수 있다. 심지어 사람과 반려동물이 물에 빠졌을 경우 반려동물을 구하겠다고 답하는 경우도 적지 않을 것 같다. 이처럼 사람보다 반려동물을 먼저 구하겠다는 선택에 대한 자신의 견해를 밝히고, 자신은 어떤 선택을 할 것인지 논해보시오.

추가질문

Q3-2. 평등원칙이란 같은 것을 같게 대하여야 한다는 것 아닌가? 인간과 동물은 근본적으로 다른데 평등원칙 실현과 무슨 상관이 있나?

Q3-3. 인간을 구조할지, 동물을 구조할지는 개인의 자유 행사인데 이것이 사회갈등과는 무슨 상관이 있나?

Q3-4. 물에 빠진 사람이 이성적인 판단 능력이 없는 사람이라도 사람을 먼저 구해야 하는가?

Q3-5. 지원자는 반려동물을 기른 적이 있는가? 현재 지원자가 반려동물을 여러 마리 키우면서도 인간을 먼저 구해야 한다고 주장하는데, 반려동물을 키우는 많은 사람이 지원자의 의견에 동의하지 않을 것 같다. 그들을 어떻게 설득할 것인가?

2021 충북 인성 문제

Q1. 어떤 변호사가 되고 싶은가?

Q2. 진학 이후 공부 계획을 답변해보시오.

Q3. 살면서 겪은 역경이 있는가?

Q4. 지원동기를 말해보시오.

Q5. 충북대가 왜 지원자를 뽑아야 하는가?

Q6. 법조인으로서의 자질을 갖추고 있는가? 그러한 자질을 갖추기 위해 지금까지 해온 노력은 무엇인가?

모범답변

① 교수:학생 = 3:1   ② 면접 준비 5분, 면접 시간 10분   ③ 메모 가능   ④ 추가질문 있음
⑤ 블라인드 면접   ⑥ 3문항 중 택1

2020   충북 A 문제 [가군 면접]

Q1. SNS 등에서 말기암의 치료법으로 개 구충제인 펜벤다졸을 먹는 것이 퍼지고 있다. 절박한 상황에서 치료법을 선택하는 사람들을 규제할 수 있는가?

Q2. 연예인에 대한 악성 댓글을 작성한 자들에 대해 형사처벌을 강화해야 한다는 주장이 있다. 이 주장에 대한 찬반 견해를 정하여 논해보시오.

Q3. 원자력발전소를 축소·폐로하는 것에 대한 찬반 견해를 정하여 논해보시오.

2020   충북 B 문제 [나군 면접]

Q1. 부도덕한 경영 등 기존의 기업 경영방식이 문제 되고 있고, 국내 주식시장에 투자하고 있는 국민연금의 수익률이 5%에 머무르는 실정이다. 국민연금의 고갈은 청년층의 부담으로 이어지기 때문에 정부는 기업의 부도덕한 경영으로 인한 손실을 예방할 수 있도록 국민연금이 투자기업에 대한 개입을 할 수 있도록 가이드라인을 정할 방침이다. 이 정책에 대한 찬반 견해를 정하여 논해보시오.

Q2. 서울대 학생을 대상으로 한 인터뷰에서, 좋은 학점을 받는 학생들 대부분이 강의를 녹음하고 교수님이 수업에서 가르친 대로만 답안을 작성한다고 한다. 자신이 생각하는 바가 달라도 결국 교수님이 말한 대로 정답을 작성한다는 것이다. 이렇게 되면 학생들의 창의성과 비판의식을 저하시킬 수 있는데, 이를 해결하기 위한 수험생의 대안을 제시해보시오.

Q3. 군대 내에서 북한 찬양과 같은 불온서적을 제한하고 있다. 이는 개인의 책 읽을 자유를 침해하는 것인가? 또한 사회에서는 동성애가 자유로우나, 군대 내에서는 동성애를 제한하고 적발 시 처벌까지 하는데, 이는 평등원칙에 반하는 것인가?

Q1. 로스쿨 지원동기를 말해보시오.

Q2. 법조인이 되고 싶은 이유?

Q3. 드라마나 영화에 나오는 법조인 상과 본인이 생각하는 법조인 상과 어떤 차이가 있는지, 그리고 본인은 어떤 법조인이 되고 싶은지 답해보시오.

Q4. 로스쿨 입시는 언제부터 준비했는가?

Q5. 공부는 어떤 방식으로 했는가?

Q6. 면접문제가 예상 질문이었는가?

Q7. 충북대 로스쿨에 지원한 이유나 배경이 있는가?

Q8. 헌법 책은 읽어봤는가? 몇 번 읽어봤고 어떤 부분이 마음에 들었는가?

Q9. 학부 전공이 무엇인가?

Q10. 법학을 공부해본 적 있는가?

Q11. 로스쿨은 언제부터 준비했는가?

Q12. 능력 있는 변호사는 돈을 많이 벌고, 능력 없는 변호사는 인권 변호사를 한다는 것에 대해 어떻게 생각하는가?

Q13. 최선이 아닌 차선을 선택했을 때 본인은 어떤 마음가짐으로 임했는가?

Part 1
Part 2
Part 3
Part 4
Part 5
Part 6
Part 7

해커스 김종수 로스쿨 면접 200주제

모범답변

2019 충북대 로스쿨

① 교수:학생 = 3:1   ② 3문항 중 택1

2019 충북 A 문제 [가군 면접]

Q1. 가짜뉴스 규제에 대한 찬반 의견 중 한 입장을 정하여 의견을 말해보시오.

Q2. 청소년 범죄자 형량 강화에 대한 찬반 의견 중 한 입장을 정하여 의견을 말해보시오.

Q3. GMO 농산물 규제에 대한 찬반 의견 중 한 입장을 정하여 의견을 말해보시오.

추가질문

Q2-2. 피해자의 가족은 범죄자가 강력하게 처벌받는 것을 원하는데 이에 대해 어떻게 생각하는가?

Q2-3. 조현병 환자 등과 같은 정신질환자가 범죄를 저지르는 것에 대해서는 어떻게 대응할 것인가?

Q2-4. 청소년이 자신의 행동의 결과에 대해서 예측을 할 수 있는 능력이 없어 책임을 묻지 못한다고 답변했다. 만약 청소년 본인이 자신이 처벌을 받지 않을 것을 알고 범죄를 저지른다면 어떻게 할 것인가?

2019 충북 B 문제 [나군 면접]

Q1. 학교에서 보호자의 동의 없이 학생들의 지문을 채취한 것에 대한 찬반 의견을 제시해보시오.

Q2. 최저임금의 급격한 인상에 대한 찬반 의견을 제시해보시오.

Q3. 현 정부의 신재생에너지 점진적 도입정책에 대한 찬반 의견을 제시해보시오.

모범답변

2018 충북대 로스쿨

① 교수:학생 = 3:1　② 면접 준비 5분, 면접 시간 10분　③ 메모 가능　④ 3문항 중 택1

2018 충북 A 문제

Q1. 인간의 노동을 대체하는 로봇들에 대한 세금 부과, 즉 로봇세는 타당한가?

> 인공지능 기술과 4차 산업의 발달에 따라 기계가 인간의 노동을 대체하고 있다는 내용의 제시문

Q2. 제시문의 4가지 입장 중 한 입장을 선택하여 자신의 주장을 논증해보시오.

> 최근 연예계에서 화제가 되었던 불륜 커플의 행위에 대한 4가지 입장이 제시됨

모범답변

2017 충북대 로스쿨

① 교수:학생 = 3:1   ② 면접 준비 5분, 면접 시간 10분   ③ 메모 가능   ④ 3문항 중 택1

2017 | 충북 A 문제

Q1. 민주주의가 요구하는 진정한 다수의 의사는 군중심리에 흔들리고 쉽게 선동되는 다수의 생각이라 할 수 없다. 민주적 선거제도는 합당한가?

Q2. 부의 대물림은 원시시대부터 이어져 왔다. 예로부터 열심히 노력해서 축적한 부를 자식에게 물려주는 것이 통상적이었는데, 이것이 현재에 와서는 문제가 되고 있다. 사회는 부를 상속하는 사람들에게 상속세를 매기는데, 이것이 과하다는 비판이 일고 있다. 이 비판은 타당한가?

Q3. AI의 발전이 이루어지고 있다. AI의 발전을 계속해도 되겠는가? 아니면 한계를 규정해야 한다고 생각하는가? AI 발전에 따른 부작용(실업률 증가, 인간소외 등)에 대한 자신의 생각과 해결 방법을 제시해 보시오.

추가질문

Q3-2. 지금도 일자리 문제가 치열한데, 인공지능시대가 오면 실업률이 높아지지 않겠는가?

Q3-3. 누군가는 노동이 필요하고 누군가는 그렇지 않을 텐데, 이와는 상관없이 일률적으로 노동을 AI가 다 가져가 버리는 것에 대해서는 어떻게 생각하나?

Q3-4. 동양의 도를 닦는 사람들에 따르면 인간을 일부러 고되게 하는 것이 필요하다고 한다. 그게 더 좋은 것이라고 한다. 이에 대해서는 어떻게 생각하나?

Q3-5. AI세는 이중과세 아닌가? 그 한계를 어떻게 정할지 애매한 영역인데?

Q3-6. 한계가 정해져 있으면 학자들이 연구를 하려고 할까?

Q3-7. 인공지능으로 인한 사고는 누구의 책임인가?

Q3-8. 만일 수험자가 변호사가 되었는데, 인공지능 변호사와 비교를 당하면 어떠할 것이라 생각하나?

2017　충북 B 문제

Q1. 새로운 국가 수립에 찬성하는지 찬반 의견을 제시해보시오.

> 로빈슨 크루소와 승객 100명이 무인도에 표류했는데, 로빈슨이 승객들에게 무인도에서 새로운 국가를 세우고 살아가자고 건의한다는 내용의 제시문

Q2. 단 한 국가와 외교를 해야 한다면, 중국과 미국 중 어떤 나라를 선택할 것인가?

> 중국과 미국 중 우리나라는 외교상 누구를 우선해야 할 것인지에 대한 내용의 제시문

Q3. 신약의 특허권을 보장해야 하는지 찬반 의견을 제시해보시오.

> 스위스 A사가 신약에 대한 특허권을 가지고 생산 및 판매 중이다. 그러나 인도의 B사가 더 싼 가격으로 이를 생산하여 공급할 수 있게 되었다. 그러자 A사는 특허권을 내세워 B사가 신약을 생산 및 판매하는 것을 막았다. 이때 이 신약은 백혈병 관련 약으로 생명과 직결되어 있어 많은 사람들이 고통 받고 있는 중이다.

🗨️ 추가질문

Q3-2. 특허권을 인정하지 않으면서 어떻게 로열티 지급이 가능하다는 것인가?

Q3-3. 시장의 자율에 맡겨놓는 특허제도가 효율성이 있는 것에 대해서는 어떻게 생각하는가?

2017　충북 인성 문제

Q1. 로스쿨에 입학하게 된다면 치르게 될 기회비용은 무엇인가?

Q2. 로스쿨에 입학하여 시험을 보는데, 친한 친구가 커닝하는 모습을 보았다. 어떻게 할 것인가?

Q3. 법조인을 꿈꾸게 된 이유?

Q4. 전공, 좌우명 등에 관한 질문

Q5. 지금까지 살면서 가장 힘들었던 때와 극복방안?

Q6. 로스쿨에 와서 무엇을 하고 싶은가?

Q7. 만약 로스쿨에 왔는데 동기가 따돌림을 당하고 있다. 어떻게 할 것인가?

Q8. 본인이 교수님께 음료수를 들고 찾아 가는 것을 친구가 보고 신고하여 처벌을 받게 되었다. 친구와 연을 끊을 것인가?

모범답변

2016 충북대 로스쿨

① 교수:학생 = 3:1 ② 면접 시간 10분 ③ 메모 가능 ④ 3문항 중 택1

2016 충북 A 문제

Q1. 다음 제시문을 읽고, 공자가 밑줄 친 부분과 같이 답변한 이유를 설명해보시오.

> 자공이 물었다. "마을 사람들이 모두 좋아한다면 어떻겠습니까?" 이에 공자가 말했다. "그
> 것만으로 좋지 않다." 다시 자공이 물었다. "그렇다면 마을 사람이 모두 싫어한다면 어떻겠
> 습니까?" 이에 다시 공자가 대답했다. "그것도 좋지 않다. <u>좋은 사람은 착한 사람이 좋아하
> 고 악한 사람이 싫어하는 사람이다.</u>"

Q2. 절친한 친구가 회사에서 직장 상사를 함께 욕하지 않는다는 이유로 동료들에게 따돌림받는 상황이라
는 고민을 털어놓았다. 이 제시문에 근거하여 친구에게 어떠한 해결책을 줄 것인가?

2016 충북 B 문제

Q1. 반려동물을 유기할 경우 사람을 유기하는 것과 동일한 처벌을 하는 것에 대해 어떻게 생각하는가?

Q2. 반려동물의 소유주의 의무는 무엇이라고 생각하는가?

Q3. 반려동물이 너무 짖어서 이웃에게 항의를 받고 있다. 성대수술을 시킬 것인가?

2016 　충북 C 문제

※ 다음 제시문을 읽고, 문제에 답하시오.

> (가) 칸트의 정언명령이란, "네 의지의 준칙이 언제나 동시에 보편적 입법 원리가 될 수 있도록 행동하라"는 것으로, 네 자신에게나 다른 사람에게 있어서 인격을 언제나 동시에 목적으로 대하고 수단으로 대하지 말라는 것이다.
>
> (나) IS가 러시아 여객기를 추락시켜 탑승객 300명 전원이 사망했다. 이에 미국 국방부는 IS를 소탕하려고 하는데, 이 작전에는 오랜 시간과 막대한 비용이 들 것으로 예상되어 실행하는 데 현실적인 어려움이 있다. 그래서 효율적인 방법으로 IS의 본거지 전역을 폭격하는 방법이 고려되고 있다. 문제는 이 지역에 무고한 민간인 여성 30명과 어린이 10명이 거주하고 있다는 점이다. 만일 이 지역을 폭격하면 IS는 전부 소탕할 수 있지만 무고한 소수의 사람이 죽을 수도 있다.

Q1. 정언명령에 따르면 위 지역을 폭격하는 것에 어떤 평가가 내려질 수 있는가?

추가질문

Q2. 지원자가 만일 미국 군 최고 결정권자라면 어떤 결정을 할 것인가?

Q3. 그럼 지원자는 사형제도에 대해서도 반대하는가?

Q4. 법과 도덕 중 어느 것이 중요하다고 생각하는가?

Q5. 정의와 법이 충돌하는 경우도 있지 않은가?

2016 　충북 인성 문제

Q1. 왜 자기소개서에 쓴 분야의 법조인이 되려고 하는가? 특별한 계기가 있었는가?

Q2. 왜 법학과에 진학했는가?

Q3. 법학을 공부하면서 어려운 점은 없었는가?

Q4. 법학 공부는 어떻게 했는가?

모범답변

2024 한국외대 로스쿨

① 교수:학생 = 3:1　② 면접 준비 10분, 면접 시간 10분　③ 메모 가능　④ 추가질문 있음

메모 및 휴대 여부	• 메모, 휴대 가능함
대기실 특징	• 대강의실이며 지정석에서 대기함 • 수험생 간의 대화는 금지됨 • 화장실 이용은 자유로우며, 준비한 자료를 볼 수 있음
문제풀이실 특징	• 이동 후 5분 정도 대기 후에, 문제풀이를 시작함 • 시간을 확인할 수 있으며, 종료 시에 감독관이 고지함 • 지원자의 메모지를 스캔하여 면접관에게 제공됨
면접고사장 특징	• 문제풀이 종료 후 면접고사장 앞으로 이동함 • 홀수 번호는 곧바로 입실하고, 짝수 번호는 대기했다가 앞 사람이 끝나면 입실함 • 지성 면접이 주로 진행되고, 지성 면접 답변이 짧으면 인성 면접 시간이 상대적으로 길어지고 질문 수도 많아짐
기타 특이사항	• -

2024 한국외 A 문제

Q1. [가군 면접] 아마존 열대우림 보존을 위해 브라질에게 국제사회가 지원금을 지급해야 하는가?

> 브라질의 열대우림인 아마존은 지구의 허파와 같은 역할을 한다. 그러나 브라질은 경제 발전을 위해 아마존 열대우림을 채벌하고 있다. 브라질의 아마존 개발로 인해 한반도의 11배에 달하는 면적에서 이산화탄소 배출량이 흡수량보다 많다는 것이 관측되었다. 유럽 등 국제사회는 지구온난화를 우려하며 브라질에게 채벌 중단을 강력하게 요구하였고, 브라질은 선진국들이 아마존 개발 중단의 대가로 매년 수백억 달러의 지원금을 줄 것을 요구한다.

Part 1
Part 2
Part 3
Part 4
Part 5
Part 6
Part 7

A학생 추가질문

Q2. 반대 입장은 고려하지 않았는가? 브라질은 지원금을 요청하고 있고 선진국은 부담을 느끼고 있는데, 모든 국가가 환경을 보호하겠다고 지원금을 요구하면 그 재원이 엄청날 것이다. 지금 지원자의 메모지에 선진국이 이익을 봤다고 하는데, 그렇다면 그 재원을 선진국이 부담해야 하는가?

Q3. 브라질의 인접 국가인 콜롬비아 역시 아마존 면적의 절반을 차지하는데 이 경우에도 지원금을 지급해야 하는가?

Q4. 브라질 정치권의 부패로 인해 국제사회의 지원금이 환경 보호에 사용된다는 보장이 없는데도 그러한가?

B학생 추가질문

Q2. 구체적인 배상 금액과 기간은 어떻게 정할 것인가?

Q3. 브라질 외의 다른 개발도상국들이 선진국에게 환경파괴를 하지 않는 대가로 지원금을 요구한다면 어떻게 해야 하는가?

Q4. 일본의 오염수 방류와 관련해서 일본이 원자력 오염수를 방류하지 않을 테니 지원금을 달라고 요구한다면 어떻게 해야 하는가?

C학생 추가질문

Q2. 브라질 외의 다른 개발도상국들이 선진국에게 환경파괴를 하지 않는 대가로 지원금을 요구한다면 어떻게 해야 하는가?

Q3. 만약 브라질이 우리나라를 포함해 몇몇 선진국을 특정해 지원금을 요구한다고 가정하자. 그렇다고 하더라도 지원금을 지급해야 하는가, 한국은 선진국에 진입한 기간이 짧은데 우리나라 국민들의 반대가 심각하지 않겠는가?

Q4. 일본의 오염수 방류와 관련해서 일본이 원자력 오염수를 방류하지 않을 테니 지원금을 달라고 요구한다면 어떻게 해야 하는가?

Q1. AI 판사 도입에 대해 하나의 입장을 택해 논거를 들어 답변하시오.

> 2021년 OECD 조사 결과, 우리나라 국민의 사법 신뢰도는 49%에 불과하다. 국민들은 그 이유로 전관예우와 사법절차 지연을 들고 있다. 또한 검찰 기소율도 사법 신뢰에 악영향을 주는 요인인데, 일반인에 대한 기소율은 40%인 반면 동일한 상황의 판검사에 대한 검사의 기소율은 0.13%에 불과하다. 국민들은 법조인 사이의 내편 감싸기라고 비판한다.
>
> 국민의 사법 신뢰도를 높이기 위해 AI 판사를 도입해야 한다는 주장이 제기되고 있다. AI 판사를 도입하면, 재판 지연을 해소할 수 있고 인적 네트워크에 의한 전관예우 문제를 해결할 수 있기 때문이다.

📱 A학생 추가질문

Q2. 여론조사 결과 사법부에 대한 국민의 신뢰가 49%에 불과하다. 사법부에 더 떨어질 권위가 있는가?

Q3. 음주운전의 경우, 정량적 결과에 따라 일정한 형량을 부여하고 있다. 이 분야에서 AI 판사를 도입하면 재판 지연의 문제를 해결할 수 있지 않은가?

📱 B학생 추가질문

Q2. 권위의 문제를 지적했는데 여론조사 결과 사법부에 대한 국민의 신뢰가 49%에 불과하다. 사법부에 더 떨어질 권위가 있을지 의문인데 어떻게 생각하는가?

Q3. 국회의 견제를 언급했는데 현재 우리나라 국회는 너무 정쟁에 휘말리고 있다. 현실적으로 가능하겠는가?

2024 한국외 C 문제

Q1. 형사미성년자 연령을 13세로 하향하는 것에 대해 어떻게 생각하는가?

> 형사미성년자는 만 14세 미만인 자로 이에 해당하는 아동 및 청소년은 형법상 범죄가 성립되지 않는다. 단, 형사미성년자라 하더라도 만 10세 이상이라면 소년법상 촉법소년으로 보호처분을 받을 수 있다. 현재 촉법소년의 지위를 악용하여 범법행위를 저지르는 아동 및 청소년이 많아 형사미성년자 연령을 현행 만 14세보다 하향해야 한다는 주장이 제기되고 있다.

📱 추가질문

Q2. 피해자가 성인인 경우도 있지 않은가?

Q1. 신혼부부 결혼자금 증여세 공제에 대한 자신의 견해를 논하시오.

> 혼인신고 전후 직계존속으로부터 재산을 증여받는 경우 1억 원을 추가 공제하기로 하는 개정안이 발표되었다. 이는 전세자금 마련 등 청년들의 결혼과 관련된 경제적 부담을 덜고 저출산 문제를 해결하고자 증여세 감면 혜택을 강화한 것이다.

2024 한국외 인성 문제

Q1. 어떤 법조인이 되고 싶고, 한국외대가 어떤 것을 해줄 수 있는가?

Q2. 판사, 검사, 변호사 중 되고 싶은 직업과 어떤 법조인이 되고 싶은가, 그리고 한국외대에 지원한 이유는 무엇인가?

Q3. 언제부터 법조인의 꿈을 가지게 되었나?

Q4. 학부 때 법학 공부를 한 적이 있는가?

Q5. 법이 권리 보호의 측면보다 규제 측면이 강하다고 생각하는가?

Q6. 최근 로톡에 대한 논쟁이 크다. 지원자의 생각은 어떠한가?

Q7. 지원자의 전공은 무엇인가?

Q8. 지원자의 전공이 법학과 거리가 있는 듯한데, 무슨 관련이 있는가?

Q9. 정치학이나 경제학과 달리 법학은 변호사시험이라는 목적이 있는데 이를 위해 노력한 것은 없는가?

모범답변

2023 한국외대 로스쿨

① 교수:학생 = 3:1 ② 면접 준비 10분, 면접 시간 10분 ③ 메모 가능 ④ 추가질문 있음

2023 | 한국외 A 문제

※ [가군 토요일 오전 면접] 다음 제시문을 읽고, 문제에 답하시오.

> 최근 한강에서 음주로 인한 사고, 만취로 인해 물의를 일으키는 경우가 있었다. 이에 공원에서 음주 금지를 둘러싼 논란이 지속되고 있다. 실제로 A지자체에서는 공원에서의 음주를 금지하였고, B지자체에서는 신중한 입장으로 보류하고 있다.

Q1. 공원에서의 음주를 금지해야 하는지 찬반 견해를 정해 논하시오.

추가질문

Q2. 정말 인명피해가 예상되는 경우라든가 사회적으로 큰 물의가 있는 사건이 발생하더라도 금지해서는 안 되는 것인가?

Q3. 어린이공원이나 노인들이 주로 이용하는 공원은?

Q4. 그렇다면 그러한 경우에도 금지가 아니라 점진적이고 단계적인 규제를 해야 한다는 것인가?

2023 | 한국외 B 문제

※ [가군 토요일 오후 면접] 다음 제시문을 읽고, 문제에 답하시오.

> 현재 순수문화예술인과 체육인에 대한 병역특례가 인정되고 있다. 최근 국회는 BTS와 같은 세계적인 대중문화예술인에 대한 병역특례를 인정하는 개정안을 내놓았다.

Q1. 국회의 대중문화예술인 병역특례 개정안에 대한 지원자의 의견을 제시하시오.

Q2. 답안지에 답변을 너무 강력하게 다 써서 방탄 종이 같은데, 이에 대해서 가장 강력한 반론을 하나 들어보시오.

Q3. 법이 특정인이나 특정사건만을 위한 것이면 안 되지 않은가. 대중문화예술인이라는 대상 자체가 너무 광범위하다. BTS만을 위한 법인 것 같고, BTS 외에 적용대상이 없을 것 같은데 BTS가 그냥 다 전원 입대하면 해결될 일 아닌가? 법안을 만들면 그 기준은 어떻게 할 것인가?

Q4. 순수문화예술인과 대중문화예술인의 차이가 없다는 말은, 과거에 비해 격차가 줄어들었다는 것인가?

2023 한국외 C 문제

※ [가군 일요일 오전 면접] 다음 제시문을 읽고, 문제에 답하시오.

> KDI의 발표에 따르면, 우리 사회의 고령화가 심화하면서 노인 연령 상승에 대한 필요성이 커지고 있다. 현재 노인 연령은 만 65세인데 적정 노인 연령은 기대수명에서 15~20세를 뺀 수명이다. 은퇴 시기와 연금, 복지 문제를 고려하여 노인 연령을 높이고자 한다. 2025년부터 10년에 1년씩 연장하려는 논의 중이다.

Q1. 노인 연령 상향 조정에 대한 찬성과 반대 중 자신의 견해를 정해 논하시오.
　　　(제시문 요약도 포함해서 자신의 입장을 2분 이내로 답변할 것을 지시받음)

추가질문

Q2. 그럼 청년들이 국민연금을 지금보다 더 오래 내야 하는데, 그에 대한 반발은 어떻게 해결할 것인가? 또한 노인들이 오래 일을 하면 청년의 취업이 어려워지지 않겠는가?

Q3. 노인들의 빈곤 문제는 어떻게 해결할 수 있겠나?

Q4. 노인들의 연령이 늘어나서 복지 비용을 늦게 수령하게 되면 빈곤 문제가 발생할 수밖에 없지 않은가?

Q1. 지원동기를 1분간 말해보시오.

Q2. 현 사회의 가장 큰 문제가 무엇이라고 생각하는지, 법조인으로서 그 문제에 대한 역할이 무엇이라고 생각하는가?

Q3. 최근 인상 깊게 읽어본 책은?

Q4. 앞으로 법학전문대학원 졸업 이후의 계획은?

Q5. 지원동기와 성취 사항, 그리고 한국외대와 나의 적합성에 대해 1분 내로 답하시오.

Q6. 전공이 무엇인가?

Q7. 그중 주 전공이 무엇인가?

Q8. ○○○○학과는 요즘 많이 없어지지 않나?

Q9. 과외는 해봤나?

Q10. LEET 시험 잘 보았는가?

Q11. 법학 공부는 전문적으로 해본 적 있나?

Q12. 법 공부가 어렵지는 않았나?

Q13. 한국외대에 지원한 이유, 장래에 되고 싶은 직업, 어떤 법조인으로 성장하고 싶은지 1분 이내로 말해 보시오.

Q14. 마지막으로 하고 싶은 말이 있으면 자유롭게 해보시오.

모범답변

① 교수:학생 = 3:1 ② 면접 준비 10분, 면접 시간 10분 ③ 메모 가능, 휴대 가능

2022 한국외 A 문제

※ 다음 제시문을 읽고, 문제에 답하시오.

> ESG란 환경보호(Environment), 사회공헌(Social), 윤리경영(Governance)의 약자로, 기업이 사회적 책임을 다하는 경영을 추구하는 것을 말한다. 기업이 환경에 미치는 영향이 크다는 점에서 국가는 ESG 보고서 공개 및 평가를 강제하는 것을 검토 중이다. 그러나 이것이 일각에서는 영업의 자유를 과도하게 침해한다는 반대의견이 있다. 하지만 ESG 보고서 공개를 통해 기업들이 보다 투명한 재무구조와 환경을 보호하는 등 사회적 책임을 다하도록 유도할 수 있다는 점에서 긍정적인 면도 있다.

Q1. 기업의 ESG 보고서 공개 및 평가를 강제하는 것이 타당한지, 기업의 자율에 맡기는 것이 타당한지 의견을 정하여 발언해보시오.

추가질문

Q2. 소비자들이 ESG 보고서를 볼 수 있다면, ESG 기준을 잘 따르는 기업들을 보다 쉽게 찾아낼 수 있지 않은가?

Q3. 환경오염 문제가 심각한 상황인데, 친환경적인 생산 방식의 기업보다 값싼 생산요소를 통해서 제품을 만들고자 하는 기업들이 더 많을 것이라고 생각된다. 이런 기업들은 인센티브 제도로는 제재할 방법이 없고, 이에 환경오염 문제는 더 심각해지지 않겠는가? 다른 방안이 있는가?

Part 1

Part 2

Part 3

Part 4

Part 5

Part 6

Part 7

해커스 김종수 로스쿨 면접 200주제

※ 다음 제시문을 읽고, 문제에 답하시오.

> 최근 통계 자료가 많이 사용되는데 통계라고 해서 꼭 객관적인 지식이라 할 수 없고, 그 조사 방법과 해석에 있어서 왜곡이 가능하다는 문제점이 있다.

Q1. 통계 자료가 객관적인 지식이라고 볼 수 있는가? 통계의 장단점에 대해 본인의 입장을 정하여 논변해보시오.

추가질문

Q2. 통계 자료는 악의가 없더라도 왜곡되거나 편향될 수 있는데, 그러한 문제가 있더라도 객관적인 지식이라 볼 수 있는가?

Q3. 좋은 대안들을 많이 말했지만, 보다 현실적으로 통계의 악용을 규제할 수 있는 방안이 있는가?

※ 다음 제시문을 읽고, 문제에 답하시오.

> 기득권을 내려놓고 국민적 신뢰를 회복하겠다는 논의가 정치권에서 나오고 있다. 이에 한 정당에서는 국회의원의 연임을 3회로 제한하는 법안을 내놓았다. 그러나 몇몇 국회의원이 이에 반발하였다. 미국, 호주, 유럽 등 해외국가 대부분이 연임을 제한하지 않는다는 비판이 제기되었다. 그러나 우리나라의 정치 환경과 역사가 다른 나라들과 다르기 때문에 도입 필요성이 있다는 주장도 제기되었다.

Q1. 국회의원 연임 제한에 대한 찬반 입장 중 한 입장을 선택하여 논해보시오.

A학생 추가질문

Q2. 이론적으로는 지원자의 말이 맞다. 하지만 현실적으로 다선의원들이 자신의 기득권을 내려놓지 않으려고 하고 기득권 유지에만 온 힘을 쏟는 건 사실이다. 이를 어떻게 해야 하는가?

Q3. 그렇다면 정당 내에서 당규나 당원 투표에 따라 다선의원의 공천을 제한하는 것은 어떻게 생각하는가?

Q4. 연임 제한이란 것이 3선 후 1번, 즉 4년 동안 쉬고 다시 출마할 수 있게 하는 것인데 이것이 과도한 공무담임권의 제한이라고 할 수 있나? 4년 쉴 동안 국회의원의 행보에 따라 국회의원에 대한 재평가도 가능하고, 다시 선거에 나왔을 때 이를 근거로 투표할 수도 있는 것 아닌가?

Q2. 비례대표제를 어떻게 확대한다는 것인가?

Q3. 지방자치단체장의 경우 연임을 제한하고 있는데 그렇다면 이 또한 평등원칙에 위배되는 것인가?

Q4. 국회의원이 직업이라고 할 수 있나?

Q2. 현재 지방자치단체장은 연임 제한이 있는데, 이에 대해서는 어떻게 생각하는가?

2022 한국외 인성 문제

Q1. 실패의 경험이 있는가? 있다면 어떻게 극복했는가?

Q2. 실패 극복 경험으로 재수 때의 사례를 말했는데, 로스쿨도 입학하면 처음일 텐데 잘 적응할 수 있는가?

Q3. 판사, 검사, 변호사 중 무엇을 하고 싶은가?

Q4. 지금까지 살면서 가장 어려웠던 일은?

모범답변

① 교수:학생 = 3:1   ② 면접 준비 10분, 면접 시간 10분   ③ 메모 가능   ④ 추가질문 있음
⑤ 블라인드 면접   ⑥ 지원자의 메모를 복사해 복사본을 면접관에게 전달함

2021 한국외 A 문제

※ [가군 면접] 다음 제시문을 읽고, 문제에 답하시오.

> 우리나라는 코로나19 대응 목적으로 개인정보를 활용하여 추적 검사를 실시하였다. 이로 인해 성공적인 방역이 가능했다는 평가가 대부분이지만, 일각에서는 이를 두고 개인 사생활 침해라는 평가도 존재한다. 특히 유럽 같은 지역에서는 개인의 자유권이 더 중요하다며 시위가 이루어지기도 한다. 그래서 미국과 유럽 같은 경우에는 이러한 추적 검사에 개인정보 활용이 불가능해 확진자 수도 잘 줄지 않고 사망자 수도 잘 줄지 않는다.

Q1. 코로나19 대응 목적으로 개인정보를 활용하는 것에 대한 입장을 제시해보시오.

추가질문

Q2. 유럽이나 미국에서는 하지 않는데, 왜 우리나라에서만 해야 하는가?

Q3. 개인의 생존권을 공동체 존속과 연결하여 언급해주었는데, 성소수자의 경우 어쩌면 생존권보다도 개인정보 관련 사생활이 노출되지 않았으면 하는 마음이 더 크지 않겠나? 개인정보 관련 사생활이 공개되느니 차라리 죽고 싶을 수도 있지 않을까?

2021 한국외 B 문제

※ [가군 면접] 다음 제시문을 읽고, 문제에 답하시오.

> 그동안 가짜뉴스 확산 등을 방관했다는 이유로 '페이크북'이란 비아냥을 들어왔던 페이스북이 미국 대선을 앞두고 오명을 벗기 위해 적극적으로 나선다. 자체 알고리즘 제어 툴을 미국 대선 관련 포스팅에 적용할 계획이다. 지난 6월 발생했던 글로벌 기업들의 '페이스북 보이콧' 움직임이 또다시 일어나는 것도 방지하려는 의도다. …(중략)… 하지만 일각에선 이 같은 도구가 오히려 악용될 수 있다며 우려하고 있다. 즉 페이스북이 마음만 먹으면 언제든지 특정 게시물 노출 및 확산에 깊숙이 개입할 수 있다는 이야기다. 실제로 일부 페이스북 직원들도 대선 중 페이스북의 직접적 관여에 특정한 정치적 의도가 숨어들 수 있다며 걱정하고 있다.

Q1. '가짜정보'의 폐해와 그 규제 강화에 대한 본인의 의견을 제시해보시오.

Part 1
Part 2
Part 3
Part 4
Part 5
Part 6
Part 7

💬 **A학생 추가질문**

Q2. 타인의 가치관을 부정하는 것도 표현의 자유 아닌가?

Q3. 표현의 자유가 과도하게 침해될 것 같은데 이에 대한 해결이 가능한가?

💬 **B학생 추가질문**

Q2. 가짜정보로 인한 피해가 있다고 했는데 규제에 반대한다면 이런 경우 어떻게 해야 하겠는가?

Q3. 피해가 막대하거나 개별적으로 해결할 수 없는 경우도 있을 텐데 그때에는 어떻게 해야 하는가?

Q4. 허위사실로 인한 명예훼손에 대해서도 같은 생각인가?

2021 한국외 C 문제

※ [가군 면접] 다음 제시문을 읽고, 문제에 답하시오.

> 유엔 기후협약에 발맞추어 우리 정부도 오염물질 배출에 대해 규제를 만들고 탄소배출권 거래 제도를 도입했다. 하지만 산업 및 경제발전 저해 등을 이유로 반대하는 의견도 있다.

Q1. 정부의 조치에 대하여 지원자의 의견을 논해보시오.

💬 **추가질문**

Q2. 선진국은 이미 그동안 온실가스를 많이 배출하여 부를 쌓았다. 이에 개발도상국들은 자신들도 그러할 권리가 있다고 주장한다. 이러한 의견 차이에서 비롯한 갈등은 어떻게 해소할 것인가?

※ [가군 면접] 다음 제시문을 읽고, 문제에 답하시오.

> 의사 수가 부족하다. OECD 평균 국민 1,000명당 의사 수는 3.5명인데 우리나라는 2.3명에 불과하다. 이에 정부는 의과대학 정원을 매해 400명씩 늘려 4,000명으로 하려 한다. 이를 위해 공공의대를 설립할 예정이다.

Q1. 의과대학 정원 확대와 공공의대 설립 방안에 대하여 자신의 입장을 말해보시오.

💬 **A학생 추가질문**

Q2. 의사의 수도권 집중을 어떻게 막을 수 있겠는가?

Q3. 위의 방안으로도 해결이 가능할 수 있지 않은가?

Q4. 의원과 병원의 차이는 무엇인가?

Q5. 현재에도 의원에 먼저 갔다가 병원으로 가지 않는가?

Q6. 경영 악화에 시달리는 병원도 많은데 이들에 대해서는 어떻게 하여야 하는가?

Q7. 의원을 늘려야 하는 이유가 무엇인가?

Q8. 의원으로서는 해결할 수 없는 질병들이 많지 않은가?

Q9. 그렇다면 지역에 종합병원을 많이 설립하면 되지 않는가?

💬 **B학생 추가질문**

Q2. 찬성하는 입장인 것 같은데, 반대하는 측에서 우려하는 것은 무엇일지 말해보시오.

Q3. 근본적인 해결책은 아니지 않은가?

Q4. 의사를 강제로 몇 년 정도 지방에 있게 하면 좋은지 생각한 바가 있는가?

Q5. 공공을 위한다는 이유로 일부 소수의 사람들이 차별받아도 되는가?

Q6. 이 문제도 지역갈등과 관련한 것이기는 하지만 지원자가 이런 갈등과 같이 평소에 주의 깊게 생각하는 지역 간 갈등이 있는가?

Q1. 지원동기를 1분간 말해보시오.

Q2. 법학전문대학원에 진학하면 법학 공부 외에 하고 싶은 일은 무엇인가?

Q3. 법전원에서 특별하게 하고 싶은 일이 있는가?

Q4. 법학 공부해본 적 있는가?

Q5. 그럼 변호사 시험 자신 있는가?

Q6. 어떤 법조인이 되고 싶은가?

Q7. 어려움을 겪은 일이 있다면 어떻게 극복했는지 말해보시오.

Q8. 본인의 단점은 무엇인가?

Q9. 법학회 활동을 하였다고 했는데, 무슨 학회인가?

Q10. 판례분석 활동에서 가장 기억에 남는 판례가 있는가?

Q11. 로스쿨 학습 과정에서 무엇이 가장 중요하다고 생각하는가?

Q12. 검사가 되고 싶다고 했는데, 존경하는 법조인이 있는가?

Q13. 읽었던 책 중에 가장 기억에 남는 책이 무엇인가?

Q14. 자기소개를 해보시오.

Q15. 법 공부가 힘든데 스트레스를 극복할 만한 본인만의 계획이 있는지?

Q16. 30초 정도 남았는데 마지막으로 하고 싶은 말 있나?

모범답변

2020 한국외대 로스쿨

① 교수:학생 = 3:1 ② 면접 준비 10분, 면접 시간 10분 ③ 메모 가능 ④ 추가질문 있음
⑤ 블라인드 면접 ⑥ 지원자의 메모를 복사해 복사본을 면접관에게 전달함

2020 한국외 A 문제

※ 다음 제시문을 읽고, 문제에 답하시오.

> 노키아의 회장이 오토바이를 타던 중 50km/h 제한구간에서 75km/h로 달려 월급 14일분에 해당하는 1억 4,000만 원의 벌금을 부과 받았다. 핀란드 시민 대부분은 이 벌금이 타당하다고 반응했으나, 우리나라 시민의 절반 정도는 과태료 액수가 과도하다는 반응을 보였다.

Q1. 재산에 비례하여 범칙금을 부과하는 차등벌금제에 대한 찬반 입장을 정하고 이를 논해보시오. (3분 이내)

💬 A학생 추가질문

Q2. 정의와 평등원칙, 그리고 범죄 예방을 논거로 들었는데, 두 논거 간의 우선순위는 바뀔 수 있는가?

Q3. 재산을 기준으로 범칙금을 달리하면, 부자들의 재산이 합법적임에도 지나치게 부정적으로 보는 것이 아닌가?

Q4. 평등원칙의 기준을 제시해보시오.

Q5. 재산과 소득 중 재산을 기준으로 한다고 했는데 이유는 무엇인가?

Q6. 노키아 사례는 소득을 기준으로 했는데 이유는 무엇인가?

Q7. 입법의 세밀함과 공론화위원회를 들었다. 만약 국민적 합의가 되지 않는다면 차등벌금제를 도입해서는 안 되는가?

💬 B학생 추가질문

Q2. 경제적 범죄는 경제 규모에 따라 처벌할 수 있을 것 같은데, 제시문에 나온 사례의 교통법규 위반은 경제력과 무관한 영역의 법규를 위반한 것 아닌가?

Q3. 일반적 교통법규 위반인데 경제력에 따라 처벌하는 것이 합당한가?

Q4. 사회정의에 따른 재산 환수와 불법한 행위(교통법규 위반) 간의 연결 고리가 좀 비어있는 것이 아닌가?

Q5. 경제 영역과 무관한 부분에서도 재산과 비례하여 벌금을 부과하는 것은 행위에 비해 과도한 처벌 아닌가?

Q6. 만약 사회정의를 이유로 과태료를 차등적으로 부과한다면 재산에 대한 국가의 과도한 제한도 가능하지 않겠는가?

Q7. 반대 논거로는 어떤 것이 있는가?

💬 C학생 추가질문

Q2. 책임주의원칙에 대해서 많이 언급했는데, 책임주의원칙이 무엇인가?

Q3. 사회의 지배적 가치가 돈이라는 것인지 아니면 돈이 되면 안 된다는 것인지?

Q4. 그렇다면 사회의 지배적 가치는 무엇이 되어야 한다고 생각하는가?

Q5. 공정성을 위해서 무엇이 필요한가?

Q6. 부의 대물림이 나쁜 것인가? 새벽부터 일해서 어렵게 부를 얻은 사람도 있는데, 개인의 노력에 의한 부의 축적을 인정하지 말아야 하는가?

Q7. 지금도 상속세나 증여세를 통해서 충분히 보정하고 있지 않나? 다른 조치를 더 해야 하는가?

Q8. 상속세를 부과할 경우 외국에서 상속을 한다던가, 상속세를 피하기 위해 해외 이민을 가는 등의 문제에 대해서는 어떻게 생각하는가?

💬 D학생 추가질문

Q2. 평등원칙을 근거로 들어 경제적 상황이 다르므로 다르게 대해야 한다고 했는데, 반대로 같은 인간인데 같은 범죄에 대해 다른 벌금을 부과하는 것은 차별로서 평등원칙에 어긋나는 것은 아닌가?

Q3. 본인이 생각하는 부자의 기준은 무엇인가?

Q4. 실질적 법치를 실현할 수 있다고 했는데, 실질적 법치란 무엇인가?

Q5. 책임주의원칙은 무엇을 말하는 것인가?

Q6. 상속과 같이 우연적인 요소가 아닌, 자기가 스스로 노력하여 부자가 된 선의의 부자가 과실로 교통법규 위반을 저질렀어도 제시문에 나온 정도로 많은 벌금을 부과하는 것도 공정한 것인가?

Part 1
Part 2
Part 3
Part 4
Part 5
Part 6
Part 7

해커스 김종수 로스쿨 면접 200주제

※ 다음 제시문을 읽고, 문제에 답하시오.

> 노키즈존은 영유아나 어린이를 동반한 고객들의 출입을 금지하는 것을 말한다. 최근 음식점, 카페 등을 중심으로 노키즈존이 확산되고 있다. 영업주들은 영업에 방해가 되거나 손해배상을 해야 하는 등 영업주들의 책임이 과중하다는 이유로 노키즈존을 시행하고 있다. 한편 이는 아동에 대한 사회적 배려 의식이 저하되고 공동체 의식을 저해한다는 우려도 있다.

Q1. 노키즈존의 확산에 대한 의견을 논해보시오.

💬 A학생 추가질문

Q2. 음식점, 카페 등의 장소가 공공장소인가, 사적인 장소인가?

Q3. 영업주는 예를 들어 자신의 영업장이 언제부터 언제까지 영업할 것인지에 대해 자유롭게 정할 수 있다. 어떤 손님을 받고 받지 않을지에 대한 것도 영업주의 자유 아닌가?

Q4. 사회 갈등을 유발할 것이라고 말했는데, 마치 모든 갈등이 없어야 하는 것으로 여기는 것처럼 들린다. 필요한 갈등도 있지 않은가?

💬 B학생 추가질문

Q2. 일반 가게가 공유된 가치를 지켜야 할 필요가 있는가?

Q1. 다음 제시문을 읽고, 모병제와 징병제의 장단점은 무엇이며, 현재 한국에서 두 제도 중 무엇을 선택하는 것이 타당한지 논해보시오.

> 모병제와 징병제에 대한 제시문

2020 │ 한국외 D 문제

※ 다음 제시문을 읽고, 문제에 답하시오.

> 로봇 산업이 발전함에 따라 인간의 일자리가 줄어드는 결과가 발생할 수 있다. 이로 인해 세수가 줄어들 수 있으므로 이를 충당하기 위한 방안으로 로봇에 세금을 부과하는 로봇세가 논의되고 있다.

Q1. 로봇세 부과에 대한 찬반 견해를 정하고 이를 논해보시오.

💬 추가질문

Q2. 기본소득을 언급했는데, 기본소득을 지급하면 사람들이 일을 하지 않으려 할 수 있지 않을까?

Q3. 리쇼어링을 언급했는데, 이와 유사하게 기업들도 로봇세가 없는 국가로 이전하려 하지 않겠는가?

2020 │ 한국외 인성 문제

Q1. 본인 성격의 장단점을 한 단어로 말해보시오.

해커스 김종수 로스쿨 면접 200주제

모범답변

2019 한국외대 로스쿨

① 교수:학생 = 3:1

2019 한국외 A 문제

※ [가군 오전 면접] 다음 제시문을 읽고, 문제에 답하시오.

> 인공지능 기술이 발달하면서 인공지능이 머신러닝을 통해 스스로 학습하는 것이 가능해졌다. 머신러닝이란 인공지능이 기본적으로 주어진 데이터를 바탕으로 무수한 경우의 수를 연산하여 스스로 학습하는 것이다. 이에 인공지능이 데이터를 수집하고 분류하여 미래를 예측할 수 있다는 기대와 함께 인간을 대신해 무엇이 유용하고 효과적인 것인지를 판단을 할 수 있을 것이라는 기대가 커지고 있다.

Q1. 인공지능이 인간 대신 판단을 내리는 AI 판사 도입에 대한 정당성을 논해보시오.

추가질문

Q2. 한국 현 시스템에서 AI의 판단에 대한 절차적 합의를 어떻게 이룰 수 있겠는가?

Q3. AI의 판단에 대한 이의가 있을 때 이를 어떻게 해결할 수 있겠는가?

Q4. 법학전문대학원에서 AI가 수업을 하는 것이 가능하겠는가?

※ [가군 오후 면접] 다음 제시문을 읽고, 문제에 답하시오.

(가) 독일의 메르켈 총리가 이끄는 기민당과 사민당 연정 정부의 이민포용정책이 동력을 잃을 것으로 보인다. 최근 선거에서 보수당 AFD가 세력을 확장함으로써 반이민정책이 강화될 것으로 보이기 때문이다. 독일 앙겔라 메르켈 총리와 호르스트 제포퍼 내무장관은 오스트리아와의 국경지대에 난민 송환을 위한 '환승센터'를 만들기로 합의했지만, 3당 합의를 통해 이 계획은 취소되었다.

(나) 미 연방대법원은 하와이주 정부가 이슬람권 5개국 국민의 미국 입국을 금지한 트럼프의 '반(反)이민 행정명령'이 종교적 차별을 금지한 헌법을 위반했다며 제기한 소송에서 원고 패소 판결을 내렸다. 트럼프 대통령은 4월부터 불법으로 입국하는 모든 성인을 기소하고, 함께 온 아이들을 부모로부터 격리해 수용하는 정책을 이행했다가 미국 내부적으로는 물론 전 세계적으로 비난을 받았다. 이로써 트럼프 대통령이 지난해 1월 취임 후 몇 차례 수정을 거듭하며 발동한 반이민 행정명령의 정당성을 둘러싼 법적 공방은 일단락됐다.

이번 판결로 트럼프 대통령의 강경한 반이민정책이 탄력을 받을 것으로 예상된다. 트럼프 대통령은 판결을 '엄청난 승리'라고 환영하며 테러와 범죄, 극단주의로부터 국가를 지키도록 권한을 계속 사용하겠다고 밝혔다. 그러나 다른 한편에서 불법 이민자에 대한 '무관용 정책' 등 비인도주의적 정책에 대한 도전도 커지고 있다. 트럼프 대통령의 행정발표 이후 불법이민자들의 자녀와의 격리 등 인권침해에 대한 비판도 커지고 있다.

Q1. 서구권 국가의 반이민정책의 명암을 논하고, 이에 대한 자신의 견해를 밝혀보시오.

💬 **추가질문**

Q2. 그럼 서구권 국가는 반이민정책을 왜 시행할까? 미국이나 독일이 반이민정책을 시행하는 것에는 이유가 있을 것이고 정치적으로도 호응이 있기에 반이민정책을 시행하고 있을 것인데 그 이유가 무엇이라 생각하는가?

Q3. 현실적인 면으로 보자면, 이민자들을 국가의 세금을 가져가는 존재라고 보는 여론이 있지 않을까?

Q4. 제주도에 난민이 입국한 것은 알고 있나? 제주도 난민을 받아들여야 한다고 생각하는가?

Q5. 본인이 법무부 인권국에서 일한다면 난민의 기준을 어떻게 설정할 것인가?

Q6. 그 기준을 국민들 입장에서 어떻게 생각할까?

Q7. 젊은이로서 국가가 직면한 가장 큰 문제가 무엇이라 생각하는가?

Q1. [나군 오전 면접] 다음 제시문을 읽고, 신디지털 격차에 대한 자신의 의견을 말해보시오.

> 디지털 기술은 점차 저렴한 비용에 접근이 가능하고 장소의 제약도 사라지고 있으나, 디지털 격차가 문제로 등장하고 있다. 연령, 지역, 경제적 차이에 따라 디지털 기술을 활용할 수 있는 정도의 차이가 다르다. 특히 오늘날에는 신디지털 격차가 나타나고 있는데, 이는 부유한 지역의 학교의 아이들일수록 오히려 디지털 기기를 멀리하고, 가난한 지역의 학교의 아이들일수록 디지털 기기와 가까운 양상으로 나타난다. 한편 세계 각국은 디지털 기술의 발전이 가져오는 사회적 문제에 대하여 많은 해법을 고민하고 있다.

Q1. [나군 오후 면접] 다음 제시문을 읽고, 글로벌 공공선에 대한 본인의 견해를 논해보시오.

> 글로벌 공공선은 특정 국가가 어떤 행위로 인해 자국 국민의 이익은 발생하지만 인해 타국 국민에게 피해가 발생할 수 있는 경우 그 행위를 스스로 자제해야 한다는 의미이다. 그러나 이렇게 글로벌 공공선을 지향하는 것은 경제적 가치와 충돌하는 경우가 많다.

Q1. 존경하는 법조인을 말해보시오.

Q2. 법조인에게 전문적 능력을 제외하고 어떤 것이 가장 필요하다고 생각하는가?

Q3. 졸업 후 어느 분야로 진출하고 싶은가?

모범답변

Part 1
Part 2
Part 3
Part 4
Part 5
Part 6
Part 7

2018 한국외대 로스쿨

① 교수:학생 = 5:2   ② 답변 준비 10분, 면접 시간 30분   ③ 수험생 메모를 복사해 면접관과 지원자에게 제공
④ A형/B형 중 1문제를 각각 임의배정   ⑤ A형 응시자 답변 → B형 응시자 반론 → A형 응시자 재반론, B형도 동일함

2018 한국외 A 문제

※ A형과 B형의 2문제 중 자신에게 배정된 문제에 답하시오.

Q1. <A형> 과거에는 부모의 경제적 수준이 자녀의 교육 수준으로 이어지는 경우가 많았다는 이론이 주류를 이루었다. 그러나 현대에 들어 부모의 경제력보다는 부모의 문화적 수준(학업 환경 조성, 대화 등)이 자녀의 교육 수준과 이어진다는 의견이 대두되고 있다. 고등학교, 대학교와 같은 고등교육이 사회 계층 고착화를 심화시킨다고 생각하는가?

Q2. <B형> 과거의 경우와 다르게, 존엄사 허용 판결이 나왔다. 존엄사 허용에 대해서 어떻게 생각하는가?

2018 한국외 B 문제

※ A형과 B형의 2문제 중 자신에게 배정된 문제에 답하시오.

Q1. <A형> 연금 수급 개시 연령이 2033년까지 단계적으로 현재의 60세에서 65세로 연장된다. 하지만 현재 법정 정년은 60세이다. 따라서 법정 정년을 연장하지 않는다면, 2033년에 정년 퇴직할 경우 퇴직 후 5년간 소득도, 연금도 없는 소득 공백 상태가 발생한다. 이 문제를 해결하기 위해 법정 정년을 연장해야 한다는 견해가 있다. 이 견해에 대한 자신의 입장은 무엇인가?

Q2. <B형> 카카오 택시가 점점 대중화되고 있다. 하지만 카카오 택시의 확대는 기존 택시 영업자들의 생존권을 침해하므로, 카카오 택시는 법적으로 제한되어야 한다는 견해가 있다. 이 견해에 대한 자신의 입장은 무엇인가?

모범답변

① 교수:학생 = 5:2   ② 답변 준비 10분, 면접 시간 30분   ③ 수험생 메모를 복사해 면접관과 지원자에게 제공
④ A형/B형 중 1문제를 각각 임의배정   ⑤ A형 응시자 답변 → B형 응시자 반론 → A형 응시자 재반론, B형도 동일함

2017 한국외 A 문제

※ A형과 B형의 2문제 중 자신에게 배정된 문제에 답하시오.

Q1. **<A형>** 최근 들어 70세 이상 노인이 교통사고를 내는 일이 잦아지고, 통계에 따르면 매년 70세 노인의 운전사고가 14%씩 증가하고 있다. 최근 고속도로에서 일어난 교통사고의 경우도 70세 이상의 노인 운전자가 무리하게 끼어들기를 해서 발생했다. A국에서는 70세 이상 노인에게 운전면허증 반납을 요구하자는 여론이 크게 일어났고 한 국회의원이 70세 이상의 노인에게서 운전면허증을 반납하게 하는 법안을 발의했다. 이 법안에 대한 찬반 의견을 밝히고, 본인이 생각하는 좋은 입법 의견이 있다면 제시해보시오.

Q2. **<B형>** 동물은 사람과 같은 주체적인 권리를 갖지 못하는데 만약 사고가 나서 강아지가 죽었을 경우, 어느 정도의 보상이 마땅한가? 예를 들어 강아지를 사는데 30만 원이 들었는데, 딱 30만 원만 보상하는 것에 대해서 어떻게 생각하는가?

추가질문

Q1-2. 평등권 침해라는 측면에 있어서, 우리나라 선거권 연령이 19세인 것에 대해서는 어떻게 생각하는가?

Q1-3. 노인들이 대중교통과 카카오 택시를 이용하기는 어렵지 않나?

Q2-2. 동물이 사람과 같은 주체적 권리를 갖지 못하는데, 어떠한 문제가 생길 수 있겠는가?

Q2-3. 반려동물을 단지 재산으로만 보아야 하는가?

2017 한국외 B 문제

※ A형과 B형의 2문제 중 자신에게 배정된 문제에 답하시오.

Q1. **<A형>** 포켓몬고를 위한 구글의 지도 반출 요청에 대안 자신의 의견을 말해보시오.

Q2. **<B형>** 저출산 문제 해결을 위한 학제 단축 개편에 대한 자신의 의견을 말해보시오.

Part 6

2017 한국외 C 문제

※ A형과 B형의 2문제 중 자신에게 배정된 문제에 답하시오.

Q1. <A형> 최근 운영상의 어려움을 겪고 있는 영세 인터넷 신문사들이 과장광고, 복권광고 등 해악을 끼치는 불건전한 광고를 게재하는 것을 규제해야 하는가?

Q2. <B형> 고위공무원의 자녀가 국적 이탈을 통해 병역을 기피하는 경우 고위공무원 임용 및 특정 보직에 진출하는 것을 금지하는 것은 타당한가? 또한 병역 기피를 목적으로 국적 이탈한 유명 연예인을 십년간 입국 금지 조치를 한 것은 타당한가?

추가질문

Q1-2. 더 큰 정의를 위한 작은 부정의는 허용되는가?

Q1-3. 이익형량을 따져야 하는 경우가 있지 않은가?

Q2-2. 병역 기피 목적이 아닌 재능 있고 유망한 고위공무원의 자녀가 외국 국적으로 귀화하여 기술을 개발하거나 하는 것이 전 인류에게 이로울 경우라면 이 경우에도 공무원 직업의 자유를 제한해야 하는가?

2017 한국외 D 문제

※ A형과 B형의 2문제 중 자신에게 배정된 문제에 답하시오.

Q1. <A형> 교육부가 외국인 교사를 재임용하는 과정에서 성병/에이즈/마약 검사를 실시하는 반면, 한국인 교사 및 재외국민 한국인 교사를 대상으로는 이 검사를 실시하지 않는다. 교육부의 처분은 정당한가?

Q2. <B형> 보편적 복지가 옳은가?

※ A형과 B형의 2문제 중 자신에게 배정된 문제에 답하시오.

Q1. <A형> 기존에는 어린이집 무상 지원 시간이 전업주부인지 아닌지에 상관없이, 영아의 연령에 상관 없이 모두 12시간이었다. 그러나 최근 정부는 0~2세 영아에게 한정하여 무상지원을 하기로 하였고 전업주부의 경우 무상 지원 시간이 12시간에서 6시간으로 제한됐다. 전업주부에 한정하여 어린이집 무상 지원 시간을 6시간으로 제한하는 것은 타당한가?

Q2. <B형> 국제적으로 중대 4대 범죄가 발생한 지역에 대하여, 그 지역의 영토국 동의 없이 무력개입을 통해 해당 범죄를 저지하는 것을 허용해야 하는가?

추가질문

Q1-2. 전업주부에게 국가가 무상지원을 할 필요가 있나?

Q2-2. 주권이 인권보다 상위의 개념인가?

2017 한국외 인성 문제

Q1. 개인의 정의와 신념이 만약 잘못되었다면 어떻게 할 것인가?

Q2. 법조인이 가져야 하는 기본소양은 무엇인가?

Q3. 가장 재미있게 들었던 과목은 무엇인가?

Q4. 전공을 최근 시사 이슈와 관련지어 말해보시오.

Q5. 공유경제에 대해서 어떻게 생각하는가?

Q6. 사회적 경제에 대해서 어떻게 생각하는가?

Q7. 인공지능이 법관의 역할을 대신하는 것에 대한 자신의 생각을 말해보시오.

Q8. 해운, 조선업에 국가 자본을 투자하는 것에 대한 자신의 생각을 말해보시오.

모범답변

2016 한국외대 로스쿨

① 교수:학생 = 5:2 ② 답변 준비 10분, 면접 시간 30분 ③ 수험생 메모를 복사해 면접관과 지원자에게 제공
④ A형/B형 중 1문제를 각각 임의배정 ⑤ A형 응시자 답변 → B형 응시자 반론 → A형 응시자 재반론, B형도 동일함

2016 | 한국외 A 문제

※ 다음 제시문을 읽고, A형과 B형의 두 문제 중 자신에게 배정된 문제에 답하시오.

> [A형] 유럽에서는 출산 지원금 등 국가 정책을 통해 출산을 장려하고 있다. 우리 정부에서는 출산율을 1.5명 이상으로 올리겠다는 목표에 따라 정부가 결혼 적령기의 남녀에게 맞선을 주선하고, 빠른 사회진출을 위해 교육 시작 시기를 만 6세에서 만 4세로 앞당기는 등의 정책을 발표하였다.
>
> [B형] 해외 음란물을 국내에서 불법으로 다운로드받는 일에 대하여 저작권 위반이라는 문제가 제기되었다. 대법원은 이 사안에 대해 저작권을 인정하였다.

Q1. [A형] 이와 같은 국가 정책에 대한 견해를 말해보시오.

Q2. [B형] 불법 음란물의 저작권에 대한 자신의 입장을 정하고, 논거를 밝혀보시오.

추가질문

Q1-1. 유럽에서 이와 같은 정책은 실효를 거두고 있다. 출산율을 높이기 위한 방안을 생각해본 적 있는가? 있다면 그 방안을 구체적으로 말해보시오.

Q1-2. 교육 시작 시기를 만 6세에서 만 4세로 앞당기면 부모가 아이를 학교에 보내고 삶의 여유를 가질 수 있는데, 이는 육아휴직 등 제도와 비슷한 기능을 한다고 보는가?

Q1-3. 제시문 외의, 출산율을 높일 수 있는 구체적인 방안이 있다면 말해보시오.

Q1-4. 그렇다면 이민 확대에 대해 어떻게 생각하는가?

Q2-1. 그렇다면 어떤 음란물도 내용과 상관없이 인정해주어야 하는 것인가?

Q2-2. UN 인권헌장에 아동 포르노를 금지하고 있는데 어떻게 생각하는가?

※ 다음 제시문을 읽고, A형과 B형의 두 문제 중 자신에게 배정된 문제에 답하시오.

> [A형] 국가고시에서 시험 도중 한 학생이 화장실에 갈 것을 요청했다. 그러나 시험 규정상 의료적
> 으로 급박한 상황을 제외하고는 화장실은 시험시간 반 이상이 지난 뒤에만 갈 수 있었다. 학
> 생은 너무 급하다고 교실 뒤편에서 용변을 보게 해 줄 것을 요구했고 감독관 A는 이를 허용
> 했다. 감독관은 남자 1명과 여자 1명이 있었다.
>
> [B형] 사행성이 있는 복권과 같은 사업을 국가가 행하고 있다는 내용

Q1. [A형] 감독관 A의 판단은 적절했는지 논해보시오.

Q2. [B형] 복권 사업의 국가 운영에 대한 찬반 근거를 제시하고 본인의 견해를 밝혀보시오.

💬 **추가질문**

Q2-1. 우리나라는 마약과 성매도, 비록 직접적으로 해악을 받는 타인은 없지만, 금지하고 있다. 어떻
게 생각하는가?

Q2-2. 복권은 중독성이 강해서, 타인에 대한 해악은 없더라도 사회적 해악은 분명히 있다. 사회적 해악
의 문제는 어떻게 해결할 것인가?

모범답변

2024~2016 한양대 로스쿨

2024 한양대 로스쿨

① 교수:학생 = 2:1 ② 면접 준비 10분, 면접 시간 10분 ③ 메모 가능 ④ 추가질문 있음

메모 및 휴대 여부	• 메모와 휴대 모두 가능함
대기실 특징	• 대기실에 좌석이 지정되어 있고, 면접 순서가 사전에 고지됨 • 준비한 자료를 볼 수 있으며, 화장실 이용은 자유로움
문제풀이실 특징	• 7~8명이 함께 문제풀이를 진행하며, 종료시간은 고지하나 감독관이 별도로 시간을 알려주지 않으므로 지원자가 직접 확인해야 함
면접고사장 특징	• 면접관과 지원자의 거리는 멀지 않음
기타 특이사항	• -

2024 한양 A 문제

※ 다음 제시문을 읽고, 문제에 답하시오.

> (가) 지배자는 정복이나 세습 등의 방식으로 피지배자들의 지지 없이 지배한다. 공동체의 약한 구성원들이 무수한 독수리들의 먹이가 되는 것을 막기 위해서는 나머지 독수리들보다 더 힘이 세어 이 독수리들을 억누를 임무를 부여받은 포식동물이 있어야 한다. 그러나 이 독수리들의 왕 역시 어떤 소소한 수리들 못지않게 양떼를 먹이로 삼으려 할 것이기 때문에 그의 부리와 발톱에 대해 항상 방어자세를 취해야 하는 것이 불가피했다.
>
> (나) 인민은 다수의 의사 혹은 다수라고 생각하게 하는 적극적인 일부의 의견으로 지배한다. 사회가 다수의 의견으로 지배되는 것은 정치 제도의 지배보다도 위험하다. 이는 정치의 영역의 지배에서 머무르지 않고, 도덕이나 규범, 감정 등의 영역에서도 전제를 행사하고 개인의 자유를 억압할 수 있기 때문이다.

Q1. 제시문 (가)와 (나)에서 나타나는 자유에 대한 억압을 비교하시오.

Q2. (제시문과 무관하게) 현대사회에서 개인의 자유를 억압하는 양상에 대한 자신의 의견을 논하시오.

Q3. 제시문 (나)에서 말한 '도덕, 규범 영역에서의 다수의 횡포'의 예시는?

Q4. AI가 인간의 자유에 어떤 영향을 미칠 것이라고 생각하는가?

Q5. 양성평등에 대한 법제화가 많이 이루어졌음에도, 일상에서 여전히 논란이 되고 해결되지 못하는 이유는 무엇인가?

Q3. 다수의 의견이 어떻게 모이고, 모인 다수의 의견이 왜곡되고 조작될 수 있다고 보는가?

Q4. 종교에서 이단이라고 부르는 것에 대해 어떻게 생각하는가?

Q5. 다수가 소수를 억압하지 못하게 하려면 어떻게 해야 하는가?

Q6. 저출산 대책으로 기혼자를 존중하게 되면 오히려 미혼자에 대한 차별이 될 수 있다. 이에 대해 어떻게 생각하는가?

Q7. 코로나 사태 때 백신접종으로 차별화해 출입을 제한했다. 이에 대해 어떻게 생각하는가?

Q3. 다수의 의견이 어떻게 모이고, 모인 다수의 의견이 왜곡되고 조작될 수 있다고 보는가?

Q4. 그럼 이에 대한 해결책은 무엇인가?

Q5. 개인의 취향과 자유를 중요하게 여기는 것 같은데, 이렇게 생각하게 된 특별한 계기가 있는가?

Q6. 마지막으로 하고 싶은 말이 있다면 말하시오.

모범답변

① 교수:학생 = 2:1 ② 면접 준비 10분, 면접 시간 10분 ③ 메모 가능 ④ 추가질문 있음

2023 한양 A 문제

※ 다음 제시문을 읽고, 문제에 답하시오.

> 감정과 경제가 혼합되어 감정자본주의라는 새로운 형태의 체제가 나타나고 있다. 감정은 심리 단위이지만, 문화 단위이기도 하고 사회 단위이기도 하다. 이러한 점에서 감정 역시 사회적으로 구성되는 것이다. 감정자본주의는 인간의 감정을 상품화하고 시장논리와 감정을 결합하여 모두를 자기계발과 자아실현으로 몰아넣는다. 이처럼 감정자본주의는 시장의 레퍼토리와 언어 자아가 결합되어 나타난다.
>
> 현재 대중문화에는 자아실현 및 자기계발의 내러티브가 팽배하다. 이에 적응하지 못한 자는 병리화하여 감정 고통을 겪는 자로 명명되고 있다. 감정자본주의를 따르지 않는 개인은 환자로 격화되어 감정의 위계를 형성하고, 소비자로서 자기계발과 자아실현을 추구하도록 강제된다.
>
> 자아실현과 자기계발에 맞지 않는 감정은 더 이상 설 자리가 없다. 현재의 감정 담론은 위계화되어 있어 이에 대한 반론이 무의미할 정도이다. 결국 나는 고통 받는 자아로 존재하게 된다.
>
> 아도르노는 경제가 감정을 잠식하고 있다고 한다. 그리고 문화와 제도 내에서 개인은 인간 그 자체가 아니라 사물로 취급되고 있다고 한다.

Q1. 제시문을 요약하고, 그에 대한 자신의 생각을 논하시오.

💬 A학생 추가질문

Q2. 그러한 공동체 연대를 회복하는 방안은 무엇이 있는가?

Q3. 사람들의 생각을 담론화하여 외부로 꺼낸 부분은 긍정적 요소가 아닌가?

Q4. 감정담론이 형성된 것의 실제 사례를 들어보시오.

Q5. 나도 그러한 의견에 동의한다. 감정담론과 정치는 어떠한 부분에서 관련성이 있는가?

Q2. 생명을 경제적으로 평가할 수 없다고 했는데, 교통사고로 인해 사람이 죽거나 불구가 되었을 때도 경제적으로 보상하는 것이 잘못된 것인가?

Q3. 특정 감정을 사람들이 선호하다 보니, 특정 감정이 경제적으로 가치 있게 된 것이 아닌가?

Q4. 감정이 경제적으로 평가되었을 때, 긍정적인 사례는 무엇이 있나?

Q5. 감정이 상업적으로 쓰이고 있는데, 그런 감정들은 어떤 감정인가?

Q6. ASMR과 같이 조용한 것을 선호하는 사람도 있고, 활발한 것을 선호하는 사람도 있는데 왜 그렇다고 생각하는가?

Q7. 감정을 통해서 정치에 더 많이 참여한다고 생각하나, 그렇지 않다고 생각하나?

Q2. 감정의 사물화의 사례를 들어보시오.

Q3. 그렇다면 제시문의 저자는 어떤 방향으로 나아가야 한다고 주장하는가?

Q4. 그럼 대안은 무엇이라고 보는가?

Q5. 정치적 주체를 말했는데 젊은 세대들의 정치적 열기나 참여 의지는 실제로 강하지 않은가? 지원자의 답변과 실제 현상이 좀 다른 것 같다.

Q6. 앞 질문에 대한 구체적인 대안은 무엇인가?

Q2. 감정자본주의가 실제로 발현되는 하나의 예를 들어보시오.

Q3. 그렇다면 욜로족의 경우는 어떻게 생각하는가, 이들을 어떻게 설명할 수 있나?

Q4. 빈민을 구제한다거나 유니세프 광고 등에서 감정을 사용해서 마케팅하는 경우는 어떻게 생각하나?

Q5. 사실 이 감정자본주의 같은 경우 제시문에는 나오지 않았지만 개인이 자발적으로 하는 것으로도 볼 수 있다. 이 경우 개인의 존엄을 침해한다는 것은 받아들이기 어려운데 어떻게 생각하나?

Q6. 감정자본주의의 단점을 고수하고 있다. 그렇다면 감정자본주의의 장점은 무엇인가?

모범답변

2022 한양대 로스쿨

① 교수:학생 = 2:1   ② 면접 준비 10분, 면접 시간 10분   ③ 메모 가능, 휴대 가능

2022 한양 A 문제

※ 다음 제시문을 읽고, 문제에 답하시오.

> (A) 습관이라는 것은 결국 구속과 억제다. 개인은 태어나자마자 구속과 억제를 당하며 살아가고 죽는다. 아이가 태어나면 팔다리를 펴는 등 자신의 자유로 몸부림을 치려고 하지만, 부모는 그것을 다시 포대기로 묶고 팔과 다리를 그 안에서 움직이지 못하게 하고 편 채로 있도록 구속한다. 그나마 옆으로 눕혀 침이라도 흘리게 해준다면 낫다. 보통은 고개를 옆으로 돌려 침 흘리는 것조차 구속하기 때문이다. 이러한 구속은 죽을 때까지도 이어진다. 고인은 죽어서 관 속에 묻히기 때문이다.
>
> (B) 개인은 모두 '빚을 지는 존재'이다. 아이가 태어나면 부모와 사회는 양육과 가르침을 통해 아이를 길러낸다. 아이는 사회에서 쌓아온 지식을 배우고 익히면서 자신의 능력을 발견하고 키우게 된다. 이를 통해 아이는 자신의 능력을 기르고, 능력을 발휘하며 살아가면서 개인은 국가에 '빚을 졌음'을 깨닫게 되고, 감사함을 느낀다.

Q1. (A)와 (B)를 읽고 개인과 사회의 관계에 대해 요약하시오. 그리고 자신의 견해에 무엇이 더 부합하는지 그 이유와 함께 말해보시오.

💬 A학생 추가질문

Q2. (A)가 타당하지 않은 이유를 더 말해보시오.

Q3. (B)가 더 타당하다고 했는데, 그렇다면 (A)는 어떤 경우에 처하더라도 잘못된 것인가?

Q4. 그럼 지원자는 자유가 가장 중요하다고 생각하는 것인가?

Q2. 자유의지라고 했는데, 사회의 통제가 이뤄진다면 자유의지가 인정될 수 있는가?

Q3. 국민연금 의무화는 개인의 자유의지 침해가 아닌가?

Q4. 코로나 이동제한 조치는 자유의지 침해 아닌가? 개인에게 타인을 위한 희생을 강요하기만 하는 것은 부당하지 않은가? 어떻게 설득할 것인가?

C학생 추가질문

Q2. 여성할당제, 지역할당제 때문에 답변자가 불합격한다고 하더라도 이러한 할당제를 지지하는가?

Q3. 같은 맥락이지만, 부자들은 굳이 국민연금에 가입할 필요가 없는데 가입하도록 강제한다. 이에 대해서는 어떻게 생각하나?

모범답변

① 교수:학생 = 2:1　② 면접 준비 10분, 면접 시간 10분　③ 메모 가능　④ 추가질문 있음　⑤ 블라인드 면접

2021 한양 A 문제

※ 다음 제시문을 읽고, 문제에 답하시오.

> <제시문 A>
>
> 　사회는 단순히 이기적이고 원자화된 개인들의 군집은 아니다. 공동체 가치를 공유하고 공통으로 추구하는 구성원들을 전제하지 않고서는 사회의 존속을 기대할 수 없다. 미국의 철학자 마이클 샌델은 개인의 자유를 지키기 위해서라도 공동체의식과 참여의식은 필수적이라고 강조한다. 사회의 결속력은 공동체 가치에 관한 합의가 얼마나 폭넓고 뿌리 깊게 자리 잡고 있는지에 달려 있다고 해도 과언이 아니다. 사회 갈등이 극단적 대립으로 치달아 해결의 기미를 보이지 않는다면, 공동체 가치에 전향하려는 시민 적성의 함양이 부족한 것이 아닌지 의심해 봐야 한다.
>
> <제시문 B>
>
> 　현대 사회는 점점 더 다원화되어 가고 있다. 개인은 저마다 자신이 중요하게 생각하는 다양한 가치를 추구하며 살아갈 권리가 있다. 개인에게 획일적으로 특정한 가치의 수용을 강요하는 것은 사회통합을 높이기보다는 저해할 여지가 크다. 협력이나 합의가 아닌 갈등이 도리어 사회통합을 촉진하는 요소가 될 수도 있다. 프랑스의 사회학자 마르셀 고쉐는 구성원들이 상호 대립하는 과정에서 서로를 대등한 관계로 인식하고, 사회에 갈등이 생기는 것을 공통의 숙명으로 받아들일 때, 역설적이게도 사회통합이 달성될 수 있다고 주장한다.

Q1.　현재 우리 사회는 지역갈등, 계층갈등, 세대갈등, 성별갈등, 이념갈등 등 다양한 갈등이 존재한다. 이러한 상황에서 사회통합을 이루기 위한 방안은 무엇인가?

　　(<제시문 A>, <제시문 B> 두 견해 중 어느 쪽에 더 비중을 둘지 구체적 사례를 들어 설명할 것)

A학생 추가질문

Q2. 모든 차이가 갈등으로 이어지는 것은 아니지 않는가?

Q3. 그렇다면 부의 격차로 인한 사회갈등을 제시해보고, 이때 우리 사회가 공유해야 할 사회적 가치는 무엇인지 논해보시오.

Q4. 그렇다면 부유한 자에게서 소득을 뺏어가도 된다는 것인가? 이들을 보호하기 위한 수단은 무엇인가?

B학생 추가질문

Q2. 그런데 마이클 샌델식의 논리라면 소수가 다수의 가치관을 강요받는 측면도 있지 않을까?

C학생 추가질문

Q2. 공론화위원회는 책임 회피에 따른 정책이라는 얘기도 있는데, 이에 대해 어떻게 생각하는가?

Q3. 공유된 가치 중 무엇이 가장 중요하다고 생각하는가?

Q4. 하지만 연대의식을 너무 강조할 경우, 개인의 자유가 억압되는 측면이 있지 않을까? 개인마다 생각이 모두 다를 수 있는데, 오히려 연대의식을 강조했기 때문에 갈등이 발생하는 것 아닌가?

Q5. 하지만 코로나19 상황에서 마스크 착용 의무화를 한 것처럼 나중에도 국가가 어떠한 것을 강제할 수도 있다. 절대국가의 우려가 있지 않은가?

모범답변

① 교수:학생 = 2:1   ② 면접 준비 10분, 면접 시간 10분   ③ 메모 가능   ④ 추가질문 있음   ⑤ 블라인드 면접

2020 한양 A 문제

※ 다음 제시문을 읽고, 문제에 답하시오.

> (가) 건물을 짓는 것은 어렵지만, 이를 부수는 것은 쉽다. 이처럼 모든 것은 자연상태에서 무질서
> 해지기 마련이다. 모든 것은 엔트로피와 같이 무질서로 회귀한다. 이와 같은 물리적인 법칙이
> 인간 사회에도 적용된다. 사회에서도 질서를 세울 외부의 개입이 필요하며, 토마스 홉스는 자
> 연상태에서 발생하는 무질서는 정부의 통제 없이 해결할 수 없다고 주장했다.
>
> (나) 군대개미는 자연스러운 상호작용을 통해 별다른 통제 없이 다리를 만들거나 집을 만든다. 인
> 간 사회도 상대의 반응에 대응하고 개체들이 자신에게 주어진 역할을 수행하는 등 자율적인
> 상호작용에 의해 사회질서가 생겨난다. 공급자와 수요자 간 행위를 통한 시장 가격의 형성,
> 주변 사람들의 행태로부터의 영향에 의한 유행의 형성 등 개별 주체의 상호작용이 '아래로부
> 터의 질서'를 형성해나간다.

Q1. 질서에 대한 두 입장 중 자신의 견해를 정하고 그 근거를 논해보시오.

💬 A학생 추가질문

Q2. 외부의 규제가 질서를 달성할 수 있다고 보았는데, 현재 시행되고 있는 분양가 상한제의 경우에는 오
히려 외부 규제로 부작용이 나타나고 있지 않은가?

Q3. 온실가스 배출권을 규제라고 했는데, 기업 간에 자율적으로 거래를 한다는 점에서 이것은 오히려 자
율적으로 질서를 형성하는 것이라 볼 수 있지 않은가?

Q4. 온실가스와 같은 환경문제를 예로 들어 답변했는데, 이 부분은 사실 강대국에 의해서 악용될 수도 있
다. 이에 대해서는 어떻게 생각하는가?

Q2. 정부의 통제가 너무 과도해지지는 않을까? 개인의 자유가 위축될 수 있다는 문제점이 있을 수 있는데, 이에 대해 어떻게 생각하는가?

Q3. 그렇다면 이러한 정부의 통제가 시장질서에도 필요하다고 생각하는가?

Q4. 시장질서가 위축되고 시장질서가 왜곡될 수 있을 것 같은데, 이에 대해서는 어떻게 생각하는가?

Q5. 그렇다면 국제 사회의 경우에는 어떻게 생각하는가? 국제 사회에서도 이러한 역할이 필요한가? 필요하다면 누가 그 통제의 역할을 담당해야 하는가?

Q6. 전문성 있는 제3자가 통제하는 것이 필요하다고 했는데, 전문성 있는 제3자란 누구이며 어떻게 정해야 하는가?

Q7. 그렇다면 각 분야의 선출방식은 또 누가 정해야 하는가?

모범답변

2019 한양대 로스쿨

① 교수:학생 = 3:1 　② 면접 준비 10분, 면접 시간 10분 　③ 메모 가능

2019 한양 A 문제

Q1. 다음 <제시문 가>, <제시문 나>를 참고하여, 자신이 <사례>에서 H회사의 경영진이라면 A안과 B안 둘 중에 어떤 것을 선택할지에 대해 말하고, 그 이유를 논해보시오.

<제시문 가>

　IMF 시기 기업의 경영난을 해소하기 위해 비정규직이 우리나라에 처음으로 도입되었다. 비정규직은 정규직과 동일한 노동을 함에도 불구하고 적은 임금을 받고 고용 안정성도 보장받지 못하고 있다. 비정규직을 정규직으로 전환할 경우 업무의 연속성이 확보되어 숙련노동자를 장기적으로 확보할 수 있다.

<제시문 나>

　청년 실업 문제가 심각하다. 청년들은 경쟁을 통해 정규직 공채를 노리고 있는데, 최근 비정규직의 정규직 전환이 이루어지면서 청년들은 상대적 박탈감을 느끼고 있다. 정규직 공채를 늘릴 경우 기업 입장에서는 우수한 인력을 확보할 수 있으므로 인력 채용 시 공채를 늘려야 한다.

<사례>

　H회사의 경영진은 H회사에서 기존에 고용 중인 비정규직 100명의 계약 만료 기간이 다가오면서 이에 관한 회의를 하였다. 본래 H회사는 정규직 100명을 충원할 계획이었다. 이 회의에서 아래의 두 가지 안이 제시되었다.

- A안: 비정규직 100명을 전부 정규직으로 전환한다.
- B안: 비정규직 100명의 계약을 연장하지 않고, 신규 공채를 통해 100명을 정직원으로 채용한다.

모범답변

① 교수:학생 = 3:1 ② 면접 준비 10분, 면접 시간 10분 ③ 메모 가능

2018 한양 A 문제

Q1. 다음 <제시문 A>와 <제시문 B>를 요약하고, <사안>에서 '나'의 행동이 변호사로서 타당한지 평가해 보시오.

<제시문 A>

법은 제재를 하기 위해 존재하기 때문에 소극적인 역할을 담당한다. 제재를 위한 법은 엄밀한 형식을 갖춰야 하며, 모든 상황을 가정하고 만들 수 없기 때문에 형식에 따라 적용되어야 한다. 이를 형식주의라고 한다.

<제시문 B>

현실적으로 법을 적용할 때 절차만을 따질 수 없고, 법조인은 개별 사건에 대해 개별적으로 판단을 해야 한다. 법조인이 법적 판단을 할 때 감정이나 가치관이 개입되지 않는다는 것은 불가능하다. 감정을 배제한 법조인은 기계적인 적용만 하는 것일 뿐이다.

<사안>

7살인 한양이는 발이 불편해서 부목(副木)을 사용한다. 다음 달에 초등학교에 입학해야 하는데 부목이 너무 낡아 교체가 필요하다. 하지만 건강 보험사는 한양이 아버지가 기초생활수급자 대상에서 제외되어 새 부목을 위한 비용을 지급하는 것을 거절한다. 한양이 어머니는 변호사인 '나'를 찾아왔다. 한양이 어머니는 한양이가 낡은 부목을 가지고 학교에 입학하면 친구들에게 놀림 받을 것이라고 걱정한다. '나'는 건강 보험사에 항의했는데 건강 보험사는 비용을 지급할 수 없다고 하며, 소송을 하라고 한다. 재판을 한다면 한양이가 초등학교 졸업할 때쯤에야 결과가 나올 것이다. '나'는 보험사에 전화하여 "다음 달 입학식에 한양이가 낡은 부목을 하고 방송 기자와 함께 등교하는 것을 뉴스에서 보게 될 것입니다."고 한다. 건강 보험사는 한양이 가족에게 새 부목 구입비용을 지급하기로 한다.

모범답변

① 교수:학생 = 3:1   ② 면접 준비 10분, 면접 시간 10분   ③ 메모 가능

※ 다음 제시문을 읽고, 문제에 답하시오.

> **<제시문 가>**
>
> 인구의 20% 상위 계층이 경제적으로 소득과 부의 80%를 차지하는 현상을 사회에서 쉽게 볼 수 있다. 이는 자연세계에서도 사례를 찾아볼 수 있다. 세포는 서로를 연결하는 그물망으로 배열되어 있는데 각 인접한 세포와의 상호 작용으로 증식을 이뤄나간다. 이때 중심세포는 선호적 연결을 통해 주변세포의 영양의 대부분을 포식하는 현상이 발생한다. 즉, 자연계 현상이든, 사회적 현상이든 영양분 혹은 부와 같은 자원이 소수에게 편중되는 현상이 어디에서나 일어난다. 사회적 불평등은 결국 인간의 탐욕, 제도 때문이라기보다는 자연적 흐름에 따른 불가피하고 보편적이며 자연스러운 현상이고 오히려 경제적 효율성을 달성하는 데 도움이 된다.
>
> **<제시문 나>**
>
> 기본소득은 국가가 재산의 많고 적음이나 근로여부에 관계없이 모든 국민에게 최소한의 생활을 보장해줄 수 있는 일정 금액을 무조건 지급하는 제도로 보편적 복지의 일종이다. 요즘 우리나라에서 시행 논의가 되고 있는 구직자와 청년 계층에게 일정 정도의 수당을 지급하는 것도 이러한 복지의 일환으로 볼 수 있다. 한편 인공지능의 발달과 같은 기술 발달이 빠르게 이루어지고 있는 상황에서 청년들의 일자리 대체 등과 같은 우려 또한 대두되고 있다. 정부는 기본소득제도와 같은 사회제도를 보장해 주어야 한다.

Q1. <제시문 가>, <제시문 나>를 참고하여, 본인이 정책입안자라면 사회적 불평등에 대해 어떻게 생각할지 말해보시오.

💬 **추가질문**

Q2. 선별복지를 위해서는 지원자가 말하듯이 선별기준이 필요하다. 무엇이 객관적인 선별기준이라 생각하는가?

Q3. 우리나라 복지 수준이 어떻다고 생각하는가? 자유롭게 말해보시오.

Q4. 무상급식에 대해 어떻게 생각하는가?

Q5. 로스쿨 내에서 등록금 일괄 인하와 일부 학생 장학금 수여 중 뭐가 나은지 말해보시오.

Q6. <제시문 나>를 보면 인공지능 등의 발전으로 실업문제가 대두된다. 이러한 상황에서 기본소득제와 같은 복지제도가 필요하지 않겠는가?

Q7. 상속세를 아주 높여서 이를 약자들에게 분배하는 방식으로 평등을 달성하는 것은 어떻게 생각하는가?

모범답변

① 교수:학생 = 3:1 ② 면접 준비 10분, 면접 시간 10분 ③ 메모 가능 ④ 지성 면접 5분, 인성 면접 5분

2016 한양 A 문제

※ 다음 제시문을 읽고, 문제에 답하시오.

<제시문 가>

A기업은 지난 몇 년 동안 상당한 수익을 창출하였다. A기업의 이사회는 공익재단을 설립하여 기업 수익의 일부를 사회에 환원하기로 결정하였다. 그에 따라 설립된 A공익재단은 국제적 보건 의료 지원, 빈곤 퇴치, 그리고 저소득층 아동의 교육 기회 확대 등 다양한 사업을 시행하고 있다. A공익재단은 투명한 재정 운영과 각종 공익사업의 전문적 관리·경영으로 비영리 자선단체의 모범적 사례로 인정받고 있다. 많은 사람들이 A공익재단의 취지와 활동에 공감하여 기부와 자원봉사를 통해 재단 사업에 동참하고 있다.

<제시문 나>

B기업 또한 상당한 수익을 창출하였다. B기업은 노동자에 대해서는 저임금 정책을, 그리고 소비자에 대해서는 독점적인 지위에서 고가 정책을 통해 막대한 이윤을 남겼다. B기업에 대해 사회적으로 부정적인 여론이 형성되고 임금 인상, 상품가격 인하 및 서비스 개선에 대한 압력이 높아지자, B기업은 이에 대한 대응으로 수익의 일부를 출연하여 B공익재단을 설립하기로 하였다. B공익재단은 B기업으로부터 자사 주식 및 계열사 주식을 출연 받아 B기업의 최대 주주가 되었다. 재단의 임원구성에 있어서는 B기업 지배주주의 친인척 및 전·현직 임원들이 이사로 선임되었다.

Q1. <제시문 가>와 <제시문 나>의 사례를 참고하여 기업이 공익재단을 설립·운영하는 것에 대해 찬성, 또는 반대 중 하나의 입장을 취하고, 그에 대한 자신의 논거를 제시해보시오.

추가질문

Q2. 두 기업 P와 Q가 있는데, P기업은 수익을 사회에 환원하고자 공익재단을 설립해 운영하고, Q기업은 대신 그 자금으로 R&D 등 기업의 장기적인 발전을 위해 사용한다. 만약 당신이 투자자라면 어느 기업에 투자하겠는가? 그 이유는?

Q1. 법조인에 대한 부정적인 사회적 인식이 많기도 했고 지금도 여전하기는 하지만, 그에 대한 인식이 개선되고 변화하고 있는 추세이다. 자신이 나중에 법조인이 된다면 어떤 대우를 받아야 마땅하다고 생각하는가?

Q2. 지원자가 한 의뢰인의 무죄를 변론하고 있는데 어느 날 유죄임을 나타내는 증거가 발견되었다. 변호사로서 해당 의뢰인의 무죄 변론을 지속하겠는가?

모범답변

Part 7

합격하는
자기소개서

1. 자기소개서, 왜 평가대상인가?

(1) 로스쿨 자기소개서란 무엇인가?

자기소개서는 자신이 원하는 새로운 조직에 소속되고자 할 때 해당 조직이 요구하는, 자기를 소개하는 글이자, 자신의 성격, 능력, 적성, 경력, 직업 따위를 알리는 글이다. 로스쿨 입시전형에서 원하는 자기소개서는 출신대학이나 전공 등 이력서에 명시된 개인의 신상명세로는 파악할 수 없는, 로스쿨에서 알기를 원하는 개인의 성장과정, 성격, 교우관계, 형제관계, 적응력, 능력 등 개인에 대한 구체적인 정보를 담은 글이다. 다음은 고려대 로스쿨에서 밝힌 자기소개서의 평가 이유이다.

"고려대학교 법학전문대학원은 자기소개서를 통하여 지원서에 기재된 단편적이고 객관적인 자료(대학시절의 수강과목과 학점, LEET 점수, 기타)와는 전혀 다른 시각에서 지원자를 알 수 있는 기회를 갖고자 하며, 지원자가 장래의 대학원생일 뿐만 아니라, 사회의 건전한 구성원이라는 점에 주목하고 있다."

자기소개서는 LEET 점수, 대학의 학점, 그리고 외국어 점수가 결정된 이후에, 일반적으로 원서접수 마감시한 전까지 작성하게 된다. 로스쿨에 따라서는 학교 지원이 끝난 후에 기한을 더 인정해주는 경우도 있으나 일반적이지는 않다. 따라서 자기소개서는 미리 준비하는 동안 시간과 공을 얼마나 들였는가에 따라 그 품격이 결정된다. 로스쿨 입학사정에서, LEET 점수나 영어성적, 학점 등과 같은 정량 평가도 물론 중요하지만, 정성이 배인 한 장의 자기소개서는 정량 평가의 순위를 뒤집을 수 있는 마지막 기회로 작용할 수 있는 가장 중요한 서류이다. 자기소개서는 면접 전형에서 사용될 질문의 바탕이 될 뿐만 아니라, 최종합격을 결정하는 데 있어서 필수적인 자료로 사용되므로, 여러 번의 교정과 퇴고 과정을 거쳐서 정성껏 만들어 내는 것이 바람직하다.

각 로스쿨의 평가 교수는 자기소개서를 통하여 지원자가 어떤 사람이며, 성공적으로 교과과정을 이수하여 졸업할 수 있는지, 그리고 훌륭한 법조인이 될 수 있는지를 판단하게 될 것이다. 따라서 지원자는 자기소개서에서 다른 지원자와 차별화된 이 세상에 단 하나로서 존재하는 자기 자신을 있는 그대로 정확하고 논리적이며 진솔하게 표현해야 한다.

(2) 자기소개서의 중요성

로스쿨 입시전형에서 자기소개서는 최저 5%에서 최대 40% 정도의 반영 비중을 가지고 있다. 로스쿨 전체를 평균적으로 보면, 자기소개서는 약 17% 정도의 반영 비중이 있다. 그러나 이러한 형식적 반영 비중보다 더 중요한 것은 실질 반영 비중이다. 자기소개서는 2차 전형요소로 실질 반영 비중이 생각보다 높다. 여타 지원자들과 차별점을 줄 수 있다는 점에서는 더욱 그러하다.

로스쿨 입학시험에서 1단계 전형 합격자 수는 2~4배수 수준이다. 평균적으로 볼 때 8,000명이 1단계에 합격한다고 볼 수 있고, (가)군과 (나)군에 지원할 수 있기 때문에 이보다는 약간 많은 수가 1단계 전형에 통과해서 2단계 전형요소 점수를 합산해 최종합격자 2,000명이 결정된다. 1단계 전형의 배수가 크기도 하지만 거의 대부분의 지원자가 모의지원을 이용하기 때문에 1단계 전형 합격자 간의 점수 차는 대단히 미미하다. 1단계 전형의 경우 대부분의 로스쿨이 정량요소, 즉 LEET 점수나 토익점수, 학점처럼 객관적으로 확인되는 요소로만 평가하기 때문이다.

예를 들어 A라는 수험생이 LEET 120점, 토익 950점, 학점 4.0을 획득했다고 하자. 만약 A가 B로스쿨에 지원하겠다고 마음먹었다면, LEET 115점에서 125점 사이에 있는 여타 수험생들도 B로스쿨에 지원하게 될 것이다. 학원에서 제공하는 모의예측 지원서비스를 이용할 경우, B로스쿨에서 수험생 A의 1단계 전형 등수까지도 거의 정확히 나오게 된다. 합격생들을 통해 얻은 정보에 따르면, 모의지원을 통해 확인한 1단계 전형의 등수가 실제 로스쿨의 등수인 경우가 많았고 오차가 매우 미미해서 큰 차이가 없었다. 이러한 상황에서 만약 C라는 수험생이 LEET 100점, 토익 950점, 학점 4.0이라면 B로스쿨에 지원하지 않을 것이다. 이미 A와 큰 차이가 벌어졌고 모의지원을 통해 LEET 20점의 차이가 1단계 전형 통과 불가능한 점수 차라는 것을 확인할 수 있기 때문이다. 따라서 1차 전형은 로스쿨별로 지원자의 지원 수준을 결정하는 것에 지나지 않는다. 로스쿨 최종합격 여부는 2차 전형으로 결정된다.

(3) 2025학년도 입시 분석

2025학년도 로스쿨 입시 역시 전년도와 유사하게 자기소개서의 비중이 클 것으로 예상된다. 전체 25개 로스쿨 중 제주대를 제외한 24개 로스쿨이 자기소개서를 1차 전형에서 반영하고 있다. 정성평가인 자기소개서가 1차 전형요소가 되었다는 점에서 이를 추론할 수 있다.

정량평가는 객관적 점수요소이기 때문에 모든 사람이 객관적으로 예측가능하다. LEET 점수 000점, 학점 00%, 어학성적은 P/F 반영하는 로스쿨이 많아져 무의미하다. 결국 2가지 요소 점수만으로 1차 전형 합격자를 선발해야 하는데, 지원자 간의 점수 차이가 미미한 것이다. 이에 더해 학원에서 제공하는 모의지원이 정보의 비대칭성을 해소해 주기 때문에, 결국 정량평가 요소는 로스쿨별로는 차이가 나더라도 특정 로스쿨 지원자들 사이에서는 거의 차이가 없다. 예를 들어 서울대 로스쿨 지원자와 부산대 로스쿨 지원자 간의 정량평가 점수는 차이가 나겠지만, 서울대 로스쿨 지원자 사이에서는 큰 차이가 없는 것이다. 지원자를 선발해야 하는 로스쿨 입학담당자의 입장에서 보자면, LEET 한 문제를 찍어서 맞힌 지원자는 1차 전형에 합격하고 운이 없어 찍은 문제를 틀린 지원자는 1차 전형에 불합격하는 것이다.

이처럼 지원자들의 객관적 전형요소, 즉 정량평가 점수 차이가 미미하기 때문에 정성평가인 자기소개서가 큰 영향력을 발휘할 수밖에 없는 것이다. 2025학년도 LEET 출원자는 1만 9천여 명으로 전년도에 비해 2천 명 이상 증가했다. LEET 언어이해와 추리논증 문제 수는 70문제로 고정되어 있기 때문에 1문제당 몰리는 지원자 수는 더 많아지게 된다. 결국 1차 전형부터 정성평가 요소인 자기소개서가 영향력을 발휘하게 된다.

LEET 점수와 학점, 어학성적만으로 1차 전형 합격을 확실하게 노리고 싶은 지원자라면, 제주대 로스쿨을 지원하는 수밖에 없다. 제주대를 제외한 24개 로스쿨은 자기소개서를 1차 전형요소로 평가하고 있다. 1차 전형요소의 점수 차가 미미하기 때문에 2차 전형요소인 자기소개서의 명목상 반영률과 관계없이 실질 반영률은 상당히 높다. 특히 모의지원 1배수 이내의 상위권 지원자들의 점수 격차는 더 좁기 때문에 자기소개서의 중요도는 더욱 크다.

잘 쓴 자기소개서가 지원자를 최종 합격시켜 줄 수는 없다. 그러나 1차 전형요소에 자기소개서가 포함되어 있기 때문에, LEET와 학점 등이 불리한 수험생이 1차 전형에 통과하여 2차 전형의 기회, 즉 면접에 응시할 기회가 생긴다. 그리고 매우 낮은 가능성일지라도 면접에서 좋은 평가를 받으면 최종합격할 수도 있다.

대다수의 로스쿨처럼 1차 전형에서 자기소개서를 평가하는 경우, 정도의 차이는 있으나 로스쿨 최종합

Part 1
Part 2
Part 3
Part 4
Part 5
Part 6
Part 7

해커스 김종수 로스쿨 면접 200주제

격에 직접적 영향을 미친다. 예를 들어, 1차 전형요소에서 큰 차이가 없는 두 명의 수험생이 있다고 하자. 면접이나 논술과 같은 2차 전형요소를 측정하였는데 그 결과마저도 큰 차이가 없다고 했을 때, 자신이 채점교수라면 어떤 지원자를 선발할 것인가? 당연히 좀 더 열의가 있는 지원자일 것이다. 그리고 이 열의는 자기소개서를 통해 확인할 수밖에 없다. 유사한 점수를 획득한 지원자 중에 법조인으로서의 목표가 더 분명하고, 그러한 목표를 실현하기 위한 계획이 더 구체적이고, 로스쿨에서 어떻게 공부하여 자신의 목표를 실현할 것인지에 대한 학업계획이 잘 세워진 지원자를 선발할 것이다.

2. 자기소개서, 무엇을 평가하는가?

(1) 자기소개서 평가요소

> ① 법학, 법조인에 대한 열의
>   ㉠ 지원동기
>   ㉡ 어떤 계기로 법학에 관심을 가졌는가?
>   ㉢ 왜 남보다 잘할 수 있는가?
>   ㉣ 변호사 시험에 통과할 수 있는가?
>   ㉤ 어떤 공부계획을 가지고 있는가?
>   ㉥ 꿈꾸는 법조인이 될 계획을 가지고 있는가?
> ② 인성
>   ㉠ 꿈을 이룰 의지가 있는가?
>   ㉡ 의지를 현실로 만들 성실함이 있는가?
>   ㉢ 자신의 능력을 사회를 위해 사용할 사람인가?
>   ㉣ 자신의 장점과 단점을 정확히 알고 있는가?

(2) 자기소개서를 통해 법조인으로서의 열의를 증명하라.

로스쿨 진학에 대한 관심은 부모님의 영향, 존경하는 사람의 영향, 책의 영향, 체험활동의 영향, 개인적 경험 등으로 생기게 된다. "자네는 왜 로스쿨에 관심을 가지게 되었나?"라는 질문은 단순하지만 수험생으로서는 가장 답하기 어려운 질문이다. 그렇기 때문에 평소에 주의 깊게 관심을 가지고 노력해 오지 않았다면 피상적인 답을 할 수밖에 없다.

지원동기는 쓰기 어렵지만 잘 쓰면 채점교수에게 큰 호감을 줄 수 있다. 지원동기는 요식행위(要式行爲)라는 위험천만한 생각을 하는 사람도 있다. 지원동기는 로스쿨 자기소개서의 유일한 고득점 포인트이기 때문에 이러한 생각은 위험하다. 지원동기는 그 학문에 대한 열정을 대변해주는 얼굴이다. 싫은 표정을 지은 후 왜 사진이 예쁘지 않게 나왔냐고 항변해도 소용이 없다.

로스쿨이나 법조인에 관심을 가졌다면 이는 작은 씨앗이다. 관심이 진실이라면 그 후 노력을 해야 한다. 관심을 가진 분야의 책도 읽고 이와 관련된 활동도 하고, 그 분야의 전문가도 만나고 이런 과정을 거쳐 작은 씨앗은 큰 나무로 변해 간다. 아직 구체적으로 노력한 바가 없다면 앞으로 어떻게 노력할 것인가에 대한 구체적 계획을 증명해야 한다.

수험생이 증명해야 할 것은 '작은 씨앗을 큰 나무로 가꾸기 위해 어떤 노력을 했는가?'이다. 관심만 가지고 어떤 노력도 안 했다면 그 진실성을 인정하기 힘들 것이다. 그리고 로스쿨에 입학한다면 왜 내가 다른 학생들보다 법학을 잘 공부할 수 있느냐도 평가대상이다. 많은 지원자들 중 나를 뽑아야 할 이유가 있는지, 차별화가 되는지에 대해 스스로 답을 할 수 있어야 한다.

로스쿨 자기소개서는 자신의 부족한 지식 등을 로스쿨에서 채워나가 자신의 미래를 어떻게 꾸려 나갈 것인가를 평가한다. 각 대학원은 더 큰 나무가 되고자 하는 자를 키우고 싶을 것이다. 더 큰 나무가 되고자 하는 자만이 큰 나무가 될 수 있다. 큰 계획이 없는 자가 큰 성과를 얻어낼 수 없다. 미래에 대한 계획도 자기소개서의 평가대상이다. 그렇기 때문에 대다수의 로스쿨이 자기소개서와 학업계획서를 동시에 요구하는 것이다.

물론, 로스쿨에 따라 지원동기 자체를 자기소개서에서 요구하지 않는 학교도 있다. 이러한 학교는 지방 사립대 로스쿨이 대부분인데, 해당 로스쿨의 변호사시험 합격률이 낮기 때문에 발생하는 일이다. 이미 어느 정도 수험에 대한 경험을 가진 수험생을 선발해서 변호사시험 합격률을 높여보겠다는 발상이다. 주관적인 지원동기를 측정하기보다 객관적으로 확인된 수험이력을 보겠다는 생각으로 판단된다. 이러한 특수한 경우를 제외하면 지원동기는 자기소개서의 핵심 중의 핵심이 된다.

(3) 자기소개서를 통해 사회에 기여할 인재임을 증명하라.

능력이 많은 사람이 꼭 사회에 기여할 것이라고 장담할 수는 없다. 이완용은 조선 전체에서 33명을 선발하는 과거시험 급제자로 안중근보다 더 많은 지식과 능력을 가졌지만 그 능력을 매국(賣國)에 사용했다. 이에 비해 안중근은 자신의 능력을 조국과 동양의 평화를 위해 사용했다. 능력이 뛰어난 사람이 사회에 기여한다고 단정할 수 없다. 최근 기업체나 대학에서 봉사활동을 중시하는 이유도 이와 같다. 능력을 자기를 위해서만 사용해서는 회사에도 큰 이익이 되지 않는다. 오히려 회사의 기밀을 돈을 받고 다른 회사에 파는 일도 비일비재하게 발생하고 있다. 아무리 능력이 좋다고 하더라도 단기적으로 장기적으로 회사에 피해를, 그것도 능력만큼 큰 피해를 입힐 사람을 선발할 이유가 없다.

우리 사회는 능력을 사회와 이웃을 위해 사용할 자세가 되어 있는 인재를 필요로 한다. 로스쿨에서도 당연히 이런 인재를 찾으려 한다. 우리는 약자를 위해 자신의 능력을 아낌없이 사용한 법조인들을 기억한다. 이런 변호사를 많이 배출할수록 그 로스쿨의 위상은 높아진다. 따라서 로스쿨도 자교를 빛내줄 인재를 찾는다.

당신은 능력이 있는가? 당신은 법학에 진정으로 관심이 있는가? 당신은 자신의 능력을 사회와 이웃을 위해 사용할 마음이 있는가?

로스쿨은 이러한 마음가짐과 인생의 목적을 가지고 있는 지원자를 원한다.

여기에서 수험생들이 착각하는 것이 있다. 지원동기나 장래 계획을 인권 변호사, 공직자로 해야만 사회에 기여할 인재라고 보는 것이다. 자기소개서 평가 담당 교수님은 지원자들의 자기소개서에 대해 이렇게 평가했다. "로스쿨 자기소개서에 쓴 만큼 인권 변호사가 배출되면 우리나라는 사회적 약자의 권리가 무료 변론으로 달성되는 세계 유일한 국가가 될 것이며, 기업법무와 M&A, 경영인의 변호는 사회악이기 때문에 아무도 담당하지 않게 되어 기업이 사라질 것이다." 이는 지원동기에 대한 고민 없이 그저 인권변호사가 된다고 하면 대충 넘어갈 것이라는 생각에서 비롯된 것이다.

사회에 기여할 인재는 사회 기여를 목적으로 할 수도 있고, 사회 기여를 결과로 할 수도 있다. 예를 들어, M&A를 통해 두 기업이 합병된 결과, 이전에는 생각할 수 없었던 새로운 서비스가 가능해져 소비자들의 선호를 충족시키고 고용이 늘어나고 국가경쟁력이 높아졌다고 하자. M&A 전문 변호사로 자기 능력과 전문성을 키운 결과, 사회에 기여하게 되는 것이다. 문제는 어떤 이유로 이러한 변호사가 되겠다고 결심했는지가 된다. 자기 자신이 무엇을 원하는지, 왜 그렇게 결심했는지, 사회에 기여할 방법은 무엇인지, 자기 자신의 내면에 더 많이 묻고 스스로 고민하는 시간이 중요하다.

3. 자기소개서, 준비해야 잘 쓴다.

(1) 꾸준히 준비하자.

자기소개서는 미리 준비할 수 있다. 로스쿨 자기소개서는 일반적으로 LEET 성적이 발표된 이후 원서 접수 시 제출하게 된다. LEET가 7월 말, 성적 발표가 8월 중순, 원서 접수는 9월 중순 정도이기 때문에 자기소개서를 준비할 기간은 충분하다. 물론 어느 로스쿨에 지원할 것인지는 고민될 수 있기 때문에 해당 로스쿨의 정확한 양식에 맞춰 고민하는 것은 어려울 수 있다. 그러나 로스쿨 지원동기나 자신의 체험 등을 생각하여 자기소개서의 글감, 핵심을 잡는 것은 미리 준비할 수 있다.

여기에서 가장 중요한 것은 꾸준히 구체적으로 자신의 법조인 상을 생각해두는 것이다. 내가 미래에 이루고자 하는 법조인 상이 분명해야 한다. 법조인 상을 말해보라고 하면 "정의로운 변호사", "검사"라고 하는 경우가 많은데, 이는 법조인 상이 아니다. 이는 로스쿨에 진학할 사람이라면 3~4년 후에 자신이 가질 직업에 불과하다. 법조인 상이란, 반드시 변호사라는 직업적 수단을 통해서만 달성할 수 있는, 이러한 법조인으로 훗날 자신의 자녀들에게 알려지고 싶다는 정도의 것을 말한다. 이 말이 감이 잡히지 않는다면, 50대에 법조인으로서 어떤 직위에 올라있을 것인지 생각해보자. 그 직위에 있는 사람이 할 수 있는 일은 무엇이 있는지, 자신은 그 직위의 권한을 이용해서 무엇을 한 법조인으로 기억되고 싶은지 생각해보자.

자기소개서에서 가장 중요한 항목은 지원동기이다. 지원동기는 결국 법조인 상으로 연결된다. 어떤 생각을 갖고 로스쿨에 지원했는지 논증하면 결국 내가 법조인으로서 하고 싶은 일이 나오게 되기 때문이다. 로스쿨 자소서를 준비할 때 지원동기에 중점을 두고 준비해야 한다. 지원동기가 불명확하면 법조인 상도 불명확하고, 학업계획이나 대학생활도 왜 그것을 했는지 이유가 불분명하게 되어 있다. 법조인 외에 다른 직업도 많은데 왜 하필 나는 법조인이 되기로 결심했는가는 자기 자신만 알 수 있다. 이를 다른 사람에게 논리적으로 납득시킬 수 있는지가 로스쿨 자소서의 점수 포인트가 된다.

변호사의 일로 설명해보자면, 내 의뢰인이 무죄인 정황이 있는데 명확한 증거는 없다. 이 정황을 주변상황, 가능성 등을 이용해서 얼마나 설득력 있게 논증할 수 있는지가 변호사의 능력이다. 로스쿨 자기소개서 역시 이와 유사하다. 증빙 가능한 서류를 이용할 수 있다면 더없이 좋을 것이지만, 그것이 어렵다면 정황, 가능성 등을 최대한 활용해서 스토리 라인을 만들어 왜 내가 법조인이 되어야 하는지, 내 꿈이 얼마나 구체적이고 명확한 것인지 증명해야 한다.

(2) 관련된 체험이나 업무 내용 등을 통해 글감을 마련하자.

봉사활동이나 자신의 체험을 이용하여 로스쿨 지원동기, 자기소개서의 틀로 잡는 것도 좋다. 법조계와 관련된 활동이어야 할 필요는 없다. 자신이 되고자 하는 법조인으로서의 꿈이 기업 관련 법조인이라면 오히려 기업과 관련한 활동이 더 나을 수 있다.

직장인이라면 자신의 업무 내용과도 연결할 수 있다. 다만 여기에서 주의해야 할 점은 단순한 봉사, 체험, 업무 소개에 머물러서는 안 된다는 점이다. 이를 문제의식 혹은 로스쿨, 법조인에 관심을 갖게 된 이유로 연결할 수 있어야 한다.

학생이라면 자신이 들은 수업도 자신의 체험이다. 강의에서 배운 바를 통해 얻은 깨달음, 혹은 배움을 자신의 경험과 연결해 나간 경험, 강의에서 결심한 바를 후속행동으로 이어 나가 발전시킨 결심들, 이러한 모든 것들은 자소서의 글감이 될 수 있다.

다만, 단 하나의 경험, 업무, 수업 등의 소재로 지원동기를 대체하려 해서는 안 된다. 물론 엄청난 경험이나 업무, 수업이라면 이것 하나만 가지고서도 지원동기를 가질 수 있다. 예를 들어, 10년간 친하게 지낸 친구가 있는데, 이 친구가 갑자기 이틀 만에 이전의 그 사람과 완전히 다른 사람으로 변했다고 하자. 그래서 그 친구에게 무슨 일이 있어서 그렇게 바뀌었느냐고 묻자 어제 수강한 대학수업이 너무 감명 깊어서 변했다고 한다. 이러한 대답을 납득할 사람은 없을 것이다. 아마도 그 친구는 다시 이틀 후에 원래의 그 사람으로 돌아갈 가능성이 높다고 생각할 것이다. 그러나 갑작스럽게 친구의 부모님이 사고로 사망했고 주변 사람들과 친척들의 실망스러운 행동에 충격을 받고 변했다고 한다면 그럴 수도 있겠다는 생각이 들 것이다. 대부분의 수험생은 이틀 만에 사람이 완전히 변할 정도의 경험을 가지고 있지 않을 것이다. 그러다 보니 대부분의 자기소개서는, 별것도 아닌 경험을 침소봉대해서 내 남은 인생을 바꿀 큰 경험이었고 법조인이 되겠다는 큰 의지를 갖고 있다고 큰소리치는 것이다. 평가교수님은 수험생보다 인생의 경험이 더 많고 학생을 본 경험이 많기 때문에 속 빈 큰소리에 속지 않는다. 법조인이 되겠다는 결심은 최종적인 결과이고, 이전부터 긴 시간에 걸쳐 꾸준히 생각이 생겨나고 바뀌어 왔을 것이다.

여러 글감을 모으다 보면 과거에 이런 생각을 했고, 이후에는 이런 생각을 가졌고, 최종적으로 이런 결심을 하게 되었다는, 나 자신에 대한 이해도가 높아지게 된다. 나에게도 법조인이 되겠다는 서사가 있음을 깨닫게 되는 것이 중요하다. 예를 들어, 이런 정도의 서사가 가능할 것이다. 첫째, 대학 수업에서 경영학을 수강했는데 과제로 기업 파산을 다루다가 기업 범죄를 알게 되었다. 둘째, 기업 범죄에 관심을 갖고 법학 수업을 들었는데 형법에서 기업 범죄에 대한 사례와 판례를 배우게 되었다. 마지막으로 금융기업 인턴을 하면서 기업의 업무 프로세스를 경험했는데 금융상품 기획단계부터 법률 검토를 하는 것을 알게 되었다. 이러한 일련의 과정을 통해 금융 전문 법조인이 되어 금융상품 기획부터 출시, 소송 지원까지 담당하는 법조인이 될 것을 결심했다는 흐름을 잡을 수 있다.

자기소개서 2천 자를 쓰는데 몇천 자를 쓸 생각을 해서는 안 된다. 16년간 공부해서 LEET 70문제를 푼다는 것을 잊지 말아야 한다. 200만 자를 생각해서 결국 2천 자를 쓴 자기소개서와 2만 자를 생각해서 2천 자를 쓴 자기소개서는 깊이 자체가 다를 수밖에 없다. 전문가의 일이란 그런 것이고, 예비 법조인 역시 그러해야 한다.

(3) 증빙서류를 준비하자.

봉사활동이나 체험을 이용하여 자기소개서를 작성할 때 기왕이면 증빙서류가 있는 편이 좋다. 증빙을 할 수 없는 내용보다 공식적으로 확인이 된다면 금상첨화일 것이다. 진정성 있는 자기소개서의 내용과 증빙서류의 확인이 동시에 이루어진다면 채점교수로서도 걱정 없이 점수를 줄 수 있다.

특히 봉사활동 등은 오랫동안 노력해왔다면 진정성을 인정받을 수 있다. 봉사활동의 경우를 예로 들자면, 6개월간 200시간 봉사활동을 한 것과 3년간 150시간 봉사활동을 한 것은 후자가 좀 더 진정성 측면에서 인정받을 가능성이 높다. 물론 봉사활동을 아예 하지 않은 것보다는 6개월간이라도 한 것이 더 낫다. 긴 시간 동안 꾸준히 조금씩 해온 활동이 채점교수에게 신뢰도가 높을 수밖에 없다. 이것도 증명이 안 되면 헛수고이니 증빙서류를 미리 준비해야 한다.

증빙서류는 미리 준비해야 한다. 보통 로스쿨 수험생은 LEET 점수가 발표된 이후에 지원할 로스쿨을 결정하고 자기소개서를 쓰는 경우가 많다. 당연히 각종 증빙서류 등도 이때 허겁지겁 준비하기 쉽다. 그런데 이 시기는 대학 중간고사 기간, 사기업 지원기간, 로스쿨 원서 접수 기간이라서 많은 학생들이 서류를 준비하러 몰리게 된다. 또 급하게 준비하다보니 필요한 서류를 누락하는 경우까지 있다. 미국 대학 출신 학생이 미리 신청해둔 졸업증명서가 배송 중 분실되어 난감했던 경우도 있었다. 자기소개서에 사용될 증빙서류는 미리 준비해두도록 하자.

(4) 자기소개서를 쓰기 전에 모든 정보를 모아보자.

자기소개서를 쓰기 위해서는 일단 자신에 관련된 정보가 있어야 한다. 눈에 띄는 자기소개서를 쓰기 위해서는 정보가 많을수록 좋다. 그 정보들 중에 자신의 법조인 상이나 지원동기에 적합한 정보들을 선택하여 집중해야 하기 때문이다. 다만, 모아놓은 많은 정보들이 아까워 정보만을 나열하는 자기소개서는 좋은 인상을 남길 수 없으니 주의할 필요가 있다.

이를 위한 좋은 방법은 전지를 1~2장 정도 구입하여 벽에다 붙여놓는 것이다. 큰 종이에다 생각이 날 때마다 메모를 해두었다가 자기소개서의 전체 틀을 잡은 후 그에 해당하는 정보를 찾는 방법이다. 물론 이런 식으로 생각나는 정보들을 기재하다보면 자기소개서의 전체 틀이 잡히는 경우도 많다.

이렇게 모은 정보를 바탕으로 하여 자기소개서와 학업계획서의 큰 구조를 잡은 다음, 그 구조에 맞게 필요한 정보를 논리적으로 구성하여야 한다. 이렇듯 논리적으로 일관된 자기소개서와 학업계획서를 쓰기 위해서는 많은 정보뿐만 아니라 자신에 대한 성찰도 필요하다. 자기소개서와 학업계획서를 통해 자신이 로스쿨 입학을 통해 무엇을 얻을 것이며, 어떻게 공부해서 법조인으로서 어떤 미래를 만들 것인지도 고민할 수 있다.

(5) 전체 구조도를 작성해보자.

자신의 지원동기와 장래 진로를 결정하면 자기소개서, 학업계획서의 모든 항목이 이와 전략적 일관성을 가지고 있어야 한다. 그런데 대다수의 수험생들이 붓 가는 대로 자기소개서와 학업계획서를 쓰다 보니 일관성이 없는 수필식 자기소개서가 많다. 당연히 중언부언하거나 자화자찬, 과장하는 경우가 많을 수밖에 없다.

전략적 일관성이 있는 자기소개서를 쓰기 위해서는 전체 구조도를 작성하여 이에 맞춰 항목 내용을 결정하는 형태의 자기소개서 작성법이 적당하다. Top-down 방식으로 하여 지원동기 혹은 장래 진로에 포함되는 구체적 계획을 진행하는 것이 논리적이고 설득력 있다.

8월 1~2주 차	• 기초자료 확보 • 자신에 대한 모든 사항을 A4 10장 이상으로 쓰기
8월 3~4주 차	• 법조인 상을 정하고 지원동기 작성 및 완성
9월 1주 차	• 반드시 지원할 로스쿨 결정 • 해당 로스쿨의 자소서 형식에 맞춰 자소서 작성
9월 2주 차	• 논리적 일관성 검토, 고쳐쓰기, 피드백 반영
9월 3주 차	• 반드시 지원할 로스쿨 자소서 완성
9월 4주 차	• 추가적으로 지원할 로스쿨 자기소개서 양식으로 변환, 완성, 제출

4. 좋은 자기소개서를 위한 십계명

(1) 명확한 법조인 상으로 평가교수를 감동시켜라.

서류를 심사하는 위원 또는 교수들은 수많은 서류 더미 속에서 시간을 보낸다. 평가위원들은 지원자의 모습이 잘 녹아 들어가서 생생히 살아있는 자기소개서와 학업계획서를 읽을 기회는 그렇게 많지 않다고 말한다.

자기소개서 및 학업계획서는 평가위원들과의 무언의 대화이다. 평가위원은 지원자의 글 속에서 감동적인 사건이나, 지원자에게 영향을 준 인물을 알려고 하는 것이 아니라, 자기소개서 속의 주인공을 제대로 알고자 하는 것이다. 따라서 그들에게 자신을 소개하고, 그들을 설득하기 위해 내 자신에 대한 글을 쓰고 있다는 것을 염두에 두고 글을 써야 한다.

LEET나 학점, 영어와 같은 정량평가에서는 이미 획득한 점수만이 고려되기 때문에 지원자의 얼굴이 드러나지 않는, 비인간적인 면이 정량평가의 특징이라고 말할 수 있다. 평가위원들은 지원자의 살아있는 인간적인 이미지를 정성평가로 발견하고자 한다. 자기소개서와 학업계획서를 통해서 반드시 드러내야 하는 중요한 특징은 자신의 캐릭터(Character), 즉 자신의 살아온 시간적, 공간적 환경, 자신의 성격, 개성, 장점, 및 재능이다. 진정성 있는 지원동기, 열의, 노력 등을 모두 보일 유일한 기회에 가깝다.

수많은 자기소개서와 학업계획서 중에서도 단연 돋보이는 글을 어떻게 쓸 수 있을까? 그것은 바로 자신의 삶, 자신의 이야기를 들려주는 것이다. 즉, 당신의 인생에서 발생한 중요한 사건이나 감동적인 일을 구체적, 독창적, 창의적으로 글 속에 잘 녹여서 풀어 쓰는 것이다. 필요하다면, 이 에피소드를 통해 자신이 얻은 삶의 교훈을 밝히고 이를 지원동기와 장래의 목표와 연결 짓는 것을 고려해 보아야 한다.

평가위원들은 객관식 시험과 달리 기계가 아니라 살아있는 사람이다. 감정이 있고, 감탄할 수 있고 반대로 분노하고 실망할 수 있는 사람이다. 따라서 채점자의 호감을 얻는 글이 높은 점수를 받는 지름길이다. 평가위원은 고민한 흔적과 열정을 글 속에 남긴 지원자에게 호감을 가질 수밖에 없다. 로스쿨에 입학하기 위해 진지한 고민을 일상생활에서 꾸준히 해왔다는 것을 보여 준다면 반은 성공이다. 같은 고민을 하는 사람은 주장이 다를지라도 학문의 동료이다. 더 나아가 진지하면서도 설득력 있는 글을 쓴다면 평가교수는 수험생을 훌륭한 동료라고 생각할 것이다. 이런 학생이라면 내가 꼭 가르쳐보고 싶다는 생각으로 채점을 하니 좋은 점수를 줄 수밖에 없다.

글을 쓰는 학생은 자동차를 파는 영업사원이라면 채점하는 평가위원은 자동차를 사려는 소비자이다. 영업사원이 소비자가 어떤 색을 좋아하며 어떤 차종을 좋아하고, 무엇을 요구하는지 관심이 없다면 차를 팔 수 없다. 이와 마찬가지로 채점자인 로스쿨 교수가 학생에게 무엇을 요구하고 어떤 학생을 원하는지 관심이 없다면, 좋은 점수를 얻을 수 없다.

많은 지원자가 로스쿨 지원동기에 특별한 경험이 있어야 한다고 생각하는 경우가 많은데, 학생에게 특별한 경험은 공부에서 나올 수도 있다. 반드시 법학 수업이 아니더라도 좋다. 과학기술에 대한 수업을 듣다가도 법을 생각하는 사람이 있을 수 있다. 반면 법학을 들으면서도 아무 생각이 없을 수도 있는 것이다. 채점교수님들이 원하는 것은 진정성이지 수강내역이나 자원봉사 증명서가 아니다. 수강내역이나 자원봉사 증명서는 자신의 진정성이 거짓이 아님을 밝히는 수단에 불과하다. 이 수단을 아무리 많이 가지고 있다고 하더라도 이것이 곧 법조인이 되겠다는 진정성으로 이어지는 것은 아니다.

명확한 법조인 상과 그것을 생각하게 된 계기, 법조인 상이 더 구체적으로 진화하는 과정, 결심과 후속 행동, 증빙자료를 통한 신뢰도 확보 등의 모든 것들을 만족시킨 자기소개서를 읽는 것은 쉬운 일이 아니다.

Part 1
Part 2
Part 3
Part 4
Part 5
Part 6
Part 7
해커스 김종수 로스쿨 면접 200주제

이러한 자기소개서를 읽은 채점교수는 "이런 학생이라면 직접 만나보고 싶다."고 생각한다. 글만 보고서 그 사람을 만나고 싶다는 생각을 할 정도라면, 그것도 많은 학생들을 가르쳐 본 경험이 있는 대학교수가 그런 생각이 들 정도라면 이미 절반의 성공을 거둔 것이나 다름없다.

📊 합격자소서

1. ○○대학교 법학전문대학원에 지원한 동기와 학업계획에 대하여 기술하시오.

기업경영을 조력하는 변호사가 되고자 ○○대 법학전문대학원에 지원했습니다.

○○○○ 연구를 수행하며, 소재 지역 주민의 인권과 기업의 관계에 대해 깨달았습니다. ○○○○에 의해 제정된 법령을 연구하며, 명백하게 부정의한 법령의 잔재가 현재까지 이어지고 있음을 확인했습니다. 저는 당시 지역기업에 현실적 피해를 일으킨 결과가 장기적으로 기업에 대한 사회, 경제적 손해가 될 수 있다고 판단했습니다. 저는 법률의 개선방안을 모색하며, 과거의 잘못된 행위가 현재 주민들의 삶의 질 저하와 고용 감소라는 인권 문제가 되는 것을 막을 방안을 고민했습니다.

○○○○를 수강하며 기업이 사회적 가치 실현을 위해 ESG 경영 방식을 채택해야 함을 알았습니다. 저는 ESG 기업의 활성화를 위한 근본적인 해결책이 '공식적인 법 제도와 비공식적인 문화×윤리적 제도의 공진화'임을 깨달았습니다. 기업 외부의 법률을 기업 내부에 기업문화로 정착시키기 위해서는 기업 내부에서 기업경영을 지원하는 법조인이 이를 수행할 수밖에 없다는 결론에 이르렀습니다. 이러한 결론에 이르러, 저는 기업이 사회적 가치 확산과 인권 실현에 기여할 수 있도록 조력하고자 결심하고 기업 경영 지원 법조인이 될 것을 다짐하였습니다.

변호사 시험 초시 합격을 목표로 입학 전부터 기본3법의 선행 학습을 철저히 하겠습니다. 학사 과정에 성실히 임하고 스터디를 활용해 실제 시험 운용을 위한 저만의 방식을 체득하겠습니다. 입학 후에는 경제법, 자본시장법 등을 포함하여 회사법 수업에서 좋은 성적을 거두어 기업 경영 지원 법조인이 되기 위한 학문적 전문 능력을 배양하겠습니다.

2. 대학생활이나 사회생활을 통하여 법학과 관련된 경험이 있으면 이를 바탕으로 법학전문대학원 졸업 후의 진로에 대하여 기술하시오.

○○○○에 참여하여 기업이 사회 발전에 기여할 수 있는 법조인이 되기 위한 능력을 배양했습니다.

○○○○에 참석하여, ○○에서 운영하는 '○○○○'를 접했습니다. ○○여 개의 기업이 참여하여 비즈니스 관행의 변화를 통해 사회적 이슈에 대한 행동을 가속화하고, 인권을 존중하는 책임이 달성될 수 있도록 지원하고 있었습니다. 이를 통해 경제적 영역에서 인권 문제의 해결에 기업이 기여할 수 있으며, 인권공동체를 만들어 가기 위해 기업을 포함한 인권연대 구축의 필요성을 깨달았습니다. 저는 학부에서 학습한 내용을 바탕으로 성장중심경제정책이 기업들의 경제적 독점을 초래하고, 다양한 인권 문제로 귀결되는 것에 대한 대안으로 사회 연대적 경제를 제안했습니다. 기업, 소비자 그리고 지역 사회가 합심하여 공익을 추구하는 포용적인 경제를 구축하고자 함이었습니다. ○○○○을 통해 저는 기업이 인권보호의 의무를 수행하도록 종합적인 지원이 필요하다는 결론에 이르렀습니다. 따라서 저는 기업이 사회와 상호 작용하며 성장함으로써 상호 연결된 현대사회에서 기업의 안정적 성장을 조력하는 법조인이 되고자 다짐했습니다.

저는 변호사 시험 초시 합격 후, 기업 법무 전문 로펌에 입사하여 경영 지원을 위한 자문과 송무 능력을 갖추겠습니다. 또한 기업위원회의 자문 위원이 되어 기업이 지속가능한 경영을 할 수 있도록 지원하겠습니다. 통합적 지원 체계를 구축하여 기업의 활동이 사회적 가치를 확산시키는 데 법적 기준이 역할을 할 수 있도록 기여하는 법조인으로 성장하겠습니다.

(2) 정보를 수집하고 자신의 생각을 정리하라.

좋은 자기소개서를 쓰기 위해서는 자기 자신을 자세히 돌아보고, 자신이 지원하고자 하는 로스쿨에 대해 사전조사를 해야만 한다. 즉, 자신의 성격, 장단점, 지원동기, 지적 배경과 관심분야 등을 차분하게 미리 정리해야 한다. 아울러 자신이 지원하고자 하는 로스쿨에 대한 조사도 병행해야 한다. 예컨대, 지원하고자 하는 로스쿨이 생각하고 있는 인재상 및 그 로스쿨만의 히스토리 및 특징, 교수진, 교과과정, 교환학생 프로그램을 포함한 교육 환경 및 시스템, 학교 캠퍼스 환경 등에 관한 전반적인 정보를 입수해야 한다.

여기에서 주의할 점은, 법조인이 되고자 하는 자신의 목표에 지원 로스쿨의 정보가 연결되어야 한다는 점이다. 많은 수험생들의 자기소개서를 보면서 가장 놀라웠던 것은, 많은 지원자들이 로스쿨 입학시험을 치르는 수험생의 자기소개서가 아니라 로스쿨의 소개 브로슈어를 쓰고 있다는 점이었다. 지원자는 자신이 지원한 로스쿨이 어떤 장점이 있고 어떤 선배가 있고 어떤 특성화 전략을 갖고 있는지 알아야 하지만, 채점교수는 지원자의 자기소개서에서 그것을 확인할 필요가 없다. 채점교수는 이미 그 로스쿨 소속 구성원인데 왜 그것을 알아야 하겠는가? 이보다는 지원자가 어떤 법조목적을 갖고 있고 그것을 행하는 직업인으로 성장하고 싶은데, 이 로스쿨이 어떤 프로그램과 어떤 지원책으로 지원자의 꿈을 이루어줄 발판이 될 수 있는지를 생각하는 것이 타당하다. 지원자의 법조인상을 명확하게 제시하고, 왜 그러한 법조인 상을 가지게 되었는지 증명한 후에, 지원한 로스쿨이 왜 지원자의 꿈을 이루기 위해 적합한 학교라 판단했는지를 쓰는 정도면 충분하다. 따라서 지원할 로스쿨의 정보부터 수집하지 말고, 로스쿨에 진학하고자 하는 '나'에 대한 정보부터 수집하고 정제하는 것이 적절한 순서라 할 수 있다. 아래 사항들을 미리 점검하고 그 이후에 지원 로스쿨에 대한 정보를 찾는 것이 시간 낭비를 줄이는 방법이다.

- 법률가의 꿈과 그 꿈을 갖게 된 동기, 이유 그리고 그 꿈을 이루기 위한 노력의 과정을 말하라.
- 로스쿨로 진로 선택을 하게 된 결정적인 이유, 동기를 자신의 삶의 과정과 연관 지어 말하라.
- 자신이 법률가의 능력과 자질을 소유하고 있다는 근거, 사례를 말하라.
- 로스쿨을 졸업한 후, 법률가로서의 자신의 미래 계획을 말하라.
- 내가 가장 존경하는 인물과 그 이유는 무엇인가. 또 그 인물이 자신이 법률가가 되는데 어떤 연관성을 가지고 있는지 말하라.
- 자신의 장단점에 대해 말하라.
- 많은 로스쿨 중에서도 왜 ○○로스쿨을 지원하게 되었는지 말하라.
- 로스쿨에 입학하면 어떤 과목을 가장 공부하고 싶으며, 어떤 분야를 선택할 것인지 그리고 그 이유는 무엇인지 말하라.
- ○○로스쿨에 입학이 허가된다면 자신이 무슨 공헌을 할 수 있는지 말하라.
- 지원한 로스쿨의 특성화 교육, 교육목적, 교육환경, 커리큘럼, 교수진이 자신의 꿈을 실현하는 데 얼마나 중요한지 말하라.

수집한 정보들을 바탕으로 자기소개서를 쓸 때, 개요를 작성하는 것이 가장 중요하다. 개요를 작성한 후에 자기소개서와 학업계획서를 쓰기 시작해야 한다. 많은 지원자들이 원서접수 마감일에 이르러서야 비로소 자신의 생각이 정리도 되지 않은 채 준비도 없이 붓이 가는 대로 쓰는 경우가 많다. 자기소개서와 학업계획서에 들어갈 각각의 필수적인 문단에 어떤 목적으로 어떤 내용이 들어갈 것인지 명확하게 결정해두어야 한다. 어떤 내용을 쓸 것인지 계획을 하고 시작해도 정해진 항목과 분량, 다른 항목과의 관계를 고려해서 쓰려 하면 머리가 아파지기 시작할 것이다. 하물며 무엇을 쓸 것인지도 생각하지 않고 무작정 쓰려 하면 빈 화면만 쳐다보다가 마감 직전에야 허겁지겁 대충 쓴 자기소개서를 제출할 수밖에 없다.

로스쿨 입시에서 자기소개서와 학업계획서는 많은 지원자 중에 엘리를 선발하려는 목적을 가진 시험 성격의 글쓰기이다. 자신이 다른 지원자에 비해 뚜렷한 목표를 가진 능력 있는 인재이며, 이를 위한 노력을 할 수 있는 지원자임을 강조하고자 하는 목적이 드러나야 한다. 그렇기 때문에 자신의 정보를 나열해서는 안 되고, 자신의 목적에 맞게 정보를 선택하고 논리적 흐름을 일관되게 유지해야 한다. 단순히 자신의 정보를 나열한다고 하여 채점교수가 자신의 생각을 저절로 알아주지는 않는다.

📈 합격자소서

> 미디어 콘텐츠 지식재산분쟁을 조정하는 법조인이 되고자, ○○대 법학전문대학원에 지원했습니다. 저는 ○○○경영공학을 전공하며 기른 종합적인 시각을 통해 다양한 활동에서 지식재산과 관련한 시스템을 발견하였고 이를 통해 창작자의 유인이 촉진되고 다양한 지식재산이 창출되어 사회적 이익이 달성된다는 것을 깨달았습니다.
>
> 저는 방학 동안 '○○○' 파이널 프로젝트였던 책상 디자인에 대한 권리를 주장하고자 명세서 작성법도 모른 채 다른 실용신안 공보를 보며 매우 힘들게 출원했습니다. 이에 올바른 권리 주장 방법을 알고자 다음 학기에 열린 '특허○○○○과 활용'을 수강하였습니다. 명세서 작성법을 배우며 유사 특허의 치밀한 분석을 통해 미미한 차이로 분쟁으로부터 자유로워질 수 있음을 깨달았습니다. 저는 특허검색을 통해 우산빗물제거기와 차별화된 '○○ 우산탈수기'를 개발했고, 법무법인의 도움으로 올해 ○월에 특허를 출원하였습니다. 대학교, 공과대학 강의, 그리고 법무법인이 계약을 맺은 덕에 출원이 수월했습니다.
>
> 창작자를 분쟁으로부터 보호하고 지식재산의 사회적 이용을 촉진하는 법률시스템을 직접 체험하며, 무궁무진한 미디어 콘텐츠의 내용적 고유성을 법적으로 특정하여 보호하는 것이 법조인의 역할임을 깨달았습니다. 이에 미디어 콘텐츠에 대한 깊은 관심과 이해를 바탕으로 다양한 콘텐츠 각각의 특성에 적합한 법적 조력을 하는 조정위원이 될 것을 결심했습니다.

(3) 강점은 부각시키고, 약점은 스토리에 묻어라.

수험생들이 자소서에서 약점을 어떻게 소명해야 할 것인지 묻는 경우가 많다. 이에 대해서는 2가지 방향의 접근이 가능하다.

먼저, 약점은 강점과 연결되는 경우가 많다. 사람은 신이 아니기 때문에 약점이 있기 마련이고 보통 이 약점은 강점의 반대 선상에 있다. 예를 들어, 대학에서 학점을 많이 이수했고 학업성적이 좋은 수험생은 외부활동이 적다. 반대로 외부활동을 많이 한 수험생의 경우에는 졸업이수 최저학점만 채운 경우가 많다. 물론 대학학업과 외부활동을 둘 다 충실히 한 수험생도 있을 것이지만 이 경우에는 또 다른 약점이 있을 수밖에 없다. 이처럼 강점과 연결되어 있는 약점의 경우에는 소명하려 하지 말고 강점을 부각시켜서 약점이라는 생각이 들지 않도록 하는 것이 좋다. 학점이 좋지 않다면 왜 학점이 좋지 않은가를 쓰려 하지 말고, 외부활동을 통해 다양한 경험을 했고 법조인이 되겠다는 결심을 했으며 법조인 상을 달성하기 위해 필요한 많은 것들이 이미 어느 정도 충족되었음을 밝히는 것이다. 사실 약점이 있다고 하는 경우의 대부분은 자신에게는 약점이지만 다른 사람이 보기에는 강점의 반대 개념인 경우가 많다. 수험생의 입장에서는 채점관이 나를 얼마나 나쁘게 볼까 하는 걱정이 앞서기 때문에 그렇게 생각하는 것이다. 그러나 채점관의 입장에서는 몇백 명의 자소서를 짧은 기한 내에 읽고 상대평가를 해야 하기 때문에 자소서의 스토리에 더 집중할 수밖에 없다. 아래에서 실제 로스쿨 합격생의 자소서 사례를 통해 이를 확인하기 바란다.

예를 들어, 학업성적이 좋지 않은 수험생이 있다고 하자. 학업성적이 좋지 않은 이유를 구구절절 소명하는 것은 왜 나를 선발해야 하는가에 대한 대답이라 할 수 없다. 왜 내가 다른 지원자에 비해 감점요소가 적은지를 증명할 뿐이다. 외부활동이 많다면, 이렇게 증명할 수 있다. 첫째, 외부활동을 통해 어떤 사항에 관심을 가지게 되었다. 둘째, 이 관심을 이어 나가고자 대학수업을 들었는데, 어떤 특정 분야에 대한 관심이 더 구체화되었고 해당과목 교수님께 질문하여 이 구체화된 관심을 이어 나갈 활동을 추천받았다. 해당 분야에 대해 전혀 아는 바도 없고 생소한 내용이라서 비록 수업성적은 좋지 않았으나 내 꿈을 위해 과감하게 선택한 결과였다는 정도로 스토리를 만드는 것이다. 셋째, 후속활동으로 인해 나의 법조인 상이 명확하게 설정되었다는 것이다. 법조인이 되겠다는 결심이 생기고 명확해지는 과정 속에 학업 성적이 묻힌 정보가 되도록 만드는 방법이다. 반대의 사례도 가능할 것이다. 학업성적이 좋은 반면, 외부활동이 없다면 수업 중에서 법조인이 되겠다는 결심으로 이어지는 스토리를 구상하면 된다. 이에 대해서는 이미 앞서 설명한 바가 있으니 이를 참고하기 바란다.

둘째, 순수하게 약점인 경우가 있다. 학업성적이 전반적으로 좋지 않고 외부활동도 없으며 증명할 만한 어떤 것이 없는 경우가 이에 해당한다. 이 경우가 자소서를 쓰기 가장 어려운 경우에 해당한다. 이러한 경우에는 어느 정도의 감점은 감수해야 한다. 다만, 그 감점을 치명적이지 않게 만드는 것이 핵심이다. 만약 수험생 중 자신이 이러한 경우에 해당한다고 판단이 된다면 전문가의 도움을 받을 것을 추천한다. 감점을 치명적이지 않게 만드는 것은 전문가의 영역이지 일반인의 영역은 아니다. 예를 들어, 건강상태가 좋은 사람이 더 좋은 건강상태를 만들고 싶다면 유튜브의 정보를 이용해서 홈트레이닝을 하는 것도 좋고 전문가의 도움을 받는 것도 선택 가능하다. 그러나 건강상태가 안 좋은 사람이 더 나빠지는 것을 막으려면 전문가의 정확한 진단을 바탕으로 명확한 처방이 필요하다. 만약 이것이 불가능하다면 최대한 많은 주변사람에게 자신의 자소서를 보여주고 평가를 받아보기를 바란다. 부끄럽다는 이유로 혼자서 자소서를 쓰게 되면 객관성이 부족하고 어색한 변명이 난무하는 자소서가 될 가능성이 높기 때문이다.

합격자소서

총 ○○○학점을 이수해, ○회의 성적우수장학금을 받았습니다. 총평점 3.○/4.○을 취득했으며, 경영학을 전공해 전공평점 3.○/4.○을 취득했습니다. ○학년까지 장애인 자립을 위한 기업창업을 위해 다양한 수업을 수강하였으나, 4학년에 들어 법조인의 꿈을 갖고 학업에 매진해 성적을 향상시켰습니다.

장애인 자립을 위한 기업 모델로 ○○제작회사 창업을 위한 수업을 수강하였습니다. 창업경영과 기업가정신 수업에서 제 사업계획의 사업성이 부족하다는 교수님의 평가를 받은 후, 장애인 고용사업의 현실을 파악하고자 장애인기업 인턴 활동으로 노력을 이어갔습니다. 전공으로 세무학과의 재무회계부터 영업, 마케팅 등 기업에 대한 전반적인 과목들과 기업의 문제점을 해결하는 역량을 강화하기 위한 사례 중심의 실천적 과목들을 수강했습니다. 또한 교내 ○○○○대회에서 ○위를 한 후, 금융과 빅데이터 기술에 관심을 가지고 재무관리, 투자론, 경영정보시스템, 머신러닝응용을 수강하여 모두 ○ 학점을 취득했습니다. 법조인을 결심한 후, ○학년 ○학기 4.○/4.○, ○학기 3.○/4.○으로 성적을 향상시켰습니다. 특히 ○학년 ○학기에는 수강과목 중 ○과목 모두 ○○성적을 거두며 ○○○장학금을 받았습니다.

장애인기업의 법률적 근거를 이해하고자 회사법과 ○○○를 수강했고, 각각 ○○와 ○○을 취득했습니다. 장애인표준사업장에 대한 관심으로 회사법을 수강했습니다. 법인격 부인을 공부하며, 법이 사례에 맞게 예외를 인정하고 있다는 사실을 알게 되었습니다. 다음으로 장애인의 권리에 대한 관심으로 ○○○를 수강했습니다. 국민의 기본권에 대해 배우며 ○○의 사례에 대해 쟁점과 판결에 대해 학습했습니다. 국민의 기본권이 국가안보, 사회질서, 공공복리를 위해 제한될 수 있다는 점과 법익의 균형이 중요하다는 사실을 알게 되었습니다. 또한 장애인고용의무 및 고용부담금에 관한 판례(2010헌바432)를 찾아보며, 장애인 고용의무에 관한 헌법재판소의 논리적 해결과정을 배울 수 있었습니다.

Part 1
Part 2
Part 3
Part 4
Part 5
Part 6
Part 7

해커스 김종수 로스쿨 면접 200주제

(4) 입학 원서에 쓰지 못한 사연을 기술하라.

입학 원서의 학점란이나 외국어 점수란에는 결과적인 점수만을 기록할 뿐, 왜 그러한 점수를 받게 되었는지에 대한 기록을 할 수 없다. 또한 대학 학부에서 왜 그 전공을 택하게 되었는지, 내가 왜 로스쿨에 지원하게 되었는지 등에 관한 것들을 설명할 수가 없다. 따라서 자기소개서 또는 학업계획서에 이러한 점수화되지 못한 부분에 대한 적절한 이유를 타당하게 기술하는 것이 요구된다. 예를 들어 만약 자신의 학점이 2점대라고 한다면, 왜 그와 같은 점수를 받게 되었는지에 관한 사연을 기술하여야 한다. 입학 담당자들 또한 지원서의 점수 항목에서 심각한 결함이나 문제점이 있으면 마땅히 자기소개서 또는 학업계획서를 찾아보게 될 것이다. 이에 대한 기술을 생략한 경우 입학 담당자들은 전례대로 판단하거나 오해할 수 있다. 자기소개서 또는 학업계획서에 학점이나 외국어 점수 등을 잘 받지 못한 이유를 남기는 것이 생략한 것보다 더 좋은 결과를 낳을 수 있다. 그러나 이러한 사유를 장황하게 말하거나 반복해서 언급한다면 변명으로 보일 수 있으므로 주의해야 한다. 한편, 입학 원서에서 말하지 못한 자신을 돋보이게 할 수 있는 특이한 이력이나 경험 등을 기술하는 것이 좋다.

📊 합격자소서

노무 전문 변호사로 활동하고자 부산대학교 법학전문대학원에 지원했습니다. 공인노무사 시험을 준비하며 노동 문제는 현실적인 권력 관계를 반영하고 있으며, 노동자와 사용자의 법률관계를 조력함으로써 현실적 권력 관계의 균형을 실현할 수 있다고 생각했습니다. 저는 노무 관계를 법률 조력하여 힘의 균형을 실현하는 구속력 있는 판결을 적극적으로 이끌어 낸 변호사가 되고 싶습니다.

공인노무사 시험 준비 중 사회보험법을 학습하며, 노무 전문 변호사가 될 것을 결심했습니다. 사회보험법에서 출산아의 선천성 질병이 업무상 재해에 포섭될 수 있다는 판례를 접했습니다. 이 판례에서, 산업재해보상보험법 제5조 '업무상의 재해는 업무상의 사유에 따른 근로자의 부상·질병·장해 또는 사망을 말한다.'라는 법조문의 정의를 보았습니다. 임신 중 작업환경의 유해요소에 노출되었던 원고에게 불리한 원심의 판결을 심적으로는 수긍하고 싶지 않았으나, 이 법문을 적용할 경우 원심의 판단을 바꾸기 어렵겠다고 판단했습니다. 그러나 판례 원문을 읽어보니 해당 법문에 제한되지 않고 대원칙인 헌법으로 돌아가는 등으로 담당 변호사가 적극적인 노력을 하여 판례를 바꾸었음을 알았습니다. 저는 이를 보며, 노무사는 정해진 법률을 적용하는 행정절차를 담당할 뿐이며, 새로운 해석을 할 수 없음을 깨달았습니다. 저는 이 깨달음을 통해 노동법의 보호 범위를 넓혀, 더 많은 노동자의 권리를 지킴으로써 사용자와 근로자 간의 권력 관계의 균형을 실현하는 역할을 할 수 있기를 희망하게 되었습니다. 그리고 노무 전문 변호사로 성장하고자 ○○대학교 법학전문대학원에 지원했습니다.

　　검사로서 사회적 약자와 법의 보호를 받지 못하는 피해자를 보호하는 역할을 하고자 ○○대학교 법학전문대학원에 지원했습니다.

　　친구의 투자사기 피해를 지켜보며, 범죄 피해자를 보호하는 공적 역할을 고민하였습니다. 코로나19 초기, 친구는 마스크 생산사업을 준비하며 부모님의 집까지 담보로 하여 사업 자금을 마련했습니다. 친구가 마스크 생산 장비를 도입한다고 하여, 저는 계약 체결 전 변호사에게 반드시 검토를 받을 것을 조언했습니다. 그러나 계약 상대방은 미리 사기를 작심하고 접근하였고 거액의 장비 도입 자금을 은닉하고 도주했습니다. 현재 이 사건은 수사 중이며, 친구는 지금까지 빚을 갚지 못하고 있습니다. 저는 이를 보며, 법이 보호하지 못한 피해자의 삶이 얼마나 무너지는지를 피부로 느끼면서, 법과 현실의 괴리를 경험했습니다. 또한 법은 국민을 보호하기 위해 존재해야 하고, 범죄 피해자를 보호하는 데 있어 공적 권한을 지닌 국가기관의 적극적인 역할이 중요하다는 것을 깨달았고, 범죄 피해자를 보호하고 법과 현실의 괴리를 줄이는 데 기여하는 법조인이 되고자 결심했습니다.

　　범죄 피해의 해결을 경험하며, 공익의 대표자인 검사가 될 것을 결심했습니다. 친구의 카페에 전 남자친구가 찾아와 영업방해와 기물 파손을 하여 도움을 달라는 연락을 받은 적이 있습니다. 가해자가 욕설을 하며 컵을 던지는 CCTV 장면을 본 후, 당시 배우고 있던 형법 교재와 판례를 찾아 간접적인 유형력의 행사에 해당한다고 판단하여 폭행죄를 추가로 고소하라고 조언했습니다. 그러나 출동한 경찰은 영업방해와 기물 파손에 대해서만 조사했고, 경찰 단계에서 피해자인 친구는 이후의 절차와 진행 상황에 대해 전혀 알지 못했습니다. 차후에 검찰로 송치된 후 담당 검사와의 면담을 통해 폭행죄를 추가 적용할 수 있었고, 그제야 전과자였던 가해자는 사태의 심각성을 깨닫고 친구에게 사과하며 피해 보상을 제안했습니다. 저는 이 사건을 곁에서 도우면서, 법은 사회의 모든 사람들의 삶에 직결되고, 사회의 근간이 되는 것인데도 불구하고 법적 지식이 없는 일반인들은 스스로를 지키기 어렵다는 것을 느꼈습니다. 또한 경찰 수사 단계에서 보호받지 못하는 피해자의 구체적인 상황에 따라 공적 권한을 적절하게 행사하는 공익의 대표자로서 검사의 역할을 깨달았습니다. 그리고 제가 그러한 검사로 성장하기를 결심하여 지원했습니다.

(5) 자신을 남과 차별화할 수 있는 독창적 내용을 기술하라.

평가위원들에게 자기소개서와 학업계획서에 관한 채점소감을 물으면 천편일률적인 답변이 바로 "글의 내용이 천편일률적이었다."라는 말이다. 천편일률적인 지원동기는 대표적으로 "사회봉사를 하던 중, 아이의 맑은 눈망울을 보며 인권에 대해 깨달음을 얻어 로스쿨에 지원하게 되었습니다" 등이 있다. 누가 보아도 합격하기 어려운 저득점 자기소개서의 전형이라 할 수 있다.

자기소개서와 학업계획서는 이 세상에 단 한 명뿐인 자기 삶을 과거, 현재, 미래를 관통하면서 독창적으로 전개하는 스토리이다. 따라서 평가교수의 눈에 띄는 글을 쓰기 위해서는 논리성을 바탕으로 독창적, 창의적으로 글을 쓸 수 있는 능력을 보여주는 것이 필요하다. 자기소개서의 내용이 타인의 그것과 비슷하다면, 평가교수로서는 자신의 이야기가 아니라 다른 사람의 이야기라는 결론을 내릴 수밖에 없다. 결국 시험 성적으로 평가해야 하는 로스쿨 자기소개서의 특성상 고득점은 불가능할 것이다.

☑ 합격자소서

저는 후견전문 법조인으로 성장하여 후견전문 법인을 설립하는 꿈을 이루고자 ○○대학교 법학전문대학원에 지원하였습니다.

○○년, 할머니의 노인성 치매를 겪으며, 도움이 필요한 성인의 권리보호에 관심을 가졌습니다. 누구보다 현명하셨던 할머니는 어느 날 치매진단을 받으시고, ○년여 간 차츰 악화되었습니다. 최종적으로는 의사결정이 전혀 불가능한 상태에 이르렀습니다. 할머니가 당신의 아들조차 알아보지 못하시는 것을 보고, 저는 성인도 의사결정능력이 부족할 수 있다는 사실을 처음으로 알았습니다. 게다가 판단능력 상실로 인해 집안 어른들은 전에 없던 논쟁을 벌였습니다. 할머니의 신변과 재산에 대한 결정을 두고, 어떤 선택이 효도인지 다투었습니다. 또한 할머니가 판단능력이 온전하셨다면 현재 어떤 결정을 했을 것인지를 두고도 의견들이 충돌했습니다. 저는 이 과정을 지켜보면서 할머니의 의사를 존중하고, 권리를 보호할 방법이 무엇인지 고민했습니다. 이러한 고민 끝에 법학과 진학을 결정했습니다.

○○년, ○○○에서 복무하며, 법조인이 될 것을 결심했습니다. 복무기간 동안, ○○○와 ○○○의 감독관들이 1년에 한두 차례 직접 방문하여 고강도의 감사를 실시했습니다. 방문한 감독관들이 법령을 근거로 하여 ○○○측에 미비사항을 지적하면, ○○○측이 신속하게 개선하여 사후 보고하고, 행정기관이 이를 확인하는 절차가 이어졌습니다. 저는 이 과정을 보면서 법이 현실에 직접적인 영향력을 즉각적이고 강력하게 발휘하는 것을 확인했습니다. 그리고 제가 그러한 역할을 하는 법조인이 될 것을 결심했습니다.

○○년, 법학과에서 민법총칙을 수강하며, 후견 전문 법조인의 꿈을 구체화하였습니다. 교수님께서는 새로이 도입된 성년후견제도를 설명하시면서, 종래의 금치산·한정치산제도보다 국가의 인권보장 수준이 한 단계 높아질 것이라고 하셨습니다. 저는 성년후견제도가 치매로 어려움을 겪으신 친할머니와 복무하며 만났던 정신장애인의 권리를 보장할 수 있는 현실적인 방법이라 판단하였습니다. 저는 성년후견제도에 관심을 갖고 지도교수님께 조언을 구해 성년 후견제도 도입을 주도한 학자의 논문을 추천받았습니다. 또한 성년후견제도가 이미 정착된 독일 사례에 관한 서적을 탐독하였습니다. 비록 성년후견제도의 모두를 이해할 수는 없었으나, 의사무능력자의 신변과 재산을 전반적으로 규율하는 것이므로 인권 보장을 목적으로 하고 재산권 보호를 절차적으로 보장할 수 있는 법조인이 성년후견의 최적의 전문가라 판단했습니다. 그리고 제가 그러한 역할을 할 것을 결심하였습니다.

(6) 두괄식으로 전개하되 논리와 감동의 조화를 추구하라.

글의 전개방식은 미괄식보다는 필자의 핵심주장이 맨 앞에 실리는 두괄식 구조가 유리하다. 평가교수는 자기소개서를 평가할 때 하나의 자기소개서마다 몇 분 정도의 시간만을 들인다. 물리적으로 많은 시간을 들일 수가 없기 때문에 자기소개서의 모든 정보, 내용을 자세히 읽지 않을 가능성이 높다. 따라서 두괄식 구성으로 각각의 문단이 전개된다면 지원자가 말하고자 하는 요지를 쉽게 파악할 수 있다. 먼저 자신의 주장을 피력한 후, 이에 대한 증거를 밝히는 글이 좋다.

자기소개서와 학업계획서는 논술문처럼 자신의 주장을 세우고, 논거를 들어 독자를 설득시키는 글에 속한다. 설득하는 방법에는 감정에 호소하는 방법과 이성에 호소하는 방법이 있다. 논술문에서는 감정보다 이성에 설득하는 방법을 주로 취한다면, 자기소개서와 학업계획서는 감정과 이성을 적절하게 조화시킨 글이어야만 한다. 자신의 글을 지나치게 논리적이거나, 문학적 또는 감정적으로 이끌어서는 안 된다.

한 편의 훌륭한 자기소개서와 학업계획서는 잘 짜인 한 편의 논술문처럼 왜 자신이 로스쿨을 지원하게 되었는지, 어떤 법조인이 될 것인지에 대한 주장과 이를 뒷받침하는 증거(이유, 근거, 부연, 사례, 예시, 가정 등)로 구성된 논리적인 뼈대를 가지고 있어야 한다. 다만 그 내용은 진정성을 지니고 있어 읽는 이로 하여금 진심으로 설득되는 감동의 요소를 갖추어야 한다.

📊 합격자소서

마을 변호사가 되어 법률적 불평등을 해소하고자 노력한 법조인으로 기억되고자 ○○대학교 법학전문대학원에 지원하였습니다.

○○년 지역사회봉사활동 중, 공동체를 되살리는 노력이 중요함을 깨달았습니다. 당시 ○○ 수업을 수강하며 수업의 일환으로 지역사회봉사활동 프로그램에 참여했습니다. 저소득층 거주지역의 중학교에서 저소득층 중학생들의 학업을 지도하고 멘토링을 담당하였습니다. 1년의 기간 동안 꾸준히 담당 학생들과 만나 학업을 지도하면서 그 학생들의 고민도 들을 수 있었고 누군가가 자신을 지켜보고 관심을 가지고 있다는 신뢰가 학생의 노력할 의지에 큰 영향을 미친다는 것을 알았습니다. 이 프로그램의 마지막 날 학생들이 그동안 고마움을 표현하면서 제 담당 학생이 나중에 NASA에 들어가 우주 프로그램에 참여해서 우주선에 제 이름을 새기겠다고 했을 때에는 모두가 함께 웃으며 그날이 오기를 바란다고 말할 수 있었습니다. 저는 이 경험을 통해 나의 꾸준한 노력이 타인에게 신뢰를 주고 그러한 신뢰가 모여 공동체를 회복시킬 수 있음을 깨달았습니다.

○○년 불평등의 경제학을 수강하며 마을 변호사의 꿈을 결심하였습니다. 이 수업을 통해 통계를 분석해 보니 미국은 우리나라와 달리 변호사의 무한 경쟁이 이루어지고 있다고 생각함에도 불구하고 실제로는 민사/형사 사건 모든 분야에서 법조인이 제공하는 법의 보호를 받지 못하고 있었습니다. 이 수업을 통해, 미국의 민사소송 75% 이상에서 한 당사자는 변호인이 없고, 소액사건이나 주거문제 혹은 가정폭력과 같은 영역으로 한정할 경우 그 비율이 98%까지 상승함을 알게 되었습니다. 저는 이러한 문제에 관심을 갖고 우리나라의 경우를 살펴보았는데 우리나라 역시도 각각 74%와 85%에 달하는 것을 확인하였습니다. 저는 이러한 법률적 불평등을 확인하고 우리 사회의 갈등을 원활하게 조정하는 갈등조정자가 필요하다고 판단하였습니다. 그리고 작은 공동체의 갈등을 조정하고 분화되는 것을 미연에 방지하여 공동체의 신뢰를 구축해 나가는 법조인의 꿈을 가지게 되었습니다. …(후략)…

(7) 간결·명쾌하게 기술하라.

자기소개서와 학업계획서를 통해 평가위원들은 지원자를 미래의 법조인으로서 사고력과 글쓰기 능력을 가지고 있는지를 판단하려고 할 것이다. 자신의 생각을 말과 글로써 전달하고 설득할 수 있는 능력은 미래의 법조인으로서 갖춰야만 할 중요한 요소이다. 글을 잘 쓰는 능력이 지원자의 합격을 보장하는 것은 아니지만, 불합격의 원인은 될 수 있다는 점을 유념해야 한다.

자기소개서와 학업계획서는 읽는 사람이 쉽게 이해할 수 있는 것이어야만 한다. 자기소개서와 학업계획서 또한 논술처럼 상대방을 설득하기 위해 쓰는 글이다. 글을 어렵게 써야 한다는 잘못된 편견은 뿌리 깊다. 훗날 법관이 되어 판결문을 쓴다고 생각해보자. 재판을 받는 원고나 피고가 이해할 수 있는 글을 써야만 한다. 판결문도 결국은 소송 당사자들을 설득할 수 있는 글이어야 한다. 그래야만 법적으로 문제가 해결될 뿐 아니라 감정적으로도 판결의 결과를 수용할 수 있다. 판결문이 너무 어려워 내용을 이해할 수 없다면 사건 당사자들은 판결의 결과를 수용하기 어려울 것이다.

어려운 글을 써야만 유식해 보인다고 생각하는 수험생이 있다면 이러한 생각을 빨리 버려야 한다. 정보화 사회는 소통의 시대이다. 소통될 수 없는 어려운 글은 탁월한 내용을 가지더라도 그 가치는 반감된다. 쉬운 글을 쓰려면, 자신이 전달하고자 하는 핵심 문장은 가능한 한 짧게 쓰면서, 이를 뒷받침하기 위해 중간 문장과 긴 문장을 섞어 쓰는 것이 좋다. 계속해서 긴 문장을 즐겨 쓰면 주어, 목적어, 술어가 어울리지 않는 경우가 많다. 또한 한 문장에 여러 개의 절, 즉 주어와 술어가 들어가 있는 중문이나 복문을 많이 쓰게 되면, 문장 구조가 복잡해진다. 이로 인해 글을 읽는 사람이 그만큼 해독하기 힘들다.

또한 표현 측면에서는 비문(非文), 약어(略語), 오탈자(誤脫字), 비표준어를 피해야 한다. 오탈자나 문법에 맞지 않는 문장이 자주 나오면 글에 대한 신뢰도가 떨어진다. 퇴고가 제대로 이루어지지 않은 글을 읽다 보면, 마침표, 의문문, 쉼표 등을 정확히 찍지 않은 경우가 있거나, 띄어쓰기가 제대로 되어 있지 않거나, 오탈자와 잘못된 맞춤법 및 비표준어가 있거나, 주어와 술어가 어울리지 않거나 목적어와 술어가 어울리지 않는 경우가 많다. 또한 인터넷 채팅이나 게시판에 댓글을 달 때 사용하는 완성되지 않은 문장이나 젊은 세대들만이 사용하는 용어를 사용하는 습관이, 자신도 모르게 자신의 글에 그대로 드러나는 경우도 있다. 인터넷 문화의 영향에 따라 약어가 발견되기도 한다. 심지어 1, 2지망 로스쿨의 이름을 서로 뒤바꿔서 기재하는 경우가 발생한다면, 자기소개서가 아무리 훌륭하다 할지라도 두고두고 사람들 입에 오르내리는 웃지 못할 에피소드가 될 것이다. 이러한 비문, 약어, 오탈자 및 잘못된 부분을 미연에 방지하기 위해서는 몇 번을 소리 내어 읽어가면서 어감이 이상한 곳과 잘못된 부분을 수정해야만 한다. 제대로 수정을 거치지 않아, '자기소개서'를 '자기소개소'로, 'Law School'을 'Low School'로, '법학전문대학원'을 '법학전무대학원'으로 기재하는 우를 범하지 않기를 바란다. 이러한 부분들은 반복하여 읽어도 발견되지 않을 수 있으므로, 지인이나 친구에게 교정을 부탁하는 것도 좋다. 특히 채점관은 로스쿨 교수이기 때문에 장기간 글을 읽고 쓰는 일을 해온 전문가일 수밖에 없다. 비문, 약어, 오탈자 등은 전문가에게 대단히 거슬릴 수밖에 없고, 로스쿨 자소서는 채점을 해서 점수를 부여하는 것이므로 거슬리는 것들은 채점자에게 감점요소가 된다.

AI 기업 법무 변호사가 되고자 ○○대 법학전문대학원에 지원했습니다. AI 캠프에서 ○개의 대회에 참가했는데, 그중 X-ray 사진으로 ○○개의 손목뼈를 구분하는 의료분야대회가 있었습니다. 저희 팀은 대회에서 ○○○장의 X-ray 사진을 이용해 ○○%의 정확도를 보이는 AI 모델을 완성했습니다. 저는 데이터의 출처에 대해 의료 AI 회사에 재직 중인 멘토에게 질문했고 대형병원의 데이터를 구매한 것이라는 답을 얻었습니다. 저는 이에 흥미를 느끼고 데이터 법률에 대해 조사했고, 데이터 3법의 문제점을 찾을 수 있었습니다. 데이터 3법에 의하면 가명 처리가 되어 있는 데이터는 개인의 동의 없이 제공할 수 있는데, 가명 처리가 된 데이터 여러 개가 중첩되면 개인을 역으로 특정할 수 있는 위험성이 존재합니다. 저는 이를 통해 AI와 빅데이터에 대한 이해도를 가진 변호사가 기업의 데이터 사용을 조력해야 한다고 결론 내렸습니다. AI 기업의 서비스가 법률적 리스크를 가지고 있다면 그 서비스의 성장과 해외 진출은 불가능하다고 생각했습니다. 그래서 제가 가진 AI에 대한 이해도를 바탕으로 ○○대 법학전문대학원 졸업 후 AI 기업 법무 변호사가 되고자 지원했습니다.

(8) 전문가의 교정, 조언을 받고 사소한 실수를 막아라.

자기소개서 및 학업계획서는 남을 감동시키기 위한 하나의 상품이다. 자신의 상품을 못 팔아도 그만이라는 생각을 가진 지원자는 없을 것이다. 자신의 상품을 잘 팔기 위해서는 그 상품의 장단점을 제대로 파악하는 것이 무엇보다도 중요하다. 따라서 사정이 허락한다면 자기소개서를 제출하기 전에 자신의 지도교수에게 이를 보여 피드백을 받는 것이 좋다. 그럴 만한 사정이 아니라면 학원의 도움을 받을 수도 있고, 스터디원의 도움을 받는 것도 나쁘지 않다. 가장 나쁜 선택은 자신 혼자 자기소개서를 작성하고 스스로 만족하여 제출하는 것이다.

좋은 자기소개서를 쓰려면 타인의 관점에서 객관적인 평가를 받아보고 필요하다면 그들의 의견을 받아들여 이를 반영하고 추가, 수정해야 한다. 자기소개서의 장점과 단점을 솔직하게 말하도록 요청하고 피드백을 받을 때, 자신의 자기소개서와 학업계획서가 더욱더 논리적이고 감동적인 글로 변할 수 있다.

강조하고자 하는 바는, 다른 사람의 시각을 통해 객관성을 확보하라는 것과 다른 사람이 자신을 대신하는 것을 구별해야 한다는 것이다. 즉, 대필(代筆)의 유혹에서 벗어나야 한다. 전문가의 도움을 받는 것과 대필을 하는 것은 다른 것이다. 자기소개서를 쓰는 과정은 참으로 고달프다. 진정성 있는 지원동기, 자신의 법조인 상, 그리고 이를 자신의 경험과 엮어나가는 과정은 한두 번 고쳐 써서 해결될 일이 아니다. 필자는 오랜 기간 로스쿨 지원자들의 자기소개서 첨삭을 지도해오면서, 낮은 LEET 점수를 극복하고 합격하는 학생들을 보아왔는데 이들에게는 하나의 공통점이 있다. 그것은 바로 끊임없이 고민하고 고쳐쓰기를 한다는 점이다. 낮은 LEET 성적으로 서울대 로스쿨에 합격한 학생은, 자기소개서를 쓰는 것이 아니라 자기 인생을 돌아본다는 생각이 든다면서 단어 하나, 조사 하나까지 고민해가며 자기소개서를 30번 이상 고쳐 썼다. 이렇게 스스로 노력한 자기소개서와 대필(代筆)한 자기소개서의 품격이 같을 수 없다. 채점교수는 20~30년 이상을 글을 읽고 쓰고 평가하며 살아왔다. 수험생의 노력은 평가 교수에게 반드시 전달된다. 뒤집어 보면, 대필(代筆)한 자기소개서는 반드시 응징받는다. 그보다 더 근본적으로, 법조인이 되어 사건 내용을 보고 유죄와 무죄를 가려내는 역할을 하겠다는 사람이 할 일은 아닐 것이다. 변론서나 판결문도 어려우면 대필할 것인가. 어렵더라도 자신이 해야 할 일을 남에게 맡길 생각은 하지 말고, 대필(代筆)의 유혹에서 벗어나야 한다.

Part 1
Part 2
Part 3
Part 4
Part 5
Part 6
Part 7

해커스 김종수 로스쿨 면접 200주제

(9) 필요한 곳에서는 중도를 지켜라.

자기소개서 평가 교수평을 들어보면, 수험생들이 얼마나 절박한 마음인지 깨닫게 된다고 한다. 그런데 이런 절박한 마음이 잘못 표현되는 경우가 많다고 한다. 자신이 한 일에 대한 지나친 과장이나 낙관, 지나친 패배주의, 비관적인 경우가 대표적인 경우라 할 수 있다. 또한 입학 원서를 통해서도 알 수 있는 내용을 장황하게 반복하거나 자신의 업적을 계속적으로 나열함으로써 평가위원들이 도중에 글을 읽는 것을 중단하게 만들거나 불쾌감을 갖도록 만들어서는 안 된다. 과유불급(過猶不及)은 바로 여기에 해당하는 말이다. 지원자는 자신이 얼마나 절박한 마음인지를 표현했다고 생각하지만 채점교수는 웃을 수도 울 수도 없는 자소서가 꽤 많다. 필자가 읽은 자소서 중에는 도서관 지킴이가 되겠다는 지원자가 있었다. 꽤 구체적이었는데, 아침 6시에 도서관에 들어가 불을 켜고 밤 11시에 나오면서 불을 끄겠다고 했다. 도서관에 살림살이를 가져다두고 아예 나오지 않겠다고 했다. 구체적인 내용을 보고 있자니 어떤 각오인지는 알겠으나 로스쿨 지원자의 자소서가 아니라 도서관 사서 지원자를 보는 듯했다. 공부를 열심히 하겠다는 각오를 보여주겠다는 의지가 잘못된 방향으로 드러난 것이다. 어떤 법조인이 될 것인가가 드러나야 하는데 지금 할 일이 드러나고 만 것이다.

절박한 마음을 진정성 있는 자기소개서로 승화시키려면 앞서 언급한 바처럼 지원동기에 대한 고민, 타인의 관점에서 본 객관적 피드백, 끊임없는 고쳐 쓰기를 통한 적절한 표현력이 필요하다. 균형 감각은 법조인에게 꼭 필요한 능력이다. 이는 자기소개서에서도 마찬가지이다.

📋 비관적인 자소서

저는 법조인이 되겠다는 이상을 가지고 입시를 준비하였지만 원하는 대학의 법학과에 진학하기에는 능력이 부족하여 뜻을 이룰 수 없었습니다. 이러한 좌절로 인해 적성에 맞지 않은 학과에서 공부를 하는 동안 계속 법에 대한 생각이 머리를 떠나지 않았습니다. 그래서 재수를 결심하고 공부를 하기도 하였지만 원하는 결과를 내지 못하여 결국 지금의 학교에서 사회복지학 학사 학위를 이수하게 되었습니다. 졸업을 앞두고 대학원에 진학하려고 하였는데 법학전문대학원이 설립되면서 다시 한번 법에 대한 저의 열망이 일어나게 되었습니다. 저는 법학전문대학원 설립이 법을 공부하고자 하는 저에게 있어서 마지막 기회라는 생각이 들었고 일반대학원 진학을 포기하고 법학전문대학원 진학을 위한 공부에 매진하게 되었습니다.

(10) 스스로 자신에게 질문하여 검증하고 증빙서류를 첨부하라.

자신의 자기소개서를 읽을 때 채점교수라고 생각하고, 스스로 질문하도록 한다. 자신이 직접 한 경험, 이력, 수강내역, 활동을 자소서로 작성하고나면 이 모든 것이 내 자식 같고 소중하기 이를 데 없다. 그 모든 것에 내 자식과 같은 소중함이라는 정당성이 자동적으로 부여된다. 논리적으로 부족한 부분이 보여도 내 머릿속에서는 논리가 자동적으로 보강이 되는 것이다. 글쓰기에서 중요한 것 중 하나가 객관성의 확보인데, 다른 사람이 보더라도 이해가 되는 글쓰기여야 한다는 것이다. 자소서와 같은 류의 글은, 자신의 이야기이기 때문에 객관성 확보가 가장 어렵다. 자신이 채점교수라 생각하고 객관적으로 자신의 자소서를 읽어가면서 감점 포인트를 찾아낼 수 있어야 한다. 그리고 부족한 부분은 증빙서류로 채워질 수 있는 것이 있고 논리로 보강해야 하는 부분이 있다. 이를 구별해가면서 자신의 주관적인 이야기가 담겨 있는 자소서가 다른 사람들이 평가하여 점수를 줄 수 있는 객관성이 있는 시험요소가 되도록 해야 한다.

자기소개서와 학업계획서, 그리고 입학 원서는 학교에 제출하기 전에 자신의 것을 복사해두고, 면접 전에 전체 내용을 숙지하는 것이 바람직스럽다. 특히, 자신이 면접관이 된다면, 자기소개서, 학업계획서, 입학 원서 등을 보고 무엇을 추가로 질문할 것인지에 대해 생각해보고 이에 대한 답변을 미리 준비하기를 권한다. 한편, 자기소개서 및 학업계획서의 진술 내용에 관한 증빙서류를 반드시 준비해서 첨부자료로 제출해 신뢰를 얻어야 한다.

5. 자기소개서, 어떻게 작성할 것인가?

관심을 가지게 된 계기	→	법조인이 되기 위한 열정과 노력	→	로스쿨 지원	→	로스쿨 학업계획	→	인성과 사회공헌
• 왜 관심을 가지게 되었나? • 어떤 경험을 통해, 어떤 책을 통해, 어떤 매체의 정보를 통해, 관심을 가지게 되었나?		• 나는 무엇을 했는가? • 어떤 책을 읽었는가? • 어떤 사람과 만났는가? • 어떤 체험활동을 했는가?		• 미래에 대한 어떤 비전을 가지고 있는가? • 어떤 법조인이 되고자 하는가?		• 나는 로스쿨에서 무엇을 하고자 하는가? • 내가 바라는 법조인이 되기 위해 로스쿨에서 어떻게 공부할 것인가?		• 나는 사회에서 무엇을 하고자 하는가? • 능력을 사회와 이웃을 위해 행사할 자세가 되어 있는가? • 이웃을 위해 무엇을 할 것인가? (봉사활동 등) • 역경을 극복할 의지가 있는가?

(1) 목적에 부합하는 구조 설정이 중요하다.

① 논리적이고 구조적으로 일관된 자기소개서와 학업계획서

자기소개서와 학업계획서는 자신의 일관된 가치관을 담고 있어야 한다. 지원자들의 자기소개서와 학업계획서는 이러한 일관성이 부족한 경우가 많다. 구조적으로 일관된 자기소개서와 학업계획서는 채점자에게 좋은 인상을 준다.

구조적으로 일관된 자기소개서와 학업계획서의 중심논리는 "나는 꿈을 가지고 있으며, 이를 실현할 수 있는 계획이 있다."는 것이어야 한다. 로스쿨 지원자는 미성년자가 아니므로, 자신의 꿈이 명확해야 하고 그에 따른 미래 설계가 가능해야 한다. 4년제 학부과정을 마친 학생을 선발하는 것이기 때문에 채점자인 대학교수도 그 정도의 기대를 가지고 있을 수밖에 없다. 따라서 자신의 미래상을 구체적으로 적시하고 이를 달성할 수 있는 계획을 제시해야 한다. 그리고 그 계획의 일부가 로스쿨 입학이어야 한다. 예를 들어 계약전문 법조인이 되고자 하는 수험생이 있다고 하자. 그렇다면 법조인이 되고자 한 계기가 있을 것이고, 많고 많은 분야 중에 하필 계약전문 법조인이라는 목표를 갖게 된 동기가 있을 것이다. 물론 이를 위해서는 공부도 필요하다. 공부만 한다고 자신의 꿈이 실현되는 것이 아니기 때문에 어떤 커리어를 밟아야 할 것인지 인생에 대한 계획도 필요하다.

수험생은 자신의 인생에 대한 계획을 스스로 세우고 이해하고 있어야 한다. 그리고 이 계획은 구체적이어야 한다. 만약 그렇지 않다면 그 수험생의 로스쿨 입학계획은 전적으로 거짓말이다. 주변 사람 중에 법조인이 없어서, 혹은 법학 분야를 전혀 모르기 때문에 구체적인 계획을 세우지 못했다고 변명할 수도 없다. 이런 변명이 통하기에는 지원자들의 학력 수준이 높고, 인터넷 등을 활용하여 정보를 모으기도 쉽기 때문이다.

자신의 법조인으로서의 목표를 밝히고, 이를 위한 일관된 구체적인 인생계획을 세우기 위해서는 이를 구조화할 수 있는 도해과정이 필요하다. 일관된 구조의 자기소개서를 쓰는 것은 펜을 들자마자 바로 되는 것이 아니다. 좋은 자기소개서를 쓰려면 끊임없이 생각하고 고민하고 고쳐쓰기를 반복해야 한다. 본 교재에 잘 쓴 자기소개서 사례들은 대부분 10번 이상 고쳐 쓴 것이다. 이 정도 노력도 없이 좋은 자기소개서를 얻으려고 하는 것은 감나무 밑에서 입을 벌리고 감이 떨어지기만을 기다리는 것과 같다.

② **자기소개서와 학업계획서 평가**

구조적으로 일관된 자기소개서는 자신의 미래를 스스로 설계할 수 있는 엘리트라는 느낌을 매우 강하게 준다. 그뿐만 아니라 진정한 의미의 成人이라는 인식을 채점교수에게 전달할 수 있다. 교수님들은 자신의 미래를 고민하고 스스로 설계하고 이를 달성하려는 노력을 꾸준하게 이어가는 학생을 좋아한다. 누구나 그럴 수밖에 없다. 그것을 명확하게 보여주는 것이 자소서이고, 개요 없이 좋은 글을 쓸 수 없듯이 계획 없는 자소서도 좋은 자소서가 될 수 없다.

여러 경험을 통해 자신의 진로를 직접 고민하고, 이 고민을 바탕으로 자신의 목표를 분명하게 설정하고, 이를 위한 노력을 실제로 한 지원자를 싫어할 채점자는 없다. 오히려 채점교수는 이러한 주도적인 지원자를 자신의 학문적 동반자로 삼고 싶을 것이다. 단순히 로스쿨 입시를 통과하기 위한 몇 장짜리 글이라 생각하지 말고, 자신의 30년 법조인 인생을 설계한다는 각오로 고민해보기 바란다. 다음 구조도 예시를 참고해서 비어있는 구조도 표를 스스로 채워 넣으면서 자신의 미래와 그 계획을 구조화하기 바란다.

③ 전체 구조도와 자신의 계획

미래 법조인으로서의 최종목표	• VISION: • 구체적 직위:

⬆

진로계획	⇨　　　　⇨　　　　⇨　　　　⇨

⬆

학업계획	• 1학년: • 2학년: • 3학년:
	• 실무실습: • 봉사활동:

⬆

대학생활 (현재의 노력)	• 학업활동: • 대외활동:

⬆

지원동기 (과거 법조인에 관심을 가지게 된 이유)	• 학업활동 중에:
	• 대외활동 중에:

(2) 지원동기에 최대한의 노력을 기울여야 한다.

① 지원동기 발상 방법

지원동기는 자소서의 핵심이다. 지원동기를 명확하고 구체적으로 생각해내고 표현할 수 있으면 자소서의 80~90% 정도가 해결되었다고 봐도 된다. 지원동기는 자신과 관련된 구체적 사건을 적시하면서 동기를 설명하는 것이 설득력이 있다. 고등학교 시절이나 대학 학부 재학 때 모의재판에 참여했다고 하거나, 그림자배심에 참가했다거나, 재판 방청을 했다거나 하는 등으로 후속행동이 이어진다면 훨씬 구체적이고 생동감 있게 동기를 표현할 수 있다.

아래 내용은 대학 재학 중에 논문을 작성한 대외활동과 이후에 관련 학습을 하며 법조인이 되고자 결심한 내용을 담고 있는 자기소개서이다.

📋 합격자소서

검사로 봉직하며, 비가시적 권력으로 인한 범죄를 해결하고자 ○○대학교 법학전문대학원에 지원합니다.

직업능력개발권 논문을 작성하며, 비가시적인 권리의 존재를 깨달았습니다. 헌법을 공부하며 헌법상 명문 규정이 없는 권리도 헌법상 근거에 의해 기본권으로 도출될 수 있음을 배웠습니다. 이에 관심을 두고, ○○○○학회에서 논문을 작성하며 직업능력개발권이 이러한 비가시적 기본권임을 파악했습니다. 문언이나 결정례로부터 직접적으로 도출되지 않지만, 직업능력개발권은 인간다운 삶의 보장과 자기결정권의 이념을 전제로 근로권과 교육권의 성질을 모두 가지는 기본권이었습니다. 직업능력개발권은 기본권이기에 그 보호를 목적으로 존재하는 공권력으로부터 보호받아야 마땅하며, 나아가 변화하는 사회 속 다양한 계층의 근로자들을 보호하기 위해서 법리적으로 논의되고 보장되어야 했습니다. 그러나 가시적인 권리와 달리 비가시적인 권리의 경우 그 법률관계는 문언상 명확하게 다루어지지 않았으며 관련 판례 또한 부족했습니다. 이러한 상황 속에서 국민의 비가시적인 권리 침해의 상황이 빈번하게 발생할 수 있으리라고 생각하였습니다. 이를 통해 비가시적인 권리 보호의 주체가 누가 되어야 할 것인지 고민하였습니다.

형법을 학습하며, 검사가 될 것을 결심했습니다. 비가시적 권력 범죄에 관심을 갖고, 형법을 학습하며 가스라이팅에 관한 논문을 작성했습니다. 가스라이팅 범죄의 형법적 지위와 규제 방향을 논하며 가스라이팅 범죄의 비가시적 특성에 주목했습니다. '가평계곡 살인 사건'과 '안양 세 자매 존속상해치사 사건'에 관한 재판부의 판단은, 범죄 결과의 발생에 있어 가스라이팅을 그 원인으로 인정하는 것에 상당히 소극적인 면모를 보였습니다. 이러한 태도는 가스라이팅 범죄에 있어 가스라이팅의 영향력이 비가시적이라는 점과, 우리나라에는 가스라이팅 처벌의 직접 규정이 없다는 점 때문이었습니다. 현실적으로 성급히 처벌 규정을 신설하는 것이 어렵기에, 상황의 해결책은 전문성을 가진 검사가 범죄행위의 구체적 사실관계에 있어 가스라이팅의 정황이 범죄 결과에 얼마나 중대한 영향을 끼쳤는지, 즉 가스라이팅과 행위 결과의 인과관계가 어떠한지를 엄밀히 따져 이를 현행 형법상의 폭행과 협박을 행위 수단으로 하는 범죄들로 의율하는 것이었습니다. 이로부터 형사 사건에서의 비가시적인 요소들을 파악하고 해결 방향성을 설정하기 위한 전문가, 공권력 행사자가 필요하다는 것을 실감했습니다. 저는 이를 통해 국민을 보호할 수 있는, 나아가 사회 정의를 실현할 수 있는 권력 기관은 검찰임을 깨닫고 제가 그 역할을 수행할 것을 결심했습니다.

② 개인적 경험을 통해 왜 법학에 관심을 가지게 되었는지 설명한다.

　개인적 노력으로 개인이나 사회적 문제를 해결하는 데 한계가 있다. 법은 제정되면, 법이 정한 요건에 충족될 경우 모든 사람과 사건에 적용된다. 따라서 개인적 노력으로 해결할 수 없는 문제를 법을 통해 해결할 수 있다는 매력 때문에 법학에 관심을 가질 수 있다.

　예를 들면, 봉사활동 등을 통해 저소득층 학생을 개인적으로 도와줄 수 있다. 그러나 어려움을 겪는 저소득층 학생은 많으므로 개인적 지원만으로는 한계가 있다. 만약 법이 제정되거나 제정되어 있는 법을 잘 이용하면 더 많은 저소득층 학생을 체계적으로 도울 수 있다. 그래서 법학에 관심을 가질 수 있다. 필요한 법이지만, 법이 제정되어 있지 않거나 법이 제정되어 있더라도 몰라서 도움을 받지 못하는 이들이 있다. 법학을 공부하면 많은 이들을 도와줄 수 있다.

　대부분의 지원자들은 마치 자신이 법과대학의 학과장인 것처럼 글을 쓴다. 대부분의 로스쿨 지원자들은 우리나라 법조계의 의미와 발전 가능성을 나열하기에 바쁘다. 평가교수는 법학 전문가이므로 당연히 이를 알고 있을 뿐만 아니라 지원자들이 인터넷 등에서 베껴온 자료 대부분이 평가교수 자신이 주장한 내용일 가능성이 높다. 즉, '번데기 앞에서 주름 잡는 꼴'이다.

　평가교수의 눈을 잡아채려면 자신만의 이야기가 필요하다. 위에서 말한 법조계의 발전 가능성을 평가교수에게 가르치려 하지 말고, 자신의 경험을 통해 느낀 법조계의 발전 가능성과 방향을 언급해야 한다. 특히 지원자의 경험을 통한 지원동기의 강점은 평가교수에게 신뢰도를 준다는 점이다. 그러나 평가교수의 판단에 따르면, 지원자의 경험에 근거한 지원동기는 거짓일 가능성이 높다고 생각할 가능성이 높다. 그렇다고 지원자의 경험을 제거하고 쓴 자기소개서는 지원자의 독창성, 캐릭터가 사라지기 마련이다. 그렇기 때문에 적절한 수준에 대한 판단력이 중요하고, 증빙서류를 통해 신뢰도를 높이는 것이 중요하다.

　로스쿨의 경우 대부분 로스쿨 원서접수 기간에 자기소개서와 학업계획서를 제출하는 경우가 많기 때문에 대필(代筆)의 유혹에 빠지는 경우도 많다. 자신의 경험이 반영되지 않은 채로 대필한 자기소개서는 수박 겉핥기가 될 수밖에 없다. 더 무서운 것은 대필한 자기소개서의 경우 면접에서 관련질문이 나올 경우 답변을 할 수 없다는 점이다. 자기소개서를 외우면 된다고 생각하는 지원자도 많을 것이다. 그러나 평가교수는 다른 사람을 평가하는 것을 직업으로 하고 있는 전문가라는 점을 절대 잊어서는 안 된다. 더군다나 조금이라도 의심이 간다면 지원자 자신에게 불합격이라는 불이익이 될 수 있다.

　다음의 자기소개서는 자신의 경험으로부터 비롯된 의문점을 이어 나가 법조인의 결심으로 구체화되는 과정을 담은 자기소개서이다.

Part 1
Part 2
Part 3
Part 4
Part 5
Part 6
Part 7

해커스 김종수 로스쿨 면접 200주제

> 　　법관으로 봉직하며 자기 권리를 실질적으로 주장할 수 없는 소수자의 권리까지 보호하는 역할을 수행하고자 ○○대 법학전문대학원에 지원했습니다.
>
> 　　저는 ○○○○ ○○ 체류 중 ○○간 외국인이라는 이유로 임대 거절을 당하며 소수자의 권리에 관심을 가졌습니다. 대학 입학 후 장기간 수행한 ○○○○봉사에서 만난 다문화 가정 멘티의 어머니가 한국어에 미숙하여 소비자로서도 제품 관련 이해 부족 피해가 발생하는 것을 보며, 우리 사회에 소수자들이 자신의 권리가 형식적으로는 존재하나 실질적으로 제한 당하고 있다고 생각했습니다. 저는 사회의 수많은 소수자 문제가 여전히 숨겨져 있으며 이를 해결할 방안이 무엇일지 모색했습니다.
>
> 　　교환학생으로 소수자의 권리 보호에서 법관의 판결이 가지는 현실적인 힘을 깨닫고, 법관이 될 것을 결심했습니다. ○○간의 ○○ 교환학생 생활 중 길거리에서 인종차별 발언을 듣고 이를 ○○ 법학과 친구에게 말하자, ○○은 ○○○○법에 따라 이 같은 혐오발언에 대해 강력한 처벌을 함을 알려주었습니다. 이에 흥미를 느끼고 관련 판례를 찾으며 최근의 ○○ 판례는 사회의 변화에 맞추어 해석과 적용이 달라지고 있음을 알았습니다. 예를 들어 ○○○○의 예외조항으로 인해 주거권 관련 차별 처벌이 어려웠었지만, 이러한 차별을 처벌하는 판례가 등장한 이후 외국인의 주거권이 더욱 강력히 보장되고 있었습니다. 저는 개인의 권리를 실질적으로 주장할 수 없는 소수자의 권리까지 보호하는 법관이 되고자 ○○대 법학전문대학원에 지원했습니다.

(3) 법조인이 되기 위해 노력한 과정이 있다면 이를 증명한다.

　　로스쿨 진학에 관심이 있었다면, 열의가 있었을 터이고 열의가 있었다면 노력을 했을 것이 분명하다. 법학에 관심이 있었다면서 법학에 관련된 교양서적도 읽어본 적이 없고, 인권에 관심이 있다면서 인권과 관련된 체험활동도 한 적이 없다면, 관심이나 열의가 있었다고 보기 어렵다.

　　다음 예시는 로스쿨 지원자의 자기소개서 중 지원동기 부분이다. 이 지원동기를 읽고 이 지원자가 훗날 어떤 법조인이 될 것인지 실마리가 보이면 성공적인 지원동기라고 할 수 있다. 그리고 이 실마리를 구체적으로 작성하면 학업계획과 진로계획이 된다.

저는 법학 이론과 실무 양 측면에 대한 관심을 지속적으로 발전시키고자 노력했습니다. 법학을 전공하며 현실 사례에 대한 적용을 경험했습니다. 법학 강의를 들으며 이론이 실무에서 어떻게 적용되는지 궁금증을 가졌습니다. 이에 교수님께서 재판방청을 권유해주셔서 1년 동안 매주 형사재판 방청을 했습니다. 재판방청을 하며 피해자가 형사절차에서 어떻게 고려되고 있는 것인지 호기심이 생겼고, 특히 피해자가 재판에 참석하지 않는 것에 의문을 가졌습니다. 이후 형사소송법에서 피해자는 수사 과정에서 참고인, 증인의 역할을 할 수 있을 뿐 재판의 적극적인 당사자가 아님을 배웠고, 피해자는 형사절차에서 부차적인 존재라는 한계를 느꼈습니다.

재판방청 이후 수업에서 학습한 조문이 적용된 실제 판결을 찾아보는 습관을 들였습니다. 예컨대, 형사소송법에서 양형제도에 대해 배운 후 2015년 발생한 의전원생의 데이트 폭력 사건 판결문을 읽었는데, 피고인의 지위가 양형요소로 고려가 되고 있다는 것에 충격을 받았습니다. 형법 제51조의 양형사유를 배울 때에는 가해자의 사회적인 지위가 고려된다고 배우지 않았는데, 해당 판결에서는 '가해자가 집행유예 이상의 형을 선고받으면 의전원에서 제적될 위험'을 감안해 집행유예가 선고되었음을 판시하고 있었습니다. 저는 사건 피해자가 억울함을 호소하는 글을 보았고, 가해자에 대한 적절한 처벌과 피해자 보호의 중요성에 대해 환기했습니다. 특히 헌법과 형사법상 피의자·피고인의 권리는 지속적으로 확장이 되어 왔는데, 과연 피해자의 권리도 이에 상응하여 발전해 왔는지 의문을 가졌습니다. 이후 하워드 제어 교수가 Changing Lense를 통해 기존의 응보적 사법을 회복적 사법으로 바뀌어야 한다고 주장하는 것을 접했습니다. 이에 저는 당위적이고 결과적인 범죄 처벌에서 나아가, 피해자를 고려한 처벌을 통해 사회적 수용성을 높이는 데 기여하고자 하는 목표를 구체화했습니다.

(4) 다른 지원자와 차별화한다.

이 방식의 자소서는 자격증 보유자, 직장인, 꾸준한 대외활동을 한 경우에 적용하면 좋다. 차별화된 요소라는 것은 결국 내가 얼마나 그동안 노력해온 것이 있는지 이를 법조인 상과 연결하는 방식이기 때문이다.

자신이 다른 로스쿨 지원자와 다른 차별화 요소를 가지고 있다면, 이를 강조하는 것도 좋다. 이는 자신의 전공 분야에서 전문가이므로 법을 공부하면 전공 분야의 법률서비스를 제고할 수 있다는 점을 강조하는 방법이다. 자신이 의학, 공학, 금융, 회계학의 전문적 지식을 보유하고 있는데 업무 과정에서 법적인 문제가 발생하였다. 그런데 법학 지식이 부족하여 문제를 해결하기 힘들었다. 만약 법학적 지식을 충분히 갖춘다면 자신의 전공을 살려 특화된 법률 서비스를 제공할 수 있다는 점을 강조하는 방식이다. 다만, 자칫하면 정보의 나열에 그칠 수 있어 채점자의 눈길을 끌기 어려울 수 있으므로 주의해야 한다.

Part 1
Part 2
Part 3
Part 4
Part 5
Part 6
Part 7
해커스 김중수 로스쿨 합격 200주제

　　스타트업 전문 변호사로 활동하고자 ○○대 법학전문대학원에 지원했습니다. 저는 투자자의 자본 투자, 기업의 경영 전략 수립과 사업성 입증에 모두 경험을 갖고 있습니다. 이를 바탕으로 법률 전문성을 더해 스타트업의 창업부터 투자, 성장, 매각에 이르는 전 과정을 법률적으로 조력하는 변호사로 성장하고자 합니다.

　　스타트업의 투자와 성장 과정을 주도하며, 경영 실무 능력을 배양했습니다. 저는 ○○ AI 스타트업의 초기 성장 과정에서 투자 유치를 주도하여 성공시킨 경험이 있습니다. 저는 스타트업의 창업에 참여해 ○○○억 원의 ○○○○ 투자를 주도했습니다. 우선 회사가 가진 경쟁력을 ○○○○의 판독보다 ○○○○의 선별로 잡아 이것이 실사용자인 ○○들에게 더 큰 효용을 줄 수 있다고 마케팅했습니다. 다음으로 국내 ○○ AI 스타트업 중 최초로 인공지능 판독 정확도라는 결과물에만 초점을 맞춘 것이 아니라 학습데이터라는 재료를 만들어내는 과정에 초점을 맞춰 마케팅했습니다. 이러한 방법으로 기업의 사업성과 투자자의 매각 가능성 양쪽 모두에 신뢰성을 보여줄 수 있는 사업계획서를 작성했고, 회사가 폭발적인 성장 잠재력을 가졌다는 점을 설득하여 투자 유치에 성공했습니다.

　　다음 스타트업에서는 초창기 ○○ 투자 단계에서 회사를 성장시켜 ○○억 원의 기업 가치를 인정받았습니다. 해당 기업은 ○○ 데이터 가공 전문으로 국내 최대의 ○○○○ 회원을 가지고 있습니다. 저는 ○○ 데이터 가공뿐 아니라 수집까지 사업을 확장해 규모와 범위의 경제를 모두 실현해 회사 가치를 높이고자 했습니다. 그러나 우선 ○○법과 이용약관 등을 토대로 ○○ 데이터 수집 사업의 적법성 여부를 판단해야 했고, 서비스 도입 및 운영에 있어 회사에 발생할 수 있는 법적 책임 및 법적 위험성을 예방하기 위한 대응 방안을 수립해야 했습니다. 신사업에 대한 적법성 검토를 위해 법무법인에서 법률 조언을 받는 방법을 고려했지만 모든 의사 결정 과정에서 자문을 거치기에는 시간 및 비용의 한계로 어려웠습니다. 이렇게 사업 전략 수립을 주도하는 경험을 통해 신사업 기획에서 법률 지식을 기반으로 한 판단력의 중요성을 깨닫고, 스타트업의 경영에 직접 참여하는 법조인이 될 것을 결심했습니다.

(5) 사회에 기여할 수 있는 인재라는 점을 드러낸다.

　　현재 수험생은 완성태가 아니라 잠재태이다. 무엇인가 성취한 자가 아니라 앞으로 무엇인가를 성취할 자이다. 자신의 잠재적 능력을 끌어내어 현실화하려면 성실성, 의지가 필요하다. 실패한 사례가 있으면 실패한 이유를 분석해서 차후에는 실수하지 않는 밑거름으로 삼을 수 있어야 한다. 그리고 실패를 극복한 사례가 있다면 이 또한 인성에서 좋은 평가를 받을 만하다. 능력이 있어도 그 능력을 사회와 이웃을 위해 사용하지 않는다면, 사회적 의미는 반감될 수밖에 없다. 자기소개서에는 봉사활동, 평소의 자세 등을 통해 꾸준히 자신의 능력과 시간을 이웃을 위해 사용해왔음을 보여주어야 한다.

첨단범죄 전문 검사로 성장해 AI와 빅데이터 기술의 발전과 상용화로 발생할 형사문제를 해결하고자 ○○대 법학전문대학원에 지원하였습니다. 법학대학원에서 4차 산업혁명시대의 법적 쟁점을 연구하며 얻은 방향성을, 법학전공과 사법시험을 준비한 경험으로 보완하며, ○○대 법학전문대학원의 체계적인 실무 교육을 이수해, 첨단범죄 전문 검사의 꿈을 이루고 싶습니다.

○○년, 군복무 중 개인정보 보호의 필요성을 깨달았습니다. 제가 복무했던 논산 육군훈련소는 수천 명의 병사가 입소하는 곳으로서 인적 정보 관리가 특히 중요하였습니다. 문제는 훈련병들의 개인정보가 무분별하게 유출되고 있었단 점입니다. 훈련조교가 훈련병 애인의 연락처를 빼내거나 신용카드정보를 이용하는 사건까지 부실한 정보관리로 인한 문제들이 발생하고 있었습니다. 시스템 차원에서의 관리 부실로 인한 개인정보의 유출이 끔찍한 범죄로 이어질 수 있음을 인지하면서 산업공학을 전공한 동료 계원과 안전한 정보 관리에 관하여 고민하기 시작했습니다. 법학도의 시각에 공학적 노력을 더해 훈련병 정보를 안전하게 관리하려 했던 노력을 인정받아 연대 최우수 행정병 표창장을 받을 수 있었습니다. 데이터 연구에 대한 법적 논의에 관심을 발전시키기 위해 법학대학원 입학을 준비하였고, 근무 외 시간마다 기본법학 과목을 복습한 끝에 ○○년 법학대학원 석사과정에 입학할 수 있었습니다.

○○년, 대학원에서 수학하며 개인정보를 기반으로 한 공공데이터 구축의 필요성을 깨달았습니다. 입학 이후에는 디지털 전환의 법적문제에 관한 세미나에 참석하여 공익을 위한 공공 빅데이터 구축의 중요성을 깨달았습니다. ○○○○○교수의 강연에서 데이터를 압축된 자료라고 보는 관점을 넘어서 데이터는 결합을 통해 고유한 가치를 가공·창출시키는 자산이자 권리라는 관점을 배울 수 있었습니다. 그리고 치안 분야에서 데이터를 기반으로 하여 범죄를 사전 예측·예방하는 데 활용할 수 있다는 점과, 분산된 개인건강정보를 네트워크화하여 건강위험을 예측할 수 있는 공공 목적의 데이터로 산출할 수 있다는 점은 충격으로 다가왔습니다. 저는 강연을 듣고 육군훈련소가 공공데이터 축적의 기반이 될 수 있을 것이라 생각했습니다. 개인정보자기결정권의 침해를 통제한다는 전제하에, 훈련소 내 입소·생활·관리·결과를 추적·누적함으로써 어떤 지표가 건강의 문제로 이어지는지를 확인·응용할 수 있을 것이라는 생각으로 이어졌습니다. 가령 최초 입소한 병사의 혈액검사 결과를 통해 기초데이터를 구축하고, 해당 병사의 2년간 군 복무 중 대대 의무실에서부터 수도병원의 누적된 데이터까지 반영함으로써 건강을 위한 기초공공데이터로 구축할 수 있으리라 판단했습니다. 그러나 군 복무 중 깨달았듯이 공공목적의 활용이라도 개인정보자기결정권에 정면으로 반하는 것이라면 국민의 불신으로 인해 그 시작조차 불가능하다고 결론 내렸습니다. 이에 저는 AI시대 빅데이터의 공공용도 활용에 있어서 국민의 권리를 보호하고 국익을 균형적으로 실현하는 공직자로서의 검사의 꿈을 구체화했습니다.

인공지능 법제연구에 참여하며 AI와 빅데이터를 활용한 첨단범죄 전문 검사가 될 것을 결심했습니다. 한국인터넷진흥원에서 주관하는 법제연구 중 프로파일링 기술 관련 개인정보 정책 방안 연구와 해외 비식별조치 가이드라인 비교 분석 연구에 참여하며 EU의 GDPR 등 해외 법제에 대해 공부했습니다. 저는 GDPR 1조에서 개인정보에 대한 개인의 권리 보호와 유럽 내에서의 개인정보의 자유로운 이동의 보장을 함께 규정하고 있음을 보며, 데이터의 잠재적 가치 활용한 공익 증진과 개인의 자유의 침해 방지라는 가치의 조화를 이루려는 노력이 선진국에서 이뤄지고 있음을 확인했습니다. 저는 선진국의 법제 연구를 하며, 신용카드 3사 개인정보 유출 사건과 같은 사회문제가 일상적인 우리나라에서 국민이 공공데이터 구축에 동의할 수 없다고 판단했습니다. 공공데이터를 구축하고 활용하여 국익을 증진하려면 국민의 동의가 필요하고, 이는 운용주체인 국가를 신뢰함으로써 달성됩니다. 저는 개인정보에 대한 중요성을 깨닫고 선진법제를 연구한 기반 위에, ○○대 법학전문대학원의 체계적 실무 교육을 이수해 빅데이터 관련 첨단수사 전문 검사가 될 것을 결심하였습니다. 이 꿈의 시작은 법학과 진학과 사법시험 도전이었습니다. 이제 그 꿈을 구현하고자 ○○대 법학전문대학원에 지원하였습니다.

Part 1
Part 2
Part 3
Part 4
Part 5
Part 6
Part 7

해커스 김종수 로스쿨 면접 200주제

6. 자기소개서 쓰는 순서

자기소개서와 학업계획서를 쓰기 전에 전략을 확실히 정해야 한다. 자기소개서와 학업계획서를 쓰는 기간이 로스쿨 지원기간이어서 방향 없이 우왕좌왕하다가 시간만 흐르고 이도 저도 아닌 자기소개서를 쓰게 될 가능성이 높기 때문이다.

필자는 로스쿨 입시 1기부터 16년간 수많은 지원자의 자기소개서를 첨삭해왔다. 학생들이 자기소개서를 쓰는 것이 얼마나 어려운 일인지, 객관적으로 좋은 평가를 받는 자기소개서를 쓰는 과정이 얼마나 지난한 과정인지 잘 알고 있다. 필자는 로스쿨 입시 전문가로 16년간의 경험을 통해 자기소개서를 쓰는 순서를 제시하고자 한다. 이 순서와 방법이 최고의 방법은 아닐 수도 있으나, 최선의 방법은 되리라 생각한다. 아래 순서를 참고하여 자기소개서를 쓴다면 도움이 될 것이다.

(1) 전지를 붙여놓고 소재를 써보자.

좋은 자기소개서를 쓰기 위해서는 좋은 소재가 많이 필요하다. 요리를 예로 들어 생각하면, 좋은 재료가 많아야 좋은 요리가 생각날 수 있고 만들 수도 있다. 물론 맛있는 요리라고 하여 항상 많은 재료가 들어가는 것은 아니다. 그러나 재료가 전혀 없는데, 혹은 매우 한정된 재료밖에 없는데도 맛있는 요리가 만들어질 수 없다. 재료와 소재는 일단 많아야 하고 좋아야 한다. 인간의 기억력은 한정적이어서 불과 얼마 전의 기억도 잘 떠오르지 않는다. 심지어 자기소개서를 내일까지 제출해야 한다면 더 생각이 나지 않는다. 자기소개서를 로스쿨에 제출한 이후에야 "아! 이 내용을 쓰면 더 좋았을 것을..."이라는 후회가 들 것이다. 자기소개서를 미리 쓰는 것은 어렵지만, 소재를 생각해내는 것은 미리 할 수 있다. 스마트폰 메모앱을 사용해서 생각날 때마다 기록해두고, 집에 돌아와서 벽에 붙여놓은 전지에 옮겨 적어보자. 큰 전지에 소재를 써두는 것을 추천하는 이유는, 자기소개서를 쓰기 위해서는 소재들의 연결 관계와 항목이 필요하기 때문이다. 로스쿨 자기소개서는 지원동기, 대학생활, 학업 성취, 진로계획 등 다양한 항목과 분량 제한이 있다. 내 마음대로, 내가 가진 소재가 가장 잘 써지는 형태로 항목이 주어지지 않는다. 따라서 내 생각과 결심, 활동 등이 연결 관계를 가져야 하고, 이것이 점차 구체화되고 법조인 상으로 명확해지는 과정을 보여주어야 한다. 이를 위해서는 전체 소재가 한눈에 보이는 것이 유리하다. 큰 전지에 소재들을 써두면 자기소개서를 구성할 때 대단히 큰 도움이 된다.

(2) '나'에 대한 미니 자서전을 써보자.

본격적으로 자기소개서를 쓰기 전에, 나를 나에게 이해시킨다는 생각으로 혹은 나를 전혀 모르는 사람에게 나를 이해시킨다는 생각으로 A4 용지 10장 분량의 글을 작성하는 것을 추천한다. 이때 주의할 점은, 피상적으로 쓰는 것이 아니라 구체적인 에피소드를 중심으로 써야 한다는 것이다. 내가 어떤 사람인지 타인에게 설명해야 한다면, 가장 효율적인 방법은 구체적인 에피소드를 통해 증명하는 것이다. 예를 들어, 나는 거짓말을 하지 않는 사람이라는 점을 증명해야 한다고 하자. 대부분의 사람들은 내가 생각하는 거짓말이 무엇인지, 내가 거짓말을 왜 싫어하는지 등등을 쓰는 경우가 많다. 그러나 이는 아무 의미가 없다. 거짓말을 하면 이익이 되는 상황에서 거짓말을 하지 않아 손해를 입은 사례를 말하는 것이 훨씬 설득력 있고, '나'에 대해 구체적으로 더 잘 알릴 수 있다. '나'에 대해, '법'과 관련된 '나'에 대해, '법조인이 되고 싶은 나'에 대해, 관련이 있어 보이는 모든 것을 에피소드를 중심으로 구체적으로 서술한 후, 이를 바탕으로 내가 되고 싶은 법조인 상을 구체적으로 수정해나가면 된다.

(3) 법조인 상을 먼저 생각하자.

로스쿨 자기소개서는 특정한 목적을 갖춘 평가시험이다. 특정한 목적에 부합하지 않는다면 고득점할 수 없다는 뜻이다. 여기에서 특정한 목적이란, 법학전문대학원에 진학하고자 하는 지원자이므로 당연히 법조인이 되고자 하는 지원자의 목표의식이라 할 수 있다. 따라서 법조인 상이 명확해야 한다.

일반적인 수험생들은 자신의 이력, 학부 경험, 대외활동을 먼저 생각하고 그에 맞춰 법조인 상을 결정하려 한다. 그런데 이는 100% 잘못된 접근방법이다. 학생들에게는 대단히 쓴소리일 수 있으나, 논리적으로 생각해보자. 지원자는 대부분 이제 갓 학부를 졸업할 예정이거나 졸업했다. 지적인 능력으로 보자면, 고등교육을 시작한 지 4년이 지났기 때문에 지적 능력으로는 이제 4살 혹은 5살이 된 것이다. 이제 4살, 5살이 된 아이가 지난 4년간 걸음마를 배웠으니 앞으로 걷기 선수가 되겠다고 한다면 어떠한가? 이보다는 육상 선수가 되고 싶은 꿈이 있는데 앞으로 노력하겠다는 것이 더 의미 있는 인생 계획이 아닐까? 순수하게 지원자가 어떤 법조인이 되고 싶은지를 솔직하게 생각해보자. 내가 현재 가지고 있는 이력, 정보, 활동 등은 그리 대단한 것도 아니다. 본인에게야 큰 성취이겠으나, 이미 공부를 30년 이상 해온 로스쿨 교수가 보기에 그 나이에는 그 정도 성취가 있는 것이 당연한 것이고 다른 지원자들과 큰 차이가 있는 것도 아니다. 심지어 대부분의 지원자는 법학을 전공한 것도 아니기 때문에 다른 분야에서 법학의 영역으로 넘어오는 것이다. 당연히 현재 내가 갖고 있는 이력은 법학과 큰 관련이 없을 수밖에 없다. 그렇다면 나에게는 법조인이 되겠다는 꿈 혹은 어떤 법조인으로 성장하고 싶은지 구체적인 목표가 중요할 수밖에 없다. 법조인 상을 목적으로 삼아 나머지 이력과 정보, 활동 등을 수단으로 활용해 자기소개서를 연역적으로 구성해야 한다.

(4) 지원동기를 먼저 써보자.

이미 앞에서도 강조했지만, 로스쿨 자기소개서에서 핵심 키가 되는 부분은 지원동기이다. 필자의 개인적인 판단으로는 지원동기가 99% 중요도를 갖고 있다고 봐도 된다. 지원동기는 지원자의 과거 경험으로부터 현재의 결심, 미래의 법조인 상까지 관통하는 일관성의 핵심 포인트가 되기 때문이다. 일반적으로 학생들의 자기소개서를 보면 지원동기가 미약한 경우가 많다. 지원동기는 곧 목표의식이기 때문에 지원동기가 약하면 대학생활을 쓰는 항목도 약해진다. 이런 수업들을 수강했다는 나열이 되어버리기 때문이다. 지원동기가 강력하면 대학생활도 강력해진다. 어떤 법조인이 될 것인지 깨달음이 분명하기 때문에 대학생활 중 어떤 부분에 노력을 기울였는지 법조인의 꿈과 별 관련이 없어 보이는 활동에도 의미를 부여할 수 있기 때문이다. 예를 들어, 첨삭을 담당했던 학생 중에 경영학 전공인 학생이 있었는데 재무, 회계 수업을 수강한 내역이 있었다. 지원동기가 불분명할 때에는 성적표의 한 부분에 불과했다. 그러나 지원동기를 제대로 설정하고 법조인 상을 잡고 나니 큰 의미가 있는 부분이 되었고 재무, 회계 수업을 강조할 수 있게 되었다. 법조인 상을 기업 관련 법조인으로 설정했고, 지원동기는 경영학 수업에서 분식회계 사례를 배워 관심을 갖고 이후 기업법 수업을 수강하며 ESG로 관심이 구체화되었고 기업 인턴을 통해 기업 실무를 경험하며 법조인이 이 과정을 주도해야 한다고 생각했기 때문이다. 재무, 회계는 기업의 언어이기 때문에 기업 법무를 담당하는 법조인은 이를 알고 있어야 한다. 따라서 기업 법무를 법조인 상으로 설정하고 지원동기를 구체화했다면 대학생활에서 강조할 부분이 그에 따라 결정되는 것이다.

(5) 지원동기 외의 나머지 항목들을 쓴 이후에 일관성을 갖춰보자.

지원동기를 먼저 쓰고 나머지 항목들을 쓴 이후에 수정해 나가야 한다. 지원동기를 쓴 이후에 나머지 항목들을 쓰면서 처음부터 일관성을 맞추면서 쓰려는 경우가 많다. 이는 매우 어렵고 시간이 많이 소요되는 작업이다. 일단 생각나는 대로, 앞서 1번 항목 전지에 써둔 소재들과 2번 항목 미니 자서전에서 준비해둔 내용을 바탕으로 써보도록 한다. 자기소개서에서 정해준 분량을 맞추지 말고, 완성된 형태로 쓰겠다는 생각은 버리는 것이 좋다. 어차피 다시 고쳐야 한다. 25개 로스쿨의 자기소개서 양식이 모두 다르기 때문에 항목들과 분량 제한을 일관되게 맞출 수 없다. 지원할 로스쿨의 항목과 분량에 맞게 수정해야 하므로 전체적인 내용의 일관성은 어차피 다시 수정해야 한다. 각 항목에 들어갈 만한 내용들을 판단해서 분량이 넘어가더라도 이 항목에는 이 내용을, 저 항목에는 저 내용을 넣으면 적절하겠다는 정도로 나눠두는 것이 좋다. 그리고 이후에 항목들과 분량을 고민하면서 어느 위치에 어느 정도의 내용을 넣어야 할 것인지 고민하는 방향이 적절하다.

(6) 도전할 로스쿨 자기소개서에 집중하자.

대부분의 수험생들은 불안한 마음에 여러 로스쿨의 자기소개서를 다 써두고 지원할 때 골라 제출하려 한다. 이러한 행위는 불합격을 스스로 조장하는 행위라고 할 수 있다. 전략적으로 생각해보면, C급 자기소개서를 25개 쓰는 것보다, 그 시간에 25배의 노력을 기울여 A급 자기소개서를 1개 쓰는 편이 낫다. 따라서 자신이 지원할 로스쿨을 반드시 정하고 그 학교의 자기소개서를 최고 수준으로 쓸 생각을 해야 한다. 내가 그 학교에서 자기소개서로는 1등을 하겠다는 각오가 필요하다. 로스쿨은 (가)군과 (나)군으로 2개 학교에 지원할 수 있으므로, 이 2개 지원학교 중에서도 안정 지원 로스쿨과 도전 지원 로스쿨을 나누어 보자. 그리고 이 중에서 도전하는 성격이 강한 학교, 즉 지원자의 정량요소보다 경쟁자들의 정량요소가 더 좋은 로스쿨의 자기소개서에 집중하여 쓰도록 한다. 그리고 이를 여러 번 고쳐 써서 다른 경쟁자들의 자기소개서보다 더 일관성 있고 좋은 자기소개서라는 확신이 들 때까지 노력해야 한다. 이후에 다른 나머지 지원 로스쿨의 형식에 맞추어 변형하면 충분하다.

(7) 전문가의 도움과 대필은 다른 것이다.

　　로스쿨 지원기간이 되면 인터넷에 대필(代筆) 광고가 끊이지 않는다. 수험생들로서는 유혹이 있는 것이 사실이겠으나, 유혹을 이겨내야 한다. 자기소개서 대필은 최악의 방법이다. 상식적으로 생각해보자. 만약 20만 원을 주고 대필을 의뢰한다면, 대필을 하는 사람은 20만 원보다 더 적은 노력을 하게 된다. 그렇다면 지원자가 가지고 있는 특징을 녹여 넣어 자기소개서를 쓰기보다는 정해진 포맷에 맞춰 대필하기 쉽게 작성할 가능성이 높다. 더 큰 문제는 정해진 포맷에 있다. 대필을 의뢰한 사람이야 어차피 자신의 자기소개서 혹은 친구 몇 명의 자기소개서를 읽어볼 수 있을 뿐이다. 그러나 평가하는 채점교수는 몇백 장의 자기소개서를 읽기 때문에 비교 평가가 쉽고 정해진 포맷을 걸러낼 수 있다. 심지어 로스쿨에 지원할 때 자기소개서를 전자적으로 입력하도록 되어 있기 때문에 표절 여부와 정도까지 손쉽게 판단할 수 있다는 것도 문제가 된다. 이렇게 큰 위험 부담을 안으면서 대필을 할 필요는 없다.

　　자기소개서는 지원자 스스로 써야 한다. 그리고 전문가의 도움을 받아 혹은 이 교재를 보면서 다른 이들의 잘 쓴 자기소개서를 분석하면서, 자신의 자기소개서의 문제점을 파악하면서 고쳐나가야 한다. 단번에 최고의 자기소개서를 쓰겠다는 각오로 쓰면 최악의 자기소개서가 나온다. 틀리면서 배운 것이 진짜 실력이고 자기반성을 거친 것이야말로 타인에게 감동을 준다. 그리고 이러한 진짜 실력, 자신에 대한 진지한 성찰은 채점교수에게 좋은 인상을 줄 수 있고 이는 점수로 이어진다. 쉽게 온 것은 쉽게 간다. 자신의 30년 인생을 설계한다는 각오로 진지하게 고민하기 바란다.

Part 1

Part 2

Part 3

Part 4

Part 5

Part 6

Part 7

해커스 김종수 로스쿨 면접 200주제

(1) 학업계획이란 무엇인가?

학업계획서는 지원자가 관심을 가지고 있는 학문영역과 입학 후의 학습계획, 그리고 졸업 후의 희망진로를 알리는 글이다. 자기소개서는 자신의 과거와 현재의 삶에 집중되어 있다는 점이 그 특징이다. 반면 학업계획서는 지원한 로스쿨에 입학하였다는 전제하에서 자신의 과거와 현재의 삶을 토대로 미래의 삶을 어떻게 이끌어 나갈 것인지에 관한 구체적인 인생 계획이다.

학업계획서는 지원자가 누구의 간섭이나 영향을 거의 받지 않고 자신의 법조 인생계획이 타당성 있음을 밝히는 서류이다. 물론 그 타당성의 평가는 로스쿨 평가 교수가 된다. 훌륭한 학업계획서를 작성하기 위해서는 원서접수를 마감하는 그날까지 충분한 시간과 노력을 투자해야만 한다. 자신의 LEET 점수와 학점 그리고 외국어점수가 아무리 뛰어나다고 할지라도 합격을 꿈꾸며 쉬기보다 더 나은 글을 만들기 위해 노력해야 한다. 특히, 정량평가에서 뒤지고 있는 사람에게 학업계획서는 단순한 점수를 뛰어넘어 자신의 리더십, 독특한 재능이나 잠재적 능력 등을 내세워 자신의 강점을 발휘할 중요한 기회가 될 수 있다.

학업계획서를 일정한 형식과 주제를 바탕으로 쓸 것을 요구하는 로스쿨도 있는 반면 제한 없이 지원자의 자유에 맡기는 로스쿨도 있다. 또한 학업계획서를 자기소개서의 일부분으로 요구하는 로스쿨도 있고, 자기소개서와 학업계획서를 개별적으로 작성하기를 요구하는 로스쿨도 있다. 하지만 어느 경우이든지 간에 학업계획서에 지원동기, 학업계획, 장래계획에 대한 내용을 기술해야만 한다.

학업계획서는 지원자를 긍정적 또는 부정적으로 평가하는 데 중요한 자료가 될 수 있다. 로스쿨 평가 교수가 형편없는 학업계획서를 읽게 되었다면, 이미 그 학업계획서의 당사자는 평가 교수의 관심 대상에서 멀어진 것이나 다름없다. 특히 자기소개서에서 제시한 장래 진로나 법조인 상과 학업계획서가 동떨어져있다면 더욱 그러하다.

학업계획서는 면접을 실시하기 이전에, 평가위원이 지원자의 글을 통하여 그의 이미지를 그려볼 수 있는 중요한 자료가 된다. 입학지원서나 각종 점수들이 통계적, 정량적 결과물이라고 한다면, 학업계획서는 지원자의 로스쿨 입학 동기, 수학능력, 학습 계획 및 미래에 대한 비전, 지원자의 가치관 및 학업 태도 등을 미리 파악할 수 있는 중요한 단서가 되는 것이다. 따라서 자신이 얼마나 진지하고 구체적으로 법조인 상에 대해 고민하였는지를 보여줄 기회가 되므로 정량평가의 격차를 줄이고 혹은 뛰어넘을 수 있다. 그리고 결국 로스쿨 학업과정을 이수하고 변호사 시험을 응시해서 일정등수에 들어야 하기 때문에 험난하고 긴 수험과정을 얼마나 잘 견딜 수 있을 것인지도 중요하다. 이 모든 것이 학업계획서에서 다 확인되지는 않을 것이나, 채점 교수로서는 성의 없이 작성된 학업계획서를 쓰는 지원자라면 공부도 소홀히 할 것이라 여기게 될 것이다.

후견 전문 법조인의 꿈을 실현하기 위해 법학지식과 실무능력을 강화하겠습니다. 1학년 때, 초심으로 돌아가 법학의 기본기를 닦는 데에 주력하겠습니다. 기본 3법의 학습에 주력하여 법학의 기초를 충실히 하겠습니다. 로클럭 임용을 목표로 1학년 1학기 때부터 학점관리에 만전을 기하겠습니다. 2학년 때, 기본법의 심화 학습과 함께 민사소송법과 형사소송법의 체계를 정리하겠습니다. 민사법 트랙의 민사연습, 가사소송실무를 수강하여 후견 전문 법조인으로서 필요한 능력을 배양하겠습니다. 3학년 때, 변호사 시험을 한 번에 통과하기 위해 지금까지 배운 법학지식을 총정리하겠습니다. 모의고사, 스터디 등 모든 방법을 총동원하여 수험의 효율성을 극대화하겠습니다.

졸업 후, 3년간은 재판연구원으로 활동하며 민사·형사사건의 법리를 충실히 습득하고, 법원의 다양한 업무를 경험하겠습니다. 후견 전문 법조인으로 성장하기 위해서는 기본적인 법리와 실무에 대한 충분한 이해가 필요하다고 생각합니다.

졸업 3년 후, 로펌에서 후견 전문 변호사로 활동하며 전반적인 실무경험을 쌓겠습니다. 전문가 후견인으로서 피후견인의 재산을 안정적으로 관리하고, 객관적인 입장에서 가족 간 분쟁을 중재할 것입니다. 또한 후견 감독인으로도 활동하여, 다양한 성공 사례와 실패 사례를 분석하겠습니다. 당사자와 감독자의 역할을 모두 경험하여 후견사무에 대한 전문성을 강화할 것입니다.

졸업 10년 후, 가정법원 후견센터의 판사로 활동하며 전문성을 고도화할 것입니다. 일선 법관으로서 후견 개시의 접수부터 종료에 이르기까지 모든 업무를 독립적으로 수행할 것입니다. 이후 재판연구관으로서 법원의 후견관리시스템을 구축하는 데 기여하여, 후견사건들을 종합적으로 판단하는 능력을 갖추겠습니다.

최종적으로는 후견 전문 법인을 설립할 것입니다. 임의후견에 주력하여 노인성치매를 대비하고, 본인의 의사가 충실히 반영되는 데 앞장서겠습니다. 사후적으로는 정신과 의사, 사회복지사, 회계사와 협력하여 피후견인의 신변과 재산을 실질적으로 보호하는 데 기여하겠습니다. 도움이 필요한 성인의 권익을 법으로써 보호하고, 고령사회의 가족 간 법적분쟁을 예방하는 저의 꿈을 반드시 이루겠습니다.

(2) 변호사 시험에 합격하고자 하는 의지와 계획

자기소개서에서 지원동기를 통해 로스쿨에 입학해서 법조인이 되고자 하는 이유를 밝혔을 것이다. 지원동기가 진정성을 가지려면, 미래에 대한 계획을 가지고 있어야 한다. 미래에 대한 고민이 없었다면 지원동기마저 진정성이 없거나 막연한 동기를 가지고 있음을 보여줄 뿐이다. 학업계획서가 구체적일수록 지원동기의 진정성을 입증할 수 있다. 지원동기가 꿈을 꾸게 된 이유를 제시하기 위해 지원자의 과거와 현재를 말하는 것이라면, 학업계획서는 이 꿈을 현실화하기 위해 필요한 계획과 노력을 기획한 지원자의 미래이다.

지방대 로스쿨이나 서울 중하위 로스쿨 교수들은 변호사 시험 합격률에 대한 압박이 심하다. 법학을 전공하지 않았고 사법시험 경험이 없는 학생들에 대한 우려가 없지 않다. 따라서 변호사 시험에 합격하고자 하는 의지와 계획이 확실하다는 메시지를 전달하여 교수들의 우려를 불식시킬 필요가 있다.

사법시험 유경험자라면 스터디 구성과 운영에 적극 참가해 변호사 시험 준비를 주도하겠다는 의지를 보여주는 것도 좋다. 교수로서는 자기만이 아니라 함께 공부해서 로스쿨 졸업생의 변호사 시험 합격률을 높이려는 사법시험 유경험자를 반드시 선발하고 싶어 할 것이기 때문이다. 한 학년에 그런 학생이 3명 정도만 있어도 공부 분위기가 달라질 수밖에 없다. 어쩌면 교수들이 할 수 없는 역할을 그 학생들이 대신해준다면 얼마나 고맙겠는가? 이 점을 충분히 설득한다면 좋은 평가를 받을 수 있다.

법학 전공자라면 학부 과정 중에 법학을 공부했고 무엇을 깨달았는지 제시하는 것이 좋다. 성적이야 성적표에 나와 있는 것이므로 자소서에서는 성적표에 나오지 않는 정성요소를 드러내어야 한다. 법학을 전공하지 않은 경우에는 자신의 법조인 상과 관련한 논의를 강조하는 것도 좋다. 아직 법학을 배우지는 않았으나 자신의 목표를 이루기에 혹은 꿈꾸기에 필요한 배경을 어느 정도 달성했다거나 혹은 기반을 쌓았음을 증명하는 것이다. 법학과 관련한 활동이나 자신의 목표와 관련한 활동을 기반으로 자신의 의지를 증명하는 것도 좋은 방법이다.

합격자소서

저의 학업 목표는 단번에 변호사 시험을 우수한 성적으로 합격하는 것입니다. 이를 위해 저는 사법시험을 통해 얻은 지식과 수험경험을 바탕으로 1학년부터 선택형과 사례형을 한 번에 준비하겠습니다. 그에 선택형 사례의 쟁점을 분석하여 그에 대한 답안을 작성하는 연습을 통해 연계형 심화학습을 하겠습니다. 이런 방법을 통해 선택형, 사례형 모든 시험에서 문제 될 쟁점을 예상하여, 그동안에 공부한 지식을 효율적으로 답안에 현출할 수 있도록 연습하겠습니다. 나아가, 이런 노하우를 스터디 멤버들과 함께 공유하여 학교의 사례형 시험과 변호사 시험을 시행착오 없이 한 번에 대비하겠습니다.

저는 방학 동안 각 법 과목의 단권화 및 이해, 암기는 모두 끝내고, 학기 중에는 스터디를 중심으로 사례 연습에 집중하겠습니다. 입학 전부터 민법을 미리 2회독 하면서 헌법, 형법, 상법의 내용이해와 암기를 끝내겠습니다. 이후 1학년 1학기에는 학교 커리큘럼을 충실히 하면서 아침마다 과목당 1개씩 사례풀이 연습을 기본으로 하겠습니다. 여름방학 때에는 법조윤리 시험을 시행착오 없이 합격하는 한편, 민사소송법, 행정법 예습을 미리 하여 2학기를 준비하겠습니다. 2학기에는 사례연습을 중심으로 기본 3법을 부분별로 나눠 회독함으로써 복습과 2학기 공부를 병행하겠습니다. 이런 과정을 통해 기본 3법과 상법, 민사소송법의 기본실력을 완성하겠습니다. 2학년부터는 형사소송법, 국제거래법 등을 예습한 후 민사법, 형사법, 공법의 연계를 강화하겠습니다. 특히, 민법은 민법 연습을 수강하여 민사법 전체를 아울러 공부하도록 할 것입니다. 그리고 기록형 시험 준비를 시작하겠습니다. 이를 바탕으로 2년 내에 변호사 시험에 합격할 수 있는 실력을 갖추겠습니다. 3학년에는 변호사 시험 합격을 위해 배운 내용을 총정리하면서 민사기록 실무 등 기록형 준비에 도움이 되는 과목을 수강하겠습니다. 이와 함께 변호사 시험 기출문제를 반복, 정리하겠습니다.

자기소개서와 학업계획서는 법조인으로서의 뚜렷한 목표와 이를 위한 과정이 드러나야 한다. 자신과 전혀 다른 타인에게 자신의 뜻을 전달한다는 것은 쉬운 일이 아니다. 따라서 한 번에 좋은 글을 써낼 수 있다는 생각을 버리고 끊임없이 고쳐 써야 한다. 로스쿨 자기소개서에서 일필휘지(一筆揮之)란 있을 수 없다.

로스쿨 자기소개서와 학업계획서를 잘 쓰기 위해서는 최소 10번 이상은 고쳐 써야 한다. 아래의 사례들은 다양한 방향으로 법조인 상을 설정한 실제 합격생들의 자기소개서의 한 부분이다. 처음부터 완성된 자기소개서가 나온 것이 아니라, 끊임없이 고민하고 고쳐 쓴 결과물로 보아야 한다. 아래 사례들을 참고해서 자신의 자기소개서를 고치는 기초로 삼기 바란다.

1. 학부생의 자기소개서 사례

(1) 대학수업을 통해 법조인의 꿈을 가진 사례

📈 **합격자소서**

부동산 전문 변호사가 되고자 ○○대 법학전문대학원에 지원했습니다.

<부동산 ○○>를 수강하며, 부동산 전문 법조인이 될 것을 결심했습니다. 이 수업에서 가로주택정비사업이 법률상 혼선을 빚게 해 실무에 차질을 일으킨다는 점을 학습했습니다. 빈집 및 소규모주택에 관한 특례법 제36조 제2항에 따르면 가로주택정비사업이 수용재결과 매도청구가 둘 다 가능한 것처럼 규정하고 있으나, 실제로는 매도청구만 가능하다는 것을 알 수 있었습니다. 도시정비법에서 가로주택정비사업의 경우 토지 등 수용·사용권한을 명백히 제외하고 있어 공익사업을 위한 토지 등의 취득 및 보상에 관한 법률 제4조 등에 해당하지 않고 다른 법률로 개정이 불가능하기 때문에 수용재결이 불가능합니다. 저는 법률적 모순과 복잡함으로 인해 부동산 사업의 이해관계가 결정되는데 더 나아가 이를 잘 알지 못하는 일반 국민이 큰 피해를 입을 수 있다고 생각했습니다. 이에 제가 부동산 전문 법조인으로 성장해 부동산 사업의 법률적 문제를 해결하고 일반 국민의 재산권을 보호하는 역할을 할 것을 결심했습니다.

<부동산 ○○○>을 수강하며, 법률적 약자를 보호하는 부동산 전문변호사의 역할을 구체화했습니다. 과제로 가로주택정비사업의 사례인 '○○동 ○○연립'을 분석하며 정비사업 및 재건축·재개발 사업진행에 있어서 시공사와 조합·입주민 간 갈등의 사례를 접했습니다. 가로주택정비사업이 강제가입제인 점을 악용해 소유자의 의사를 묻지 않고 사업구역에 편입시키는 연번동의서를 발행·통보하거나, 강제수용 혹은 매도청구를 당해서 헐값만 받을 수 있다고 협박을 받는 경우가 많다는 것을 알았습니다. 저는 개인이 조합이나 정비업체에 대응하는 것은 사실상 불가능하며, 이러한 사회적 약자를 위한 변호사의 역할이 필요하다는 생각에 도달했습니다. 특히 우리나라의 부동산 법률과 정책은 정권 교체에 따라 급변하기 때문에, 부동산 전문 법조인이 법률과 정책의 변화에 따라 신속한 대응전략을 제시함으로써 법률적 약자를 조력해야 한다고 판단했습니다. 그리고 제가 이를 조력하는 부동산 전문 법조인으로 활동할 것을 다짐해 ○○대 법학전문대학원에 지원했습니다.

Part 1
Part 2
Part 3
Part 4
Part 5
Part 6
Part 7

해커스 김종수 로스쿨 면접 200주제

(2) 대외활동과 대학수업을 통해 법조인의 꿈을 가진 사례

📊 합격자소서

　　문화콘텐츠 전문 법조인으로 성장하여, 창작자와 투자자의 신뢰관계를 법률적으로 조력하는 법조인이 되고자 ○○대 법학전문대학원에 지원했습니다.

　　○○○○ 인턴을 통해, 창작자의 법률적 문제를 깨달았습니다. ○○○○는 두 형태로 창작물을 수급받습니다. 첫째 연계된 콘텐츠제공사와 계약한 작가들로부터, 둘째 본사가 직접 계약한 작가들로부터 공급받는 것입니다. 이때 회사 내부 인하우스 작가들은 계약직과 정규직의 대우에서 차이가 있습니다. 이때 제가 담당한 한 인하우스 계약직 작가는 인사팀의 실수로 정규직의 계약조건을 알게 되면서 저에게 해당 처우 차이에 대한 불만을 토로하였습니다. 보통 콘텐츠제공사와 계약한 작가들은 매출액의 ○○%를 인세로 받습니다. 그러나 ○○○○ 계약직은 월급제에 작품 저작권은 회사에 속하고, 정규직과 달리 작품구매건수가 아무리 많아도 추가수당이 없습니다. 이러한 조건 차이로 계약직 작가들의 의욕은 매우 떨어졌고, 좋은 소재와 작품들은 추후 별도 계약을 위해 아끼려 하였습니다. 저는 이를 통해 창작자의 고충을 이해하게 되었고, 창작자의 창작의욕을 고취시키기 위해서는 적절한 계약을 위한 법률적 조력이 필요함을 깨달았습니다.

　　<○○○○>을 수강하며 창작자와 투자자의 균형을 달성하는 법조인이 될 것을 결심했습니다. 이때 배운 것은 투자자가 아무리 다방면에서 까다로운 심사를 거쳐도, 투자의 향방은 예측하기 어렵다는 것이었습니다. 콘텐츠 업계도 마찬가지입니다. ○○○○만 해도 ○천 개가 넘는 콘텐츠를 보유하고 있지만 모든 콘텐츠에서 유의미한 수익이 나는 구조는 아닙니다. 오히려 단 ○%의 작품이 회사 매출의 ○○%를 넘을 정도로 소수의 인기작이 회사 매출의 대부분을 차지합니다. 완결까지 양질의 수준을 유지하는 작가들이 있는 방면, 갑자기 연재를 중단하는 작가들도 많습니다. 글자 수에 따라 돈을 받는 일부 작가들의 경우 무의미하게 의성어만 남발하는 경우도 종종 목격했습니다. 이러한 사례들을 통해 투자자들이 최대한 많은 작품들에 분산 투자를 하는 이유를 절감하였습니다. 투자자의 입장에서는 철저한 사전 검증만으로는 성공작을 고르는 것이 불가능합니다. 따라서 한정된 자본으로 최대한 많은 수의 성공작을 확보하기 위해 소수의 작가에게 높은 수익을 보장하는 대신, 많은 작가에게 낮은 수익을 지불하며 리스크를 줄이는 것입니다.

　　저는 이와 같이 다양한 경험들을 통해 창작자와 투자자의 입장 모두를 이해할 수 있었습니다. 창작자의 입장에서는 정당한 대가를 얻지 못한다고 느끼고, 투자자의 입장에서는 창작자의 수익 창출 능력에 대해 확신하지 못합니다. 이를 보며 문화콘텐츠 시장의 성장을 위해 창작자와 투자자를 적절하게 중개할 수 있는, 법조인의 필요성을 절감하게 되었습니다. 그리고 제가 창작자와 투자자 모두에 대한 이해와 콘텐츠 제작 경험의 기반 위에 창작자와 투자자 사이의 견고한 신뢰 관계 구축이라는 법률적 조력을 하고자 결심했습니다. 이에 문화콘텐츠 전문 법조인이 되고자 ○○대학교 법학전문대학원에 지원했습니다.

(3) 학과 관련 활동을 하며 법조인의 꿈을 가진 사례

합격자소서

골수추출의료기기 개발 연구 중 지식재산권을 종합 관리하는 법조인이 될 것을 결심했습니다. ○○년, ○○○○○ 의대 종양학 교수님의 지도 아래 저를 포함한 7명이 팀을 이뤄 골수 추출의료기기를 개발했습니다. 현존하는 골수추출기기가 오염에 취약하다는 점에 주목하여 기존기기의 부품들을 일체화하여 추출한 골수액이 오염되지 않도록 하였습니다. 의료기기의 디자인, 기획, 제조, 제품 시험까지 1년여의 연구 개발기간이 소요되었고, 교수님들의 호평을 받았습니다. 그러나 대학 법무처를 통해 특허 출원을 시도하였다가 실패하였습니다. 당시 기술특허 담당 주무관은 이 기기의 차별성을 이해하지 못하여 특허과정에서 반드시 입증되어야 하는 기존 기기와의 차별성이 법률언어로 전환될 수 없었습니다. 저는 이 과정을 연구개발진으로서 경험하며, 과학기술에 대한 전문적 이해가 가능한 법조인의 필요성을 느꼈습니다. 그리고 제가 기술의 개발 시작부터 참여하여 법률적으로 조언하며 과학기술의 차별성을 입증해 산업적 가치를 보호하는 법조인으로서 활동할 것을 결심했습니다.

재료공학을 전공으로 선택하여 다양한 공학과목을 수강하고 연구실 경력을 쌓으며 과학 분야의 전문성을 쌓아갔습니다. 고교시절, 수학과 과학분야에서 두각을 드러내어 과학선생님의 추천으로 대학연구소에서 연구 보조활동을 했습니다. 6개월간 ○○○○ 약학대학 연구소에서 연구에 참여하여 교수님의 추천서를 받았습니다. 이 연구참여를 인정받아 ○학기 간 대학의 나노바이오연구소에서 손상된 혈관을 재생하는 소재 연구에 참여할 수 있었습니다. 혈관에 인위적인 저산소증을 유발하여 자기재생을 유도하는 연구소재로 '○○○'에 소개되었고 암치료연구에 필요한 체외종양환경을 구현할 수 있다는 응용효과를 인정받아 학계의 주목을 받았습니다. 저는 이러한 다년간의 연구경력을 통해 과학기술과 기기의 개발과정 전반을 이해하고 있으므로 독창성과 차별성을 입증할 과학적 이해가 가능합니다.

Part 1
Part 2
Part 3
Part 4
Part 5
Part 6
Part 7

해커스 김종수 로스쿨 맞춤 200주제

(4) 수업과 관련 활동, 인턴을 하며 법조인의 꿈을 가진 사례

합격자소서

노동 전문 검사가 되고자 ○○대 법학전문대학원에 지원하였습니다. 부당노동행위 등 노동법 위반에 대한 수사와 처벌을 통하여 근로현장 전반을 개선함으로써 근로자와 사용자의 관계가 상생과 공존으로 변화할 수 있는 환경을 조성하는 역할을 하고 싶습니다.

○○년, ○○에서 주관한 청소년 ○○○체험단에서 '한미 양국 간 법적용 차이에 대한 이해'라는 과정을 통해 사회적 약자 보호에 관심을 가졌습니다. ○○○ 로스쿨 교수님들의 데이트 폭력에 대한 강의를 듣고 토론에 참가하였습니다. 당시 저는 데이트 폭력이 자연적인 성의 차이에서 발생하는 단순한 폭력이 아니라 남성과 여성이라는 사회적 성적 권력관계에서 비롯된 것이라는 강연을 듣고 놀랐습니다. 이를 계기로 사회에 존재하는 권력관계에 대해 관심을 가지게 되었고, 여성과 같은 사회적 약자 보호를 위해서는 현상이 담고 있는 본질을 파악하는 능력이 필요하다는 생각을 하였습니다. 이러한 저의 생각은 자본주의 시장경제체제하에서 가장 본질적인 권력관계인 노사관계에 대한 관심으로 이어졌고, 이에 대한 전문적인 공부를 하고자 ○○대학교 노사관계학과에 진학하였습니다.

○○년 '노동법'을 수강하며, 노동문제 전담 검사가 될 것을 결심하였습니다. 당시 수업 중, ○○법원의 ○○ v. ○○라는 ○○년 판례를 배웠습니다. 이 사건에서 해당기업은 노동조합의 활동을 저해하면 안 되며 노동자의 노동조합 가입을 방해해서는 안 된다는 조항을 위반하였다는 판결을 받았습니다. 교수님께서는 이 판결이 가능했던 이유는 해당기업이 드러나지 않게 노조임원에게 특혜를 제공하고 신규노조가입 근로자를 다른 핑계를 대어 부당하게 해고하였다는 사실이 밝혀졌기 때문이라고 하셨습니다. 저는 이를 통해서 근로현장의 은폐된 진실을 파헤쳐서 노동법을 위반하는 기업을 응징하고 근로자의 법적 권리를 보호하는 검사가 될 것을 희망하게 되었습니다.

○○년 외국계 투자은행 ○○지사에서 인턴 중, 근로자와 기업의 상생을 도모하는 노동 전문 검사의 목표를 구체화했습니다. 인적자본관리부서에서의 ○개월의 인턴경험을 통해 노동법을 준수하고 근로자를 보호하는 것이 기업발전의 원동력이 된다는 것을 알게 되었습니다. 그렇지만 이와 같이 근로자를 인적 투자대상으로 보는 경우는 드물고 현실에서 대다수의 기업은 근로자를 비용절감의 대상으로만 생각하여 노동법을 무시하는 것이 실정이었습니다. 저는 근로자를 정당한 파트너로 보지 않는 일부 기업의 부당노동행위를 처벌하고 사회적 경각심을 일으켜 기업으로 하여금 노동법을 준수하게 하는 것이 선진화된 근로환경 조성을 위해 꼭 필요한 일이라고 판단했습니다.

저는 근로자의 인권을 보호하는 검사로서 선진적 노사관계가 우리 사회에 자리 잡을 수 있는 기틀을 마련하는 데에 기여하고자, 기업법무 특성화에 주력하는 ○○대 법학전문대학원에 지원하였습니다.

2. 대학원생의 자기소개서 사례

바이오 기업 전문 법조인으로 성장하여 바이오 기업의 의약품에 대한 기술적 이해를 통해 법률적 조력을 함으로써 국내 바이오 기업들의 권리를 지키고 연구자들의 연구 성과를 특허로써 보호하는 역할을 하고자 경희대 법학전문대학원에 지원하였습니다.

제가 바이오 기업 특허 전문 법조인이 될 것을 결심하였던 계기는 한 바이오 업체의 재판 결과였습니다. 저는 ○○○○와 ○○○○○를 개발하였던 ○○○○의 만성 B형 간염 치료제인 ○○○○○○ ○○○○○에 대한 제네릭 개발 업무를 수행했습니다. 이 물질은 당시 특허권 기간이 만료되어 우리나라의 수많은 바이오 기업들이 제네릭 개발 중이었습니다. 그런데 ○○○라는 국내 기업이 오리지널 의약품에 약효에 영향을 주지 않는 분자만 없앤 무염 결정형 제네릭 의약품을 특허 등록하였습니다. 동일한 제네릭 의약품을 개발 중이던 ○○개의 바이오 업체가 소송을 제기했으나 기각되었습니다. 제가 담당하던 의약품이었기에 관심이 생겨서 이 기각 결정을 찾아보았고, 근거가 된 무염 결정형 제네릭의 진보성과 신규성 입증 방법에 과학적 문제가 있다고 판단했습니다. 결정형을 측정하는 데 사용되는 장비는 동등성을 비교하기에 부정확한 장비였고 무엇보다도 단순히 염을 제거한 제네릭 의약품이 특허로 등록되어서는 안 된다고 생각했습니다. 저는 이 결과를 보며, 바이오 특허 분쟁에 있어서 바이오 분야와 화학 지식을 전문적으로 갖춘 법조인이 부족하다고 생각했습니다. 이러한 결론에 이르러, 저는 바이오 기업 특허 전문 법조인이 될 것을 결심했습니다.

특허명세서 작성을 통해 바이오 기업 특허 전문 법조인의 역할을 간접 체험하였습니다. 저는 ○○○과 같은 항암제로 유명한 ○○○○의 차세대 ○○ 치료제인 ○○○○○에 대한 제네릭 의약품 개발 업무를 수행했습니다. 이 물질은 만드는 과정이 매우 난해한 데다 빨간 땀이 흐르는 부작용이 있는 것으로 바이오 업계에서 유명합니다. 3개월의 업무 끝에 저는 공정의 수월함, 친환경, 공정 시간 단축, 수율 등 많은 부분에서 진보성을 가진 공정을 개발할 수 있었습니다. 저는 개발자로서 변리사와 특허 출원을 공동으로 준비하며, 특허에 관해 스스로 공부하며 특허 전략을 세웠습니다. 진보성의 여부가 확실하지 않은 일부 반응은 공개를 유도하고 진보성이 확실시되어 특허를 받을 것이 확실한 나머지 반응은 최대한 권리범위를 넓혀서 청구항을 구성하는 방향으로 전략을 세웠습니다. 이 전략을 변리사에게 제안했고 변리사도 동의하였습니다. 관련 특허는 받아들여졌고 국제출원도 등록하였습니다. 이렇게 저는 특허명세서 작성 경험을 통해 바이오 기업 특허 전문 법조인의 실무적 역할을 경험하였습니다.

저는 ○○○학 석사를 취득하여 과학기술의 엄밀성을 판단할 수 있는 이론적 기반을 갖고 있으며, 바이오 기업의 상품화 과정에 대한 실무적 경험을 가지고 있습니다. 이 기반에 법률적 전문성을 더한다면 바이오 기업의 특허분쟁을 조력할 수 있다고 판단하여 ○○대 법학전문대학원에 지원하였습니다.

3. 직장인의 자기소개서 사례

(1) 직장생활 중의 깨달음으로 법조인이 될 것을 결심한 사례

합격자소서

형사전문 변호사의 꿈을 이루고자 ○○대학교 법학전문대학원에 지원했습니다. 현직 경찰로 수사부서에서 쌓은 수사 전문성을 활용해 경쟁력 있는 법조인이 되겠습니다.

특채 변호사와 공무원범죄 수사를 함께하며 법조인이 되겠다는 꿈을 가졌습니다. 해당 사건은 구청 공무원들이 관공서용 공인인증서를 폐기물업자에게 넘겨 폐기물 매립 내역 입력을 대행시킨 사건이었습니다. 변호사 자격으로 특별 채용된 해당 직원은 공무원 비리 사건을 인지 후 전담팀을 구성해 팀장으로서 사건을 진행했습니다. 저는 수사팀원으로 참여하여 팀장을 도와 ○○○여 명의 공무원 중 혐의가 있는 ○○명을 최종 입건해 검찰로 송치했습니다. 관행이라는 명목하에 묵인된 공무원 비리를 인지한 후 지체 없이 해결하는 모습을 보고 법조인으로서의 꿈을 가졌습니다.

강도 살인 피의자의 연관 사건을 수사하며, 형사전문 변호사가 될 것을 결심했습니다. 해당 사건 피의자는 애인을 살해하고 고인 명의 통장에서 돈을 인출해 사용하였습니다. 저는 횡령 사건 수사를 하며 이 사건을 접했는데, 살해 경위, 당시 상황, 조사 시 피의자의 태도 등을 종합해 이 사건이 강도 살인에 해당하지 않고 살인과 재산범죄의 경합범이라고 판단했습니다. 하지만 피의자는 변호인의 조력을 제대로 받지 못한 상태에서 수사를 받았고 검찰은 결국 강도 살인으로 기소했습니다. 이후 법원은 당초 제 생각과 같이 해당 사건을 강도 살인이 아닌 살인과 절도로 판단하였습니다. 일련의 과정을 보면서 피의자의 방어권이 중요하다는 생각을 했고, 피의자의 권리를 보호해 줄 수 있는 형사전문 변호사의 길을 가야겠다고 결심했습니다.

수사 전문성을 바탕으로 균형 잡힌 시각을 가진 형사전문 변호사가 되고자 합니다. 저는 경찰 수사관으로 ○년간 근무하며 ○○○○건 이상의 사건을 처리했고 그 과정에서 다양한 사람들을 만났습니다. 사건 해결을 위해 필수적인 법학 이론과 판례도 꾸준히 학습했습니다. 저의 이러한 경험과 지식을 토대로 능력 있는 형사전문 변호사가 되고자 합니다.

(2) 회사 업무의 법률 관련성으로 법조인의 꿈을 가진 사례

합격자소서

대규모 플랜트설비 계약전문 변호사의 꿈을 이루고자 ○○대 법학전문대학원에 지원했습니다.

대규모 지체상금 배상을 막아내며, 법조인의 꿈을 가졌습니다. ○조 원의 플랜트 프로젝트 수행 중 ○○○억 원 규모의 설비계약을 체결한 제작업체의 부도로, 채권단이 해당 설비를 압류하여 1일당 ○억 원의 지체상금 배상이 문제되었습니다. 저는 채권단이 해당 설비를 반출하는 대신, 채권단에게 직접 설비금액을 지불할 것을 합의했습니다. 그러나 당사에서 설비를 인수할 때 함께 접수받는 외부보증보험을 부도업체는 발급이 불가능하다는 법률적 문제가 발생하였고, 합의안조차 무산될 상황이었습니다. 저는 새로운 제안을 했습니다. 외부보증보험은 결국 해당 설비로 인한 하자가 발생했을 때를 대비한 것이므로, 우리측에서 설비금액 중 일부를 하자발생 대비금액으로 보유하고 있다가, 문제 미발생 시 채권단에게 이 잔여금액도 지급할 것을 제안했습니다. 물론 채권단은 찬성했으나, 법률적 문제가 있었습니다. 저는 사내변호사에게 채권단과의 합의안에 대한 법원의 허가를 받을 것을 조언했습니다. 결국 법원 측의 허가를 받아 대규모의 지체상금 배상 문제를 해결했습니다. 저는 이를 경험하며 플랜트 설비의 실제업무를 직접 경험한 제가 법률적 문제와 실제 플랜트설비 제작운용 간의 격차를 줄이는 법조인으로서 활동할 것을 결심하였습니다.

저는 ○년간 국내외 대규모 플랜트설비 계약관리를 수행해 플랜트설비 분야의 실무경험을 갖추었습니다. ○○○○○○ 자격과 국제적 자격증인 ○○○를 취득했습니다. 대규모 플랜트설비 프로젝트는 전체공정별 흐름을 이해해야 효율적 계약을 체결할 수 있습니다. 대규모 플랜트설비의 리스크를 파악해 계약을 체결하려면, 실제운용상의 처리방안을 제시할 수 있어야 하며, 많은 이해관계자 간의 법적분쟁의 소지도 없어야 합니다. 이 두 요건이 충족되어야 계약상 리스크 관리가 가능하고, 예측 불가능한 위험과 막대한 손실을 피할 수 있습니다.

대규모 플랜트의 전문관리능력을 갖춘 기반 위에, ○○대 법학전문대학원의 법률교육을 이수해 대규모 플랜트설비 계약전문 법조인으로 성장하고자 지원했습니다.

4. 전문자격증 소지자의 자기소개서 사례

(1) 약사가 법조인의 꿈을 가진 사례

📈 합격자소서

현직 약사라는 전문성을 의약품 특허 전문 법관의 꿈으로 이어 나가 국민의 건강권을 균형적으로 달성한 법조인으로 기억되고자 ○○대학교 법학전문대학원에 지원하였습니다.

…(전략)… ○○년 마케팅 업무를 담당하면서 의약품 규제 법령의 중요성을 깨달았습니다. 약사 자격 취득 후 약사로서의 전문성과 저의 직업적 가치를 고민하였고, 국민건강에 직결되는 의약품 전반을 경험하고자 국내 매출 규모 2위 제약회사에 입사하였습니다. 약학 전공인 저에게 마케팅 업무는 생소하였으나 열정과 노력 덕분에 제가 담당한 여성 호르몬 제품은 연간 판매량을 발매 초기에 모두 달성하였습니다. 하지만 식약처 허가 담당자의 착오 때문에 출시 예정 신제품의 발매가 좌절되고, 광고 심의 강요로 인해 광고물을 전량 다시 제작하는 어려움을 겪으면서 의약품 규제 법령 숙지에 대한 필요성을 느꼈고, 식약처에서 주관하는 의약품규제과학전문가 과정을 수료하였습니다. 마케팅 부서의 유일한 약사 면허 소지자이자 의약품 규제를 이해한 자로서 허가 및 마케팅 부서의 모든 신제품 개발 회의에 참석하여 업무를 중재하고, 시장성을 고려하여 신제품 성분을 조정하는 역할을 전담하였습니다.

○○년 특허 분쟁으로 야기된 약 부족 사태를 겪으며, 의약품 특허 전문 법관이 될 것을 결심하였습니다. 보통 오리지널 약품 특허 기간이 종료될 즈음 복제약이 출시되는 경우가 많습니다. 국민의 건강을 폭넓게 보호하기 위해서는 값싼 복제약이 다양하게 출시되어야 합니다. 하지만 다국적 제약회사는 오리지널 약품의 추가적인 효능을 이용하여 특허 기간을 연장하는 ever-greening 전략을 시도하는 경우가 많았습니다. 대표적으로 Pfizer의 신경통 치료제인 Lyrica는 특허 기간이 종료되어 CJ, 삼진제약에서 복제약을 출시했으나 Pfizer는 곧바로 특허 소송에 돌입했습니다. 이 분쟁 때문에 신경통 환자 특히, 노인들의 고통이 극심하여 일선 약국에서는 고통을 못 견딘 노인 환자들의 난동이 있을 지경이었습니다. 저는 특허 분쟁 하나로 인해 많은 국민의 고통이 가중될 수 있고 건강권에 심각한 문제가 발생할 수 있음을 깨달았습니다. 신약 개발과 출시, 판매도 중요하지만, 특허 분쟁을 최종적으로 판단하는 특허법원의 역할이 국민 건강권을 최후방에서 지켜내는 곳이라 판단했습니다.

이에 저는 장래 의약품 특허 전문 법관의 꿈을 실현하기 위해 체계적 법률 실무 교육을 이수하여 약학과 법학 양 측면의 균형을 갖춘 전문가로 성장하기 위해서 ○○대 법학전문대학원에 지원하였습니다.

(2) 회계사가 법조인의 꿈을 가진 사례

스타트업의 가치를 수치화하여 종합적으로 관리해 시장가치를 높이고, M&A에 이르는 전 과정을 돕는 기업인수합병 전문법조인이 되고자 ○○대학교 법학전문대학원에 지원합니다.

영국에서 ○○○○○○와 관련된 사례 연구를 하면서 흥미로운 사실을 발견했습니다. 당시 ○○○○는 상용화시킨 제품이 없었지만, 기술력만으로 벤처캐피탈로부터 투자를 받아 ○○에 인수될 수 있었습니다. ○○은 회사의 핵심 인재를 보고 가능성을 발견해 그 해 ○○에서 인수한 회사 중 가장 높은 금액을 지불하였습니다. 이러한 시도는 이후 ○○○○ 분야에서의 성과로 이어질 수 있었습니다.

가능성만으로 M&A가 이루어질 수 있다는 점은 신선한 충격이었습니다. 그러나 인큐베이팅된 기업의 가치가 아무리 적절히 산정된다고 하더라도, M&A 상대방보다 규모가 작은 스타트업에는 위험의 소지가 존재했습니다. 간단한 자문조차도 쉽게 시도하지 못하는 스타트업은 적절한 대리인을 선임하지 못해, 계약 체결과정에서 불공정한 조건이 포함되더라도 이를 고려하지 못할 것이 우려되었습니다. 또한 매수기업도 스타트업 기업에 대한 가치산정에 있어서 불확실성이 존재할 것으로 생각했습니다.

이 생각에 이르러, 스타트업의 가치를 종합적으로 인큐베이팅하는 기업인수합병 전문법조인이 되기로 마음먹었습니다. 공인회계사 자격보유자로서 지닌 재무, 회계 전문성을 바탕으로 스타트업의 가치를 수치화하여 산정하고 법률적 리스크를 종합관리하고자 합니다. 이를 통해 기업이 가치를 제대로 평가받아 대등한 거래가 가능할 수 있도록 힘을 보태고 싶습니다. 국내 역시 유망한 기술력과 아이디어를 가진 스타트업의 인적자원이 존재하는데, 이들의 가치를 인정받을 수 있다면 훨씬 단기간에 성과를 거둘 수 있을 것입니다. 더 나아가 국내 기업뿐만 아니라 해외 기업과의 중개까지 다루며 경제적인 시너지를 창출하겠다는 청사진을 그렸습니다. 이를 통해 우리 기업의 글로벌 경쟁력 강화에 이바지하고 싶습니다.

이러한 꿈을 ○○대학교 법학전문대학원에서 시작하고자 합니다.

(3) 감정평가사가 법조인의 꿈을 가진 사례

합격자소서

특수부동산에 대한 갈등 상황에서, 부동산 감정평가사로서의 전문성과 연계 분야의 전문성을 결합하여 갈등상황을 중재할 수 있었습니다.

○○년, 특수부동산에 대한 갈등 상황에서 부동산 연계 부실채권 인수에 관한 보고서를 작성하였습니다. 당시 약 ○○○억 원 규모의 부실채권 묶음(NPL pool) 인수를 고민하던 투자회사 측은, 그중 가장 규모가 큰 ○○○억 원 규모의 ○○○○○의 가치 판단에 따라 인수를 결정하기로 하였습니다. 투자회사에서는 인수 여부에 대해 내부적으로 논란이 되자 이 부실채권의 가치 산정을 의뢰하였습니다.

저는 이 갈등을 해결하고자 전문적 평가를 시도하였습니다. ○○○○○의 가치를 산정하기 위해서는 ○○시설 인허가 내역, 벌금 부과내역, 사업장 인수 가능성, 사용 종료 시 이행내역 등 법적 규제사항과 행정처분 내역이 핵심이라고 판단했습니다. 부동산 고유의 특성을 검토할 뿐 아니라, 행정청과 변호사에 문의·자문하여 법적 규제사항에 대한 고려를 모두 반영한 가치 산정 보고서를 제출하였습니다. 그리고 투자회사는 이 보고서를 기반으로 적절한 부실채권 매수가격을 결정했고, 이것이 포함된 부실채권 묶음(NPL pool) 인수여부를 결정할 수 있었습니다. 결국 갈등상황은, 감정평가사로서 부동산에 대한 전문성과 부동산과 관련 행정청, 법조인의 전문성의 결합을 통해 해결할 수 있었습니다. 이러한 경험을 통해, 현직 감정평가사로서 가진 전문성에 더해 체계적 법률교육을 이수한다면 부동산 관련 분쟁에서 효율적 권리구제가 가능하다고 생각했습니다.

현직 감정평가사로서 가진 전문성에 더해 ○○대학교 법학전문대학원의 체계적 법률교육을 이수하여, 부동산 관련 분쟁에 전문성을 가진 법조인이 되겠습니다.

(4) 해외 법조 자격 보유자가 한국 법조인의 꿈을 가진 사례

○○ ○○○○을 ○○○○하여 ○년의 실무연수만 마치면 ○○○○로 인정받는 자격을 갖췄습니다. 또한 국내 ○○○○에서 소송과 판례를 연구하며 국내법 실무를 경험했고, 연 매출 ○○○조원 규모의 글로벌○○ ○○○○에서 일하며 국제금융거래 실무를 익혔습니다. ○○대학교 법학전문대학원의 체계적 법률교육을 이수해 국제금융거래전문 변호사가 되고자 합니다.

국제금융중심지인 ○○에서 금융○○ 학습을 했습니다. ○○○○법 과목의 모의조정의 '준거법 조항 분쟁'에서 ○○기업 대리인으로 참여하여 ○○과 상호협력적 경제활동을 해온 ○○은 외국법률을 판례에 적극인용하고, 계약의무를 원칙적으로 강제이행하지 않는다는 점을 들어 법원의 유연성에 따른 이점을 강조했습니다. 이에 ○○법으로 합의를 이끌어 위 과목에서 ○○을 받았습니다. 결국 국제거래는 대립하는 이해관계를 파악하고 문화적 요소를 고려한 국제 분쟁 해결임을 깨달으며 다양한 이해관계가 얽힌 국제거래분쟁 해결의 실천적인 역량을 길렀습니다.

○○○에서 일하며 한국 변호사가 될 것을 결심했습니다. 고객의 ○○○○거래법규 위반을 감독하고 ○○○○에 보고하는 사후관리를 수행하며 법규와 현실의 괴리감을 느꼈습니다. ○○○○거래법규는 투자자 위반행위의 경중과 관계없이 일률적으로 ○○○○만 원의 과태료를 징구하기에 한 건의 투자만으로도 수천만 원의 과태료를 부담하는 것이 비일비재합니다. 반복된 위반으로 ○○○○만 원 가량의 과태료를 납부함에도 법규에 대한 부족한 지식으로 사후관리에서 위규가 적발된 법인 사례를 관리하며 국제 금융거래는 규제법률이 많고, 투자기업의 상황에 따라 적용범위가 다를 수 있기에 법률조력이 필요함을 절감했습니다. 심지어 투자대상국의 법률규제도 적용되는 해외투자는 양국 법률의 충돌지점에 대한 법률적 판단까지도 필요했습니다. 이를 통해 우리 법 지식의 필요성을 느끼며 국내에서 법률을 자문하는 한국 변호사의 꿈을 키웠습니다. 한국에서 해외투자 자문을 수행하는 국제금융 전문변호사가 되고자 ○○ 대학교 법학전문대학원에 지원했습니다.

5. 수험 경험자의 자기소개서 사례

합격자소서

기업인사관리 전문 변호사가 되고자 ○○대학교 법학전문대학원에 지원했습니다. 대학생 때 일용직과 학원 아르바이트를 하며 근로자의 노동문제를 다수 경험했습니다. 학원장이 갑자기 학원을 매매하면서 소속 강사들의 고용 분쟁을 겪었습니다. 또한 일용직 노동 중 긴 노동시간에도 불구, 휴식시간을 부여하지 않고, 기업측이 대기시간과 휴식시간을 구별하지 않아 급여를 부당지급하는 등의 문제를 겪었습니다. 저는 기업의 탈법적 행위들을 경험하며 노무관계에 관심을 가졌습니다. 그리고 근로자의 편에서 그들의 어려움을 대변하기 위해 공인노무사 시험을 준비했고 1차 시험에 합격했으며 2차 시험을 준비했습니다.

노동법에서 정리해고 판례를 학습하며 기업인사관리 변호사가 될 것을 결심했습니다. 공인노무사 2차 시험에서 사례형 답안 작성을 하면서 정리해고 관련 판례를 다수 학습했습니다. 저는 기업의 경영상 필요에 따른 해고, 즉 정리해고가 기업이 노동자의 권리를 침해하는 악한 행위라고 생각해왔습니다. 실제로도 우리 법원은 근로기준법 제24조 제1항의 급박한 경제적 필요와 긴박한 경영상 필요에 대해 "인원삭감을 하지 아니하면 기업이 실제로 도산이 우려되는 등"으로 판시했습니다. 그러나 최근 판례에서는 현재의 합리적 필요를 넘어 장래의 경영위기를 대처하기 위한 인원 삭감도 객관적 합리성이 인정될 수 있다고 판시했습니다. 이를 보며, 기업의 파산과 장기적 존속이 어려워진다면 근로자의 권리도 존재할 수 없다는 것을 깨달았습니다. 그리고 노무관계가 반드시 기업 혹은 근로자 일방의 문제가 아니라, 쌍방의 권리가 복잡한 현실상황에 적용되어 발생하는 문제라는 결론에 도달했습니다. 이에 저는 기업인사관리 변호사가 될 것을 결심했습니다.

수험법학 공부법을 체화했습니다. 방대한 학습량을 장기간에 걸쳐 누적하고, 이를 객관식과 주관식 시험에서 중요도에 따라 성적으로 전환하는 방법을 직접 경험하며 익혔습니다. 특히 사례형 답안을 준비하며, 공인노무사 시험은 물론 변호사 시험과 변호사 모의시험, 5급공채 등의 시험을 전부 직접 기출분석했고, 각 시험과목에서 기출되는 내용이 반복, 변형 출제되는 것을 알았습니다. 또한 방대한 공부량을 소화하기 위해 목차 중심 학습을 통해 기본서와 쟁점, 판례를 단권화함으로써 시험 전까지 학습량을 압축해가는 수험대비법을 체화했습니다. 이를 바탕으로 변호사 시험에 초시합격해 변호사의 꿈을 이루겠습니다.

노무 전문 변호사로 활동하고자 ○○대학교 법학전문대학원에 지원했습니다. 공인노무사 시험을 준비하며 노동 문제는 현실적인 권력 관계를 반영하고 있으며, 노동자와 사용자의 법률관계를 조력함으로써 현실적 권력 관계의 균형을 실현할 수 있다고 생각했습니다. 저는 노무 관계를 법률 조력하여 힘의 균형을 실현하는 구속력 있는 판결을 적극적으로 이끌어 낸 변호사가 되고 싶습니다.

공인노무사 시험 준비 중 사회보험법을 학습하며, 노무 전문 변호사가 될 것을 결심했습니다. 사회보험법에서 출산아의 선천성 질병이 업무상 재해에 포섭될 수 있다는 판례를 접했습니다. 이 판례에서, 산업재해보상보험법 제5조 '업무상의 재해는 업무상의 사유에 따른 근로자의 부상·질병·장해 또는 사망을 말한다.'라는 법조문의 정의를 보았습니다. 임신 중 작업환경의 유해요소에 노출되었던 원고에게 불리한 원심의 판결을 심적으로는 수긍하고 싶지 않았으나, 이 법문을 적용할 경우 원심의 판단을 바꾸기 어렵겠다고 판단했습니다. 그러나 판례 원문을 읽어보니 해당 법문에 제한되지 않고 대원칙인 헌법으로 돌아가는 등으로 담당 변호사가 적극적인 노력을 하여 판례를 바꾸었음을 알았습니다. 저는 이를 보며, 노무사는 정해진 법률을 적용하는 행정절차를 담당할 뿐이며, 새로운 해석을 할 수 없음을 깨달았습니다. 저는 이 깨달음을 통해 노동법의 보호 범위를 넓혀, 더 많은 노동자의 권리를 지킴으로써 사용자와 근로자 간의 권력 관계의 균형을 실현하는 역할을 할 수 있기를 희망하게 되었습니다. 그리고 노무 전문 변호사로 성장하고자 ○○대학교 법학전문대학원에 지원했습니다.

2025학년도 법학전문대학원 입학 대비 최신개정판

해커스

김종수
로스쿨 면접

200주제

3권 | 기출&자소서편

개정 3판 1쇄 발행 2024년 7월 26일

지은이	김종수
펴낸곳	해커스패스
펴낸이	해커스로스쿨 출판팀

주소	서울특별시 강남구 강남대로 428 해커스로스쿨
고객센터	1588-4055
교재 관련 문의	publishing@hackers.com
학원 강의 및 동영상강의	lawschool.Hackers.com

ISBN	3권: 979-11-7244-223-1 (14360)
	세트: 979-11-7244-220-0 (14360)
Serial Number	03-01-01

로스쿨교육 1위,
해커스로스쿨 lawschool.Hackers.com

Ⓗ 해커스로스쿨

- 해커스로스쿨 스타강사 김종수 선생님의 **본 교재 인강**(교재 내 할인쿠폰 수록)
- 기출문제에 대한 상세한 설명을 담은 **2024~2016 면접 기출문제 해설&보충자료**

주간동아 선정 2023 한국브랜드만족지수 교육(온·오프라인 로스쿨) 부문 1위